L'AUSTRALIENNE

Nancy Cato

L'AUSTRALIENNE

Roman

Traduit de l'anglais
par Brice MATTHIEUSSENT

FRANCE LOISIRS
123, boulevard de Grenelle, Paris

Édition du Club France Loisirs, Paris,
avec l'autorisation des Presses de la Renaissance

Titre original : All rivers run, publié par St. Martin's Press, New York.

© 1958-1959-1962 by Nancy Cato.
© 1978, by Nancy Cato (St. Martin's Press editions).
© 1984, Presses de la Renaissance pour la traduction française.
ISBN : 2-7242-2047-1

PROLOGUE

Près des sommets des Alpes australiennes, un ruisseau naît puis se faufile, invisible sous la neige ; on l'entrevoit parfois à travers un trou aux ombres bleutées, entre les ponts de neige fondante. Plus large et plus profond, il tourbillonne ensuite autour des rochers, écume dans les rapides, bondit en cascades, avant d'atteindre les plaines, fleuve majestueux au cours régulier.

Des affluents venant du sud, de l'est et du nord l'ont maintenant rejoint, drainant un énorme bassin. Les eaux de la Murray contiennent, paraît-il, des échantillons de toutes les substances minérales et organiques du monde, de l'or et de l'argile, du charbon et du calcaire, des cadavres et des poissons morts, des arbres foudroyés et des bateaux pourrissants.

Comme si le temps y avait dissous la vie : toujours lointaine, pourtant sans cesse renouvelée ; infiniment multiple, mais éternellement identique. Gagnant en complexité au fil de ses pérégrinations, le fleuve est devenu vieux et léthargique aux abords de la mer. Coulant à peine, le courant se perd en méandres, en lacs immenses, en bras sablonneux qui se jettent vers les brisants de Goolwa Beach, vers les longs rouleaux de l'océan.

La petite ville de Goolwa s'est développée dans la dernière courbe, lente et paresseuse, du vaste fleuve. Les anciens bâtiments, construits avec le calcaire local, ont pris la même couleur que les collines basses avoisinantes, brûlées de soleil. Le fleuve s'étend au-delà de l'embarcadère désert qui tombe en ruine. Quelques vieux bateaux à aubes ont été transformés en maisons flottantes ou reposent sur la vase, gîtant de manière incongrue.

On peut passer une bonne douzaine de fois par la ville de Goolwa sans se douter de la proximité de la mer et de l'estuaire de la Murray, perdue dans son labyrinthe de collines sablonneuses. Puis, par un jour de vent du sud ou une calme nuit du milieu de l'été, on distingue un tonnerre étouffé, un faible rugissement à peine audible. C'est la voix de la mer.

Le fleuve est apaisé. Sur sa sombre surface polie se reflète l'éclat de la Croix du Sud, et le tonnerre incessant de la barre accentue l'impression de tranquillité, imprégnant le silence de son immortelle rumeur.

Désormais, tout est unifié, le ruisselet sous la neige, la cascade, le torrent de montagne, la rivière aux eaux vives ; et le fleuve, sentant l'approche de sa dissolution finale, semble dire : « La mort n'existe pas : ma fin est aussi mon commencement. »

Livre premier

LE FLEUVE INDOMPTÉ

Les étoiles luisent et n'interrogent point. Il suffit que la vie et la mort, la joie et la souffrance demeurent ; la cause et la succession, le passage du Temps et la marée incessante de l'Être qui, toujours changeant, s'écoule avec la permanence d'un fleuve...

Edward ARNOLD, *La lumière de l'Asie.*

1

Une mince fumée blanche s'élevait avant de s'évanouir dans un espace d'un bleu pâle exquis. De l'encens, pensa-t-elle. Ce doit être le paradis, ce bleu infini.

Pourtant, son corps semblait toujours présent. Quelque chose lui faisait mal — son nez ou sa gorge — et elle se souvenait de quelqu'un — était-ce elle-même? — qui toussait et vomissait. Sa poitrine était douloureuse.

Elle tourna la tête; un homme entra alors dans son champ de vision, un géant se dressant dans le ciel. Il avait beau porter une barbe, il ne ressemblait pas beaucoup à Dieu. Son visage rubicond, bienveillant, était à moitié dévoré par de sombres favoris poivre et sel. Sa poitrine était velue, au-dessus d'un pantalon bleu délavé roulé jusqu'aux genoux.

«Ça va mieux, fillette?» Le visage rubicond s'approcha du sien, puis sourit, dévoilant des dents brisées et tachées.

Elle essaya de lui rendre son sourire. «Oui, merci.» Quand elle entendit sa propre voix, le souvenir des événements récents la submergea comme une vague glacée, comme la vague qui l'avait précipitée dans la mer.

Elle s'était levée très tôt, avant l'aube, car c'était leur dernier jour de traversée. Le lendemain, ils devaient accoster à Melbourne, poser le pied sur le sol australien pour la première fois. Elle avait hâte de voir ce pays dont son père avait tellement parlé, où la sœur de sa mère s'était installée voici tant d'années.

La veille, elle avait aperçu la côte nord-ouest, basse, bleue, mystérieuse. Le soir, elle avait respiré l'odeur ténue, chaude et épicée de la brise de terre. Son père avait déclaré que le vent portait le parfum des arbres, des bosquets d'eucalyptus.

Ce matin-là, elle s'était réveillée de bonne heure, puis habillée tranquillement, afin de monter seule sur le pont, sentir pour la dernière fois le navire soulevé par la longue houle méridionale, tel un cheval courageux galopant sur les plaines maritimes.

Il faisait si noir que l'on voyait à peine l'écume blanche glissant contre la coque. Quelques rares étoiles brillaient, masquées de temps à autre par un banc de nuages se déplaçant en silence, selon un mouvement inexorable. Le vent sifflait dans les haubans, gonflant outrageusement les voiles. Grâce à la lueur fantomatique de la lampe de la timonerie, Délie apercevait l'homme de barre, et derrière lui l'officier de quart. Il n'y avait personne d'autre sur le pont, à l'exception de la vigie de proue.

La surface sombre de la mer se striait de lignes blanches à mesure que déferlaient les vagues d'étrave. Brusquement, la vigie poussa un cri strident : « Récifs ! Récifs droit devant ! »

L'officier de quart beugla un ordre, le timonier donna un violent coup de barre, mais le navire heurta le récif dans un grand fracas de bois éclaté. Les mâts s'inclinèrent comme des arbres dans l'ouragan, les planches se disloquèrent en craquant. Une énorme vague écumante explosa sur la poupe, submergea le navire en détresse.

Et elle, Délie Gordon, seule passagère sur le pont, avait été projetée par-dessus bord et engloutie par la mer glacée.

2

Dans un soubresaut accompagné d'un panache de vapeur sifflante, le petit train s'arrêta dans la gare obscure. C'était un train fort lent. Il avait bringuebalé et cahoté pendant la moitié de la journée et une partie de la nuit avant d'atteindre sa destination. Maintenant immobile, il semblait souffler de contentement ; la ligne de chemin de fer n'allait pas plus loin.

Le chef de train ouvrit violemment la portière. Exactement comme si la menue passagère restant à l'intérieur avait suffi à remplir le compartiment de nombreux voyageurs, il s'écria : « Cooma ! Cooma ! Correspondance avec la diligence de la montagne ! »

Elle réunit ses affaires : ses gants, le gros sac en toile plein de chaussettes, de mouchoirs et de jupes, une paire de chaussures de rechange, sa boîte de fruits et le *Ladies' Home Journal*; elle mit son nouveau chapeau de paille aux rubans noirs, que l'aimable avoué, un parfait inconnu, avait insisté pour lui acheter à Melbourne. « Ce n'est rien, mon enfant, vous me rembourserez avec l'argent de votre père quand vos affaires seront en ordre, si vous le désirez », avait-il déclaré avant d'ajouter une paire de gants et des chaussures.

Tout le monde avait été très gentil, incroyablement gentil. Elle se retrouvait maintenant avec un sac plein de vêtements offerts par Mme Brownlow, une dame qui l'avait accompagnée jusqu'à Goulburn, où elle avait changé de train : elle lui avait même donné une de ses robes (beaucoup trop longue) et une montre de voyage. Quoique bien intentionnée, la sympathie dont l'avait entourée Mme Brownlow avait été passablement étouffante. Délie Gordon avait eu plaisir à se retrouver enfin seule. Mais maintenant, elle commençait à s'inquiéter. Tout était sombre et inconnu ; elle espérait que son oncle l'attendait à la gare.

Découvrant le visage menu et livide de sa dernière passagère, le chef de train abandonna tout formalisme pour adopter un ton paternel. « Donne-nous ton billet, ma chérie, dit-il. Et passe-nous ce gros sac. Tu n'as rien oublié ? Tu as bien regardé sous le siège ? Parfait, allons-y. »

Elle le suivit dans le vent glacé. Deux lampes carrées éclairaient faiblement la petite gare. Un homme de grande taille, moustache tombante et barbe noire, s'avança vers elle. Il portait un manteau qui lui battait les mollets, et un chapeau de feutre à larges bords.

« Mademoiselle Philadelphia Gordon ? demanda-t-il.

— Vous êtes son oncle ? s'enquit le chef de train. On m'a donné l'ordre de l'accompagner jusqu'à un certain M. Charles Jamieson, de Kiandra.

— Parfaitement. C'est moi, et merci bien.» Discrètement, le chef de train reçut une pièce dans la paume de sa main.

«Comment vas-tu, mon enfant?» L'homme de grande taille se pencha pour l'embrasser sur la joue; ses favoris la chatouillèrent. Elle répondit par un sourire timide. Charles Jamieson n'était son oncle que par alliance, mais c'était le premier parent qu'elle rencontrait, quasi son seul parent, dans cet étrange pays inconnu.

Surpris, il baissa les yeux vers elle. «Ainsi, tu es bien Philadelphia! Moi qui m'attendais à une... *petite* fille.

— Oh, mais j'ai presque treize ans, mon oncle! Et puis je suis grande pour mon âge. Maman dit...» Elle se troubla, tandis que les larmes, jusque-là retenues par la tension du voyage, commençaient à mouiller ses yeux. «Ma... maman disait toujours que j'avais poussé trop vite.»

Il posa le sac à terre, plaça la main de sa nièce sur son bras et la caressa de son autre main. «J'espère que tante Hester sera une nouvelle mère pour toi, ma chérie. Je... nous sommes si ravis de te voir. Mais il va falloir qu'on te remplume un peu. Ta tante est une excellente cuisinière.»

Elle fut heureuse qu'il n'ait pas évoqué le naufrage, sujet qu'elle-même ne pouvait aborder sans fondre en larmes. Sur le chemin de l'hôtel, elle lui parla de son voyage à partir de la côte sud jusqu'à Melbourne avec un convoi de chariots, de son ami le marin qui l'avait sauvée, elle, le seul survivant parmi tous les passagers; mais elle ne mentionna pas les jours terribles passés sur la plage, et pas davantage les formes sombres mollement ballottées dans les vagues, dont elle rêvait encore.

Quand ils sortirent de l'abri de la gare, le vent bondit à leur rencontre. L'air était froid, sec et piquant; il traversait le manteau qu'on lui avait prêté. L'hôtel s'appelait *Les Armes australiennes*, remarqua-t-elle avec un léger pincement d'inquiétude.

«Nous ferions bien d'aller nous coucher tout de suite, car la diligence d'Adaminaby part à six heures demain matin», dit son oncle.

On l'appela alors qu'il faisait encore nuit; ensommeillée,

elle s'habilla à la lumière de la bougie. Du thé, trop chaud pour qu'elle pût le boire, et des toasts grillés tartinés d'une bonne couche de beurre salé constituèrent le petit déjeuner. Elle dormait encore à moitié en montant dans la diligence éclairée.

Des essaims d'étoiles brillaient dans le ciel nuageux. Des ombres énormes semblaient se dresser, bouchant l'horizon. L'atmosphère même donnait une impression d'altitude, l'air immobile était d'un froid perçant.

La diligence bondit en avant. Réveillée par la fraîcheur de l'air, Délie sentit brusquement l'excitation sourdre dans sa gorge. Comme elle aimait partir en voyage, n'importe où, dans la lumière mystérieuse de l'aube!

«Parlez-moi de votre mine d'or, oncle Charles», dit-elle. Il fallait bien se montrer sociable.

«Eh bien...» Il regarda d'un air méfiant les trois autres passagers, des hommes aux traits rudes, aux favoris en bataille, emmitouflés dans plusieurs couches de vêtements informes. Puis il dit à voix haute: «On ne peut pas appeler ça une mine. Je me contente de prospecter l'ancien filon de Kiandra. Le meilleur est parti il y a des années. De temps en temps, je trouve un peu de minerai de couleur, mais ça ne vaut pas le mal que je me donne.» Après quoi il tourna la tête en lui adressant un clin d'œil appuyé.

Sans très bien comprendre ce que cela signifiait, elle poursuivit: «Et les montagnes? Y a-t-il plein de cimes neigeuses, très hautes, comme en Suisse?

— Alors comme ça, tu connais la Suisse?

— Non, mais mon père m'a envoyé une carte postale du Cervin juste après avoir grimpé jusqu'au sommet. 4 478 mètres!... Mon père nous emmenait souvent faire de l'escalade dans le nord de l'Angleterre. Il a promis de nous emmener...» Elle se troubla, les larmes envahirent ses yeux. Désormais, il n'y avait plus de *nous*; elle était seule.

Il tapota sa main. «Un jour, je t'emmènerai en haut d'une montagne, mais elles sont loin de Kiandra. Ce matin, tu verras le mont Kosciusko.»

Elle serra sa main, lui manifestant gauchement sa gratitude: il n'avait pas essayé d'exprimer verbalement sa sympathie pour l'orpheline. Il baissa tendrement les yeux vers elle. «Hier soir, je n'ai pas eu l'occasion de bien te voir. Ah, des yeux bleus... et des cheveux noirs! Exactement la petite fille dont j'ai toujours rêvé.

— Ils ne sont pas vraiment noirs, ils sont châtain très foncé. Vous n'avez pas de fille?

— Non, nous n'avons qu'un garçon, qui va sur ses quinze ans. Je... nous avons toujours voulu avoir une fille, mais sans résultat. Comme ta mère te l'a certainement dit, ta tante a des problèmes de santé. J'ai été très content d'apprendre que tu venais nous rejoindre, Philadelphia.

— On... d'habitude, on m'appelle Délie, vous savez. Mon prénom est si difficile à prononcer.» Sa mère ne l'appelait Philadelphia que lorsqu'elle n'était pas sage.

«Bon, va pour Délie. Ton prénom vient de la ville d'Amérique du même nom? Adam, bien sûr, tire son nom de la Bible.

— Oui, mon père a toujours rêvé d'aller aux États-Unis avant de se décider pour l'Australie. Adam est-il grand pour son âge? Est-il très intelligent? Moi, je ne suis pas bonne en arithmétique.

— Oui, c'est un grand garçon. Il obtient de bons résultats, mais tous ses maîtres disent qu'il pourrait mieux faire s'il se donnait plus de mal. Il est un peu rêveur, il oublie facilement ce qu'il apprend; et puis il a toujours le nez dans un bouquin.

— Cela me rappelle ce que mes maîtres disaient de moi.» Sous ses sourcils bien dessinés, elle lui lança une œillade amusée. Elle avait de grands yeux d'un bleu profond, trop grands pour son mince visage pâle aux traits réguliers. Elle se tourna vers la fenêtre de la diligence, couverte d'une humidité qu'elle frotta de la paume de son gant. Le soleil jaune clair venait de se lever au-dessus d'une barre de nuages indigo, illuminant le ciel. La lumière tombait, froide et limpide, sur une succession de chaînes montagneuses bleu foncé, dont les vagues s'étageaient vers le nord et l'est. Aux abords de la route, les collines s'élevaient progressivement; derrière elles apparut une montagne couronnée de neige.

«Voilà le Kosciusko! Regarde», dit oncle Charles, comme s'il lui présentait un vieil ami.

Elle resta silencieuse, bouche bée, mais la montagne disparut bientôt derrière les courbes des collines. La claire lumière dorée venant de l'horizon, le bleu foncé des chaînes lointaines, leurs formes rythmées, harmonieuses, tout l'emplissait d'une douce exaltation, d'un obscur désir de créer... quelque chose, mais elle ne savait quoi. Une bouffée soudaine de joie sauvage monta en elle.

La journée touchait à son terme quand ils arrivèrent à Adaminaby. A l'hôtel, elle dévora son dîner : une épaisse soupe de pommes de terre, un steak braisé garni d'oignons, une tranche de rosbif et un dessert. Après quoi elle s'adossa à sa chaise, montrant un visage rayonnant à son oncle qui l'observait avec un étonnement feint.

«Eh bien ! s'écria-t-il. Pour une surprise, c'est une surprise. Ça alors, je n'y aurais pas cru. Si on m'avait dit : "Charles, ce petit bout de chou mange comme quatre", j'aurais probablement répondu : "Balivernes, elle se nourrit uniquement de glands et de rosée." Mais voir, c'est croire. Ça va mieux ?

— Je me sens très bien, oncle Charles. J'espère que vous ne me prenez pas pour une gourmande. Cela fait une éternité que je n'ai pas eu aussi faim.»

Il sourit. «Ça me fait plaisir de te voir manger, mon enfant. Veux-tu que nous allions nous asseoir au coin du feu ? Et accepteras-tu une liqueur pour couronner ce festin ?

— Oh, euh,... oui, bonne idée», dit-elle, sans trop savoir ce qu'était une "liqueur".

«Parfait. Seulement, n'en parle pas à ta tante», dit-il avec un clin d'œil. Oncle Charles plaça dans la main de Délie un verre minuscule, dans lequel brillait un liquide couleur émeraude.

«Oh, merci !» dit-elle, et immédiatement son esprit entama un étrange commentaire silencieux : *Oh, merci beaucoup, dit-elle, en prenant la coupe en cristal que lui tendait Sir Mordred. A Dame Délie, déclara le chevalier, et, la regardant dans les yeux, il vida d'un trait sa coupe, puis la lança sur le sol, où elle explosa en mille fragments...*

Le feu était chaud, chaud et rouge. Le breuvage était chaud et vert, comme un feu vert. Elle se sentait bien au chaud, au-dedans comme au-dehors. Dans... Dans un nid douillet...

«Oh !» fit-elle, tandis que le verre vide glissait de ses doigts

pour rouler sur le tapis ; sa nuque se raidit douloureusement.
« J'ai sommeil.

— Oui, il est temps d'aller se coucher. Manger, boire et
dormir, car demain... nous serons à la maison ! Et nous mangerons tous du pâté de langue, matin, midi et soir. »

Débordant de joie et passablement éméché, Danny le
facteur sortit du bar. « On dirait que ça va être le dernier
voyage de la saison, Charlie, dit-il. Il va encore neiger. »

La wagonnette, seul moyen de transport pour rejoindre
Kiandra, attendait au bas des marches de la poste d'Adaminaby. Elle était chargée de provisions grâce auxquelles l'avant-
poste des chercheurs d'or passerait l'hiver. En effet, dès que les
congères couperaient les routes, Kiandra serait isolée du reste
du monde.

Danny lança le sac du courrier dans la wagonnette, monta
et prit les rênes. « Départ du courrier ! s'écria-t-il. Tout le
monde en voiture ! » Il fit claquer son fouet sur le dos des
chevaux, qui commencèrent à gravir la colline.

Dans le ciel bleu dégagé, la lumière du petit matin inondait
Adaminaby. Quand ils franchirent la crête, Délie bondit de
son siège en poussant un cri qui sortit de leur torpeur les
passagers les plus imbibés de rhum. A côté de la route, une
vallée profonde tombait à pic ; sur l'autre versant une herbe
encore brûlée par la sécheresse de l'été couvrait les collines
basses. Au-delà, s'élevaient des chaînes successives de
montagnes bleues, striées, veinées et couronnées de neige. A
cause de l'air diaphane, elles semblaient proches, quoique
inaccessibles dans leur pureté intangible.

« Les montagnes neigeuses », dit son oncle.

Muette de stupeur, Délie regarda, jusqu'à ce qu'ils pénètrent
dans une forêt d'immenses sorbiers qui masquèrent les montagnes.

Ils firent une halte pour manger et reposer les chevaux, puis
la wagonnette serpenta dans une neige plus profonde. Enfin,
tard dans l'après-midi, ils arrivèrent à Kiandra, ancienne ville
minière à laquelle les maisons sans toit et les cheminées d'où
ne sortait aucune fumée donnaient un air mélancolique et
désolé.

Son oncle prit le sac de courrier à Danny, puis aida une Délie frigorifiée, aux membres gourds, à descendre dans la neige. Il la guida vers une petite maison en bois — presque une hutte, songea Délie — qui se dressait derrière les piquets d'une clôture. Il poussa la porte d'entrée, puis déposa le sac du courrier et celui de Délie à l'intérieur. «Hester! Nous sommes là!» annonça-t-il.

Au bout d'un moment, une femme de taille et d'âge moyens, portant d'épaisses jupes sombres, arriva d'un pas alerte dans le couloir qui divisait la maison.

«Tu n'as pas entendu la diligence arriver? demanda Charles, un peu vexé.

— Bien sûr que si, mais je ne peux tout de même pas laisser le dîner brûler, non? Cette enfant est à moitié morte de faim, je suppose?»

Il déposa un chaste baiser sur la joue de sa femme.

«Ta nièce, dit-il solennellement. Miss Philadelphia Gordon.

— Philadelphia! Comment Charlotte a-t-elle bien pu choisir un nom aussi incongru...

— C'est mon père qui l'a choisi!

— ... enfin, bienvenue à Kiandra, mon enfant — dans ce trou perdu, glacé, ravagé par l'alcool!» Elle se pencha pour embrasser la joue de Délie. L'extrémité de son nez était froide et pointue.

Je ne l'aime pas, pensa aussitôt Délie.

De ses petits yeux noirs perçants, sa tante la dévisagea. Cette femme était-elle vraiment la sœur de sa belle et blonde mère? Délie chercha en vain une ressemblance puis, prenant conscience du silence qui régnait, comprit qu'elle devait dire quelque chose.

«Merci, tante Hester. C'est très aimable à vous de m'accepter dans votre maison. Je... j'essayerai...», et à sa grande surprise elle éclata en sanglots.

«Allons, mon enfant; tu dois être épuisée. Viens te réchauffer près du feu.»

Après le dîner, Délie alla ranger ses vêtements dans la chambre minuscule donnant dans la cuisine. Une étroite banquette était couverte de draps immaculés et d'un édredon blanc. Dans un coin, se trouvait une commode sur laquelle était posé, presque honteusement, un petit miroir piqué par l'humidité.

Délie écarquilla les yeux en y découvrant son reflet. Les bouleversements récents avaient été trop nombreux. Cette fille dans le miroir, avec ses grands yeux cernés, était-ce vraiment elle — Philadelphia Gordon — quelque part dans les hautes montagnes d'un pays inconnu?

La voix de sa tante la rappela à la réalité.

« Tu as sans doute été habituée à beaucoup mieux, dit Hester, entrant en coup de vent avec une brique chaude enveloppée dans une pièce de flanelle pour réchauffer le lit. Inutile de me dire que Lottie a fait un meilleur mariage que moi. Si mon garçon va à l'école, c'est grâce à mon travail à la poste; sinon, son père nous laisserait mourir de faim — il passe tout son temps à vagabonder à la recherche d'un or inexistant. »

Elle termina ce discours par un reniflement réprobateur.

D'un ton moins âpre, elle ajouta: « Pauvre Lottie! Et toi, mon enfant — orpheline à douze ans seulement! Oh, ils dorment sans doute dans les bras de Jésus. Nous devons nous souvenir de cela, et ne pas nous affliger. »

Délie eut un mouvement de recul devant le bras osseux qui entoura ses épaules. Sa mère dormait dans la mer froide et verte; son père ainsi que tous ses frères et sœurs reposaient au sommet d'une falaise solitaire, à jamais bercés par le bruit de l'océan. Tous les passagers, le gentil capitaine Johannsen et le second, l'ami de Délie, s'étaient noyés comme des rats dans un tonneau.

S'écartant de tante Hester, elle prit sur le lit son chapeau de paille aux rubans noirs, et le posa sur la commode.

« Quel dommage que ta robe soit marron, ma chérie — mais suis-je bête, comment pouvais-tu prévoir que tu aurais besoin d'une robe noire? Bon, pour l'instant, tu porteras un bandeau de crêpe au bras. Car n'oublie pas que tu es toujours en deuil.

— Je croyais que vous aviez dit qu'il ne fallait pas s'affliger, ma tante? »

Hester la regarda fixement. « Serais-tu une petite effrontée, par hasard? On porte *toujours* le deuil pour les parents proches, comme tu le sais certainement. Maintenant, je voudrais que tu me dises une chose.»

Elle marqua une pause et dévisagea Délie. «Hum... vous êtes restés seuls tous les deux, toi et ce... ce marin qui a survécu au naufrage; c'est du moins ce que j'ai cru comprendre en lisant la lettre que m'ont adressée les banquiers de ton père. Vous avez passé deux jours sur une plage. Où dormiez-vous?

— Dans une grotte. Vous savez, il y avait une grotte dans les falaises et...

— Dans la *même* grotte?

— Bien sûr. Il n'y en avait qu'une.» Délie était mal à l'aise. Elle aurait voulu que sa tante cessât de l'interroger.

«Hum.» De la main, tante Hester balaya un grain de poussière imaginaire sur la commode. «Est-ce que cet homme — tu dois tout me raconter, mon enfant — t'a ennuyée d'une façon ou d'une autre?

— Ennuyée?» répéta-t-elle sans comprendre. Son père avait été un médecin aux idées avancées pour tout ce qui touchait à l'éducation de ses filles, et Délie connaissait assez bien les mécanismes de la reproduction. «Tante Hester, Tom a été extrêmement gentil... Il a été très bon avec moi, et il s'est magnifiquement occupé de moi, en vrai gentleman. Il semble terrible avec ses gros favoris noirs, ses dents brisées, ses tatouages et tout. Mais il est doux comme un agneau. Sans lui, je serais morte, moi aussi.»

Sa lèvre inférieure se mit à trembler. Elle la mordit de toutes ses forces.

Hester répondit sèchement: «Eh bien tant mieux, je suis soulagée. Mais je peux dire que tu as eu beaucoup de chance de tomber sur un homme pareil. *D'autres*...», ajouta-t-elle insidieusement. «Maintenant, je te laisse te coucher. Le pot de chambre est sous le lit. Si tu veux aller derrière la maison n'oublie pas de mettre les bottes en caoutchouc qui sont près de la porte.

— Merci, ma tante. Bonsoir.»

Elle sortit et Délie s'assit sur le lit, submergée de solitude et d'accablement. Si seulement son cousin Adam était là! Si seulement un de ses frères et sœurs, juste un, avait été épargné

pour partager avec elle cette nouvelle existence! Elle essaye-
rait d'être très gentille, de gagner l'affection de sa tante. En
oncle Charles, elle savait qu'elle possédait un allié.

3

BANG!
«Philadelphia! Qu'as-tu encore cassé?
— Juste un... juste le vieux bol jaune, tante.»
Sortant du bureau de poste, Hester se précipita dans le
couloir, ses yeux noirs étincelant de colère. «C'est la troisième
chose que vous brisez cette semaine, mademoiselle. Ma belle
tasse blanche avec sa soucoupe, et maintenant mon bol
préféré. Vraiment!
— C'est la deuxième, tante Hester. Il n'y a pas eu de troisième.
— La tasse, PLUS la soucoupe, PLUS le bol. Une tasse et
une soucoupe sont deux choses différentes. J'avais ce bol
depuis mon mariage, tu sais!
— Je suis terriblement désolée. J'avais les mains mouillées,
il m'a glissé entre les doigts.
— Apparemment, tout glisse entre tes doigts. Je n'ai jamais
vu des mains aussi maladroites. Dorénavant, je t'interdis de
faire la vaisselle. Pour compenser, tu m'aideras davantage à la
cuisine.»
Délie fut ravie. Elle détestait s'occuper de la vaisselle ; cuisiner lui semblait plus intéressant. Sa tante était un véritable
cordon bleu qui préparait des plats appétissants à partir de
produits maison, du lapin en gibelotte par exemple. Délie avait
fait remarquer innocemment qu'elle n'avait pas encore goûté
au pâté de langue, pour ensuite s'interroger sur les clins d'œil
entendus et les furieux hochements de tête de son oncle, tandis
que tante Hester demandait si elle croyait que la langue de
bœuf tombait du ciel!
Un soir, son oncle lui rapporta quelques belles pierres,
jaunes, rouges et orange, ramassées en cherchant de l'or. Elle
les baptisa «pierres de craie» car elles étaient assez tendres

pour qu'on pût dessiner avec. Quand la table de la cuisine fut dégagée, elle supplia Hester de lui donner une feuille de papier, puis commença à dessiner un splendide coucher de soleil. Elle était entièrement absorbée par son travail. La feuille de papier n'était pas assez grande pour ce qu'elle avait en tête ; elle la retourna donc et se mit à dessiner de l'autre côté. Les traits dépassaient parfois les bords de la feuille, laissant une marque sur la table blanche. Un moment, elle fut parfaitement heureuse.

Elle ne s'attendait nullement à l'orage qui éclata le lendemain matin. Hester pâlit en découvrant «l'état lamentable» de sa table, dont la blancheur immaculée faisait sa fierté. La tête basse, Délie frotta et récura les taches de couleur. Elle ne comprenait pas la colère de sa tante, mais elle était ennuyée ; elle détestait que les gens lui reprochent quelque chose, et apparemment tout ce qu'elle faisait agaçait sa tante.

La wagonnette avait cessé de faire la navette jusqu'à Adaminaby. A la place, Danny venait une fois par semaine à skis. Son visage rond rayonnait de gaieté sous sa casquette de laine. Il déposait près du feu le sac du courrier scellé à la cire rouge. On attendait qu'elle dégelât pour défaire le nœud et ouvrir la toile raidie par le froid.

En milieu de trimestre, une lettre d'Adam arriva. Hester fondit en la lisant, tout comme le sac avait fondu près du feu, perdant ses angles saillants et s'amollissant progressivement.

«Ma chère Maman,
«Je vais bien, il n'y a rien de neuf à l'école. Nous avons eu de la grêle et les matinées sont très froides, mais pas de neige, malheureusement ! Avez-vous déjà eu de nombreuses chutes de neige ? J'imagine parfaitement les pentes toutes blanches étincelant autour de la maison, et Père sortant les skis pour les farter... A propos, ne laissez pas ma nouvelle cousine se servir de mes meilleurs skis, elle les abîmerait certainement...»

«Il écrit de si bonnes lettres», dit sa mère, aux anges, sans remarquer la grimace de Délie, due à l'allusion désobligeante à la «nouvelle cousine».

Délie était bien décidée à retourner à l'école ; quand elle

aurait touché son héritage, elle serait indépendante. Déjà, elle bâtissait des châteaux en Espagne. Elle se voyait installée dans la grande métropole de Sydney, stupéfiant tous les citadins par ses talents : danseuse étoile ou actrice tragique, elle n'avait pas encore choisi, mais elle passait beaucoup de temps à poser et virevolter devant le miroir.

Elle s'imaginait parfaitement dans ces rôles glorieux, même quand elle pataugeait dans la neige pour vider le seau de la cuisine. Si seulement elle pouvait aller skier sur les collines ! Elle en parla à son oncle.

Charles lissa ses moustaches tombantes. « J'ai une idée. Je vais fabriquer une paire de skis pour toi. Il me reste du bois sec. Je m'en occuperai la semaine prochaine.

— Oh, merci beaucoup, oncle Charles ! »

Mais la semaine suivante, Charles reporta la fabrication des skis à la semaine d'après. C'était une habitude chez lui : Hester devait le harceler pour que la corbeille de bois fût toujours pleine.

« Demain », répondait-il doucement, quand elle lui disait d'aller chercher du bois dans les collines.

« Pas demain, *tout de suite* », aboyait sa femme en se retournant vers lui, alors qu'elle suspendait la grosse bouilloire noire dans la cheminée. Cette fois, il ferma vivement *La Gazette du Monde*, où il s'extasiait devant une gravure représentant des beautés polynésiennes sommairement vêtues.

« Bon, bon, j'irai cet après-midi. Délie peut venir avec moi.

— Je veux que Délie m'aide à préparer le dîner », rétorqua immédiatement Hester. Elle avait surpris le regard que Charles portait parfois sur la jeune fille — bien sûr, ce n'était qu'une enfant, mais elle deviendrait magnifique quand elle serait formée, avec sa peau blanche et délicate, ses yeux bleu foncé contrastant avec ses cheveux sombres. Et puis il y avait déjà de la passion dans ses lèvres pleines, de la détermination dans ses sourcils noirs et droits... Hester regrettait presque qu'Adam rentrât à la maison pour les vacances de printemps.

Adam devait arriver avec la première wagonnette de la nouvelle saison, qui apporterait tout ce dont la ville manquait : légumes frais, bougies, pétrole, allumettes à bout rouge, laine à tricoter, aiguilles, rouleaux de flanelle et de tiretaine, pioches et pelles neuves — chaque année, c'était comme un siège qu'on levait.

Délie aida Hester à préparer la chambre de son fils. La pièce se trouvait en face du salon, de l'autre côté du couloir central. Sur le devant, il y avait la chambre à coucher des parents d'Adam, et le bureau de poste. A l'arrière de la maison, la cuisine donnait dans la petite chambre de Délie et dans la salle de bains, où, une fois par semaine, on versait de l'eau chaude dans un tub pour les bains de la famille.

Dans ses rêves éveillés, Délie traitait son cousin avec mépris et hauteur, alors que lui serait ébloui par son intelligence et sa beauté à elle. Elle s'était fait une image bien précise de ce cousin-là : une version masculine de tante Hester, un garçon désespérément banal, doté d'un teint rubicond et d'épais cheveux noirs, de traits rébarbatifs et d'une voix dépourvue de charme.

Avant l'arrivée d'Adam, Hester la prit à part pour lui dire qu'elle était maintenant «une grande fille».

«Surtout, n'oublie pas, quand Adam sera là, plus question de te déshabiller près du poêle avant le bain.

— Bien, tante Hester.

— Bientôt tu seras une jeune fille ; nous devrons allonger tes jupes et te trouver une coiffure. Souviens-toi que les jeunes filles doivent montrer de bonnes manières et de la modestie. L'autre jour, je t'ai vue monter au sapin ; ce sont les garçons qui font ça.

— Mais mon père m'emmenait souvent faire de l'escalade dans les montagnes...

— Il n'y a pas de mais. C'est totalement différent maintenant. Autre chose encore : tu vas connaître un changement dans ta vie, un certain changement dans — euh — dans ton corps. Tu n'as aucune raison de t'inquiéter. Toutes les filles de ton âge passent par là.

— Ah oui, vous voulez parler des règles ?

— Vraiment Philadelphia ! Ce n'est pas un mot...

— Oh, mais je sais tout, poursuivit-elle avec entrain. Mon père me prêtait ses livres de médecine. J'ai étudié un peu de physiologie avec lui. Je connais parfaitement l'anatomie féminine, l'utérus, le pelvis, les ovaires et tout. Tenez, un jour il a pratiqué une ovariectomie sur notre chienne qui avait sans arrêt des petits, il m'a laissée regarder. Et puis...

— Philadelphia Gordon ! Je ne veux plus jamais t'entendre parler de ces choses-là !

— Mais, ma tante, pourquoi ? Mon père disait que plus vite une fille sait à quoi s'en tenir, mieux cela vaut. Il disait que, si la nature avait bien fait son travail, elle se serait arrangée pour que les femmes pondent des œufs comme les oiseaux, et que...

— Ça suffit, mademoiselle ! Je n'ai pas la moindre envie d'écouter les blasphèmes de votre père, et je ne comprends pas que Charlotte vous ait permis de discuter de ce genre de choses. Une fille de douze ans ! Vraiment ! » Elle se tut, comme si les mots lui manquaient. Deux taches rouge vif coloraient ses joues.

Délie serra les lèvres d'un air mutin. Elle considérait son père comme l'homme le plus intelligent de la terre ; quant à sa mère, malgré la réprobation qu'elle simulait en entendant les paroles de son mari, elle pensait comme sa fille.

Le lendemain, Hester resta allongée dans le salon, près du feu. Son « ancienne maladie », mystérieux mal féminin, s'était de nouveau emparée d'elle, et toute la matinée elle se plaignit du dos. Charles alluma le poêle pour elle, prépara une pile de bois près de la cheminée, puis déclara qu'il partait travailler et qu'il « la laissait tranquille ».

« Tranquille ! Comme s'il se passait jamais quelque chose dans ce trou perdu ! » La voix cassante monta d'un ton. « Surtout, ne t'inquiète pas pour moi ; tu me coucheras dans ma tombe plus tôt que tu ne crois. D'ailleurs, c'est ce que tu veux.

— Allez, Hester, l'hiver est presque terminé ; bientôt Adam sera à la maison...

— C'est ce froid terrible, impitoyable... Si seulement nous pouvions habiter un endroit plus chaud !

— Il faut que tu tiennes le coup encore un peu, ma chérie. J'explore en ce moment un bon terrain d'alluvions, je crois que la chance va me sourire. Cet endroit n'a jamais été prospecté correctement, sinon dans les filons du Kilomètre Quatre. Si je tombe sur un bon gisement, alors je pourrai vendre pour une somme rondelette. Et fini la prospection. »

Délie eut l'impression qu'il avait déjà dit tout cela maintes et maintes fois, et que lui-même n'y croyait plus guère.

C'était un endroit terriblement froid. Le thermomètre, dont la lecture faisait partie des devoirs quotidiens d'Hester à la poste, restait parfois à moins dix-huit toute la matinée. Le seul hôtel de la ville vendait énormément de rhum, qu'on buvait « pour se réchauffer ».

Le soir, Délie se déshabillait près du poêle dans la chaleur de la cuisine, puis remplissait d'eau brûlante une grosse bouteille en pierre qu'elle emportait dans sa chambre pour réchauffer son lit glacé. Au matin, elle se servait de cette eau pour se laver, car souvent l'eau de la cruche n'était qu'un bloc de glace.

Quand, enfin, ses skis furent prêts, Délie balaya le plancher déjà impeccable de la cuisine, coupa des oignons, éplucha des pommes de terre et des navets, nettoya la table, puis partit avec son oncle vers Newchum Hill.

Elle portait la casquette de laine écarlate surmontée d'un pompon que tante Hester avait tricotée, à contrecœur parce que c'était la seule laine qui lui restait, et que cette casquette aurait dû être noire. Son gros pull-over bleu, qui avait rétréci, appartenait à son oncle et sa jupe provenait d'un vieux tailleur de Hester, en serge bleu marine. En dessous, elle portait des jupons de florentine rouge, sa tante ayant beaucoup insisté sur ce point, tant pour la protéger du froid que pour la décence.

Sur fond de neige blanche, elle était aussi colorée qu'un lori de montagne, le bleu et le rouge faisaient ressortir ses cheveux noirs et rendaient ses yeux plus bleus. Charles lui sourit.

« Eh bien, quand j'ai aperçu cette pauvre petite à la gare de Cooma, avec sa robe marron et ses yeux tout cernés, je n'aurais jamais cru qu'elle pourrait devenir belle comme une princesse. »

Délie rayonnait de joie. Belle comme une princesse, belle comme une princesse, fredonnait-elle doucement tandis qu'ils avançaient péniblement sur les collines basses s'étendant au-delà de la ville. La neige arrondissait, adoucissait tous les contours ; les collines prenaient des formes presque charnelles, striées de bandes noires comme des cheveux sombres. Le ciel était bleu, le soleil brillait dans l'air étincelant, éclaboussant de lumière la neige aveuglante.

Fondant sous le soleil de la mi-journée pour regeler pendant la nuit, la neige était dure comme de la glace, en surface. Charles portait leurs skis sur son épaule. Au sommet, il s'agenouilla, fixa ceux de Délie à ses pieds, lui dit de faire quelques pas pour s'habituer puis zigzagua en une série de virages harmonieux jusqu'au bas de la colline.

Deux heures plus tard, meurtrie, hors d'haleine et au bord des larmes, Délie clopinait derrière lui vers la ville.

« Oh, je n'y arriverai jamais ! gémissait-elle. Pourtant, cela paraît si facile.

— Mais si, tu y arriveras ; tu as un bon sens de l'équilibre, mais la neige est très glissante en ce moment. Il est beaucoup plus facile d'apprendre dans la poudreuse que sur cette neige glacée. »

La semaine suivante, il neigea de nouveau.

Lors de son deuxième cours de ski, elle apprit à s'arrêter au bas d'une pente sans s'asseoir, à contrôler sa direction en portant son poids sur l'un de ses skis. Elle éprouva un magnifique sentiment de puissance, de joie et de réussite, quand elle glissa au bas de la colline sans tomber.

Cette fois, ils retournèrent vers la maison à skis, en une seule et merveilleuse glissade. Une fumée accueillante s'élevait de la cheminée de la petite poste en rondins ; la lueur jaune d'une lampe éclairait les fenêtres en signe de bienvenue. Pour la première fois, elle la regarda comme sa maison.

4

La famille s'assit autour de la table du salon. La douce lumière blanche de la lampe à pétrole suspendue au plafond tombait sur l'argenterie et les verres étincelants, car Hester s'efforçait de conserver « un certain luxe civilisé dans cette ville de sauvages ».

Ils avaient mangé du rosbif et du pudding du Yorkshire, et

maintenant il y avait des beignets au sirop, si légers qu'ils fondaient dans la bouche.

L'excitation empêchait presque Délie de manger ; elle ne pouvait détacher ses regards d'Adam, assis en face d'elle, avec ses cheveux clairs qui brillaient sous la lampe. Comment, se demandait-elle sans cesse, ces deux-là avaient-ils réussi à engendrer pareil fils ? Et les théories de l'hérédité, que son père lui avait apprises ? Adam ne ressemblait pas du tout à ses parents.

Il était grand et fort, avec une peau légèrement mate, que le sang faisait rougir sur ses joues, des yeux marron doré, des cheveux châtain clair, épais et raides poussant bas sur son large front. Le blanc de ses yeux était éclatant de santé, et l'on devinait que sa bouche pouvait aussi facilement exprimer le rire que le sarcasme.

Pour l'instant, il riait, et semblait extraordinairement séduisant.

« Allez, Del ! s'écria-t-il. Tu ne veux vraiment pas un autre beignet ? Elle a besoin de se remplumer un peu, n'est-ce pas, mère ? »

Comme en rêve, Délie tendit son assiette. Adam la terrifiait avec sa beauté insouciante, sa certitude que la vie de la maisonnée tournait autour de lui — ce qui fut en effet le cas pendant deux semaines.

Plus tard dans la soirée, elle alla chercher du bois avec lui dans l'appentis jouxtant la maison. Tous deux transportèrent une brassée de bûches. Délie s'arrêta un instant pour lever les yeux vers les étoiles magnifiques palpitant dans l'air glacé. Au-dessus des collines, elle découvrit des constellations inconnues. Il y avait la Croix du Sud, très bas sur l'horizon, passablement plus grosse et plus brillante à Kiandra que lorsqu'elle l'avait observée en mer.

« En Angleterre, on ne peut pas voir la Croix, n'est-ce pas ? dit Adam, suivant son regard.

— Non. Quand je l'ai vue pour la première fois, j'ai été un peu déçue, mais ce soir elle est splendide. »

Ils entrèrent dans la cuisine, secouant la neige de leurs chaussures. Adam s'accroupit afin d'allumer le feu dans le poêle pour le lendemain matin.

«Ton bateau a fait naufrage, m'a dit ma mère.» Il jetait les bûches dans le poêle avec un entrain superflu, et Délie remarqua que ses oreilles étaient roses. Elle comprit qu'il désirait lui signifier sa sympathie, lui dire combien il regrettait que ses parents fussent morts. Son cœur s'emballa ; elle se sentit submergée de la panique nauséeuse qui s'emparait d'elle chaque fois que quelqu'un risquait de s'immiscer dans le lieu secret de sa douleur.

«Oui ; j'ai été... la seule survivante, à l'exception d'un marin, dit-elle avec effort. Mais je n'ai pas envie de parler de ça, tu comprends ?

— Oui, je sais, petite», dit-il d'une voix si tendre qu'elle eut peine à croire qu'il s'agissait du garçon arrogant et gâté qu'elle avait observé en face d'elle au dîner...

Sous la brise tiède et le soleil éclatant du début du printemps, la neige commença à fondre lentement. Simultanément, Hester s'adoucit, devint moins cassante et exigeante, permettant à Délie d'aller skier avec Charles et Adam, qui portait les skis de sa cousine au sommet de la colline.

Dix jours plus tard, quand il retourna à Sydney, la maison parut plus calme et plus sombre. Délie et sa tante s'assirent sous la lampe, tristes de ce départ, mais plus proches l'une de l'autre.

La neige perdit alors de sa blancheur et de sa transparence, devint lourde et morne, s'agglutinant dans les coins abrités ou sur la surface sud des murs. Des mouches parurent sortir de nulle part, le soir bourdonnant follement au ras des plafonds, se cognant aveuglément aux vitres pendant la journée.

Charles passait le plus clair de son temps à chasser les pépites introuvables qui se cachaient toujours dans un banc d'alluvions plus éloigné. L'argile tachait de jaune le fond de ses pantalons de travail, ses bottes en étaient couvertes. Il les enlevait sur la véranda, et traversait la cuisine en chaussettes afin d'aller chercher de l'eau chaude pour les nettoyer. Ensuite, ouvrant le col de sa chemise en flanelle, il s'asseyait près du feu, allongeait les jambes et s'adossait en serrant sa pipe entre ses dents, pendant que la vapeur s'élevait lentement au-dessus de ses chaussettes.

Parfois, il permettait à Délie de tenir le petit pot de poussière d'or qu'il avait lavée au cours de nombreux mois de travail, ou son unique petite pépite, un minuscule fragment d'or. Son éclat jaune mat le fascinait comme le sourire d'une femme. Il était convaincu qu'une véritable fortune reposait là-bas, enfouie sous les collines.

Avant la fonte des derniers névés, il emmena Délie en haut des pentes pour lui montrer les ruisselets qui s'étaient formés sous les ponts de neige.

« Il y en a des centaines dans toute la montagne, dit-il, qui dégringolent pour rejoindre des torrents plus importants, puis des rivières comme l'Ovens ou la Tumut. La neige qui est sous nos pieds va descendre le lit de la Murrumbidgee, jusqu'à la Murray.

— La Murray ? » Elle se souvenait vaguement de ce nom, entendu pendant les leçons de géographie sur l'Empire britannique. « C'est le plus grand fleuve d'Australie, n'est-ce pas ?

— Exact. Assez large pour que les vapeurs à aubes remontent de son estuaire jusqu'à la Nouvelle-Galles du Sud. Jadis, j'ai voyagé sur l'un d'eux, de Swan Hill à Morgan ; c'était quelque chose... Même ta tante trouvait qu'il faisait chaud. »

Ils se regardèrent, soupirèrent, puis observèrent les pentes, où le soleil de l'après-midi transformait la neige en or, lui donnant les teintes délicates des nuages au coucher du soleil. Dans la lumière uniforme, chaque cristal de neige portait une minuscule ombre bleutée.

Il faisait encore grand jour, mais comme Hester avait de nouveau sombré dans son invalidité rancunière, ils n'osèrent s'absenter plus longtemps. En silence, ils retournèrent vers la ville.

5

Lorsque Délie fut déclarée héritière de la modeste fortune de son père, Hester afficha une amabilité nouvelle envers sa nièce. Après tout, pourquoi Délie ne les aiderait-elle pas à échapper à cette horrible ville, en achetant une propriété par exemple, dans une province plus civilisée ?

Hester était toujours restée fidèle à ses racines, à la riche campagne anglaise où sa famille vivait quand elle rencontra Charles pour la première fois. Mais l'instabilité qui avait poussé le jeune homme en Angleterre, pour ensuite le renvoyer en Australie à la recherche de la fortune, avait fini par les exiler dans cet avant-poste désert, à l'orée de nulle part.

Filles à marier d'un fermier cossu, Hester et Charlotte avaient appris à se montrer agréables autant qu'utiles. Lottie, la plus belle des deux, avait toujours préféré la couture et l'art floral, où elle manifestait un talent certain, aux activités plus prosaïques de la laiterie et de la cuisine.

La dot d'Hester avait fondu depuis longtemps, dépensée en voyages divers, et pour tirer Charles de maints mauvais pas. Elle avait abandonné tout espoir de voir réussir le grand jeune homme à la barbe impressionnante qui, l'ayant courtisée, avait su gagner ses faveurs. Tous ses espoirs et ses ambitions se concentraient désormais sur son fils.

Mais peut-être leur chance allait-elle enfin tourner. Charles avait découvert deux petites pépites excavées par les ruisselets de printemps, si bien qu'ils avaient projeté un voyage à Melbourne pour que Délie s'achetât des vêtements et rencontrât les banquiers à qui M. Gordon avait confié son capital pour repartir de zéro dans un nouveau pays.

Hester croyait dur comme fer à la chance et à la malchance. En guise de porte-bonheur, elle conservait une patte de lapin dans son tiroir ; elle refusait de porter du vert, de marcher sous une échelle, d'ouvrir son parapluie dans une pièce. Elle bondissait sur les aiguilles traînant sur les tapis en chantant :

Si tu vois une aiguille et que tu la ramasses,
Toute la journée tu auras de la chance.
Si tu vois une aiguille et que tu la laisses dormir,
Tu souffriras avant de mourir.

Elle scrutait sa tasse de thé, à l'affût du moindre « corps étranger » flottant à la surface, qu'elle écrasait ensuite entre ses doigts, pour voir s'il était dur ou tendre, annonçant alors la venue d'un homme ou d'une femme — et ce, bien que les visiteurs fussent extrêmement rares à Kiandra. Les vendredis treize, elle se refusait à accomplir la moindre tâche, y compris la préparation des conserves.

Il se trouve qu'un certain vendredi, Charles entra en trombe dans la maison, sans chapeau et bien avant l'heure habituelle de son retour. Ses bottes boueuses aux pieds, il traversa tout le couloir jusqu'au salon, Hester accrochée à ses basques, protestait d'une voix perçante. Elle s'arrêta net sur le seuil du salon, bouche bée, quand elle le vit secouer un sac plein de terre au-dessus de sa plus belle nappe en peluche.

Alors, avec un fracas qui la fit sursauter, une grosse pierre tomba sur la table.

«Charles! Tu as perdu la tête! Tu salis tout le couloir, tu mets de l'argile sur ma plus belle...

— Hester, Hester, Hester!» Son expression habituelle de calme mélancolie avait disparu; il rayonnait. Quand Délie arriva, elle découvrit son oncle qui faisait valser sa tante autour de la table. «De l'argile! criait-il. Regarde, mais regarde! C'est de l'or, de l'or pur, jusqu'au dernier gramme.»

Il se précipita vers la table, sortit un canif de sa poche et gratta la pierre. Un jaune éclatant apparut.

«Au fait, qui prétendait que je perdais mon temps à remuer la terre? Que dites-vous de cela, madame Jamieson?»

Une fois n'est pas coutume, Hester resta sans voix; bouche bée, elle s'effondra dans un fauteuil.

«C'est de l'or! De l'or! De l'or! chantait Délie en bondissant autour de la table.

— Il y a un Américain qui est arrivé depuis le dégel, avec de l'argent. Il paiera pour avoir une option sur ma concession. Et alors nous irons habiter dans les plaines.»

Hester se mit à sangloter. «Oh, Charles — oh, Charles! Tous les miracles semblent arriver en même temps; Philadelphia nous a porté chance, j'en suis sûre.»

Elle bondit sur ses pieds et embrassa Délie spontanément pour la première fois. Ce soir-là, ils fêtèrent la découverte de la pépite avec une bouteille de vin qu'Hester gardait «en cas d'urgence», et ils discutèrent de leur séjour dans la ville de Melbourne.

C'était presque la fin novembre; il faisait à Melbourne une

chaleur agréable. Ils s'installèrent dans un grand hôtel près d'un parc, où Adam devait les rejoindre de Sydney à la fin du trimestre. Tous trois se sentaient plutôt fatigués et léthargiques — même Hester, qui nia vigoureusement regretter les montagnes, bien que l'air moins vif de la ville lui déplût.

Quant à Délie, elle se moquait bien de l'air de la montagne : n'était-elle pas en âge d'apprécier les visites à la banque ou dans les boutiques ? Aves ses bottes neuves brillantes, ses gants de cuir et son chapeau de paille en cloche garni de rubans noirs, elle rayonnait littéralement.

Le tribunal avait nommé son oncle tuteur et responsable de sa fortune jusqu'à ce qu'elle eût atteint vingt et un ans. En attendant, l'argent, quelque huit mille livres, resterait à la banque, les intérêts suffisant largement à subvenir à ses besoins. Les formalités légales étant toujours en cours, la banque proposa de lui accorder une avance sur ses intérêts.

Les rubans de son chapeau et celui qui nouait ses longs cheveux sur sa nuque étaient les seuls éléments noirs de son habillement. Non sans réticence, tante Hester avait accepté qu'un deuil de six mois suffît pour une enfant, encore que, disait-elle, la perte de parents justifierait davantage.

« A quoi bon lui rappeler tout cela ? avait demandé Charles. C'est le moment de nous réjouir, et maintenant elle fait partie de la famille. » Une bonne part de son plaisir provenait du fait qu'en trouvant de l'or, il avait prouvé qu'il avait eu raison et sa femme tort.

Pendant que ces dames dépensaient leur argent dans les boutiques, Charles se demandait comment investir le sien. Il songea qu'il aimerait tâter de l'élevage des moutons, car l'expérience qu'il en avait eue au cours de sa vie errante lui avait plu. Mais un capitaine de navire à aubes le décida finalement à chercher un terrain le long de la Murray. Le capitaine Johnston séjournait à Melbourne dans le même hôtel et prenait ses repas à leur table. C'était un homme corpulent à la barbe grise, avec ce regard lointain qui n'appartient qu'aux marins et aux colons vivant dans la brousse des immenses plaines continentales. Il apparut qu'il commandait un bateau transportant de la laine entre Echuca et les ports de la Darling ; il était descendu, raconta-t-il, pour réceptionner un nouveau vapeur construit à

Melbourne, et le piloter jusqu'à Echuca, bien que la plupart des navires sillonnant le fleuve fussent construits dans les chantiers navals de cette ville.

«Mais je croyais que l'estuaire de la Murray était considéré comme dangereux? dit Charles.

— Dangereux, oui; impraticable, sûrement pas. Faut attendre le bon moment, que la marée soit juste comme y faut. Alors le vent du large supprime la barre. Un spectacle formidable, mon vieux; quatre-vingt-dix milles de plages, de dunes de sable blanc, sans la moindre vague, et par là-dessus une brume blanche qui gêne la visibilité. L'estuaire forme une minuscule ouverture que les premiers explorateurs ne réussirent pas à découvrir... presque à deux mille milles de la source du fleuve. Mais je connais chaque méandre de ce sacré fleuve qui zigzague comme un serpent.»

Charles en conclut que le commandant mettrait des semaines à rejoindre Echuca par bateau, alors qu'en train lui-même pourrait y arriver dès le lendemain. Les récits du marin, selon lesquels Echuca était devenu une véritable fourmilière produisant pour deux millions de livres de laine par an, le convainquirent de s'installer là-bas. Il y avait des terrains disponibles au bord du fleuve, ainsi qu'un marché à Echuca et à Melbourne pour écouler tout ce qu'ils pourraient produire, laine ou blé.

Convaincu, Charles partit sans consulter sa femme. La semaine suivante, une lettre arriva, annonçant purement et simplement qu'il venait d'acheter la propriété;

«Une magnifique ferme située dans une courbe du fleuve, à quinze milles environ au-dessus d'Echuca — loin du bruit des scieries et de l'odeur des usines de Moama. Les meilleurs eucalyptus résineux de toute l'Australie poussent dans le coin.

«Pas trop isolée non plus, car de nombreux vapeurs à aubes, surtout les plus petits qui remontent jusqu'à Albury, passent devant la maison; mais naturellement, en été l'eau de la rivière baisse, rendant la navigation difficile, sinon impossible. La diligence de la Cobb & Co passe également dans les parages.

«Des moulins à vent pompent l'eau de la rivière, si bien que nos réserves ne dépendront pas des averses, d'ailleurs peu fréquentes ; le climat est chaud et ensoleillé, j'espère que cela te conviendra, ma chère. Tu apprendras avec soulagement que nous ne quittons pas la colonie de la Nouvelle-Galles du Sud, car la propriété est sur la rive nord du fleuve ; bien sûr, la grande ville la plus proche, Echuca, est de l'autre côté de la frontière. Moama, sur la même rive que nous, est une minuscule commune. Mais il y a un pont solide et aucun obstacle, sinon les douanes, une bagatelle. »

Quelle lettre ! pensa Hester, excédée et sentant poindre une migraine. Voilà bien les hommes : garder les points noirs pour la fin et faire l'impossible pour les minimiser... Tout ce qu'ils achèteraient en ville, tout ce qu'ils y vendraient, serait fouillé, passé au peigne fin. Et pas un mot sur la maison ! Y avait-il ou non une cuisine spacieuse, une cheminée qui fumait ? Les murs étaient-ils humides ?

Reglissant la lettre dans son enveloppe, elle se dit qu'ils devraient sauter dans un train dès qu'Adam serait là, puis voyager plein nord pendant cent cinquante milles, jusqu'au fleuve. Echuca était à mille milles en amont de l'embouchure, mais sur toute la rivière c'était la ville la plus proche du port de Melbourne.

6

Tandis qu'Hester se remettait de la chaleur et de la fatigue du voyage au *Palace Hotel* d'Echuca, les deux cousins sortirent explorer la ville. Ils découvrirent des artères animées et bruyantes, chaque rue offrant une perspective d'eucalyptus et de clochers d'églises ; il y avait des hôtels à presque tous les carrefours.

Les gémissements stridents des scies circulaires mordant les billes d'eucalyptus leur parvenaient de la scierie Mackintosh, en amont du fleuve. Au-delà des rangées d'entrepôts et des bâtiments des douanes, ils entendaient le vacarme du quai — grincements des wagons, cliquetis des treuils, coups de sifflet, chuintement de la vapeur.

Le quai surplombait de vingt pieds la surface du fleuve, car les eaux de la Murray étaient basses. Ils coururent sur ses planches, lisant à voix haute les noms des vapeurs accostés : *Rothbury, Alert, Adélaïde, Invincible, Enterprise*, petits et gros, avec des roues à aubes sur les côtés ou la poupe, élégants ou ventrus. Le vaste plan d'eau était clair et vert, sa surface lisse réfléchissait le soleil éblouissant. Ils suivirent la rive jusqu'au grand pont de fer menant à la Nouvelle-Galles du Sud ; petite silhouette blanche sous les arbres énormes, Délie dansait entre les maigres buissons, l'alternance d'ombre et de lumière mouchetant sa robe légère et ses cheveux noirs ; sa casquette de marin avait glissé sur sa nuque, uniquement retenue par les rubans noués sous son menton.

Regardant l'eau qui coulait lentement, elle songea aux petits ruisseaux bondissant sous la neige, dans les montagnes d'où ils descendaient. L'eau était-elle encore froide, malgré la chaleur torride de cette journée d'été ? Elle aurait aimé retirer ses bas, prendre un bain de pieds, mais Adam ne semblait pas vouloir s'arrêter.

Fermant les yeux, Délie respira plusieurs fois l'odeur enivrante des buissons d'eucalyptus, puissante et chaude. Non loin de la rive, un groupe d'oiseaux gracieux nageaient à la queue leu leu. Leur plumage était noir, leur cou gracieux et leur bec rouge vif.

« Ce sont vraiment des cygnes ? » s'écria Délie, en pensant : quel étrange pays, où il neige au mois de juin, où les arbres ne sont jamais nus en hiver ni verts en été, mais toujours gris-bleu ou couleur olive, parfois presque mauves, avec des troncs encore plus pâles que leurs feuilles.

A leur retour, Délie et Adam trouvèrent Hester en proie à une vive agitation.

« J'étais certaine que vous étiez tombés dans le fleuve, que vous vous étiez noyés. Je ne comprends pas comment on peut sortir par cette chaleur infernale, sinon pour me faire mourir d'inquiétude. Aujourd'hui, les enfants n'ont plus le moindre respect pour leurs aînés. De mon temps... » et ainsi de suite pendant cinq bonnes minutes. Délie et Adam se lançaient des clins d'œil complices. Désormais, ils appartenaient au même camp, face au monde des adultes.

Charles, revenu en ville trop tard pour accueillir sa famille à la descente du train, avait couru à l'hôtel et découvert sa femme prostrée à cause de la chaleur, ce qui ne l'empêcha pas de se plaindre. Évitant de mentionner qu'elle avait toujours vitupéré contre le climat froid de Kiandra, il l'éventa jusqu'à ce qu'elle se sentît mieux.

Le lendemain matin, ils partirent tous vers leur nouveau foyer. Comme le contrat d'achat englobait la maison et son contenu, tout changea de mains d'un jour à l'autre, y compris les couteaux, les fourchettes et les chenets de la cheminée. Même les domestiques restèrent — un homme à tout faire qui savait tuer le cochon, préparer le mouton, s'occuper du potager et de la volaille ; un serviteur du cru, à demi-aborigène, ainsi que les deux cuisinières, plus leur famille.

Les eaux du fleuve étant basses, ils purent emprunter la route la plus courte qui longeait les berges grises et nues encadrées de rangées rectilignes d'arbres énormes. D'une branche morte, s'éleva un nuage de cacatoès blancs et piaillants. Les sabots du cheval foulaient silencieusement le pâle tapis des feuilles mortes ; des kangourous bondissaient devant la carriole.

Enfin ils sortirent de la forêt d'eucalyptus inondées pour s'engager dans une campagne sablonneuse et dégagée s'ouvrant sur des tertres bas couronnés de sapins. Devant eux, nichée dans une courbe du fleuve, mais assez haute pour être à l'abri des crues, se dressait leur propriété : un groupe de bâtiments en rondins dont les toits étaient couverts de bardeaux. Le corps principal faisait face au fleuve.

La véranda ombragée était ornée de jasmin blanc odorant, étoilé de fleurs. De la cheminée d'une des maisons, s'élevait de la fumée dans l'air immobile. Se dressant sur son siège, Hester écarquilla les yeux, oubliant toutes ses doléances. La joie se lisait sur son visage, comme le jour où elle avait accueilli Adam à Kiandra.

Alors qu'ils approchaient de la porte arrière de la maison, l'éclair d'une jupe colorée jaillit derrière la citerne, accompagné de rires, mais personne n'apparut. Hester tint avant tout à voir la cuisine qui se trouvait en retrait, dans un bâtiment indépendant, vaste et aérée. Le sol de pierre était couvert d'une couche de sable propre en provenance du fleuve. Un bouquet d'herbes et un autre d'immortelles pendaient au plafond : passée et mouchetée, une gravure de la reine Victoria entourée de sa famille était collée sur un mur.

Délie choisit sa chambre dans la partie ouest de la maison. De là, elle voyait sur le côté la rive du fleuve. Un grand eucalyptus en fleur trônait devant sa fenêtre. Elle retrouva Hester dans la chambre de devant, l'air soucieux.

«Je ne sais pas si je vais bien dormir avec ça si près de mon lit», dit-elle en montrant un petit cimetière au pied d'un monticule sablonneux, au-delà du jardin. Trois petits écriteaux surmontaient trois tertres de sable, chacun entouré d'une solide clôture.

Délie fut arrêtée net dans son exploration enthousiaste.

«Nous ferons pousser un arbre pour les cacher, dit Charles, conciliant. Leur mère devait vouloir les sentir tout près d'elle. Mais quand on a retrouvé la fillette dans le fleuve, ils ont préféré s'en aller. Les deux premières sont mortes dans la petite enfance.»

Les yeux de Délie s'agrandirent. Morte... la fillette qui avait dormi dans sa chambre...

Elle sentit une main se poser fermement sur son bras. «Viens explorer le jardin, Del», dit Adam. Une sympathie muette, mais chaleureuse, faisait étinceler les yeux de son cousin.

Hester retourna vers la cuisine et surprit les deux filles qui gloussaient derrière la citerne. Elle commença à les sermonner sur l'entretien de la cuisine : du sable propre sur le sol une fois par semaine, trois rinçages à l'eau pour la table en bois blanc, de la mine de plomb en abondance pour le poêle. Mais son anglais précis et sa voix inconnue provoquèrent de nouveaux gloussements d'incompréhension au milieu desquels la cuisinière à demi-aborigène, Bella, donna son nom et celui des deux filles, Lucy et Minna.

Charles vola à son secours en parlant petit-nègre.

«Vous, Bella, Lucy, Minna, voici nouvelle maîtresse de vous. Maintenant, vous montrer à elle tout ce que vous savoir ; vous préparer le dîner vite, sinon moi me fâcher très fort contre vous.»

Malgré leurs tendres yeux sombres et leurs dents blanches, Hester les trouva fort laides avec leurs robes de cotonnade — et immorales, car on voyait beaucoup trop leurs jambes tandis que, gênées, elles frottaient leurs orteils nus sur le sable de la cuisine.

La plus jeune, Minna, n'était pas beaucoup plus âgée que Délie, mais bien assez pour porter des jupes longues ; en tout cas, il faudrait certainement donner des robes convenables aux autres et leur apprendre à couvrir leurs membres.

Les enfants, qui avaient exploré les autres bâtiments, arrivèrent en courant dans le jardin où poussaient un pin majestueux, une vigne aux raisins encore verts et durs, des amandiers, des citronniers et des saules. Près de la rive du fleuve, il y avait une bande de sol sablonneux et nu, jonché d'écorces, de brindilles et de feuilles mortes, tombées des grands eucalyptus qui poussaient sur la berge escarpée.

Délie et Adam s'immobilisèrent pour regarder le fleuve. A gauche, il émergeait d'une courbe pour disparaître de nouveau à droite, coulant calmement et sans une ride, si clair que les enfants en distinguaient le fond, loin de la rive.

D'épais taillis poussaient sur l'autre berge. Des arbres sombres se penchaient sur leurs propres reflets. Comme ils se réfléchissaient à la surface du fleuve, les nuages semblaient plus doux, le ciel d'un bleu plus profond. L'autre rive ne paraissait pas très distante ; les enfants auraient aimé avoir un bateau. Comme pour répondre à leurs désirs, deux canoës indigènes taillés dans l'écorce apparurent silencieusement en amont. Sur chaque embarcation, une silhouette sombre se dressait, poussant une longue perche d'eucalyptus, en une posture aussi ancienne et primitive que le fleuve lui-même.

Une courte silhouette trapue émergea d'une hutte en bordure du fleuve tandis qu'ils regardaient. L'homme s'avança vers eux. Arborant une barbe grise hirsute, vêtu d'une chemise de flanelle et d'un pantalon de velours, il les dévisageait de ses yeux bleu clair pleins de curiosité et de vie.

« Bonjour, fit Adam. Vous habitez là-bas ? Vous ne craignez pas qu'un jour le fleuve en crue emporte votre hutte ? » La berge sur laquelle elle se tenait paraissait bien exposée et fragile.

« C'est point mon endroit, jeune ami, elle appartenir aux propriétaires de grande maison. Elle durera pas longtemps... maison bâtie sur le sable. Mais nom d'une pipe, d'où sortez-vous ? Ne me dites pas que la nouvelle famille est arrivée et que je n'ai rien entendu !

— Oui, nous arrivés, répondit Adam, adoptant inconsciemment la grammaire du vieillard. Ce matin.

— Nom de Dieu — excusez mon langage — que vont penser de moi le patron et la maîtresse ; moi absent pour les accueillir. J'deviens dur d'oreille, savez-vous, j'entends plus rien. "Que celui qui a des oreilles pour écouter, écoute", ajouta-t-il, biblique. Je suis Elijah, le "général". Appelez-moi Lige.

— Heureux de vous connaître, Lige », dit Adam en lui serrant la main. La main calleuse du petit homme était musclée ; au milieu des rides de son visage, ses yeux brillaient d'intelligence.

« Les Noirs, là-bas, demanda nerveusement Délie, ce ne sont pas des sauvages, au moins ? »

Lige pouffa de rire. « Oh non, y s'énervent seulement quand ils ont plus de tabac. Y a plus le moindre sauvage dans le coin. Dieu merci, comme si les serpents suffisaient pas ! »

Lige les emmena à la ferme pour faire connaissance avec les animaux ; à l'écurie, ils trouvèrent Jacky, le mari de Bella, étrillant Barney et lui donnant à manger après l'avoir dételé de la carriole.

Lige transportait partout un long bâton. Nerveux, il avait tendance à s'attarder derrière les autres tandis qu'ils marchaient dans l'herbe grillée de l'été. Dans un coin du pré attenant à la maison, il y avait une vieille citerne carrée en fer, rouillée et pleine de trous. Un tuyau partant du moulin à vent qui pompait l'eau du fleuve aboutissait à un bac d'eau potable.

Délie tapa du pied puis se frotta la cheville. « Des moustiques qui piquent en plein jour ! s'écria-t-elle. Y en a-t-il beaucoup ici ? La nuit dernière, à Echuca, il y en avait plein.

— A Echuca ! croassa Lige. Attends un peu de voir la taille des bestioles d'ici. Tu vois cette citerne ? Les mistiques l'ont transportée jusqu'ici. Avant, elle était au bord de la rivière.»

Délie sembla déconcertée, Adam sceptique. «Comment ont-ils fait pour la porter?

— Ils l'ont portée avec moi dedans, par-dessus le marché. J'étais sur la berge à réparer des tuyaux, quand des milliers de mistiques m'ont foncé dessus. J'ai juste eu le temps de sauter dans cette citerne — heureusement, elle était vide — et de remettre le couvercle à toute vitesse. Seigneur, ils étaient tellement assoiffés de sang qu'ils ont percé la tôle avec leurs dards; mais j'avais mon marteau sur moi, et dès que je voyais un dard, je l'aplatissais contre la citerne. Y z'étaient comme fous! Ils s'envolèrent avec la citerne, mais elle était trop lourde, alors ils la déposèrent dans le pré. Je suis sorti de là et je les ai laissés mourir de faim.»

Un silence stupéfait suivit son histoire; puis Adam rit et dit: «Vous nous avez bien eus.»

Lige ne broncha pas. «J'vous prie d'm'excuser, mais faut qu'j'aille faire toilette avant de me présenter au nouveau maître.»

Hester n'avait pas prévu d'emménager dans une maison entièrement meublée; ils avaient donc emmené de nombreux trésors avec eux — les cuillères à soupe en argent massif, héritage de la grand-mère de Délie, la cruche rouge, l'abat-jour peint, ainsi que d'innombrables objets sans valeur, tels que vieilles photos, cartes postales, lettres, sans oublier la première dent du fils, Adam.

Dès le premier soir, Délie s'attira des ennuis en brisant l'abat-jour en verre peint alors qu'elle aidait à déballer les affaires. Hester l'envoya se coucher, déclarant: «Je ne veux pas qu'on maltraite ma précieuse porcelaine. Quand on est aussi maladroite...!»

Après avoir pleuré un peu dans sa chambre, Délie décida, armée d'une bougie, d'aller visiter les dépendances. Il serait bien temps de se déshabiller après. Dehors, la porte de la cuisine laissait passer un filet de lumière, et elle entendit des rires, une discussion animée, le bruit joyeux de la faïence et des couverts entrechoqués, le glissement feutré de pieds nus sur le sol. Arrivée au petit bâtiment couvert de volubilis, Délie poussa la porte en bois. La lueur de sa bougie éclaira une toile d'araignée dans un coin. Dans le silence environnant, elle prit

conscience du bourdonnement malsain de centaines de moustiques dans l'espace confiné.

Se retirant précipitamment, elle souffla la bougie, et attendit
que ses yeux s'habituent à l'obscurité.

La nuit était douce et paisible. Les étoiles éclairaient les
ténèbres, inondant la Voie lactée d'une lumière diffuse.

Délie retira ses chaussures et ses bas qu'elle posa sur une
marche à côté du chandelier. Elle se dirigea vers le fleuve. En
passant devant la fenêtre du salon (des baies vitrées donnaient
sur la véranda), elle entendit les voix qui venaient de l'intérieur. Elle-même plongée dans l'immensité de la nuit silencieuse, Délie jeta un coup d'œil dans le carré lumineux de la
pièce. Le salon semblait irréel ; la lumière de la lampe évoquait
un éclairage de théâtre. Immédiatement, son esprit s'envola :
*Indifférente dans la nuit froide, elle regarda par la fenêtre, elle
regarda ceux qui étaient bien au chaud à l'intérieur. Je me
moque, dit-elle, qu'ils me rejettent dans le froid et les ténèbres.
Je ne leur demanderai point pardon, non, jusqu'à la fin je pour-
suivrai mon chemin solitaire...*

Pour passer inaperçue, elle se courba au passage de la
fenêtre, et reprit la direction du fleuve. La terre, qui irradiait
encore la chaleur du jour, semblait vivante sous les pieds nus
de la jeune fille. Le jasmin blanc, dont les fleurs luisaient
comme de lointaines étoiles, emplissait l'air de son lourd parfum.

Quand la berge sablonneuse du fleuve s'offrit à ses yeux, la
lueur montant de la surface de l'eau éclaira le chemin de Délie.
Avec précaution, elle descendit jusqu'à l'eau. Elle coulait,
fraîche et soyeuse autour de ses chevilles. Le sable était ferme.
Il n'y avait pas d'herbes. Le reflet d'une étoile trembla et
explosa en une myriade de diamants.

Sur la rive opposée, les eucalyptus formaient un mur noir,
qui se fondait avec la berge. Des pieds de Délie jusqu'aux
ténèbres opposées, le fleuve coulait, portant les étoiles comme
des joyaux sur la gorge tendre d'une femme. Accomplissant
son destin, le fleuve coulait de sa source lointaine vers la mer
inconnue. Pour la première fois, Délie ressentit la magie puissante de son cours intemporel.

Tout était tranquille. Mais un bruit lui parvint, qui était à peine un bruit, et tombait des profondeurs du ciel comme une manifestation de l'esprit de la nuit.

Ses yeux scrutèrent les ténèbres, et elle sentit davantage qu'elle ne vit, devina davantage qu'elle n'entendit, un obscurcissement des étoiles et de grandes ailes battre l'air... Les cygnes noirs! Les cygnes noirs volaient vers quelque étang secret, vers un bras de rivière inconnu des hommes.

Quand l'étrange cri eut disparu, elle demeura immobile, enracinée comme un arbre sur la rive du fleuve. *Tant que je vivrai, je me souviendrai de cette nuit*, songea-t-elle.

7

L'année s'acheva par une vague de chaleur. Dans la maison, l'air devint si brûlant qu'Hester fit transporter une table sous la treille, où la famille prit l'habitude de déjeuner. Hester apprécia les agréments d'une cuisine indépendante et de son fourneau à bois.

Délie s'entendait mieux avec sa tante depuis qu'on l'avait dispensée des tâches ménagères. Ce qui n'empêchait pas Hester de s'écrier, quand Délie faisait tomber un objet dans sa chambre : «Cette enfant est une empotée, elle a les mains tellement grandes !

— Si tu veux mon avis, disait Charles, elle n'est pas dans son assiette. Elle est mince comme un fil de fer, ses yeux ressemblent à deux trous dans une couverture.

— Ça n'a rien d'étonnant à son âge», rétorquait Hester d'un air entendu.

La chaleur torride de ce premier été australien, à un moment où la transformation physique devinée par sa tante avait commencé, sembla saper toute l'énergie de Délie : d'ailleurs, après leur existence dans la montagne, tous se ressentaient du changement d'altitude.

Quand le jour de Noël arriva, les couleurs estivales semblèrent déplacées à Délie. En effet, seul le blanc pur de quelques bancs nuageux créait une illusion de neige. Néanmoins, Hester tint au dîner traditionnel de réveillon. Pour

Noël, les trois filles de cuisine avaient reçu des robes neuves ; Bella une bleu clair, Minna une jaune, et Lucy une magenta. Une semaine plus tard, elles avaient déjà déchiré leurs longues manches, et Délie vit Minna revenir de la rivière avec un paquet d'écrevisses enfermées dans sa robe. Elle avait plongé pour les attraper ; son corps ruisselant luisait encore au soleil. Minna était superbe, mince, avec une peau satinée marron foncé.

Ne comprenant pas le comportement de ses servantes indigènes, Hester fut scandalisée par la désinvolture avec laquelle elles traitaient leurs vêtements.

Un jour où il faisait particulièrement chaud, Adam et Délie partirent se promener au bord du fleuve après avoir déjeuné sous la treille brûlante. Ils s'allongèrent dans la menthe sauvage qui poussait à l'endroit où s'écoulait l'eau de la canalisation du moulin. Le fleuve était là, devant eux. Ils se sentaient bien. Les sens engourdis, ils rêvassaient.

Soudain, des éclats de rire et une discussion animée troublèrent le silence. C'étaient Lucy et Minna qui, une fois la lessive terminée, allaient barboter dans le fleuve. Minna s'accroupit dans le canoë en écorce tandis que Lucy le dirigeait vers le courant à l'aide d'une perche. Suivit un bruit d'éclaboussures ; Adam et Délie apercevaient les bras qui s'agitaient et dont le hâle captait les rayons du soleil. Minna nagea jusqu'à un banc de sable et sortit de l'eau. Elle avait laissé sa robe jaune sur la rive. Délie s'assit pour la contempler. Ses doigts la démangeaient : que n'avait-elle un crayon afin de dessiner une forme aussi parfaite. Démarche libre et gracieuse, dos bien droit, seins fermes et ventre plat, Minna rayonnait de vitalité. A côté de Délie, Adam n'avait pas bougé, mais elle sentait bien qu'il était tendu.

Elle savait qu'Adam allait se baigner nu, en aval, dans la courbe du fleuve. Délie avait follement envie d'apprendre à nager. Inutile cependant de demander à sa tante ! Quel dommage d'être une fille ; on vous interdit de nager, de grimper aux arbres, de monter à cheval à califourchon, de faire toutes les choses intéressantes !

Svelte, vigoureux et presque aussi beau que le croyait sa mère, Adam avait maintenant quinze ans. Il battait régulièrement Délie à la course, au saut en longueur, et même aux billes, quand il lui arrivait de jouer avec elle. Depuis quelque temps, il avait pris l'habitude de se promener seul le soir au bord du fleuve, à l'heure où les dernières lueurs du crépuscule teintaient de vert pâle et d'abricot la surface lisse des eaux. A quoi pouvait-il donc penser durant ces promenades ? se demandait sa cousine. Si elle faisait mine de s'élancer derrière lui, elle le sentait aussitôt réticent, comme si un mur se dressait encore entre eux. Aussi apprit-elle à respecter son silence, son désir de solitude.

En revanche, sa mère, elle, n'apprit jamais. Elle le rejoignait et glissait son bras sous le sien, là où il se tenait, sous les jasmins odorants de la véranda, par exemple scrutant la nuit où résonnaient les appels intermittents du hibou.

Ses «A quoi penses-tu, mon chéri ? » ou «Tu es tout seul ? Rentre donc faire un rami avec moi» provoquaient un geste furieux du bras et une réponse cinglante : «Vous ne pouvez pas me laisser tranquille, mère ? » Hester se retirait alors sur une parole aigre destinée à masquer sa peine, mais dès qu'Adam manifestait de nouveau son désir de solitude, elle agissait exactement de la même façon.

Adam ne critiquait jamais sa mère ouvertement, mais d'un regard, d'une pression du coude, d'un contact du pied sous la table, il faisait sentir à Délie qu'il désapprouvait l'étroitesse de ses jugements. La pauvre Hester n'avait pas le moindre allié. Il ne lui restait que l'amertume et la possibilité de se plaindre, jamais contente de son sort, même si elle trouvait quelque satisfaction à s'occuper de la ferme et du jardin.

Elle avait même réussi à prendre à rebrousse-poil le débonnaire Lige qui devait porter des seaux d'eau chaude de la cuisine à la salle de bains. Hester se plaignit un jour en ces termes :

«Elijah, il y avait de la paille qui flottait dans mon bain hier soir.

— Yaoui, Maîtresse... hum, voyez, j'ai dû nourrir les vaches avec ce seau.

— Dites-moi, il y a certainement assez d'eau dans le fleuve pour rincer correctement un seau, non ?

— Yaoui, mais, voyez, c'te paille est rudement collante, et même en rinçant l'seau...

— Ça suffit. Que cela ne se reproduise pas. »

A la saison sèche, le fleuve baissa progressivement. Sur les troncs d'arbres, une ligne blanchâtre située à plusieurs pieds du sol marquait le niveau atteint par la crue de l'année précédente. En aval du confluent de la Goulburn, des récifs et des hauts-fonds émergeaient de l'eau, si bien que le trafic des vapeurs fut interrompu.

L'herbe se faisant rare dans les prés, il fallut ajouter de l'avoine et de la luzerne pour nourrir les chevaux. L'ancien propriétaire avait laissé des bêtes assez quelconques. Charles, qui était aussi bon skieur que cavalier, s'arrogea la jument efflanquée à la robe noisette, Luciole, et Adam dut se rabattre sur Barney, habitué à l'attelage, ou sur le gros poney aux formes rondes, Léo. Jacky, magnifique gardien de bestiaux, montait un poulain rouan fort nerveux qu'il avait lui-même dressé. Délie fit des pieds et des mains pour qu'on l'autorisât à monter, mais on lui rétorqua qu'elle devait attendre l'arrivée de la selle d'amazone.

Au-delà du pré réservé aux chevaux se trouvaient la porcherie, reléguée loin de la maison à cause de son odeur nauséabonde, et le portique où, une fois par semaine, Lige tuait et dépeçait un cochon ou un mouton.

Il y avait deux chiens de berger, tantôt hargneux tantôt moroses : un chien métis aux yeux jaunes et un vieux colley qui ne semblait avoir d'autre maître que Lige. Lige prétendait qu'il pouvait obliger une mouche à entrer dans une bouteille. Shep, le colley, était un animal assez rébarbatif, sur le dos duquel une grande plaque de poils manquait.

«Qu'est-il arrivé au pelage de ce chien ? » demanda Adam en caressant ses oreilles, tandis que la bête roulait des yeux méfiants vers le garçon.

«Ce sacré chien, dit Lige en se grattant le cou, ce sacré chien avait un merveilleux pelage épais comme tout, mais pendant l'été il lui tenait trop chaud. Un jour de canicule, il courait après les moutons. De mes yeux, je voyais la vapeur qui s'élevait de son dos. On arrive au barrage, et avant que je puisse l'arrêter, hop !, il saute à l'eau. Eh bien, vous n'allez pas me croire, dit Lige, sérieux comme un pape, ses yeux bleus délavés fixés sur Adam, mais ce chien était *tellement brûlant* que l'eau se mit à bouillir autour de lui et grilla les poils de son dos. Heureusement ils ont repoussé, sauf cette plaque en plein milieu. Ça le rend pas vraiment plus beau, hein?»

Quand au dîner Adam répéta cette histoire, sa mère ricana et dit que Lige mentait «comme un arracheur de dents».

«Mais ce n'est pas vraiment un mensonge, mère. Il ne raconte pas ça pour se mettre en valeur. C'est une sorte d'exagération esthétique. Ce type est un authentique artiste.»

Charles, qui avait rasé sa barbe et semblait rajeuni de plusieurs années, parla d'aller en ville pour acheter «un bon bélier» au marché. Délie lui demanda si, en même temps, il pourrait passer une annonce afin de trouver quelqu'un pour l'aider dans ses études, depuis longtemps interrompues; peut-être Adam et elle pourraient-ils partager une gouvernante ou un répétiteur. Elle comptait payer cette personne avec les intérêts de la fortune de son père.

«Une gouvernante! Une bouche de plus à nourrir», gémit Hester, mais la perspective d'une femme blanche avec qui parler dans cette maisonnée uniquement composée d'hommes et d'enfants lui plut. Elle continua néanmoins de se plaindre, davantage par habitude que par conviction. «Tout le travail supplémentaire retombera sur mes épaules, naturellement, et bien que mon dos aille mieux depuis quelque temps, ma vieille maladie reviendra sûrement avec l'hiver. Bien sûr, je ne m'attends pas à ce que vous teniez compte de moi. Personne ne se doute à quel point je souffre...»

Charles fit preuve de diplomatie. «Puisque Délie accepte de supporter tous les frais de l'opération, nous ne pouvons soulever aucune objection. Et puis je suis content qu'Adam se dérouille un peu la cervelle, car vu l'intérêt qu'il porte aux travaux de la ferme, il serait aussi bien à l'école. Il a toujours le nez plongé dans un bouquin.»

Adam fit la grimace. Il n'avait pas l'habitude d'être ainsi critiqué ouvertement par son père; aux yeux de sa mère, il était parfait.

«Merci bien, mais la vie ne se résume pas au purin et à la luzerne. Si je ne peux pas aller à l'université, voyager ni faire ce que j'ai envie, alors pourquoi ne pas lire? Tu te balades partout avec ton grand chapeau fantaisie et tes airs de fermier, mais tu sais aussi bien que moi que c'est Lige qui fait tout le travail.

— Je ne tolérerai pas plus longtemps ce discours arrogant, tonna son père, dont les joues avaient soudain rougi. Et laissez-moi vous dire, jeune homme, que vous savez vraiment très peu de chose, tant sur la vie que sur le reste. Comment comptez-vous subvenir à vos besoins, si je puis me permettre ? Car je n'ai pas l'intention de nourrir éternellement une bouche inutile.

— Je veux devenir écrivain, répondit Adam à voix basse.

— Écrivain ! Qu'est-ce qui vous fait croire que vous pourrez vivre de ce métier ?

— Bien sûr que si, il pourra en vivre, s'il s'accroche, trancha Hester d'une voix cassante. Charles, nous devons trouver quelqu'un ; mais pas une de ces bas-bleus inutiles et maniérées qui nous regardera de haut. »

8

Charles acheta un canot neuf à Echuca pour remplacer le vieux canoë délabré de Lige ; Délie obtint la permission d'aller ramer avec Adam. Ils traversèrent le fleuve pour la première fois par un après-midi ensoleillé ; la surface lisse des eaux reflétait les arbres verts et les nuages auréolés d'or. Elle laissa traîner sa main dans l'eau, et cette sensation, ajoutée à la compagnie d'Adam sur le fleuve scintillant, lui procura un bonheur indicible.

Sur la rive opposée, ils hissèrent le canot sur la berge marécageuse. A l'ombre des coolibahs, ils découvrirent un camp désert, des récipients vides en écorce, et les cendres d'anciens feux.

« On fait la course jusqu'au gros eucalyptus, là-bas ! s'écria Adam en s'élançant sans attendre Délie.

— Non ! Attends-moi ! Attends ! » Essoufflée, elle courait loin derrière, craignant de se retrouver seule sur cette rive du fleuve. Adam avait disparu dans les épais fourrés. Enfin, elle le rejoignit ; il était assis sur une racine du gros eucalyptus poussant sur la berge. Il regardait attentivement de l'autre côté du fleuve.

« Pourquoi ne m'as-tu pas attendue ? dit-elle sur un ton de reproche. Tu sais bien que je ne cours pas aussi vite que toi.

— Oui », fit Adam. Il la regarda sans sourire, les yeux dans

le vague. Elle comprit immédiatement qu'il avait délibérément
essayé de la semer pour être seul et goûter la solitude de ce
coin désert du Victoria.

Un peu plus loin, ils tombèrent sur le camp, où la vieille
Sarah était assise près de son feu, fumant une pipe de terre,
tandis que l'huile végétale qui graissait ses nattes poisseuses
dégouttait sur ses cuisses nues. C'était une vieille indigène qui
traversait parfois le fleuve pour quémander du « tobac » à la
maison.

Délie avait emmené de quoi dessiner, mais ils retournèrent
rapidement au canot : elle promit à la vieille Sarah un bâton de
« tobac » si elle acceptait de venir la voir un matin, dans son
canoë en écorce, pour une « séance de pose ». Ils remontèrent
un peu le fleuve, puis se laissèrent porter par le courant.
Perdues dans l'immensité de la brousse, la ferme et ses dépendances semblaient minuscules, dérisoires. Adam complimenta
sa cousine pour l'esquisse qu'elle en fit, mais Délie n'était pas
satisfaite. Elle aurait voulu une grande toile et des tubes de
couleurs ; en tout cas, elle espérait fermement que la nouvelle
gouvernante lui apprendrait les techniques de l'aquarelle.

Une réponse à la petite annonce passée dans le *Riverine
Herald* arriva de Melbourne. Une certaine Miss Barrett avait
reçu la coupure que des amis de Riverina lui avaient trans-
mise ; comme elle comptait leur rendre visite bientôt, elle pourrait venir à Echuca pour un entretien.

Miss Barrett devint bientôt l'objet de toutes les conjectures.
Charles osa l'espérer jeune et belle. Délie fut certaine, à cause
du nom de la gouvernante, qu'elle serait grande et guindée, et
qu'elle ne l'aimerait pas.

Comme le fleuve était bas, ils purent emprunter le raccourci
vers la ville, où la famille au grand complet partit, laissant
Lige s'occuper de la maison. La carriole chargée des produits
de la ferme avait déjà fait plusieurs aller-retour, car les basses
eaux interdisaient la navigation des vapeurs, principaux ache-
teurs d'œufs et de jambon. Le courrier aussi voyageait par la
route ; Lige l'emmenait ensuite dans son canoë de l'autre côté
du fleuve.

Miss Dorothy Barrett, licenciée, était convenue de rencontrer Mme Jamieson dans le hall du *Palace Hotel*, où elle

séjournait, à onze heures du matin. Cinq minutes avant l'heure du rendez-vous, Hester l'attendait, bardée de méfiance et de préjugés.

Elle avait envoyé Adam, Délie et son mari «faire du lèche-vitrines». Car si la gouvernante se révélait jeune et belle, elle préférait être seule pour traiter avec elle.

Une femme à l'allure décidée entra, une voix profonde dit : «Je suis navrée de vous avoir fait attendre», puis la grande jeune femme s'avança vers elle. Elle tendit une belle main rose et bien manucurée.

Hester cilla, puis saisit la main tendue.

«Miss... euh... Miss Barrett?

— Oui.»

La jeune femme — enfin, plus si jeune, elle a certainement la trentaine, décida Hester — tira vivement une chaise et s'assit. Son corsage blanc au col relevé et aux manches serrées était impeccable, tout comme sa longue jupe de serge bleue; son canotier en paille se tenait bien droit sur ses boucles châtain clair. Mais quelle poignée de main peu féminine!

«Vous êtes donc madame Jamieson? A la lecture de la lettre que vous m'avez envoyée en réponse à ma demande, j'ai cru comprendre que vous avez une fille de treize ans et un garçon de quinze. Ils me semblent un peu âgés pour avoir une gouvernante. Ah... je vous ai apporté mes références. Jusqu'à cette année, j'ai travaillé à Melbourne dans une école privée de jeunes filles, vous verrez. Ces demoiselles commençaient à m'ennuyer.»

Elle sourit de façon si charmante, plissant ses yeux gris clair, qu'Hester se surprit à lui rendre son sourire.

«Je n'ai pas beaucoup d'expérience des filles. Ma nièce, Philadelphia, habite avec moi depuis un an à peine, et je n'ai qu'un seul garçon. Adam — sa voix s'adoucit — est un garçon intelligent, il a été à l'école à Sydney jusqu'à une date récente. J'ignore s'il a encore besoin d'apprendre beaucoup de choses, mais j'aimerais que vous lui enseigniez les bonnes manières, et que vous l'aidiez à devenir écrivain, car il espère faire carrière dans cette branche. Il aimerait entrer à l'université, mais son père n'est pas très chaud.

— S'il désire écrire, il devrait certainement approfondir le latin, dit Miss Barrett d'une voix grave. Rien de tel pour acqué-rir le sens des mots. Le français également, pour qu'il puisse lire les grands romanciers français dans le texte original...

— Les romanciers français! grimaça Hester. D'après ce que je sais de leurs livres, ils mériteraient tous d'être brûlés.

— ... la littérature anglaise, naturellement; les mathéma-tiques pour former la pensée rationnelle; la géographie et la géologie, pour donner le sentiment de la perspective, dans le temps comme dans l'espace. Quant à votre nièce, il me semble que nous pourrions la laisser choisir selon ses penchants, mais il serait plus simple que tous deux étudient la même chose.

— Elle désire apprendre à peindre, si je ne m'abuse.

— Nous verrons bien. Si mes références vous conviennent, quand voulez-vous que je commence?

— Oh... euh, tout de suite, dès que vous pourrez.

— Il faut d'abord que j'aille chercher mes affaires et mes livres à Melbourne. Je serai de retour la semaine prochaine. »

Alors qu'Hester se levait pour raccompagner Miss Barrett à la porte, Adam et Délie entrèrent dans la réception obscure.

« Miss Barrett, je vous présente Philadelphia Gordon, ma nièce. Mon enfant, voici ta nouvelle gouvernante.

— Oh, s'écria Délie en rougissant. Oh, très... très heureuse de vous rencontrer. »

Elle tendit sa fine main en esquissant gauchement une révé-rence. La ferme poignée de main la fit grimacer, mais le sourire et les yeux gris chaleureux la surprirent. Miss Barrett avait les cheveux frisés! Elle était grande, mais pas trop. Ado-rable!

« Adam! Viens ici. Voici mon garçon, Miss Barrett. Miss Barrett nous arrive de Melbourne, bardée de diplômes... »

Sûr de lui et indifférent, Adam s'avança, serra la main tendue, puis recula d'un pas. Il heurta une petite table de la réception, qui supportait une plante chétive d'âge indéterminé.

Miss Barrett rit joyeusement. Adam rougit.

« Attention à l'aspidistra, s'écria-t-elle. Cette plante fait certainement partie de l'héritage familial. Elle est assez vieille pour cela. » Riant toujours, elle sortit dans la rue ensoleillée.

9

Vers la fin mars, Charles partit en ville dans le buggy pour aller chercher Miss Barrett. Jacky l'accompagna afin de l'aider à décharger les dindes plumées et les autres produits de la ferme entassés sous le siège. Sur le chemin du retour, il écouta sans comprendre une discussion géologique portant sur la prospection de l'or, car les connaissances théoriques de Miss Barrett et l'expérience pratique de Charles leur permirent de parler abondamment des «gisements ramifiés», des «dépôts alluvionnaires», des «filons mères», etc.

«Tous les deux bavassaient sans arrêt pour rien dire», déclara-t-il ensuite à Bella.

Miss Barrett est fort jolie, se disait Charles.

«Nous nous sommes retrouvés comme prévu, et la voilà, saine et sauve, dit-il en la faisant entrer dans le salon.

— Pourquoi diable voudrais-tu qu'elle ne soit pas saine ? demanda Hester, qui prenait au pied de la lettre toutes les paroles de son mari. Miss Barrett, asseyez-vous. Vous devez être affamée. Un peu de thé ? Je viens de le préparer. Une tranche de cake ?

— Merci, mais je n'ai pas faim. Je prendrai volontiers une tasse de thé puisqu'il est prêt, mais d'habitude je ne bois que de l'eau.

— Comme c'est bizarre ! lança Hester, qui avait sorti sa plus belle théière pour l'occasion.

— Tiens, ma chérie, c'est pour toi. J'ai pensé que ça te ferait plaisir, dit Charles en tendant un petit paquet à sa femme.

— Un cadeau ? Pour moi ?» Hester n'en revenait pas.

«Oui. Tu ne veux pas l'ouvrir ?»

Hester dénoua soigneusement les nœuds et lissa le papier avant de regarder son cadeau. Après quoi elle dit simplement : «Oh !

— Comme c'est joli !» dit Miss Barrett.

C'était un corsage en soie noire, brodé d'innombrables perles de couleur, où le vert clair dominait.

«Oh, Charles ! s'écria Hester. Tu sais bien que je ne

peux pas m'habiller en vert. Cette couleur porte malheur.»

Ce soir-là, elle veilla tard, retirant méticuleusement toutes les perles vertes, jusqu'à ce que le corsage parût mangé aux mites, mais ne risquât plus d'attirer sur sa tête toutes les calamités du Ciel.

Délie était assise dans la salle de classe, qu'on transformait en salle à manger pour les repas; l'esprit ailleurs, elle écoutait la voix calme et grave de Miss Barrett.

Elle apprenait pourtant avec avidité, assimilait ses propres leçons et celles, plus difficiles, que Miss Barrett donnait à Adam.

Après le petit déjeuner, elle se hâtait d'aider Lucy et Minna à débarrasser la table, puis elle installait les encriers et la mappemonde sur la nappe de peluche verte qu'Hester avait apportée de Kiandra. Hester ne considérait pas le vert comme une couleur néfaste si on ne le portait pas sur soi; de plus, la peluche était d'un jaune olivâtre qui ne l'inquiétait guère, car son esprit illogique associait les verts les plus éclatants aux formes les plus sournoises de la malchance.

Parfois, quand elle se levait de bonne heure, avant d'entamer ses exercices de piano, Délie sortait de la maison et marchait jusqu'aux petites tombes creusées dans le premier monticule sablonneux.

Elle éprouvait une sorte d'affection pour les trois enfants qui avaient autrefois dormi dans sa chambre: Clifford, morte à huit jours, Mary Jane, morte à six mois, et Elizabeth Ann, morte à cinq ans.

La pâle lumière jaune du soleil ajoutait de longues ombres bleutées aux petites croix de bois. Les yeux mi-clos, elle admirait le contraste de l'or et du bleu, tout en songeant aux enfants morts, ainsi qu'à ses propres frères et sœurs. S'étaient-ils tous retrouvés là-haut, dans quelque mystérieux paradis? Elle levait les yeux vers le ciel bleu et serein, tendre et infini; son regard plongeait dans cette douceur illimitée sans trouver un point sur lequel s'arrêter.

La nuit il y avait les étoiles, et ces effrayants espaces noirs qui les séparaient, où l'œil ne découvrait aucune frontière, l'esprit aucune limite.

Tout cela était très déconcertant. Elle revint d'un pas hésitant vers la maison, entra dans le salon en passant par les baies vitrées de la véranda. S'asseyant sur le tabouret du piano, elle le fit pivoter jusqu'à la position la plus haute, puis le fit redescendre, joua avec un morceau de cire fondue, tombée d'une des bougies sur son support de cuivre. Chaque bougie avait un abat-jour de soie jaune plissée. Elle détestait ses exercices de piano. Enfin, elle commença ses gammes, mais brusquement une longue note aiguë arriva de la rivière ; elle s'arrêta pour écouter. C'était Minna qui chantait un air bizarre, si étrange que Délie en eut la chair de poule.

Kutchinurringa nurringa na
Kutchinurringa na...

Elle referma le couvercle du piano. Ce matin, les gammes semblaient plus absurdes que jamais. Elle préférait de loin les leçons de natation.

Miss Barrett, nageuse émérite, surmonta rapidement les objections d'Hester. Elle avait apporté un costume de bain bleu marine montant jusqu'au cou et descendant jusqu'aux genoux ; elle en improvisa un pour Délie, dont les premières leçons se déroulèrent dans les eaux peu profondes voisines d'un banc de sable. Un peu plus loin, le sable tombait brusquement à pic vers le lit du fleuve ; bientôt, elle put nager là où elle n'avait pas pied, faisant preuve d'audace, mais aussi d'un sens aigu du danger. Enfin arriva le grand jour où, Miss Barrett nageant à ses côtés, elle rejoignit la rive opposée.

Vers cette date, les eaux du fleuve se mirent à monter, et les matinées devinrent plus fraîches. Tous les jours, Délie et Adam marquaient le niveau des eaux avec un bâton. Miss Barrett montrait autant d'énergie et d'enthousiasme pour le canotage que dans ses autres activités ; elle les emmena ramer au lieu de nager.

Un matin où ils étudiaient dans la salle de classe, ils entendirent un martèlement rythmé, comme un battement de cœur qui s'approchait lentement. Une énorme maison blanche en bois apparut alors au-dessus des arbres.

« Un vapeur ! Un vapeur à aubes ! » hurla Adam en se précipitant dehors. Miss Barrett et Délie le suivirent. C'était le premier bateau qu'ils voyaient passer.

Une légère fumée sortait de la cheminée, tandis que le navire descendait le courant à bonne allure. *Teuf teuf teuf teuf*, faisaient doucement les moteurs ; *takati takati*, cliquetaient les deux roues à aubes latérales, barattant l'eau écumante, tandis qu'à la poupe se formaient des vagues régulières et scintillantes qui progressaient vers les rives du fleuve sans déferler. Deux chalands chargés de marchandises étaient remorqués par le vapeur au bout de longs câbles.

Le capitaine debout en bras de chemise blanche dans la timonerie agita la main quand le vapeur passa devant la maison. Le navire négocia la courbe du fleuve en aval, suivi du premier chaland ; mais le deuxième prit le virage trop à l'extérieur et alla s'échouer sur un banc de sable. Le câble se détacha et le chaland resta sur le sable, dangereusement gîté.

Bientôt, le vapeur réapparut, luttant contre le courant, exécuta un large virage avec le premier chaland en remorque, puis s'approcha du chaland échoué. Ravis, les enfants coururent le long de la berge pour voir de près les opérations de sauvetage.

Miss Barrett ne semblait pas offusquée par les jurons qui leur parvenaient de la rive opposée, où le capitaine et le responsable du chaland se disputaient. « Allons dans le canot, nous verrons bien si nous pouvons les aider », dit-elle.

Leur embarcation se balançait violemment dans les vagues, mais Miss Barrett ramait avec énergie. Le gros capitaine au visage rubicond se pencha hors de la timonerie.

« Dites, mademoiselle, pouvez-vous emmener une corde de remorque jusqu'à la rive, là-bas, et l'attacher autour d'un arbre ? »

On leur lança une lourde corde garnie de poulies, et, tandis qu'Adam la déroulait, ils ramèrent jusqu'à la rive, firent passer la remorque autour d'un tronc d'arbre, puis se dirigèrent vers le chaland. Le responsable du chaland l'arrima et fit un signe au vapeur, qui avança doucement jusqu'à ce que la corde fût tendue. Alors les roues à aubes fouettèrent furieusement l'eau, pendant que le vapeur restait immobile.

La proue du chaland pivota sous la traction de la corde. Les trois occupants du canot regardaient attentivement la manœuvre ; soudain, le chaland glissa en eau profonde.

Délie comprit immédiatement le danger. « La corde ! s'écriat-elle. Attention à la corde !

— A plat ventre ! » hurla Miss Barrett.

Ils s'allongèrent dans le fond du canot ; mais Adam, qui tournait le dos, ne réagit pas assez vite. La corde tendue passa en sifflant au-dessus d'eux, frappa Adam aux épaules et le projeta par-dessus bord.

Stupéfaits, les autres attendirent de voir la tête d'Adam émerger de l'eau ; mais, tombé en amont du bateau, il était remonté sous la coque. A son deuxième essai, sa tête heurta encore la coque, et quand enfin il apparut, juste en aval, Miss Barrett se pencha au-dessus du liston et réussit à le hisser à bord, à moitié noyé et groggy.

Dès que le responsable du chaland vit qu'Adam était sain et sauf, il lança la remorque. Le chaland fut de nouveau relié au vapeur et le convoi repartit dans le sens du courant, bien avant que Miss Barrett ait eu le temps de rejoindre la rive.

Délie regardait la tête mouillée d'Adam posée sur son épaule, ses narines pincées, ses yeux clos, ses vêtements trempés ; elle se sentit submergée par la panique. Il avait toussé et vomi, exactement comme elle quand, après le naufrage de son voilier, l'océan l'avait rejetée sur le rivage ; il avait failli se noyer.

« Comment expliquer cela à sa mère ? marmonnait Miss Barrett, livide. J'aurais dû m'apercevoir du danger que nous courions... »

Pourtant, quand ils touchèrent la rive devant la maison, Adam avait suffisamment retrouvé ses esprits pour pouvoir marcher, et bien qu'Hester caquetât comme une poule terrifiée, elle ne soupçonna pas qu'ils avaient bel et bien frôlé la tragédie.

10

L'herbe pâle de l'été, décolorée par la sécheresse, était aussi lumineuse sous la lune que des champs de neige. Les prés viraient au gris, comme un manteau en loques. Quand les premières pluies de l'automne tombèrent, des pousses d'herbe tendre apparurent sous le dais grisâtre.

C'était le moment de l'année où les brebis mettaient bas ; Charles passait la moitié de la nuit dans les pâturages, car des renards rôdaient alentour et les corbeaux menaçaient les nouveau-nés. La rosée du matin était si abondante qu'un jeune agneau ne pouvait se dresser sur ses pattes à cause du poids de sa toison trempée d'humidité. Les corbeaux arrachaient alors les yeux des agneaux et s'attaquaient aux bêtes les plus faibles.

Malgré tous les soins qu'on leur prodigua, plusieurs brebis furent perdues, si bien que de petits paquets duveteux et blancs apparurent dans la cuisine, près du poêle brûlant, où tous les soirs on faisait monter la pâte à pain. Délie aidait à nourrir les agneaux à la bouteille, puis leur apprit à boire dans un seau. Elle allait dans l'appentis demander à Lige un seau de lait chaud ; le vieillard trayait alors une vache et remplissait le seau.

Ensuite vint l'hiver avec ses fortes gelées ; le matin, la vaste cuisine chauffée devenait un lieu délicieux. Les flammes rouges dansaient dans le poêle, la bouilloire sifflait joyeusement : « L'eau chante, l'eau chante ! » fredonnait Minna à Bella, occupée à couper le pain sur la table immaculée en bois blanc. Les plaisanteries fusaient dans la cuisine. Pour elles, le travail était un jeu incompréhensible inventé par les Blancs qui « tout le temps se cassaient la tête pour des broutilles ».

Pieds nus, Lucy entrait dans la cuisine, les bras chargés de bûches. Délie aimait tous les indigènes de la maison, Minna était sa préférée, avec ses timides yeux marron et son large sourire. En revanche, son naturel irritait Hester. Et si le pudding débordait ou n'était pas prêt pour le déjeuner ? Bah ! semblait dire Minna, on le mangerait au dîner !

Charles plaisantait avec les servantes chaque fois qu'il traversait la cuisine, ou avec Minna, quand, le matin, elle lui apportait de l'eau pour se raser. « Le maître, très drôle ! Lui me fait rire tout le temps ! » pouffait-elle en roulant joyeusement des yeux.

Parfois, la vieille Sarah quittait son camp sur la rive

opposée du fleuve pour venir à la maison, ainsi que le grand et musclé King Charlie, un manteau en peau d'opossum tombant gracieusement sur ses chevilles. C'étaient les plus anciens habitants de la région ; les derniers de leur tribu. Charles leur donnait du tabac pour leurs pipes, car ils lui apportaient souvent un cabillaud pêché dans le fleuve, ou de succulentes baies sauvages. Tandis que Charlie, tranquillement assis par terre, tirait sur sa pipe, Délie esquissait son portrait au fusain, en l'écoutant raconter les histoires de l'époque rêvée où furent créés le grand fleuve et la terre :

Il y a très très longtemps, alors que l'homme existait à peine, le Grand Un, l'esprit Byamee, vivait dans le gros Rocher. Là était sa demeure. Il dit à sa compagne, qui était vieille : « Maintenant, tu dois quitter ce lieu. Continue de marcher jusqu'à ce que tu arrives dans la plaine. Continue jusqu'à ce que tu voies la grande eau, et là assieds-toi. »

La femme prit son bâton d'igname et son chien. Elle voyagea jusqu'à une fissure dans le Rocher. Puis elle émergea dans un pays désertique et plat.

Au pied du Rocher, sur une plaque de sable, un grand serpent arriva et la regarda. Elle se mit en route le long d'une piste sablonneuse, traçant un trait dans le sable avec son bâton ; derrière elle, le serpent la suivait.

De nombreuses lunes passèrent. La vieille femme était fatiguée de marcher. En elle, une voix disait : « Vieille femme ! Regarde les nuages noirs qui entourent le Rocher. Écoute le tonnerre ! C'est la voix du vieux Byamee qui te parle. »

Alors arriva la pluie. L'eau se mit à ruisseler dans la trace laissée par le serpent.

Maintenant, la femme était très fatiguée, elle désirait se reposer. En elle, la voix disait : « Continue jusqu'à ce que tu arrives à la grande eau, là tu pourras dormir. »

Elle finit par trouver une caverne dans les rochers. Elle entendit d'abord le bruit du vent. Puis elle entendit le tumulte de la grande eau. Puis elle la vit. Elle avait trouvé son lieu.

Aujourd'hui encore, cette vieille femme dort dans sa caverne, car c'est Byamee qui l'a envoyée là. Les paroles qu'elle prononce dans son sommeil sont le vacarme de l'océan.

Quand la tempête fait rage, le rugissement des vagues est le chant qu'elle chante en dormant.

Fascinée par cette histoire, Délie se demandait comment les gens du fleuve, qui vivaient à quinze cents kilomètres de l'océan, pouvaient connaître l'existence de la côte lointaine. Oncle Charles lui apprit qu'ils envoyaient des émissaires qui parcouraient de longues distances, portant des bâtons à messages et des marchandises, traversant des territoires hostiles avec une habileté consommée.

Délie avait déclaré à Adam que plus jamais elle ne voudrait s'approcher de la mer, mais elle rêva maintes fois de la vieille femme qui cheminait péniblement vers la côte. Elle se rappela que le capitaine d'Echuca avait décrit cette immense plage du sud, longue de quatre-vingt-dix milles, blanchie par l'écume des brisants, résonnant de leur rugissement rauque et profond.

A sa galerie de portraits, Délie ajouta une esquisse de Minna (elle aurait aimé lui demander de poser nue), et un croquis de la vieille Sarah, mais la plupart de ses dessins représentaient Miss Barrett. Plusieurs fois, elle l'avait dessinée à son insu, son nez droit et ses narines palpitantes, son large front et ses cheveux frisés ; de profil, de face et de dos, sans oublier les quelques mèches qui s'échappaient gracieusement de ses cheveux noués en chignon.

Miss Barrett remarqua que Délie travaillait moins bien, qu'elle sursautait en rougissant quand on lui adressait la parole. La jeune fille vivait en effet dans un monde de rêves éveillés, où elle sauvait son idole de toutes sortes de périls mortels ; elle devenait aussi rêveuse et distraite qu'Adam.

Seules les leçons de dessin et de peinture parvenaient à concentrer toute son attention. Pourtant, le résultat avait été décevant. Elle était censée travailler la nature morte, la perspective, l'équilibre et la composition, en noir et blanc ou avec un lavis sépia, alors qu'elle ne songeait qu'aux fascinants tubes de couleur dans sa boîte de peinture.

Ce fut pendant une période très ensoleillée du milieu de l'hiver que la famille au gand complet se rendit à Echuca pour assister au lancement d'un nouveau vapeur à aubes, le *William Davies*, construit dans les chantiers de la ville. Ils trouvèrent toutes les boutiques fermées ; la ville entière était rassemblée sur la rive pour la cérémonie, le vapeur décoré de guirlandes de fleurs et de drapeaux multicolores attendait fièrement sur sa rampe de lancement. Le maire prononça un discours, puis lança la traditionnelle bouteille de champagne, qui explosa sur la coque, et tandis que le navire glissait vers le fleuve, tous les vapeurs du port lancèrent un coup de sirène.

Ils rentrèrent à la maison en fin d'après-midi, silencieux, vaguement fatigués. Adam regardait droit devant lui, ses lèvres remuant légèrement. Délie essayait de se rappeler les couleurs de toutes les ombres ; car elle avait brusquement découvert qu'elles n'étaient ni noires ni grises. Dans les arbres lointains, elles étaient indigo, dans les arbres proches d'un bleu de cobalt sombre ; et les ombres des arbres s'étendaient sur la route blanche comme des nappes de dentelle bleu foncé.

Quand ils arrivèrent dans la prairie sablonneuse qui s'étendait devant la maison, le ciel dégagé n'était presque plus bleu ; un liseré d'or pur barrait l'horizon, là où le soleil venait de plonger. Tandis que le buggy s'arrêtait dans la cour, l'or vira au rose violacé. Sans dire un mot, Délie se précipita à l'intérieur, prit une feuille de papier Canson, une cruche d'eau et sa boîte d'aquarelles. Voilà quelque chose qu'elle devait tenter de peindre à tout prix.

Les couleurs s'assombrissaient dans la courbe où le fleuve bifurquait vers le nord-ouest ; la surface lisse et soyeuse de l'eau reflétait exactement toutes les couleurs du ciel ainsi que les moindres détails des arbres.

Mais Délie fut bientôt tirée de sa contemplation par plusieurs piqûres de moustiques et par la voix de sa tante qui l'appelait pour le dîner. Le bref coucher de soleil, la brève extase de la création étaient terminés. Elle regarda sa peinture d'un œil critique, presque indifférent. Quand, ensuite, elle l'examina à la lumière de la lampe, elle sentit combien elle était loin de la pureté extraordinaire de l'eau et du ciel, si bien que les compliments de Miss Barrett tombèrent à plat. Pourtant, la gouvernante ajouta qu'elle considérait maintenant Délie comme prête pour la couleur ; elle pourrait commencer les lavis dès le lendemain.

Dehors, le ciel semblait nimbé de lumière ; d'un émeraude

lumineux au zénith, virant graduellement au vert le plus pâle à l'horizon, avec une touche de rouge délavé, telle une eau limpide dans laquelle on aurait dissous une trace de sang.

11

Adam quitta la table du petit déjeuner et alla regarder tristement entre les rideaux de peluche verte ; il tortillait un bout de frange entre ses doigts nerveux. Des nuages gris venant du sud filaient dans le ciel ; les arbustes du jardin, les poivriers et les citronniers avaient pris cette teinte vert intense qui présageait la pluie. Miss Barrett arriva derrière lui et saisit doucement la frange froissée du rideau. Dès qu'elle toucha sa main, il rougit, eut un mouvement de recul et s'adressa à Délie.

« Tu viens faire un tour près du fleuve avant l'école, Del ? » Il tira doucement sur le ruban noir qui nouait les longs cheveux de sa cousine. « J'ai posé une ligne pour le cabillaud. »

Délie regarda sa tante d'un air interrogateur. Hester acquiesça. Miss Barrett alla chercher quelques livres dans sa chambre, et quand ils se retrouvèrent seuls dans la pièce, Hester adressa à Charles un regard entendu.

« Tu crois que c'est sérieux pour Adam ? demanda-t-elle d'une voix mielleuse.

— Sérieux ? » Charles semblait perplexe. « Que voulez-vous dire, ma chère ? J'aimerais bien qu'il s'intéresse plus sérieusement aux travaux de la ferme, pour que j'aie un fils à qui léguer cette propriété. Il refuse d'aider au foin parce que le chaume lui donne le rhume des foins ; et maintenant, alors que nous avons besoin de lui pour les moutons, il prétend que l'odeur du produit contre les parasites lui donne des haut-le-cœur !

— Il doit faire ses devoirs de classe.

— C'est ça, trouve-lui des excuses ! Tu gâtes trop ce garçon ; un jour, tu le regretteras. Il sait que tu prends toujours son parti, et il me nargue du matin au soir. Quand il aura vingt ans, ce ne sera qu'un bon à rien, un incapable.

— Tu aggraves ma migraine. » Hester évoquait sa migraine pour la première fois. « Si tu écoutais un peu ce que j'ai à te dire... N'as-tu pas songé que si Adam et Philadelphia se mariaient — et quoi de plus naturel pour deux enfants qui grandissent ensemble ? —, avec l'argent de sa cousine il pourrait s'installer comme *gentleman-farmer*, habiter Melbourne s'il le désire et placer un gérant ici. Après notre mort, bien sûr. Elle touchera douze mille livres — eh oui, Charles ! — quand elle aura vingt et un ans. »

Charles la regarda sans expression. Cette idée ne l'avait jamais effleuré. « Mais... mais ce ne sont que des enfants. Et puis je ne sais pas, un mariage entre cousins, et tout ça. Pour moi, Délie est plutôt la sœur de notre fils. »

Hester se contenta de sourire, intimement convaincue de la supériorité de son savoir.

Le printemps arriva, faisant jaillir un poudroiement doré dans les épais taillis de la rive opposée, imprégnant l'air du parfum subtil et velouté des fleurs d'acacias. Le fleuve montait régulièrement. L'eau commença à envahir les bras jusque-là asséchés. Le chœur joyeux des grenouilles emplit la nuit. Nullement intimidée par l'air piquant du matin, Miss Barrett entrait chaque jour dans l'eau glacée, se frayant un chemin dans la gelée blanche qui couvrait la berge. Délie redoutait qu'elle n'eût une crampe, mais Miss Barrett s'obstinait à nager.

Elle éprouvait une sensation merveilleuse en sortant de l'eau, disait-elle, le froid la réveillait complètement et la mettait de bonne humeur ; son corps, qui semblait ne plus lui appartenir, brillait.

Le fleuve, dont les eaux montaient maintenant au ras des berges, paraissait plus large. Le passage des vapeurs était un événement presque quotidien, mais toujours aussi fascinant. Dès qu'ils entendaient la pulsation lointaine des roues à aubes, Délie et Adam se précipitaient au bord de l'eau pour attendre le navire, lire son nom sur la proue. S'il apportait du courrier d'Echuca, le bateau s'arrêtait pour le déposer et prendre à son bord des œufs et du lait frais. La plupart des vapeurs remontaient le fleuve contre le courant, halant deux ou trois chalands. Ils les abandonnaient aux camps forestiers situés en amont des lacs Moira ; les chalands redescendaient ensuite chargés de billes d'eucalyptus, tandis que les vapeurs allaient chercher un autre convoi.

Un samedi matin, un vapeur dont l'unique roue à aubes était installée à la poupe s'arrêta près de la maison. Adam et Délie coururent annoncer la nouvelle à Hester, car c'était un magasin flottant qui vendait toutes sortes de denrées, des aiguilles à repriser, des pièges à lapin, etc.

Hester s'amusa beaucoup, le camelot également. La famille avait besoin de tellement de choses : amidon Silver Star, levure, cannelle, un nouveau fouet pour battre les œufs, « le truc idéal pour les gâteaux, même si je suis sûr que les vôtres sont toujours légers comme une plume », et une mesure de cretonne pour les rideaux.

« Ça coûte les yeux de la tête d'acheter à ces marchands ambulants, dit Charles après le départ du bateau.

— Absolument pas. Je sais marchander, crois-moi. Et puis tu ne vas pas me reprocher de dépenser un peu de l'argent que je gagne avec mes œufs !

— Oh, non, non ; je te fais confiance pour jeter ton argent par les fenêtres, va ! Mais sache que très bientôt, si la dégringolade de la monnaie continue, nous n'aurons plus un sou vaillant. Les cours s'effondrent aussi, et ça ne vaudra bientôt plus la peine d'amener les produits de la ferme à Echuca. Si vous persistez dans vos extravagances, je serai obligé de recommencer à prospecter ; mettez-vous bien cela dans la tête. »

Hester ramassa une brassée de chintz, puis fila dans la maison. Elle n'en croyait pas un mot ; son mari essayait simplement de l'humilier. Pendant le dîner, elle se montra odieuse. Cette nuit-là, Délie, qui ne parvenait pas à dormir, les entendit discuter interminablement dans la chambre à coucher, avec de temps à autre, des exclamations de colère.

La querelle suscitée par le passage du camelot était assez futile, mais tous les habitants de la maison sentirent que ce différend avait des racines plus profondes. La rupture fut bientôt consommée : on installa un lit à une place dans l'office, on y ajouta quelques accessoires, et l'office devint la chambre de Charles, tandis qu'Hester restait seule dans la grande chambre donnant sur le devant de la maison.

Chaque courrier accroissait la morosité de Charles. Il

s'asseyait devant les numéros de la semaine du journal d'Echuca, le *Riverine Herald*, qu'il dépliait devant lui. Chaque fois que Délie regardait par-dessus son épaule (Charles était parmi les rares hommes qui supportaient qu'on lise le journal en même temps qu'eux), il étudiait l'article de la rubrique CRISE FINANCIÈRE.

Un jour, elle lut ces mots : « En moins d'un mois, six grosses banques réputées pour leur sérieux et leurs garanties ont suspendu leurs affaires. La présente panique n'est pas ordinaire. Décidant qu'il devait prendre des mesures d'urgence, le gouvernement a fermé toutes les banques pour cinq jours, afin de donner à leurs directeurs le temps de respirer. »

« Cela signifie-t-il qu'on ne peut plus sortir d'argent des banques, même quand on en a besoin, mon oncle ?

— Oui, ma chérie. Si le gouvernement n'avait pas fermé les banques, bientôt il n'y aurait plus eu un sou dans leurs coffres. »

12

Gonflé par la fonte des neiges, le fleuve coulait maintenant plus rapidement : sa surface était ourlée de tourbillons et parfois crevée par des chapelets de bulles. Des barges lourdement chargées de troncs d'eucalyptus glissaient silencieusement avec le courant. Une longue chaîne attachée à la poupe traînait sur le lit du fleuve, contraignant ainsi la proue à rester dirigée vers l'aval.

Adam et Délie furent intrigués quand deux cavaliers de la police montée arrivèrent d'Echuca. Ils restèrent déjeuner et déclarèrent qu'ils recherchaient le cadavre d'un homme. En effet, une barge dérivant de nuit sur le fleuve avait perdu un marin. Son camarade dormait ; soudain, il avait senti la barge heurter un haut-fond et s'échouer. Émergeant de l'avant-bec de l'embarcation pour voir ce qui s'était passé, il avait constaté la disparition de son compagnon.

La nuit était sombre ; le maître de barge avait senti l'odeur des fleurs et en avait conclu à la proximité d'un jardin. Sur de nombreux milles le long des rives, la ferme était le seul endroit où l'on cultivait des fleurs. La police pensait découvrir le corps un peu en aval, dans la courbe suivante du fleuve.

Deux jours durant, ils cherchèrent en vain. Ils campaient près du fleuve et venaient dîner le soir, rompant agréablement la monotonie de la vie quotidienne. Le plus jeune, un officier rubicond aux moustaches gominées, parut très impressionné par Miss Barrett. Droit comme un piquet à côté du piano, il tournait les pages de la partition pendant qu'elle jouait.

«Il va se casser en deux si jamais il se penche en avant!» dit Adam.

Délie, qui observait jalousement la scène, s'aperçut que Miss Barrett adressait au policier un sourire chaleureux et complice, tandis que le jeune officier dévorait des yeux les petites boucles qui couvraient la nuque gracieuse de la pianiste.

Le troisième jour, il y eut une soudaine effervescence dans la courbe du fleuve. Charles aperçut Adam et Délie au bout du jardin, et leur cria d'un ton cassant de «s'éloigner». Ils battirent en retraite dans les taillis : mais Adam prit Délie par la main et l'emmena vers le gros eucalyptus creux où ils se cachèrent, jetant des coups d'œil furtifs par les interstices de l'écorce, alors qu'on allongeait sur une planche une longue silhouette au pantalon ruisselant. Le visage du marin de la barge — ou plutôt ce qu'en avaient laissé les écrevisses et les crevettes — était tourné, aveugle, vers le ciel bleu et souriant...

Sur le chapitre de la nourriture, Hester détestait les caprices ; elle se mettait en colère chaque fois qu'on faisait la fine bouche devant ses plats. Mais comme Miss Barrett avait un appétit comparable à celui de ses élèves, rares étaient les disputes qui éclataient à ce sujet. Pourtant, un soir, après que les aborigènes de la maison furent rentrés d'une de leurs chasses, Hester décida de préparer un vrai festin. Le repas commençait par une salade froide d'écrevisses.

«Non merci, pas d'écrevisses pour moi, dit Adam.

— Délie ?

— Non merci. Je n'aime plus les écrevisses.»

Charles ajouta rapidement, en lançant un coup d'œil appuyé

aux enfants : « Je crois qu'on fait de mauvais rêves quand on mange des écrevisses au dîner. Je n'en prendrai donc pas. Qu'y a-t-il ensuite ? »

Hester rongeait son frein. Néanmoins, quand elle sonna pour qu'on servît le plat suivant, elle sourit d'un air suave. « Nous avons un menu spécial ce soir, dit-elle.

— Qu'allons-nous manger ?

— C'est une surprise ! »

Bella apporta un gros oiseau brun doré qui emplissait le plus beau plat du service d'Hester ; Charles commença à découper. Délie regardait la courbe splendide du bréchet, profilé pour voler. Soudain, elle eut l'intuition de ce qu'ils allaient manger ; sa bouche se dessécha. « Je n'en veux pas, merci bien. Seulement des légumes.

— Elle n'en veut pas ? » La voix de sa tante était dure, implacable. « Elle ne veut pas de cette excellente bête ? Charles, donne-lui un morceau d'aile avec du blanc.

— NON ! » s'écria-t-elle violemment. Son visage était rose. « Je refuse de manger du cygne noir. »

Adam, qui avait dévisagé sa cousine avec surprise, regarda alors l'oiseau rôti.

« C'est délicieux, insista sa mère. Tout le monde trouve cela délicieux. Les indigènes nous l'ont apporté ; je l'ai mis à faisander dans le garde-manger. Je l'ai cuit moi-même, et il est à point. »

Adam se jeta en arrière sur sa chaise. « Je n'en veux pas non plus. »

Hester laissa bruyamment tomber la cuillère avec laquelle elle servait les légumes. « Qu'est-ce qui vous prend ce soir, les enfants ? Charles, tu comptes rester les bras croisés pendant qu'ils n'en font qu'à leur tête ?

— Hein ? Euh... non, bien sûr que non. Voyons, mes enfants, vous n'aimez peut-être pas le goût de cet oiseau, mais vous allez tous les deux manger un petit morceau, juste pour goûter. Bon, alors : une cuisse ou une aile ?

— Rien.

— Rien pour moi non plus.

— Alors sortez de table tous les deux ! s'emporta Hester. Vous pouvez aller vous coucher sans dîner ! Immédiatement. »

A travers la porte, ils entendirent Miss Barrett essayer d'apaiser Hester. «Ne faites pas attention, madame Jamieson, ce plat me paraît délicieux, et je vais tout de suite lui faire honneur. Quel magnifique oiseau.» Ils rejoignirent leurs chambres sans un mot.

Délie lisait dans son lit un gros volume de l'almanach *Chatter-box* décoré de gravures sombres, quand elle entendit frapper doucement à sa porte; Miss Barrett se glissa dans sa chambre. Ses longues jupes d'alpaga balayaient le linoléum brillant; elle se retourna pour fermer silencieusement la porte. Puis elle s'assit au bord du lit et sortit de sa poche un sandwich au beurre et une part de gâteau.

«Tiens, mon enfant, tu dormiras mieux avec cela dans l'estomac. Maintenant, dis-moi — Délie mangeait timidement, extasiée de voir son idole assise sur son lit —, pourquoi as-tu refusé de manger de cet oiseau rôti?»

Délie baissa les yeux et rougit, mais ne répondit pas.

«Je crois comprendre. Parce que les cygnes sont beaux, parce qu'ils volent, et que les manger ressemble à un sacrilège: quelque chose comme ça?»

Délie observait obstinément le dessus-de-lit, mâchant mécaniquement le gâteau désormais insipide. Pour rien au monde, elle n'avouerait l'amour qu'elle portait aux cygnes.

«Oui, je vois. Mais quand tu auras mon âge, tu seras peut-être moins idéaliste. Au bout du compte, nous nous transformons tous en chair morte.» Elle se leva. «Bon, je dois aussi apporter à Adam son dîner clandestin. Je me demande s'il prenait ton parti, ou s'il exprimait son opinion personnelle?

— Les deux, marmonna Délie.

— Eh bien, bonsoir, ma chérie. Tu ferais bien de souffler cette bougie assez vite.»

Un long doigt glacé effleura le visage de Délie, qui se pelotonna dans le lit plein de miettes. Elle commençait à somnoler quand la porte s'ouvrit de nouveau et une voix dit doucement: «Tu dors, mon enfant?»

«Non, tante Hester.» Elle s'assit dans son lit.

Sa tante traversa la chambre d'un pas vif: elle tenait une tasse et une soucoupe. «Tiens, je t'ai apporté un peu de cacao chaud et des biscuits au beurre. Je ne crois pas qu'une fille en pleine croissance doive aller se coucher sans dîner, alors je t'ai aussi préparé quelque chose. »

Délie but une gorgée brûlante de cacao sucré. Il était délicieux, le meilleur qu'elle eût jamais bu. « C'est très gentil de votre part, ma tante, dit-elle, regrettant pour la première fois son attitude. C'est ma faute, si Adam n'a rien mangé au dîner. Vous n'auriez pas dû m'apporter tout cela.

— J'aime être équitable. » Hester reprit la tasse et la soucoupe, puis Délie sentit un léger baiser posé sur son front. Surprise, elle s'allongea de nouveau dans son lit ; elle perçut en elle une chaleur qui ne provenait pas uniquement du lait chaud.

C'était maintenant la fin du printemps, le fleuve était en crue. Des troncs d'arbres et des serpents aquatiques dérivaient au fil du courant ; Lige était nerveux, irascible. Même Miss Barrett renonça à nager dans les eaux glacées. Les bras asséchés et les marais commencèrent à se remplir ; là, les cygnes noirs se réunissaient par centaines, leur progéniture duveteuse nageant derrière les parents.

Les vapeurs remontant le fleuve luttaient contre le courant. L'élégant *Hero*, la petite *Julia* qui transportait des touristes vers les lacs Moira, l'*Edwards*, le *Cato* et le *Lancashire Lass* passaient de jour devant la maison, leurs roues à aubes fouettant l'eau, ou, de nuit, avec l'éclat de comètes tombant au ralenti.

Délie et Adam sortaient sur la véranda pour les regarder. D'abord, les arbres de la courbe en aval s'éclairaient ; les lampes à acétylène aveuglantes franchissaient la courbe et peu à peu les arbres paraissaient s'embraser. Alors s'offraient à leurs regards stupéfaits les fenêtres des cabines illuminées, les étincelles jaillissant de sa cheminée, et le vapeur glissait lentement sous leurs yeux, tirant un rideau de ténèbres derrière lui, abandonnant les deux jeunes cœurs en proie à l'excitation et la nervosité.

A mesure que les nuits s'adoucissaient, les insomnies de Délie devinrent plus fréquentes. Les grillons stridulaient dans le sable ; le pittosporum en fleur alourdissait l'air de son parfum qui rappelait celui des oranges. Une pie lançait son appel mélodieux ; un hochequeue répétait inlassablement ses cinq trilles dans le jardin éclairé par la lune, et Délie ne pouvait dormir. Les notes ressemblaient à une cascade de verre brisé, limpide et acérée.

Même ses fantasmes perdaient de leur charme quand, allongée par une nuit de pleine lune, elle écoutait le chant régulier, monotone, et pourtant insidieux, des grillons. Ils semblaient lui chuchoter quelque chose... quelque chose d'éternel, d'une importance cruciale, qu'elle était toujours sur le point de comprendre.

Une nuit, elle finit par repousser ses couvertures pour aller à la fenêtre. Au-delà s'étendait un mystérieux paysage d'ombres et de clair de lune. Elle distinguait le tronc satiné de l'eucalyptus en fleur, ses feuilles qui brillaient comme du métal poli. Elle enjamba le rebord de la fenêtre et sauta de l'autre côté.

Sous la plante de ses pieds nus, la terre sablonneuse était fraîche et caressante. Sa chemise de nuit à longues manches lui tenait chaud. Excitée par sa propre audace, elle longea le mur de la maison plongé dans l'ombre, dépassa la véranda piquée de jasmin blanc, puis avança dans une flaque de lumière brillante. Il était presque minuit, la lune était à son zénith, aucun nuage n'obscurcissait les étoiles. Entre les arbres, elle aperçut le fleuve qui palpitait de sa propre vie mystérieuse. Lentement, comme hors du temps, les grillons stridulaient. Elle sentit la vie déborder d'elle, chercher de nouvelles issues.

Dans un éclair irréel, elle vit Minna gravir la berge, le soleil éclaboussant son corps nu. Quel était l'effet de l'air nocturne sur la peau — cet air que tante Hester avait déclaré empoisonné, et qui n'aurait pas dû pénétrer dans la maison? Ce serait comme un bain, comme un bain de lune.

Elle se débarrassa de son unique vêtement, puis étendit ses membres dans la nuit, dansa devant son ombre. Fondue dans l'obscurité, elle se sentait plus vaporeuse et irréelle que l'air brumeux saturé de lumière. Les petites étoiles lointaines tourbillonnaient dans le bleu pâle du ciel froid.

Elle ignora combien de temps elle dansa, enivrée par la beauté de la nuit. Mais elle pensa brusquement à tante Hester: si elle regardait par la fenêtre de sa chambre! Elle ramassa aussitôt sa chemise de nuit.

Alors elle entendit un bruit provenant de l'autre côté de la barrière du jardin: *mo-poke!* Elle attendit et l'appel recommença, *mo-poke!* Une chouette ululait dans un arbre invisible, dernière touche apportée à ce tableau magique. Elle traversa le jardin en courant, rejoignit le premier bosquet de sapins et la Murray, s'arrêta pour écouter. Puis elle avança lentement sur ses pieds nus. Du sol montaient un rire étouffé, le murmure d'une voix masculine.

Elle se figea. Sous les arbres sombres il y avait une masse plus sombre encore; soudain, un rayon de lune éclaira les dents blanches de Minna qui riait, et ses yeux brillants. Délie retint son souffle. Le clair de lune tombait sur la vieille robe jaune de Minna, ouverte jusqu'à la taille, et sur les globes de ses seins. Là, d'une blancheur étonnante contre la peau foncée, Délie vit les longs doigts d'oncle Charles.

La jeune fille recula, les battements de son cœur résonnaient si fort dans ses oreilles qu'elle pensa qu'ils devaient les entendre. Elle atteignit la porte du jardin, courut vers la maison, enfouit son visage brûlant dans son oreiller. La scène restait gravée en noir et blanc dans son esprit, car elle possédait une mémoire visuelle étonnante. Longtemps, elle ne put trouver le sommeil. Le lendemain matin, au petit déjeuner, elle évita les yeux de son oncle, et mangea si peu qu'Hester s'emporta de nouveau contre elle.

13

Un mois environ après qu'elle fut allée dans le jardin à minuit, Délie entra dans la laiterie un matin, et découvrit Minna, d'habitude si gaie, les yeux enflés et une expression de tristesse sur le visage. Délie l'aida à enlever la crème formée dans les jattes pendant la nuit, et comprit que Minna allait être bannie, que dorénavant on lui interdirait l'accès de la propriété. Quant aux autres aides de la cuisine, elles devraient aussi s'en aller, s'installer sur l'autre rive du fleuve et venir travailler tous les jours.

Délie fut désolée. Elle avait toujours aimé Minna. Elle avait eu l'intention de lui demander de poser nue avant son départ pour pouvoir dessiner sa silhouette mince et souple. Mais il semblait que la taille de Minna eût récemment épaissi. Minna allait-elle avoir un bébé ? Délie se refusa à envisager cette possibilité. Pourtant, sa tante avait effectivement signé l'arrêté d'expulsion.

Depuis un certain temps déjà, Hester prenait des airs de martyre — bouche pincée en une moue de réprobation, deux plaques rouge sombre s'étendant sur ses joues couperosées comme des signaux de danger. Contrairement à Charles, elle ne s'était jamais abaissée à plaisanter avec les filles, et maintenant elle leur parlait à peine. Même la métisse Bella devrait quitter sa petite chambre derrière la cuisine pour retourner au camp.

Après l'arrivée du courrier, on appela Délie au salon. Son oncle avait déplié les journaux devant lui. Il lissait sa moustache d'un air préoccupé, marmonnait des bribes de phrases : quelque chose à propos de l'effondrement du boom sur les terrains... l'écroulement des marchés... la panique...

Tout le monde se ruait sur les banques, et à Melbourne elles avaient dû fermer leurs portes. Il montra à sa nièce un gros titre : LA SUCCURSALE D'ÉCHUCA SUSPEND SES PAIEMENTS.

« Mais je croyais notre argent en lieu sûr ! s'écria Délie.

— Hélas, tout le monde le pensait. Nous devons aller à Echuca pour voir de quoi il retourne. »

De toute façon, ils devaient se rendre en ville pour trouver une remplaçante à Minna. Charles les y emmena par la route la plus longue, au milieu des collines sablonneuses où immortelles et boutons d'or couvraient la terre de nappes blanches et jaunes. Charles et Hester n'échangèrent pas un mot.

Délie, qui n'avait pas vraiment conscience de l'étendue du désastre, resta dans le buggy avec Adam, pendant qu'Hester se rendait à l'agence pour l'emploi, et que Charles allait voir le directeur de la banque. Quand il sortit, son visage était grave. Il tapota la main de Délie.

« Mon enfant, c'est une catastrophe. Ton argent s'est évaporé... presque complètement. »

Elle regardait les reflets du soleil sur la robe soyeuse du hongre marron, elle regardait un essaim de petites mouches noires qui survolaient un tas de crottin jaune sur la route. Des années plus tard, elle devait se rappeler le crottin jaune, le ciel bleu, la longue perspective de Hare Street avec ses rangées de boutiques, et la voix de son oncle disant : « *Ton argent s'est évaporé.* » Sur le moment, tout cela lui parut irréel. On lui avait dit qu'il y avait de l'argent à la banque ; maintenant on lui disait qu'il n'y en avait plus — il restait peut-être cinquante livres en tout et pour tout. Mais avant qu'on annonçât la nouvelle à Hester, elle ne comprit pas que les choses ne seraient plus jamais comme avant, même si les premières paroles d'Hester furent : « Naturellement, tout continue comme avant, ma chérie. »

Délie était trop bouleversée pour pouvoir parler.

« Tu es la fille de ma sœur et nous voulons nous occuper de toi. En revanche, pour la gouvernante...

— Hester, cela peut attendre un peu.

— Charles, mieux vaut discuter de ce problème tout de suite ; je ne vois pas comment nous pourrions continuer à payer Miss Barrett. Toi-même, tu as dû perdre de l'argent, et puis il y a le salaire et la pension d'Annie... car j'ai engagé une excellente fille, vous pouvez me faire confiance. Elle rentrera avec nous à la maison cet après-midi.

— A vrai dire j'ai eu beaucoup de chance de placer tout mon capital dans la propriété et dans l'achat de ce bon bélier. Et puis je n'avais pas encore vendu la laine des moutons. Je suis désolé, Délie ; je n'ai pas voulu te demander d'investir ton argent dans la ferme, pourtant ç'aurait été une bonne idée, un placement formidable... »

Délie conçut alors clairement toutes les conséquences de la banqueroute. Hester se montrerait insupportable, obligerait Miss Barrett à partir. Finis les cours de peinture ! Pourrait-elle jamais s'inscrire à l'école des beaux-arts d'Echuca, aller à Melbourne comme elle l'avait rêvé ?

Sur le chemin du retour, Délie oublia un peu ces sombres pensées pour observer la nouvelle domestique. Annie se tenait en face d'elle, assise à côté de sa malle métallique, yeux baissés. Elle était mince et osseuse, avec des pieds immenses. Quelques jours plus tard, Adam et Délie devaient la surnommer Annie le Fantôme.

Avant le petit déjeuner, Délie faisait ses gammes dans le salon, ou restait assise au piano, à rêvasser devant les baies vitrées, quand soudain elle prenait conscience d'une présence derrière elle. Surprise, elle se retournait pour découvrir Annie qui glissait silencieusement sur le sol, un chiffon à poussière à la main ; impossible de savoir si elle vous regardait ou non, tant ses yeux étaient inexpressifs.

La domestique s'attira bientôt les foudres de Lige. Délie le vit jaillir de sa hutte, brandissant un de ses bâtons à serpents, poussant Annie devant lui comme une brebis décharnée et craintive. Elle se déplaçait vivement, marmonnant sans arrêt : « J'voulais juste astiquer un peu, j'vous promets. J'voulais juste astiquer un peu.

— C'est MOI qui vais t'astiquer, rugit Lige. Je veux pas de femmes dans ma hutte, pour se mêler de ce qui les regarde pas, tout mettre sens dessus dessous. Les femmes ! Vous êtes pires que des serpents venimeux. "Ne donne pas ta force aux femmes !" »

Lorsqu'elle apprit le désastre financier de Délie, Miss Barrett proposa immédiatement de rester sans salaire. Le fleuve lui plaisait et Délie avait du talent.

Elle retourna cependant à Melbourne pour les vacances de Noël. Délie et Adam nagèrent, pêchèrent, observèrent l'écoulement régulier et incessant des eaux de l'été. Le fleuve était leur refuge, car il y avait désormais de la place pour marcher au bord de l'eau, en contrebas des berges abruptes que recouvraient parfois les crues. Là, les racines des grands eucalyptus, submergées pendant la moitié de l'année, plongeaient dans la terre les doigts noueux de leurs mains gigantesques.

Chaque fois qu'elle désirait échapper à Hester qui la harcelait, Délie montait jusqu'à la cime dorée du cyprès du jardin. Allongée dans les branches aromatiques, le soleil ruisselait sur ses membres et elle retrouvait la paix.

Un jour qu'assise à côté d'Adam, elle scrutait la courbe lointaine du fleuve, et que, de la véranda, leur parvenait la voix d'Hester qui les appelait, elle dit : « Apparemment, ta mère ne m'aime plus beaucoup depuis que j'ai perdu mon argent. »

Adam sembla gêné. « Mais non, je suis sûr que cela n'a aucune importance. Tu te fais des idées.

— Pourtant, elle me demande sans arrêt de faire des choses qui sont du domaine d'Annie. J'ai l'impression qu'elle veut m'éloigner de toi.

— C'est stupide! Je ne te crois pas.»

C'était pourtant la vérité. Quand Charles et Adam envisageaient d'aller à Echuca, Hester avait toujours besoin de Délie à la maison. «Aujourd'hui, je dois tailler des rideaux dans cette cretonne, annonçait sa tante, j'aimerais que tu m'aides à mettre les anneaux.» Ou bien: «Demain je fais de la confiture; je voudrais que tu descendes à la cave pour chercher tous les pots vides. Les pieds d'Annie sont si grands qu'elle dégringolera au bas des marches et cassera tous les pots; alors que toi, tu n'en casseras qu'un ou deux.»

Délie se retenait d'exploser et restait donc à coudre des anneaux de cuivre jusqu'à ce que ses doigts fussent douloureux — elle détestait la couture! Il lui restait cependant l'imagination et dans sa tête, le petit buggy qui serpentait sous les frondaisons des arbres, le ciel bleu qu'on apercevait entre les branches, le tapis des feuilles pâles en forme de couteaux ou de quartiers de lune...

Le lendemain, Adam devait partir à cheval pour inspecter les moutons avec son père; Délie, qui adorait monter à cheval, bien qu'elle dût se contenter du vieux Barney ou du gros poney Léo, décida d'aller à leur rencontre avec un pique-nique. Aussitôt, Hester s'opposa à son projet. «Philadelphia, dit-elle, il reste encore un panier d'abricots pour demain, j'aurai besoin de ton aide.»

Délie dut rester à la maison, pour découper des ronds de papier crépon, les enduire de lait et les placer sur les pots brûlants de confiture. Quand le papier était scellé, tendu comme un parchemin, elle prenait la plume d'oie réservée à cet usage, puis écrivait à l'encre sur chaque couvercle: ABRI-COTS 93. Car il était bien sûr inutile d'écrire 1893; le XIXᵉ siècle durait depuis si longtemps que personne n'aurait pu imaginer qu'il s'agît d'un autre siècle.

14

Une fois encore, les taches blanches des agneaux nouveau-nés et des champignons de l'automne mouchetèrent les pâturages verts. Adam, qui l'an passé avait refusé de marquer le moindre agneau, se tenait à l'écart des pâturages. Charles lui en faisait sans cesse reproche. Le visage d'Adam se renfrognait alors et le garçon s'éloignait, conscient de l'approbation tacite de sa mère.

Solide et musclé, il faisait plus que son âge. Il émanait de lui une impression de virilité et d'assurance, bien qu'il n'eût pas encore dix-sept ans. Il était maintenant plus grand que Miss Barrett, avec qui il se lançait dans de grandes discussions sur la vie et la poésie. Dès qu'il avait un moment de libre, il lisait, enfermé dans sa chambre.

Un jour où Délie le cherchait après l'école, elle frappa à la porte de sa chambre, puis passa la tête dans l'entrebâillement. Il leva les yeux et lui adressa une grimace si féroce qu'elle prit peur. Son front et ses yeux exprimaient la mélancolie, sa bouche d'adolescent une détermination nouvelle. Des feuilles de papier jonchaient son lit, il tenait un crayon qui portait la trace de nombreuses morsures. Sur la défensive, il réunit toutes ses feuilles, et lui demanda brusquement : « Qu'est-ce que tu veux ?

— Ri... rien, bafouilla-t-elle. Je crois que je vais aller aider Lige à rentrer les vaches.

— Qu'est-ce que tu attends ? »

Elle s'éloigna lentement, se demandant pourquoi son joyeux compagnon du premier été s'était transformé en cet étranger aux préoccupations mystérieuses.

Autour de la cheminée du salon après le dîner, d'âpres discussions opposaient Charles et Adam.

Miss Barrett apprenait la broderie à Délie, qui était extrêmement maladroite. Quand, assise sur un tabouret bas, la tête au niveau des genoux de Miss Barrett, elle regardait ses doigts fins, bien entretenus, aux ongles en amande, s'agiter parmi les fils brillants, elle était submergée d'un sentiment de paix et de bonheur.

Charles lisait le *Riverine Herald* de la veille, Adam était plongé dans un volume de poésie que Miss Barrett lui avait prêté, et Hester faisait une deuxième patience sur une table basse au coin du feu.

Charles sursauta en froissant les feuilles de son journal, signifiant ainsi qu'il venait de lire quelque chose d'intéressant. « Il paraît que certains tondeurs de moutons sillonnent le pays pour inciter les syndiqués à se mettre en grève. Hum... J'ai l'impression que cette année il va falloir s'occuper de la tonte nous-mêmes. Tu as entendu ça, Adam ? Adam ! Je te parle. »

Adam leva lentement les yeux.

« Tu ne m'as pas entendu ? J'ai dit que cette année nous devrons tondre nous-mêmes nos moutons. Mais s'ils chamboulent toute l'industrie avec leurs grèves, ce sera interdit. »

Adam fit une moue dubitative. « Ce sera interdit ? Mais qui va les empêcher ? Tu crois peut-être que nous devrions tirer sur ces hommes libres commes ils l'ont fait à Eureka ? Après tout, ils ont bien raison de se plaindre.

— Non mais, on dirait que tu es de leur bord ! Tu feras peut-être moins le malin quand tu apprendras à tondre les moutons, crois-moi.

— C'est hors de question. Je déteste les moutons.

— Tu feras ce qu'on te dira, ou alors tu quittes cette maison !

— Ça me va ! » Adam et Charles se regardèrent haineusement.

Hester intervint immédiatement. « Ce sera peut-être inutile, dit-elle. Et puis je suis certaine qu'Adam nous aidera si nous avons besoin de lui. »

Adam ouvrit la bouche pour contredire sa mère, mais le regard que Miss Barrett lui lança à travers la pièce lui cloua le bec. Charles tapota plusieurs fois son journal pour exprimer son mécontentement, puis reprit sa lecture.

Le calme régna de nouveau, ponctué du claquement des cartes qu'Hester disposait sur la table en les pliant. Soudain, Adam poussa un cri, les yeux rivés à son livre, ses lèvres remuant en silence tandis qu'il lisait un passage. Tenant toujours le livre devant ses yeux, il se leva, puis courut au pied de la chaise basse de Miss Barrett, sur les genoux de qui il posa le livre ouvert.

«Regardez, est-ce que... c'est exactement ce que j'essaie d'exprimer, il dit *exactement* cela...

— Oui, je savais qu'Omar Khayyam parlerait à ton esprit. "Et ce bol renversé que nous appelons le ciel..." Ensuite, il faudra que tu lises Schopenhauer.»

Agacée, Délie rejeta son ouvrage inachevé. Adam venait de briser le cercle magique de l'intimité. Dorothy Barrett regardait rêveusement le feu, pendant qu'Adam levait les yeux vers elle comme vers une prophétesse. La voix d'Hester brisa le silence.

«Adam, je n'arrive pas à faire cette patience. Viens voir, il n'y a que du noir! *Toi*, tu pourras sans doute m'aider.»

Adam secoua la tête d'un air revêche, mais les yeux de sa mère le suppliaient. Il se leva, se pencha au-dessus de la table, prit un valet rouge sur le paquet, qu'il plaça sur une reine noire, puis retourna sur le divan avec son livre.

«Ah! Parfait. Tes jeunes yeux sont plus vifs que les miens.»

Chaque fois qu'Adam et Miss Barrett entamaient une discussion, remarqua Délie, sa mère avait immanquablement besoin de quelque chose.

Hester et Charles se montraient d'une politesse excessive l'un vis-à-vis de l'autre, mais Charles continuait à faire chambre à part.

Une fois par semaine, on apportait le courrier. On brisait le sceau de cire. Délie retenait sa respiration, car elle redoutait qu'il n'y eût une lettre pour Miss Barrett; pourtant, l'hiver suivant, la gouvernante n'avait toujours pas trouvé de place à sa convenance. Dans la salle de classe, des rivalités éclatèrent entre Délie et Adam. Elle était meilleure que lui en dessin et en géographie, mais Miss Barrett considérait les dissertations d'Adam comme des modèles du genre.

«Voilà un travail exceptionnel, Adam», dit-elle un matin en corrigeant les compositions.

Une légère rougeur colora le front d'Adam, qui baissa les yeux vers la table, puis marmonna d'un air renfrogné: «Oh, je sais que je peux écrire. Mais à quoi bon? Ce genre de truc ne sera jamais publié.

— Bien sûr, tu peux écrire. Cette dissertation est très bien tournée. »

Adam restait silencieux, occupé à tracer des cercles sur la page de garde de son manuel de latin.

«Écoute, Délie, et de sa voix profonde Miss Barrett lut une page du cahier d'exercices d'Adam. Tout en écoutant, Délie regardait par la fenêtre les longs nuages blancs qui divisaient horizontalement le ciel en trois bandes colorées : bleu foncé au zénith, presque pourpre ; puis une bande d'un bleu froid et doux ; et, en dessous, une teinte très pâle saupoudrée d'or, ni bleu ni vert. Enregistrant mentalement ces nuances de bleu, elle restait consciente des paroles de Miss Barrett : «... l'allégorie de l'artiste aveugle ; mais cela signifie davantage : le poète incapable de s'exprimer lui-même. Eh bien, Adam ? »

Fronçant les sourcils, avançant sa lèvre inférieure et son menton, Adam leva les yeux. Il ne fournit pas d'autre réponse. Stupéfaite, Délie le regarda : il se comportait si bizarrement ces temps-ci. Miss Barrett fit semblant de ne rien remarquer. «As-tu déjà essayé d'écrire de la poésie, Adam ? lui demanda-t-elle. As-tu d'autres dissertations à me montrer ? »

Avec une désinvolture frisant la grossièreté, Adam lança un livre d'exercices devant elle. «Seulement ça. »

Miss Barrett ferma le livre d'un geste brusque. «Je ne parle pas d'exercices ni de versification latine. Je parle de tes propres compositions.

— Non. Rien. » Mais le rouge monta à ses joues ; même ses oreilles s'empourprèrent. Dorothy Barrett regretta de l'avoir poussé dans ses retranchements. Ah, les souffrances de la jeunesse ! Elle ne voulait à aucun prix revivre sa propre jeunesse, si difficile et douloureuse ; elle avait maintenant sa carapace, constituée au fil des ans.

«Bon, continue de traduire ce passage de Virgile, s'il te plaît. Délie, viens t'asseoir à côté de moi pour que nous travaillions un peu ces verbes. »

D'une main nerveuse, elle tourna les pages de la grammaire. Vraiment, Adam était maintenant trop âgé pour avoir une femme comme professeur. Et il était beaucoup trop séduisant. Au cours de ses années d'enseignement dans une école de filles, Miss Barrett avait oublié à quel point la proximité d'un beau garçon pouvait être troublante.

Délie se promenait au bord du fleuve, lançait des morceaux d'écorce dans l'eau, attentive à ne pas regarder Adam qui était en contemplation devant la surface lisse des eaux. Levant les yeux, il l'aperçut. «Tu viens faire un tour, Del?» lui cria-t-il. Toute heureuse, elle le rejoignit en courant. Mais elle ne glissa pas sa main dans la sienne, comme elle l'aurait fait six mois auparavant. Ils marchaient lentement côte à côte, dépassèrent la butte de sable à la courbe du fleuve, redescendirent de l'autre côté vers le bosquet de chênes.

Une brise fraîche et légère soufflait sur le fleuve. Elle semblait chanter un air mélancolique dans les branches basses des arbres. Adam s'arrêta pour cueillir une pomme de pin ronde et couverte d'écailles. Plongé dans ses pensées, il l'observa.

«Allez, viens, on fait une promenade, oui ou non?»

Adam repartit, regardant Délie d'un air bizarre. «Pourquoi n'aimes-tu pas rester ici?

— A cause des chênes femelles.

— Des chênes femelles? Moi, je les appelle casuarines. Mais pourquoi ne les aimes-tu pas? On dirait des jeunes filles brunes à la longue chevelure.

— Parce que... parce qu'elles me font penser à la mer.

— Ah. Oh, oui. Excuse-moi.»

C'était tellement agréable de parler avec Adam. On n'avait jamais besoin de s'expliquer. Il n'avait jamais voyagé sur un voilier, pourtant il devinait que le doux soupir du vent dans les feuilles minces des arbres ressemblait au sifflement de la brise dans le gréement, au bruit lointain des vagues déferlant au pied de la falaise où reposait sa famille.

Quand elle était passée pour la première fois sous les arbres chanteurs, elle avait été émue aux larmes. Il lui suffisait de fermer les yeux pour que l'illusion fût complète.

Cette nuit-là, elle avait rêvé à la longue plage blanche décrite par le capitaine Johnston, où la Murray se jetait dans la mer. Elle marchait au pied des dunes de sable; devant elles s'étendaient une série de vagues; vagues de la mer au premier plan, et vagues de sable comme des montagnes d'écume figée. Elle était absolument seule sur cette plage : pas le moindre cri de mouette, pas d'oiseau, seulement le tonnerre étouffé des lames. Et tandis qu'elle prenait conscience de sa solitude dans ce lieu inhumain, elle fut transportée par un tel sentiment de beauté et de terreur qu'elle se réveilla.

Maintenant, alors qu'elle suivait Adam vers la courbe suivante où ils seraient davantage abrités du vent, il plongea soudain la main dans la poche de sa chemise, et en sortit une feuille de papier.

«Regarde ça, Del.»

Elle prit la feuille et vit des vers soigneusement écrits. Adam lui tourna le dos et, du pied, se mit à creuser le sol.

> *Je te donnerai tout, mon amour,*
> *Je te donnerai tout,*
> *De la lumière blanche qu'émet la lune*
> *Au bleu profond du ciel...*

Il y avait cinq strophes. Quand Délie eut fini de lire, elle leva les yeux vers lui, bouleversée. «C'est magnifique, Adam. Tu as écrit ça ?

— Oui. J'en ai écrit plein d'autres.

— J'aimerais tellement que tu me les montres.

— Peut-être. Qu'est-ce que... enfin, qu'est-ce que tu en penses ?

— Je te l'ai dit, c'est magnifique.

— Ce n'est pas une critique valable. Je veux dire — qu'est-ce qui ne va pas ?

— Eh bien... Je ne crois pas que "le brillement des étoiles" soit tout à fait... Ce mot existe-t-il vraiment ?

— Probablement pas. Mais je préfère ce mot à brillance, qui fait immédiatement penser à des bottes cirées.

— D'accord, mais il doit bien y en avoir un autre... l'éclat ?...

— Aucun autre ne convient.»

D'un geste brusque, il reprit la feuille de papier ; Délie sentit qu'il ne désirait pas son avis, seulement le soulagement de pouvoir montrer son travail à quelqu'un.

«Tu en as d'autres sur toi ?» Il lui donna une autre feuille.

Après avoir lu les nouveaux poèmes, elle s'écria : « Mais c'est très bon, Adam. Pourquoi ne pas les montrer à Miss Barrett ?

« Comment pourrais-je lui montrer cela, petite sotte ? Ces poèmes lui sont dédiés — tous.

— Oh, Adam ! » Ravie, elle joignit les mains. « Tu veux dire que tu es amoureux d'elle ?

— Oui. » Il avança le menton et regarda au-delà du fleuve. « Dieu, comme je l'aime. »

Délie s'assit dans le sable pour mieux réfléchir à cette incroyable nouvelle.

« Je suis contente que tu m'en aies parlé, Adam. C'est tellement excitant.

— Excitant ! C'est infernal, dit-il d'un air sombre.

— Elle est merveilleuse, n'est-ce pas ?

— Oui, merveilleuse. »

Tous deux poussèrent un long soupir, le regard perdu au-delà du fleuve. Adam était debout, bien campé sur ses deux jambes, la tête légèrement rejetée en arrière. Délie, assise, portait tout son poids sur l'un de ses bras graciles. Sans le savoir, ils posaient comme pour un tableau, là, au bord des eaux qui coulaient silencieusement. Le soleil brillait sur leurs cheveux éclatants, presque noirs pour Délie, châtains avec des reflets dorés pour Adam. Alors le soleil disparut derrière un gros nuage.

« Quelqu'un marche sur ma tombe », dit Adam avec un sourire, car il citait l'une des remarques préférées de sa mère. Délie le regarda d'un air préoccupé. Depuis le naufrage, elle n'oubliait jamais le pouvoir terrible de la mort qui frappait aussi bien les êtres jeunes et pleins de santé que les vieillards ou les infirmes.

Ils s'en retournèrent vers la maison en savourant leur intimité retrouvée grâce à la révélation d'une adoration commune, tels les adeptes d'une religion nouvelle.

Le *Melbourne*, navire du gouvernement chargé de surveiller la navigation sur le fleuve, s'amarra à un arbre devant la maison. Le long et bruyant sifflement de la vapeur qui s'échappait du moteur fit sortir Lige de sa hutte, ses cheveux gris se dressant sur sa tête, les yeux encore ensommeillés. On échangea un sac de courrier, puis Lige alla chercher quelques œufs frais destinés aux passagers du vapeur.

Les cousins descendirent jusqu'à la berge pour parler avec le capitaine, homme corpulent à la barbe grise broussailleuse, qui les invita à son bord. Il suffisait de monter sur une racine saillante, puis de sauter sur le pont inférieur, à un pied au-dessus de l'eau. Ils visitèrent la timonerie, avec son immense roue plus haute qu'Adam, jetèrent un coup d'œil aux cuisines, aux tambours des roues qui ne mesuraient pas moins de cinq mètres de diamètre, virent sur le pont arrière le treuil à vapeur et des poulies destinés à hisser hors de la rivière souches et troncs d'arbres qui risquaient de perforer la coque d'un vapeur et de l'envoyer par le fond.

Lige était maintenant revenu avec les œufs. « Y sortent tout juste de la poule, ces œufs. J'ai dû attendre que la poule ait pondu le dernier, déclara-t-il en se penchant pour prendre le sac du courrier.

— Je vais porter ce sac à la maison, dit Adam.

— Tiens, prends aussi l'argent des œufs pour la maîtresse, tu veux bien ? dit Lige. Faut que j'prépare à manger pour la volaille. »

Adam eût-il deviné le contenu du sac, il l'aurait certainement jeté dans le fleuve. Car il contenait une lettre pour Miss Barrett ; on lui proposait un poste de gouvernante dans une grande exploitation du Nord-Ouest, région de l'Australie qu'elle désirait visiter depuis longtemps.

Elle dit à Hester qu'elle attendrait encore un mois avant de partir, ce qui les amènerait presque aux vacances de septembre. Ensuite, il ferait beaucoup trop chaud pour voyager dans le Nord.

Quand Adam apprit la nouvelle, il se leva de table et sortit précipitamment. C'était la fin ! Le spectacle du *Melbourne* avait cristallisé ses vagues désirs de départ, peut-être comme matelot de pont. Car dès que Miss Barrett serait partie, la vie dans cette maison deviendrait insupportable. La seule idée de s'occuper de moutons lui donnait la nausée. C'étaient des bêtes stupides, se disait-il, avec leurs yeux vides et leurs instincts grégaires ; pourtant, il n'avait aucun plaisir à découvrir une brebis aux yeux crevés par les corbeaux, le corps rongé par une masse grouillante d'asticots, entourée d'essaims de mouches à viande.

La saison de la tonte approchait à grands pas ; le troupeau dodu de toisons brun crème deviendrait une foule squelettique de formes anguleuses portant des traces de sang et de goudron. Il haïssait tout cela : la terreur imbécile des moutons, leurs ruades spasmodiques quand une main inexpérimentée prenait un morceau de chair avec la laine, l'odeur des crottes de mouton et de la lanoline. Adam voulait partir avant le début de la tonte.

Il errait seul le long du fleuve, écoutant les joyeux chants d'amour des grenouilles qui emplissaient les nuits de leur musique rauque ; la basse profonde des crapauds-buffles, les couinements des petites grenouilles, et l'accompagnement liquide des eaux. Dans deux jours, Miss Barrett — Dorothy — serait partie. Dorothy ! Il lança son nom vers les étoiles, en un cri furieux mais étouffé. Pour une fois, elles ne semblèrent pas indifférentes, ces lucioles froides et tremblotantes, elles palpitaient au rythme fiévreux de ses propres battements de cœur.

> Sous les étoiles, à moitié ivre d'amour,
> Je crie ton nom adorable.
> A cette invocation les cieux rebondissent
> Et les flammes jaillissent des étoiles...

Les mots venaient si facilement quand il était seul, ils se mettaient en place sans effort, coulaient de source, sans qu'il eût besoin de les chercher ni de les organiser. Et pourtant, s'il avait essayé de lui déclarer son amour, sa gorge se serait nouée, il serait devenu un timide écolier. Dorothy, Dorothy ! Comment pouvait-il la laisser partir sans lui dire ce qu'il ressentait ? Mais elle devait déjà savoir, elle avait dû remarquer son visage qui s'empourprait chaque fois que leurs doigts se rencontraient sur son cahier d'exercices.

Tel un papillon attiré par une lampe, il se dirigea vers sa fenêtre, où une lumière montrait qu'elle lisait peut-être, à moins qu'elle ne fît ses bagages. Pour partir, partir à jamais loin de lui !

Adossé contre le mur de la maison, il poussa un profond

soupir. Les rideaux bougèrent. Une voix douce murmura :
« Qui est là ? Adam ? C'est toi ?

— Oui.

— Il est tard, pourquoi ne dors-tu pas ? J'ai fait mes
valises...

— Comment pourrais-je dormir, alors que vous partez
demain ? »

Elle s'appuya au rebord de la fenêtre pour regarder dehors,
et son visage se retrouva au niveau du sien, encadré par les
longs cheveux bouclés qu'elle avait dénoués pour la nuit. Dans
la lumière vacillante de la lampe à pétrole posée derrière elle,
les rides minuscules qui entouraient ses yeux étaient invisibles ;
elle ressemblait à une jeune fille dont les cheveux tombaient
gracieusement sur les épaules.

Elle le dévisagea sans répondre, stupéfaite, car la déclaration voilée du jeune homme, l'adoration aveugle qu'on lisait
sur son visage venaient de faire voler en éclats la relation
maître-élève. Elle avait déjà vu cela sur d'autres visages, mais
jamais avec autant d'innocence.

« Vous ressemblez à Juliette, dit-il. "Voici Juliette, et sa
fenêtre est le soleil". »

Elle rit doucement, essayant de regagner son ascendant,
pourtant bouleversée par les quelques minutes où son regard
avait été rivé à celui d'Adam. « Je crains de ne plus être assez
jeune pour tenir ce rôle. »

Ses lèvres effleurèrent la main posée contre le rebord de la
fenêtre, puis Adam la retourna pour presser la paume sur son
visage brûlant.

« Vous savez ce que je ressens pour vous », murmura-t-il.
Ah, où étaient donc les mots éblouissants, les expressions
merveilleuses notées dans ses carnets ? « Je ne supporte pas que
vous partiez. Tout ce que j'écris, je l'écris pour vous. Je n'écri-
rai plus jamais un autre vers.

— Tes poèmes existent donc ?

— Pour vous. Ils ne sont que pour vous.

— Cachotier... Connais-tu mon âge ?

— Je m'en moque. Vous êtes belle. Et avec vos cheveux
dénoués, brillant à la lumière de la lampe...

— Attends. J'ai un livre pour toi. Un court texte d'Omar

Khayyam. C'est mon exemplaire personnel, mais je tiens à te l'offrir. »

Elle se retourna, s'accroupit et se mit à chercher dans une pile de livres à côté d'une valise ouverte. « Ah, le voilà. Tu... » Elle s'arrêta net en poussant un léger cri, serrant inconsciemment sa chemise de nuit en soie sur sa poitrine. Adam avait enjambé le rebord de la fenêtre et sauté silencieusement à l'intérieur. Il s'assit entre les rideaux, les mains posées sur le plâtre, ses yeux brillants fixés sur elle.

« Voici... voici le livre. Maintenant, il faut vraiment que tu t'en ailles. » Elle s'avança, tenant le livre devant elle, comme une friandise destinée à amadouer un gros chien dangereux. Adam le prit, le mit dans sa poche sans même le regarder, puis saisit ses mains. « Dorothy ! Je ne vous ai jamais appelée ainsi, n'est-ce pas ? murmura-t-il.

— Adam, c'est ridicule ! » Son corps se raidit quand les bras du garçon l'enlacèrent, mais soudain il la sentit se détendre en poussant un soupir. A travers le tissu soyeux de sa chemise de nuit, il touchait son corps mince et ferme. Il enfouit son visage dans son cou, contre sa peau fraîche et parfumée. « Aidez-moi... apprenez-moi, dit-il dans ses cheveux.

— Je ne peux pas t'apprendre à écrire, Adam. Seule la pratique peut t'apprendre cela. » Elle cherchait désespérément à rétablir la situation, mais sa voix tremblait.

Elle rit nerveusement. « Mon cher enfant... ! » La main de Dorothy jouait dans les cheveux du garçon, qu'elle caressait doucement. La portant à moitié, il tituba vers le lit, éteignit la lampe au passage, si bien que toutes les étoiles parurent pénétrer dans la chambre.

Cette nuit-là, Adam parcourut des kilomètres le long du fleuve. Il levait les yeux vers les constellations familières sans réussir à croire que c'était vraiment arrivé. La joie et la fierté le faisaient délirer : lui, Adam Jamieson, avait prouvé qu'il était un homme. Et Dorothy : comme elle était adorable et bonne ! Pourtant, il la voyait déjà sous un angle légèrement différent ; elle avait cessé d'être une déesse sur un piédestal. Elle avait été sienne. La déesse jusque-là inaccessible était descendue dans ses bras. Et puis, perçu à demi consciemment, il y avait le sentiment qu'elle n'aurait pas dû céder, ou du moins pas aussi facilement.

Expérience merveilleuse, pourtant vaguement décevante, comparée à tout ce qu'il avait imaginé en lisant des livres... Vite terminée, laissant comme un lourd sentiment de mélancolie...

Dorothy... Bientôt elle serait partie, il ne la reverrait plus jamais !

15

« C'est tenter la Providence que de voyager par la route basse en ce moment, dit Hester. D'abord, je refuse de vous accompagner si vous empruntez ce chemin. Ça suffit de voyager un jour néfaste, un vendredi ; si en plus vous voulez faire risquer à Miss Barrett...

— Oh, mais je n'ai pas peur de l'eau, madame Jamieson. »

Charles maintint que la route basse était toujours praticable. Le vieux Barney connaissait le chemin par cœur, on ne courait aucun risque.

« En tout cas, Adam, je ne vois pas pourquoi tu les accompagnerais.

— Si, mère, j'y tiens *absolument*. » Il avança sa mâchoire en une moue qui avait la vertu de réduire à néant toutes les objections d'Hester.

Délie demeurait sagement assise ; elle craignait de s'attirer les foudres de sa tante, qui l'obligerait alors à rester à la maison. Elle avait peur, on lui avait dit que les ruisseaux qui traversaient la piste étaient dangereux en période de crue, mais elle voulait affronter le danger afin d'être avec Miss Barrett pour la dernière fois.

« Philadelphia, si ce voyage ne t'impressionne pas trop, j'aimerais que tu ailles en ville et que tu me ramènes de la soie assortie à celle-ci. Inutile de demander cela à un homme.

— Oui, ma tante. » Elle se précipita dans sa chambre pour préparer ses gants, ses chaussures et son chapeau afin de partir de bonne heure le lendemain matin. Franchissant la porte, elle heurta quelqu'un dans le couloir. C'était Annie le Fantôme, qui s'éloigna silencieusement en glissant sur ses grands pieds. Annie écoutait aux portes.

Le lendemain, ils partirent au lever du soleil. Adam s'arrangea pour s'asseoir à côté de Miss Barrett, afin que la manche de son costume à la longue jupe de tartan noir et blanc frolât son bras ; ce bonheur lui suffisait.

Délie s'assit de façon à pouvoir observer l'élégante toque grise de son idole, avec ses deux rabats de plumes argentées ainsi que les petites boucles châtain clair qui ourlaient si délicieusement sa nuque. Ce matin-là, le frais visage de Miss Barrett était coloré.

Barney traversa les pâturages jusqu'à la forêt d'eucalyptus inondée, où il s'engagea précautionneusement sur la piste couverte d'eau, balisée par des traits de peinture blanche sur les troncs d'arbres. Au premier torrent traversant la piste, l'eau monta presque jusqu'aux planches du buggy.

Vingt vapeurs étaient amarrés à Echuca : une activité intense régnait sur le quai. Adam porta le sac de Miss Barrett à la gare, tandis que Charles emmenait le cheval à l'étable pour qu'on l'étrillât.

Adam et Délie marchaient en silence de part et d'autre de leur gouvernante qui se dirigeait vers les guichets de son pas décidé. Le désespoir commençait à les envahir. Par la fenêtre du train, elle leur parla joyeusement, mais les réponses des enfants furent brèves.

« Je vais prendre grand plaisir à ce voyage », dit-elle en jetant un coup d'œil aux sièges en cuir, toujours vacants, aux gravures encadrées qui représentaient les plus beaux paysages de l'État de Victoria. Puis, prise d'un bref remords, elle se tourna vers les visages affligés des deux enfants debout sur le quai.

« Ne sois pas triste, Délie, nous nous reverrons — peut-être seras-tu célèbre, tu auras des tableaux exposés à l'Académie royale. Je compte sur vous deux pour faire parler de vous. N'arrête jamais d'écrire, Adam. Ne te contente jamais d'un texte dont tu n'es pas absolument satisfait. »

« *En voiture, s'il vous plaît, en voiture !* »

«Au revoir, mes chéris, au revoir! N'oubliez pas de m'écrire!»

Les portières claquèrent. Le train s'ébranla lentement le long du quai. Charles arriva en courant, juste à temps pour faire un signe d'adieu.

«*Partie!*» pensèrent Adam et Délie; ils sentaient encore l'étreinte chaleureuse des doigts énergiques de Miss Barrett. Délie, qui n'avait pas dit un mot, ferma les yeux, puis regarda droit devant elle pour s'empêcher de pleurer. Adam était livide.

Charles passa affectueusement son bras dans celui de Délie. «Alors, fillette, où allons-nous déjeuner? Nous pourrions aller chez Stacy's faire un vrai gueuleton, avec des glaces au chocolat au dessert. Ça te dit, Adam?

— Je me moque complètement de ce que je vais manger», répondit Adam d'un air distant. Le malheur et l'obstination se lisaient sur son visage. Pourquoi père me prend-il encore pour un écolier? Des glaces au chocolat! Alors que le cœur d'un homme est en train de se briser.

Délie n'avait pas non plus le moindre appétit, mais sa gentillesse naturelle la poussa à atténuer la rebuffade d'Adam: «C'est très aimable, mon cher oncle», dit-elle. Adam les accompagna, mais il mangea peu et ne parla point, comme à l'écoute de quelque voix intérieure.

Charles, qui voulait voir les brebis mérinos qu'on devait vendre dans l'après-midi, se leva et posa une demi-couronne sur la table. «Tenez, achetez ce qui vous fera plaisir. Je vous retrouverai sur le quai à deux heures et demie.» Il prit sur la patère son chapeau de feutre à larges bords, puis sortit.

La main d'Adam se referma sur l'argent. «Écoute, petite; j'en ai besoin. Je te le rendrai un jour. Il faut que je voie un type, un copain avec qui j'étais à l'école; je l'ai aperçu qui entrait dans un hôtel pendant que nous marchions jusqu'ici. Tu veux aller au parc? Tu seras bien là-bas pour m'attendre, d'accord?»

Sa voix était pressante, ses yeux brillants et fiévreux.

«Ou... oui, pourquoi pas... Mais ne sois pas trop long.

— Je te retrouverai à deux heures et quart. Ensuite, nous descendrons sur le quai ensemble, pour que le vieux ne s'aper-

çoive pas que je t'ai laissée seule. Tu veux une barre de chocolat, ou quelque chose?

— Non.»

Elle le regarda d'un air perplexe. Ce genre de mensonge ne
lui ressemblait pas. Mais il la poussa hors du restaurant dans
le clair soleil de l'hiver. Ils descendirent High Street jusqu'au
quartier ouest de la ville, où Adam la quitta au pied du mémo-
rial James Mackintosh, une arche d'eucalyptus érigée à la
mémoire d'un des premiers commerçants de billes de bois. Elle
s'engagea sur un chemin au milieu de grands arbres, jusqu'à ce
que les rives argileuses et abruptes de la rivière Campaspe lui
barrent la route. Près de son confluent avec la Murray, Délie
s'assit pour regarder les eaux des deux fleuves se mêler paisiblement, les eaux de fonte des neiges provenant des montagnes
de la Nouvelle-Galles du Sud, et les eaux de pluie des immenses plaines de l'État de Victoria. Bercée par les stridences
lointaines des scieries de l'écoulement de l'eau, elle s'endormit.

Quand elle se réveilla, le soleil avait disparu derrière un
grand arbre, les ombres s'allongeaient sur le fleuve. Elle se
hâtait de rebrousser chemin sur le sentier quand elle vit une
silhouette masculine disparaître derrière un tronc d'arbre.

«Adam!» s'écria-t-elle. Il voulait certainement jouer à
cache-cache avec elle. Elle courut vivement vers l'arbre, en fit
le tour, et resta figée de stupeur, paralysée de terreur. Puis elle
prit ses jambes à son cou, ne se retournant qu'une seule fois:
l'homme, à moitié nu et collé au tronc d'arbre, lui faisait signe
de revenir, un sourire idiot s'attardant sur ses lèvres. Oh, où
était Adam?

Elle n'osa pas se retourner de nouveau, mais crut entendre
des pas marteler le sol. Quand elle eut atteint l'arche et les rues
de la ville, elle risqua un regard en arrière. Personne... Mais sa
journée était gâchée. Horrible et répugnante créature!

En arrivant au quai, elle tomba sur oncle Charles.

«Mais, Délie, ma chérie, tu es tout essoufflée, tu as l'air terrifiée. Que s'est-il passé? Où est Adam? Je vous attends...»

Son haleine sentait légèrement le rhum; pourtant, Délie
remarqua avec soulagement qu'il n'avait pas encore trop bu.

«Salut! Salut! Excusez mon retard.»

Charles poussa Délie pour mieux voir son fils, qui paraissait inhabituellement gai. Adam était tout rouge, ses cheveux châtain clair en bataille.

«Où as-tu été, si je puis me permettre?

— Je devais voir un copain, un copain que j'ai connu à l'école. Je suis allé au pub.

— Tu veux dire que tu as laissé ta cousine toute seule, sans chaperon dans les rues?

— Non, non! Pas du tout. Del voulait aller se promener dans le parc, alors je l'ai emmenée là-bas.

— Adam, tu as bu?» Un long sifflement moqueur en provenance d'un vapeur sembla souligner la question.

«Bu? Eh bien, j'ai dû me montrer sociable. J'ai rencontré ce type, un copain avec qui j'étais à l'école...

— Oui, tu nous as déjà raconté tout ça. Où as-tu trouvé l'argent pour te payer à boire? Je suppose que la demi-couronne que je vous avais donnée t'a bien servi. C'est la dernière fois que je te donne de l'argent de poche.

— Tu nous avais dit d'acheter ce qui nous ferait plaisir. Eh bien, j'avais envie de boire un verre.» Il serra la mâchoire et prit un air provocant.

«Je te prie de ne pas élever la voix. Maintenant, monte dans le buggy. Quand nous serons à la maison, j'aurai deux mots à te dire. En tout cas, nous aurons de la chance si nous réussissons à traverser la forêt inondée avant la tombée de la nuit.

— Excuse-moi de ne pas être venu te chercher, Del», chuchota Adam à l'oreille de Délie tandis qu'ils montaient dans le buggy. L'haleine du garçon, qui empestait le vin, la fit reculer et considérer avec dégoût ce nouvel Adam au visage congestionné, aux yeux injectés de sang. Il l'avait laissée seule, et cet homme répugnant aurait pu bondir sur elle. L'admiration qu'elle portait à Adam, son aîné, était sérieusement entamée.

Ce fut en silence qu'ils rentrèrent à la ferme. Charles refusait de penser au comportement d'Adam avant d'être à la maison et d'en parler avec Hester. Car, naturellement, Hester devait apprendre la vérité. Depuis la petite enfance d'Adam, elle l'avait cajolé, gâté, protégé, idolâtré; et maintenant, bien sûr, le garçon ne procurait que des déceptions à ses parents.

Peu à peu, le balancement régulier de la croupe luisante de

Barney, l'odeur du cuir et de la sueur du cheval, le contact des
rênes dans ses mains adoucirent son humeur. Il somnolait
presque quand Délie poussa un cri qui le ramena à la réalité.
« Qu'y a-t-il, ma chérie ?

— Oh ! La soie ! J'ai oublié d'acheter la soie de tante
Hester. Elle va être furieuse. Ça m'est sorti de la tête... Que
vais-je lui dire ?

— Il est trop tard pour faire demi-tour. Et puis ce n'est pas
vraiment important. Ta tante va avoir des sujets d'inquiétude
bien plus graves que ses coupons de soie. Quand nous arriverons, il fera nuit et je crains qu'Hester ne se fasse un mauvais
sang d'encre. »

Ils bifurquèrent vers les basses terres en bordure du fleuve.
Bientôt, on n'entendit plus que le bruit des grandes roues du
buggy plongeant dans l'eau. Il faisait déjà très sombre sous les
frondaisons des arbres immenses, bien qu'une lumière dorée
filtrât encore à travers leur cime. Barney avançait d'un pas
mécanique. Adam dormait profondément.

Brusquement, le buggy s'arrêta avec une secousse qui
réveilla Adam.

« Nom d'un petit bonhomme, s'écria Charles en encourageant Barney à avancer. Nous ne sommes pas embourbés,
l'arrêt a été trop brusque. » Mais Barney avait beau tirer, le
buggy ne bougeait pas.

« Descends, Adam ! Va voir ce qui cloche !

— Descendre ? » Hébété, Adam se pencha à l'extérieur,
comme s'il était sur un bateau. « Mais il y a de l'eau.

— Descends ! rugit Charles, toute l'irritation accumulée
contre son fils se libérant d'un coup. Va regarder ce qui coince
les roues ! »

Adam retira ses chaussures, remonta les jambes de son
pantalon, puis sauta dans l'eau qui montait jusqu'aux moyeux,
et que l'argile rendait laiteuse et opaque. Il tâtonna dans l'eau,
mais sans résultat.

« Essaie de l'autre côté. »

Il contourna l'arrière du buggy, puis, plongeant la main
dans l'eau, sentit un morceau de bois pris dans les rayons de la
roue : une racine souple dont une extrémité était profondément
enfouie dans l'argile. Il tira dessus et réussit à l'arracher.

Le buggy bondit en avant; Adam sauta à bord, complètement réveillé par le contact de l'eau froide. Frissonnant, il
enfila son manteau, ses chaussettes et ses bottes.

«Les rayons n'ont pas trop souffert? demanda Charles.

— Apparemment pas.

— Tant mieux. Car si nous brisons une roue, nous devrons
patauger jusqu'à la maison ou passer la nuit dans un arbre.
Nous allons rouler doucement.»

La lumière dorée s'intensifia à la cime des arbres, elle se mit
à ressembler à du métal fondu, puis disparut. Toute la forêt
s'obscurcit. Barney, qui connaissait la route et sentait l'écurie,
essayait d'accélérer. Il regimbait quand Charles tirait sur les
rênes pour l'obliger à ralentir. Soudain, sans raison apparente,
il s'arrêta net. Une trouée dans les arbres signalait un torrent
qui traversait la piste.

Charles lui donna quelques coups de fouet. Il se rappela
trop tard que l'ancien propriétaire l'avait averti de ne jamais
fouetter Barney, qu'il s'obstinait alors dans son refus. Le
cheval commença de reculer. Les roues avant se mirent de
travers et le buggy entama un mouvement circulaire. Dans un
instant, il allait quitter la piste et se renverser. Sans prendre le
temps d'enlever ses bottes, Adam sauta dans l'eau pour retenir
la tête de Barney. Puis il le persuada d'avancer, et bientôt, ils
eurent traversé le torrent. Adam remonta dans le buggy; ses
vêtements et ses bottes dégoulinaient. Délie recula, craignant
d'être mouillée.

Personne ne dit mot avant qu'ils n'arrivent dans le pâturage
sableux proche de la maison, au-dessus du fleuve en crue.
Alors, Charles poussa un soupir de soulagement. Adam avait
froid, Délie était fatiguée, courbatue. Lige vint à leur rencontre avec une lanterne, son chien aboyait à ses côtés en
signe de bienvenue.

«La maîtresse croyait vous tous noyés, dit-il gaiement.
Nous allions partir à votre recherche. Mais je lui ai dit Barney
connaître le chemin mieux que n'importe qui.»

Hester attendait à la porte de derrière, son pâle visage
éclairé par la lampe qu'elle tenait à la main.

«Grâce au Ciel, vous êtes sains et saufs! Adam, mon
pauvre garçon, comment te sens-tu?»

«Ça va bien, mère, dit Adam en embrassant Hester. Mais je suis trempé.»

Sentant ses vêtements mouillés, elle s'écria : «Adam, tu es tombé dans le fleuve ? Je le savais, je savais que c'était dangereux, vous n'avez pas voulu m'écouter... Voyager un vendredi, quelle idée !» Elle l'entraîna dans la maison pour qu'il se change.

Délie, épuisée et frigorifiée, les suivit lentement. Juste après le dîner, qu'Hester avait gardé au chaud sur la pile de bois près de la cheminée, elle annonça qu'elle allait se coucher. Adam ajouta machinalement : «Moi aussi, je crois que je vais aller dormir. J'ai encore un peu froid.

— Certainement pas ! Ta mère et moi devons d'abord avoir une discussion avec toi.»

Délie s'éclipsa rapidement ; il y avait de l'orage dans l'air et elle ne voulait pas être prise entre deux feux.

Hester fronça les sourcils. «Quelle mouche te pique, Charles ? Ce garçon doit aller se coucher immédiatement, avec une brique chaude dans le lit.

— Allons dans l'autre pièce, dit Charles en s'avançant vers Adam. Il y a du feu dans la cheminée, non ? Viens, Hester.» Lui tournant le dos pour montrer sa désapprobation, Hester débarrassait la table.

Pendant un certain temps, Délie entendit des éclats de voix dans la pièce de devant. Puis une pensée se glissa dans son esprit, elle sauta en bas de son lit et traversa le couloir sur ses pieds nus. Comme elle s'y était attendue, une silhouette décharnée se tenait devant la porte fermée du salon.

«C'est toi, Annie ? Qu'est-ce que tu fais là ?

— J'ai cru entendre la cloche sonner, Miss Delphia, j'allais frapper, j'vous promets.» Ses pâles yeux globuleux brillaient dans la faible lumière qui filtrait sous la porte. On entendait Hester :

«Tu veux vraiment me faire mourir de chagrin ?

— Oh, je t'en prie, maman. Tu vivras certainement plus longtemps que moi.»

Délie intervint : «Annie, je suis sûre qu'ils n'ont pas sonné la cloche. Si tu as fini le ménage dans la salle à manger, tu ferais mieux d'aller te coucher.»

Elle regarda Annie s'éloigner furtivement dans le couloir, puis disparaître par la porte du fond. Alors elle frappa, attendit un moment, et entra sur la scène du drame domestique : sur le divan, Hester pressait un mouchoir humide contre son nez ; Charles tournait le dos à l'âtre, les mains serrées derrière lui, le visage grave ; Adam, tendu, les yeux étincelants de colère, était debout derrière une chaise dont il pressait le dossier.

Délie se sentit obligée de prendre la défense d'Adam. Elle voulut dire : « Il l'aimait, il n'a pas pu supporter son départ ; s'il a bu, c'est pour oublier son chagrin. » Mais l'amour qu'Adam éprouvait pour la gouvernante serait considéré comme un autre crime ; si bien que Délie déclara : « Mon oncle, Adam voulait m'acheter des chocolats avec votre argent, mais je n'en ai pas voulu, je ne me sentais pas très bien, et j'ai un peu dormi près de la Campaspe. Je lui ai dit de me laisser me reposer dans le parc, et...

— Inutile de prendre sa défense, Délie ! Il n'a aucune excuse : il était ivre — à dix-sept ans ! — il nous a retardés et il a bien failli faire mourir d'angoisse ta tante. »

S'apitoyant sur son propre sort, Hester renifla. Adam adressa un bref regard de gratitude à Délie, qui ouvrit la porte et sortit. Il n'y avait pas trace d'Annie. Elle verrouilla la porte du fond, puis alla se coucher, à l'affût du moindre bruit de violence provenant du salon. Son oncle essaierait-il de battre Adam ? Adam le laisserait-il faire ? Elle entendit la voix de Charles tonner.

Brusquement, il y eut un bruit de bousculade, une porte s'ouvrit violemment.

Délie bondit du lit et entrebâilla sa porte.

« Ça suffit comme ça ! s'écria passionnément Adam. Je refuse de vivre ici plus longtemps et d'être traité comme un gamin. Vous allez voir ! »

Elle entrevit ses cheveux en bataille, son visage blanc de colère, quand il ouvrit la porte de sa chambre et la claqua bruyamment derrière lui.

« Voilà, tu vois le résultat ! fit la voix accusatrice d'Hester.

— Bah ! Un jeune écervelé... Il dramatise toujours tout. Ça lui passera. »

La porte de la chambre de devant claqua ; puis ce fut le silence.

16

Une semaine plus tard, Délie fut réveillée par des coups légers frappés à sa porte. La flamme vacillante d'une bougie franchit le seuil de la chambre, suivie d'Adam, complètement habillé. Éblouie, elle s'assit dans son lit. « Adam ! Que fais-tu debout au milieu de la nuit ?

— Chut ! C'est presque l'aube. Je vais faire une fugue, petite.

— Tu vas quoi ?

— Je m'en vais. Maintenant. Cette nuit. »

Il s'assit au bord du lit et recula en levant sa bougie pour observer l'effet de ses paroles. Les yeux écarquillés et la bouche ouverte de sa cousine parurent lui plaire. Quant à Adam, ses joues étaient rouges, ses yeux brillaient d'excitation.

Délie écarta de ses yeux ses cheveux noirs emmêlés. « Mais... mais... comment ? Où ?

— Comment ? Je vais prendre le canot et me laisser dériver sur le fleuve avec le courant. Demain matin, tu pourras dire à père où retrouver le canot — il sera attaché au quai d'Echuca.

— Tu as l'intention de prendre le train jusqu'à Melbourne ?

— Non... » Il semblait tout excité, comme s'il avait voulu annoncer qu'il partait à Melbourne ou à l'autre bout de la terre. « Non, seulement Echuca. J'ai un boulot qui m'attend là-bas.

— Vraiment, Adam ? Oh, j'aimerais tellement t'accompagner. Tu vas me manquer terriblement. Que vas-tu faire ?

— Apprenti reporter pour le *Riverine Herald*. L'autre jour, j'ai vu le rédacteur en chef ; c'est pour ça que j'étais en retard. J'ai commencé par boire un verre ou deux pour me donner du courage, et ensuite j'en ai repris un pour fêter la bonne nouvelle. Heureusement que le rédacteur en chef n'a pas remarqué que mon haleine sentait l'alcool. Car je crois qu'il fait partie de la ligue antialcoolique. Il s'appelle Angus McPhee.

— Mais pourquoi n'as-tu rien dit à Charles et Hester ?

— Ils m'auraient mis des bâtons dans les roues. Mère voudrait que je reste accroché à ses jupes, et le paternel veut me transformer en garçon de ferme. Mais ils se calmeront quand ils verront que j'ai un bon emploi, quand je leur montrerai ma première paie.

— Mais où vas-tu loger ?

— Je trouverai une chambre en ville. Il ne me restera pas grand-chose quand j'aurai payé le loyer.

— Hester va être bouleversée.

— Je sais. Mais de temps en temps, je pourrai revenir à la maison le week-end. Écoute ! Un vapeur. Si nous pouvons l'arrêter, il m'emmènera peut-être jusqu'à Echuca. Viens, aide-moi à porter mes affaires. »

Délie se hâta d'enfiler sa robe de chambre et une paire de chaussures, avant de le suivre dehors. Il portait un sac de voyage et une lampe-tempête pour envoyer des signaux au bateau. Il avait jeté un paquet de livres dans les bras de sa cousine.

« Tcheuf — tcheuf — tcheuf — tcheuf », soufflaient doucement les moteurs qui tournaient au ralenti, car le navire descendait le courant. Adam déclarait que les vapeurs allant vers Echuca chantaient : « Bien *joué*, Jo-ey ! », c'était le prénom du propriétaire de la scierie.

Comme ils couraient vers la rive, les arbres au bout du jardin étaient déjà illuminés d'une clarté éblouissante qui plongeait le reste du paysage dans les ténèbres. Trop tard !

« Tant pis, je prendrai le canot.

— Fais bien attention, méfie-toi des vapeurs. »

Adam, en manteau et casquette de tweed, lança son sac dans le canot, saisit ses livres et tendit la lampe-tempête à sa cousine.

« Tu devrais garder la lampe...

— Non. Tout ira bien. Au revoir, Del. » Il serra son coude en signe d'adieu. Le courant entraîna immédiatement le petit canot ; Adam se contentait de le diriger avec les rames.

Délie se retourna vers la maison obscure et silencieuse. Il

n'y avait pas de lune, mais les étoiles brillaient dans la moitié du ciel libre de nuages. Elle distinguait à peine le canot sur le pâle ruban du fleuve ; il rapetissait rapidement, emporté par le courant. Les eaux silencieuses du fleuve, les arbres qui le surplombaient, le ciel mystérieux à demi voilé, tout l'oppressait d'un sentiment de menace. Lorsque la frêle embarcation disparut à la courbe du fleuve, elle eut la prémonition qu'elle ne reverrait jamais Adam.

Le lendemain matin, quand elle découvrit le billet laissé par Adam ainsi que son lit intact, Hester fut prise d'une crise d'hystérie et dut avoir recours à son flacon de sels au bouchon d'argent pour calmer ses nerfs. Elle dit à Charles de partir immédiatement à Echuca et de ramener le garçon à la maison, s'il n'était pas noyé au fond du fleuve.

Contrairement à toute attente, Charles se montra ferme. Il se déclara heureux de constater qu'Adam avait assez de cran pour se mettre à travailler en ces temps difficiles. Cela lui ferait du bien d'être indépendant financièrement. Après une discussion acerbe, Hester se rendit aux arguments de son mari, à condition qu'il allât à Echuca dès le lendemain pour inspecter la chambre de son fils ainsi que son installation, car, dit-elle : « Vu l'état de mes nerfs, je ne pourrai pas faire le voyage. Tu iras là-bas à ma place, Délie. Mon dos recommence à me faire souffrir, avec ce temps froid. Dire qu'il est parti de la maison sans même me prévenir ! »

Durant le long trajet parmi les collines sablonneuses, Délie scruta la piste, car elle s'attendait à voir un soldat venir à leur rencontre, porteur de la nouvelle de la mort d'Adam. Mais ils atteignirent Echuca sans rencontrer âme qui vive sur la route déserte, sinon un berger et son troupeau de moutons.

Ils allèrent au bureau du *Riverine Herald*, dont le nom, inscrit en lettres d'or, brillait aux fenêtres. Délie suivait timidement son oncle qui, après une brève attente, fut introduit dans le petit bureau du rédacteur en chef où un homme corpulent écrivait à une table sous une grosse pendule. Des paquets de journaux jonchaient le sol de la pièce.

Dans ses yeux gris-bleu brillait une lueur amicale. Il retira la pipe qui dépassait de sa barbe grise et fournie, puis dit : « Alors ? Que puis-je faire pour vous ? »

— Je suis à la recherche de mon fils, Adam Jamieson»,
dit Charles en inspectant la pièce du coin de l'œil, la pendule, les journaux, comme s'il s'était attendu à y découvrir
Adam. «Il a quitté la maison sans nous prévenir, vous
comprenez.»

M. McPhee se leva et serra la main de Charles au-dessus de
son bureau. «M. Jamieson. Et cette petite mignonne est la sœur
de votre fils?

— Sa cousine, Miss Philadelphia Gordon.

— Ah ah... voilà un bien grand nom pour un petit bout de
chou pareil... Adam, tu es là?» rugit-il brusquement, d'une
voix de stentor qui fit sursauter Délie.

Une silhouette portant un tablier de cuir taché apparut dans
l'encadrement de la porte. Adam s'avança avec un air de défi
quelque peu démenti par la tache d'encre noire qui maculait
son front; ses épais cheveux blonds cachaient un de ses yeux,
il semblait ridiculement jeune et sans défense.

«Adam, mon gars... alors comme ça, tu m'as pas dit que tu
voulais travailler sans l'accord de ton paternel?

— Je ne lui ai pas annoncé ma décision, parce que je ne
voulais pas risquer un refus de sa part. J'aurais alors dû trans-
gresser ses ordres.» Tout en parlant, il jetait des coups d'œil
méfiants à Charles.

«Pourquoi ne m'as-tu pas parlé? demanda son père. Je
suis ravi que tu aies trouvé un travail qui te plaise; de toute
façon, j'avais bien compris que je ne pourrais jamais faire
de toi un fermier. Mais... tu disais que tu avais un poste de
reporter.» Du doigt, il montra le tablier maculé d'encre
d'imprimerie.

Adam rougit. «C'est la vérité! Mais j'apprends aussi la
composition au journal.

— Eh oui, votre gamin apprend toutes les branches du
métier. Un journaliste, ça doit aussi connaître l'imprimerie et
la composition. Mais il est reporter, ça oui, et bientôt il sera
sacrément bon.»

Adam redressa la tête avec fierté. «Puis-je leur faire visiter
l'imprimerie, monsieur?»

M. McPhee ficha de nouveau sa pipe dans sa barbe broussailleuse et, d'un signe de la main, signifia son accord. Ils

empruntèrent un étroit couloir jusqu'à une pièce au plafond élevé, éclairée par des lucarnes, où deux hommes en tablier, assis sur un banc devant une table, levèrent les yeux à leur entrée.

«Je te présente mon père, Alf», dit Adam, très à l'aise, en tendant la main vers Charles. Il apprit ensuite à Délie que les deux employés s'appelaient Alf, mais qu'on avait surnommé le rouquin Alf le Rouge, et l'autre Alf le Noir, pour les distinguer.

Charles, qui se méfiait des machines, jeta un coup d'œil réticent à la presse couverte d'encre, aux assortiments de caractères, aux rectangles remplis de pages métalliques. Délie reniflait de plaisir. La pièce sentait les livres.

«Adam, tu as une grosse tache d'encre sur le front, dit Charles à voix basse. Je ne sais pas ce qu'en penserait ta mère.

— Ce qu'elle ne voit pas ne saurait l'affliger», répondit Adam, qui sortit un mouchoir et s'essuya du mauvais côté. Délie lui prit le mouchoir des mains, puis essuya la tache, dont il resta une trace. «Maintenant, dit Adam, je regrette d'être parti sans vous prévenir, mais je n'aurais pas pu supporter une autre scène; et tu sais comment est mère...»

Charles demeura silencieux. Il savait comment était mère.

Alors qu'Adam les raccompagnait vers la sortie, ils rencontrèrent l'épouse du rédacteur en chef, qui entrait. C'était une petite femme charmante, au visage rond surmonté d'un chapeau à la mode, au parler aussi doux que celui de son mari était emporté. Délie lui expliqua que sa tante l'avait chargée d'inspecter le logement d'Adam, mission qu'elle redoutait. «Je vais t'accompagner, mon enfant, nous affronterons la propriétaire ensemble, dit Mme McPhee. Adam, tu ne nous avais pas dit que tu cachais une cousine aussi charmante dans ta brousse. Prévenez votre épouse de ne pas s'inquiéter, monsieur Jamieson. Je surveille toujours d'un œil maternel les garçons qu'on embauche au journal.»

17

«Dis-moi la vérité. Mon pauvre garçon regrette la maison, il est malheureux, il n'a pas assez à manger?» Hester sortit son mouchoir.

«Mais non, ma tante, son travail lui plaît et il est très content.»

Elle sentit qu'Hester n'appréciait pas particulièrement cette nouvelle, et, avec tact, elle ajouta : «Bien sûr, votre cuisine lui manque, mais il est trop pris pour s'inquiéter. Sa propriétaire s'occupe personnellement de son linge. Et la femme du rédacteur en chef, qui est adorable, est très bonne avec lui. Vous savez qu'Adam s'attire toujours la sympathie des gens.»

Hester sourit. «Je suis sûre qu'il va oublier de changer de chaussettes. Et puis comprend-elle qu'un garçon en pleine croissance a besoin de bien manger?

— Il mange beaucoup mieux là-bas qu'en pension, ma tante.»

Hester se détendit. Echuca valait certainement mieux que la lointaine école de Sydney, ou la grande et dangereuse métropole de Melbourne. «Eh bien, nous devons remercier le Seigneur, car Adam est arrivé sain et sauf après ce voyage insensé sur le fleuve, dans les ténèbres. Quand je me suis aperçue que nous étions le treize du mois, je me suis demandé s'il allait s'en tirer. Cela prouve tout simplement que la Providence veille sur nous tous.» Et sur cette conclusion passablement illogique, elle entreprit de coudre des médaillons sur un nouveau repose-tête.

La première fois qu'Adam revint à la maison, porteur d'un cadeau pour sa mère, qu'il avait acheté avec son argent personnel, Hester sortit de nouveau son mouchoir, mais la gaieté finit par l'emporter sur les larmes. Elle écouta ses histoires et regarda le livre dans lequel il collait ses premiers articles : comptes rendus du lancement de vapeurs à aubes, de naufrages et d'opérations de nettoyage du fleuve; notices concernant des personnalités en vue; nouvelles des tribunaux de police.

Le plus souvent, les procès concernaient des rixes à la sortie des pubs, car en période de crue, Echuca devenait un port plein de marins désœuvrés, la plupart ayant navigué sur des navires de haute mer.

De nombreux habitants, dont le rédacteur en chef, étaient scandalisés par les méfaits de l'alcoolisme ; mais, malgré tous leurs efforts, une des principales activités de la ville consistait à vider des bouteilles dans les quarante hôtels possédant une licence.

Adam était revenu à la maison dans une diligence de la Cobb & Co qui longeait la rive du fleuve du côté de Victoria et distribuait le courrier une fois par semaine, celui que Lige allait chercher de l'autre côté du fleuve.

Délie avait reçu une lettre de Miss Barrett, postée à Katherine, dans le Territoire du Nord :

« Le fleuve Katherine coule quasi devant notre porte, si bien que je ne me sens pas trop dépaysée. La maison est entourée de manguiers et de tamariniers, de bougainvillées en fleurs et de jacarandas bleus. Je suis sûre que cela vous plairait... Je suis très heureuse ici et j'ai trouvé une vraie compagne dans la mère des enfants, bien qu'elle souffre de la chaleur et soit un peu fragile... »

Adam ne manifesta qu'un intérêt poli pour cette lettre ; apparemment, il avait oublié son amour malheureux. En revanche, Délie se laissa emporter par les visions : elle s'imaginait au bord de ce grand fleuve, sous les palmes et un ciel perpétuellement bleu, parmi les perroquets voletant dans les branches, les papillons jouant au milieu des fleurs. Cette mère de santé fragile mourrait, Miss Barrett épouserait le père des enfants, puis lui demanderait de la rejoindre pour l'aider à les élever, et elle peindrait toute cette luxuriance tropicale en tableaux somptueux...

Délie passait des heures en admiration devant toutes les reproductions d'œuvres d'art qu'elle trouvait. Elle possédait un trésor, une estampe en couleurs figurant *La Charrette de foin* de Constable, qu'elle avait découverte dans le supplément de Noël d'un journal de Melbourne. Et tante Hester lui prêta un volume de reproductions de tableaux religieux, resté emballé depuis le déménagement. Délie avait hâte de les voir en couleurs, mais elle pouvait se perdre dans les lignes

ondoyantes et les doux visages des Madones de Raphaël, dans
les assomptions et les annonciations des anciens maîtres, dans
L'Apparition du Christ à Marie-Madeleine par Holbein, avec
son lumineux ciel pâle de nuages à l'aube, et la tombe obscure
d'où la lumière montait comme d'une lampe.

Chaque jour, elle marchait au bord du fleuve, lançait des
brindilles et des morceaux d'écorce dans l'eau, puis observait
le courant rapide les emporter. Les eaux agitées glissaient dans
sa conscience, fournissant un support à ses rêveries.

Un soir, elle se retrouva marchant seule sur la berge. Un
grand chaland, tous feux éteints, était amarré à un arbre.
Débordant de curiosité, elle courut jusqu'à lui puis emprunta
une planche étroite pour monter sur le pont. A bord, tout était
sombre et silencieux. Alors elle aperçut un homme qui s'avançait vers elle, et elle sut que c'était son père. Elle courut vers lui
et posa sa tête sur sa poitrine. Elle ressentait une joie tranquille. «Tu n'étais pas mort, n'est-ce pas? murmura-t-elle. Je
savais bien que ce n'était pas vrai.

— Bien sûr que non.» Il caressa ses cheveux.

«Et où sont les autres?»

Il fit un geste vers le chaland, et par-dessus l'épaule de son
père elle vit les superstructures du pont s'illuminer d'une
lumière de plus en plus intense qui montait des profondeurs du
navire. La lumière se fit incandescente, et elle crut distinguer
des personnages qui bougeaient dans la lueur éblouissante. La
structure carrée lui rappelait quelque chose — oui, la tombe
du jardin obscur, entourée d'anges et nimbée d'une lumière
surnaturelle.

Aussitôt, une terreur superstitieuse s'empara d'elle, et elle
recula.

Son père dit tristement: «Maintenant, nous partons. Veux-
tu venir avec nous?

— Pour aller où?

— Vers l'embouchure, puis vers la mer.

— Non, non!» Elle fit volte-face et courut jusqu'à la rive.
Il n'y eut pas le moindre mouvement sur le pont, aucun grincement de chaîne, mais le chaland rejoignit le milieu du fleuve,
puis s'éloigna doucement au fil du courant. L'étrange lumière
avait décru; il n'y eut bientôt plus qu'une forme obscure

emportée par les eaux sombres. Soudain, Délie se sentit seule au monde.

Elle lutta pour retourner à la réalité, sans réussir à oublier la terreur provoquée par les pulsations de cette lumière mystérieuse qui, bien que la jeune fille n'osât lever les yeux vers elle, avait paru se frayer un chemin sous ses paupières.

Quand Hester se sentit suffisamment rétablie grâce à la chaleur de l'été imminent, elle décida d'aller en ville pour inspecter personnellement l'installation de son fils, même si ses cheveux brillants et son teint clair étaient des signes indubitables de bonne santé. Le jeune homme avait encore gagné en virilité et en assurance; son adolescence était maintenant derrière lui, et on lui donnait plutôt vingt-deux ans que dix-sept.

En revanche, Délie ressemblait toujours à une enfant, avec ses longs cheveux noirs, sa poitrine inexistante et ses jupes courtes, d'où ses jambes grêles couvertes de bas noirs dépassaient comme deux bâtons. Elle jouissait toujours de la liberté de l'enfance. Quand le *Melbourne*, vapeur affecté à l'entretien du fleuve, arracha un arbre à demi immergé dans la courbe en aval de la maison, elle alla sur la rive pour observer les manœuvres, sautillant de droite et de gauche, criant des conseils aux marins.

« Capitaine Nash, comptez-vous retourner à Echuca ? lança-t-elle.

— Oui ; probablement demain. La portion du fleuve jusqu'à Echuca est parfaitement dégagée.

— Oh ! Pourrais-je faire le voyage avec vous ? Je ne suis jamais montée à bord d'un vapeur à aubes.

— Bah, je n'y vois pas d'inconvénient. Mais ta maman te laisserait-elle faire le voyage ? Et puis, comment rentrerais-tu chez toi ?

— Avec le buggy. Ils reviennent demain. C'est ma tante », hurla-t-elle en courant vers la maison. Là, elle persuada Hester de l'autoriser à faire le voyage avec Annie comme chaperon, car depuis des mois Annie n'avait pas profité de son jour de congé hebdomadaire pour aller en ville.

Délie se leva à l'aube et courut aussitôt vers le fleuve pour s'assurer que le *Melbourne* était toujours là. L'excitation lui mettait les nerfs à vif, et elle alla tant de fois «derrière la maison» qu'Hester se demanda si sa nièce était malade.

Enfin, elles furent à bord et le vapeur entama sa descente du fleuve. Délie vécut des heures d'enchantement. Elle courait sur tout le bateau, de la proue à la poupe, où elle resta pour regarder les deux sillages jumeaux des roues à aubes latérales ; elle vit l'énorme arbre métallique qui entraînait les roues — elles éclaboussèrent son visage quand elle se pencha au-dessus de leurs tambours ; on lui permit de tenir l'impressionnante roue de la timonerie et d'observer l'arbre du gouvernail pivoter selon les mouvements de la roue.

Enfin fatiguée, elle monta sur le toit, où le capitaine cultivait un petit jardin. Elle s'allongea sur le dos au soleil, tandis que le moteur ronronnait régulièrement et que, sur chaque rive, les arbres défilaient comme en rêve.

La pauvre Annie détesta ce voyage. Elle resta recroquevillée dans un fauteuil qu'on avait monté à son intention sur le pont supérieur, observant obstinément le mur blanc de la cabine du capitaine. L'étroit escalier qui surmontait les roues à aubes l'avait terrifiée et, dès lors, elle refusa de quitter son fauteuil, déclarant d'un air morose : «J'ai le mal de mer, je suis malade.» Comme elle avait réuni ses cheveux en un chignon au sommet de sa tête, son chapeau noir paraissait miraculeusement suspendu au-dessus de son front.

Quand ils accostèrent à Echuca, Délie l'obligea à descendre l'escalier redouté, puis à traverser la passerelle, après avoir remercié le capitaine qui refusa de faire payer ses deux passagères. Le quai était bruyant et animé ; Adam, qui observait des billes de bois qu'on chargeait sur un camion, n'avait pas remarqué l'arrivée du *Melbourne*.

Délie gambada jusqu'à lui et pinça son coude, ses yeux bleus brillant d'excitation sous son canotier à larges bords. Elle n'avait que deux chapeaux, un canotier pour l'été, un feutre pour l'hiver.

«Dis donc, c'est une performance, dit-il avec un large sourire. Comment as-tu réussi à convaincre ma mère de te laisser venir ?

— Oh, Adam, c'était merveilleux. Un jour, je descendrai le

fleuve jusqu'à son embouchure. Un jour, j'achèterai un vapeur à aubes, et je...

— Les filles ne peuvent pas acheter de bateau, petite!

— Je ne vois pas pourquoi! rétorqua-t-elle, vexée.

— Jamais plus on ne me fera monter sur un engin pareil, jamais plus, dit Annie. J'ai encore le mal de mer, je suis malade.»

Elle partit rendre visite à son «pauvre vieux père», tandis qu'Adam emmenait Délie en ville. Hester, qui était déjà arrivée, lui avait dit d'aller chercher sa cousine pendant qu'elle-même inspectait le logement de son fils.

Quand ils quittèrent le quai, Délie sentit le soleil brûler son épaule à travers la fine mousseline blanche de son corsage. Du coin de l'œil, elle regardait Adam, son panama neuf entouré d'un ruban, son col haut de cinq centimètres, qui montait jusque sous son menton. Comme il semblait adulte, sûr de lui! Ses lèvres qui conservaient la plénitude de l'adolescence dessinaient un sourire légèrement satisfait.

«Mme McPhee vous invite, mère et toi, à prendre le thé cet après-midi. Vous avez déjeuné à bord du vapeur?

— Non, Annie refusait de bouger, et je n'avais pas envie de descendre seule parmi tant d'hommes. Je regrette de ne pas être un garçon. J'aimerais tellement devenir marin.

— Et pourquoi pas cuisinière? Cela te conviendrait parfaitement. Tu pourrais semer la pagaïe dans la cuisine, je suis sûr que ça te plairait.»

Pour rire, elle lui décocha un léger coup de pied. Ah, elle aimait tellement Adam, elle regrettait tellement son départ.

«Regarde!» Brusquement, il lui pinça le bras.

Un vieux chemineau traversait la rue dans leur direction. Un chapeau melon en feutre était enfoncé sur ses oreilles; on voyait mal son visage, mais sur sa poitrine une barbe digne de l'Ancien Testament ondulait en vagues argentées. Il portait son balluchon en travers de son dos, d'où pendaient un bidon couvert de suie ainsi que d'autres ustensiles de cuisine. Ses bottes ferrées et les franges de son pantalon étaient blanches de poussière; on imaginait les roues d'un chariot couvert de la poussière des routes sauvages, et l'on pensait: cet homme vient de loin.

«Je parie qu'il a une sacrée histoire à raconter, dit Adam. Mais comment réussir à le faire parler?»

Devant eux se trouvaient les bureaux de la Compagnie Bendigo, Exécuteurs Testamentaires et Administrateurs. Quand le chemineau arriva à leur hauteur, il jeta son balluchon à terre, se campa solidement sur ses pieds et brandit son poing en direction du bâtiment.

«Vous allez voir, espèce d'escrocs! rugit-il. Prendre l'héritage d'un homme, espèce de voleurs, ignobles détrousseurs de braves gens. Vous enlevez le pain de la bouche des mendiants, vous volez les pièces dans l'écuelle des aveugles. J'vais vous faire payer tout ça, salopards!»

Il tira vivement de son balluchon une poêle noire et, la brandissant, se rua vers les vitrines de la Compagnie Bendigo, qu'il entreprit de briser les unes après les autres. Les panneaux de verre explosaient avec fracas, les éclats volaient et tintaient sur le trottoir.

Des passants alertés par le tapage accoururent; deux employés de la compagnie, indignés, sortirent et empoignèrent le barbu qui se dressait, la poêle levée et les yeux flamboyants, tel un prophète biblique administrant un juste châtiment.

Alerté par un passant, un policier arriva en courant. Adam abandonna Délie pour se frayer un chemin jusqu'au centre de la foule à demi amusée. Il tenait une bonne histoire. Le vieux chemineau s'était calmé, il contemplait les dégâts avec satisfaction, mais ses yeux bleu clair brillaient encore d'une lueur indomptée. Il redevint violent quand le policier saisit son bras pour l'emmener avec lui: il cria des insultes aux employés peureusement réunis sur le seuil de l'immeuble. Le directeur s'avança alors.

«Je crois connaître la raison de tout ce tapage, monsieur l'agent, dit-il. Nous avons déjà eu des ennuis avec cet individu, à propos de biens dont il a hérité. Il semble considérer qu'il a été spolié, et que notre compagnie, en tant qu'exécuteur testamentaire, l'a lésé.

— Vous savez sacrément bien que vous m'avez eu jusqu'au trognon. J'me suis retrouvé à la rue, alors que mon beau-frère a hérité d'un chariot et de quatre chevaux. Bande de satanés voleurs...

— Bon, ça suffit maintenant. Accompagnez-moi au poste de police. Allez, en avant!» Le policier ramassa le balluchon poussiéreux et saisit la poêle à frire avec laquelle le vieillard semblait vouloir assommer quelqu'un, puis l'entraîna vers le poste.

Adam s'enquit du nom de l'homme; le directeur lui expliqua l'affaire, et Adam rejoignit Délie. Il voyait déjà son article imprimé dans le journal du lendemain, dans un encadré, avec un gros titre. Les phrases se formaient dans sa tête. Il quitta rapidement Hester et Délie pour filer à son bureau.

Sur le chemin du retour, Délie pensa longuement au vieux chemineau. Elle espérait que l'amende ne serait pas trop lourde, car le malheureux ne pourrait certainement pas la payer, et devrait alors faire de la prison. Elle avait senti quelque chose de sauvage et de libre dans son regard brillant et fier — quelque chose qu'il avait gagné sur la route; il évoquait un oiseau volant à sa guise, qui dépérirait et mourrait en captivité.

«Bonjour, mère. Ne t'inquiète pas, tout va bien. *Je me sens parfaitement bien.* Juste un peu mouillé, c'est tout.»

Adam se tenait dans l'encadrement de la porte de la ferme; l'eau dégoulinait de ses vêtements trempés sur le linoléum du couloir. Bella et Lucy, qui l'avaient aperçu de la porte de la cuisine, sortirent sur le seuil pour discuter de l'événement dans un flux rapide et haut perché de dialecte aborigène qui n'était pas sans rappeler l'écoulement des eaux du fleuve.

Elles furent bientôt interrompues par la voix perçante de Hester, qui réclamait immédiatement de l'eau chaude, du thé chaud et des briques chaudes pour son fils, dont les lèvres bleues et le claquement des dents l'inquiétaient.

Quand il eut enlevé ses vêtements trempés et se fut assis près de la cheminée du salon, dans une robe de chambre épaisse, buvant le brandy qu'Hester réservait aux grandes occasions, il leur raconta ce qui s'était passé. Comme d'habitude, il avait pris la diligence de la Cobb & Co pour rentrer à la maison; il avait trouvé un vieux canoë indigène sur la rive opposée et, ne voyant Lige nulle part, avait ramé de plus de la moitié de la distance quand la frêle embarcation avait coulé sous ses pieds.

«Je n'aurais pas eu de problème sans le sac du courrier; mais ça n'a pas été facile avec le courant du fleuve.

— Oooh! se mit à gémir sa mère. Tu aurais pu te noyer. Ce matin, j'ai lu un présage de désastre dans les feuilles de thé. Pourquoi n'as-tu pas abandonné le sac, vilain garçon?

— Je ne voulais pas perdre vos lettres. Et puis il y a quelque chose dans le journal que je tenais à vous montrer.»

Il n'ajouta pas que, l'espace d'un instant, alourdi par ses vêtements et paralysé par les eaux glacées, il avait cédé à la panique, d'autant qu'il n'avait pu dénouer la corde du sac attaché à son poignet. Il tremblait autant de terreur que de froid. Le courant l'avait entraîné loin en aval de la maison, si bien que personne ne s'était aperçu de son naufrage. Délie sentit qu'il avait caché une partie de la vérité.

«La semaine prochaine, dit-elle, je t'attendrai et j'irai te chercher à la rame.

— C'est stupide, Philadelphia. Lige ira le chercher.

— Mais cela me ferait plaisir, ma tante.» Sa lèvre inférieure s'ourla en une moue de mécontentement.

«Suffit. Je t'interdis de ramer toute seule, il y a trop de courant. Lige ira le chercher.»

Avec tact, Adam changea de sujet: «Regardez ce que j'ai à vous montrer.» Il brisa le sceau de cire, puis sortit les lettres et les journaux, à peu près secs. Il déplia les quatre feuilles du *Herald*. «Ils ont accepté mon article sur le vieux chemineau cinglé.

— Quel vieux chemineau?» demanda sa mère en reniflant.

Il lut l'article, publié en première page:

«Un individu répondant au nom de James Allchurch Fitzroy, sans domicile fixe, a aujourd'hui plaidé coupable, répondant aux accusations de troubles sur la voie publique, dégâts volontairement causés aux biens d'autrui, et insultes verbales. L'accusé prétend ne pas se souvenir de sa conduite et se définit comme un individu calme et pacifique.

«Il a été condamné à une amende de dix livres, ou, à défaut, deux mois de prison.»

La page suivante contenait un long article, signé Adam Jamieson. Il insistait sur les pérégrinations du vieillard dans la brousse, son sentiment de persécution, et s'achevait sur un appel aux citoyens d'Echuca pour payer l'amende à la place du vieillard qui était en mauvaise santé et risquait de mourir en prison.

Le journal montrait l'exemple avec une donation.

«Naturellement, presque tout cet argent sort de ma poche, dit Adam.

— Je ne suis pas certaine que tu sois en position de jouer au philanthrope, dit Hester. Mais bien sûr je vais donner quelque chose pour soutenir ta cause.

— Merci, mère.» Il embrassa ses cheveux noirs clairsemés, démonstration inhabituelle d'affection de la part du garçon. Les yeux d'Hester s'adoucirent.

«Quand dois-tu retourner en ville, mon chéri?

— Je dois être au bureau demain soir pour m'occuper du journal de lundi.

— Tu ne devrais pas travailler le jour du Sabbat.»

«Oh, le Sabbat sera terminé quand nous mettrons le journal sous presse.»

Deux semaines plus tard, quand Adam descendit du canot, il était morose et désespéré. Il parla peu tandis que Délie l'accompagnait jusqu'à la maison; alors il jeta un journal plié dans les bras de sa cousine.

Elle vit un article imprimé en gros caractères noirs. Le titre était: UN HOMME SE NOIE AU CONFLUENT DE LA CAMPASPE. L'article disait qu'on avait retrouvé le cadavre de James Allchurch Fitzroy, 69 ans, pris dans une ligne de pêche; puis «... un grand nombre de bouteilles de whisky vides suggèrent que le défunt avait bu; tombant dans le fleuve alors qu'il posait sa ligne, il était sans doute trop ivre pour remonter sur la berge... Fitzroy, sans domicile fixe, est l'homme qui a récemment endommagé les vitrines de la Compagnie Bendigo dans la grande rue d'Echuca.»

«Oh, Adam!

— Le vieux Mac m'a obligé à aller voir le cadavre. Il m'a dit que cela refroidirait mon enthousiasme aveugle pour toutes les bonnes causes.

— Mais ce n'est pas ta faute s'il est tombé dans le fleuve. De toute façon, il était porté sur le whisky.

— Il a acheté son whisky avec l'argent excédentaire réuni grâce à mon appel. Dire qu'en ce moment, il aurait pu être en sécurité dans une cellule de la prison.

— Tu n'as rien à te reprocher. Il serait mort en prison de toute façon. »

Pourtant, Adam semblait si malheureux, si jeune et vulnérable, que Délie se sentit envahie de tendresse protectrice, presque maternelle. Sur la véranda, il se retourna pour regarder au-delà du fleuve, ses mains serrées sur la vieille balustrade en bois.

Elle remarqua ses longs doigts bronzés crispés nerveusement sur le bois, le duvet doré couvrant le dos de ses poignets. Ces poils blonds qui brillaient au soleil l'émurent étrangement. Pour la première fois, elle prit une conscience aiguë de la virilité de son cousin, de sa mystérieuse différence. Elle regarda la colonne ronde de son cou, les courbes roses de son oreille, tout près de son visage. Tout cela était nouveau et bizarre, excitant et troublant. Plus jamais elle ne pourrait regarder Adam avec l'innocence d'autrefois.

18

Cet été-là, les incendies de brousse qui faisaient rage au sud du fleuve semblèrent accroître la canicule. Des émeus et des kangourous, chassés par la faim et la soif, se regroupèrent au bord du fleuve ; la nuit, de grands goannas mangeaient la nourriture de la volaille, et une invasion de sauterelles ravagea le jardin.

Délie commença à s'épanouir dans la chaleur qui, l'année précédente, l'avait abattue. C'était une chaleur tellement nette, absolue et brûlante ; purifiant l'air, elle l'emplissait des parfums puissants de l'eucalyptus et de la menthe sauvage, distillés dans la coupe bleue du ciel.

Elle sentait les pâturages se dessécher dans la fournaise, cuire sous le soleil comme une immense galette marron doré.

Leur couleur qui contrastait avec le bleu du ciel était plus satisfaisante que le vert de l'automne et de l'hiver. Elle sortit sa boîte de peinture pour exécuter quelques aquarelles en plein air, malgré les couleurs qui séchaient trop vite et le métal de la boîte qui brûlait sa main. Les godets d'ocre jaune et d'ultramarine furent bientôt presque vides.

Comme d'habitude, Hester se plaignit. «Quelle chaleur insupportable! Ça ne s'arrêtera donc jamais?» gémissait-elle. Depuis cinq jours, le thermomètre ne descendait jamais en dessous de trente-cinq degrés.

«Il me semble qu'à Kiandra, tu te plaignais du froid de la même façon, dit Charles.

— Oui, mais cette chaleur dépasse les bornes. Quel pays! Rien que des extrêmes: la sécheresse ou l'inondation, les vagues de chaleur ou un froid de canard. Impossible de trouver le juste milieu.

— Bah! Ce n'est rien. A l'intérieur des terres, il fait quarante-cinq à l'ombre pendant des mois; les habitants doivent creuser des trous dans la terre pour ne pas rôtir sur place. L'eau bout dans les réservoirs. Tu ne sais pas ce qu'est une *vraie* vague de chaleur.» Hester ne vit pas le clin d'œil complice adressé à Délie.

«Eh bien, espérons que tu n'auras pas l'idée saugrenue de nous emmener vivre là-bas. J'ai toujours été stupéfiée par les endroits perdus que tu réussis à dénicher.»

En fait, elle redoutait d'être obligée de quitter la ferme, qui constituait le centre de toutes ses activités, maintenant qu'Adam était parti. Elle appréciait beaucoup les innombrables produits naturels qui requéraient toutes ses compétences ménagères: la crème qu'il fallait baratter en beurre, les fruits de saison qu'elle mettait en conserves, le suif de mouton dont on faisait des bougies avec de longs moules de papier brun. Elle fabriquait même son savon.

Le vent dépourvu de la moindre trace d'humidité apportait l'odeur âcre des incendies. Des ribambelles d'oiseaux s'étaient installés au bord du fleuve: cacatoès blancs, rosellas aux couleurs de l'arc-en-ciel, perroquets aux crêtes évoquant des soleils couchants, agglutinés dans la cime des arbres. Perruches et aras emplissaient l'air de couleurs et de cris

perçants. Ibis, hérons, cygnes et canards arrivèrent des marécages asséchés par les feux de brousse.

Lige connaissait le nom de tous les oiseaux, leurs cris et
leurs mœurs. «Vous avez déjà vu un nid de cygne, Miss Délie?
Une simple couche de roseaux, mais ces sacrés oiseaux sont si
malins qu'ils pondent des œufs à trois coins pour éviter qu'ils
roulent dans l'eau.»

Délie éclata de rire, les yeux pâles du vieillard clignotèrent.
«Ah, Lige, je ne gobe plus tout ce que tu me racontes, maintenant.»

Elle avait perdu son innocence enfantine, elle venait d'avoir
quinze ans. Trop mince, elle arborait néanmoins les prémices
de sa beauté future, dans son cou élancé et ses jeunes épaules,
ses seins naissants et sa peau crémeuse. Ses grands yeux
étaient d'un bleu sombre et profond, ses lèvres brillaient du
rouge naturel de la santé. Elle commença à prendre conscience
de son apparence, à laver ses cheveux noirs jusqu'à ce qu'ils
luisent d'un éclat cuivré, dérobant de la crème à la laiterie pour
en enduire son visage. Elle avait lu quelque part que l'eau était
mauvaise pour le teint. Elle voulait remonter ses cheveux sur
sa tête et rallonger ses robes, mais Hester s'y refusait catégoriquement.

Adam revint à la maison et annonça qu'un bal serait organisé à Echuca au début de la saison d'hiver, un «bal de débu-
tantes» réservé à certaines jeunes filles de la ville. Il apportait
un billet de Mme McPhee, l'épouse du rédacteur en chef, qui
proposait de présenter Délie à l'occasion du bal.

«Si vous acceptez de me confier votre charmante petite
nièce, ce sera avec plaisir que nous l'hébergerons et que nous
l'accompagnerons au bal; mais peut-être pourrez-vous venir
vous-même, si votre santé vous le permet.

«Je vous prie de me prévenir si vous désirez que je cherche
un couturier convenable pour la robe de Délie. Sa grâce et ses
cheveux noirs feront d'elle une délicieuse débutante...»

Hester émit plusieurs objections: l'achat du tissu et la
confection de la robe reviendraient trop cher; il ferait trop
froid, jamais elle-même ne pourrait se traîner jusqu'à Echuca...

«Oh, *je vous en prie*, tante Hester.

— Allez, la maman, dit Charles avec bonhomie. Rappelle-toi avec quelle impatience tu attendais ton premier bal.»

Hester parut se rappeler, mais des souvenirs plutôt désagréables.

«Tu n'as nullement besoin d'y aller, ma chère.Mme McPhee s'occupera de tout, et Adam écrira dans le *Herald* que la ra-vi-ssante Miss Gordon a fait des débuts très remarqués, qu'elle fut l'étoile du bal...

— Ne sois pas ridicule, Charles. Philadelphia, sais-tu faire la révérence?

— Bien sûr. Nous avons appris cela au cours de danse, à l'école.

— Bon... Alors nous ferions bien de prendre tes mensurations pour les envoyer à Mme McPhee. Mais je vais insister pour qu'elle ne fasse pas d'extravagances.

— Pourrais-je avoir une robe *longue*?

— Sans doute. Jusqu'aux chevilles en tout cas. Mais sans traîne, naturellement.

— Et pourrais-je remonter mes cheveux pour le bal?

— Certainement pas. Tu n'es toujours qu'une enfant.

— Mais toutes les autres filles auront remonté leurs cheveux. Je sais que c'est vrai.

— Il y aura des filles comme toi, qui porteront les cheveux longs, avec des rubans.» Hester parlait avec l'assurance d'une femme qui avait toujours fréquenté la bonne société, et non de petites communautés isolées, comme c'était le cas depuis vingt ans.

«Oh, *je vous en prie*, ma tante.

— Allez, laisse-la remonter ses cheveux pour une fois; elle ressemblera à une jeune dame.» Charles saisit la lourde masse des cheveux de Délie et les ramena sur le sommet de sa tête. Délie sourit en rougissant; elle était si jolie qu'Hester intervint immédiatement: «Je suis mieux placée que vous pour savoir ce qui convient. Philadelphia, va chercher mon mètre dans la trousse de couture.»

Dès que Délie fut partie, Hester se tourna vers son mari et dit avec violence: «Tu n'es qu'un idiot, Charles! Tu ne vois jamais plus loin que le bout de ton gros nez. Si nous laissons cette fille grandir trop vite, avant qu'Adam ne s'intéresse à une autre, alors notre fils sera perdu!»

Stupéfait par cette manifestation de ruse féminine, Charles méditait encore sa réponse quand Délie revint avec le mètre de couture. Elle était fermement décidée à se coiffer comme elle l'entendait, mais elle préférait attendre, car elle avait déjà remporté une victoire.

«Oh, c'est magnifique, c'est magnifique!» s'écria Délie, dans la chambre de Mme McPhee, devant le miroir en pied. Elle avait failli dire «Je suis magnifique», tant son reflet dans la glace l'avait ravie. Cela faisait des années qu'elle ne s'était pas regardée dans un miroir en pied, sinon une ou deux fois dans la glace de la penderie de tante Hester; mais elle n'aimait pas entrer dans la chambre d'Hester. Les fenêtres en étaient toujours fermées. Il y planait une odeur mêlée de vieux papiers, de parfum et d'encaustique.

Elle pivota sur elle-même et le voile blanc se déploya autour d'elle. Cette créature sortant d'un conte de fées, c'était elle, Philadelphia Gordon; cheveux noirs, grands yeux, taille mince, épaules nacrées visibles à travers le tissu vaporeux du fichu, jupe ondoyant comme un nuage impalpable. Un ruban bleu nouait les volants de sa robe, un brin de myosotis ornait son fichu.

«Tu es ravissante, ma chère Delphia! Cette robe te va à merveille.» Mme McPhee tira légèrement sur la jupe. «Tes bras sont un peu trop minces, tes mains trop hâlées, mais les gants montants cacheront tout cela.» Elle s'arrêta pour regarder d'un air incertain la queue de cheval nouée avec un gros ruban noir, qui descendait presque jusqu'à la taille. «Nous pourrions peut-être friser tes cheveux pour en faire des anglaises.

— Et si je les remontais sur ma tête?» Délie prit ses cheveux à deux mains pour les rassembler sur sa nuque, mettant ainsi en valeur les contours de son visage et la finesse de ses traits.

«Je crains que non, ma chérie. Ta tante est catégorique dans sa lettre. Pour l'instant, elle tient à ce que tu portes les cheveux longs.»

Les sourcils noirs et rectilignes de Délie se froncèrent; ses lèvres pleines tremblèrent. Elle se jeta à plat ventre sur le lit;

elle se moquait de froisser sa robe neuve. « Oh ! Elle gâche tout ! sanglota-t-elle.

— Ma chérie, ta robe ! Fais attention. Tu verras, ta coiffure te plaira, avec un nœud bleu pour retenir toutes tes anglaises.

— Mais je ne veux pas ressembler à une petite fille modèle allant à sa première fête.

— Oh ! là ! là... Il y en aura d'autres, presque aussi jeunes que toi.

— Avec la même coiffure que moi ?

— Probablement », répondit évasivement Mme McPhee.

Le jour du bal, Adam arriva avec un petit bouquet de myosotis et de jacinthes ; les cheveux frisés de Délie étaient en désordre, et elle semblait abattue. Mais quand elle fut enfin habillée, elle s'examina dans la glace avec satisfaction. Elle portait des bas blancs et des chaussons en satin. Les anglaises de ses cheveux brillants étaient nouées sur la nuque ; quand on regardait la jeune fille de face, on remarquait à peine qu'elle portait des cheveux « longs ». L'excitation agrandissait et assombrissait ses yeux bleus. Lorsque Mme McPhee eut mis un peu de parfum sur ses épaules, Délie crut devenir une nouvelle Cléopâtre.

Quand elle entra dans la luxueuse salle de bal, où des lampes à gaz brillaient dans de faux chandeliers, Délie fut éblouie, bouleversée. Les notes cristallines de l'orchestre qui s'accordait, les robes pâles et ondoyantes des femmes, les bousculades marquant l'arrivée de quelque personnalité — tout l'excitait en lui donnant le vertige. Elle regarda avec délectation son petit carnet de bal, son minuscule crayon rose et son signet de soie.

Mme McPhee rejoignit les autres épouses des notables de la ville, à qui elle présenta sa protégée. Délie salua timidement, puis, soulagée, s'assit. Elle sentait les autres l'observer avec surprise et amusement ; toutes les robes balayaient le sol, tandis que la sienne ne cachait même pas ses chevilles, encore moins ses chaussures.

M. McPhee réclama la première danse — sa femme avait renoncé à danser —, puis Adam vint lui demander la danse du souper ainsi que plusieurs autres. Il connaissait une kyrielle de jeunes gens, dont plusieurs lui demandèrent d'être présentés à « la petite brune ». Le carnet de bal de Délie fut bientôt rempli. L'orchestre démarra, et M. McPhee l'entraîna dans les tourbillons de la valse. La danse la réchauffa, fit briller ses joues, si bien que lorsque Adam l'invita pour la polka, il lui dit sincèrement : « Tu es éblouissante, Délie. » Elle avait une conscience aiguë de son bras musclé autour de sa taille, de son menton viril qui touchait presque le sommet de sa tête. Ses pieds paraissaient flotter au-dessus du parquet.

Mais quand le moment arriva d'être présentée à la maîtresse de maison, elle remarqua soudain les regards des autres filles sur ses cheveux, sa robe courte, le bouquet sur lequel elle s'était assise par mégarde ; sa belle assurance la quitta brusquement.

Elle regarda les autres, les moirures de leurs toilettes, leurs traînes démesurées, leurs cheveux rassemblés sur la tête, leurs cous de cygne, et sentit que les pans de sa robe trop courte ainsi que ses anglaises appartenaient au monde de l'enfance. Par-dessus le marché, elle était certaine qu'un des jupons attachés autour de sa taille par Mme McPhee était en train de glisser, que bientôt il tomberait à ses pieds en un cercle ridicule. Surtout, elle remarquait jusqu'à la nausée qu'elle était la seule fille dans toute la salle de bal à porter les cheveux « longs ».

Les autres filles se connaissaient toutes. Ignorant Délie, elles chuchotaient ensemble. Une heure parut s'écouler avant qu'elles n'avancent vers la loge fleurie de la maîtresse de maison. Essayant de retenir à travers sa robe le jupon qui menaçait de glisser, Délie fit une révérence guindée, puis tenta de s'esquiver derrière le corps potelé de Mme McPhee. Elle retourna ensuite vers son fauteuil pour enfouir son visage brûlant de honte dans le bouquet flétri. Jamais, au grand jamais elle ne pardonnerait à tante Hester de l'avoir ridiculisée avec sa robe courte et ses cheveux « longs ».

Mme McPhee parlait maintenant avec sa cousine, une femme blonde et majestueuse, accompagnée de sa fille, vêtue avec élégance et qui observait Délie sans aménité. Délie décida de ne plus danser ; elle prévint Adam qu'elle passait la prochaine danse. Sans tenir compte de son refus, il l'obligea à se lever et l'entraîna joyeusement sur la piste.

«Adam! s'écria-t-elle d'une voix tragique. Mon jupon!

— Eh bien, qu'arrive-t-il à ton jupon?

— Il glisse — il va tomber par terre d'un instant à l'autre!

— Et alors, ce n'est pas grave. Je suppose que tu en portes d'autres.

— Adam, espèce d'idiot! Fais quelque chose. Oh! Aide-moi!»

Adam entraîna sa cousine vers la rangée de fauteuils alignés contre le mur; au moment où le jupon toucha le parquet, il souleva Délie du sol, puis donna un rapide coup de pied au vêtement, qui disparut sous un fauteuil. Aucun des invités ne remarqua quoi que ce fût.

La danse suivante était un quadrille, qu'elle accorda à Adam. Tandis que leurs mains se rencontraient et qu'ils tourbillonnaient follement, Délie se sentait ivre de bonheur. Elle riait tout haut, hors d'haleine, les yeux étincelants. Les danses se suivaient, la soirée se métamorphosait en un cercle magique. Sa robe, son bouquet, les récriminations concernant sa coiffure, tout fut oublié. Ses yeux et ses joues brillant d'excitation, elle flottait dans la salle comme si ses pieds ne touchaient plus le plancher.

Enfin de retour au lit, trop énervée pour trouver le sommeil, elle se répétait le premier compliment qu'un homme lui eût jamais adressé.

«Vous n'avez pas besoin de cela, Miss Gordon, lui avait déclaré un jeune dandy, montrant les myosotis bleus sur sa poitrine naissante. Vos yeux sont infiniment plus bleus; il est impossible de les oublier quand on les a vus.»

19

Le lendemain matin arrivèrent l'élégante jeune fille blonde de la veille et sa mère. Elle s'appelait Bessie Griggs, nom que Délie jugea extrêmement inélégant. Sa mère, une femme plantureuse, avait un air de majesté somnolente. Bessie promettait d'être aussi corpulente que sa mère, bien que, pour l'instant, elle ne fût que rondelette. Son teint était uniformément rose et blanc, ses yeux ressemblaient à de la porcelaine bleue. Délie la trouva tout à fait irréelle, avec ses cheveux lisses et dorés qui paraissaient moulés sur sa tête.

Il se révéla que Bessie avait seulement un an de plus que Délie, qui sentit pourtant un gouffre les séparer quand elle regarda le costume de gabardine bleu foncé et le corsage bleu pâle aux boutons de cristal portés par Bessie. Un grand et ravissant chapeau bleu était posé sur ses cheveux blonds.

Accueillant ses visiteurs, Mme McPhee déclara qu'elle espérait que les filles en question deviendraient de «grandes amies», tandis que les filles s'observaient d'un air méfiant. Délie sentit le regard de Bessie se poser sur sa jupe de serge bleue un peu lustrée et son chemisier tricoté à la ferme.

Mme McPhee, potelée, vive et l'œil brillant comme un petit oiseau, gazouilla à propos de la soirée fort réussie de la veille. Mme Griggs, dont les yeux semblaient fabriqués dans la même porcelaine bleu pâle que ceux de Bessie, mais qui les tenait toujours mi-clos alors que Bessie les écarquillait, répondait d'un air endormi et pondéré. Les deux filles échangèrent questions et réponses sans trouver le moindre sujet d'intérêt commun. Bessie paraissait vaguement absente. Elle tournait fréquemment la tête pour observer les traits menus et réguliers de son visage dans un miroir mural, elle humectait ses lèvres, touchait ses cheveux et remuait la tête avec l'air satisfait d'un oiseau faisant sa toilette.

Délie décida que la jeune fille ne lui plaisait pas beaucoup; pourtant, elle l'admirait et lui enviait son élégance.

«Pourquoi ne remontes-tu pas tes cheveux sur ta tête? lui demanda Bessie. Moi, je remonte les miens depuis l'âge de quatorze ans.

— Ma tante ne veut pas.» Délie se sentit rougir.

«Peuh! A l'époque, personne n'aurait pu m'en empêcher.»

Comment expliquer sa dépendance, la nature implacable de sa tante? Bessie ne s'en laissait conter par personne, pensa-t-elle en regardant le petit nez droit, la mâchoire carrée et obstinée, les lèvres minces mais parfaitement formées, et les dents régulières.

Quand Mme Griggs proposa de les accompagner au bout de la rue pour boire un soda glacé, Délie monta se changer. Elle n'avait que sa plus belle robe d'après-midi en laine marron unie, ornée d'une rangée de perles autour du cou. Elle regarda avec dépit la jupe mi-longue et sentit que les perles ne convenaient pas : elle les cacherait avec une écharpe. Elle mit son chapeau et ses gants, puis redescendit, la mort dans l'âme.

Une fois encore, elle dut supporter le regard froidement inquisiteur des yeux bleus, puis elles sortirent toutes les trois dans la rue.

Buvant son soda glacé, elle sentit le besoin de s'affirmer. Tout à trac, elle déclara : « J'ai vécu un naufrage. »

Brusquement, Bessie fut tout ouïe. A sa propre surprise, Délie s'entendit raconter comment elle était montée sur le pont pour regarder les étoiles lors de la dernière nuit de la traversée, dans les parages de la mystérieuse côte australienne.

« Je crois qu'autrement je serais morte avec les autres, ajouta-t-elle. Seuls le timonier et l'officier de quart étaient sur le pont, avec la vigie. En tout cas, je fus la seule, avec le timonier, à rejoindre le rivage. Les autres passagers dormaient ; tous furent noyés quand le navire coula.

— Oui, je me rappelle avoir lu un article sur le désastre du *Loch Tay* », dit Mme Griggs.

Délie baissa les yeux sur son verre. D'un air détaché, elle venait d'évoquer la perte de toute sa famille, alors qu'elle n'avait jamais pu aborder ce sujet, même avec Adam. Peut-être avait-elle deviné instinctivement que dans la situation présente aucune imagination ne risquait de s'emparer de son récit, qu'elle ne courait pas le danger d'être submergée de sympathie.

« Personne ne sait ce qui s'est passé, conclut-elle. La nuit était calme, nous n'étions plus qu'à une demi-journée de Melbourne. Nous avons dû nous écarter de la route normale pour heurter ces récifs. »

Elle se rappelait parfaitement l'anse bordée par les falaises de calcaire jaune, la courbe de la plage, le scintillement bleu-vert de l'océan. « Heureusement, nous avons découvert une grotte...

— Tu veux dire que tu as passé toute la nuit dans une grotte, avec *un homme* ? demanda Bessie.

— C'est moi qui dormais dans la grotte », répondit doucement Délie. Elle savait désormais quand la vérité n'était pas acceptable. «Tom, le timonier, a été merveilleux. Il trouvait des berniques et des crustacés, il s'occupait de moi comme un père. Ensuite, nous avons dû escalader les falaises.»

Elle fit une pause pour reprendre son souffle, et remarqua que même Mme Griggs écarquillait les yeux.

«J'ai eu peur, mais Tom avait l'habitude de monter dans le gréement; il m'aida à atteindre le sommet. Ensuite, nous avons marché longtemps avant de rencontrer une ferme; j'ai failli me faire piquer par un serpent (c'était là une fioriture qu'elle ajoutait pour la première fois), je me disais qu'il y avait peut-être des indigènes sauvages, mais il n'en reste plus, sinon à la Mission Framlingham. Nous sommes donc tombés sur une ferme, et ses habitants nous ont emmenés à Melbourne.

Elle suça sa paille pour aspirer le restant de sa boisson, ce qui produisit un son bruyant et gênant. Peu importe, Bessie et Mme Griggs l'observaient avec un nouvel intérêt.

Tandis qu'elles marchaient dans la grand-rue, Bessie lui prit le bras et le serra, lui promettant de lui faire signe et de la voir tous les jours jusqu'à son départ, puis lui demanda quand elle comptait revenir en ville. Délie s'illumina : quel succès! La profession de son père — docteur en médecine — devait avoir impressionné Bessie et Mme Griggs, car dans les bourgs de campagne australienne, le médecin était toujours «quelqu'un».

Elles traversèrent la chaussée pour rejoindre le trottoir ensoleillé menant à la maison des McPhee. Au coin de la rue, Délie aperçut un visage familier. Elle hésita, s'arrêta, se retourna. «Excusez-moi un instant», dit-elle avant de quitter ses compagnes et de s'écrier joyeusement : «Minna!»

Un large sourire éclaira le visage de la femme qui se tenait debout au croisement. C'était toujours le même visage doux, aux épais sourcils ombrant les yeux foncés, mais ses traits étaient plus marqués. La silhouette informe n'était plus celle d'une jeune fille. Sur sa hanche, Minna portait un petit bébé. Elle tenait par la main un garçon à peine en âge de marcher, qui levait des yeux graves dans un visage café au lait. Son nez coulait. Le devant de la robe rose décolorée de Minna moulait sa poitrine opulente.

Après le bref bonheur dû à la rencontre fortuite d'un être cher, Délie resta frappée de stupeur. Minna, c'était donc là

Minna, l'adorable jeune fille qu'elle avait rêvé de peindre ! Elle regarda le garçon café au lait, puis le bébé ; sa peau aussi était d'un brun clair.

Elle baissa les yeux, puis revit le contour des doigts blancs, au clair de lune, posés sur un sein noir.

Minna débordait de questions. « Comment va le maître ? La maîtresse ? Bella et Lucy toujours travaillent à la cuisine ? Et la vieille Sarah, toujours vivante ? »

Délie répondit comme en rêve, elle observait une mouche se promener tranquillement au coin de l'œil de Minna.

« Bonjour, petit, dit-elle, gênée, à l'enfant au nez sale. Ils sont tous les deux à toi, Minna ?

— Parole, Miss Délie, tous les deux à moi. » Elle sourit fièrement ; puis, comme si elle prenait soudain conscience d'un détail gênant, elle saisit le rebord de sa robe pour essuyer le nez de l'enfant.

« Et tu ne vis plus au camp ?

— Non, fini. Je préfère la ville.

— Bon... Mes amies m'attendent, je dois y aller. » Elle avait soudain remarqué les yeux de Mme Griggs qui, loin de somnoler, dardait sur elle un regard scandalisé. « Au revoir, Minna, et bonne chance. A bientôt, j'espère. »

Mais elle ne désirait pas la revoir, plus jamais. La superbe jeune fille gracile qui, pour la première fois, lui avait donné l'idée de la beauté du corps humain, était devenue une masse informe couverte d'une robe rose.

Curieuse, Bessie ébaucha un mouvement pour rejoindre son amie, mais sa mère la retint comme pour l'écarter d'une fournaise mortelle. Elles attendirent Délie au bord de la chaussée. La réaction de Mme Griggs — « Vraiment ! Tu connais cette créature ? » — prouva à Délie que sa cote était retombée au plus bas. Elle expliqua que Minna était une vieille amie qui avait travaillé à la cuisine de la ferme et qu'elle ne l'avait pas vue depuis deux ans.

« Pauvre Minna ! La vie en ville ne lui a pas réussi. Naguère, elle était tellement belle. »

Mme Griggs ricana. « Ces gens sont laids et dépravés de nature. Plus tôt ils meurent, mieux cela vaut.

— C'est faux ! » s'indigna Délie. Mais quand elle remarqua

le regard étonné et inquiet de Bessie, elle se tut et emboîta le pas de la mère et de la fille, arborant une expression mutine et butée.

«Adam! J'ai vu Minna aujourd'hui», dit-elle ce soir-là, en l'accueillant à la porte des McPhee. Il était invité à dîner.

«Cette bonne vieille Minna!» s'écria-t-il ironiquement en s'appuyant contre la porte pour la refermer derrière lui.

«Elle habite Echuca, elle a deux enfants. Tu crois qu'elle a assez d'argent — je veux dire, pour nourrir ses enfants? Elle ne semblait pas avoir des mille et des cents.

— Oh, inutile de s'inquiéter pour Minna.

— Sais-tu ce que fait son mari?

— Elle n'a pas de mari, que je sache. Minna gagne sa vie en exerçant la seule profession qu'elle connaisse. Elle tourne en ville: noir, blanc ou métis, Minna ne fait pas de détail.

— Mais enfin Adam...

— Ne prends pas cet air éploré. C'est toujours comme ça quand une femme a un enfant métis. Elle est habituée à la cuisine du blanc, à sa nourriture, à son tabac. Après ça, on ne peut pas lui demander de retourner dans son camp.»

Elle le regarda attentivement. Devinait-il qui était le père du premier bébé de Minna? Il n'y avait pas la moindre lueur de connaissance dans les yeux de son cousin; il ignorait le rôle joué par son père dans l'histoire sordide de Minna — l'histoire de milliers de femmes déculturées, à peine sorties de l'adolescence, qui, un siècle auparavant, auraient vécu une existence paisible conformément aux lois du mariage respectées par leur peuple depuis des siècles innombrables.

20

Au printemps, le fleuve sembla revivre. Cette année-là, le dégel avait été précoce: dans les montagnes, une herbe brune et touffue perçait déjà la neige, comme la fourrure de quelque énorme animal vautré dans la boue, et des ruisselets couraient sous les ponts de neige fondante. Dans l'Ovens, l'Indi et l'Eucumbene, la Molonglo et la Mitta Mitta, les eaux entamaient leur descente aveugle vers le bassin de la Murray. Monotones et incessants comme le temps, inexorables comme la force de la vie, les fleuves coulaient vers la mer.

Chaque jour, avec un bâton, Délie marquait le niveau des eaux sur la berge, et chaque jour le fleuve effaçait la marque de la veille. Les eaux submergèrent les racines des gros arbres de la rive, elles murmuraient et gargouillaient sur les hauts-fonds, tiraient sur la corde du canot. Arbres morts, souches flottantes, branches, serpents ou moutons noyés, tout filait de plus en plus vite devant la ferme.

Bientôt, dans la forêt d'eucalyptus, les torrents débordèrent, inondant les sous-bois, et le joyeux coassement des grenouilles emplit les nuits de ses vibrations rythmées. Délie aimait grimper dans le pin qui se dressait devant la maison, pour penser à Adam, à la pointe de ses cheveux sur sa nuque, ou, tout simplement, regarder comme en rêve les eaux gonflées du fleuve. Quand suivrait-elle enfin le fleuve pour vivre dans un monde plus vaste ? Car elle ne doutait jamais que cette existence dans une ferme isolée ne lui fût pas destinée ; un avenir étincelant quoique incertain l'attendait au-delà de la courbe du fleuve.

Si le printemps la poussa à la rêverie, il eut un autre effet sur Annie : le soir, assise au clair de lune sur les marches de la maison, elle jouait de l'accordéon qu'elle avait apporté avec elle. Elle se mit également à courtiser Lige.

Elle commença par se glisser silencieusement jusqu'à sa hutte avec quelques biscuits ou un gâteau qu'elle venait de sortir du four. Avant qu'il n'ait pu ouvrir la bouche pour l'abreuver d'injures, l'odeur délicieuse de la nourriture le faisait saliver. Ainsi, usant d'une stratégie éprouvée, Annie entama le siège de ce célibataire endurci en l'attaquant par son point faible, l'estomac.

Bien qu'Hester fût une maîtresse de maison tatillonne, elle ne reprochait à personne son goût pour la bonne chère ; elle remarqua donc d'un œil tolérant que certains mets allaient à la table de Lige, qui cuisinait lui-même à ciel ouvert sur un fourneau à bois.

Il renonça à chasser Annie le Fantôme hors de sa hutte en la couvrant d'insultes. Sur le seuil de la cuisine, ses pâles yeux de chèvre guettaient, si bien qu'elle savait toujours quand l'homme travaillait dans son potager, ramassait les œufs, ou nourrissait la volaille. Elle allait alors cueillir un brin de persil ou de menthe, ou bien descendait au poulailler pour lui apporter une assiette de restes.

Mais ce fut l'épisode du serpent qui eut raison de lui.

Cela se passa par une chaude matinée venteuse de printemps ; l'air embaumait les fleurs de mimosa. Délie séchait ses cheveux au soleil sur la véranda quand elle entendit la voix stridente et terrifiée de Lige : «Un serpent ! Un serpent !» Il était en bas du potager, près du fleuve qui l'irriguait, figé devant un serpent tigré furieux qui avait dangereusement aplati son cou. Lige s'empara d'un des bâtons qu'il avait toujours à portée de la main, et avança timidement vers le serpent. Mais son bâton lui fut promptement arraché des mains ; jaillissant hors de la cuisine, Annie avait volé à son secours. D'un coup bien ajusté, elle brisa la nuque du serpent. Puis elle regarda Lige avec une expression aussi proche du triomphe que son visage lunaire le lui permettait.

Les yeux bleus délavés de Lige s'écarquillèrent. Sa mâchoire couverte de poils gris clairsemés tomba. «Seigneur ! s'écria-t-il. Seigneur ! Quelle femme !

— J'ai pas peur des serpents, moi, y me font pas peur, dit Annie.

— 'lui a cassé la nuque d'un seul coup !

— J'en ai tué des centaines, dans le temps, dit Annie.

— Centaines !

— De toutes sortes. Tigrés, noirs, marron, venimeux. J'en ai jamais eu peur, jamais.»

La nuit de pleine lune suivante, l'accordéon resta silencieux ; mais sur le seuil de la hutte de Lige, deux silhouettes étaient assises côte à côte devant le fleuve illuminé par la lune. Délie, qui se promenait dehors au clair de lune, entendit les pies roucouler dans la nuit — quand il était petit, lui avait dit un jour Adam, il les appelait «roucoucous». Tendant l'oreille, elle entendit un autre son, plus proche :

«Tu crois que c'est drôle de passer tous les soirs seul, assis devant ma hutte ? disait la voix de Lige. Non. Avec toi, Annie, j'me sens plus en sécurité.

— Continue, je t'écoute », fut la réponse laconique d'Annie.

Adam revint à la maison pour le week-end ; il apportait un mot de Mme McPhee. Le billet à la main, Hester se dirigea vers l'escalier de la véranda, où Adam et Délie étaient assis. Elle semblait contente, passablement excitée.

« Mme McPhee dit que tu as maintenant une amie, Philadelphia ; une certaine Miss Griggs. Pourquoi ne m'en as-tu pas parlé ?

— Ce n'est pas encore mon amie.

— Bon, disons que tu la connais ; elle a presque ton âge. Son père possède le plus gros magasin d'Echuca ; c'est une famille immensément riche. » Elle attendit quelques instants, avant d'ajouter : « Eh bien, à quoi ressemble-t-elle ?

— Demandez à Adam. Au bal, il a dansé avec elle presque tout le temps.

— Tu exagères ! Deux fois, tout au plus. »

Hester renifla, comme un chien sentant une piste. « Est-elle belle, Adam ?

— Oh, ravissante ! Une superbe blonde ; son visage ressemble à celui d'une poupée de cire. » (Et elle a autant de matière grise, ajouta-t-il en son for intérieur.)

« J'imagine que tu la vois souvent ?

— Oh, je la croise de temps en temps. »

Hester était trop maligne pour insister davantage ; elle se tourna vers Délie, apparemment absorbée par la contemplation du fleuve.

« Pourquoi ne demandes-tu pas à Miss Griggs de venir passer un week-end ici, Philadelphia ? Tu as besoin d'une amie de ton âge, comme dit Mme McPhee.

— Demandez-lui vous-même, si vous le désirez », rétorqua Délie, sans tourner la tête.

L'hiver connut un regain ; des bourrasques venant du sud soufflèrent de la côte, la pluie fouetta le fleuve au point que sa surface semblait en ébullition. Hester remit son gilet de flanelle et entoura ses épaules osseuses dans un châle épais. De nouveau, elle se déplaçait dans la maison en geignant.

« C'est le grand changement, dit-elle à Délie, qu'elle considérait désormais comme assez mûre pour entendre semblables
confidences. Non que cela me fasse plaisir, loin de là. Depuis
des années, mes règles ne me laissent même pas une semaine
de répit. Tout ça à cause du froid et de l'anémie dont j'ai souffert après la naissance d'Adam. »

Elle renonça à tout divertissement tant que le mauvais
temps se prolongeait. Les vapeurs avaient recommencé à
remonter le fleuve ; peut-être Miss Griggs pourrait-elle venir un
peu plus tard en bateau.

Adam passa à Echuca les trois week-ends suivants. Hester
interpréta son absence à sa manière : elle y vit un signe de bon
augure. Quant à Délie, elle restait au coin du feu, où elle
imaginait Adam et Bessie se retrouvant dans des pubs feutrés ;
elle était profondément malheureuse.

Mme McPhee la sortit de son désespoir avec une invitation
à venir lui rendre visite. Il fut convenu qu'elle passerait une
semaine à Echuca, après quoi Bessie reviendrait avec elle et
passerait le week-end à la ferme.

Dans sa lettre, Mme McPhee se proposait également d'aider
Délie à choisir quelques vêtements de printemps et d'été ; elle
suggérait avec tact qu'à Echuca, de nombreux jeunes gens à
marier étaient sensibles aux toilettes des jeunes filles. Elle
rendit ainsi à Délie un immense service ; car, maintenant
qu'Adam était quasi fiancé à Bessie, du moins dans l'esprit de sa mère, Hester trouvait soudain avantageux de laisser Philadelphia prendre soin de son apparence. Plus tôt elle
serait mariée et partirait, mieux cela vaudrait. Car, avec son
goût pour la rêverie et ses maladresses, elle était plus qu'inutile
dans la maison.

« Est-ce un nouveau chapeau ? » Cette fois, Bessie examinait
ouvertement sa nouvelle amie.

« Oui », répondit Délie, sur la défensive. En fait, il provenait
du magasin du père de Bessie ; un instant auparavant, elle
considérait son grand chapeau en paille jaune, décoré de
pâquerettes blanches en velours et de faux épis de maïs,
comme le *nec plus ultra* de la mode. Mais dès qu'elle vit
Bessie, elle se sentit gênée de porter son sobre costume en

gabardine gris perle. Bessie était vêtue d'un ensemble en coutil blanc rayé de bleu, de la même couleur que ses yeux, avec des manches évasées et une large ceinture. Quant au chapeau de Bessie — une fantaisie en dentelle empesée —, il donnait à Délie l'impression que le sien était trop grand, trop lourdement décoré. Bessie portait une ombrelle blanche à franges, pour protéger son teint rosé du soleil printanier.

« C'est une paille de bonne qualité », déclara Bessie d'un air supérieur, en entraînant son amie dans Hare Street. Elles tournèrent au croisement pour s'engager dans High Street, où des buggies, des sulkies, des cabriolets étaient garés tout le long de la rue. Bessie rencontra une amie, accompagnée de sa mère, et s'arrêta pour bavarder avec elles, sans présenter Délie. Enfin elles repartirent, et une fois encore, Bessie redevint aimable avec Délie, lui prit le bras. Elle s'inclina avec distance en direction d'un pâle et mince jeune homme à la moustache noire. Quand il les eut dépassées, elle pouffa et se retourna.

« Qui était-ce ?

— Oh, il travaille au magasin... au rayon pour Hommes. Il a l'air terriblement romantique, tu ne trouves pas ? » Elle poussa un soupir, mordit sa lèvre inférieure entre ses dents irréprochables puis tourna la tête pour examiner son reflet dans la vitrine d'un magasin.

Délie commençait à se détendre. Elle se promenait en compagnie de cette jeune dame fort sophistiquée, qui connaissait tout le monde ; elle était habillée de neuf de pied en cap, jusqu'aux chaussures et aux gants, et elle désirait qu'on la vît. Voici un an seulement, elle aurait préféré errer sans but au bord du fleuve ou regarder les vapeurs à quai. Maintenant, quand elle marchait sous les auvents des boutiques ou s'asseyait pour boire un soda glacé avec une paille, baissant les yeux vers ses chaussures brillantes et pointues, elle se sentait citadine jusqu'au bout des ongles, totalement adulte. Enfin, on lui avait donné la permission de remonter ses cheveux sur la tête.

En repassant par l'extrémité de Hare Street, où l'on voyait les vitrines des bureaux du *Riverine Herald*, Bessie dit tout à trac : « Allons voir si M. McPhee est dans son bureau. »

Délie, terrifiée par le rédacteur en chef avec qui elle avait pris le petit déjeuner, était réticente, mais Bessie ne souffrait aucune contrariété. Elles pénétrèrent dans le premier bureau, où un garçon entassait des exemplaires du *Herald*, puis se glissèrent dans la pièce occupée par le rédacteur en chef. M. McPhee était assis sous la pendule au milieu d'innombrables épreuves d'imprimerie. Sa barbe était hirsute, tout comme ses cheveux gris, ébouriffés comme la crête d'un cacatoès; une pipe éteinte était plantée entre ses dents. Même Bessie n'osa l'interrompre dans sa lecture. Mais il leva les yeux et les vit. Il agrafa un jeu d'épreuves, puis saisit le suivant. «Alors, mesdemoiselles! s'écria-t-il. Vous êtes en beauté, aujourd'hui. Si Adam vous voit, il ne voudra plus travailler de la journée.» Il cligna les yeux, comme si les vêtements des deux jeunes filles l'avaient ébloui.

«Oh, M. McPhee! minauda Bessie. Vous vous moquez. Je voulais simplement voir la salle de composition du journal, et Délie m'a dit que vous me laisseriez.»

Délie, qui n'avait rien dit de tel, s'empourpra. «Pouvons-nous y aller? demanda-t-elle timidement.

— Ah, pourquoi pas? Mais vous allez causer la perte de ce garçon!»

Dans la salle de composition, elles trouvèrent Adam seul; il ajustait des caractères dans un cadre en pierre. L'heure de pointe n'arrivait que plus tard dans la journée, et les deux Alf le rejoignaient alors. Ses doigts et son tablier étaient gris, une mèche de cheveux rebelle tombait sur son front.

Comme Bessie prétendait s'intéresser à son travail, il saisit une rangée de caractères et sépara les lettres pour les lui montrer.

«N'y touchez pas!» s'écria-t-il en regardant ses gants immaculés, quand Bessie avança un index curieux. Elle s'inclina au-dessus de la pierre, s'appuyant avec élégance sur son ombrelle, le garçon vit une minuscule boucle de cheveux dorés qui s'étaient échappés de sa coiffure pour tomber sur sa nuque blanche. A sa propre surprise, il faillit se pencher pour poser ses lèvres sur la peau neigeuse, juste sous le duvet qui marquait la naissance des cheveux.

«Écartez-vous de là, dit-il brusquement, je vais mettre en place une page d'épreuve pour vous montrer.»

Délie, qui avait enlevé ses gants, composait son nom en caractères d'imprimerie. «Viens voir, Bessie, dit-elle. Tu voulais savoir comment on composait un journal.»

Bessie renâcla, mais s'approcha néanmoins. Tout cela l'assommait, à moins que les explications ne lui fussent données par un garçon. Les longs doigts de Délie, si maladroits pour les travaux ménagers, maniaient habilement les petites lettres car, un matin, Adam lui avait permis de l'aider à composer un article.

Il les rejoignit et leur présenta une page encore humide. «Vous voyez, Miss Griggs? Voilà à quoi ressemble une page d'épreuve.

— Oh, mais c'est absolument passionnant. Appelez-moi donc Bessie. Je déteste mon nom de famille; il est tellement peu romantique.»

Tenant la page à bout de bras, par les coins, Adam fit un sourire assez ironique. «Je ne doute pas qu'il ne change dans un avenir proche.

— Oh, Adam... monsieur Jamieson... je veux dire...

— Adam, naturellement», rectifia-t-il, indifférent. La page lui glissa alors des doigts, et macula d'encre les rayures bleues de la robe. «Oh, mon Dieu! Votre belle robe! Je suis désolé...»

Bessie rit gaiement. «Cette vieille chose! Cela n'a aucune importance.»

Délie essaya d'enlever la tache avec son mouchoir, mais Bessie glapit: «Ne touche pas ma robe! Tes doigts sont tout noirs.»

Penaud et gêné, Adam les raccompagna à la porte. Il se passa la main dans les cheveux, et marqua son front d'une zébrure noire. «Je crains que vous ne reveniez jamais, Bessie!

— Ah, mais si, dit-elle d'un air mutin, en hochant la tête à l'intention du garçon.

— Je vais bientôt quitter la salle de composition. Nous allons avoir deux machines linotypes, achetées à l'*Advertiser* de la Bendigo, et je vais être intégré à l'équipe des journalistes.

— Tant mieux pour toi!» dit Délie. Mais comme Bessie montrait des signes d'impatience, elle la suivit dans le couloir étroit. Alors qu'elles franchissaient la porte d'entrée, Bessie examina sa jupe, et Délie enfila ses gants jaunes sur ses doigts souillés d'encre.

«Quel idiot maladroit, dit Bessie furieuse. C'est la première fois que je porte cette robe.»

Délie fut soulagée. Apparemment, Bessie n'était pas amoureuse d'Adam. Elles descendirent la rue en direction des quais. Délie se surprit à observer attentivement l'homme massif qui marchait devant elles. Cheveux noirs striés de gris sous une sorte de casquette de marin, pieds nus, démarche chaloupante, un tatouage sur le bras sous la manche remontée, tout prouvait qu'il s'agissait d'un marin. De nombreux marins en mal d'embarquement échouaient sur les rives du fleuve, pour ne plus jamais les quitter.

Elle accéléra le pas pour rejoindre le marin ; une excitation croissante lui nouait la gorge. Puis elle courut jusqu'à lui, et saisit son bras. Sous le tatouage représentant un navire, on lisait ces mots : *Loch Tay*.

Bessie, laissée à la traîne, suffoqua d'indignation et de curiosité en entendant son amie s'écrier : «Tom! Oh, Tom, c'est vraiment vous», et elle se jeta au cou du marin.

Délie n'avait pas besoin du tatouage pour reconnaître son sauveur et ami. Il avait toujours les mêmes yeux bleu clair, la même barbe fournie, les mêmes dents cassées, maintenant dévoilées en un sourire incertain. Tom sembla vouloir se dégager, mais elle le retint pas le bras.

«Tom, vous ne vous souvenez pas de moi? Ai-je tellement grandi? Delphia Gordon! Que vous avez sauvée de la noyade lors du naufrage du *Loch Tay*. Vous ne naviguez donc plus? Vous travaillez sur le fleuve maintenant?»

Tom, d'abord gêné d'être accosté par cette jeune dame si élégante et séduisante, laissa progressivement un large sourire s'épanouir sur son visage. On pouvait lire ses pensées sur ses traits taillés à coups de serpe qui révélaient une intelligence fort moyenne : la surprise, un regard appréciateur, le doute, puis, dès qu'il l'eut reconnue, une joie sans mélange. Sa main massive s'empara de celle de Délie et la serra douloureusement.

«Miss Philadelphia! Ça alors! Quelle surprise. Vous êtes devenue une belle jeune dame. J'vous aurais jamais reconnue.

— Moi, je vous aurais reconnu, reconnu n'importe où, Tom. Simplement à votre démarche, à vos pieds nus. »

Tom baissa timidement les yeux. « Je n'ai jamais pu me faire à ces sacrées bottes. J'suis juste descendu du bateau pour aller acheter un peu de tabac, sans penser que je rencontrerais quelqu'un de ma connaissance. Et vous moins qu'un autre.

— Vous êtes à bord d'un vapeur ? Est-ce qu'il est à quai ?

— Et comment ! J'suis propriétaire et capitaine, dit Tom avec un orgueil tranquille.

— Tom, c'est merveilleux. »

Délie se rappela brusquement la présence de Bessie, tourna la tête et la vit, nonchalamment appuyée sur son ombrelle, essayant de regarder ailleurs. Elle lui présenta Tom (« Appelez-moi simplement Cap'taine Tom », dit-il), lui expliqua qu'il s'agissait du marin qui lui avait sauvé la vie pendant le naufrage. Délie tenait à voir son navire.

Bessie resta perplexe. Pour une fois, elle semblait prise de court. Mais Délie lui prit la main, et la guida vers les quais, où Tom montra un joli petit vapeur à aubes, dont la timonerie portait, en lettres noires, le nom *Jane Eliza*. On déchargeait de l'orge de Riverina ; le tirant d'eau du bateau était si faible qu'il pouvait remonter sans problème la Darling.

« Les nouveaux bateaux n'arrêtent pas de heurter des troncs d'arbres flottants ou de s'échouer sur les bancs de sable », dit-il. Il expliqua que le sien ne lui appartenait pas encore en totalité. Il avait emprunté de l'argent pour pouvoir l'acheter, hypothéquant ainsi le vapeur. Mais le bateau était resté bloqué toute l'année dernière à cause des basses eaux d'un fleuve, si bien qu'il avait raté une saison entière de commerce, et il lui restait cinquante livres à payer. Ses créanciers envisageaient de vendre le *Jane Eliza*. Des rides de souci plissèrent le front de Tom. Ça pourrait aussi bien être cinquante mille livres, car je n'ai aucune chance de trouver cet argent.

— Si nous montions à bord ? proposa Délie.

— Merci bien, je reste ici », répondit froidement Bessie.

Tom précéda Délie sur l'escalier de bois descendant jusqu'aux planches du quai, puis sur la passerelle reliant celui-ci au pont du *Jane Eliza*. Délie remarqua le pont impeccablement nettoyé ainsi que les peintures rutilantes, preuve de la méticulosité propre à certains marins.

«Pendant que nous étions encalminés dans ce bras de rivière, nous avons remis le bateau à neuf, dit Tom. Maintenant, il est présentable.»

Délie jeta un coup d'œil à la grande chaudière avant d'enjamber l'arbre d'entraînement des roues latérales. Les structures supérieures l'intéressaient davantage, les cabines propres, la cage de verre de la timonerie. C'était un navire beaucoup plus trapu que le *Melbourne*. Comme elle aurait aimé posséder un bateau de ce genre!

Tandis que Délie disait au revoir à son vieil ami, un plan prenait forme dans son esprit. Elle retrouva Bessie sur le quai supérieur; agacée, la jeune fille enfonçait la pointe de son ombrelle dans les trous des planches. Elle s'était trouvée en butte aux commentaires narquois, aux apostrophes et aux coups de sifflet des dockers travaillant sur les quais; ses joues étaient plus roses qu'à l'ordinaire. Elle s'élança vers la rue, murée dans un silence lourd d'hostilité, répétant comme sa mère: «Vraiment! Tu connais des gens extraordinaires.»

21

Le jour où Délie devait rentrer à la ferme avec Bessie, une douleur l'assaillit. Des crampes spasmodiques la firent se tordre sur son lit, et elle se demanda si elle pouvait se confier à Mme McPhee. Tante Hester n'aurait jamais supporté qu'elle lui parlât; pour elle, c'était une douleur honteuse qu'on devait taire malgré les crispations du visage ou les poches qui se formaient sous les yeux.

Mais cette fois, les douleurs étaient particulièrement fortes. Un bref gémissement échappa à Délie. Seigneur, devrait-elle vraiment supporter cela chaque mois, et ce pendant la moitié de son existence? Quand Mme McPhee entra en coup de vent dans sa chambre, Délie leva les yeux vers elle; son regard pathétique disait l'appel muet d'un animal malade.

«Ma pauvre biche!» Mme McPhee comprit immédiatement

les explications hachées de Délie. «Je vais t'apporter quelque chose qui te soulagera.»

Elle revint bientôt avec une brique chaude enveloppée dans la flanelle, et un liquide étrange au fond d'un verre. «Maintenant, allonge-toi et pose la brique chaude sur ton ventre; et bois cette goutte de brandy additionnée d'eau chaude.»

Délie respira le liquide et frissonna.

«Je ne pourrai jamais avaler ça, madame!

— Allez, c'est sucré et très bon, ma chérie.»

Elle contracta les muscles de son visage et se força à avaler; le liquide lui brûla l'estomac, puis sa chaleur se diffusa. Le goût était écœurant, mais elle se sentit bientôt soulagée, capable de se préparer en vue du voyage de retour.

Les filles, escortées par Adam, voyageraient à bord du vapeur *Success*. Ce modeste bateau à aubes dut lutter de toute sa puissance contre le courant, car les eaux du fleuve coulaient rapidement vers la mer.

Accoudée au bastingage du pont supérieur, à côté d'Adam, Bessie parlait sans discontinuer. Délie, qui souffrait toujours de crampes, restait assise; elle réfléchissait à la façon de convaincre son oncle d'investir les cinquante livres cruciales dans le petit *Jane Eliza*.

«Avec ce courant, nous ne pourrons pas vous emmener pêcher ni canoter, disait Adam à Bessie. A la place, nous pourrons faire du cheval.

— Je n'ai pas l'habitude de monter à cheval», répondit Bessie, gênée.

Délie, qui écoutait, ressentit une bouffée de triomphe. Bessie a peur des chevaux, songea-t-elle.

«Moi non plus, dit-elle en rejoignant les autres près du bastingage. Mais il y a deux selles d'amazone, tu pourras monter le vieux Léo, qui est aussi confortable qu'un fauteuil à bascule. Je préférerais monter à califourchon, mais ma tante ne voudra jamais.»

Bessie, qui ne semblait pas beaucoup apprécier l'interruption de son tête-à-tête avec Adam, montra un vol de pélicans qui se déplaçaient en formation au-dessus de leurs têtes: puis, avec une habileté consommée, elle réussit à se glisser entre Adam et Délie.

Alors que le vapeur touchait la berge devant la ferme et s'amarrait, Annie arriva, apportant un pot de confitures pour le capitaine, « avec les compliments de la maîtresse ». Délie, qui se préparait à descendre à terre avec son sac, se le fit arracher des mains par Adam, qui lui lança : « Rien ne presse, petite.

— Je ne suis PAS une petite, et je ne me presse pas », répondit-elle du tac au tac. Elle sentait que ce week-end allait tourner au désastre. Pourtant, Hester accueillit Bessie à bras ouverts. Bessie fit usage de tous ses charmes, qui n'étaient pas minces, pour se gagner les faveurs d'Hester, si bien que la femme et la jeune fille s'entendirent merveilleusement. Dans l'après-midi, on servit le thé, puis tous se promenèrent dans le jardin en fleurs. Tous sauf Délie qui, se sentant de trop, avait trouvé un prétexte pour rentrer ; elle voulait parler à son oncle, lui demander les cinquante livres. En chemin, elle cueillit quelques géraniums rouges, et avant le dîner frotta les pétales écrasés sur ses joues pâles afin de leur donner la couleur rosée du teint de Bessie.

Convaincre Charles que l'achat d'un vapeur à aubes, ou du moins d'une partie d'un vapeur, était un investissement valable, prit beaucoup de temps ; ces bateaux finissaient toujours par brûler, quand ils ne coulaient pas, argumentait-il. Mais il céda enfin, et lorsqu'ils passèrent à table, la rougeur naturelle de l'excitation rehaussait la teinture florale du visage de Délie.

Hester jeta un regard peu amène sur les joues de sa nièce, dont le rouge faisait ressortir le bleu de ses yeux et la pureté immaculée de son front sous les cheveux noirs.

« Tu as des couleurs, ce soir, Philadelphia. »

Délie baissa les yeux sur son assiette, mais son oncle vola à son secours.

« Oui, j'ai remarqué que ces vacances lui ont fait du bien. Miss Griggs, nous devrions l'envoyer à Echuca plus souvent, puisque l'air semble y produire des teints comme le vôtre. »

Charles était gai ce soir-là, ses yeux gris étincelaient au-dessus de sa moustache mélancolique ; son épouse remarqua ce changement, mais ne s'en inquiéta guère. Miss Griggs ne saurait être sensible à la galanterie vieux-jeu de Charles, quand Adam était à côté d'elle, si beau et séduisant.

Après dîner, ils passèrent un bon moment à jouer aux charades. Puis Bessie joua au piano deux morceaux, très correctement, tandis qu'Adam tournait pour elle les pages de la partition. Charles s'accompagna lui-même pour chanter, avec une bonne voix de ténor, _Way Down Upon the Swanee River._

Délie observait Adam et Bessie, leurs têtes toutes proches penchées au-dessus d'un album — Bessie en robe à volants de soie blanche, ses cheveux lisses et dorés brillant dans la lumière de la lampe. Elle s'était targuée d'avoir «un appétit d'oiseau», ce qui ne l'avait pas empêchée de faire largement honneur au repas, entre ses deux chevaliers servants. En revanche, Délie n'avait presque rien mangé.

Elle se réjouissait de ne pas partager sa chambre avec Bessie, qu'elle commençait à détester cordialement.

La matinée du lendemain annonçait une de ces parfaites journées de printemps où il est quasi criminel de rester enfermé. Le soleil prodiguait une chaleur langoureuse, les abeilles bourdonnaient autour des arbres fruitiers en fleurs, le ciel était d'un bleu tendre et délicat. Une brume légère humectait l'air, comme si le soleil, saupoudrant d'or jusqu'au moindre brin d'herbe, était soudain devenu palpable. Même les sombres eucalyptus étaient nimbés d'un halo de minuscules feuilles cuivrées, et leurs frondaisons se détachaient en contre-jour sur le ciel comme des nuages potelés et cotonneux.

Après le petit déjeuner et les prières du matin, les jeunes gens allèrent chercher les chevaux. Dans leur pâturage, l'herbe prenait déjà une couleur estivale, comme si l'on avait répandu une teinture ocre sur le sol. Bessie marchait en retrait, scrutant anxieusement les herbes à cause des serpents.

Barney, qui savait parfaitement que c'était dimanche, fut difficile à attraper. Charles avait décrété que seule Délie pouvait monter sa jument Luciole, car les autres étaient trop lourds, si bien qu'Adam devait se contenter de Barney. Il attrapa le paisible Léo et le sella pour Bessie.

«Je n'aime pas son regard, dit Bessie. Il montre le blanc de ses yeux.

— Il est doux comme un agneau, répondit Adam, en caressant les longs poils de son cou. Bon, voulez-vous que je vous fasse la courte échelle ? »

Comme elle le regardait avec des yeux ronds, il lui demanda : « Vous avez déjà monté à cheval, n'est-ce pas ?

— Oh oui, très souvent. » Elle ne savait pas se servir des rênes, et empoigna la crinière de Léo glissant son pied dans l'étrier. Adam plaça sa main sous son autre pied et l'installa en selle sur un Léo imperturbable.

Délie galopait déjà sur Luciole autour du pâturage, cheveux noirs au vent. Trop impatiente, elle n'avait pas pris le temps de mettre des épingles à cheveux, dont elle se servait maladroitement.

« Oh, Luciole est formidable après le vieux Léo ! » s'écriat-elle.

Jacky leur ouvrit la porte, et ils traversèrent le pâturage du fond, où la masse mouvante et bêlante des moutons se fendit pour les laisser passer. Alors qu'il descendait de cheval pour ouvrir la deuxième porte, Adam remarqua que le dernier gond manquait, que la porte était seulement retenue par du fil de fer. L'année dernière déjà, Charles avait décidé de la réparer. Les clôtures s'affaissaient ; dès qu'ils auraient dévoré l'herbe de ce pâturage, les moutons s'échapperaient dans le champ de luzerne, avec des conséquences désastreuses, car ils étaient habitués à une alimentation très sèche. De plus, les terriers de lapins se multipliaient. Tout partait à vau-l'eau.

Sur les collines de sable rouge, couronnées par les sombres pins de la Murray, ils chevauchèrent en file indienne. Bessie semblait heureuse de rester au pas ; mais Léo, voyant ses compagnons le distancer, ne cessait de partir au petit trot. Bessie montrait des signes de nervosité.

« Vous allez voir, je vais réveiller un peu ce petit paresseux », dit Adam en revenant sur ses pas. Il saisit la bride de Léo et l'obligea à galoper tranquillement à côté de Barney.

« Oh, je me sens tellement calme à côté de vous, Adam, soupira Bessie.

— La plupart des gens trouvent Léo un peu trop calme », rétorqua-t-il assez sèchement.

Devant eux Délie émergea des pins au galop. Luciole filait en terrain plat et sec. Le vent de la course fouettait les longs cheveux de la cavalière. Elle fermait les yeux, respirait l'odeur magique de la sueur et du cuir, sentait le soleil sur sa tête nue. Une vague de bonheur la submergea.

Au-delà des limites de la propriété se trouvait un bois où l'on avait abattu tous les grands eucalyptus, et où croissait une nouvelle génération d'arbrisseaux. Ils s'arrêtèrent parmi eux pour déjeuner, laissant les chevaux paître dans une clairière. Bessie s'installa gracieusement sur une souche, et permit à Adam de lui apporter les plats succulents qu'Hester avait empaquetés dans la sacoche de sa selle. Enfin repus, ils s'allongèrent tous trois. Des abeilles sauvages bourdonnaient autour des boutons d'or et des pâquerettes.

«Oh, respirez, n'est-ce pas merveilleux? s'écria Délie en emplissant ses poumons.

— Quoi? Les fleurs? Ça ne sent pas très fort.

— Oh, tout... l'odeur de la nature... Oui, c'est vraiment l'essence de la nature australienne.» Elle écrasa une feuille sèche et fauve, qu'elle tendit sous le nez de Bessie. «L'odeur d'eucalyptus est tellement excitante...

— On dit aromatique», corrigea Adam.

Bessie fronça le nez sans comprendre.

Marchant sur un tronc d'arbre abattu, ils traversèrent une petite rivière à demi remplie d'eau stagnante. Bessie avait peur; Adam dut lui tenir la main et la faire avancer pas à pas. Une fois encore, elle déclara qu'elle se sentait tellement en sécurité à côté de lui. Quand ils débouchèrent dans une deuxième clairière aménagée parmi les arbrisseaux, elle se laissa tomber à terre en disant qu'elle était épuisée.

Délie regarda un grand eucalyptus récemment tronçonné par les bûcherons. La souche et les copeaux de bois épars étaient presque aussi rouges que du sang. Elle songea qu'à l'époque où cet eucalyptus n'était encore qu'un arbrisseau, cette forêt n'avait jamais connu l'homme blanc ni sa hache, que seuls se déplaçaient parmi ces arbres les sombres habitants du pays. Elle eut soudain le sentiment d'être une intruse.

«Quelle tranquillité ici», dit Bessie en frissonnant légèrement. Comme pour la contredire, un petit animal poussa un cri strident; ensuite ils sentirent un silence millénaire s'installer autour d'eux. Allongé sur le dos, Adam regardait distraitement le ciel. Ses lèvres bougeaient imperceptiblement. Délie n'avait aucune envie de parler.

Ce fut Adam qui se leva le premier, bondissant sur ses pieds pour enlever fourmis et feuilles d'eucalyptus de sa culotte de cheval. Il était extrêmement beau, avec son col blanc remonté sous son menton viril. Délie regarda alternativement son cousin et Bessie, et dut se rendre à l'évidence : ils formaient un couple superbe. Malgré le trot et le galop de Léo, les cheveux dorés étaient restés parfaitement en place. Bessie semblait aussi élégante que le soir du bal.

Alors qu'ils retournaient vers les chevaux, elle se plaça adroitement entre Adam et Délie qui examinaient des pousses dorées d'eucalyptus. Bessie trébucha sur une bûche et se rattrapa au bras d'Adam. Quand il l'aida à retraverser la rivière sur le tronc d'arbre, elle le remercia en battant des paupières de façon provocante.

« Laisse-moi monter Luciole, tu veux bien, Del ? demanda Adam. Le vieux n'en saura rien, et j'en ai par-dessus la tête de ce canasson sénile. »

L'espace d'un instant, Délie hésita, puis dit : « Comme tu veux. » Cela lui donnerait l'occasion de monter à califourchon à l'insu d'Hester.

Adam entreprit de rallonger les étriers de Luciole. Délie regardait Bessie à la dérobée et vit ses yeux s'agrandir quand elle-même lança une jambe par-dessus le dos de Barney, et remonta sa jupe marron.

« Attends, je vais raccourcir tes étriers », dit Adam, mais Barney, qui sentait l'écurie, refusa d'attendre. Il partit au trot enlevé, lequel se transforma vite en galop, en direction du fleuve, le long du marais où des branches à moitié submergées évoquaient des crocodiles assoupis. Une bûche barrait la route du cheval. Oubliant que Barney ne sauterait jamais d'obstacle, Délie le fit accélérer.

Le cheval pila juste devant la bûche. Délie, qui manquait déjà d'assurance à cause des étriers trop longs, s'envola par-dessus la tête de Barney. Elle atterrit presque sans mal sur le sable rouge et mou, mais une longue branche effilée la frappa de plein fouet à la tempe.

Sur Luciole, Adam galopa à bride abattue pour la rejoindre, et se jeta à terre à côté d'elle. Elle était inconsciente, du sang coulait sur son visage livide. Il s'agenouilla dans le sable humide et caressa tendrement son front, puis humecta son mouchoir pour nettoyer la plaie. Presque aussitôt, elle s'arrêta de saigner ; ce n'était qu'une égratignure, mais une bosse, grosse comme un œuf de pigeon, se formait rapidement. Il entendit Bessie demander : « Qu'y a-t-il ? Que s'est-il passé ? Elle est blessée ? » Pour le garçon, ces questions étaient aussi insignifiantes que le gazouillis d'un oiseau.

Avec une tendresse passionnée, il regardait les pâles paupières closes. Elles s'ouvrirent. Les grands yeux bleu foncé plongèrent dans les siens.

« Adam ! »

Étourdie, elle tendit les bras et enlaça lentement le cou de son cousin. La petite tête noire de Léo entra dans son champ de vision, et au-dessus de lui le visage inquiet de Bessie. Tiens, voilà Bessie Griggs ! songea-t-elle, stupéfaite. Que fait-elle donc ici, et sur le dos de ce bon vieux Léo ? Avons-nous emmené Léo à Echuca ? Où sommes-nous ? Enfin, Adam est là ; mais tout cela n'est probablement qu'un rêve. Posant sa tête sur le bras du garçon, elle se sentit apaisée et heureuse.

« Aidez-moi à la hisser sur la selle, devant moi, dit-il, se retenant de bousculer un peu la placide Bessie. Nous devons vite la ramener à la maison, il faudra peut-être que j'aille chercher un médecin à Echuca. Oh, bon Dieu, la route basse est inondée ; il y a quarante-cinq kilomètres de piste ! Vite ! »

Il saisit la bride de Barney et l'attira vers lui. « Bon. Vous allez ramener Luciole ; ne vous inquiétez pas, elle va vous suivre. »

Laissant Bessie rentrer seule à la maison, Adam partit au galop. Il baissait parfois les yeux sur le visage blanc posé contre son cœur. « Délie, ne t'évanouis pas encore, cela me fait peur. Nous sommes presque arrivés. Il faut que tu te tiennes toute seule maintenant, pendant que j'ouvre la porte. Ça va mieux ? »

Croyant toujours rêver, elle tendit la main et toucha la bouche de son cousin, comme pour saisir entre ses doigts la signification de ses paroles. Il pressa ses doigts contre ses lèvres, et installa Délie en équilibre devant la selle.

Tard dans l'après-midi, Délie se réveilla et découvrit un rayon de soleil qui pénétrait obliquement dans sa chambre. Allongée sur son lit, elle regarda les grains de poussière voleter et tournoyer en une danse compliquée, tels des atomes de lumière vivante. Leurs mouvements, dotés d'une importance mystérieuse, réclamaient toute sa concentration.

Peu à peu, d'autres pensées commencèrent à envahir son esprit. Sa tête était douloureuse ; elle porta la main à son front et sentit un bandage. Elle se rappelait maintenant la chute et l'impression d'irréalité qui avait suivi. Puis elle pensa à Adam, ferma les yeux et sourit. Viendrait-il la voir avant son départ ? Il devait être à l'heure pour rattraper la diligence sur l'autre rive du fleuve, à moins qu'un vapeur ne passât devant la maison.

Elle se souvint de ses lèvres contre sa main, de la merveilleuse tendresse qu'elle avait lue dans ses yeux, des mots qu'il avait chuchotés à son oreille.

Le rayon de soleil devint un torrent de lumière dorée quand la porte s'ouvrit silencieusement et qu'Adam entra sur la pointe des pieds. Pendant une longue minute, il resta debout près du lit, la regardant dans les yeux, tandis qu'elle lui souriait rêveusement. Soudain, il s'assit au bord du lit et prit sa main gauche, qu'il posa contre sa joue.

« Tu te sens mieux ? Tu m'as fait une sacrée peur, sais-tu ?

— Ça va.

— Tu es tellement pâle.

— J'ai un peu mal à la tête. »

Ils n'écoutaient pas les mots qu'ils prononçaient. Chacun se noyait dans les yeux de l'autre, chacun y lisait tout ce que l'autre taisait.

« Oh, ma chérie ! » Il posa un doigt sur les cheveux noirs et humides collés à son front, là où les compresses les avaient mouillés. Lentement, il se pencha au-dessus d'elle et l'embrassa longuement sur les lèvres. Une fleur parut s'épanouir puis se retourner dans la poitrine de Délie, la lais-

sant faible et bouleversée. Des larmes coulèrent de ses yeux
clos et glissèrent sur ses joues.

«Délie, ne pleure pas. Je n'aurais pas dû t'embrasser ainsi,
alors que tu n'es pas bien.

— Ce n'est pas ça. Je croyais que tu étais amoureux d'*elle*.

— De qui? De Bessie? Ah, quand je l'ai vue là-bas, tellement déplacée dans la nature sauvage, alors j'ai compris que
c'est toi que j'aimais. Ce matin, j'ai écrit un poème pour toi,
sur tes longs cheveux qui volaient au soleil: *Fille de septembre
doré*... Mais je parle trop; tu dois te reposer... Délie! Tu es si
belle, si tendre, si douce...

— Adam...!

— J'ai toujours envie de t'embrasser. Tu m'aimes?

— Oui.» Elle hocha la tête sereinement, et porta vivement
la main à sa tempe.

«Ta pauvre tête te fait souffrir. Mère va t'apporter du thé.
Au revoir.»

Une fois encore, il se pencha et leurs bouches parurent se
fondre en une seule, tandis qu'une douce chaleur envahissait
leurs jeunes corps. Tremblant, il se leva et retourna à tâtons
vers la porte.

Délie reposait dans l'obscurité, elle savourait intensément la
joie qui montait sans cesse en elle. Elle sentit de nouveau les
lèvres d'Adam sur les siennes, et cette étrange chose endormie
qui s'épanouissait, se retournait en elle.

Bessie entra pour prendre des nouvelles de son amie.
Somnolente, Délie lui sourit. Cette chère Bessie! Et cette chère
tante Hester... Il lui semblait aimer le monde entier.

22

Le mois suivant fut d'une douceur délicieuse, succession de
journées alanguies et de nuits de velours.

Le chant rauque et passionné des grenouilles devint frénétique, les étoiles palpitaient de lumière, les oiseaux s'accou-
plaient bruyamment dans les arbres; Lige et Annie le Fantôme
annoncèrent alors qu'ils désiraient se marier.

Hester tombait des nues chaque fois qu'une personne aussi âgée et apparemment raisonnable qu'Annie désirait convoler en justes noces. Car pour elle le mariage avait été une déception, un arrangement désagréable, d'où elle n'avait tiré, sur le tard, qu'un seul avantage, son fils Adam. Voilà qu'Annie désirait mettre un homme dans son lit, une source d'embêtements à laquelle elle n'avait été que trop heureuse d'échapper; mais Annie avait passé l'âge d'avoir des enfants.

«Je crois que vous devriez attendre d'être vraiment certains de votre décision, conseilla-t-elle.

— Attendre! s'écria Annie. Il refuse d'attendre, voilà tout. Pas question de lui dire non, il devient fou furieux. Il est tellement impatient!» Elle levait au plafond ses pâles yeux de brebis.

Hester fut donc contrainte de faire contre mauvaise fortune bon cœur. Elle aida Annie à coudre sa robe de mariée, vida ses tiroirs pour donner quelques draps de second choix aux conjoints, et entama la préparation du gâteau de mariage.

Lige construisit une deuxième couchette surélevée, dotée d'une échelle jouxtant la sienne, fixa une toile cirée flambant neuve sur sa table, et installa dans la cuisine attenante un poêle qu'il n'avait jamais utilisé.

Le jour du mariage fut arrêté, on publia les bans. Le pasteur était en voyage, mais son vicaire, un mince jeune homme à la pomme d'Adam saillante, arriva d'Echuca par la diligence pour la cérémonie. Il faisait si chaud qu'Hester décida que tout se passerait en plein air, au grand soulagement de Lige. Dans son meilleur costume de serge bleue, il transpirait énormément; on lisait une détermination farouche sur son visage écarlate aux mâchoires serrées, aux yeux proéminents. «J'ai comme l'impression d'être à un enterrement — avec toutes ces fleurs, tous ces trucs brillants! marmonna-t-il en regardant les décorations du salon, où Annie avait nettoyé et astiqué le garde-feu, le pot de cuivre et la théière en argent; quant à Hester, elle avait disposé des jacinthes blanches et des roses trémières dans des vases — plus en l'honneur de la visite de l'ecclésiastique que pour le mariage. Car elle recevait rarement un membre de la «bonne société» d'Echuca.

Ce fut une étrange cérémonie, qui se déroula au fond du

jardin, à l'ombre des grands eucalyptus. Jacky et Lucy observèrent les rites bizarres du mariage chez les Blancs, avec
autant d'intérêt qu'un anthropologue étudiant leurs propres
coutumes tribales depuis longtemps disparues. Ils virent la
mariée disgracieuse enveloppée de tulle blanc, symbole de la
méconnaissance absolue de son propre corps, debout à côté du
vieillard effaré, pendant que l'homme au col étonnant psalmo-
diait des mots étranges, comme «procréation», en les regardant.

Tandis que M. Polson priait, Délie fixait le sol nu grouillant
de fourmis et moucheté de soleil. Elle ne fermait pas les yeux.
Une bande de cacatoès à crête jaune soufre passa en criant au-
dessus du fleuve. Le bruit d'un combat de chiens leur parvint
de l'autre rive, du camp des indigènes. Délie sentait la présence
de l'immense nature grise autour de l'espace restreint où ils se
trouvaient, elle entendait le fleuve couler sans interruption. Le
«Byamee» du vieux Charlie semblait plus proche que le Dieu
invoqué par M. Polson avec son accent anglais.

Lorsque le déjeuner de mariage fut terminé — ce fut une
grande réussite, bien que les glaces eussent un peu fondu à
cause de la chaleur —, Lige et Annie se réfugièrent dans leur
hutte pendant que Charles buvait un verre de porto avec le
pasteur. Comme M. Polson restait pour la nuit, ils jouèrent de
la musique dans le salon encombré de fleurs. Après le dîner,
Délie, en mousseline à pois blancs ornée d'une écharpe bleue,
joua pour M. Polson qui tournait les pages de sa partition,
après quoi il chanta *The Arab's Farewell to the Steed* d'une
voix hésitante de baryton.

Délie regardait avec un sourire secret ses propres mains,
grandes et aux longs doigts, songeait aux critiques d'Adam
concernant les «ballades sentimentales», qu'il appelait, assez
scandaleusement, «bâtardes sentimentales». Elle ne se rendait
pas compte que le vicaire penché au-dessus du piano observait
les traits délicats de son visage, sa pâleur et ses minces sourcils
noirs; soudain il poussa un profond soupir.

«Vous êtes si éthérée, Miss Gordon!» murmura-t-il.

Les yeux bleu foncé de Délie lui lancèrent un regard surpris,
puis elle baissa pudiquement la tête, en fait pour dissimuler
son envie de rire. Elle avait dévoré la moitié d'un poulet, deux

pâtisseries et une tranche de gâteau de mariage au cours de l'après-midi, après quoi elle avait fait honneur au dîner.

L'intérêt manifesté par M. Polson n'échappa point à Hester, qui prit la résolution héroïque d'aller à Echuca tous les dimanches pour assister aux services religieux, dès que la piste inférieure serait praticable. Elle comprit que, malgré sa jeunesse, Délie venait de faire une conquête. Mais elle ne vit pas, et elle ne pouvait deviner que c'était l'amour qui l'avait fait s'épanouir en cette nouvelle et séduisante maturité.

Adam, qui n'avait pu revenir à la maison pour l'occasion, s'occupait désormais de la page des dépêches. Le *Riverine Herald* se targuait de recevoir toutes ses nouvelles d'outre-mer par «câble électrique»; le journal était fier de fournir un compte rendu exhaustif de tous les grands événements mondiaux. Adam espérait qu'une nouvelle stupéfiante passerait entre ses mains, la mort de la reine Victoria par exemple; à intervalles réguliers, la rumeur de cet événement se répandait comme une traînée de poudre, rumeur immédiatement démentie, donnant donc lieu à deux dépêches. Un jour, il apprit la nouvelle tragique du naufrage du *Clyde* dans la mer du Nord. Le navire avait heurté un récif qui ne figurait sur aucune carte, puis coulé en quelques minutes, avec tous les passagers et hommes d'équipage.

Connaissant le passé de Délie, Adam imagina aisément les drames humains masqués par la sécheresse de la dépêche. Il lui accorda un titre plus gros qu'à l'ordinaire.

Le lendemain matin, une tempête se déchaîna sur sa tête. Arrivant au bureau, il entendit la voix tonnante de M. McPhee qui le cherchait en pestant et jurant. De son poing, il frappa le journal du matin quand Adam pénétra dans le bureau du rédacteur en chef.

«Tu veux donc faire de nous la risée de toute la ville, hein? Un "récif ne figurant sur aucune carte", bon Dieu! Comment épelles-tu récif?

— R-É-C-I-F, monsieur, répondit Adam, mal à l'aise.

— Alors, nom d'un petit bonhomme, pourquoi as-tu écrit ce mot avec un T à la fin, au lieu d'un F? rugit M. McPhee en tirant sur sa barbe grise. Tous les capitaines des vapeurs vont

nous tomber dessus à bras raccourcis pour nous demander si
de simples mots peuvent faire couler un navire. Regarde un
peu ton titre!»

Il brandit le journal juste sous le nez d'Adam, qui réussit à
lire, en gros caractères :

UN NAVIRE HEURTE UN RÉCIT
NE FIGURANT SUR AUCUNE CARTE
Il coule en sept minutes

«Récit à la place de récif! Es-tu capable de voir la différence, au moins ?

— Bien sûr, monsieur, je vois parfaitement la différence.
L'erreur a dû être commise dans la salle de composition.

— L'erreur est *là*! Dans ton papier, j'ai reconnu ton écriture. J'ai tout vérifié avant de t'accuser.»

Adam prit les feuilles de son article. Il ne parvenait pas à
comprendre comment il avait pu faire ce lapsus, mais il en
était bel et bien responsable.

«T'avais rien remarqué, hein ? Tu n'as donc pas lu le journal ce matin ?

Adam rougit. «Je crains que non, monsieur. J'étais en
retard, et...

— Ah! Tu ne l'avais pas lu! Le premier devoir d'un journaliste est de lire son propre journal de la première à la
dernière page, petites annonces comprises. Combien d'articles
fameux sont sortis des petites annonces. Tu devrais l'avoir lu
avant d'arriver au bureau.»

Il planta sa pipe éteinte au milieu de sa barbe pour signifier
que l'entretien était terminé. Tirant un bloc de papier blanc
vers lui, il entama la rédaction d'un article incendiaire contre
l'intempérance et les méfaits de l'alcoolisme. Tous les jours,
une colonne était presque entièrement consacrée à ses sujets
favoris, la tempérance et la ponctualité.

Adam s'initia peu à peu à son nouveau travail de reporter et
devint connu en ville comme «le jeune Jamieson du *Herald*».
Plus tard seulement, ses articles spécialisés, ses poèmes et ses
portraits le rendirent plus célèbre et on lui prédit un brillant
avenir d'écrivain.

Charles lisait son exemplaire du *Bulletin Weekly* — il aimait ses articles de fond, ses nouvelles, les poèmes qu'il publiait chaque semaine — quand il poussa un cri et scruta le journal comme s'il ne pouvait en croire ses yeux. Il appela Délie : « Regarde là ! Tu crois que ce pourrait être notre garçon ? »

Délie se pencha au-dessus de l'épaule de Charles. Il y avait un poème, signé « A. Jamieson », qui commençait par :

> *Fille de septembre doré,*
> *Aussi blonde que les mimosas coupés !*
> *Vous et moi nous souviendrons-nous*
> *Quand tous les deux nous serons vieux...*

« Oui, c'est un poème d'Adam ! Je me rappelle le premier vers, il me l'avait récité. » Puis son plaisir s'évanouit. « Aussi blonde que les mimosas coupés ! » Cela ne ressemblait pas à Délie, cela semblait plutôt adressé à Bessie.

« Tu sais, dit son oncle en posant le journal sur ses genoux pour bourrer sa pipe, j'ai toujours pensé qu'Adam deviendrait écrivain. Son poème doit être rudement bon pour que le journal l'imprime, hein ?

— Il me plaît bien, oui », fit Délie en fronçant légèrement les sourcils.

Charles fourrageait dans sa blague à tabac presque vide. Il enfonça les gros brins de tabac sombre dans le fourneau de sa pipe, gratta une allumette et aspira la flamme dans le fourneau. Il éteignit l'allumette, dispersa les quelques brins de tabac tombés sur son pantalon, puis s'adossa et croisa les genoux. Il tirait vigoureusement sur sa pipe en produisant un léger bruit de succion.

« Il tient cela de moi, naturellement, dit-il avec complaisance. Mes lettres ont toujours été bien tournées. J'ai même essayé d'écrire des poèmes dans ma jeunesse. » Il observait les volutes de fumée qui montaient lentement dans la lumière de la lampe. « Tu sais, je suis un peu artiste. Je pense parfois que j'aurais pu devenir un chanteur célèbre si j'avais davantage travaillé. »

Délie écarquilla les yeux. Charles avait certes une voix agréable, mais il n'aurait jamais pu prétendre en faire son gagne-pain. Elle se contenta de répondre : « Alors pourquoi avez-vous renoncé ?

— Ah, ma famille n'a jamais eu beaucoup d'argent. Mes frères ont bénéficié de tous les avantages. Moi, j'ai dû quitter l'école pour commencer à travailler très jeune. Mon père était un homme inculte qui n'avait absolument pas l'oreille musicale. Je me demande parfois si je n'ai pas été trop coulant avec Adam, quand je pense à l'éducation que m'a donnée mon père. En tout cas, je ne m'attends pas à ce qu'il nous aide à vivre avec son salaire.

— Mais Adam n'habite plus à la maison, mon oncle ! Et ce qu'il désirait vraiment, c'était d'aller à l'université.

— Il a bien fait d'y renoncer. Le journalisme et la vie réelle sont une bien meilleure école pour un écrivain que la réclusion universitaire. »

Délie soupira. Son oncle trouvait toujours moyen de se justifier, il avait toujours raison après coup (« Je savais bien qu'il y avait de l'or dans ce torrent »), il rêvassait à un passé révolu ou à un avenir impossible, pendant que les clôtures s'écroulaient, que le chiendent envahissait les pâturages.

Hester fut extrêmement fière du poème — elle aussi pensa que Bessie l'avait inspiré — et le découpa pour le coller dans le livre où elle rassemblait tous les articles de son fils. Curieusement, Adam réagit avec moins d'enthousiasme à la publication de son poème :

« Ce n'est qu'une ballade — le genre de truc qui leur plaît. »

Qu'il parlât si légèrement du poème qu'il lui avait dédié, déplut à Délie. « Je ne crois pas que tu l'aies écrit pour moi ; il n'y est question que d'une fille blonde comme Bessie Griggs ! »

Il expliqua patiemment que cela s'appelait licence poétique, que Délie ne devait pas lui en vouloir. Ainsi commença leur première querelle d'amoureux.

23

« Hoooo-é-é ! »

L'appel prolongé qu'Adam lançait de l'autre rive du fleuve, ou le coup de sirène du vapeur qui l'amenait d'Echuca, étaient pour Délie la plus belle musique qu'elle ait jamais entendue. Alors que les échos se répercutent encore sur les berges, elle descend en courant les marches de la véranda, cheveux au vent — il les aime dénoués, après tous les efforts de Délie pour les remonter sur sa tête afin de plaire à Adam ! —, file à travers le jardin, dépasse le pin où elle a souvent grimpé pour penser à lui, traverse les buissons, puis la pente sablonneuse aboutissant au bord du fleuve.

Lige aussi est là, si bien que leurs mains ne se touchent que l'espace d'un instant ; mais une étincelle électrique naît aussitôt entre leurs doigts, leurs cœurs battent au rythme de l'amour, et leurs yeux parlent d'eux-mêmes.

Ensuite, ils montent vers la maison, où Hester attend sur la véranda et guette anxieusement la moindre contrariété plissant le front de son fils bien-aimé, le moindre signe de maigreur ou de sous-alimentation. Mais quand elle découvre un visage reposé et heureux, un corps aussi solide qu'à l'ordinaire, elle passe la main dans les cheveux blonds et embrasse Adam sur la joue.

« Tu as passé une bonne semaine, fils ?

— Comme d'habitude, mère. »

Délie joue au garçon manqué, franchissant d'un bond les deux marches de bois, tourbillonnant sur elle-même, et chantant :

> L'Adelaïde
> Est fort stupide.
> Le Lancashire Lass
> Est couvert de crasse.
> L'Elizabeth...

« Ah, je ne trouve pas de rime pour Elizabeth. »

> Eliza, Liza, 'Lizabeth,
> Maintenant, je me sens si bête.

«Philadelphia, mon enfant, ne fais pas la sotte.» Mais Hester sourit avec indulgence. Bien que parfois étrangement féminine, Philadelphia n'était encore qu'une enfant. Pour Adam, se dit-elle, c'est simplement la petite cousine, dont il aimait autrefois tirer les cheveux, avec qui il n'envisagerait jamais rien de sérieux.

D'habitude, les cousins restaient ensemble du samedi midi jusqu'au dimanche après-midi où Adam devait repartir. Un peu plus de vingt-quatre heures sous le même toit...

Dès que les boutons d'or apparurent dans les pâturages sablonneux couverts d'immortelles blanches, de renoncules jaunes et de pois de senteur pourpres, ils se promenèrent main dans la main au milieu d'une mer de fleurs. S'arrêtant dans un pré doré, Délie cueillit un bouquet de renoncules aux couleurs éblouissantes.

«Tu aimes les renoncules? demanda Adam en posant le bouquet contre la gorge blanche de sa cousine. «Oui, elle aime les renoncules!» dit-il en riant, tandis que le soleil faisait une tache jaune sous son menton. Il se pencha pour embrasser la gorge de Délie. Bientôt, ils furent étroitement enlacés, ayant oublié le bouquet tombé à terre. Elle posa sa tête sur son épaule et parut dormir. Tout baignait dans une étrange harmonie : les battements de leurs cœurs, le flux de leur sang, le soleil étincelant, la chaleur de leurs jeunes corps, la mer dorée des fleurs.

Quand ils se remirent à marcher, main dans la main, Adam dit : «J'ai une surprise agréable pour toi.

— Oh, qu'est-ce que c'est?

— Tu verras; ne sois pas si pressée.

— Oh, s'il te plaît, donne-le-moi tout de suite.

— Un peu de patience. Ça ne se mange pas, c'est une chose à raconter. A propos de Minna.

— Pauvre Minna! De quoi s'agit-il?

— Je l'ai rencontrée par hasard dans la rue, et elle m'a demandé un peu d'argent pour déjeuner. Elle attend un autre bébé et elle gagne très mal sa vie. Il se trouve que je connais un missionnaire en amont du fleuve ; comme il veut faire parler de lui et de sa mission, je lui ai exposé le cas de Minna. Maintenant, elle est là-bas, avec ses gosses et tout.

« — Mais elle a été contente de partir ?

— Oui, la mission se trouve dans la région où elle a passé son enfance, près des lacs Moira. Elle appartient à la tribu des Moira, dont il reste encore quelques membres. Elle a été ravie de partir.

— Adam, comme tu es bon ! »

Elle s'arrêta pour l'embrasser. Les mots de l'article qu'il voulait écrire à propos de ces tribus malheureuses et spoliées se formaient déjà dans son esprit : « Chassés des terres qu'ils possédaient jadis... »

D'un commun accord et chaque fois qu'ils en avaient le temps, ils retournaient à pied vers l'endroit où ils avaient pique-niqué avec Bessie, un certain dimanche. Le bois de jeunes eucalyptus, irrigué par de petits bras de rivière, devenait le théâtre où ils rejouaient leurs anciens rôles. Là, Adam avait su pour la première fois qu'il aimait Délie ; là, il le lui répéta inlassablement.

Le sol de la nature australienne n'est jamais très accueillant pour les amoureux, mais d'ordinaire il n'est pas humide. Ils s'allongeaient sur la terre dure et sèche, parmi les buissons ; les fourmis se promenaient sur leurs bras et leurs jambes, des feuilles rousses se prenaient dans leurs cheveux ; en toutes saisons, les eucalyptus les protégeaient.

Il la serrait étroitement contre lui ; elle s'abandonnait à un sentiment de paix immense, allongée, parfaitement immobile tandis qu'il embrassait ses paupières fermées et qu'elle contemplait une obscurité rougeâtre mouchetée d'or. Pour elle, somnolant sans pensée, tout n'était que paix. Pour lui, c'était un trouble lancinant et terrible.

Il l'embrassait doucement, calmement, chastement, endiguant le flot qui menaçait de les submerger tous deux s'il s'y abandonnait. Contre ses doux cheveux noirs, il murmurait :

Sed sic, sic, sine fine feriati
et tecum iaceamus osculantes...
hoc non deficit, incipitque semper.

« Qu'est-ce que c'est, du latin ? chuchota-t-elle.

— Tu ne connais donc pas l'analyse grammaticale ? la taquina-t-il.

— Non. Le seul latin que je connaisse est *amo* — j'aime.

— Alors je vais traduire pour toi. C'est du Pétrone : *Ainsi, restons ainsi allongés, éternellement / Échangeons des baisers / Ici il n'y a jamais de fin, mais toujours un commencement.* Si seulement on nous avait appris des choses comme ça à l'école, nous aurions fait des progrès rapides. Quant aux deux premiers vers — que je n'ai pas cités —, on les considérerait sûrement comme risquant de choquer de jeunes oreilles. Miss Barrett avait l'esprit étonnamment large. »

Elle tourna la tête pour le regarder, remarquant le ton impersonnel de sa voix. « Tu étais amoureux d'elle, souviens-toi. »

Il saisit sa main et l'embrassa. « Oui. Mon premier amour. Finalement, j'étais assez précoce. Miss Barrett... Dorothy... », dit-il pensivement. Il se retourna sur le dos, plissa les yeux face au ciel bleu en mâchonnant une feuille amère. « Elle savait toujours tout, tu vois. Le soir où nous avons refusé de manger un cygne noir, tu te rappelles ? Elle est venue dans ma chambre, s'est assise sur mon lit, et moi, j'ai rougi comme jamais, incapable de dire un mot.

— Comme c'est drôle ! Moi aussi.

— Oui, elle adorait faire sentir son pouvoir. Vaniteuse, comme toutes les femmes. »

Il lança sa feuille dans les cheveux de Délie. Devait-il lui parler de Dorothy Barrett et du dernier soir ? Évoquer les autres aventures qu'il avait vécues à Echuca, aux petites heures du matin, quand il rentrait chez lui après son travail ? Non ; elle était trop jeune. Il ne pouvait détruire son innocence. Il repoussa les cheveux soyeux de Délie derrière son oreille, d'un doigt suivit son contour. « Mais maintenant, ma chérie, c'est différent. C'est pour toujours.

— J'aimerais que nous puissions toujours rester ici.

— Mais en ce moment, c'est toujours. Le temps est une notion relative. Le moment éternel... » Pendant qu'il parlait, la terre tournait imperceptiblement, et le soleil quitta bientôt la clairière.

« Pourtant, demain, tu rentreras à Echuca ! »

— Ève et son esprit prosaïque. Même au paradis !

— Oh, Adam ! Je voudrais être tout le temps avec toi. Chaque jour, chaque nuit.

— Tu sais bien que nous ne pourrons pas nous marier avant longtemps, en tout cas pas avant que je ne gagne un peu plus d'argent. Et tu sais aussi ce que dira la famille — les mariages entre cousins...

— Le mariage... Je ne pensais pas au mariage. Je veux simplement vivre avec toi. Et puis j'aimerais tellement porter ton enfant, il serait si beau.

— Délie, ne dis pas des choses comme ça ! Tu ne sais pas ce que cela me fait.

— Mais je suis sérieuse, Adam. Je serais si heureuse d'avoir un enfant de toi. Je ne vois pas ce qu'il y a de mal à ça. Je t'aime.

— Délie, pour l'amour du Ciel ! Tu ne sais pas ce que tu dis. Tu n'es toi-même qu'une enfant. »

Il regarda tendrement le visage menu aux yeux bleu foncé. D'un doigt, il suivit la ligne sombre de ses sourcils. Elle s'empara de sa main et l'embrassa passionnément, puis, fermant les yeux, se nicha contre lui. L'espace d'un instant, il resserra son étreinte. Il se leva alors brusquement, chassa une fourmi de son pantalon et enleva les feuilles emmêlées dans ses cheveux.

« Le moment est venu de rentrer à la maison. Le soleil est déjà bas. » Sa voix haletante tremblait légèrement.

Étourdie, elle ouvrit les yeux, telle une somnambule soudain réveillée, pour s'apercevoir que le soleil maintenant caché par les arbrisseaux entourait leurs feuilles d'un fin liséré incandescent. Elle se leva. Il retira les feuilles de ses cheveux, tendrement, une à une.

« Quel merveilleux après-midi ! Si paisible, si doux. Toutes ces petites feuilles en contre-jour ; regarde, elles sont aussi lumineuses que tes cheveux châtains, et les arbrisseaux sont aussi lisses et blancs que... que...

— Que toi, mon chéri.

— Viens, il est temps de retourner vers le fleuve avant que le soleil ne soit trop bas. C'est le moment de la journée où le fleuve est le plus beau. »

Changeant brusquement d'humeur, elle se mit à danser entre les arbrisseaux, pressée de quitter la petite clairière où les moustiques assoiffés de sang commençaient à sortir des sous-bois.

Ils rentrèrent en courant, sautillant sur le tronc d'arbre pour passer le torrent à gué, oubliant tout danger, bien que la rosée du soir mouillât l'écorce. Ils émergèrent sur les terrains plats et découverts qui bordaient le fleuve ; l'eau brillait comme un miroir bruni par la lumière dorée de la fin d'après-midi. Malgré son cours régulier, le fleuve semblait reposer, aussi lisse, pur et pâle que le ciel. Sur l'autre rive, les eucalyptus se penchaient au-dessus de leurs reflets. Un mince filet de fumée bleue s'élevait verticalement au-dessus du camp.

Délie ne ressentait plus depuis longtemps le désir de fixer ce spectacle par le trait et la couleur. Elle négligeait sa boîte de peinture ; Adam occupait toutes ses pensées.

Ils dépassèrent un grand eucalyptus rouge, dont le tronc portait encore la cicatrice de l'écorce découpée à la hache en pierre pour fabriquer un canoë. Un peu plus bas sur le fleuve, glissant au fil de l'eau et guidé par de rares coups de perche, apparut un canoë. A la proue, brûlait un petit feu de brindilles posées sur de l'argile ; sur la rive, les deux jeunes gens sentirent l'odeur de la morue grillée. La femme indigène et son petit garçon ne firent pas un geste ; ils ignorèrent tout bonnement les Blancs, comme s'ils eussent été des arbres.

Soudain affamés, Délie et Adam oublièrent l'amour et la beauté. Ils traversèrent les pâturages dans la lumière rasante. Délie s'arrêta pour poser quelques renoncules sur les trois petites tombes et la cloche sonnait pour le dîner quand ils entrèrent en trombe dans la maison, mourant de faim.

«Délie, mon enfant, tout compte fait nous n'aurons pas à t'envoyer à Echuca pour que tu prennes des couleurs, déclara Charles, qui découpait le rôti de mouton froid. Tes joues sont bien assez rouges comme ça, n'est-ce pas, Hester ?»

Hester répliqua d'une voix cassante : «Philadelphia, tu es sûre de t'être coiffée avant le dîner ? Tu es complètement hirsute.»

En présence de sa mère, Adam se comportait toujours en grand frère vis-à-vis de Délie ; il la taquinait comme à l'époque où il revenait de l'école. Dès qu'ils le pouvaient, ils s'éclipsaient; alors que l'été avançait et que les eaux descendaient, ils trouvèrent refuge en contrebas de la rive escarpée du fleuve.

Là, ils se promenaient après dîner au crépuscule, lançaient des brindilles dans l'eau pour observer les rides concentriques sur sa surface lisse. Adam enlaçait ses épaules, et Délie regardait vers l'ouest, où une énorme planète luisait près de l'horizon. Elle pensait à la nuit où elle avait observé le frêle canot d'Adam s'éloigner au fil de l'eau, elle pensait à son rêve étrange du chaland obscur. Un pressentiment la fit trembler. Elle se tourna et pressa son visage contre lui.

«J'aimerais tellement que tu n'aies pas à voyager sur le fleuve.

— De toute façon, il n'y aura bientôt plus de vapeurs. Mais peut-être ne devrais-je pas revenir à la maison aussi souvent! Je ferais mieux de rester en ville le week-end prochain, par exemple. D'ailleurs, Bessie m'invite à un pique-nique.

— Essaie un peu!» s'écria-t-elle, piquée au vif.

Il lui caressa les cheveux en riant. «Je reviendrai, petite.

— Le dimanche suivant, nous irons en ville. Tante Hester tient à aller à l'église.

— Quarante-cinq kilomètres pour aller à l'église! Quelle ferveur religieuse!

— Je ne crois pas qu'il s'agisse de ferveur religieuse. Tu vois — je crois que tante Hester s'imagine... enfin, c'est stupide, mais...

— Qu'essaies-tu donc de me dire?

— Eh bien, tante Hester est persuadée que M. Polson s'est entiché de moi.

— M. Polson? Qui, le vicaire? Bon Dieu!

— Oui, le jeune vicaire si pâle. Quel homme bizarre et intéressant. Il m'a dit que j'étais éthérée.»

Il la saisit fortement aux épaules. «Et toi, il t'intéresse?

— Bien sûr que non! Arrête, tu me fais mal à l'épaule! Tu aurais dû voir l'expression de son visage quand il a cru qu'il devrait traverser le fleuve dans un canoë en écorce pour prendre la diligence! Il était mort de peur.» Elle pouffa. «Il a des yeux étranges, les yeux d'un fanatique. Et une énorme pomme d'Adam. A propos, où est ta pomme d'Adam? La tienne doit être encore plus grosse», dit-elle d'une voix profonde en caressant sa gorge. Il saisit ses doigts, inclina la tête pour les embrasser, et elle pressa ses lèvres sur les cheveux du garçon.

«Il n'a pas intérêt à poser sur toi son regard de fanatique.

— Pourquoi? Tu le mettrais K.-O. et tu placerais ton pied sur son ventre, comme l'Indien qui terrasse le Chinois sur les paquets de thé Viceroy. J'adorerais qu'on se batte pour moi! Mais ne le frappe pas trop fort, il a l'air plutôt fragile.» L'esprit ailleurs, Adam regardait par-dessus la tête de Délie. «Tu m'aimes, Adam?

— Hmm?

— Est-ce que tu m'aimes vraiment? Ce soir, tu ne me l'as pas dit une seule fois.

— Oui, je t'aime sincèrement, fidèlement, amoureusement, de tout mon être, pour toujours et à jamais.»

Leurs bouches se rencontrèrent et ils se fondirent l'un dans l'autre, partageant leurs souffles et les battements de leurs cœurs; mais ils retrouvèrent brusquement leurs identités respectives quand ils entendirent, comme venant d'un autre monde, la voix d'Hester qui les appelait de la véranda. Délie poussa un profond soupir.

«Je vais courir jusqu'à la maison, toucher le poteau de la véranda en comptant un - deux - trois, et tu me rejoindras comme si nous jouions à cache-cache», dit-elle.

24

Ce fut une année heureuse pour Délie; elle voyait Adam chaque week-end, car bien qu'il ne revînt pas toujours à la ferme, elle séjourna plusieurs fois à Echuca chez Mme McPhee, et Hester l'emmena à l'église environ une fois par mois, tant que la piste d'été fut praticable.

Délie n'avait pas fréquenté l'église depuis longtemps. Elle essaya sincèrement de retrouver la tranquille ferveur religieuse d'autrefois, petite fille agenouillée à côté de sa mère sur le velours rouge du prie-Dieu, dans la vieille église de campagne.

Mais elle était sans cesse distraite par une toque élégante devant elle, ou le nouveau chapeau de Bessie de l'autre côté de la nef, ou encore les jeunes gens qui occupaient les rangs du fond, et dont elle sentait les regards intéressés peser sur elle. Le service, suite de mots dépourvus de sens, se déroulait mécaniquement. En l'absence du pasteur, M. Polson officiait, et Délie sentait bien qu'il attendait patiemment de serrer les mains dans la sacristie, où il retenait la sienne un peu plus longtemps que nécessaire.

«Quelle dévotion, madame Jamieson... Un si long voyage, avec votre santé. Vous en serez récompensée au Ciel!» déclarait-il à sa tante.

Hester souriait mystérieusement. Plusieurs garçons manifestaient déjà un intérêt marqué pour sa jolie nièce. Délie n'aurait aucun problème pour se marier. Dans l'esprit d'Hester, les séjours réguliers d'Adam à la maison n'étaient dus qu'à elle-même et à sa cuisine.

Délie avait renoncé à jamais voir sa tante lui témoigner de l'affection. Elle savait qu'Hester ne supporterait jamais la moindre intimité entre elle-même et Adam. A la maison, quand Adam était là, elle exagérait son côté garçon manqué et taquinait son cousin comme une sœur cadette. En revanche, à Echuca, où il était inutile de jouer la comédie, Adam et Délie étaient considérés comme inséparables pour le tennis, la danse, les excursions sur le fleuve à bord de vapeurs, ou quand arrivait l'heure de rentrer chez soi à la fin d'un bal.

Lorsque le fleuve recommença de monter après les mois de basses eaux, Délie attendit et guetta le capitaine Tom. La générosité de Délie, qui avait investi ses cinquante dernières livres dans le navire, émut tellement le vieux loup de mer qu'il le rebaptisa *Philadelphia*.

Quand elle demandait des nouvelles du *Philadelphia* aux autres capitaines, ils prenaient un air perplexe jusqu'à ce qu'elle mentionnât l'ancien nom du navire.

«Ah, vous parlez du *Jane Eliza*? Eh bien, il redescend de la Darling, il décharge probablement à Swan Hill.»

En effet, la gloire d'Echuca en tant que port fluvial déclinait. La ligne de chemin de fer reliant Swan Hill à Melbourne avait drainé le trafic fluvial jusque très en amont d'Echuca, près des entrepôts de laine de la Darling.

Cette année-là, le *Philadelphia* déchargea en effet à Swan Hill, mais Tom envoya une lettre, écrite par un ami et contenant dix livres. La lettre affirmait que Délie pouvait s'attendre à recevoir une somme comparable après chaque voyage. L'intégrité de Tom impressionna Charles, car il n'y avait aucun moyen de savoir si le bateau avait réalisé des profits ou des pertes, d'autant que chaque saison différait de la précédente.

« Après tout, tu as peut-être fait un bon investissement, déclara-t-il. J'étais moi-même convaincu qu'il valait beaucoup mieux investir ton argent dans un bateau que dans des terres. »

Délie se tut, mais se rappela l'air renfrogné de son oncle, ses prédictions de naufrage, d'incendies et de catastrophes en tous genres.

Adam, qui eut dix-neuf ans en octobre, effectuait de plus en plus souvent le genre de travail qu'il aimait — articles descriptifs, croquis d'après nature, poésie, et de temps en temps une « lettre à la rédaction » inventée de toutes pièces. Sa position s'était peut-être améliorée, mais pas son salaire. Les conséquences de la grande crise financière se faisaient encore sentir. Les achats de terrains s'étaient effondrés du jour au lendemain, la crise économique malmenait l'Australie. Le journal, qui devait éponger ses dettes auprès de ses annonceurs, ne pouvait payer correctement ses employés.

Parce que leurs plis soyeux dissimulaient la finesse de son cou d'adolescente, Délie portait souvent des fichus de dentelle ou en tissu au-dessus de ses robes ; et puis c'était à la mode. Par une soirée froide d'hiver qu'elle avait passée à lire au coin du feu, elle prit une bougie pour aller « au petit coin » derrière la maison. Tout le monde était parti se coucher.

Le ciel était couvert, la nuit noire impénétrable. Les nuages bas et oppressants, l'absence du moindre point de repère sur lequel se guider la mirent mal à l'aise. Comme elle sortait de la petite cabane, une bourrasque plaqua la flamme de la bougie contre le mince fichu.

En une seconde, elle prit feu. Elle voulut crier, mais aucun son ne sortit de sa bouche, elle se jeta alors à terre et se roula sur le sol encore humide de la dernière averse. Elle sentit l'odeur de ses cheveux brûlés, puis une douleur terrible au cou ; enfin les flammes s'éteignirent.

La bougie avait roulé un peu plus loin. Tremblant de tous ses membres, Délie réussit à retrouver la porte de derrière, et réveilla son oncle. Quand il eut allumé sa bougie, il sortit de son « bureau » en robe de chambre, et l'examina d'un air inquiet.

« Tu as l'air d'un fantôme, mon chou ! Que s'est-il passé ? »

Pendant qu'elle lui expliquait, il l'emmena dans la cuisine, tisonna les charbons du poêle, et lui prépara une boisson chaude. Délie étala délicatement du beurre sur sa peau meurtrie.

« Les jeunes filles d'aujourd'hui portent de ces fanfreluches. Si tu connaissais le nombre de jeunes femmes brûlées vives chaque année... La prochaine fois que tu veux sortir, prends la lampe-tempête, compris ?

— Oui, mon oncle.

— Enfin, tu as quand même fait preuve de bon sens. L'erreur commise par la plupart consiste à se mettre à courir en hurlant. Si tu n'avais pas gardé la tête froide... Eh bien, je te laisse imaginer la suite. »

L'imagination de Délie travaillait déjà. Soudain, elle se sentit si faible et nauséeuse qu'elle tituba et tendit aveuglément une main devant elle. Charles bondit en avant et la retint *in extremis*. Hester choisit ce moment pour entrer, ses cheveux noirs noués en une mince tresse, sa robe de chambre enfilée à la hâte.

« Que se passe-t-il ? J'ai entendu du bruit, je me suis levée...

— Délie a mis le feu à son fichu ; mais elle a aussi réussi à l'éteindre. Elle est un peu secouée, naturellement. Elle a perdu sa bougie et m'a appelé à la rescousse. Quant à *elle*, elle ne se réveillera jamais. » Il indiqua la petite pièce donnant dans la cuisine, d'où arrivaient les ronflements sonores de Bella. Depuis qu'Annie avait rejoint la hutte de Lige, Bella était revenue à la maison.

« Hum. Voyons cette brûlure. Toi, Charles, va chercher la bougie, dit sèchement Hester en examinant les plaques de peau rougie. Moi, j'aurais mis du bicarbonate de soude, mais maintenant qu'il y a du beurre... Allez, je vais t'aider à te mettre au lit. »

D'un geste brusque, elle arracha la bougie des mains de Charles, et accompagna Délie dans sa chambre.

25

Lentement les eaux descendirent ; les crevettes et les petits crustacés qui avaient joué parmi les racines submergées se retirèrent dans la boue des marécages, en aval du fleuve qui gargouillait et bruissait autour des doigts de bois crochus fouillant la terre. De longs vols de pélicans remontèrent le fleuve, des pies faisaient leur nid dans les prés, la bergeronnette poussait son cri monotone et argenté tout au long des nuits éclairées par la lune.

Quand les basses terres s'asséchèrent, que les petits affluents réduits à un chapelet de trous d'eau cessèrent de se jeter dans le fleuve ; quand le jasmin embauma l'air des chaudes soirées de la fin du printemps, Adam devint irritable et susceptible. Pendant ses « crises », ainsi qu'Hester les nommait, il était plus pensif que jamais.

« Pour l'amour du Ciel, cesse de tourner autour de moi comme une mère poule, ou alors je ne viendrai plus », ronchonnait-il quand elle lui suggérait de consulter un médecin. Hester croyait que tout n'allait peut-être pas pour le mieux avec Bessie.

Lorsque Adam se trouvait seul avec Délie, ses bras retombaient souvent le long de son corps, ou bien il répondait d'un air agacé aux questions enfantines de sa cousine. Elle sentait parfaitement que quelque chose n'allait pas.

Un soir qu'il s'était montré particulièrement morose et susceptible, elle fut trop inquiète pour trouver le sommeil. Dans quelques jours, ce serait la pleine lune ; on entendait Annie jouer de l'accordéon devant la hutte de Lige.

Délie sortit de son lit et passa la tête par la fenêtre ouverte. Au clair de lune, les feuilles de l'eucalyptus en fleur brillaient comme du métal fondu. Une légère brise montant du fleuve portait l'odeur âcre de la bouse de vache qu'on brûlait pour chasser les moustiques. Délie enfila sa robe de chambre. Il n'y aurait pas de moustiques sur la véranda, d'où elle pourrait admirer le reflet de la lune sur les eaux.

Elle ouvrit doucement la porte d'entrée, puis s'avança sur les planches de bois de jarrah, rêches contre ses pieds nus. Dans l'ombre des jasmins suspendus, une forme bougea. Retenant son souffle, elle réprima un cri.

« C'est toi, Del ? chuchota Adam.

— Oui. Oh ! Je n'arrivais pas à dormir.

— Moi non plus. Et puis quel dommage de dormir par une nuit comme celle-ci. Alors que deux murs seulement nous séparent ! C'est moi qui t'ai obligée à sortir.

— Comment ?

— Par transmission de pensée.

— Oh ! Tu crois que c'est possible ?

— J'en suis certain. Dans cinquante ans, les gens pourront se parler d'une rive à l'autre de l'océan, exactement comme aujourd'hui avec le câble, sauf qu'il n'y aura plus de câble. Les gens qui partagent quelque chose de fort. Il suffit de développer un pouvoir latent. Les indigènes sont capables de communiquer sans mots. Mais nous sommes devenus tellement intelligents que nous avons oublié l'existence de ce pouvoir, si bien qu'il a quasi disparu. »

Adam, qui avait beaucoup de mal à contenir son enthousiasme, prononça les derniers mots à voix haute.

« Ch-chut ! » lui intima Délie, avec un geste d'inquiétude. Elle regarda par-dessus son épaule les fenêtres de la façade.

« Ne t'inquiète pas, elle ne nous entend pas. Comme ton petit cœur bat vite. » Il l'avait enlacée par-derrière pendant qu'elle lui tournait à moitié le dos ; sa main se referma sur un petit sein et un cœur battant la chamade. Elle fondit à son contact.

« Mon amour ! » Tremblant, il écarta les cheveux soyeux pour embrasser sa nuque. Brusquement il la lâcha et se retourna pour s'appuyer sur la balustrade de la véranda, devant le fleuve qui scintillait sous la lune.

«Qu'y a-t-il?» Elle glissa sa main dans celle d'Adam. C'était la première fois qu'elle lui demandait cela.

«Rien, rien du tout. Si... tu me tentes.

— Je te tente?

— Oui... à pécher.»

Le péché! Ce mot parut remonter le long de ses nerfs, avec tout son poids d'associations bibliques et verbales : Adam, Ève, pécher, le Serpent, sombre et sinistre... Elle ne trouva rien à répondre. Une peur délicieuse la glaçait. Elle murmura timidement :

«Tu préférerais que je rentre?

— Oui, tu ferais mieux d'aller te recoucher. Non! Attends. Reste ici au clair de lune, que je puisse voir ton visage.»

Il se pencha tendrement au-dessus d'elle, admira ses joues pâles baignées par la lumière froide de la lune, ses yeux pleins d'ombres plus sombres et vastes que pendant la journée.

«Tes yeux sont si doux; mais ces sourcils rectilignes contredisent leur expression, ainsi que ce petit menton volontaire, et cette ravissante bouche rebelle. Tu ressembles à... une phalène blanche butinant une fleur de jasmin — Philadelphia, Délie, Della, Del! Rien à faire, aucun de ces noms ne te va. Delphine irait beaucoup mieux — oui, il y a comme un elfe qui chante dans ce nom. A partir de maintenant, je t'appellerai Delphine.»

Sans poser les mains sur elle, il se pencha pour embrasser ses lèvres. Puis, d'une légère tape, il l'envoya se coucher comme une enfant.

Elle partit, ivre de bonheur, l'esprit plein de lumières scintillantes et d'obscurité parfumée, de clair de lune et d'ombres.

Dès lors, chaque fois qu'Adam passait le week-end à la maison, ils sortirent tous les soirs à pas de loup pour se retrouver quelques minutes dans la nuit. Afin de ne réveiller personne, Délie enjambait le rebord de sa fenêtre dès qu'elle savait que Charles était installé pour la nuit dans son «bureau», et Hester dans la chambre de devant.

Un soir, ils restèrent tranquillement sur la berge du fleuve; Adam, qui avait posé sa joue contre les cheveux noirs de Délie, regardait une lune étrangement grosse se lever derrière les arbres. Pour une fois, l'astre ressemblait à ce qu'il était

— sphère stérile, sans âge, morte et couverte de cicatrices.
Délie détourna les yeux en frissonnant et se raidit dans les bras
de son cousin.

«Adam! Qu'est-ce que c'est?» Elle avait distingué une
forme sombre dans l'ombre du grand eucalyptus qui poussait sur la berge, dont un incendie avait autrefois évidé le
tronc.

Lâchant Délie, Adam jura à voix basse et plongea dans les
ténèbres. L'instant d'après, Délie reconnut la silhouette disgracieuse d'Annie le Fantôme qui se détachait contre le fleuve
éclaboussé de lumière ; elle serrait ses mains derrière son dos.
La voix d'Adam, tremblant de colère, disait : «Ne t'avise plus
jamais de m'espionner, espèce de larve — ou je te promets que
je te casserai le cou, tu m'entends ?

— J'venais seulement voir si le poisson avait point mordu à
ma ligne, j'vous jure, pleurnicha Annie. Vous voulez donc pas
une belle morue pour le p'tit déjeuner, m'sieur Adam ? J'venais
juste voir ma ligne, parole.

— Tu regarderas ta ligne demain matin. Maintenant, va te
coucher.»

Annie retourna silencieusement vers sa hutte, après quoi
Adam revint.

«Tu crois qu'elle m'a vue, Adam ? Est-ce qu'elle va en
parler à ta mère ?

— Mais non ! Elle a trop peur que je lui flanque une bonne
correction. Quelle sournoise... et menteuse avec ça ! J'aurais dû
lui tirer davantage les oreilles.

— Pauvre Annie ! Tu as tout de même été dur avec elle.

— Pauvre Annie, tu parles. Elle me donne toujours la chair
de poule.

— A moi aussi.»

Les deux semaines suivantes, Adam fut trop occupé pour
pouvoir rentrer à la maison. Hester lui envoya une lettre par la
diligence, le prévenant de ne pas revenir le week-end suivant,
car ils iraient à Echuca. Mais comme la matinée du dimanche
fut froide et humide, Hester décida de ne pas se rendre à
l'église ; quant à Charles, il se plaignit des dégâts que cette
pluie hors de saison allait causer à sa luzerne.

Adam, qui s'était vêtu avec élégance pour aller à l'église, subissait le sermon insipide de M. Polson. Il surveillait la porte, s'attendant à chaque instant à découvrir deux yeux bleus dansants et débordants de vie, qui illumineraient pour lui le terne bâtiment. Bessie Griggs et sa mère étaient là, mais quand il les vit fondre sur lui après le service, tel un navire de guerre accompagné de son escorteur, il s'inclina sèchement et s'éclipsa.

«Eh bien! Ce jeune homme est peut-être séduisant, mais quel manque de politesse», dit Mme Griggs avec des airs de majesté outragée.

Adam rentra déjeuner chez sa propriétaire en maudissant son week-end gâché. Plus il restait loin de Délie, plus elle lui paraissait désirable. Les paroles enflammées qu'elle avait prononcées un an auparavant lui revinrent en mémoire et se mirent à l'obséder. L'oranger du jardin, dont le parfum rappelait celui du pittosporum de la ferme, évoqua l'image de sa bien-aimée : pâle, frêle, avec ses cheveux noirs et ses yeux bleu foncé qu'il aimait tant.

Ainsi, avant de rentrer à la maison le week-end suivant, il fit un discours à M. McPhee après l'avoir soigneusement répété ; il déclara au rédacteur en chef qu'il était amoureux et qu'il voulait se marier ; il comprenait tout à fait qu'il devrait peut-être attendre vingt et un ans, mais aimerait savoir si...

«Nous sommes en pleine incertitude, voyez-vous ; nous ne savons même pas si nous devrons attendre dix ans avant de pouvoir nous marier (Seigneur, pensa-t-il, terrifié, j'aurai vingt-neuf ans), alors si vous pouviez me promettre, monsieur, que dans deux ans je serai salarié et que mes appointements seront, euh, proportionnels à mes capacités...»

Il se mit alors à patauger dans un marécage de mots polysyllabiques, attendant que M. McPhee le tire de ce pétrin avec une promesse d'augmentation.

«Ah, les femmes!» s'écria M. McPhee en feignant l'étonnement ; il retira sa pipe de sa bouche et leva les yeux au plafond. «Sais-tu, demanda-t-il, vrillant brusquement son regard bleu et pénétrant dans celui d'Adam, à quel âge j'ai convolé en justes noces ? A trente-quatre ans ! Ah ça, mon garçon, prends ton temps et choisis aussi bien que moi.

— Même si je vivais jusqu'à cent ans, monsieur, je ne pourrais faire meilleur choix.

— Alors, ça y est, tu es fixé... Mais nous vivons une époque difficile ; pour l'instant, je ne peux pas te promettre grandchose. Pourtant, je ne crois pas que tu vas rester dans un petit journal régional ; faut que tu travailles d'arrache-pied. Je parie que tu monteras ton propre journal dans un avenir relativement proche. » Il pointa le tuyau de sa pipe sur Adam pour accentuer l'effet de ses paroles. « Tu as la carrure d'un écrivain ; ne va pas te marier et faire des mouflets sur un coup de tête. Tu n'es encore qu'un gamin. Je ne peux rien te promettre ; donne-moi un an et je verrai. »

Il remit sa pipe entre ses lèvres, puis tira quelques bouffées d'un air placide pour signifier qu'il n'avait plus rien à dire.

Adam connaissait trop bien le rédacteur en chef pour discuter davantage. Morose, il sortit des bureaux du journal et alla se promener sur le quai. Pour la première fois, il considéra l'activité déclinante de ce port fluvial naguère prospère comme une pollution de la vie immémoriale du fleuve. Dans les anfractuosités protégées du courant, des papiers et des épluchures flottaient sur l'eau. Le cliquetis des treuils et le grincement des trains étouffaient le chant des oiseaux dans les taillis. La fumée maculait le bleu du ciel.

Prends ton temps ! Donne-moi un an ! Le vieux hibou croyait-il qu'il allait attendre quinze ans, ou se consoler avec quelqu'un comme Minna ?

Toujours aussi abattu, il monta dans la diligence. A son arrivée, sa mère papillonna autour de lui avec des tasses de thé et des beignets chauds, s'efforçant de chasser sa mauvaise humeur. Mais jamais Adam ne lui aurait confié la raison de ses tracas.

Délie sentit que quelque chose n'allait pas lorsqu'elle proposa, quand il eut fini son thé et raconté à sa mère les nouvelles des trois dernières semaines, qu'ils aillent tous deux faire un tour en canot sur le fleuve.

« A quoi bon ? » dit-il d'un air sinistre.

Délie rougit de surprise, puis l'observa en silence.

« Il est fatigué, Philadelphia. Il n'a pas envie d'aller pêcher après ce long voyage sur le fleuve, avec tous ces méandres ! Je suis sûre que cela m'aurait rendue malade...

— Je suis venu par la route, mère.

— Bon, enfin, pourquoi ne pas aller voir les chevaux, histoire de te mettre en appétit pour le souper ? J'ai préparé ton pudding préféré et des beignets à la mélasse !» s'écria-t-elle avec un frémissement de triomphe.

Les lèvres pleines et enfantines d'Adam se tordirent en une moue cynique. «C'est quand même incroyable, dit-il devant l'âtre vide, que les femmes ne veuillent surtout pas laisser un homme tranquille. Dès que j'entre ici, vous êtes toutes les deux à essayer de me transformer en écolier uniquement intéressé par la nourriture et les sports. Un corps musclé et un ventre plein, cela devrait suffire à mon bonheur...»

Délie serra les lèvres et baissa les yeux sur ses mains. Cette mauvaise humeur s'expliquerait en temps voulu. Mais pourquoi la mettait-il dans le même sac que l'envahissante Hester ? Elle haïssait qu'on la classât parmi les «femmes» en général.

Hester semblait blessée, désorientée. Elle ne comprenait pas pourquoi son garçon réagissait ainsi depuis quelque temps — car Adam n'était bien sûr qu'un garçon, même s'il gagnait sa vie. Elle sortit de la cuisine en soupirant.

Délie lança vers Adam un regard plein d'espoir, elle espérait qu'il viendrait l'embrasser. Ils avaient passé trois semaines sans se voir, et Adam se comportait comme si elle n'était pas là ! Mais il ne bougea pas, resta mollement assis sur sa chaise en mordillant son pouce.

Charles entra, débordant de bonne humeur. Comme la tonte avait été excellente cette année, il espérait tirer une belle somme d'argent sur sa laine. Adam, qui sentait qu'il avait froissé sa mère, était vaguement honteux. Il répondit brièvement à l'accueil inhabituellement chaleureux de son père.

«Il faut que je te parle», dit Charles.

Délie fit mine de sortir de la pièce, mais il ajouta : «Ça n'a rien de confidentiel. Reste assise et bois ton thé... Adam, mon garçon, je suppose que tu ne peux pas faire beaucoup d'économies sur ton salaire ?

— En effet. Je n'économise presque rien.

— Évidemment c'est bien ce que je pensais.» Son père

regarda le costume neuf, le col relevé et la cravate en soie. « Eh bien figure-toi que j'ai réalisé une très bonne année et que je suis en mesure de t'aider. » Il marqua une pause.

Lentement, Adam se redressa ; les jointures de ses doigts serrés sur les accoudoirs de la chaise blanchirent. « Vraiment ? dit-il d'une voix rauque.

— Oui ; je pense pouvoir te donner un peu d'argent de poche. Que dirais-tu de cinq shillings par semaine — ce qui fait une livre par mois ? Cela te permettrait d'acheter des cravates en soie et des mouchoirs, hein ? »

Adam poussa un long soupir déçu, puis sembla se recroqueviller sur sa chaise.

« Cela devrait suffire pour les mouchoirs », dit-il sèchement. Puis il ajouta : « Merci, père. »

26

« Veux-tu faire une partie de rami avec moi, ou préfères-tu jouer à l'euchre ? »

Assise à la table en noisetier, Hester battait le paquet de cartes défraîchies qui portaient au dos le dessin d'un papillon rouge et bleu.

Adam était vautré sur la même chaise qu'avant le dîner, dans la même attitude, jambes allongées devant lui, mains dans les poches, menton collé à la poitrine, il regardait droit devant lui d'un air rêveur.

« Adam ! Ta mère te parle, dit sèchement Charles.

— Veux-tu jouer aux cartes ? redemanda Hester.

— Aux cartes ? Pour quoi faire ? Les cartes sont ta drogue, mère, exactement comme les tasses de thé. Tu es incapable de t'en passer.

— Quel effronté ! » Irritée, Hester rapprocha sa chaise de la table, puis commença une patience, posant chaque carte avec un léger claquement sec.

« Veux-tu que je joue quelque chose pour toi ? » demanda Délie d'une voix incertaine. Adam se contenta de hausser les épaules en faisant la moue.

«Bonne idée, Délie! s'écria Charles avec entrain, en se frottant les mains. J'ai l'impression que ma voix est excellente ce soir. Il alla au piano et installa les chansons du Monde sur le pupitre. Délie se mit à jouer ses airs préférés. Adam n'eut pas la moindre velléité de s'approcher du piano, mais Délie l'entendit marmonner : «Encore des bâtardes sentimentales!»

Charles chantait de sa belle voix de ténor :

> *O Geneviève, que ne donnerais-je pas*
> *Pour revivre ces heures merveilleuses!*
> *Les roses de la jeunesse sont couvertes de rosée...*

«Bizarre que les vieillards regrettent tant les "heures merveilleuses" de leur jeunesse, dit Adam quand son père eut terminé. Pourtant, s'ils revivaient cette fameuse jeunesse, ils en baveraient. Ils ont oublié ce que c'est, d'être jeune.

— Adam!» s'écria Hester, scandalisée par ce qu'elle prit pour une insulte.

Quant à Charles, qui n'apprécia guère la référence aux «vieillards» (à l'exception de quelques poils gris, sa moustache était aussi noire que jadis!), il rétorqua que dans sa propre jeunesse il avait toujours été actif et heureux, jamais il n'avait plongé son nez dans un livre ni insulté sa famille.

Délie ferma doucement le piano et annonça que, ce soir, elle irait se coucher tôt. Hester lui demanda de préparer du cacao pour tout le monde, puis dit à Adam qu'il ferait mieux de prendre un médicament; «et j'espère que demain tu ne te lèveras pas du pied gauche», ajouta-t-elle avec aigreur.

Quand enfin elle fut dans sa chambre, Délie n'alluma pas immédiatement la lampe, mais s'assit tout habillée au bord du lit pour contempler les ombres et les taches de lumière dans le jardin. C'était la dernière pleine lune avant Noël; bientôt elle aurait dix-sept ans. Adam lui avait adressé un regard tellement étrange dans le salon : cynique, presque furieux, et pourtant humble, comme s'il l'implorait de comprendre. Ce soir, devait-elle sortir ou non? On aurait presque dit qu'il désirait l'éviter. Non! Mieux valait se coucher et le revoir demain matin. Elle déboutonna le col de sa robe et elle allait la faire passer au-dessus de sa tête quand elle entendit un faible appel : *Mo-*

poke!... *Mo-poke!...* Le cri se répéta à intervalles si réguliers qu'on l'aurait cru émis par une boîte à musique.

Elle alla l'écouter à la fenêtre, comme on écoute le carillon d'une pendule lointaine, ou les gouttes d'eau tombant régulièrement d'un robinet. La nuit appelait, le chant monotone et mystérieux des grillons montait de l'herbe sèche. Lentement, presque malgré elle, elle enjamba le rebord de la fenêtre.

Les fleurs du pittosporum, au lourd parfum d'oranger, étaient maintenant tombées à terre, mais l'air embaumait l'odeur douce et fraîche de la rosée et des arbres. Dès qu'elle s'éloigna du mur de la maison, le clair de lune éclaboussa de lumière son visage levé vers le ciel. Les bancs de nuages blancs, pommelés et mouchetés, ne masquaient pas la lune, mais, dérivant lentement vers le nord, l'entouraient d'un halo ambré.

Délie arriva devant la maison, sur la véranda couverte de jasmin. Soudain, la silhouette silencieuse d'Adam parut se matérialiser à côté d'elle. Il l'attira dans l'ombre du jasmin, puis l'embrassa sauvagement. Bouleversée, elle se colla contre lui, sentant les violents battements de son cœur à travers le mince tissu de sa chemise.

«Oh, je ne savais... je ne savais pas si tu m'attendrais. Tu as été si bizarre, tellement susceptible.

— Vraiment? Cela fait un mois que je ne t'ai pas vue. Dimanche dernier, quand tu n'es pas venue à l'église, j'ai été très déçu.

— Ce n'est pas ma faute. Il pleuvait. Mais cet après-midi...

— Oh, tais-toi», dit-il brusquement, prenant son bras pour l'entraîner au-delà de la clôture du jardin, vers le fleuve qui luisait entre les arbres étincelants.

Quand il la regarda, ses yeux semblaient pleins d'une obscurité aveugle et torturée. Sur le bras de Délie, sa main était brûlante. Les yeux levés vers la lune, il dit doucement:

«Par une nuit comme celle-ci, on ne devrait parler que pour citer Shelley:

> *Cette fille ronde, de flammes blanches vêtue*
> *Et que les mortels nomment la lune,*
> *Glisse, éblouissante, sur la toison de ma terre,*
> *Au gré des brises nocturnes...*

«Ou bien — pour passer du sublime au pathétique — citer Adam Jamieson :

Quand le parfum du pittosporum embaume les nuits
Mon amour vient à moi comme une luciole blanche...

«Adam, c'est très beau !
— Toi, tu es belle.»

Il se pencha pour embrasser son oreille, et son souffle brûlant la fit frémir, autant de peur que de plaisir. Elle avait l'impression de se promener avec un inconnu, si bien qu'elle se retourna vivement pour s'assurer que c'était bien Adam. Les yeux mi-clos, il la regarda avec un sourire énigmatique, la guidant le long de la rive vers le bosquet de pins striés d'ombres où, par une nuit inoubliable, voici deux ans, elle avait entendu un *mo-poke*.

Il l'attira dans l'ombre d'un arbre, puis s'appuya contre elle de tout son poids, pressant le dos de la jeune fille contre le tronc. Ses yeux cherchèrent le visage de Délie, sur lequel tombait un rayon de lune qui éclairait ses grands yeux et sa peau pâle.

«Delphine. Étais-tu sincère l'autre fois, quand tu m'as dit que tu voulais être toute à moi ?» Sa voix tremblait.

«Oui ! Oh oui !»

Son esprit s'abandonnait entièrement, mais une résistance instinctive raidissait son corps. L'arbre lui rappelait l'homme répugnant près de la Campaspe, collé contre le tronc et faisant signe à Délie avec un rictus horrible.

La bouche d'Adam rencontra la sienne. Sa main se faufila dans l'échancrure de la robe et trouva un petit sein pointu ; mais Délie détourna la tête et baissa les yeux sur la main bronzée du garçon, posée sur sa peau blanche nimbée de lune... De longs doigts marron, évoquant d'autres doigts qu'elle avait vus, blancs contre la peau noire.

«Non !» s'écria-t-elle d'une voix rauque, en repoussant la main de l'intrus.

Adam se figea sur place et renonça à la toucher de nouveau. Il la regarda seulement avec un sourire haineux qui sous-entendait : «Que de belles paroles !» Comment aurait-elle pu lui dire qu'elle avait vu le père d'Adam avec la servante de la cuisine sous ces mêmes arbres ? Et comment lui expliquer les pensées qui tourbillonnaient dans son esprit ? Elle se contenta de serrer fiévreusement la main qu'elle venait de repousser, et la couvrit de baisers. Mais d'une pression froide et autoritaire, cette main s'arracha à son étreinte. Il fit demi-tour et se mit à marcher le long de la rive. Elle le suivit, trébuchant sur les touffes d'herbe, sanglotant, le suppliant de l'attendre. Mais il s'éloignait de la maison d'un pas régulier. Enfin, il se retourna vers elle. « Reste tranquille, sinon Annie le Fantôme va nous suivre. Maintenant, va te coucher. Je veux me promener seul.

— Adam !...

— Va te coucher, tu entends ? »

La violente amertume qui sourdait dans sa voix la laissa muette. Elle fit demi-tour, retraversa le jardin faiblement éclairé par la lune, s'efforçant de contenir ses larmes avant de se jeter sur son lit, d'enfouir son visage dans l'oreiller. D'abord, la fierté et la colère la soutinrent. Adam était trop cruel, trop injuste. Elle avait vraiment pensé ce qu'elle avait dit ; simplement, ce soir, le désir du garçon l'avait prise au dépourvu. Mais sa fierté disparut, laissant place à une sorte de désespoir enfantin. Elle l'avait déçu. Il ne l'aimerait plus.

Elle resta allongée là, hébétée de chagrin, inconsciente des moustiques qui piquaient son cou et sa gorge nus. Toute la maison était silencieuse. Il lui sembla que des heures avaient passé ; Adam devait être revenu depuis longtemps.

Obéissant à une impulsion subite, elle se leva et commença de se déshabiller ; puis, vêtue de sa chemise de nuit à longues manches, elle alla sur la pointe des pieds jusqu'à sa porte, qu'elle ouvrit. Elle voulait rejoindre Adam dans sa chambre. Et demain matin, tante Hester pouvait bien la découvrir dans le lit de son fils... Elle voulait lui prouver qu'elle n'avait pas peur. A pas de loup, elle traversa le couloir, tourna la poignée de la porte d'Adam. La chambre était plongée dans l'obscurité, mais un rayon de lune éclairait le lit, vide et intact.

Désemparée, elle retourna dans sa chambre, s'assit sur son lit, puis serra ses genoux dans ses bras en guettant le moindre grincement de la porte de derrière. Ses paupières s'alourdirent. Plusieurs fois, elle s'assoupit et se réveilla, redressant brusquement sa tête douloureuse. Enfin épuisée par tant d'émotions, elle sombra dans un profond sommeil en oubliant d'éteindre la bougie.

Elle se réveilla brusquement, en proie à un étrange sentiment de terreur. La bougie coulait dans une petite flaque de cire fondue, projetant sur les murs d'immenses ombres dansantes. Puis elle entendit une voix, très proche : «*Delphine!*»

Elle se précipita à la fenêtre, passa la tête au-dehors. La lune qui se couchait derrière l'eucalyptus en fleur, nimbait le paysage d'un jaune sinistre. Le ciel était limpide.

«Adam!» appela-t-elle à voix basse; seule la stridulation des grillons lui répondit. Elle ouvrit la porte, mais le couloir était désert; de même sa chambre et son lit toujours vides. Quand elle retourna à sa propre chambre, elle entendit sa tante tousser dans la pièce de devant et son cœur bondit. Elle ne réussit pas à retrouver le sommeil. La terreur qu'elle avait ressentie à son réveil ne la quittait pas.

Seul Adam l'avait jamais appelée Delphine. Elle s'enveloppa dans sa robe de chambre et s'assit au bord de la fenêtre pour regarder les étoiles. La lumière de la lune avait disparu, la ceinture d'Orion se détachait nettement contre la pâleur de l'aube.

Engourdie, elle se leva, puis lava son visage avec l'eau froide de la cruche aux dessins bleus. Dans le miroir de la coiffeuse, ses grands yeux étaient cernés de fatigue, ses paupières gonflées de larmes.

Au matin, l'odeur du bacon dans la salle à manger lui parut révoltante, mais elle fit l'impossible pour sembler normale au petit déjeuner. Adam ne se montra pas; sans doute dormirait-il tard et se réveillerait-il de meilleure humeur.

«Adam est en retard, dit Hester en fronçant ses sourcils noirs. Pauvre garçon! Je ne crois pas qu'il était dans son assiette, hier, Charles.

— Pauvre garçon! Pfff. Un jeune fainéant, oui.»

Hester alla dans la chambre d'Adam, puis en revint avec un air encore plus soucieux. «Il n'a pas dormi ici cette nuit! Son lit n'est pas défait.

— Peut-être que, pour une fois, il l'a fait après s'être levé, et qu'il est sorti se promener.»

Hester s'assit ; l'air absent, elle entama ses œufs au bacon. Adam n'aurait jamais su faire son lit aussi bien, même si sa vie avait été en jeu. Son esprit se mit à broyer du noir. Tel père, tel fils ! Pourtant, Bella est trop vieille, trop grasse. Lucy est grosse et mariée. Pour quelle raison a-t-il bien pu passer la nuit dehors ? Elle adressa un regard peu amène à Délie, qui, la tête basse, se forçait à manger.

« Philadelphia ! Adam a-t-il encore entrepris une de ses folles escapades ? Sais-tu quelque chose, cette fois-ci ? »

Elle leva son visage livide, ses yeux cernés. « Non, ma tante.

— Pourquoi veux-tu que Délie sache quoi que ce soit ? J'imagine qu'il est sorti chasser l'opossum ou l'ours sauvage.

— Je ne crois pas... commença Délie.

— Dis-moi, fillette, tu m'as l'air d'avoir mal dormi. Tu ferais bien d'aller te recoucher après la prière. Nous n'allons pas attendre Adam pour le service, il risque de ne pas arriver avant le déjeuner. »

Charles choisit un passage de l'Ecclésiaste, dont Délie avait toujours aimé le rythme et les sonorités, mais aujourd'hui les mots semblaient tristes et prétentieux :

« *Souviens-toi maintenant de ton Créateur aux jours de ta jeunesse... Mais quand la corde d'argent est dénouée, ou le récipient d'or brisé...*

« *Alors la poussière retournera à la terre d'où elle est sortie, et l'esprit retournera au Dieu qui l'octroya.* »

Délie fixait obstinément les dessins conventionnels du tapis marron. Était-ce là le grand secret ? La poussière retournant à la terre, l'esprit retournant vers... son origine. Pourtant, ce corps qui constituait son être vivant, sensible et palpitant, était le siège et le support de son esprit ; ses yeux recueillaient formes et couleurs, son cerveau décidait si elles étaient belles ou non. Ce monde-ci recelait assez de merveilles ; elle n'en désirait aucun autre.

« *... et que la paix qui dépasse l'entendement soit avec nous. Amen.* »

Elle sursauta. La prière était terminée. Bella, Lige et les autres quittaient la pièce. Il lui sembla qu'Annie le Fantôme lui adressait un regard entendu. Les avait-elle surpris, la veille au soir ? Et où était Adam ? Peut-être s'était-il perdu dans la brousse ?

« Oncle Charles, dit-elle à voix basse, vous ne croyez pas que nous devrions envoyer Jacky chercher Adam ? Il s'est peut-être perdu.

— Oui, j'y ai pensé ; mais il est assez grand pour se débrouiller tout seul. S'il n'est pas là au déjeuner, nous organiserons une battue. »

Délie n'en dit pas plus, mais le pressentiment d'un malheur ne la quittait pas. Adam ne rentra pas pour déjeuner. Hester, qui servait les légumes, laissa tomber la cuillère avec fracas.

« Charles, j'insiste pour que tu envoies Jacky et les autres à la recherche d'Adam. Il a fort bien pu se perdre, et ils le retrouveront en un rien de temps. Il est peut-être tombé dans le fleuve...

— C'est un excellent nageur.

— ... ou il s'est fait mordre par un serpent. Oh, Adam, mon enfant ! » Ses lèvres se mirent à trembler, sa main chercha son mouchoir.

« Fort bien, ma chère. Nous devrions peut-être demander aux Noirs du camp de nous aider. Là, ne te mets pas dans tous tes états. »

L'assiette d'Hester et celle de Délie restèrent pleines. Annie les retira en silence, puis glissa hors de la pièce.

Ce fut Jacky, le mari de Lucy, qui découvrit les empreintes d'Adam le long de la berge du fleuve, où elles s'écartaient de celles de Délie ; Jacky les suivit jusqu'au bout. Elles traversaient les collines sablonneuses, contournaient les marécages, franchissaient deux barrières et aboutissaient au torrent qu'on traversait sur une branche morte pour rejoindre la clairière du pique-nique.

Discernant des signes à peine perceptibles sur le sol sec, Jacky constata que la piste d'Adam traversait le torrent sur la branche. Il allait lui-même passer sur l'autre rive quand il remarqua quelque chose entre les berges abruptes du lit à sec. Il y avait une marque au bord de la branche ; une chaussure y avait glissé.

Adam était allongé, le visage dans une mare d'eau stagnante, les yeux clos, une légère éraflure à la tempe. Jacky retira de l'eau la tête inerte, puis poussa un cri pour appeler les autres.

Les femmes, qui attendaient à la maison avec une appréhension croissante, virent la petite procession revenir à travers les collines de sable, au-delà des tombes des trois enfants. Charles et Lige, mains nouées, portaient un fardeau entre eux. Regardant par la fenêtre latérale, où elle avait prié pour qu'il revînt sain et sauf, sa mère aperçut les bras sans vie d'Adam, et hurla.

27

Délie errait dans la chambre où Adam reposait, se tenant soigneusement à l'écart du lit. Elle ne voulait pas s'approcher, encore moins le toucher ; tant qu'elle se contentait de regarder, l'illusion régnait d'un sommeil naturel. Son oncle, doux et tendre comme une femme, baignait le visage sans vie, repoussait du large front les cheveux mouillés. Le visage d'Adam était paisible, ses lèvres closes semblaient sourire, comme s'il venait d'être initié à quelque grand mystère qui l'avait préoccupé, et qu'il eût découvert une réponse d'une étonnante simplicité.

Charles finit par lever les yeux et remarquer le visage crayeux de Délie, ses yeux cernés que la douleur semblait enfoncer dans leurs orbites.

« Va voir ta tante, mon enfant. Convaincs-la de prier avec toi, si elle en est capable... Le Seigneur donne et le Seigneur reprend.

— Alors le Seigneur est cruel ! » s'écria Délie. Elle regarda la bouche d'Adam, qui plus jamais ne rirait, ne parlerait, n'embrasserait ; silencieuse, irrévocablement fermée par la mort. Les larmes montèrent soudain de son cœur bouleversé, mais derrière ses yeux une sorte de feu semblait les sécher avant qu'elles ne pussent couler.

Elle alla frapper à la porte de sa tante. Il n'y eut aucune réponse. Elle entra. Les volets étaient clos, la chambre plongée dans les ténèbres. Hester était allongée sur le lit, le visage tourné vers le mur, les doigts crispés sur un mouchoir humide. Elle fermait les yeux et un gémissement lugubre filtrait entre ses dents serrées.

« Ma tante, c'est moi, Délie. Puis-je faire quelque chose pour vous ?

— Va-t'en. Va-t'en. »

Dans le tiroir supérieur de la commode, Délie prit un mouchoir, le trempa dans la lavande puis le plaça sur le front d'Hester. Elle essaya doucement de retirer le mouchoir trempé d'entre les doigts convulsivement serrés, mais en vain. Délie posa un mouchoir propre sur l'oreiller. La plainte lugubre, ininterrompue, continuait. Délie sortit en silence par la baie vitrée, puis s'arrêta près de la balustrade de la véranda où elle avait si souvent attendu qu'Adam arrivât sur le fleuve.

Ses doigts étreignirent la balustrade, ses yeux secs et brûlants se posèrent sur la courbe en aval. Elle avait redouté le fleuve — mais Adam s'était noyé dans une flaque d'eau ! Oncle Charles avait dit qu'il était tombé en traversant le torrent ; sa tête avait heurté la branche, et il s'était évanoui, le visage sous l'eau. Quelques semaines plus tard, le torrent aurait été complètement à sec ; même une souris des champs n'aurait pu s'y noyer. Mais Adam l'avait traversé hier soir, dans l'obscurité de la lune déclinante, alors que la rosée rendait la branche glissante. Et c'était elle, Délie, qui l'avait poussé à aller là-bas.

Elle descendit les marches en courant, traversa les collines de sable où ils avaient porté son corps, puis la forêt de chênes et de pins, contourna les marais asséchés, vers l'endroit où il était mort.

Un après-midi parfait l'entourait de sa paix et de sa beauté moqueuses : le fleuve placide, les nuages floconneux et argentés qui intensifiaient le bleu du ciel, les arbres immobiles, l'herbe jaune. Aveugle, elle courait, l'esprit obnubilé par une seule image : Adam étendu inconscient au fond du torrent fatal.

Quand elle arriva près de la branche morte, elle n'en supporta pas le spectacle, se détourna et traversa le torrent près de son confluent avec le fleuve.

Elle sentait les larmes refoulées brûler derrière ses yeux.

Elles étaient là, formant un nœud dur et compact qui blessait son front. Elle continua, se frayant aveuglément son chemin entre les bûches et les arbrisseaux aux branches acérées. Une fois, elle tomba dans une mare boueuse qui n'avait pas encore séché, et souhaita s'enfoncer, mourir là et trouver la paix. Mais les moustiques qui piquaient sauvagement ses mains et son cou l'obligèrent à se relever, à repartir.

Le soleil était déjà descendu derrière les arbres. Elle eut d'abord la vague intention de s'éloigner le plus possible du lieu du drame. Mais rapidement, ses pensées se brouillèrent, elle continua à marcher mécaniquement. Les sous-bois devinrent moins touffus, disparurent, et elle marcha dans une forêt d'eucalyptus résineux, en terrain plat. Il n'y avait plus trace du fleuve, l'éclat de l'eau avait disparu. Brûlante de fièvre, elle avait de plus en plus soif.

Soudain épuisée, elle se reposa sur une bûche grise. Tout était tellement silencieux qu'elle aurait pu se croire sous l'eau. Brusquement, deux oiseaux sauvages lancèrent un rire sardonique.

Les ténèbres envahissaient les arbres. Elle commença à trembler de tous ses membres. Elle avait très peu dormi depuis vingt-quatre heures, elle n'avait plus conscience de rien, sinon du froid et de la soif. Elle devait continuer de marcher. Elle se leva, tituba, oubliant de lever les yeux vers les portions de ciel visibles pour retrouver les étoiles familières. Le fleuve ne devait pas être loin.

«Ah, j'en ai marre de tailler des solives, Joe. Ça te plairait de couper du petit bois, demain, et de l'entasser pour les vapeurs?

— Y aura plus trop de vapeurs maintenant, grosse tête, avec le niveau du fleuve qui descend. Et puis on gagne bien avec les solives. Quesse qui va pas?

— Bah, j'en ai ras le bol, vieux. J'ai coupé assez de ce satané eucalyptus pour construire un chemin de fer d'ici jusqu'à Londres. Que dirais-tu de monter des clôtures, histoire de changer?

— Bon Dieu, que j'sois pendu!

— Tais-toi, Joe. Il y a des dames parmi nous.» Une pâle

silhouette au visage blanc et aux yeux écarquillés venait d'apparaître à la lisière de la clairière où les bûcherons avaient planté leur camp. Délie épuisée par l'émotion, le manque de sommeil ou de nourriture, eut juste le temps de pénétrer dans le cercle lumineux avant de s'effondrer, inconsciente.

« Redresse-lui la tête !

— Mais non, crétin, il faut lui *baisser* la tête.

— Mets-lui de l'eau sur le visage. Pas trop, ne va surtout pas la noyer. Regarde, ses vêtements sont tout mouillés et boueux. J'me demande d'où elle peut bien sortir.

— J'en sais rien, mais elle a une sacrée fièvre. Vaut mieux pas l'installer trop près du feu, et l'envelopper dans une couverture.

— Une goutte de rhum lui ferait reprendre ses esprits. Il en reste un peu dans la bouteille. Coupe-le avec un peu d'eau. J'ai pas envie qu'elle s'étouffe. »

Le liquide brûlant fit tousser Délie, qui ouvrit les yeux. Elle sentit seulement le bras masculin qui la soutenait et se dit qu'elle venait de retomber de Barney. Elle enlaça le cou de la silhouette indistincte à côté d'elle, et murmura : « Adam ».

« Adam ! Nom d'une pipe, ce doit être Ève en personne », dit Joe le barbu pour cacher son embarras. La main de Délie remonta et, incrédule, tâta la barbe broussailleuse.

« Mais vous n'êtes pas Adam ! Ramenez-moi à la maison, il faut que je le voie, il faut que... Il part aujourd'hui, demain... Quelle heure est-il ? » Elle s'assit, les yeux étincelants, la voix vibrant d'angoisse.

« Là, calmez-vous, on est samedi, je crois... non, dimanche. Maintenant, dites-moi, où habitez-vous ? Est-ce loin d'Echuca ?

— Echuca... Oui, ils vont l'emmener à Echuca pour l'enterrer. Oh, ramenez-moi à la maison !

— On va s'en occuper, petite, ne t'inquiète pas. Mais où donc est ta maison ? Près du fleuve ?

— Oui, au-dessus d'Echuca.

— En dessous du bac de Bamah ?

— Oui, oui. En route ! »

Jetant un coup d'œil à son compagnon, Joe chuchota : « Ça

fait un sacré bout de chemin... Comment s'appelle le propriétaire, mademoiselle?

— Jamieson. C'est mon oncle. Pourquoi n'y allons-nous
pas?

— D'accord, nous partirons dès que vous aurez bu ça.
Vous tremblez comme une feuille.»

Il lui tendit une grosse jarre vernie contenant du thé noir.
Elle sentit le rebord ébréché contre sa lèvre; le liquide fade et
brûlant lui donna un haut-le-cœur. «De l'eau, s'il vous plaît, de
l'eau.»

Joe lui apporta de l'eau qui sentait la toile de la gourde qu'il
avait sortie d'un sac, sous un arbre. A la lumière du feu de
camp, elle aperçut la tente blanche, l'espace propre et dégagé
devant l'entrée, des conserves vides de confiture et des
bouteilles soigneusement entassées qui renvoyaient l'éclat du
feu. Tout cela ressemblait à un rêve, pourtant les détails étaient
douloureusement réels.

«Maintenant, mademoiselle, dit le compagnon de Joe quand
elle eut avidement bu toute l'eau, remettez votre bras autour du
cou de Joe (les filles lui font peur, mais cette fois il ne va pas y
couper), l'autre autour de mon cou, et en route.»

De leurs mains croisées ils lui firent une chaise, et la
portèrent entre eux jusqu'à ce qu'elle vît l'immense plan d'eau
du fleuve scintillant sous la lune. Elle se retrouva dans un
bateau, tremblant et brûlant sous plusieurs couvertures, la tête
posée sur la plus belle veste de Joe.

Elle regardait les cimes obscures glisser doucement en un
étrange mouvement irréel. Au fur et à mesure que le bateau
suivait les méandres du fleuve, la lune changeait de position, et
les étoiles se déplaçaient avec elle, avançant régulièrement
derrière les arbres mouvants. Elle était au cœur de cet univers
paisible, au centre d'un gigantesque tourbillon. Ici, tout était
tranquille. Elle aurait voulu que cela durât toujours.

Ce fut avec un choc, un arrachement violent, qu'elle sentit le
fond de la plate glisser sur le sable, et qu'elle entendit la voix
de Joe : «Y a de la lumière partout. J'parie qu'ils sont morts de
peur.»

La voix étouffée semblait sourdre de l'autre côté d'un épais
mur noir. Alors le mur s'écroula sur elle et elle ne vit plus que

l'obscurité, illuminée par des roues et des éclairs de lumière blafarde.

28

« C'était la meilleure chose qui puisse arriver, ma chérie, dit Charles, assis au bord du lit de Délie, tenant sa frêle main. Je crois que, si elle n'avait pas dû s'occuper de toi à ce moment-là, ta tante aurait perdu la raison. Elle était encore allongée là-bas, le visage tourné contre le mur, quand arriva le moment d'emmener le corps à Echuca pour l'examen du médecin légiste et l'enterrement... Non, n'essaie pas de parler.

« J'ai prévenu le médecin que je voulais lui dire un mot, et je lui ai annoncé qu'il avait deux malades sur les bras. Il a fait comprendre à Hester que ta vie était en danger, avec cette en... encéphalite de la Murray, et que ta guérison dépendait entièrement de soins attentifs... Il paraît que ce sont les moustiques qui transmettent cette maladie.

— Depuis... depuis combien de temps ?...

— Tu as été alitée pendant près de trois semaines. Tu as eu une fièvre de cheval, mais maintenant tu es tirée d'affaire. Hester s'est levée et t'a soignée jour et nuit. Quand tu as passé le cap de la guérison, elle s'est tout bonnement effondrée d'épuisement. Elle a dormi presque deux jours d'affilée. Annie s'occupe d'elle, Hester sera sur pied dans un jour ou deux. »

Les mots vides résonnaient dans sa tête. Hester sera sur pied dans un jour ou deux, Délie avait passé le cap... Elle se voyait passer un cap gris et sinistre, pour contempler une immense étendue désolée, d'où toute vie était absente, d'où Adam était absent.

« Je ne veux pas guérir.

— Tu es en train de guérir, que tu le veuilles ou non. Un jour, tu repenseras à tout cela, et tu te demanderas comment tu as bien pu te faire des idées pareilles. Crois-moi, je sais ce que tu ressens. »

Après le départ de son oncle, Délie resta allongée pour observer le rayon de soleil qui, en cette fin d'après-midi, pénétrait par la fenêtre, et les brillants grains de poussière qui étincelaient et tourbillonnaient en une danse ralentie. Grains de poussière dans un pinceau de lumière — sans cette lumière ils seraient invisibles, et pourtant toujours là.

Ce rayon de soleil la ramena à cet autre après-midi où Adam était entré et l'avait embrassée pour la première fois. Elle tourna la tête sur l'oreiller, s'attendant presque à le voir franchir le seuil de sa chambre. Mais non ; sa silhouette avait à jamais disparu dans les ténèbres.

Le lendemain matin, quand Charles entra, il portait une liasse de manuscrits dans une chemise.

« Tiens, j'ai pensé que cela pourrait te faire plaisir ; les poèmes d'Adam... Ton nom est souvent mentionné : Pour Philadelphia... Délie... Delphine — toutes sortes de variations sur ton nom. » L'ombre d'un sourire mélancolique passa sur ses lèvres, puis il laissa la chemise à côté de la main qui reposait mollement sur le dessus-de-lit. « Ne lis pas trop, ne te fatigue pas. Le médecin doit passer aujourd'hui ; tâche de lui faire bonne impression pour qu'il t'autorise à te lever.

— Je me sens beaucoup mieux.

— A la bonne heure ! Annie et Bella te donnent suffisamment à manger ?

— Trop. Bella paraît tellement inquiète quand je n'ai pas d'appétit, que je me sens obligée de manger même quand je n'ai pas faim.

— Voilà une bonne nouvelle ! Il faut que tu prennes des forces. »

Allongée, elle attendit son départ ; parler l'avait épuisée. Trois semaines. Trois semaines elle était restée alitée dans les ténèbres vacillantes striées de rouge, qui s'étaient parfois dissipées, laissant apparaître tante Hester ou Annie le Fantôme, penchées au-dessus d'elle avec une tasse ou un linge humide.

Parfois, la chambre avait été tellement silencieuse qu'elle s'était demandé si elle était morte ; à d'autres moments, des voix accusatrices réunies en une clameur terrifiante se mettaient à hurler : « *Tu l'as déçu ! Tu l'as tué !* »

Elle fit plusieurs fois le cauchemar de la longue plage blanche, déserte et sans fin, avec ses rouleaux assourdissants et les dunes de sable qui s'étendaient à perte de vue. Une vague gigantesque s'élevait alors jusqu'au ciel, comme une colline, et Délie terrifiée attendait qu'elle déferlât, balayât tout sur son passage, elle-même comprise.

Elle reposait, les yeux clos, songeant à son rêve. Charles parti, elle ouvrit les yeux et avança tendrement une main timide sur la surface des minces feuilles de papier. L'écriture manuscrite d'Adam semblait lui donner des forces. Elle tourna les feuilles, puis en approcha une près de son visage. Elle lut :

... Durant d'innombrables années ce soleil incendiera
L'air bleu, et le bref printemps mourra ;
Quand tu seras oubliée depuis longtemps, quand je
Serai poussière éparse, les étés reviendront.

Alors, sans retenue, elle pleura, des torrents de larmes brûlantes inondèrent les feuilles de papier froissé. Enfin la source des larmes se tarit, mais des sanglots la secouèrent, puis elle sombra dans un profond sommeil, d'où elle s'éveilla régénérée. C'étaient les premières larmes qu'elle versait depuis la mort d'Adam.

Le jour où elle devait se lever pour la première fois, Charles entra et vint s'asseoir au bord du lit. Il semblait chercher ses mots.

« Euh... Quand tu verras tante Hester...

— Oh, je peux aller dans sa chambre ?

— Elle est debout. Tu la trouveras dans le salon.

— Mais je croyais... Elle est guérie alors ? Pourquoi n'est-elle pas venue me voir ? »

Charles baissa les yeux, arracha un fil imaginaire à la jambe de son pantalon. « Philadelphia, tu vas retrouver ta tante... euh, tu vas la trouver changée. Elle est parfaitement normale, mais... il y a une seule chose qui ne va pas. Tu ne dois pas te vexer si elle te paraît bizarre, hostile. »

Délie le regarda sans mot dire.

« Le médecin a parlé d'un choc à retardement. Tout s'est bien passé au début, mais maintenant elle souffre de... d'hallucinations. Et elle t'en veut beaucoup.

— Pourtant, vous m'aviez dit qu'elle m'avait soignée jour et nuit !

— En effet ; cela prouve tout simplement qu'elle n'est pas dans son assiette en ce moment. A mon avis, elle a toujours trouvé sa sœur mieux lotie qu'elle ; et maintenant, elle se dit peut-être que son propre enfant lui a été injustement enlevé, alors que celui de sa sœur a été épargné. C'est une rancœur parfaitement déraisonnable.

— Tante possède quelque chose que ma mère n'a plus, la vie.

— Bien sûr. Essaie de faire comme si de rien n'était, supporte ses griefs avec toute la patience dont tu es capable, rappelle-toi qu'elle a beaucoup souffert. »

Délie voulut s'écrier : « Comme si moi, je n'avais pas souffert ! Pour la deuxième fois de ma vie, je perds le fondement même de mon existence. Et moi alors ? » Mais elle ravala ses mots et acquiesça en silence.

Quand elle se leva, elle se sentit étrangement transformée. Comme mûrie. Ce fut Annie qui l'aida à enfiler sa robe de chambre, puis la soutint dans le couloir, jusqu'au salon. Elle se découvrit si faible et tremblante qu'après avoir fait quelques pas sur des pieds gourds et douloureux qui ne semblaient pas les siens, elle fut heureuse de pouvoir s'appuyer sur l'épaule osseuse d'Annie.

Elle trouva sa tante assise dans l'un des profonds fauteuils en cuir, tournant le dos aux rideaux verts des fenêtres. Une boîte à couture en osier sombre était posée sur une tablette à côté d'elle, et ses doigts s'agitaient rapidement au-dessus d'un morceau de tissu qu'elle tricotait au crochet. Quand Délie entra lentement dans la pièce, elle ne leva pas les yeux ni ne cessa de travailler. Annie tenta de faire asseoir la convalescente dans un fauteuil près de la porte, mais Délie alla directement vers Hester.

« Ma tante, je suis contente que vous alliez mieux. » Elle tendit sa main gracile, qui ne fut pas serrée. Hester leva brièvement des yeux glacés, et continua à tricoter furieusement.

« Oncle Charles m'a dit combien vous vous étiez occupée de moi quand j'étais malade... Merci. »

Un silence pesant suivit ces mots. Fatiguée de se tenir debout, Délie sentit ses jambes vaciller. Enfin, Hester leva de nouveau les yeux et dit : « N'importe qui aurait fait la même

chose à ma place. C'était mon devoir d'essayer de te sauver.»
Délie reçut ces mots glacés comme une gifle. Elle se
retourna, s'effondra dans un fauteuil, des larmes brûlantes lui
piquaient les yeux. Hester se mit à parler du déjeuner avec
Annie; les deux femmes ignoraient Délie.

Elle ne dit pas un mot jusqu'à ce que le déjeuner fût servi,
mais quand son oncle entra avec sa moustache pitoyable et ses
efforts pathétiques pour détendre l'atmosphère, elle sentit avec
soulagement qu'elle avait un allié. Alors qu'il l'encourageait à
manger ou répondait aux remarques acerbes et désagréables de
sa femme avec une inébranlable bonne humeur, elle sentit que
jamais elle ne l'avait autant aimé, depuis l'époque où il avait
été son seul compagnon dans le désert enneigé de Kiandra.

Soudain, sa vision se brouilla en même temps qu'une
douleur terrible vrillait sa tempe droite. Une lame de couteau
chauffée au rouge sembla s'enfoncer dans son front. Elle
repoussa son assiette et enfouit son visage dans ses bras.

Inquiet, Charles posa sa fourchette et son couteau, puis
contourna la table. «Tu te sens mal, mon enfant?

— C'est de la comédie, Charles. Pff! Le médecin a déclaré
qu'elle était guérie et pouvait se lever.

— Tu te trompes, Hester! Regarde, elle est blanche comme
un linge. Tu veux retourner au lit, ma chérie?

— Oui.»

Retrouver le refuge du lit, fermer les yeux, les protéger de
cette lumière qui semblait enfoncer des aiguilles dans son
cerveau, tout son être aspirait à cela. Charles l'aida à regagner
sa chambre, lui donna un sédatif prescrit par le médecin, appliqua un linge humide sur son front, et sortit.

Les semaines suivantes, ces insupportables migraines fron-
tales revinrent quotidiennement. Elle apprit à les affronter, à se
défendre contre elles comme un navire dans la tempête. Le
médecin lui donna un sédatif plus puissant; elle restait
allongée, totalement immobile dans la chambre obscure,
n'osant remuer la tête tandis que la douleur se calmait graduellement, refluait. Elle avait peur de bouger, de parler, de réveiller la bête fauve.

Noël passa sans qu'elle s'en aperçût. Peu à peu, les
migraines s'espacèrent, puis cessèrent tout à fait. Elle

recommença à sortir dans le jardin et sentit, comme jamais auparavant, le pouvoir terrible et merveilleux du soleil. Il redonnait vie à son jeune corps, le réveillait presque contre son gré.

Une lettre de Miss Barrett arriva du nord du pays, avec un mot pour Adam. Les amis aussi éloignés n'avaient pas appris la tragédie, bien que le *Riverine Herald* eût publié la nouvelle du décès en utilisant les caractères qu'Adam affectionnait. Miss Barrett allait quitter l'Australie, car la famille pour qui elle travaillait partait en Angleterre, et elle devait s'occuper des enfants pendant le voyage. Ensuite, elle comptait visiter seule tous les endroits d'Europe qu'elle désirait voir depuis si longtemps.

Tout cela parut futile à Délie. Son ancienne idole avait sombré dans les brumes du temps et de l'oubli. Adam, lui aussi, disparaîtrait-il peu à peu de son esprit et de son cœur ? Elle ne pouvait y croire.

Miss Barrett lui avait envoyé un livre pour Noël, un roman moderne, *Tess d'Uberville*, par Thomas Hardy. Ce livre lui fit une profonde impression. Les derniers mots semblèrent faire écho à une pensée à demi formulée dans son esprit : « La pièce était terminée ; les dieux avaient fini de jouer avec Tess. »

Car sa foi vacillante était morte avec Adam. L'absurde gâchis de cette jeune vie pleine de promesses signifiait davantage que tous les désastres lointains dont elle avait entendu parler ; les dix mille Japonais morts dans un tremblement de terre suivi d'un incendie, le million de Chinois morts à cause de la famine, les enfants prisonniers d'une église en flammes, même les malheurs plus proches de familles laborieuses et innocentes qui avaient tout perdu dans un incendie de brousse.

Elle éprouvait le désir malicieux de demander à sa tante, qui passait beaucoup de temps à prier et fondait en larmes dès que quelque chose lui rappelait Adam : « Pourquoi pleurez-vous ? Ne repose-t-il pas entre les bras de Jésus ? » Dans son impitoyable amertume, elle voulait détruire la foi naïve des autres.

Elle évitait Hester autant que possible, ne lui adressait la parole qu'en cas de force majeure, prenait soin de ne jamais se retrouver seule dans la même pièce qu'elle. Elle avait vu Hester lui lancer des regards qui lui avaient donné la nausée, si bien qu'elle faisait tout pour éviter ses implacables yeux noirs.

Dès qu'elle en eut la force, elle recommença à grimper dans le pin à la cime dorée ; elle s'allongeait sur ses branches souples et soyeuses, enveloppée par la forte odeur des frondaisons gorgées de soleil. Ce n'était qu'au sommet de l'arbre ou enfermée dans sa propre chambre qu'elle se sentait à l'abri des regards noirs pleins de reproches. Pourtant, elle avait beau monter avec un livre ou un carnet et un crayon, elle lisait peu et ne dessinait jamais. Il lui suffisait de s'allonger au soleil, d'absorber sa chaleur par les pores de sa peau, comme une feuille, comme une fleur. Ce fut une période de rêveries sans but, semblables à des morceaux d'écorce dérivant au fil du fleuve : Délie flottait sur les eaux sombres du temps qui porte tous les êtres vivants de leur naissance vers leur mort.

Un soir, la beauté du fleuve, la légère brume montant de sa surface polie, tirèrent pour la première fois Délie de ses rêves éveillés. Au-delà de la courbe, le chaume du pâturage brillait d'un éclat blanc irréel tandis que la pleine lune montait dans une lumière mielleuse. A l'horizon, le ciel délicatement coloré de rose et de perle évoquait l'intérieur d'un coquillage, et tout se reflétait sur l'étendue nacrée du fleuve.

Le vieux désir familier de fixer cette beauté éphémère dans une forme éternelle jaillit brusquement en elle, mais elle le refoula et gravit calmement les marches de la véranda, où Charles, assis sur une chaise en toile, tirait sur sa pipe. La fumée des feux de bouse de vache destinés à éloigner les moustiques se mêlait aux volutes bleutées du tabac.

Délie s'appuya contre la balustrade de la véranda pour observer les premières étoiles dans un ciel maintenant strié d'ambre et de bleu-vert sur lequel se détachaient les silhouettes noires et souples des eucalyptus. Elle les regarda intensément, son esprit enregistrait la moindre forme. Charles vint s'accouder près d'elle à la balustrade. Il leva les yeux vers les étoiles qui apparaissaient dans le ciel.

« Je regrette de ne pas avoir appris l'astronomie dans ma jeunesse, dit-il d'un air rêveur. Aujourd'hui, il me semble que je suis incapable d'apprendre quoi que ce soit, mais je suis frappé du nombre de choses que j'ignore. » Il tira quelques bouffées, et prit sa pipe à la main pour parler plus facilement.

«Tu sais, ce n'est qu'en vieillissant qu'on réalise la brièveté de
la vie la plus longue. C'est court, terriblement court. Dire
qu'on peut passer toute sa vie à étudier simplement les mœurs
des abeilles ! Alors qu'il reste la physiologie, la botanique, la
chimie, l'astronomie, et puis cette nouvelle théorie de l'évolution, sans parler de l'électricité... Ils feront des prodiges quand
ils maîtriseront l'électricité. Certains vapeurs récents sont
équipés de lumières électriques ; rends-toi compte, tu appuies
sur un bouton et la lumière s'allume.»

Délie tourna la tête pour le regarder. Ce cher vieil oncle ! Il
avait quand même des idées originales, même s'il les exprimait
rarement. Elle allait lui répondre quand le bruit d'un objet
tombant sur les planches de la véranda la fit se retourner.

C'était Hester, à peine visible dans les dernières lueurs du
crépuscule, son éternel travail de couture à la main. L'un de
ses crochets était tombé à terre ; Délie alla poliment le ramasser, mais Hester se pencha rapidement et le saisit d'une main
brusque, avec une expression si hostile et amère que Délie
trembla, puis rentra dans la maison. Comme si elle avait sali le
crochet en le touchant ! Elle entendit la voix d'Hester s'enfler
hargneusement, puis Charles rentra et claqua la porte de sa
chambre derrière lui.

Le lendemain était jour de courrier. Il n'y avait rien pour
Délie dans le sac, mais quand elle sortit sur la véranda après le
déjeuner, Hester l'y suivit.

«J'ai ici une lettre, commença-t-elle sèchement, de
Mme McPhee qui propose, *à condition que j'accepte*, que tu
ailles chez eux à Echuca. Charles pense que tu as besoin de
vacances ; quant à moi, je ne peux pas dire que tu me serves à
grand-chose.»

Délie tourna le dos à la balustrade de la véranda, qu'elle
serra de toutes ses forces entre ses mains.

«Tante Hester, pourquoi me haïssez-vous ?»

Le visage de sa tante se ferma. «Te haïr ?

— Je sais que vous ne m'avez jamais aimée, mais maintenant on dirait que vous ne supportez même plus ma présence.
Pourquoi ? Qu'ai-je fait ?

— Pourquoi ? Tu veux savoir pourquoi ? En effet, je ne
supporte pas de te voir.» La passion faisait trembler ses lèvres,

ses yeux noirs jetaient des éclairs. «Tu l'as tué. Tu as tué mon garçon. Pourquoi ne t'es-tu pas noyée avec les autres ? »

Délie devint livide. Elle s'appuya de tout son poids contre la balustrade.

«Je ne l'ai pas tué! Je l'aimais.

— Tu l'aimais! Ah, voilà enfin quelque chose de vrai. Tu le retrouvais au bord du fleuve, le soir, n'est-ce pas ? C'est toi qui l'attirais hors de la maison quand il aurait dû dormir. Les hommes — tous les mêmes quand il s'agit d'un joli minois ou d'un beau corps. Et Adam était un homme. Pourquoi fut-il épargné autrefois ? Quand il avait cette angine, j'ai prié toute la nuit pour qu'il vive, alors que le médecin m'avait assuré qu'il ne passerait pas la nuit. Il aurait mieux fait de mourir cette nuit-là, de rester pur et innocent. Ah oui, Annie m'a parlé de vos rendez-vous et de vos baisers dans le noir.»

Elle avait approché son visage tout près de celui de Délie, qui se penchait en arrière, par-dessus la balustrade, pour éviter la bouche hargneuse et les yeux fous de sa tante.

«Vous ne comprenez pas..., dit-elle faiblement.

— Oh si, je comprends parfaitement! Je connais les femmes, et les filles qui essaient leurs pouvoirs. Tu crois que je ne t'ai pas vue faire les yeux doux à Charles ? Tel père, tel fils ! Bien sûr, il n'est pas de ton sang, ce n'est pas vraiment ton oncle...

— Tante Hester! Comment pouvez-vous être aussi... aussi écœurante ?

— Ah, je vois plus de choses que vous ne pensez, mademoiselle. Mais quel a été le mobile de votre acte ? Naturellement, vous l'avez fait tomber de la branche. La jalousie ? A cause de cette riche gamine d'Echuca que je voulais qu'il épouse ? Ce n'était pas la peine de le tuer. Mon garçon! Mon seul fils.»

Sa voix se brisa brusquement; elle se mit à pleurer bruyamment, grotesquement. Annie le Fantôme apparut en silence, jeta à Délie un regard étrange, blême, à moitié triomphant et emmena Hester vers sa chambre.

Livide et stupéfaite, Délie restait figée, revivant mentalement l'incroyable scène. Elle tremblait de tous ses membres. Elle ne pouvait pas, elle ne voulait pas rester un jour de plus dans cette maison. Le médecin avait déclaré qu'elle était guérie de la «fièvre du fleuve», ainsi qu'on l'appelait dans la région. Rien ne pouvait plus s'opposer à son départ ; mais elle n'avait d'autre argent que celui investi dans le *Philadelphia*, qui devait transporter de la laine quelque part sur la Darling.

Elle désirait tellement quitter cet endroit, embarquer à bord du premier vapeur qui passerait devant la maison. Elle était assez jeune pour croire sa vie gâchée ; plus jamais elle n'aimerait, elle songeait à vivre en ermite dans la solitude, à côté des eaux immuables du fleuve.

Elle trouva son oncle dans le pâturage des chevaux, sur le point de monter Luciole. Il jeta un coup d'œil au visage de Délie, attacha la jument à la clôture, et accompagna la jeune fille vers la rive du fleuve.

«Oncle Charles, je ne peux plus vivre ici !» Cela ne parut pas le surprendre.

«Où donc veux-tu aller ?

— A Echuca, pour commencer. Mme McPhee accepterait que ma visite se prolonge indéfiniment. Je pourrais peut-être travailler comme infirmière à l'hôpital.

— Je doute que tu sois assez solide pour ce genre de boulot, à supposer qu'ils embauchent les jeunes filles de dix-sept ans. Mais tu étais toute pâle en arrivant. Qu'y a-t-il ? Ta tante ?...

— Oui ! Oh, Oncle Charles, elle me déteste. Et puis, elle a quelque chose de tellement bizarre... Elle me fait peur.»

Il soupira profondément et, du pied, envoya un caillou dans l'eau. «Oui, je sais. Le médecin... Je ne crois pas qu'il ait vraiment saisi la gravité de son état. Il a dit que cela passerait avec le temps. Elle ne t'a pas frappée, au moins ?

— Non, mais ses paroles étaient d'une violence... Elle m'a accusée de, de meurtre, et puis...» Elle ne put se résoudre à répéter l'autre accusation. Déjà elle se sentait gênée en présence de son oncle.

La bouche de Charles s'arrondit en un sifflement silencieux. «Pauvre Hester ! Je crains qu'elle n'ait vraiment perdu les pédales quand Adam est mort. Elle m'a raconté toute une litanie de fariboles, j'ai fait la sourde oreille en me disant que ça lui passerait. En tout cas, son hostilité était manifeste.

— Le plus terrible est qu'elle a raison.

— Allons bon. Qu'est-ce que tu racontes ?» Il la prit doucement par les épaules et tourna son visage vers lui. « Ne me dis
pas que toi aussi, tu commences à dérailler. Il était amoureux
de toi, c'est ça ? Et toi de lui ?

— Oui. Je l'ai retrouvé dehors, ce soir-là. Nous nous
sommes disputés ; c'était ma faute et depuis je me le reproche
sans cesse. Je me déteste davantage qu'elle ne me hait.»

Ce fut un soulagement extraordinaire de pouvoir s'accuser
ainsi, parler de ce qui pesait comme un énorme poids sur sa
conscience.

« Tu t'es sentie coupable ! Ma pauvre enfant, pourquoi ne
m'as-tu pas confié tout cela avant ? Adam est mort accidentellement, le médecin légiste n'a même pas jugé nécessaire
d'ouvrir une enquête. Si Adam allait se promener la nuit, eh
bien, cela était dû à sa nature sauvage autant qu'au reste... Il se
trouve qu'il a eu un accident. Il en avait déjà eu d'autres. Il
aurait très bien pu se noyer lors de sa folle escapade nocturne
sur le fleuve, ou quand le câble de remorque l'a précipité dans
l'eau, ou quand son canot d'écorce a coulé sous ses pieds.

— Oui, je sais. Mais je me demande pourquoi, pourquoi,
pourquoi ? Pourquoi cela s'est-il passé ainsi ? Quelques
semaines plus tôt, l'eau du torrent aurait amorti sa chute sans
lui causer le moindre mal. Une semaine ou deux plus tard, il
n'y aurait plus eu la moindre flaque d'eau dans le lit du torrent.
Il se serait peut-être évanoui, mais certainement pas noyé. On
dirait vraiment un coup du sort.

— Oui, le sort ; le sort aveugle.» Charles se baissa pour
ramasser un mince morceau d'écorce lisse et courbe. « Nous
sommes poussés aveuglément à des actes qui conduisent inévitablement à d'autres actes, lesquels mettent en branle tout un
mécanisme incontrôlable qui dépasse notre compréhension. Si
je n'avais pas découvert cet or à Kiandra, Adam ne serait pas
mort près de la Murray à dix-neuf ans. Pourtant il était peut-
être voué à une mort précoce. Qui sait ?»

Délie marcha pensivement sur un copeau d'écorce, qu'elle
sentit craquer sous sa chaussure. Son oncle avait manifestement réfléchi sur ce sujet. Il poursuivit :

« Je ne connais pas toutes les circonstances qui sont à

l'origine de l'humeur d'Adam ce soir-là. Je me rappelle simplement son agressivité pendant le dîner, et ensuite. Votre dispute ne m'étonne pas. Nous sommes tous pris dans le tourbillon de nos propres actes, nous ne pouvons aller contre notre nature. »

Il lança dans le fleuve le morceau d'écorce qui descendit lentement au fil du courant. « Nous ne sommes pas les maîtres de notre destin, tout comme ce morceau d'écorce ne peut faire demi-tour et remonter le courant.

— Mais, oncle Charles, c'est vous qui avez dit : "Le Seigneur donne..." et lu l'histoire de l'oiseau qui tombe du nid...

— Oui. Les mots sont parfois un réconfort, même quand ils ont cessé d'avoir le moindre sens. J'ai été élevé avec ces mots, pour moi ils font toujours illusion. Pourtant, la nuit, quand je regarde les étoiles silencieuses ou ces terribles espaces vides et noirs dans la Voie lactée, les mots deviennent inutiles. »

Délie leva les yeux vers lui. C'était là un nouvel aspect de Charles, l'oncle qui lisait les prières et les sermons du dimanche avec le sérieux d'un prêtre.

« Je ne t'ai pas parlé de la vieille Sarah, dit-il. Ce jour-là, elle a quitté son camp pour me demander si quelqu'un était mort. Elle m'a assuré que l'Esprit Oiseau avait survolé son camp tôt dans la matinée, aux alentours de lune-coucher, dit-elle. Après cela, je n'ai plus eu beaucoup d'espoirs. »

Délie contempla l'écoulement ininterrompu des eaux, tout en pensant aux Noirs et à leurs étranges croyances : le Bunyip, le grand Serpent, et l'Oiseau de Mort, cette créature sans nom qu'on sentait sans la voir quand elle survolait le camp à la mort d'un humain. Sarah avait su ; elle-même avait entendu quelque chose, comme un appel, alors que la lune se couchait.

« Vous voyez bien que je ne peux pas rester ici, dit-elle enfin. Tante Hester elle-même a proposé que j'aille rendre visite à Mme McPhee. Inutile de lui dire que c'est davantage qu'une visite.

— J'espère que ce ne sera pas davantage qu'une visite. Hester retrouvera peut-être bientôt son équilibre et alors elle te réclamera. Tu lui manqueras. »

Délie ne dit rien, mais elle était bien décidée à ne jamais revenir.

« Ne prends pas de décision précipitée, ma chérie. Va passer un mois chez Mme McPhee, ensuite nous aviserons. La situation des banques semble s'améliorer, elles pourront peut-être dédommager partiellement leurs clients. En attendant, je t'avancerai ce dont tu as besoin. Mais n'oublie pas que je suis toujours ton tuteur : tu ne peux pas filer au diable Vauvert sans ma permission. »

Un doux sourire atténua la menace implicite à ces dernières paroles. « Bon, il faut que j'aille chercher les moutons. Nous irons tous en ville demain. Hester désire se rendre sur la tombe. »

Délie n'avait aucune envie d'aller au cimetière. Elle ne voulut jamais voir l'endroit où Adam était enterré.

Le matin, elle se leva de bonne heure — elle avait terminé ses bagages la veille au soir — puis, elle fit le tour de la maison en disant adieu à cinq années de sa vie. La matinée était ensoleillée. Les poules caquetaient de contentement, les chiens somnolaient ou claquaient des mâchoires pour attraper une mouche. Elle descendit jusqu'à la hutte de Lige avec une de ses aquarelles du fleuve en guise de cadeau d'adieu. Alors qu'elle revenait le long de la berge, le soleil scintillait sur le plan d'eau uni. Deux pies perchées sur la clôture du jardin chantaient un concert matinal.

Après le petit déjeuner, on attela le buggy, puis on glissa le panier rebondi de Délie sous le siège, à côté des jambons et des volailles préparés pour le marché. Délie avait caché à Bella qu'elle partait définitivement, mais comme si elle s'en était doutée, Bella les accompagna jusqu'à la porte et leur dit au revoir.

Délie descendit du buggy pour refermer la dernière barrière avant de s'engager sur la route basse qui traversait la forêt. Elle se retourna alors vers la maison ; de la fumée montait paresseusement d'une cheminée, exactement comme au premier jour. Jacky, en chemise bleu ciel et chapeau à larges bords, caracolait derrière un troupeau de moutons qu'il menait vers le pâturage du fond. Elle remonta dans le buggy, puis s'assit en tournant le dos à Hester qui ne lui avait pas adressé la parole de toute la matinée.

Tandis qu'ils suivaient la piste zigzaguant sous les grands

arbres, elle leva les yeux vers les portions du ciel bleu visibles entre les troncs, et se demanda si elle reverrait jamais ce paysage.

Quand ils firent halte au pont pour le contrôle des douanes, elle descendit de nouveau et marcha jusqu'au sentier afin de contempler les eaux basses du fleuve en été, lisses et transparentes comme du verre, qui coulaient entre les piliers de pierre. Elle regarda le flux ininterrompu des eaux qui progressaient et descendaient jusqu'à la mer. Et pourtant, le fleuve ne s'arrêtait pas. Quand cette masse d'eau arrivait à destination, le fleuve existait toujours; jamais il n'était détruit, seulement transformé au fur et à mesure qu'il suivait le vaste cycle de distillation et d'écoulement. Il était aussi immuable que la vie; comme elle, il renaissait de ses cendres.

Délie se tourna vers la courbe amont du fleuve. Elle se perdait au milieu d'arbres sombres inclinés au-dessus de l'eau. En aval, on distinguait le haut ponton, les bateaux en attente qui y étaient accostés, le fleuve qui s'incurvait avant de disparaître.

Telle était désormais la direction qu'elle devait prendre: vers l'aval, vers la vie. Elle devait suivre le cours du fleuve, voyager vers les régions inconnues aux abords de la mer lointaine. Debout sur le pont, entre le passé défunt et l'avenir implacable, elle comprit qu'elle ne pouvait demeurer immobile. Car au-delà de la dernière courbe du fleuve, la vie la réclamait.

Livre Deux

AU FIL DU TEMPS

Le fleuve, le fleuve obscur et secret,
porteur d'étranges instants, coule à jamais
devant nous vers la mer.

Thomas WOLFE, *Le Fleuve et le temps*.

29

« Le fleuve monte ! »

La nouvelle se répandit comme une traînée de poudre, le *Riverine Herald* la publia, le fleuve lui-même la proclama, tourbillonnant devant le quai avec une vitesse et un flot grandissants. Les sédiments marron des affluents hivernaux assombrissaient les eaux limpides de l'été.

Là-bas, dans les hautes montagnes de la Nouvelle-Galles du Sud et de Victoria, il avait plu ; et maintenant, la Murray, la Goulburn et la Campaspe mêlaient leurs eaux au confluent d'Echuca.

Cette année, le fleuve serait navigable avant que les neiges ne commencent à fondre, en septembre. Pour une ville qui dépendait du trafic fluvial des vapeurs, c'était crucial ; et même si le fleuve sortait de son lit pour envahir les rues, personne ne s'en plaindrait. Seule la sécheresse était à craindre.

Une activité soudaine s'empara des vapeurs qui devaient remonter le fleuve et avaient passé tout l'été à quai. On fixa des câbles de remorque sur les barges, on poussa la vapeur, et avec des coups de sifflet triomphaux *L'Adelaïde*, *L'Edwards*, *L'Elizabeth* et *Le Success*, chacun remorquant trois barges vides, partirent commencer la saison du bois. Certaines barges seraient larguées au camp des bûcherons, puis redescendraient avec un chargement de billes d'eucalyptus ; d'autres reviendraient avec les vapeurs, chargées de farine d'Albury, Howlong et Corowa.

Le bateau de dragage du gouvernement, le *Melbourne*, était

parti dégager un amas de bûches et de branches au pont Stewart sur la Goulburn. Bientôt, les navires marchands de la Darling et de la Murrumbidgee, surpris par les basses eaux de l'an passé, regagneraient leur port d'attache.

Assise dans son petit atelier au milieu des cadres et des montures, dans le Studio Photographique Hamilton de la Grande-Rue, Délie Gordon ne pouvait rien voir de ce spectacle : le fleuve scintillant au soleil, comme réveillé après un long sommeil, et les ombres qui se déplaçaient sur la berge, sous les grands eucalyptus.

Il n'avait pas plu à Echuca. Les merveilleuses journées ensoleillées de l'automne s'écoulaient calmement ; des escadres dorées et argentées de cumulus filaient dans le ciel, d'ouest en est ; mais quand, à six heures, Délie quittait son travail, le soleil se couchait déjà.

Les bruits de la vie extérieure filtraient dans la pièce où elle passait la journée, témoins de l'animation d'une ville de campagne qui était aussi un port fluvial. Elle entendait les sabots des chevaux tinter sur le pavé de la rue, le gémissement d'une scie à vapeur en aval du fleuve, le grincement des charrettes, les manœuvres des trains. Et puis, tranchant sur le reste, le sifflement strident, excitant, d'un vapeur à aubes arrivant du confluent de la Campaspe.

Elle jeta un coup d'œil sur la cour poussiéreuse et, à côté, derrière une palissade grise, dans la cour de l'hôtel Shamrock. Poussant un soupir, elle se remit à colorier une vue du quai d'Echuca montrant des vapeurs d'où l'on déchargeait des balles de laine. C'était sa première journée au studio, elle tenait à donner entière satisfaction, mais son cœur n'y était pas. Le long sifflement troublant et fascinant du vapeur la fit taper du pied involontairement.

Le petit M. Hamilton, silhouette mince et visage inquiet derrière ses lunettes sans monture, entra brusquement avec une poignée de cartes postales qu'elle avait coloriées pendant la matinée.

Il les posa sur la table, enleva ses lunettes, dont il tapota les cartes.

« Travail très minutieux, mademoiselle Gordon, tout à fait estimable. » Sa bouche était mince, rectiligne, sévère ; Délie ne l'avait jamais vue se détendre. « Si, si ; mais... hum, malheureusement les gens n'aiment pas cela. Ils tiennent à ce qu'il y ait beaucoup de bleu d'Anvers.

— Vous parlez du ciel ? Je ne voulais pas le rendre trop irréel.

— Oui, bien sûr ; mais ce n'est pas la réalité qu'ils désirent, simplement une belle image pour envoyer à leurs amis. Maintenant, regardez le fleuve sur celle-ci ; un peu terne, vous ne trouvez pas ?

— Mais la Murray n'est absolument pas bleue, monsieur Hamilton !

— Certes, certes ; d'habitude, elle est verte ou brune. Mais les gens ont des idées toutes faites. La mer est bleue ; la mer, c'est de l'eau ; par conséquent, dès qu'il y a de l'eau, il y a du bleu. Leur esprit fonctionne à peu près ainsi. Croyez-moi, je sais ce qui se vend. Bon, maintenant essayez de colorier celles-ci. »

Délie fit la moue en approchant la bouteille de bleu d'Anvers. Elle avait été ravie que son vieil ami Angus McPhee lui eût trouvé ce travail, mais elle sut presque immédiatement qu'il n'allait pas lui plaire. Toute sa sensibilité artistique se révoltait contre les diktats du goût du public.

Pourtant, cela lui assurait son indépendance. Plutôt récurer des planchers que de retourner chez tante Hester pour être « l'orpheline », « le poids mort inutile ». « Je ne retournerai jamais à la ferme, jamais », dit-elle à haute voix.

Mme McPhee avait proposé de l'héberger définitivement, comme une sorte de fille adoptive ; mais Délie avait insisté pour payer sa pension, parce qu'elle ne servait pas vraiment à grand-chose dans la maison ; elle voulait consacrer tout son temps à ses études à l'École d'Art d'Echuca. Entre-temps les McPhee étaient partis à Bendigo, et elle se retrouvait seule au monde pour de bon. Seule au monde. Cela semblait pathétique, mais aussi plutôt excitant quand elle prononçait cette phrase en son for intérieur.

Elle avait dépensé tout son argent, bien que la banque eût remboursé une partie de sa fortune perdue lors du krach de 1893. Pendant deux ans, elle avait vécu sur son capital. Tante Hester avait beau habiter à quinze milles seulement en amont du fleuve, elle ne la vit jamais. Lors du premier passage d'oncle Charles et de son épouse en ville, Délie avait échangé quelques mots avec elle, des phrases polies et guindées. Même si elle me suppliait à genoux, se dit-elle en cédant à sa vieille habitude enfantine de tout dramatiser, je refuserais de retourner là-bas.

Non, Echuca était désormais sa ville, l'endroit où elle était allée à son premier bal, à des pique-niques ainsi qu'à des fêtes avec Adam. Elle continuait à jouer au tennis avec Bessie Griggs, à l'accompagner à l'église avec d'autres jeunes gens, ou sur le fleuve pour des excursions en bateau, mais elle s'était éloignée d'elle depuis la mort d'Adam.

Elle pensa aux accents blessés de Bessie quand elle l'avait accusée de sentimentalité : « Tu es tellement froide, Délie, ces temps-ci ! Je suis sûre d'avoir davantage pleuré que toi après la mort d'Adam ; et puis tu ne vas jamais au cimetière. Ton propre cousin ! Il était tellement séduisant... »

Naturellement, elle ne pouvait expliquer à Bessie ce qu'elle ressentait dans un cimetière, à quel point ce lieu suscitait en elle l'horreur suffocante de la mort. Pourtant, elle n'avait pas ressenti cela devant les planches solitaires sous lesquelles sa famille était enterrée, au sommet d'une falaise méridionale ; et le cimetière était sans commune mesure avec les souvenirs qu'elle conservait de la peau chaude et soyeuse d'Adam. Il reposait dans le vaste cimetière communautaire, un peu à l'extérieur de la ville, où chaque confession possédait son secteur réservé, reproduisant ainsi parmi les morts les divisions artificielles des vivants. Il n'y avait pas de cimetière à l'église où Délie se rendait tous les dimanches, davantage par habitude que pour y chercher une sorte de réconfort spirituel.

L'officiant était le révérend William Polson, vicaire de cette même paroisse depuis sa première rencontre avec Délie, à la ferme.

Comme il l'avait regardée dans les yeux, ce jour-là, par-dessus le piano (quel âge avait-elle à l'époque ? Quinze ans, pas davantage !), et il recommençait tous les dimanches matin, quand il serrait la main de ses paroissiens sous le porche. On dirait une poule hypnotisée, songeait irrespectueusement Délie.

Il gardait sa main dans la sienne un peu plus longtemps que nécessaire, tout en prenant des nouvelles de sa tante.

Il avait d'étranges yeux pâles qui s'illuminaient parfois d'un regard fanatique sous ses sourcils incolores. Ah, au diable M. Polson! Irritée, elle tamponna le ciel d'une image d'Echuca, le colorant d'un bleu éclatant. Elle se rappela la dernière visite de l'ecclésiastique chez Mme McPhee.

Il avait délicatement saisi sa tasse de thé pour la porter à ses lèvres avec une élégance surfaite, le petit doigt en l'air, tout en parlant de tout et de rien avant de passer à la politique.

«Nous devons former une Fédération, cela est évident; en l'an 1900, nous serons une nation unie. Le système actuel des États qui se déchirent et luttent les uns contre les autres, est totalement inepte; quant aux restrictions douanières...»

Délie l'avait dévisagé, son visage mince, osseux et pâle, ses yeux profondément enfoncés dans leurs orbites, sa pomme d'Adam proéminente (Adam, son cou brun et solide! Adam, noyé et mort...). C'était le chef spirituel des hommes, l'élu de Dieu; il bénéficiait de toute la dignité de l'Église. Elle l'entendit déclarer d'une voix affectée: «Je reprendrai volontiers de ces délicieux petits gâteaux. Votre gracieuse main en est-elle responsable, mademoiselle Gordon?

— Oh non, mes gâteaux sont toujours immangeables, quand ils ne brûlent pas. Mme McPhee m'a interdit l'entrée de la cuisine, n'est-ce pas, madame McPhee? Combien d'objets ai-je brisés pendant la première semaine de mon séjour?

— Allons, Délie, tu n'es pas aussi malhabile que tu veux bien le dire. Et puis, il faut de tout pour faire un monde; nous ne sommes pas toutes des ménagères accomplies, n'est-ce pas, monsieur Polson? Le Seigneur lui-même n'a-t-il pas dit que Marie avait choisi la meilleure part, tandis que Marthe s'occupait de toutes les tâches pratiques?

— Absolument, madame McPhee. Mais je ne pense pas que...

— Délie n'est peut-être pas un cordon bleu, mais elle peint divinement.» Elle regarda fièrement les deux aquarelles accrochées au-dessus de la cheminée.

Délie garda les yeux baissés pendant que M. Polson se
répandait en compliments.

Elle savait que ses aquarelles étaient d'une facture correcte,
mais que n'importe quelle jeune femme « ayant de l'éducation »
pouvait en peindre des centaines de ce style. Elle rêvait de
travailler sur de grandes toiles, de pouvoir rendre la profondeur, les harmonies subtiles de ce pays surprenant où les
arbres étaient ambre, olive, mauves, mais rarement verts ; où
les cieux étaient si limpides qu'ils semblaient impossibles à
rendre en utilisant la lourde peinture à l'huile.

Son ambition était illimitée ; mais elle se méfiait instinctivement de tous ces compliments de personnes mal informées, et
des remarques du genre : « Philadelphia a un tempérament
tellement artiste. Elle colorie merveilleusement les cartes postales ! »

Après le départ de M. Polson, Mme McPhee la gronda
gentiment : « Ma chère enfant, tu ne devrais pas tenir des
propos aussi déplacés, annoncer que tu es une piètre maîtresse
de maison. Je suis persuadée que ce jeune homme ne va pas
tarder à te faire une déclaration. Tu as remarqué comme il te
regarde ? Tu dois te rappeler que ton visage est un grand atout,
et agir selon.

— C'est trop fort, madame McPhee ! A vous entendre,
vous et tante Hester, on dirait que le seul avenir d'une femme
consiste à se marier et avoir des enfants ! J'ai la ferme intention
de faire une carrière artistique ; je ne compte pas me marier
dans l'immédiat, peut-être jamais ; quant à lui, je ne supporte
pas ses airs alanguis et ses cils pâles. Un jour, je dirai quelque
chose de vraiment scandaleux et il n'osera plus me courtiser. »

Mme McPhee soupira, songeant que si les charmes de Délie
se limitaient au physique, elle était néanmoins bien nantie. Elle
nouait ses cheveux sur le sommet de sa tête, à la dernière
mode, ce qui affinait encore sa silhouette. De cette masse
sombre s'échappaient de petites mèches qui tombaient gracieusement sur son cou et adoucissaient les contours de son front
blanc. En plus de ses grands yeux bleus, la beauté de son
visage aux traits réguliers était frappante.

« En tout cas, reprit Délie qui suivait le cours de ses pensées,
vous oubliez que je suis en partie propriétaire d'un vapeur à

aubes, qui peut très bien me faire gagner une fortune sur la Darling.

— En partie propriétaire ! Quelle part as-tu, si je puis me permettre ? Un vingt-cinquième ! Je ne nie pas que tu avais une dette envers le capitaine Tom, mais je crois que tu aurais mieux investi ailleurs tes cinquante livres. Plus tôt tu lui demanderas de te rembourser, mieux cela vaudra. » Les cheveux gris et frisés de Mme McPhee se dressaient d'indignation autour de son visage menu. « Il aurait pu se dispenser d'extorquer cet argent à la fillette que tu étais à l'époque.

— Je savais ce que je faisais, madame McPhee. Et oncle Charles m'avait donné son accord.

— Oui, mais ton tuteur est un peu... enfin, il manque de sens pratique, ma chérie.

— De toute façon, je sais que Tom proposera de me rendre cet argent dès qu'il aura remboursé les intérêts. Alors je pourrai rester encore un an à l'École d'Art, au lieu de prendre un travail. Ou peut-être ferai-je les deux. »

Maintenant, dans le studio, elle regardait la rangée de cartes postales qu'elle avait fini de colorier, vert vif pour les arbres et bleu éclatant pour l'eau, et réfléchissait à son éternel problème : comment concilier les deux ? Elle avait voulu demander immédiatement à M. Hamilton la permission d'assister aux cours de l'École d'Art, mais son visage fermé et son expression sévère l'en avaient dissuadée.

L'air pressé, il rentra une nouvelle fois dans la pièce — il se hâtait toujours — et jeta un coup d'œil critique par-dessus l'épaule de son employée. Puis il se redressa et se balança d'avant en arrière avec une expression satisfaite, la bouche toujours pincée en une moue austère. Le cœur de Délie battait la chamade.

« Nous y voilà, dit-il enfin, avec un enthousiasme démenti par sa mine. Vous avez compris le truc. Mme McPhee m'avait bien dit que j'étais tombé sur une véritable perle, un authentique tempérament artistique. Ah, ça oui ! Dommage que Mme McPhee quitte la ville. Quelle perte pour la communauté.

— Et pour moi personnellement ; tous les deux vont terriblement me manquer. Ils furent mes premiers amis à Echuca.

Ils voulaient que je les accompagne à Bendigo, mais je tiens à rester près du fleuve.

— En tout cas, je sais qu'ils pensent le plus grand bien de vous.

— Eh bien, j'espère ne pas vous décevoir, monsieur Hamilton. Je voulais vous demander...

— Je suis certain que tout ira bien, ma chère, absolument certain. Rappelez-vous simplement, beaucoup de bleu d'Anvers. Celles-ci sont excellentes.»

La cloche du magasin sonna brusquement et il se hâta d'y retourner. Délie reprit son pinceau en poussant un soupir.

30

Avant de partir, Mme McPhee avait offert une nouvelle robe d'après-midi à Délie; ou plutôt, elle avait acheté dix mètres de bombasin bleu pâle, décoré de délicates guirlandes de roses.

Ensemble, elles avaient dessiné une robe, avec la nouvelle jupe-princesse toute simple, une courte traîne et des rangées de volants autour du large bord. Quand Délie l'essaya pour la première fois, qu'elle noua la ceinture bleue autour de sa taille, elle se sentit différente, plus grande et plus gracieuse. Comme elle retenait d'une main les plis vaporeux de la traîne pour descendre l'escalier, elle paraissait profondément féminine. Elle voulut demander à M. Hamilton de la photographier dans sa nouvelle robe.

Chaque matin, avant de commencer son travail de coloriage, elle devait consulter le livre de rendez-vous, puis épousseter la pièce — un sofa en bois sculpté, un palmier en pot, un décor comportant un escalier peint et une balustrade en marbre, sans oublier le fauteuil rembourré.

M. Hamilton n'aimait pas photographier les enfants, et Délie lui était alors d'un grand secours. Elle asseyait le bambin récalcitrant sur le tapis en fourrure, puis lui enlevait ses chaussures pour qu'il sente la fourrure chatouiller la plante de ses pieds. Les petites filles aux yeux écarquillés de peur et aux énormes ceintures se tenaient debout sur une jambe et glissaient leurs mains dans les siennes. Quant aux petits garçons mutins, vêtus de cols de dentelle et de leurs plus beaux pantalons bouffants, ils cessaient de faire la moue quand ils apercevaient Délie qui leur souriait comme un conspirateur derrière le dos de leur mère.

Elle avait également appris l'art de la retouche, afin que les clients ressemblent davantage à l'idée flatteuse qu'ils avaient d'eux-mêmes : elle atténuait la dureté des traits, assombrissait les sourcils pâles, rehaussait l'éclat des cheveux et des dents.

M. Hamilton, fort satisfait de ses services (bien qu'avare de compliments), se demandait comment il avait bien pu supporter le jeune écervelé qui avait été autrefois son assistant. Mais il ne laissait pas Délie se surmener. Son apparence fragile l'impressionnait ; les jours où elle semblait pâle et fatiguée, il la renvoyait chez elle de bonne heure pour qu'elle se repose.

Pourtant, cette pâleur était naturelle, et la fatigue n'était que de l'ennui ; dès qu'elle avait un moment, Délie se précipitait sur son matériel de peinture, puis sortait pour dessiner et peindre jusqu'aux derniers feux du crépuscule.

Elle avait rangé sa robe dans un carton, qu'elle gardait dans l'atelier où elle travaillait. Après s'être assurée que le livre de rendez-vous était vide pour la matinée, elle enlevait son corsage à col montant et sa jupe de serge bleue pour se draper dans les pans soyeux de sa robe somptueuse. Aussitôt, elle se sentait différente. Avec une brosse et un peigne, elle ondulait légèrement ses cheveux, dessinait quelques boucles sur son front. Ensuite, la tête fièrement redressée et les pans de sa robe traînant gracieusement à terre, elle allait et venait dans le studio.

M. Hamilton, qui déplaçait le sofa pour qu'il fût mieux éclairé, s'arrêta pour la regarder, incrédule. L'excitation avait légèrement teinté de rose les joues pâles de Délie, assombri le bleu intense de ses yeux, tandis qu'entre ses cheveux noirs et ses sourcils foncés, son front semblait blanc comme du marbre.

« Eh bien ! » s'écria M. Hamilton. Triomphante, Délie sourit. « Bon, cette chose est inutile. » D'un geste impatient, il repoussa le sofa. «L'escalier et la balustrade italienne sont maintenant indispensables. Je regrette seulement, ajouta-t-il en saluant et souriant presque, de ne pas posséder un décor digne du sujet.»

Délie resta calme et immobile pendant que M. Hamilton, son sens artistique en éveil, arrangeait la pose de la jeune fille devant l'escalier peint. Il alla chercher un coussin, qu'il posa sur le sol, puis sur lequel il étala la traîne. Il retourna vers son appareil photo, regarda dans le viseur, ressortit de sous le tissu noir, et passa la tête sur le côté.

«Euh... vos mains, mademoiselle Gordon. Je crois que vous devriez les mettre derrière le dos. Non, pas complètement cachées, simplement sur vos hanches... voilà qui est mieux.»

Délie rosit. Ses mains étaient beaucoup trop grandes, elle le savait, et c'était encore pire sur une photo — elles paraissaient osseuses, trop larges pour ses minces poignets.

«Un peu plus de gaieté, s'il vous plaît. Non, je ne veux pas voir vos dents; simplement l'ombre d'un sourire. Voilà... ne bougez plus!»

Et l'image de la jeune fille, telle qu'elle était à cet instant précis et ne serait plus jamais, fut fixée sur la plaque sensible.

Avant de se changer, Délie prit les deux tableaux qu'elle avait rangés au fond de la boîte en carton — une toile tendue sur un cadre, et une aquarelle montée sur une planche. La première représentait une vue de la ville à partir de la rive opposée, avec ses clochers et son réservoir d'eau qui se dressaient parmi les arbres.

«C'est bon, très bon! Il faut que je fasse une photo sous cet angle. Cela fera une excellente carte postale, dit M. Hamilton. Hum! Ces deux peintures sont de vous? Tout à fait remarquable.» Il regarda l'esquisse d'un canot sous un bosquet d'eucalyptus, qui se reflétait délicatement sur l'eau verte.

C'était le moment ou jamais. Elle ramena les peintures vers elle, puis supplia son employeur de lui accorder deux après-midi par semaine pour qu'elle pût suivre le cours de paysage à l'École d'Art. Elle travaillait déjà la nature morte au cours du soir; la peinture était ce qui lui importait le plus au monde...

«Tss, tss! Vous allez bientôt vous marier et fonder une famille, ma chère, alors vous oublierez tous ces enfantillages.

Vous n'allez pas rester seule longtemps, si les jeunes gens d'aujourd'hui ne sont pas complètement aveugles. Hum... combien de cours par semaine ?

— Seulement deux, monsieur Hamilton. Le mardi et le jeudi, à partir de trois heures de l'après-midi. Si vous voulez, je reviendrai travailler le soir. » Elle était très belle et séduisante, penchée en avant dans sa robe bleu clair, ses lèvres tremblant d'excitation.

« Non, je ne veux pas que vous reveniez travailler le soir. » Sa voix était bourrue. « En revanche, vous pourriez arriver plus tôt le matin. Mais surtout, n'allez pas suivre des cours de portrait : je risquerais de perdre toute ma clientèle. »

Les élèves du cours de paysage, équipés de tabourets, chevalets et boîtes de couleurs, sortaient deux fois par semaine pour s'adonner aux plaisirs et surmonter les obstacles de la peinture en plein air — moucherons atterrissant sur la peinture fraîche, rencontres désagréables avec des serpents tigrés ou des taureaux irrités.

Daniel Wise, le professeur, était un paysagiste convaincu qui donnait toute sa mesure dans la nature. Marchant derrière ses étudiants, avec sa vieille veste en velours maculée de couleurs comme un chiffon de peinture, il racontait des anecdotes de sa vie d'étudiant à Melbourne, et de sa fréquentation des peintres.

Il avait été l'ami de Tom Roberts, avait séjourné avec lui et « un jeune type brillant, Arthur Streeton » sur une colline dominant Heidelberg.

« Il y a de cela plus de dix ans... Ah, c'était la belle époque », soupirait-il, sa barbe grisonnante en bataille, ses yeux légèrement globuleux fixés dans le vide. « Je n'oublierai jamais cette colline d'herbe sèche, le spectacle de la Divide au nord-est, rêveuse, lointaine... Des jours merveilleux, vraiment merveilleux ! »

Les élèves faisaient alors attention de ne pas le regarder, car elles savaient que l'émotion embuait ses yeux de larmes. Si les deux amis de Daniel Wise avaient consacré leur vie à l'art, lui s'était marié de bonne heure, avait eu de nombreux enfants et passait maintenant le plus clair de son temps à enseigner dans une petite ville, tandis que son enthousiasme pour l'art et la création déclinait peu à peu.

Avec son impulsivité habituelle, Délie était prête à l'adorer parce qu'il était son maître, parce qu'il était plus âgé, parce qu'il possédait à ses yeux l'aura presque tangible de celui qui a connu Roberts et Streeton. Elle apprit avec étonnement que, comme elle, Roberts était arrivé d'Angleterre enfant et que, comme elle, il avait travaillé chez un photographe.

Quand Daniel Wise passait derrière son chevalet, le sang se mettait à battre dans ses oreilles, elle serrait fermement son pinceau, ajoutait quelques touches minuscules, superflues, en attendant qu'il s'éloignât. Le moindre compliment la faisait rougir de plaisir. Il ne disait jamais grand-chose avant qu'un tableau ne fût achevé, se contentait de souligner un défaut dans la composition ou le tracé de l'esquisse. Il prenait parfois un pinceau et, de quelques touches de couleur dense, métamorphosait un embrouillamini sans caractère en tableau digne de ce nom.

Il commença de s'arrêter plus souvent derrière Délie, parfois avec un grognement approbateur, et de marcher à côté d'elle quand la classe revenait d'un cours en plein air. Peu à peu, la terreur de Délie diminua et ils devinrent amis ; les trois autres jeunes femmes du cours ne se privèrent pas de manifester leur jalousie.

Délie s'en moquait ; leurs deux sujets de conversation préférés, les vêtements et les garçons, l'ennuyaient, et elle préférait discuter avec les hommes. Elle savait que les autres élèves l'avaient cataloguée comme une «rapide», mais elle était heureuse et son travail la passionnait.

Pourtant, le soir, la solitude et le découragement s'abattaient sur elle, quand elle se retrouvait dans sa chambre glaciale pour lire ou dessiner, activités qu'elle préférait aux conversations insipides des autres pensionnaires de l'établissement. Quand la nuit était douce, elle ouvrait sa fenêtre et regardait longuement, au-delà de la maison mitoyenne, la lourde masse des arbres qui poussaient au bord du fleuve.

Pourquoi ne s'était-elle pas installée plus tôt à Echuca, pour profiter de la présence d'Adam ? Pourquoi l'avait-elle déçu,

pourquoi était-il mort ? Les anciens regrets et les questions
sans réponse la hantaient toujours.

Sa modeste collection de livres, une gravure de *L'Été doré*
par Streeton, découpée dans un calendrier, quelques géraniums
sur le bord de la fenêtre, ne réussissaient pas à dissimuler la
laideur et la nudité de sa chambre. A côté du lit se trouvaient
une cuvette cabossée, une commode au vernis jaune qui
supportait un miroir tournant que seul un morceau de carton
coincé dans la monture maintenait en place. Le tout était
surmonté d'une écharpe de soie aux couleurs vives qu'elle avait
achetée en se privant de déjeuner pendant une semaine. Des
toiles éclatantes et des planches peintes, parfois inachevées,
étaient posées contre les murs.

La couleur était maintenant sa passion, la couleur davantage que la forme. Elle aurait dû consacrer plus de temps et de
soin au dessin, mais elle ne pouvait attendre de faire jaillir les
merveilleuses couleurs, si pures, si douces, à la texture si délicate, à l'odeur d'huile si excitante.

Cette odeur lui plaisait davantage que le plus subtil des
parfums ; d'ailleurs, Bessie Griggs lui avait déclaré qu'«elle
sentait toujours le magasin de peinture». Mais la toile et les
tubes de couleur coûtaient cher. Elle suppliait ses amies de lui
donner des couvercles de boîtes de cigares et autres plaques de
bois lisse pour qu'elle pût s'exercer.

Descendant la grande rue à l'heure du déjeuner, elle rencontra oncle Charles sur le buggy. Il se rangea le long du trottoir,
et elle vint caresser le cou luisant de Barney tout en parlant à
Charles.

Aussitôt, elle se revit à l'âge de treize ans, assise dans le
buggy, tandis que son oncle lui expliquait que le krach de la
banque avait anéanti toute sa fortune.

Elle chassa ce mauvais souvenir et sourit à Charles. «Je vais
faire un tableau du *Philadelphia* quand il sera en ville. Le
Fierté de la Murray et l'*Invincible* sont arrivés hier de la
Darling. Mon bateau ne devrait plus tarder maintenant.»

Délie ne portait pas de chapeau. Ses cheveux sombres brillaient au soleil, aussi luisants que la robe du cheval, mais avec
de beaux reflets ambrés. Charles lui sourit ; la mélancolie de

son regard, la courbe découragée de sa moustache étaient accentuées par une sorte d'effondrement, de tassement de toute sa personne. Depuis la mort d'Adam, il avait beaucoup vieilli.

« N'oublie pas de me le montrer quand il sera là. La semaine prochaine, j'amène ta tante en ville pour qu'elle voie le docteur. Elle a énormément maigri, tu sais. Je croyais que c'était simplement la douleur après la mort d'Adam, mais elle a de plus en plus mal au dos et au côté ; apparemment, le médecin juge son état sérieux.

— Pauvre tante Hester ! » se sentit obligée de dire Délie, mais elle pensa que sa tante serait ravie d'entendre un médecin lui déclarer qu'elle avait raison de se plaindre depuis des années. Me voilà bien mesquine, songea-t-elle... Les anciennes blessures étaient loin d'être cicatrisées, et même par charité chrétienne, elle ne parvenait pas à pardonner.

« Sinon, je trouve qu'elle va mieux, dit Charles en la regardant d'un air inquiet. La dernière fois que tu es venue nous voir près du buggy, eh bien, elle m'a semblé contente de te parler ; elle ne montrait plus cette hostilité qu'elle avait manifestée à la mort d'Adam.

— Non, mais j'ai senti que profondément, elle m'en voulait encore. Enfin, elle semblait à peu près normale, si c'est ce que vous voulez dire.

— Oui, oui. A peu près normale. C'est exactement ce que je pense », dit Charles, soulagé.

31

Tous les jours, à l'heure du déjeuner, Délie allait sur le quai pour voir quels nouveaux vapeurs étaient accostés. Elle retrouva d'anciens amis parmi les capitaines, et leur demanda des nouvelles du *Philadelphia*.

Les vapeurs arrivaient désormais quotidiennement de la Darling. Sur le quai, les wagons s'arrêtaient dans un grincement de freins, les grues tournaient, les treuils à vapeur cliquetaient, on transférait les balles carrées de laine portant le tampon de villes situées à l'ouest du pays, sur des trains en partance pour Melbourne. La laine s'entassait non seulement sur les barges, mais en hauts monticules sur les ponts des vapeurs ; en une seule année, plus de deux millions de livres de marchandises avaient transité sur ce quai.

Par une journée limpide de juin, alors que du soleil bas tombait une lumière dorée qui donnait une illusion de chaleur en plein hiver, Délie aperçut le *Clyde* et le *Rothbury* qui accostaient, le petit *Bantam* derrière eux et plus loin un autre vapeur à aubes latérales, peint en blanc. Elle ne pouvait pas encore lire son nom, mais sûrement... oui ! C'était le *Philadelphia*, son homonyme, qui revenait d'un voyage de mille milles dans les terres lointaines de la Nouvelle-Galles du Sud.

Elle enjamba les rails de fer qui surplombaient la zone de travail du quai, puis se mit à courir, sautant par-dessus les obstacles, gros cordages d'amarrage et crochets métalliques. Elle dégringola les marches de bois vers les niveaux inférieurs, et déboucha juste en face de la passerelle du *Philadelphia*.

« To-om ! Hou-ou, Tom ! » appela-t-elle, mais il n'y eut pas de réponse. Le vapeur semblait désert.

Retroussant sa jupe de serge jusqu'aux mollets, Délie traversa la passerelle, puis gravit les étroites marches surmontant la roue à aubes, dans l'intention de frapper à la porte de la cabine principale, où elle pensait que le capitaine devait faire la sieste. Elle était presque arrivée en haut de l'escalier quand elle entendit un sifflement discret et appréciateur.

Elle se retourna sur les marches et baissa immédiatement sa jupe. Un solide jeune homme aux boucles dorées s'appuyait bras croisés, contre la paroi de la chaudière. Il ne souriait pas vraiment, mais ses yeux brillaient d'un éclat particulier.

« Oh ! fit Délie, rougissant légèrement. Je cherche le capitaine Tom. Est-il à bord ?

— Pas en ce moment, non. Puis-je vous être utile ? »

Une vieille casquette négligemment rejetée sur la nuque, l'homme affichait une sorte d'insolence décontractée ; pourtant, sa voix était agréable.

« Je ne crois pas. » Relevant le menton, elle descendit les marches. Mais toute dignité l'abandonna quand elle trébucha sur l'avant-dernière. L'inconnu bondit en avant et saisit son coude d'une main si ferme qu'il lui fit mal. « Attention ! » dit-il.

Non sans difficulté, elle dégagea son bras, puis s'écarta.
«Vous êtes nouveau à bord? demanda-t-elle avec distance.

— Oui. Je suis le second. Vous avez quelque chose contre?

— Oh, mais alors vous êtes un de mes employés. Ce
vapeur m'appartient partiellement.

— Vous êtes donc l'authentique Philadelphia? Quelle merveille...»

La remarque était à double entente. Délie resta silencieuse.

«Cependant, je ne suis pas exactement employé. Voyez-
vous, ce vapeur m'appartient *aussi* en partie.

— Le capitaine Tom a donc vendu une autre part?

— Exactement. La moitié des parts, pour être précis.

— Oh!» Délie se sentit de nouveau rougir; ce type insupportable savait qu'elle ne possédait qu'un misérable vingt-
cinquième, et il se moquait d'elle. Elle avait hâte de partir. «Je
vous prie de transmettre un message de ma part au capitaine
Tom. Il est probablement allé à mon ancienne adresse.
Pourriez-vous lui dire de me joindre au Studio Hamilton, dans
la Grande-Rue? Merci.»

«Studio Hamilton, Grande-Rue. Je n'oublierai pas, Miss
Philadelphia.» Il souleva légèrement la casquette qui recouvrait ses boucles brillantes. Délie se hâta de traverser la passerelle, ne remontant sa jupe que le strict minimum et plutôt mal
à l'aise.

Ce jeune prétentieux croyait-il qu'elle voulait lui laisser son
adresse? Car bien sûr, il était beaucoup trop beau et athlétique
pour ne pas être imbu de lui-même; et quel regard insolent il
lui avait jeté! Elle espérait ne plus jamais le revoir.

«Je manquais de capital, voyez; y fallait un coup de pouce.
C'est pour ça que j'ai pris un associé.» Le corps massif et
gauche de Tom paraissait remplir toute la petite pièce du
photographe. Délie se demanda comment lui et le second
pouvaient tenir simultanément dans la timonerie. «Le grand-
père de ce jeune gars lui a laissé de l'argent; comme il voulait
investir dans un vapeur, je lui ai cédé la moitié des parts. Nous
pouvons vous rendre vos cinquante livres, Miss Delphia, si
vous le désirez.

— Mais non, Tom! J'adore penser que je possède un petit

morceau de votre bateau. Un jour, j'aimerais être propriétaire d'un vapeur et voyager à bord, sur la Murray, la Darling et la Murrumbidgee. Êtes-vous allés jusqu'à Bourke, cette fois? Walgett! Oh, j'aimerais tellement vous accompagner...!

— Hum, Miss, vous savez ce que c'est...» Tom tira sur sa barbe grisonnante. L'effort qu'il faisait pour s'exprimer ridait son front hâlé. «Une jeune dame, et tout... si seulement le second était marié, bon, on pourrait prendre aussi sa femme à bord — comme une sorte de... comment appelez-vous ça?

— De chaperon? Ah oui, la bienséance avant tout! Personnellement, je m'en moque, mais oncle Charles est toujours mon tuteur. Oh, quelle calamité d'être une fille! Ce n'est pas juste.»

Allons bon, pourquoi diable ai-je dit que je ne voulais pas récupérer mes cinquante livres, se demanda-t-elle, stupéfaite. Avec cet argent, j'aurais pu aller à Melbourne et payer l'école de peinture pendant un an... Mais elle était vraiment fière de son vapeur, si seulement cet insupportable second...

«Comment s'appelle-t-il? demanda-t-elle tout à trac.

— Qui donc?

— Le second — votre associé. Je l'ai rencontré sur le bateau, aujourd'hui.

— Brenton Edwards, s'il vous plaît. Mais sur le fleuve, on l'appelle Teddy Edwards. J'ai comme l'impression que ce sera un bon marin.»

Tom fouillait dans la poche de son manteau (elle ne l'avait jamais vu aussi élégant; il portait un complet sombre, un chapeau melon qu'il avait oublié de retirer, ainsi que des bottes). Il sortit cinq billets d'une livre, qu'il compta sur la table. Délie écarquilla les yeux. Jamais elle ne s'était attendue à cela. Elle pourrait désormais acheter plusieurs toiles et quelques tubes de peinture.

Samedi après-midi, elle renonça à aller pique-niquer au pont Stewart, afin de peindre un tableau du *Philadelphia*. Tom lui avait promis de déplacer son bateau en aval du quai pour l'amarrer sur un fond d'arbres, dès que seraient chargées les provisions — farine, thé, pièges à lapins, sucre, balles, sacs de paille, pièces de rechange.

Elle prit son matériel de peinture ainsi qu'une vieille robe qui lui servait de tablier, puis elle descendit au bord du fleuve. Le bateau était amarré en contrebas d'une berge escarpée, mais il y avait un sentier pour y descendre et une sorte de plate-forme où elle pouvait installer son chevalet.

Elle commença fiévreusement ; la lumière, parfaite, ne durerait pas. Un énorme eucalyptus plongeait une partie du vapeur dans l'ombre et mouchetait de taches noires ses superstructures.

Elle n'avait pas emmené de tabouret, car elle préférait travailler debout pour prendre du recul et apprécier sa peinture. Les yeux mi-clos, elle évaluait l'équilibre de la lumière et de l'ombre, décidait des limites de son tableau, esquissait les contours et travaillait sur les zones les plus sombres. Ensuite vint le moment délicieux de presser les couleurs pures sur sa palette.

Le temps passait sans qu'elle s'en aperçût ; le tableau commençait à « venir ». Bien que les ombres eussent bougé, que la lumière eût jauni à mesure que le soleil déclinait, elle conservait dans sa mémoire l'image définitive du tableau.

Avec une énergie et une certitude qu'elle ressentait pour la première fois, elle travaillait d'une main sûre et rapide, chaque coup de pinceau tombant infailliblement au bon endroit.

Elle ajouta quelques irisations sur l'eau, derrière le bateau, puis recula vivement pour en apprécier l'effet. Elle heurta violemment un corps massif qui ne broncha ni ne recula d'un centimètre.

Ouvrant la bouche pour s'excuser, elle se retourna aussitôt, un long pinceau en soie de porc dans une main, sa palette et les autres pinceaux dans l'autre. Une mèche de cheveux tombait sur ses yeux. Elle avait une tache verte sur la joue ; son tablier passé, maculé de couleurs, l'entourait de ses pans informes.

Le sang monta à ses joues pâles quand elle découvrit de qui il s'agissait, et remarqua que Brenton Edwards la tenait à bout de bras, la dévisageait avec une expression fort étrange.

La seconde suivante, il l'embrassa. Elle aurait pu laisser tomber dans la terre sablonneuse son meilleur pinceau ; elle aurait même pu jeter sa palette, avec ses couleurs soigneusement mélangées. Au lieu de quoi elle se soumit, non d'abord

sans raideur, écartant les bras de son corps. Puis elle s'effondra contre lui, perdue, bouleversée, s'abandonnant à une sensation nouvelle.

Dévorée par des tigres, songea-t-elle confusément. Je vais
mourir. Je vais mourir... Mais il l'embrassait maintenant
doucement, de plus en plus tendrement, déposant sur sa
bouche une série de légers baisers qui semblaient prendre
congé de ses lèvres. Quand enfin il la lâcha, elle tituba, aussi
étourdie que si elle se réveillait trop rapidement d'un long sommeil.

Il tendit les bras pour l'empêcher de tomber ; mais alors que
le visage de l'homme s'approchait de nouveau du sien, elle
réagit brusquement. La colère l'envahit soudain. L'insolent !

Ses doigts se crispèrent sur sa palette, qu'elle abattit violemment sur les boucles dorées de Brenton Edwards. «Sale bête ! »

Il rit de surprise, rugit d'un rire tonitruant dont les échos se
répercutèrent comme un chœur de cacatoès. Sa réaction,
ajoutée au gâchis de la peinture à l'huile maculant ses cheveux
de traînées blanches, cobalt, écarlates et jaune ocre, décu-
plèrent la colère de Délie.

«Oh, espèce de... espèce de ! » bafouilla-t-elle. Des larmes de
rage impuissante emplirent ses yeux. Du revers de sa manche,
elle les chassa.

«Calmez-vous, et ne me dites pas qu'on ne vous a jamais
embrassée», fit-il en enlevant un peu de peinture de ses
cheveux, puis se baissant pour essuyer ses doigts sur une touffe
d'herbe.

«Non, mais on ne m'a jamais embrassée ainsi ! Vous savez
très bien...

— Je pensais que... Je ne voulais pas...

— Vous pensiez que je me laisserais faire ! Dès qu'une
femme choisit de peindre, de devenir actrice, une activité
sortant de l'ordinaire, on la prend pour une fille facile !

— Non, pas du tout. » Toute moquerie quitta ses yeux ; il se
mit à la dévisager avec intensité et sérieux. Pour la première
fois, elle remarqua leur couleur bleu-vert, la couleur de la mer
sur la côte méridionale. «Je ne voulais pas me montrer irres-
pectueux. En fait, je n'ai même pas réfléchi. Je suis désolé.
Vous avez simplement buté sur moi en reculant, et puis vous

êtes si touchante avec cette vieille robe bizarre, vos cheveux longs, et cette tache de peinture sur votre joue...»

Elle baissa les yeux sur sa «vieille robe bizarre» pour dissimuler le sourire qui naissait sur ses lèvres; puis, le visage toujours baissé, elle le regarda par en dessous, et, soudain, sourit franchement. «Savez-vous que vos cheveux sont de toutes les couleurs de l'arc-en-ciel?

— Tant pis, je ne regrette rien.» Il lui fit un clin d'œil; le visage de Délie se renfrogna aussitôt, elle lui tourna le dos et entreprit de réunir ses affaires, rangeant ses tubes de peinture dans leur boîte, pliant son chevalet, glissant la toile encore humide sur le dessus de son carton.

«Puis-je voir votre tableau?

— Non, il n'est pas terminé. Je vais devoir essayer de le finir chez moi, et maintenant que toutes mes couleurs sont gâchées sur la palette, il va falloir que je les recompose.» Elle eut un regain de colère à cette pensée.

«Ah, pourquoi vous êtes-vous jeté dans mes jambes et m'avez-vous interrompue alors que j'avais presque terminé?

— Dites donc, après tout, le *Philadelphia* est ma maison. J'allais monter tranquillement à bord quand *vous* vous êtes jetée dans mes jambes.

— Oh!» Elle plongea un pinceau dans un godet de térébenthine, puis l'essuya vigoureusement sur un chiffon.

«Consentiriez-vous à me donner un peu de ce produit? Je ne crois pas qu'il en reste à bord.»

Elle regarda ses cheveux multicolores, hésita, puis versa de la térébenthine sur un bout de chiffon. «Tenez.

— Merci.»

Il frotta ses cheveux pendant qu'elle nettoyait ses pinceaux, mais sans grand résultat. Délie se dit qu'il serait gênant pour elle qu'on vît de la peinture dans les cheveux de Brenton Edwards.

«Laissez-moi faire.» Elle humecta de térébenthine un chiffon propre. «Penchez la tête!» Le plus gros de la peinture partit et elle tira violemment sur une mèche de cheveux.

«Aïe!

— Ça ne fait pas mal.

— Pas vraiment, non.» La bouche close, il lui sourit. Ses

yeux pétillaient ; il posa sur elle un regard appréciateur, qui déplut à Délie.

Comme si j'étais un tableau et qu'il jaugeait mes couleurs, songea-t-elle, aussitôt sur la défensive. En hâte, elle acheva de ranger ses affaires. «Retournez-vous, s'il vous plaît», commanda-t-elle.

Il pivota immédiatement sur ses talons et se mit à contempler la rive. Elle retira son tablier de peinture, ébouriffant un peu plus ses cheveux, puis fourra la vieille robe dans son sac.

«Eh bien, au revoir, monsieur Edwards.

— Je tiens à porter votre chevalet pour vous, Miss Gordon.

— Non ! Je vous l'interdis formellement.» Sur ce, elle s'éloigna.

Avec un léger haussement d'épaules, il la regarda partir. Puis il gravit la passerelle et regagna le pont du *Philadelphia*.

32

Charles commanda un second rhum ; il regardait sans les voir les rangées de bouteilles alignées dans la pénombre du bar de l'hôtel Shamrock. Dans une minute, il irait à côté, au Studio Hamilton, annoncer la nouvelle à Délie ; mais pour l'instant, il avait besoin de la chaleur revigorante de l'alcool.

Ainsi donc, Hester était mourante ! Le médecin avait rendu son verdict, on ne peut plus pessimiste. Cancer à un stade avancé, inutile d'opérer.

Il songea, non sans remords, à son attitude passée devant la maladie bien réelle d'Hester : il avait toujours agi comme si ses douleurs, ses migraines et ses souffrances avaient été feintes, destinées à manifester sa mauvaise humeur ou son besoin d'affection.

Il redoutait la perspective des soins à apporter à la malade, des derniers moments, de la souffrance à laquelle il assisterait nécessairement... Voilà des années que le mariage n'était plus qu'une simple convention, mais il n'en avait pas toujours été ainsi : à une époque...

Hester refusait obstinément d'aller à l'hôpital.

Délie ?... Non, elle ferait une mauvaise infirmière, même si Hester acceptait sa présence. Il devrait faire appel à une infirmière professionnelle. Pourtant Bella, la vieille Bella, était merveilleuse, si douce, si gentille. Elle valait mille fois mieux qu'Annie la fourbe qui avait donné son préavis voici plus d'un mois, tel un rat quittant le navire avant le naufrage.

Les yeux de Délie étaient fixés sur la roue du moulin qui tournait lentement, sur l'éclat frissonnant des feuilles d'eucalyptus de l'autre côté de la fenêtre. Son oncle venait de partir, elle essayait de mesurer la portée de la nouvelle. Tante Hester était mourante ! Et elle n'avait pu verser une seule larme.

On eût dit que, depuis la mort d'Adam, elle ne sentait plus rien, que ses émotions s'étaient pétrifiées en elle.

Elle n'avait même pas proposé de quitter son travail pour s'occuper de sa tante. Au lieu de cela, elle avait dit : « Si vous voulez, je viendrai la voir. »

Oh, quelle générosité ! Alors que sa tante l'avait acceptée sous son toit quand elle était une orpheline perdue dans un pays inconnu. Hester, la sœur de sa propre mère...

Cependant, Délie savait qu'elle serait une piètre infirmière. Et peut-être tante Hester, malgré son attitude plus amicale, la soupçonnait-elle encore d'avoir tenté de séduire oncle Charles ? Non, jamais elle ne pourrait retourner à la ferme.

Le petit vapeur *Julia* remontait péniblement le fleuve, serrant la berge pour éviter le courant. La progression régulière du bateau, le rythme de la chaudière et celui des pales plongeant dans l'eau eurent un effet apaisant sur Délie.

Elle regardait comme en rêve les troncs gris des gros arbres, les forêts d'arbrisseaux et les billes de bois, ainsi que les rives abruptes zébrées de soleil et d'ombre, qui défilaient lentement devant elle.

Le sable des berges, fouaillé par les racines noueuses des grands eucalyptus, était d'un jaune soutenu ; les ombres, indigo. Fermant à demi les yeux pour mieux apprécier les nuances de couleurs, elle vit une barrière fantomatique, comme de grillage pâle, se dresser devant les arbres. Les ouvrant de nouveau, elle découvrit qu'il s'agissait de la marque laissée par la crue de l'an passé, au même niveau sur tous les troncs.

Brusquement, une clairière apparut, puis l'enclos de la bergerie. Ils étaient arrivés.

Elle retournait vers les paysages du passé, comme si elle venait de voyager dans le temps autant que dans l'espace. Chaque arbre, le moindre buisson, la courbe du fleuve, l'inclinaison des arbres au-dessus de l'eau, tout lui parlait d'un bonheur à jamais révolu.

Montant vers la maison à travers le jardin, elle retrouva de vieux amis : la treille sous laquelle ils déjeunaient autrefois quand il faisait trop chaud, le pin au sommet duquel elle se cachait pour échapper à sa tante, le jasmin odorant, masse de tiges fragiles et d'éclatantes fleurs blanches qui pesaient sur la véranda.

Elle retrouva également la balustrade grise et usée, si intimement mêlée à ses souvenirs les plus tendres et les plus douloureux, qu'elle s'en écarta, pensant : non, c'est déjà assez difficile ainsi. Elle contourna ensuite la maison jusqu'à la porte de derrière.

Elle fut accueillie par les aboiements frénétiques des chiens. La vieille Bella, aussi plantureuse et aimable que jamais, jaillit de la cuisine, mains brunes tendues, ses yeux sombres pétillant de plaisir.

« Mon Dieu, Miss Delphia, vous avez grandi ! Quelle belle jeune dame !

— Oui, ça fait presque trois ans, Bella. » Serrant chaleureusement les mains de la cuisinière, elle trouva que Bella n'avait absolument pas changé ; mais elle pensa aussitôt que la cuisine ne devait pas être aussi impeccable que jadis, maintenant qu'Hester ne pouvait plus s'occuper de tout. Délie avait spécialement fait le voyage pour surveiller la préparation du déjeuner du lendemain en l'honneur du pasteur, qui venait donner la communion à sa tante.

« Comment vont Jacky et les autres ? Et Lucy, elle est toujours là ?

— Non. On la voit plus jamais celle-là, dit Bella avec mépris. Elle passe tout son temps au camp, à côté du fleuve !

— Et Minna ? Tu as eu des nouvelles récentes de Minna ?

— Pas bon, Miss Delphia. Elle bientôt mourir, à la mission. Pneumonie, dit Jacky. »

Une jeune indigène, aussi jeune que Minna quand ils étaient arrivés à la ferme pour la première fois, mêmes yeux sombres et brillants, même silhouette gracieuse, arriva à la porte de la cuisine, puis recula timidement.

«Délie ! Tu es là ! s'écria Charles, de la maison. Viens, mon enfant, ta tante s'est fait du souci, elle a cru que tu avais manqué le vapeur. »

Délie s'engagea dans le couloir familier, un étrange malaise lui nouant la gorge. Elle allait être confrontée à Hester dans la chambre de devant, où elle n'était pas entrée depuis le jour de la mort d'Adam. Elle craignait, elle détestait la maladie ; et puis comment se comporter devant son ancienne ennemie, condamnée à une maladie incurable et à une mort lente ? Comment Hester allait-elle l'accueillir ?

Ses inquiétudes étaient superflues, car Hester retrouva naturellement ses anciennes manières : «Entre, entre, mon enfant, cela fait une éternité que j'ai entendu le vapeur accoster au ponton, où diable étais-tu passée ? J'ai demandé à Charles d'aller voir si tu étais arrivée, mais il m'a tannée pour que je mette ma laine, pour arranger les oreillers, les fleurs et Dieu sait quoi encore... Ah, je ne sais pas où peut bien se cacher cette infirmière...

— Elle prépare ton déjeuner à la cuisine, répondit calmement Charles.

— Toutes les mêmes... Cette Annie à qui j'avais tout appris, me laisse tomber juste au moment où j'ai le plus besoin d'elle ; de toute façon, après la mort du vieux Lijah, elle voulait partir. A quoi d'autre pouvait-elle s'attendre, sinon à se retrouver veuve, en épousant un vieillard pareil, hein, je te le demande un peu ? Bon, le pasteur vient ici demain me donner la sainte communion ; je sais que tu n'aimes pas les tâches ménagères, mais je t'aurai au moins dit comment t'y prendre. Peux-tu surveiller Bella à ma place, veiller à ce que la cuisine soit correcte ? Impossible de ne pas l'inviter à déjeuner, après tout le chemin qu'il aura fait.

— Oui, tante », dit Délie. Elle crut avoir de nouveau douze

ans, que tout ce qui s'était passé entre-temps n'avait jamais eu lieu. Hester ne paraissait pas trop changée. Sa voix était ferme, son visage rubicond portait toujours son fin réseau de veines rouges, bien que ses joues fussent légèrement plus enfoncées et que les yeux noirs, jadis brillants, eussent pris la patine de la laque.

On distinguait seulement quelques cheveux gris, sur sa chevelure noire. Délie se sentit soulagée. Hester ne ressemblait pas à une femme condamnée ; le médecin avait dû se tromper.

« Souffrez-vous beaucoup ? demanda-t-elle. J'ai été tellement triste d'apprendre que... que votre état s'était aggravé... C'est-à-dire... de vous trouver au lit..., balbutia-t-elle.

— Oui, c'est pire, c'est bien pire, répondit Hester d'un air triomphant, presque joyeux. Je savais bien que j'avais quelque chose. Personne n'imagine à quel point j'ai souffert. » Son reniflement plein d'amertume avait disparu ; Hester, en devenant le centre de l'attention et de l'inquiétude générales, avait enfin gagné une sorte de bonheur.

Cet après-midi-là, regrettant sa paresse et son inertie passées, Délie organisa avec Bella un nettoyage général de la maison, jusqu'aux bougeoirs de cuivre posés sur le piano. Le canard était déjà prêt pour le déjeuner du lendemain, et Bella reçut l'ordre de préparer un pudding doré, pour lequel on pouvait lui faire entièrement confiance.

Le bruit nostalgique des poules qui caquetaient dans la cour, le martèlement du moulin à vent pompant l'eau du fleuve réveillèrent Délie dans son ancienne chambre et lui rappelèrent d'agréables souvenirs.

Mais elle réalisa aussitôt avec horreur qu'elle avait rêvé non pas d'Adam, mais de Brenton Edwards. Elle ne l'avait pas revu depuis l'incident sur la berge ; elle s'était tenue à l'écart du *Philadelphia*, mais avait plusieurs fois rencontré Tom en ville ; elle essayait de ne pas penser à Brenton. Pourtant, elle avait beau le bannir de sa conscience, le second apparaissait dans ses rêves ; toujours plus grand qu'en réalité, gai, débordant d'énergie, avec ses cheveux dorés. Quand M. Polson arriva dans le sulky de la maison, à une heure et demie alors que le déjeuner était fixé pour une heure, il lui fit l'impression d'un spectre décharné en comparaison du Brenton rayonnant de son rêve.

Il s'excusa d'une voix hachée et volubile. Comme l'eau inondait la route basse, il avait dû emprunter le chemin du haut, et il craignait d'avoir fait attendre la pauvre malade qui souffrait.

Hester n'avait pris ni petit déjeuner ni déjeuner, pour qu'aucune nourriture profane ne souillât sa bouche avant l'ingestion du corps et du sang de son Sauveur ; mais comme elle avait peu d'appétit, elle n'avait pas grand mérite.

En même temps, elle avait décidé de refuser son sédatif habituel et la douleur lancinante (chaque jour un peu plus vive) commençait à l'inquiéter.

Quand l'infirmière lui apprit cet acte courageux, M. Polson s'écria : « Je vais immédiatement administrer le Saint Sacrement à cette femme exceptionnelle ; mais, je vous en prie, qu'elle prenne d'abord son sédatif, pour qu'elle soit en état de recevoir la Sainte Communion.

— L'effet n'en est pas instantané, dit Hester, soulagée de prendre le médicament en poudre, je vous demande donc d'aller déjeuner. Pour ma part, je n'ai pas envie de savoir ce bon canard rôti gâché ; j'attendrai pendant que vous mangez. Allez-y, je vous en prie. »

Délie entra avec quelques branches de jasmin frais dans un vase de cristal, et remarqua pour la première fois une trace de fatigue, de lassitude dans la voix implacable. « Oui, c'est servi, annonça-t-elle, remarquant qu'à la mention du canard rôti, l'œil de M. Polson s'était allumé. Il n'est pas aussi parfaitement cuit que si ma tante s'en était occupée, mais ce sera bon. Je vous en prie, par ici. » Quand elle sourit, le pâle visage du pasteur rougit jusqu'à la racine des cheveux. Noyée au milieu des oreillers, Hester ferma les yeux, un faible sourire sur les lèvres.

Le canard aurait satisfait les goûts les plus difficiles. Stimulé par cette compagnie inhabituelle, Charles pérorait et découpait avec brio. Mais quand Bella servit le pudding fumant, un silence tomba. L'extérieur semblait léger et appétissant, mais le milieu s'était effondré. Une masse gluante et jaune de pudding cru envahit le plat.

«Oh, Bella! s'écria Délie, et la cuisinière accourut de la cuisine. Regarde le pudding; a-t-il bouilli?

— Plus maintenant, Miss Delphia. Il a bouilli trop, bouilli tout le temps. Je me suis dit que trop de farine était mauvais pour le ventre, et ai pensé que M. Polson l'aimerait comme ça.»

Elle jeta un coup d'œil au pasteur, prête à rire au cas où il eût confirmé son goût supposé pour le pudding. Mais l'ecclésiastique regardait obstinément par la fenêtre; ses oreilles étaient roses. Le mot «ventre», extrait de son contexte biblique, était déplacé en société. Ces indigènes sont d'une grossièreté, pensa-t-il.

Charles et Délie échangèrent un sourire complice. Imperturbable, l'infirmière mangeait du pain et du beurre. «Coupe-moi un morceau de l'extérieur, avec de la sauce, dit Charles.

— Ne parlez surtout pas de cela à tante Hester, d'accord?

— Promis.» Il lui adressa un clin d'œil de conspirateur.

L'infirmière était une femme taciturne d'âge mûr, au lourd visage, à la bouche mince et pincée, aux yeux cernés. Pour rien au monde Délie n'aurait voulu se retrouver, impuissante, entre ses mains. Mais Charles avait déclaré qu'elle s'acquittait fort bien de sa tâche.

Elle parla peu à table, sortant seulement de son mutisme quand M. Polson mentionna le chœur de l'église. «Autrefois, je chantais dans un chœur à Melbourne. J'avais une bonne voix de contralto», dit-elle avant de replonger dans son mutisme.

Charles la regarda d'un œil nouveau. «Moi, je suis ténor, déclara-t-il. On m'a souvent dit que j'avais une belle voix; si seulement j'avais eu le temps de travailler un peu...»

Pendant que Délie desservait ce repas profane, le pasteur disposait les symboles de son rituel, le pain et le vin consacrés, le calice; il enfila ensuite le surplis blanc et l'étole brodée.

Il incarna brusquement l'antique dignité de l'Église, devint un personnage important. Il semblait vraiment impressionnant, pensa Délie, son pâle visage aux traits fins, aux yeux fanatiques profondément enfoncés dans leurs orbites, au-dessus de sa robe blanche.

On porta dans la chambre de la malade une petite table

couverte d'un tissu blanc immaculé, ainsi que tous les accessoires du rituel.

Délie s'agenouilla dans la pièce et participa au service, mais
son esprit était ailleurs. Elle remarqua que le pasteur avait de
belles mains aux ongles soignés, mais l'accent nasillard qu'il
adopta pour prier n'avait pas plus de sens, pour la jeune fille,
que le chant des grillons dans le jardin ; il commença la prière
aux malades :

« Ô Père miséricordieux, Seigneur compatissant, notre seul
recours en temps de malheur : nous Te demandons Ton aide au
nom de Ta servante, ici couchée... et qui souffre dans son
corps... »

Après le service, Hester demeura seule avec son conseiller
spirituel. Délie alla dans la cuisine aider à beurrer des galettes
chaudes. Elle revint pour demander à M. Polson s'il désirait
une tasse de thé avant de repartir.

« Votre tante supporte courageusement toutes ses souffrances, Miss Gordon, dit-il en acceptant une des galettes de
Bella, couvertes du beurre fabriqué à la ferme.

— Oui, répondit brièvement Délie. Elle vous a dit qu'elle...
qu'elle allait mourir ?

— Ah, oui. » Il avala un morceau de galette et fut pris d'une
quinte de toux. « Sa résignation est magnifique : digne d'une
authentique chrétienne. Elle a hâte de retrouver son fils au
Ciel. »

Délie regardait la théière. « J'aimerais avoir les mêmes certi-
tudes qu'elle.

— Ah, auriez-vous des doutes, Miss Gordon ? »

Il prononça ces mots comme si Délie souffrait d'une
maladie infectieuse, comme la variole ou la rougeole.

« Parfois, je n'ai pas le moindre doute. Bien au contraire, je
suis tout à fait certaine... qu'il n'y a rien après la mort.

— Ah, Miss Gordon, vous ne savez pas ce que vous dites !
Tous les doutes disparaissent à la lumière de la foi. Un jour,
tout cela deviendra clair pour vous, grâce à Celui qui sait
tout. »

Cela parut à la fois vague et verbeux à Délie. Par la fenêtre,
elle regardait le ciel pâle et lointain, la courbe du fleuve.
« Voulez-vous dire, reprit-elle, que Dieu connaît la souffrance,

la maladie, et que pourtant Il ne fait rien ? Ou qu'Il ne *peut* rien faire ?

— Nous autres mortels ne pouvons comprendre toutes Ses intentions. Nous ne pouvons que prier. »

Mais, pensait-elle obstinément, prier pour qui ? Et comment savoir si nos prières sont entendues ?

33

Quand la guerre éclata en Afrique du Sud, ce ne fut qu'un événement dans le journal, aussi lointain qu'un tremblement de terre au Japon ou un soulèvement en Bolivie ; rien de bien important pour les jeunes gens soucieux de leur plaisir en compagnie de qui Délie passait ses week-ends.

Elle jouait au tennis, participait aux pique-niques et autres excursions en bateau sur le fleuve, aux bals et aux thés. Elle savait qu'on la considérait comme « une rapide » et que les mères des jeunes gens à marier se méfiaient d'elle.

Elle occupait une position unique parmi les amies de Bessie. D'abord, elle gagnait sa vie. Ensuite, elle habitait seule, ce qui n'était pas très bien vu, elle était orpheline et elle ne possédait pas beaucoup d'argent. Aux yeux de la « bonne société » elle était trois fois anormale.

C'était en partie sa faute, car elle faisait peu de cas des conventions. Les deux jeunes gens qui rivalisaient pour être son chevalier servant tirèrent rapidement avantage de ce fait ; quand l'un réussissait à embrasser Délie en un lieu tranquille, il s'en vantait auprès de son ami, exagérait l'étendue de ses prouesses, si bien que tous deux devinrent bientôt plus entreprenants.

Délie acceptait tout cela avec un détachement amusé. Aucun des deux garçons ne la troublait comme Adam l'avait fait, aucun ne provoquait sa colère comme Brenton Edwards y avait réussi... Elle remarquait froidement la montée de leur excitation et de leur asservissement. C'était pour elle un jeu auquel elle pouvait mettre fin lorsqu'elle le désirait.

Elle connaissait ses moments de plus grand bonheur quand

elle était seule, ou quand elle peignait ; malgré tout, elle aimait la compagnie et pouvait être aussi gaie et enjouée que n'importe quelle jeune fille de son âge. Elle participait aux pique-niques et aux bals avec entrain et bonne humeur, mais brusquement sa joie la quittait. Elle s'isolait, regardait les silhouettes tourbillonner sur la piste de danse, aussi irréelles que des marionnettes, tandis qu'une infinie tristesse, sans objet et sans fond, s'emparait d'elle. Ou bien elle s'écartait d'un pique-nique bruyant pour rejoindre la rive du fleuve dont l'écoulement régulier l'emplissait de mélancolie, tout en s'harmonisant avec l'agitation indéfinie de son propre esprit.

Les nuances délicates du ciel qui se reflétaient sur les eaux calmes, la forme sombre des grands arbres l'emplissaient d'une émotion inexprimable. Elle désirait dilater son être aux dimensions du monde visible ; elle était le fleuve et son flux éternel, ainsi que le ciel tendre et illimité.

C'était le fleuve, plus que n'importe quel être, qui la retenait à Echuca ; le fleuve antique de la légende indigène, qui descendait des montagnes derrière la vieille femme et son Serpent magique, dessinant ses méandres sur la moitié d'un continent, avant de se jeter dans une mer lointaine.

Il n'y avait personne en ville à qui elle pût vraiment se confier, ouvrir l'intimité de son cœur. Daniel Wise lui semblait sans épaisseur, et elle ne pouvait prendre au sérieux les garçons avec qui elle sortait. Elle découvrit brusquement, et non sans un choc, que c'étaient des hommes, qu'ils allaient jouer leur rôle dans un monde d'hommes. Car un beau matin, Kevin Hodge entra timidement dans son atelier, portant un nouvel uniforme kaki, et lui annonça qu'il se faisait photographier avant d'embarquer pour l'Afrique du Sud.

Il s'entraînait avec la garde nationale depuis quelque temps déjà, et devait partir de Victoria avec le prochain contingent. Deux autres garçons, George Barrett et Tony Wisden, s'en iraient avec lui.

Horrifiée, elle trembla d'appréhension à l'idée de ce jeune homme sans défense affrontant les énormes et cruels Boers à propos desquels circulaient les histoires les plus effrayantes. Il semblait injuste que Kevin, avec ses joues roses et glabres, ses yeux foncés bordés de longs cils féminins, fût envoyé pour se battre contre eux.

Elle promit de lui offrir une photo d'elle avant son départ pour l'Afrique du Sud.

Deux semaines plus tard, assise dans sa chambre après le dîner, elle dessinait sa main gauche au crayon, quand on frappa à la porte. C'était sa propriétaire, qui arborait un sourire sardonique; elle lui annonça un visiteur — un jeune homme.

Étonnée (car elle avait vu Kevin dimanche soir, et John, l'autre jeune homme, était à Melbourne), elle descendit l'escalier en courant. Kevin arpentait nerveusement l'entrée de la maison. Les pupilles de ses yeux étaient dilatées au point d'envahir tout l'iris, ses joues d'adolescent colorées de rose.

«Délie! Pourrais-tu sortir un instant?

— Sortir? Mais je suis fatiguée, Kev. Et puis je suis en train de dessiner...

— Peu importe. Prends un manteau et viens.»

Elle hésita un instant, consciente du regard désapprobateur de sa propriétaire qui était restée en retrait. Puis la nervosité contenue de son ami la toucha, sa fatigue disparut soudain, elle lança un bref: «Attends-moi dehors», remonta l'escalier quatre à quatre, enfila un long manteau et noua un fichu vaporeux sous son menton.

Surexcité, Kevin faisait les cent pas. Il s'avança vivement à sa rencontre, puis saisit son bras d'une main brûlante, crispée. Il était râblé, pas très grand, et ils marchaient en un parfait unisson; le mouvement de leurs pieds, de leurs jambes, le balancement de leurs hanches étaient pour eux un véritable plaisir. Ils allèrent jusqu'au bout de la grande rue, vers l'arche d'eucalyptus marquant l'entrée du parc. Délie se raidit puis se figea sur place. «Pas ici, Kev!

— Où, alors? Je veux te dire convenablement au revoir. Sais-tu pourquoi je t'ai demandé de sortir? Nous partons très bientôt, après-demain. Je t'ai apporté une photo de moi.» Il lui tendit un carton où était collée sa photo; à la faible lueur du réverbère elle vit son visage frais et juvénile lui adresser un sourire confiant, sous le chapeau de l'armée aux bords relevés. Elle glissa la photo dans sa manche.

« Retournons sur nos pas, allons sur les berges du fleuve.

— Vers le pont ? D'accord, mais dépêchons-nous, grommela-t-il. Je veux pouvoir t'embrasser dans un endroit où il n'y aura personne. »

Elle pinça légèrement son bras. L'excitation de Kevin avait réveillé son audace. Et si on la voyait en compagnie d'un jeune homme dans les rues obscures, se dirigeant vers les fourrés proches du fleuve ? Après tout, elle n'avait aucune réputation à défendre.

Ils descendirent en longeant la fonderie silencieuse ; juste au-dessus du quai, où un train de marchandises s'arrêtait dans un grincement de freins, ils découvrirent la surface du fleuve jonchée d'étoiles. Au-delà du talus abrupt, s'étendait une large plate-forme recouverte par les eaux en période de crue.

Seul résonnait l'appel d'un canard sauvage ou d'une poule d'eau dans les roseaux de la rive opposée. Le fleuve glissait, silencieux et paisible. Tenant Délie par la main, Kevin l'emmena à l'écart de la ville, par-delà les gros piliers en ciment du pont ; puis ils s'écartèrent un peu du bord de l'eau, il enleva son manteau, l'étendit sur l'herbe et installa tendrement Délie dessus. Il s'agenouilla devant elle et regarda son pâle visage, à la lueur dédoublée des étoiles du ciel et de l'eau.

« Tu vas prendre froid ! protesta-t-elle.

— Non, je brûle. Donne-moi tes petites mains pour que je les réchauffe.

— Elles sont loin d'être petites. » Elle avait envie de rire. « Elles sont grosses et maladroites. »

Il saisit les mains de Délie, et les plaça contre sa mince chemise pour lui faire sentir les battements précipités de son cœur.

« J'aimerais tant pouvoir faire battre ton cœur ainsi.

— Tu pourrais peut-être. » Oh, pourquoi disait-elle ces niaiseries, pleines de coquetterie et de stupidité ? Son cœur était mort, enfoui dans la tombe d'Adam.

« Vraiment ?... Je pourrais ? » murmura-t-il, sa bouche brûlante collée à l'oreille de la jeune fille. Elle écarta la tête, mais les lèvres du garçon descendirent doucement vers les siennes, sa jeune bouche tendre rencontra celle de Délie, qui soupira rêveusement. Pourtant, son pouls battait toujours aussi régulièrement.

Comme en rêve, elle sentit les mains de Kevin explorer la douceur de sa peau. Jamais elle ne s'était trouvée elle-même aussi belle, comme si elle avait toujours ignoré qu'elle possédait un corps ; seuls les doigts délicats de Kevin le lui révélèrent. Elle finit par le repousser pour s'asseoir, son fichu tombant sur ses épaules, ses cheveux décoiffés.

« Délie ! Délie ! Je t'aime. » Le tremblement exalté de la voix de Kevin la toucha, mais elle s'éloigna davantage.

« Moi, je ne t'aime pas, Kevin.

— Mais tu dois, il le faut, juste un peu ! Pourquoi es-tu venue ?

— Je suis désolée que tu t'en ailles, et tu voulais me dire au revoir. Maintenant, il faut vraiment que je rentre, sinon la porte sera fermée.

— Tu ne veux pas que je te dise au revoir comme je le désire. » Sa bouche était triste, il se laissa tomber à terre et enfouit son visage dans ses bras.

Cette réaction de petit garçon l'émut ; dans la faible lumière, la forme de sa tête, ses cheveux gris, ressemblaient à ceux d'Adam. Elle se rappela brusquement la nuit éclaboussée de lune où elle avait refusé Adam, l'avait envoyé à la mort.

Ce garçon aussi allait probablement mourir... Elle tendit le bras et caressa les épais cheveux bruns. Il saisit sa main, embrassa les doigts, la paume, le poignet. Quand il l'attira à terre près de lui, elle ne résista pas.

Tous deux étaient très jeunes, très inexpérimentés ; mais Délie en savait assez pour comprendre qu'il ne s'était pas vraiment passé grand-chose, qu'elle ne risquait pas de subir le sort de Minna. Ils rentrèrent en silence, le bras de Kevin serré autour de la taille de Délie, leurs corps marchant harmonieusement dans les rues désertes.

Devant la porte, il l'embrassa longuement. « Laisse-moi monter avec toi, murmura-t-il. Laisse-moi passer la nuit avec toi. »

Elle secoua fermement la tête. Elle commençait à s'étonner de ce qu'elle avait fait. Tout cela semblait futile, comme s'il s'agissait de quelqu'un d'autre. «C'est impossible, Kev. Je suis désolée.»

Quand elle monta dans sa chambre, elle se sentit réchauffée, comme fondue; la gangue de dur métal enserrant son cœur avait commencé de fondre.

Elle s'assit au bord de son lit, dénoua pensivement son fichu, puis secoua ses cheveux emmêlés. D'un tiroir de sa commode, elle sortit ensuite une petite photo la représentant en robe bleue. (M. Hamilton lui avait demandé d'en colorier une; ce fut tellement réussi qu'elle trônait maintenant dans la vitrine du magasin pour attirer les clients.)

Elle rangea soigneusement dans le tiroir le portrait de Kevin, et enveloppa l'autre pour le lui offrir. Elle se jeta ensuite sur son lit et contempla le plafond. Pourrait-elle jamais aimer de nouveau? Elle écrirait de longues lettres à Kevin, au front, elle tricoterait des chaussettes pour lui, elle lui enverrait des livres; elle serait une sœur pour lui, mais rien d'autre.

Avant que la décrue du fleuve n'interrompît tout trafic, Délie reçut une lettre par l'un des derniers vapeurs qui put arriver à Echuca — il avait mis dix jours pour venir de Swan Hill, manquant de s'échouer plusieurs fois. La lettre arrivait de Bourke, près de la frontière occidentale de la Nouvelle-Galles du Sud. Cédant à une excitation aussi soudaine qu'inexplicable, qui lui fit déchirer brutalement l'enveloppe, elle découvrit la signature maladroite d'un homme peu habitué à tenir un crayon. Elle avait deviné juste : Brenton Edwards. Son écriture était appliquée comme celle d'un écolier, mais gauche. Elle saisit les feuilles de la lettre, passa les doigts sur l'encre des mots, comme s'ils avaient possédé une vie autonome. Puis elle étala la lettre devant elle et commença par le commencement.

«Chère Mademoiselle Gordon,

«Je vous expédie cette lettre par l'intermédiaire d'un ami, car je n'ai aucune confiance dans la poste; en revanche, je sais que le commandant du *Kelpie* fera tout son possible pour arriver à Echuca et vous la remettre en main propre. Je crains d'avoir de mauvaises nouvelles à vous annoncer.

« Cela concerne ce pauvre vieux Tom. Il examinait le moteur et en enjambant l'arbre d'entraînement des roues, sa jambe de pantalon s'est prise dans un taquet relié à un treuil. Avant que nous puissions intervenir, sa jambe fut arrachée. Nous sommes juste arrivés à Bourke pour le voir mourir à l'hôpital.

« Il avait une peur bleue de finir ses jours à l'hospice où on lui aurait interdit de jurer et de chiquer son tabac. Il n'a plus de raison de s'inquiéter maintenant. »

Délie sauta quelques lignes et poursuivit : « Vous êtes donc désormais propriétaire d'un vapeur à aubes — enfin, de la moitié d'un vapeur... » Apparemment, Tom avait toujours eu l'intention de lui léguer le *Philadelphia* ; il était resté conscient assez longtemps pour signer un papier où il lui donnait sa part. Brenton Edwards avait pris les fonctions de capitaine. Ils déchargeraient probablement à Swan Hill avant la fin de l'année.

« Vous serez heureuse d'apprendre que Tom n'a pas trop souffert avant de mourir ; très affaibli par le choc et le sang qu'il a perdu, il s'est tout simplement endormi. J'ai confectionné une croix avec le gouvernail du *Philadelphia*, car je me suis dit qu'il était tellement fier de son bateau qu'il aimerait reposer en sa compagnie, bien que son bateau l'ait tué. »

Avant de comprendre parfaitement le sens de tous ces mots, elle avait remarqué à son insu une ou deux fautes d'orthographe ou de grammaire. Elle s'était si souvent demandé quel genre de lettre il lui écrirait ! Mais c'était une bonne lettre, qui montrait davantage de sensibilité qu'elle ne l'aurait cru.

Ensuite, le sens de la lettre l'abasourdit. Le *Philadelphia* était à elle ; la moitié, du moins. Et Tom — ce cher Tom, généreux, aimable et bougon — n'était plus.

Figée dans son petit atelier, Délie sentit une larme brûlante tomber sur la main qui tenait la lettre. Ce bon vieux Tom, échapper à un naufrage pour mourir ainsi ! Elle chercha son mouchoir, toujours taché de bleu de Prusse, de sépia ou de vermillon. Pour la deuxième fois seulement depuis des années, elle pleura — elle avait aussi pleuré lors du départ en train des trois garçons d'Echuca qui rejoignaient leur contingent à

Melbourne. Pourtant, ce ne fut pas à cause d'eux qu'elle pleura, mais sur son propre sort ; les sifflements de la locomotive, les jets de vapeur brûlante, la foule, les drapeaux, la musique martiale de l'orchestre, l'avaient emplie d'une violente frustration, du désir d'être un homme et de partir vers des pays lointains.

Le lendemain, quand son oncle vint la voir, elle bondit de sa table, tout excitée par l'importance de la nouvelle, tenant à lui montrer que son investissement de cinquante livres, que lui-même avait toujours qualifié de mauvais placement, lui rapportait maintenant dix fois plus.

Un seul regard au visage de Charles suffit à la faire taire. « Qu'y a-t-il ? L'état de tante Hester s'est aggravé ?

— Oui, ma chérie. La fin est très proche, Dieu merci. Elle souffre beaucoup maintenant, et son esprit est toujours aussi dérangé. Toutes ces dernières semaines, elle n'a pas cessé de se plaindre. C'est terrible, c'est... » Ses lèvres tremblèrent un peu ; il s'assit.

Délie rougit de honte ; elle avait presque oublié la maladie de sa tante. Charles était venu lui demander de rentrer à la ferme pour y rester jusqu'à la mort d'Hester. Elle-même désirait voir Délie, semblait tenir à faire la paix avant qu'il ne fût trop tard ; de plus, elle avait besoin de soins nuit et jour, si bien que l'infirmière était débordée.

Après le départ de Charles, Délie demanda à M. Hamilton la permission de prendre un congé.

« Votre tante, n'est-ce pas ? demanda-t-il en penchant la tête en arrière pour regarder son employée à travers son pince-nez. Elle n'a pas de fille ?

— Oh non, M. Hamilton ! Je suis en quelque sorte sa fille adoptive, elle m'a élevée depuis l'âge de douze ans, quand j'ai perdu mon père et ma mère, et ensuite son seul fils est mort (comme elle pouvait en parler facilement aujourd'hui, sans sentir sa gorge se nouer), elle n'a personne d'autre que moi. Ma mère était sa sœur et...

— D'accord, d'accord, dit-il sèchement. Mais revenez dès que possible. »

34

Derrière les rideaux à demi tirés sur les baies vitrées, la terre se desséchait sous le soleil de l'été. Comme vitrifié par la chaleur, bougeant à peine entre ses rives abruptes, le fleuve renvoyait l'image parfaite du ciel bleu et des arbres inclinés. Bien que l'eau du miroir passât lentement, remplacée par l'eau venant de l'amont, le reflet ne se modifiait jamais, tel l'arc-en-ciel sur une cascade, toujours identique, mais toujours différent dans sa composition.

D'un pas nerveux, Délie alla regarder par les baies vitrées, puis retourna auprès de sa tante. La lampe de chevet, désormais allumée jour et nuit, signifiait davantage pour la malade, dont l'univers s'était rétréci aux dimensions de sa chambre, que le lever et le coucher du soleil.

A la lumière de la lampe, sa peau jaune et cireuse semblait tendue sur les os, le nez et le front saillaient tandis que ses yeux étaient profondément enfoncés dans leurs orbites. Elle tourna lentement la tête : « Tu m'as bien dit que la lune brillait, mon enfant ? Que la nuit était claire ?

— Oui, ma tante. »

La nuit précédente, elle avait remarqué que la lune était pleine. Maintenant, il faisait grand jour, une lumière aveuglante emplissait le jardin, les ombres étaient courtes et très noires ; mais à quoi bon expliquer cela ?

« Voulez-vous boire quelque chose ? demanda-t-elle.

— Oui... je crois. Quand vais-je prendre mon sédatif ?

— Vous venez de le prendre, ma tante, il y a une heure. Vous avez très mal ?

— Oui, très. » Sa bouche, auparavant rouge et lippue, avait rétréci pour prendre une expression d'amère résignation. Délie porta le verre à ses lèvres. Les doigts jaunâtres de sa tante serrèrent faiblement le verre sans parvenir à le tenir.

Hester se mit à secouer la tête de droite et de gauche sur son oreiller, comme si elle essayait d'échapper à quelque chose. Une plainte jaillissait parfois de sa bouche, ou un cri : « Seigneur, ayez pitié ! »

Délie sortit en courant de la chambre pour aller chercher

l'infirmière, qui prenait son thé matinal. Agacée, elle se leva, son tablier empesé craqua et elle ajusta ses manches amidonnées.

«Ce n'est pas aussi grave qu'elle le prétend, dit-elle. Les malades jouent souvent la comédie, voilà tout...»

Délie regarda la petite bouche pincée, les lourdes bajoues, les yeux chafouins cernés d'ombre. Qu'avait donc fait la vie à cette femme? Elle semblait n'avoir reçu aucune affection, et bien décidée à n'en procurer aucune.

«Oh, infirmière, je veux mon médicament. J'ai mal, j'ai très mal aujourd'hui.

— Vous l'avez pris il y a une demi-heure, madame Jamieson.

— Donnez-m'en un autre, juste un autre. Le docteur l'ignore, mais un seul ne me suffit plus.

— Je ne peux pas prendre cette responsabilité. Dans trois heures...

— Trois heures!» Hester se mit à pleurer doucement.

«Moi, j'en prends la responsabilité, intervint Délie en saisissant les sachets d'opiacés sur la table.

— Donnez-moi ça!» L'infirmière les lui arracha des mains. «C'est moi qui commande ici, Miss Gordon.» Elle glissa les sachets dans la poche de son tablier. Son visage était de marbre.

Heureusement, le docteur devait effectuer l'une de ses rares visites dans l'après-midi. Peu après la piqûre qu'il lui fit, les traits torturés de l'agonisante s'apaisèrent, elle cessa d'agiter la tête et, respirant lourdement, sombra dans un profond sommeil.

L'accompagnant jusqu'à son sulky, Délie lui apprit ce qui s'était passé le matin même et lui demanda de laisser des opiacés plus puissants.

«J'ai déjà dit à votre tante qu'elle serait mieux dans un hôpital, répondit-il d'une voix cassante en enfilant ses gants jaunes. Elle n'a rien voulu savoir, et maintenant elle est trop faible pour qu'on la transporte.

— En tout cas, plus tôt ce sera terminé, mieux cela vaudra. Elle n'a aucune chance de guérir, n'est-ce pas?

— Aucune.

— Alors pourquoi ne pas faire quelque chose pour l'aider? Vous ne laisseriez pas un chien souffrir ainsi, vous lui éviteriez toutes ces douleurs.

— J'ai augmenté la dose; mais si on l'augmente trop tôt, le médicament perd tout pouvoir, et la seule chose capable de calmer la douleur serait aussi une dose mortelle. Et cela nous n'avons pas le droit de le faire. Au regard de la loi...

— La loi! Qu'est-ce que la loi connaît à la souffrance?»

Il haussa les épaules, puis monta dans le sulky. «Ce ne sera plus long maintenant. Elle est très faible.»

Pendant un certain temps, l'état d'Hester parut s'améliorer; elle était si maigre qu'elle ne semblait plus pouvoir souffrir. Elle dormait facilement, se réveillait avec un calme que Délie ne lui avait jamais vu — le visage détaché et lointain de celle qui s'apprête à quitter ce monde.

Un soir où Délie était seule dans la chambre avec sa tante, celle-ci se réveilla et Délie fut presque étonnée du regard doux et aimant que la malade lui adressa. «Charlotte?» s'écria-t-elle soudain, d'une voix forte et claire.

«Qu'y a-t-il, tante? C'est moi, Délie.

— Oh! Mon enfant, j'ai cru un instant que tu étais ta mère. J'ai rêvé, rêvé, tellement rêvé...

— Vous avez dormi longtemps.

— Bientôt, je m'endormirai pour la dernière fois. Et alors je reverrai Lottie et Adam. Ils m'attendent là-bas, de l'autre côté du fleuve. Ça ne va pas tarder maintenant.» Délie regarda silencieusement le plancher.

«Je voulais te dire — c'est pour cela que j'ai demandé à Charles de te ramener ici — que je... que j'ai eu tort de t'accuser de la mort d'Adam. C'était un garçon têtu, et peut-être que... Malgré tout, tu aurais mieux fait de ne jamais venir vers nous. Oui, j'aurais préféré ne jamais te rencontrer.»

Délie leva les yeux, stupéfaite et choquée. L'ancienne lueur de haine brillait de nouveau dans les ternes yeux noirs.

«J'ai essayé de te pardonner; j'ai prié; mais c'est comme ça, je n'y peux rien. Je suis désolée, Délie, mais j'ai eu une vie trop dure. Je ne peux plus changer maintenant. Je ne te hais plus, je

n'ai plus la force d'aimer ni de haïr quiconque, mais au fond de
mon cœur, je ne t'ai pas pardonné.

— Voulez-vous que je retourne à Echuca, alors ? Je suis
seulement venue...

— Non, non. J'aime bien ta présence ici. Je n'attends plus
rien de Charles, les malades semblent l'effrayer, il ne vient
presque plus jamais à mon chevet ; et pour te dire la vérité, je
n'aime pas cette infirmière.

— Moi non plus... Chut, elle arrive. »

L'infirmière entra avec un bol de bouillon de bœuf, qu'elle
entreprit de faire boire à sa malade, avec des petits morceaux
de pain ; au bout de quelques cuillerées, Hester détourna la
tête.

« Je n'en veux plus. Je ne veux pas manger. Les aliments ont
perdu leur goût. Délie, sors donc prendre un peu de soleil. Je la
trouve très pâle, n'est-ce pas, infirmière ?

— Le soleil est couché, madame Jamieson. »

Délie sortit sur la véranda. Il y avait encore assez de
lumière pour Charles, assis devant le salon, un journal à la
main. Le fleuve brillait comme de l'acier poli entre les arbres,
les moucherons formaient de petits nuages contre le ciel pâle.

« Pourquoi n'allez-vous pas la voir ? dit-elle à voix basse.
Elle est parfaitement consciente ce soir, et j'ai l'impression que
la fin est très proche.

— Oui, oui, tu as raison. » Charles replia son journal avec
une hâte coupable. « Mais je me dis parfois que je l'ennuie.

— Autrefois je pensais la même chose, mais il me semble
qu'elle a plaisir à nous voir. »

Il traversa la véranda, silhouette maigre et voûtée, puis
entra dans la chambre de sa femme.

Deux jours plus tard, Hester se mit à tousser. Pendant toute
la journée et toute la nuit, endormie ou éveillée, elle toussa. Le
lendemain matin, un samedi, Charles partit de bonne heure en
buggy pour aller chercher le médecin ; mais peu après son
départ, elle cessa de tousser et tomba dans le coma. Sa respiration devint sifflante et lente, sa bouche restait ouverte. De
temps à autre, son souffle s'arrêtait ; suivaient alors quelques
inspirations rapides, puis un autre arrêt. Chaque fois que la

respiration d'Hester s'arrêtait, Délie retenait aussi la sienne, et attendait...

Ensuite, Hester commença à s'agiter. Elle remuait la tête de droite et de gauche sur l'oreiller, son front se plissait, elle marmonnait et geignait. Sa tête bougeait sans cesse, comme si elle essayait d'échapper à une souffrance insupportable. En désespoir de cause, Délie essaya de la ramener à la conscience.

« Tante, tante Hester, qu'y a-t-il? Vous m'entendez? » lui disait-elle en tenant sa main.

L'espace d'un instant, la tête s'immobilisa, les paupières fermées tremblèrent, luttèrent pour s'ouvrir; mais Délie vit seulement une fente blanche, des yeux révulsés. Le va-et-vient de la tête sur l'oreiller reprit.

« Oh, Seigneur, pourquoi le docteur ne vient-il pas?

— Elle rêve, voilà tout, déclara l'infirmière.

— Comment le savez-vous? s'écria Délie en se tournant violemment vers elle. Comment pouvez-vous savoir à quel point elle souffre? »

A cet instant précis, l'aboiement des chiens annonça le retour du buggy ou l'arrivée du docteur. Délie sortit en courant par la porte de derrière et aperçut avec soulagement la silhouette corpulente du docteur qui descendait du cabriolet. Elle voulut embrasser ses mains tandis qu'elle portait avec mille précautions la petite sacoche noire contenant les accessoires magiques du sommeil paisible, la promesse de la douleur soulagée.

Il prit le pouls d'Hester, sortit aussitôt une seringue de sa sacoche et la remplit. « Vous êtes réveillée, madame Jamieson? demanda-t-il d'une voix forte. Je vais vous administrer un médicament qui vous aidera à vous reposer. »

Pendant qu'ils regardaient, le médicament envahit ses veines, et l'emporta loin au-dessus des tourments lancinants de la douleur. Son front s'apaisa, sa mâchoire tomba, ses yeux s'immobilisèrent dans les cavernes des orbites.

Le docteur commença son examen, pendant que Délie s'attardait sur le pas de la porte. Soudain, il poussa une exclamation, sortit un mouchoir et le plaqua contre son nez.

« Infirmière! Elle a une terrible hémorragie. Je n'ai jamais... Vite! Voudriez-vous sortir, s'il vous plaît? » ajouta-t-il sèchement à l'intention de Délie, qui était devenue blanche comme un linge dès qu'elle avait senti l'odeur fétide. Elle courut dehors, puis jusqu'au fleuve, respirant à pleins poumons pour chasser cette horreur, inhaler l'odeur propre et brûlante de l'herbe sèche qui jaunissait au soleil.

Elle attendit que le cabriolet du docteur se fût éloigné pour revenir lentement, presque à son corps défendant, vers la maison. Alors qu'elle entrait dans le couloir, l'infirmière fermait la porte de la chambre d'Hester.

«Le docteur a dit qu'elle ne sortirait plus de son coma. Ce n'est plus qu'une question de temps.

— Oui... Je me demande pourquoi mon oncle n'est pas là. Elle peut mourir d'un moment à l'autre?

— Oui. Mais elle tiendra peut-être jusqu'à demain. Pourtant, cela m'étonnerait, après ce qu'elle a perdu cet après-midi...» et avec une délectation morbide elle se lança dans un récit détaillé qui donna la nausée à Délie.

Elle était assise seule dans le salon. Il n'y avait rien d'autre à faire qu'à attendre et écouter. Les interruptions de la respiration lourde semblaient maintenant durer plusieurs minutes. Délie attendait, en proie à une sorte d'excitation maladive : était-ce la fin? Mais toujours, avec des soubresauts, la respiration reprenait.

Bella entra avec un plateau et du thé; elle but une tasse mécaniquement, puis alla appeler l'infirmière. Le visage de sa tante était un masque mortuaire, la peau cireuse, épousant les formes du crâne, les yeux enfoncés, les joues collées aux dents; mais les nerfs s'obstinaient à effectuer leur travail, un souffle rauque agitait la poitrine de l'agonisante. Les bougies étaient allumées, et Charles ne revenait toujours pas. Délie sortit, erra sans but. Elle ressentait de l'aversion pour le visage lourd de l'infirmière, et comme une oppression physique à l'idée d'être seule avec elle dans la maison.

Elle n'avait pas touché à son matériel de peinture. Elle ne pouvait détacher son esprit de la présence de la mort, se glisser dans la transe où elle n'était plus qu'un instrument enregistreur des rythmes de la nature et de ses vibrations subtiles. Elle se sentait désaccordée du monde entier; la disposition familière des étoiles lui était devenue étrangère. Elle rentra et proposa à l'infirmière d'aller se reposer pendant qu'elle veillerait. A dix heures et demie, l'état de l'agonisante était stationnaire ; l'infirmière revint et Délie retourna se reposer au salon.

Enfin, vers minuit, alors qu'elle somnolait dans son fauteuil, l'infirmière entra et annonça calmement : «Elle est morte, Miss Gordon.

— Quoi ! Pourquoi ne m'avez-vous pas appelée ? M. Jamieson est-il rentré ?

— Non. Je vous ai appelée dès que j'en ai été sûre. Voulez-vous que je m'occupe du corps ? Il y a un supplément pour les derniers soins.

— Oui, oui, bien sûr», s'écria-t-elle, outrée par l'efficacité glacée de cette femme. Elle traversa le couloir vers la chambre de sa tante, se sentant coupable de l'avoir laissée mourir seule en compagnie de cette créature sans cœur. Cependant, la mort était toujours une affaire solitaire, même au milieu d'une foule d'amis éplorés.

La mort n'avait pas beaucoup changé Hester ; la bouche toujours ouverte, les yeux clos, elle semblait dormir, mais plus profondément et paisiblement qu'auparavant. Aucun son ne franchirait plus jamais ces lèvres autrefois si amèrement pincées, et qui, dans leur béance présente, témoignaient de l'abandon définitif de toute volonté.

Il était presque une heure, l'infirmière achevait son travail quand le bruit des chiens réveillés annonça le retour de Charles. Entré par la porte de derrière, il alla directement dans sa chambre. Délie traversa le couloir et frappa à sa porte.

«Tout de suite, ma chérie, tout de suite. J'suis un peu en retard, hein ? Co... comment va ma femme ?» marmonna-t-il en ouvrant la porte avec difficulté. Délie le regarda. Elle ne l'avait jamais vu dans cet état.

«Elle est morte. Il y a une heure.

— Morte ? Elle est... elle est morte ? Euh... j'ferai bien d'aller la voir.» Il semblait malheureux, accablé de remords.

«Il n'y a rien qui presse ; elle vous attendra», dit méchamment Délie avant de faire demi-tour. Elle comprenait maintenant que la nature acariâtre d'Hester n'était pas entièrement responsable de l'échec de ce mariage ; ce n'était pas la première fois, elle en était certaine, que Charles abandonnait son épouse au milieu d'une épreuve.

Au matin, quand elle entra dans la pièce silencieuse, elle remarqua d'abord la lampe éteinte, cette lampe qui avait brûlé nuit et jour pendant des semaines. L'infirmière avait effectué une sorte de fumigation dans la chambre, et Charles, pour réparer son absence de la veille, avait été cueillir une brassée de lis dans le jardin. La chambre sentait l'église ; la forme rigide allongée sur le lit semblait une effigie de pierre gravée sur une tombe.

Dehors, un papillon orange voletait de-ci de-là, ivre de soleil ; les abeilles bourdonnaient parmi les pétunias qu'Hester avait plantés sous la fenêtre donnant sur le côté de la maison. Au bord du fleuve, les feuilles des eucalyptus bruissaient dans la brise matinale, brillantes et polies comme de l'acier.

Un bruit de scie et de marteau venait de derrière, là où Charles et Jacky construisaient un cercueil en pin. L'infirmière avait suggéré que, dans le cas d'Hester, il valait mieux enterrer le corps aussi rapidement que possible ; de plus, il faisait chaud.

Charles fit preuve d'une surprenante obstination quand Délie proposa qu'Hester fût enterrée dans le petit enclos près de la colline de sable, où reposaient les trois enfants inconnus. « Non, elle voulait reposer à côté d'Adam, et c'est là qu'on l'enterrera. Nous pouvons la transporter là-bas cet après-midi. »

Il était déjà midi quand la carriole et son lourd fardeau oblong, couvert de jasmin blanc et de lis, s'engagèrent sur le chemin à sec bordant le fleuve. Bella et la nouvelle jeune domestique, Jessie, qu'aucune affection ne pouvait lier à sa maîtresse défunte, entonnèrent une mélopée entrecoupée de gémissements suraigus, tandis que la carriole franchissait le portail. Délie, qui ne possédait aucun vêtement noir dans sa garde-robe, était bizarrement perchée sur une boîte ; elle portait une robe de mousseline blanche à volants, alors que l'infirmière, vêtue de sombre, était assise devant, à côté de Charles.

Le soleil frappait directement sur leurs têtes et la chaleur était lourde, du moins jusqu'à ce qu'ils pénètrent dans la forêt d'eucalyptus. Là, bien que les rayons verticaux du soleil fussent tamisés par les frondaisons, l'air immobile était étouffant ; des fleurs qui se flétrissaient sur le cercueil montait un âcre parfum, derrière lequel Délie redoutait de discerner une autre odeur, qu'elle sentit bientôt. Une mouche passa en bourdonnant, revint, décrivit quelques cercles, puis se posa sur le flanc de la carriole. Délie la chassa sauvagement, mais elle revint. Bientôt, il y en eut deux.

Quand ils roulèrent sur l'avenue menant au pont, les mouches les suivaient comme un essaim d'abeilles grouillant parmi les fleurs. Hébété, Charles conduisait mécaniquement. Délie chassait les bestioles avec un lis à longue tige, mais elles s'obstinaient à revenir. Quand ils arrivèrent au pont et qu'un douanier endormi émergea lentement de sa petite guérite, Délie était quasiment hystérique. Elle faillit lui lancer au visage : «Rien à déclarer ! Seulement un cadavre. Aucun produit à taxer. Seulement un cadavre !»

Au cimetière se produisit un contretemps imprévu. Le fossoyeur n'était pas là ; il fallait aller le chercher pour creuser la tombe.

«Je la creuserai moi-même ! s'écria rageusement Charles.

— Le fossoyeur sera là dans une minute, dit le gardien, imperturbable. Mais il me faut un certificat de décès avant l'enterrement.

— Je ne l'ai pas encore, le médecin n'était pas là, nous venons directement de la campagne, vous comprenez. Il ne pensait pas qu'elle vivrait plus d'un jour ou deux, mais il n'a évidemment pas laissé de certificat.

— Alors vous feriez bien d'aller en chercher un pendant que je m'occupe de la tombe. Il y a un supplément le dimanche.

— D'accord, d'accord. Mais si cela ne vous dérange pas, nous laisserons le cercueil ici sous les arbres. Pour des raisons évidentes. Infirmière, j'aimerais que vous veniez avec nous. Le médecin aura peut-être besoin d'un témoin.»

Ils attendirent de nouveau chez le médecin, qu'on avait appelé en urgence. Délie et l'infirmière restèrent dans la salle d'attente, pendant que Charles se rendait chez le pasteur.

Mais M. Polson, qui goûtait un repos bien mérité entre deux offices, refusa d'abord de le recevoir, puis lui déclara qu'il n'enterrait pas les gens le dimanche. Quand Charles lui expliqua qu'il s'agissait d'une urgence, il accepta à contrecœur, mais déclara qu'il avait besoin d'un certificat de décès.

Nouvelle visite au médecin, qui venait juste de rentrer. Charles se sentit mieux une fois le certificat en poche. Il commençait à croire qu'il vivait un cauchemar.

Au moment de ressortir dans la lumière éblouissante de la rue, Délie vacilla et sa vision se brouilla. Elle essaya de se rattraper au portail. Un vacarme sans nom résonnait dans sa tête, les ténèbres s'abattaient de tous côtés.

« Je crois que je vais m'évanouir », dit-elle avant de s'écrouler.

Elle revint à elle dans le cabinet du médecin.

— Vous êtes surmenée, mademoiselle, dit-il gravement. Vous en avez assez fait pour aujourd'hui. Il est inutile que vous assistiez à l'enterrement par cette chaleur. Si vous avez des amis en ville chez qui passer la nuit, je préférerais que vous ne voyagiez pas ce soir.

— Oh, je... je n'habite pas la ferme, je vis ici.

— Tant mieux. Alors allez vous coucher tout de suite.

— Je l'emmène directement chez elle, docteur, dit Charles. Cette pauvre enfant n'a rien mangé depuis ce matin.

— Je me sens bien. Je tiens absolument à aller au cimetière. » Elle se mit à protester, mais ses jambes se dérobèrent sous elle quand elle essaya de se lever.

Ils déposèrent l'infirmière chez elle sur le chemin de la pension. On l'aida à monter l'escalier et Délie put se glisser dans son lit avec un immense soulagement. Il lui semblait qu'on avait battu tous ses membres, que son corps était creux et douloureux.

Sa propriétaire lui apporta un peu de nourriture sur un plateau, mais elle y toucha à peine. Elle but une tasse de thé et goûta la salade de pommes de terre, mais ne put se forcer à manger la tranche de rôti froid. Elle songea que jamais plus elle ne mangerait de viande. Le goût de la mort était dans sa bouche.

35

A l'automne arriva une lettre joyeuse de Kevin Hodge, apparemment ravi par sa vie aventureuse de soldat à l'autre bout du monde :

Nous nous sommes mis en route le 3 janvier, marchant jusqu'à Natal, où nous sommes tombés sur deux cents Boers environ, que nous avons repoussés de l'autre côté de la frontière ; deux d'entre nous ont été blessés. Ce pauvre vieux Barrett n'a pas supporté les pistes ; il est mort deux jours plus tard.

Hier nous avons reçu du courrier, j'ai eu ta lettre et les journaux que mon père m'a envoyés. Grand plaisir d'avoir de tes nouvelles et de lire ce bon vieux *Riverine Herald*. Ici, je m'occupe d'une mitrailleuse, avec cinq autres servants. Elle tire sept cents coups à la minute, c'est une merveilleuse machine...

Dès l'arrivée de la nouvelle, un service funèbre fut organisé en ville à la mémoire de George Barrett, et l'on tint des discours émouvants à propos de ceux qui « sacrifiaient leur vie pour l'Empire » ; pourtant, cette lettre était tout sauf larmoyante. Kevin parlait de la mort comme d'un fait naturel, contrepartie inévitable de la vie et de la guerre.

Les nouvelles furent bientôt plus inquiétantes : Mafeking était assiégé, ses défenseurs n'avaient que peu de chances de résister longtemps. Mais le jour où la nouvelle extraordinaire arriva par câble électrique, le *Herald* fit imprimer une affiche spéciale, MAFEKING LIBÉRÉ, et la ville fut plongée dans la liesse. Les cloches de toutes les églises et de la caserne des pompiers battirent à toute volée, les habitants tirèrent des coups de feu en l'air.

Une seule fois Délie s'était rendue à la ferme pour prendre des nouvelles de Charles. La fidèle Bella, toujours aussi gaie et rebondie, préparait une cuisine correcte ; mais la saleté commençait à envahir les coins de la maison ; la table de la cuisine, autrefois immaculée, avait pris une patine grise, et le sable du sol avait besoin d'être renouvelé.

Quand, le premier matin, Délie souleva par hasard un coin

de ses œufs sur le plat, et qu'elle découvrit que le dessous était vert foncé, elle en déduisit l'état de la poêle à frire.

Jessie, la jeune indigène, était vive et enjouée. Levée de bonne heure le deuxième matin de son séjour, Délie surprit la fille qui sortait de la chambre de Charles sur la pointe des pieds. Jessie était donc la nouvelle maîtresse de son oncle.

Délie comprit avec tristesse que Charles préférait la saleté presque sordide de sa vie présente ; désormais trop vieux pour changer, il ne trouverait jamais une autre femme à la hauteur d'Hester. Il se laissait aller et son apparence n'était pas très reluisante. A l'arrivée de Délie, il ne s'était pas rasé depuis plusieurs jours, il ne taillait plus sa moustache, ses yeux étaient humides, bordés de rouge. Peut-être seule son épouse avait-elle réussi à convaincre cet homme naturellement indolent de prendre soin de sa personne ; ou bien il s'agissait d'un lent processus de désintégration durant des années, mais qu'elle ne remarquait que maintenant, à la faveur de son séjour.

Elle rentra à Echuca, bien décidée à ne jamais retourner à la ferme. Elle serait toujours contente de voir Charles, autrefois son seul allié dans un monde inconnu ; mais l'endroit où il vivait évoquait trop de souvenirs douloureux.

Depuis la mort de Lige, des signes de négligence se manifestaient sur toute la propriété ; portes brisées, clôtures défoncées, volaille picorant librement dans le potager, les plates-bandes fleuries d'Hester retournaient à l'état sauvage.

Quand les premières crues gonflèrent le fleuve, Délie les accueillit comme un signe avant-coureur du *Philadelphia* et de Brenton Edwards ; mais elle ne reçut aucune nouvelle avant le mois de juillet. Hélant le capitaine du *Waradgery* alors qu'il accostait à l'heure du déjeuner, elle l'interrogea à propos du *Jane Eliza*, car les capitaines ignoraient souvent le nouveau nom du bateau.

« Le *Jane Eliza*, vous dites ? Ah, ça, je suis passé devant près de la pointe du Cheval-Mort. Il ne va pas tarder à arriver. Parole, il a une sacrée chaudière ! Heureusement, avec les traitements que lui inflige son mécanicien. Il bondissait comme un fou quand nous l'avons doublé ; il se serait volontiers assis sur la soupape de sécurité au risque de tout faire exploser, si le capitaine l'avait laissé faire. Quel manque de pot pour ce pauvre vieux Tom.

— Oui... Je sais. Il m'a laissé la moitié du bateau.

— Vraiment ? Le jeune Teddy Edwards a pris le relais. Il fera un bon marin... le jour où il comprendra qu'il a encore beaucoup à apprendre.

— Le capitaine Tom devait être un bon professeur.

— Et comment ! Mais seul le temps peut vous enseigner certaines choses. »

Attendant au soleil dans la brise fraîche, guettant le coup de sirène du vapeur, Délie fut soudain inquiète. Elle remarqua des traces de peinture bleue sous ses ongles, commença à s'interroger sur sa coiffure, regretta de ne pas avoir mis un corsage propre ce matin. Elle s'élança brusquement et courut jusqu'au studio.

Les manœuvres d'accostage retiendraient son attention, se dit-elle, et puis mieux valait le rencontrer ici, dans son petit atelier, qu'en public, sur le quai...

Elle s'appliqua à colorier une mariée et ses demoiselles d'honneur, mais un pincement bien connu, une sorte de creux dû à l'excitation, tiraillait son estomac. Elle se leva afin de brosser ses cheveux pour la troisième fois.

Néanmoins, elle garda la tête baissée et feignit d'être occupée quand elle entendit enfin sa voix dans le magasin ; il demandait à M. Hamilton la permission d'aller la rejoindre. Quand elle leva les yeux, sa silhouette s'encadrait dans l'embrasure de la porte.

Elle bondit sur ses pieds et renversa un pot de peinture. Il ne se départit pas de son léger sourire.

« Bonjour, Miss Philadelphia. Avez-vous bien reçu ma lettre ? » Il ne portait pas de chapeau ; elle regarda ses boucles dorées pendant qu'ils se serraient la main, pensa à la peinture et à la térébenthine.

« Oh, oui, merci. C'est gentil de m'avoir écrit pour m'apprendre la nouvelle — à propos de ce pauvre Tom et de sa générosité envers moi. » Ses paroles semblaient raides, mais elle ne pouvait s'exprimer avec naturel. « Nous sommes donc associés maintenant ?

— Exactement. Vous ne voulez pas venir voir votre homo-

nyme sur le quai? J'ai cru que vous seriez là pour nous
accueillir.

— Vous savez, nous avons beaucoup de travail ici, et...

— Alors, il ne faut pas que je vous importune plus longtemps, dit-il en faisant mine de partir.

— Ce sera bientôt l'heure du déjeuner, ajouta-t-elle vivement. Et j'aimerais beaucoup y aller.

— Très bien! Vous pourrez donc déjeuner avec moi,
m'emmener dans un restaurant correct. Je suis las du menu du
fleuve, saturé des poissons de la Murray. Nous descendrons au
quai dès que vous serez prête, Miss Philadelphia!»

Il était maintenant le seul à l'appeler par son prénom entier,
mais de sa part cela lui plaisait assez... Elle ne pouvait plus
rien faire pour son corsage, pensa-t-elle anxieusement, tandis
qu'elle enfilait son manteau et posait un calot de marin sur ses
cheveux noirs.

Pourtant, le regard qu'elle jeta derrière elle dans le morceau
de miroir la rassura; elle aperçut sa peau blanche, des lèvres
rouges pleines de santé, des yeux bleus frangés de cils noirs
sous des sourcils rectilignes. Elle regrettait que ses sourcils ne
fussent pas minces et incurvés comme ceux de Bessie; mais au
moins ils étaient sombres et bien dessinés.

Elle enleva la peinture bleue de sous ses ongles au-dessus
d'une petite cuvette d'eau, puis s'assit impatiemment en attendant une heure.

Sur le pont supérieur, Brenton Edwards retira sa casquette
et agita la main en signe de bienvenue. Elle descendit les
marches de bois jusqu'au niveau inférieur du quai, et le rejoignit sur l'étroite passerelle où il l'attendait pour l'aider à
monter à bord. Le fleuve était encore assez bas; une odeur
humide et pleine de nostalgie montait des bancs de vase.

L'étreinte de sa main solide envoya un choc électrique le
long de son poignet, puis de son bras, vers son cœur et son
cerveau, où une brève panique se déclencha. Mais ils furent
bientôt sur le pont, il lâcha sa main, et elle remarqua aussitôt
les regards mi-timides mi-admiratifs de l'équipage, regroupé
près du tambour de roue, sous lequel se trouvait la cuisine.

Elle aperçut d'abord un Chinois doté d'une longue natte. A

côté de lui, se tenait un petit homme en bleu de chauffe maculé d'huile, portant une vieille casquette de toile, noire de graisse et d'huile de moteur, sous laquelle deux yeux brillaient d'une lueur fanatique.

«Le mécanicien, Charlie McBean, dit Brenton. Et voici le second, Jim Pearce.» Il désigna un homme brun et maigre, aux yeux gris, au visage buriné et bronzé.

«Voici votre nouveau patron, les gars. Miss Philadelphia Gordon.»

Un murmure embarrassé s'éleva du groupe. Un gamin aux yeux sombres et au visage mince la regardait, bouche bée.

«Dis bonjour, Ben.

— Bonjour, fit Ben, d'une voix brusque.

— C'est notre matelot et notre aide-cuisinier. Et voici. Ah Lee, le cuistot.

— Très heureux, mademoiselle, dit Ah Lee en s'inclinant très bas.

— Je suis ravie de vous rencontrer tous, et... et de revoir mon homonyme, si propre et bien entretenu», dit-elle timidement.

Le mécanicien marmonna quelque chose dans sa moustache grise, comme «Jane Eliza» ou «sacrées femmes», puis regagna sa chaudière.

«Il est un peu bourru en ce moment, il prendra probablement une bonne cuite ce soir, dit Brenton à voix basse. A jeun, il n'a pas son pareil sur tout le fleuve pour tirer toute la puissance d'un moteur sans le faire exploser. Son seul problème est la boisson. Il avait une sacrée gueule de bois à Louth, sur la Darling, et c'est parce qu'il n'était pas en état de travailler que Tom l'a remplacé et s'est fait arracher la jambe par cet arbre d'entraînement. Charlie ne se l'est jamais pardonné.

— Nous devrions peut-être nous en séparer, si on ne peut pas lui faire confiance?»

Elle avait dit «nous» sans y penser, et maintenant elle s'en voulait de paraître donner des ordres. Brenton répondit assez sèchement: «Je vous ai dit qu'on ne trouvait pas meilleur mécanicien sur tout le fleuve. Et puis il ne s'enivre pas souvent.

— Oh, je vois. Bien sûr. Faites-moi visiter encore une fois le bateau.»

Quand ils eurent fait le tour du bateau, de la cuisine à la timonerie en passant par le minuscule salon, ils allèrent déjeuner.

«J'espère que tu la ramèneras à bord, Teddy», cria Jim Pearce.

La familiarité avec laquelle on s'adressait au capitaine décontenança Délie; tous les membres de l'équipage semblaient l'appeler «Teddy». Mais après tout pourquoi pas, si tous savaient qui était le patron?

J'ai encore certains préjugés, pensa-t-elle, mécontente d'elle-même.

Le déjeuner fut fort réussi. Brenton dévora un steak épais, puis trois œufs avec des frites. Elle aimait voir un homme en bonne santé savourer sa nourriture, et pour une fois elle-même mangea de bon appétit.

Il donnait une impression d'assurance et de maturité comme un homme habitué à prendre des décisions; elle se surprit à le comparer, à son avantage, aux garçons avec qui elle était sortie récemment. Le regard de ses yeux bleus comme la mer, parfois plus verts que bleus, était tantôt direct et intime, tantôt vague et lointain, comme s'il contemplait une longue portion du fleuve.

Une attirance subtile, électrique, les reliait, au point que le seul frôlement de leurs doigts quand il saisissait le sucrier qu'elle lui tendait, ou bien l'intonation de sa voix, lui faisaient prendre pleinement conscience de sa virilité.

«Je constate que vous avez réussi à enlever toute la peinture de vos cheveux», le taquina-t-elle au milieu du repas.

«Je me demandais si vous vous rappelleriez notre dernière rencontre», dit-il avec un regard insistant.

Mais elle ne se sentit pas gênée. «Oh, je n'ai pas oublié», rétorqua-t-elle en jetant un coup d'œil à ses boucles dorées. Une fois encore, elle eut envie de les toucher, de les enrouler autour de ses doigts.

«Vous avez continué à peindre?

— Oui, j'étudie toujours à l'École d'Art, mais je n'ai plus l'impression d'apprendre grand-chose. Je crois que je devrais aller à Melbourne, à l'école de la National Gallery. Ici, les élèves... ne travaillent pas assez sérieusement ; il n'y a pas assez de compétition. Vous me trouvez peut-être prétentieuse ?

— Non. Je suis sûr que vous peignez bien, même si je n'ai jamais vu vos tableaux.

— Ici, la plupart des gens préfèrent les cartes postales coloriées de chez Hamilton.

— Vous les coloriez très bien.

— Le résultat est horrible, mais je suis payée pour cela. » Pour la première fois, elle se sentit en désaccord avec lui. « J'aimerais que mes tableaux se vendent moitié aussi bien. Dépenser de l'argent compte parmi les plaisirs mineurs, mais agréables, de l'existence.

— Je ne sais pas. Je suppose qu'il en est ainsi pour les femmes. L'argent n'a pas grand sens pour moi, sinon quand j'en manque. C'est comme une garantie contre le besoin, cela évite de faire un boulot qu'on n'aime pas.

— Vous aimez le fleuve, n'est-ce pas ?

— Je l'adore ! Mais je n'ai pas besoin de beaucoup de *choses* !

— Moi non plus ! Je n'y avais pas pensé jusqu'ici, mais vous me le faites découvrir. Naturellement, j'aime les beaux vêtements, les chapeaux neufs, les chaussures élégantes. Mais les choses, comme une petite maison avec des roses devant la porte, des fanfreluches sur le manteau de la cheminée et des vases qui cassent — tout cela étouffe la vie. »

Il éclata de son grand rire sonore, faisant sursauter une serveuse à l'autre bout de la salle. « Heureusement que certaines personnes aiment les objets, sinon vous ne vendriez pas une seule peinture. »

Elle rit. « C'est vrai. Mais après tout, un vapeur à aubes n'est rien d'autre qu'une très grosse chose.

— D'accord, mais une chose qui bouge. Les vapeurs ne restent pas à l'ancre comme les maisons. Et puis il y a chose et chose. Par exemple, j'aime bien acheter des livres.

— Moi aussi. Et des gravures.

— Vous voyez, nous formons une parfaite paire de collectionneurs.

— Oh, j'envie tellement votre existence sur le fleuve ; j'aimerais tant me réveiller dans un nouvel endroit chaque matin. Parfois j'étouffe à Echuca. J'imagine que je me sentirais seule dans une grande ville, mais je meurs d'envie d'aller à Melbourne, et même si je meurs de faim...

— Ne vous bercez pas de rêves romantiques sur les grandes villes. Ce genre d'existence, mourir de faim dans une chambre de bonne, et ainsi de suite, tout cela semble charmant rétrospectivement. Ensuite on oublie toutes les angoisses, la nourriture médiocre, le froid et la misère. Mais sur le moment, ça n'a rien de drôle, sinon dans les livres romantiques. Vous regretteriez bien vite Echuca.»

Elle le regarda d'un air perplexe. «On dirait que vous avez vécu tout cela.

— En effet. A peine sorti de l'adolescence, je suis parti de chez moi parce que je ne m'entendais pas avec mon père. J'ai perdu ma mère à douze ans...

— Exactement comme moi!» Ils se regardèrent, frappés par la coïncidence. «Et vous êtes allé à Melbourne?

— Oui, j'ai traîné dans les rues à la recherche de travail, j'ai accepté tous les petits boulots qu'on me proposait; j'avais presque toujours faim. Mais j'étais trop entêté pour retourner à la maison et demander pardon à mon père. A l'époque, je n'avais jamais assez d'argent pour me payer des chaussures neuves, je ne travaillais que de temps en temps. Quand j'ai découvert qu'on demandait un matelot sur un bateau du fleuve, j'ai foncé. Et quand mon grand-père est mort en me laissant un peu d'argent, je ne pouvais plus me passer du fleuve. Une fois qu'on y a tâté, c'est pour toujours.

— Oui, je sais, mais Echuca est tellement provincial. Ce n'est ni Sydney ni la brousse. Personne n'entendra jamais parler de mon travail ici, et puis je n'apprends plus rien de valable.

— Vous devriez économiser pour passer une année à Melbourne. Notre dernier voyage nous a rapporté un peu plus de cent livres, bien que nous soyons restés longtemps bloqués à Bourke. Vous avez donc droit à cinquante livres pour commencer; vous pourriez démarrer avec ça... Bon sang! Je voulais parler de nos affaires au début du repas et vous m'avez fait oublier toutes mes résolutions.»

Il la regardait intensément, comme s'il mémorisait jusqu'au

moindre détail de son visage, ou essayait d'y lire la réponse à une question encore informulée; Délie baissa les yeux, confuse.

« C'est trop tard maintenant, dit-elle. Je dois me sauver.

— Alors nous déjeunerons de nouveau ensemble. Que diriez-vous de venir dîner à bord? Ah Lee sera à terre ce soir, mais je suis bon cuisinier, vous verrez, vous serez surprise. »

Elle hésita une seconde, voulut lui demander si le second serait à bord; mais elle eut alors la certitude que, dans le cas contraire, Brenton ne l'aurait pas invitée sur le *Philadelphia*. « Oui, je crois que c'est une bonne idée. En tout cas, vous êtes certainement meilleur cuisinier que moi. »

Il saisit légèrement son coude et la guida jusque dans la rue. « J'aimerais voir ce qu'est devenu votre tableau, celui que j'ai interrompu si grossièrement. Vous pourrez l'amener à bord, ou l'avez-vous déjà vendu?

— Non. Je voulais en faire cadeau à Tom. Je vous le donne, vous pourrez l'accrocher dans votre, euh, cabine.

— Dans mon salon. »

Délie se hâta de regagner le studio, fronçant les sourcils puis souriant, secouant la tête de droite et de gauche puis de haut en bas, comme si elle poursuivait une conversation.

Il est beaucoup trop sûr de lui, se dit-elle en elle-même; pourtant il peut être parfois tellement enfantin. Non, il suffit de le regarder pour voir que ses yeux sont trop petits, sa bouche trop dure. Il a quand même beaucoup de charme...

Penser que j'aurai peut-être assez d'argent pour aller à Melbourne, voir l'Art Gallery et, si tout va bien, y étudier pendant un an!

De joie, elle fit un petit saut en l'air.

Juste devant elle clopinait une vieille femme aux vêtements noirs élimés, au dos voûté; ses mains tremblaient et elle secouait spasmodiquement la tête. Délie la regarda avec un mélange de pitié et d'horreur.

Si je ne peux plus sauter en l'air quand j'aurai soixante-dix ans, décida-t-elle, je m'arrangerai pour mourir.

36

Le crépuscule tombait sur le fleuve. Des volutes de vapeur montaient de sa surface, et loin derrière les arbres de la rive ouest une lueur orange s'attardait entre les bancs de nuages noirs. Après le vacarme et l'excitation de la journée, le calme régnait, bien que des exclamations, des rires ou un juron sortent parfois d'un bateau, faisant dresser la tête des canards sauvages et des poules d'eau dans les roseaux.

Délie avait mis son costume couleur cerise ainsi qu'un petit chapeau décoré de deux larges plumes grises qui se balançaient de part et d'autre de son front et la faisaient ressembler à un buste de Mercure ou à la figure de proue d'un navire.

Elle marcha d'un bon pas jusqu'au quai, ses joues rosissant délicatement au contact de l'air froid. Elle était en proie à une agréable excitation, car invitée à bord d'un bateau sans chaperon, par un homme qu'elle connaissait à peine.

Il était appuyé avec une grâce nonchalante sur l'extrémité du tambour latéral, mains dans les poches, ses boucles dorées offertes à la brise, regardant rêveusement le fleuve. Il leva les yeux dès qu'il entendit les pas de Délie sur les planches du quai, descendit de la passerelle, puis monta les marches pour l'accueillir.

Croit-il vraiment que je risque de tomber, ou n'est-ce qu'un prétexte pour tenir ma main ? se demanda Délie tandis qu'il la faisait monter à bord avec précaution, puis la guidait vers la cuisine, à côté du tambour de la roue à aubes.

« Maintenant, asseyez-vous sur ce tabouret, et ne m'interrompez pas, dit-il. J'aime me concentrer quand je fais la cuisine. Mais d'abord, quelques amuse-gueule, au cas où vous auriez trop faim pour attendre. »

Il lui tendit une assiette appétissante contenant plusieurs variétés de poissons fumés. « *Smörgäsbord* — c'est un capitaine norvégien qui m'a montré cela. Quant à l'omelette que je vais préparer c'est une recette de ma grand-mère.

— Quel sens pratique », dit-elle avec admiration, tout en mordant un biscuit au fromage ; elle regardait les bols, les œufs et les sacs de farine impeccablement alignés sur le banc près du poêle à bois. «Je suis totalement inefficace dans une cuisine.

— Alors laissez-moi me concentrer, et regardez.» Il battit vigoureusement les œufs, ajouta un peu d'eau et de lait, puis versa le tout dans une poêle où grésillait un morceau de beurre. «Des oignons!» s'écria Délie, quand il prit plusieurs tranches d'oignons crus. «Je n'ai jamais vu personne mettre des oignons dans une omelette.

— Doucement! C'est moi qui prépare le repas, ou vous?»

Il mit de la graisse dans une autre poêle, roula l'omelette d'une main experte, puis la répartit sur deux assiettes chaudes; il fit ensuite glisser sur la poêle un disque de pâte fraîche. «Une galette de pain frit — vous allez aimer ça. Maintenant, prenez votre assiette, et allons-y.»

La simplicité de son hôte avait immédiatement mis Délie à l'aise. Elle ne remarqua même pas l'absence du second, et ils s'installèrent sur le pont autour d'une table disposée sous un auvent.

«J'aurais dû mettre le couvert au salon, mais il fait trop chaud à l'intérieur.

— Le second n'est pas à bord?

— Oh, il a une petite amie en ville; il est quasi fiancé. Il passe la soirée dans sa future belle-famille. Ben est chez sa sœur. Ah Lee est très certainement dans une fumerie d'opium, et ce pauvre vieux Charlie est en virée... Bon Dieu! J'ai oublié!

— Quoi donc?

— J'ai pris le dernier oignon pour l'omelette!

— C'est la meilleure omelette que j'aie jamais mangée. Et cet oignon?

— Demain matin, Charlie va chercher un oignon pour calmer sa gueule de bois.

— Un *oignon*?

— Oui, le lendemain matin, il ne mange que des sandwiches aux oignons crus. Il prétend que cela soulage son estomac. Le mélange du whisky et de l'oignon cru me semble détonant, mais enfin...

— Très peu pour moi, dit-elle en riant. Avec Ah Lee sentant l'opium et Jim Pearce le parfum de sa fiancée, l'atmosphère sera intéressante sur le bateau, demain matin. Et Ben, non, je ne peux imaginer Ben que sentant l'odeur des livres. Il a un visage intelligent. Il devrait aller à l'école.

— Oui. Ben est un gars brillant, mais il n'a pas eu de chance. Viré de la ferme quand il était gamin — sa famille ne pouvait même plus le nourrir —, ensuite il a trait les vaches de l'aube jusqu'à huit ou neuf heures du soir... Il était complètement abruti de fatigue quand nous l'avons rencontré. Vous savez, certains fermiers se tuent au travail ; ils bossent comme des bêtes de somme pour gagner trois fois rien, et un beau jour ils meurent.

— Notre ferme était assez grande, et bien organisée pour l'époque, avec l'irrigation amenant les eaux du fleuve. Et puis il n'y avait pas trop de vaches. »

Elle se surprit à lui raconter leur arrivée à la ferme, leur long voyage à partir des montagnes, près des sources de la Murray, à lui parler d'Adam et de leurs randonnées à skis sur les pentes neigeuses de Kiandra, et plus tard, de leur balades sur le fleuve et de leurs parties de pêche.

« Nous regardions toujours les vapeurs passer devant la maison ; vous n'avez pas idée du spectacle merveilleux auquel nous assistions la nuit, avec ces grands réflecteurs illuminant les arbres, les gerves d'étincelles qui sortaient de la cheminée. Chaque fois, j'avais envie de descendre jusqu'à la mer à bord d'un de ces vapeurs. Parlez-moi du fleuve, monsieur Edwards !

— Je ne connais que la portion amont, jusqu'à Wentworth », dit-il. Il se mit alors à lui parler des longues nuits passées à la barre, des nuits noires où l'on se dirigeait à l'instinct, où chaque ombre devenait un banc de sable.

« La première fois que j'ai remonté le fleuve, je n'étais qu'un gamin, voyez-vous ; mais j'avais déjà barré un canot à vapeur basé à Williamstown. J'ai travaillé à bord de ce canot pendant un certain temps. Un jour, j'ai embarqué à bord d'un vapeur fluvial. Le deuxième soir, le second me dit : "Tu sais tenir la barre ?" Je venais de lui monter une tasse de thé à la timonerie. "Oui", lui répondis-je comme un idiot. "Eh bien, prends la barre un moment, fiston. Je vais boire un verre en bas."

— J'ai donc pris la barre, débordant de fierté et de plaisir ; je me retournais sans arrêt pour voir si le sillage était bien droit derrière le bateau. Peu à peu, la nuit était tombée, et le second ne revenait toujours pas ; il n'y avait pas âme qui vive sur le pont, je ne pouvais appeler personne ; car il n'y avait pas de tube acoustique me reliant à la salle des machines ou ailleurs. J'ai crié, mais personne ne m'entendait ou bien ils ne faisaient pas attention.

« Pendant plus de deux heures, j'ai dirigé ce bateau sur une portion du fleuve que je ne connaissais pas, sans jamais savoir où était le chenal, pestant et maudissant ce second de malheur. Nous avons fini par nous échouer brutalement sur un banc de sable.

« Le commandant a jailli de sa cabine et m'a passé un savon mémorable. Quant au second, il s'était soûlé et m'avait abandonné à la barre pour le meilleur comme pour le pire... Après cet incident, le commandant m'a appris à barrer ; c'était un sacré bon bougre ; mais le second s'est fait virer...

— Vous avez réussi à remettre le bateau à flot ?

— Oh oui, nous l'avons halé dans le chenal. Sur la Murray, inutile d'attendre la marée pour vous remettre à flot ; il faut se débrouiller tout seul, ou rester envasé pendant parfois six mois, jusqu'à la crue suivante. Une fois, un vapeur a mis presque trois ans à remonter la Darling jusqu'à Bourke.

— Il est plus difficile de naviguer sur la Darling que sur la Murray ?

— Quand il y a de l'eau dans la Darling, tout va bien ; le chenal est assez rectiligne, alors que celui de la Murray n'arrête pas de zigzaguer. Mais en période de sécheresse, la Darling n'est plus qu'une série de trous d'eau au fond d'une tranchée boueuse.

— J'aimerais tellement la remonter jusqu'à Bourke. Oh, il y a tant d'endroits où j'aimerais aller, tellement de choses que j'aimerais faire ! »

Elle regarda par-delà les eaux sombres du fleuve. Un papillon sortant de l'obscurité vint tourner autour de la lampe, tomba bientôt sur la nappe et se mit à ramper sur la table. « J'y laisserai probablement des plumes, mais ce n'est pas une raison pour ne pas s'envoler ; ou du moins essayer. »

Il tendit un doigt massif, puis écrasa délibérément le papillon. « Vous parlez de Melbourne ?

— Oui, je sens de plus en plus que je dois m'en aller d'ici. M. Wise, mon professeur de dessin, me conseille d'essayer d'entrer à l'École de la Gallery.» Elle détourna les yeux de la tache sur la nappe.

«Cela me fait penser au tableau.

— Ah! Il est dans la cuisine.»

Il alla le chercher et le tint dans la lumière de la lampe. «Pas mal du tout, les reflets sur l'eau, et ces ombres mouchetées sur l'auvent, on a vraiment la sensation de l'été.

«Vous trouvez?» La timidité qu'elle éprouvait chaque fois qu'on commentait son travail était redoublée par le souvenir de leur rencontre sur la berge. Désirait-elle qu'il l'embrasse de nouveau? La pulsation du sang dans ses veines lui soufflait que oui. Il montra qu'il pensait la même chose.

«Tout à fait; et compte tenu des dérangements dont vous avez souffert...» Une lueur malicieuse pétilla dans ses yeux. Elle détourna le regard, essayant de ne pas sourire et consciente de rougir.

«Il faut fêter cela», s'écria-t-il brusquement en bondissant sur ses pieds. Il tira une corde qui plongeait dans l'eau, et bientôt un sac dégoulinant apparut dans un entrechoquement de verre. Il en sortit deux bouteilles de bière qui étincelèrent à la lumière de la lampe. Le sac resta par terre, ruisselant de vase.

«Au succès de Miss Philadelphia Gordon! Puisse-t-elle émerveiller les critiques de Melbourne.

— Delphine est mon nom de peintre», dit-elle timidement en buvant sa bière à petites gorgées. C'était très amer, et elle l'avalait rapidement, comme un médicament.

«Delphine? Non, je préfère Philadelphia; et puis j'en ai pris l'habitude: je le vois sans arrêt devant la timonerie. Appelez-moi donc Teddy, d'accord? "Monsieur Edwards" semble tellement guindé.

— Hum... Je préfère Brenton.

— Parfait. Seule ma mère m'a jamais appelé ainsi, et vous me faites penser à elle. Sa peau était aussi belle que la vôtre, fine et pâle, comme de l'ivoire auquel on aurait donné la vie.» Il la regardait si intensément qu'elle rougit, une vague rose envahit sa peau laiteuse, monta de sa gorge vers son front.

«Finissez votre bière, et venez me montrer où l'accrocher,

dit-il en sortant de sa poche du fil de fer, des clous et des vis. Un peu plus de gâteau et de confiture, d'abord ?

— Non merci ! Je crois que je coulerais comme une pierre si je tombais par-dessus bord.

— Seigneur ! Était-ce lourd à ce point ?

— Non, mais j'ai beaucoup mangé. Je vais vous aider à ranger tout ça.

— Surtout pas ! Ah Lee s'en occupera demain.

— Oh, mais ce n'est pas juste. » Elle se leva et commença à rassembler les assiettes. La bière lui coupait les jambes. Une assiette tomba et se brisa avec fracas.

Elle s'excusa aussitôt, mais il lui fit remarquer que la moitié de l'assiette lui appartenait, puis la convainquit de laisser la table telle quelle. Il lui tendit la lanterne et la précéda le long des marches étroites qui menaient au salon exigu, à côté des deux cabines. Il essaya le tableau sur l'espace étroit des murs.

« Je crois qu'on ne peut le mettre qu'ici.

— Oui. Il sera bien éclairé pendant la journée. Pas trop haut, à hauteur des yeux. »

Il enfonça un clou et fixa soigneusement le tableau, reculant jusqu'au seuil de la pièce pour juger de l'effet.

« Je trouve qu'il fait très bien, dit Délie en brandissant la lanterne.

— Attention avec ça. »

Brenton prit la main de Délie entre les siennes, et lui retira la lanterne qu'il posa précautionneusement à terre, si bien que leurs visages furent plongés dans l'ombre. Elle distinguait seulement la lueur de ses yeux qui la regardaient étrangement. Son cœur battait la chamade, elle ne pouvait pas davantage bouger qu'un oiseau fasciné par les yeux d'un serpent. L'instant suivant elle sombra, éperdue, dévorée, attirée par la bouche masculine vers une contrée hors de ce monde.

Au bout d'une éternité, elle lutta pour reprendre conscience, mais les lèvres de Brenton refusaient de la libérer. En désespoir de cause, ses doigts saisirent les épaisses boucles dorées, et obligèrent sa tête à s'écarter.

« Pourquoi avez-vous fait cela ? » Sa voix était peinée, ses yeux semblaient embrumés. « Je... je ne pouvais plus respirer.

— Oh, ma chérie ! Je suis désolé. Je voudrais... » Il posa sa joue contre ses cheveux, la berça doucement dans ses bras. Ses doigts suivirent le contour de son oreille, explorèrent délicatement le tracé de son sourcil et de sa joue, la courbe de ses lèvres tremblantes, puis descendirent le long de sa gorge qui palpitait sous le col montant du corsage. Ses doigts suivaient les courbes du corps de Délie comme si Brenton devait s'en souvenir toute sa vie.

Pour elle, c'était pire que ses baisers. Elle s'appuyait contre lui, détendue, absente. Plus rien n'importait ; le monde avait disparu.

« Aimeriez-vous... ? »

Sa voix était enrouée ; il se racla la gorge et reprit d'une voix plus ferme. « Aimeriez-vous aller faire un tour en barque sur le fleuve ? »

Comme sur le point de se noyer, frappée à la tête par une bouée de sauvetage, elle sursauta, puis s'accrocha aux mots inattendus, à cette planche de salut.

« Oh ! Oh oui ! J'aimerais beaucoup. »

Le monde refluait. Ils étaient toujours debout, comme auparavant, la lanterne posée à leurs pieds.

Il se pencha pour saisir la lanterne, puis ils sortirent sous la voûte céleste. Une myriade d'étoiles froides illuminaient l'obscurité, points tremblants qui se reflétaient dans les eaux noires du fleuve. Loin en amont, on distinguait les chaudes lumières d'autres bateaux.

Ils descendirent en silence jusqu'au pont inférieur, où il tira le canot vers la poupe. Un éclat de rire jaillit d'un bateau, puis le gémissement inattendu d'un bébé.

« Je peux ramer, vous savez, proposa Délie en montant dans le canot.

— Je vais ramer, merci », dit-il laconiquement. Plié sur les avirons, il donna un coup sec et l'embarcation bondit en avant. Assise à la poupe, Délie laissait traîner ses doigts dans l'eau qui, comme elle l'avait prévu, était plus chaude que l'air nocturne.

« Vous n'avez pas froid ? » Regardant par-dessus son épaule pour se diriger, il lança ces mots à Délie sans la voir.

« Non, je vous remercie. C'est une nuit merveilleuse. »

Elle leva les yeux vers la Voie lactée, vers le grand Émeu

sombre que Minna lui avait montré, foulant l'immensité de la plaine céleste de Byamee; vers les entailles nettes et brillantes de la Croix du Sud grâce auxquelles maints héros mythiques avaient quitté la terre pour rejoindre le Ciel.

«Nous allons appeler George Blakeney, sur le *Providence*, dit Brenton. Sa femme vient d'avoir un bébé, et il est dans tous ses états. Elle vit à bord, elle voyage avec lui sur le fleuve... Ohé! Du bateau!»

De quelques habiles coups de rame, il fit tourner le canot vers la poupe du vapeur, où des rideaux colorés pendaient aux fenêtres du petit salon, brillamment décorées de bacs de géraniums.

«Qui va là? cria un homme brun, une pipe entre les dents, ses manches de chemise relevées découvrant des bras bronzés.

— Edwards, du *Philadelphia*.

— Ah, Teddy, mon garçon! Monte, monte! Tu viens encore admirer ma petite merveille?

— Je l'ai déjà vue, merci.

— Écoute-le, Mabel, il est déjà blasé! Tiens, tiens, et qui est cette jeune dame?

— Miss Philadelphia Gordon, la nouvelle propriétaire.

— Je ne possède que la moitié du bateau, corrigea timidement Délie.

— Très heureux; montez donc à bord du *Providence*, Miss Philadelphia. Voilà un prénom qui va comme un gant à une jeune fille et à un bateau. Je voulais baptiser le bébé du même nom que mon vapeur, mais la maman n'a rien voulu entendre, jusqu'à ce que je me rappelle qu'il y avait une *Marion* au fond du fleuve.

— Ce prénom ne me dit rien qui vaille, dit une jolie femme rondelette aux yeux noirs pleins de gaieté, qui s'avança dans la lumière de la lanterne. Mary Anne me plaît davantage. Voulez-vous monter au salon, Miss Gordon? C'est un peu en désordre, mais avec un enfant en bas âge et tout ce qui s'ensuit... vous savez ce que c'est...»

Délie ne savait naturellement rien du tout, mais acquiesça avec enthousiasme.

Dans un coin du salon se trouvait un berceau en bois sombre, dans lequel le bébé jouait; les mouvements de ses doigts manquaient de coordination, sa main se fermait toujours devant ou à côté de l'objet qu'il voulait saisir, mais il lançait des petits cris de plaisir.

«Aimeriez-vous le prendre dans vos bras? proposa la mère avec fierté, comme si c'était là le plus grand honneur qu'elle pouvait faire à un visiteur.

— Euh...» fit Délie, gênée. Elle ne connaissait rien aux bébés, était terrifiée à l'idée de le lâcher.

«Voilà le petit amour, dit la mère, déposant dans les bras de son invitée un paquet chaud et duveteux.

— Elle est mignonne comme tout!» dit Délie, qui se sentit aussitôt stupide.

Le bébé ébahi leva les yeux vers ce visage inconnu; il n'était pas curieux, simplement stupéfait, il ouvrait des yeux immenses et dégageait une odeur douceâtre et laiteuse. Soudain, il porta ses deux poings à sa bouche et sourit en remontant les genoux. Aussi éberluée que lui, Délie regarda les petites mains roses et fripées, les pieds parfaits et leurs ongles qui ressemblaient à de minuscules coquillages. D'un geste doux mais ferme, la mère reprit son bien; mais à mesure qu'elle se déplaçait, le bébé tournait la tête, et ses yeux ronds, comme fascinés, restaient fixés sur le visage inconnu.

«Elle commence à tout remarquer. Son père, qui la trouve exceptionnelle...

— Et comment!» s'écria George Blakeney, entrant dans le salon avec Brenton, qui dut baisser la tête pour passer sous la porte basse.

Brenton se redressa, donna un doigt à tenir au bébé qu'il observait avec une impression mi-amusée.

«C'est le plus beau bébé d'ici à Wentworth, hein, Teddy? lança George.

— Oui, on voit bien que tu n'as pas passé tes nuits à la bercer quand elle pleurait, dit sombrement sa femme, peut-être pour tempérer les louanges excessives de son mari.

— Bon, vous prendrez bien quelque chose pour fêter ça? dit George.

— Non merci, vieux, nous n'avons pas le temps. Je fais juste visiter à Miss Gordon certains vapeurs qui sont nos rivaux, et ensuite elle doit rentrer chez elle.»

Il lui adressa un regard appuyé de ses yeux bleus brillants, et l'espace d'un instant, elle eut l'impression d'être seule avec lui ; il n'y avait plus personne au monde. Elle prit congé comme dans un rêve.

Une fois dans le canot, ils saluèrent de la main les habitants du *Providence*, puis remontèrent la rangée des vapeurs, certains noirs et déserts, d'autres illuminés d'innombrables lampes. Sur l'un ils entendirent le gémissement d'un accordéon, et le chant d'un marin ; sur un autre, le fracas d'assiettes en fer qu'on lavait. Un seau de détritus fut jeté par-dessus bord, dans un grand bruit d'éclaboussures.

Pourtant, le fleuve est si propre ! pensa Délie, malgré tout ce qu'on jette dedans... Elle regarda les quelques nuages pommelés qui masquaient majestueusement les étoiles au sud-ouest, et songea vaguement au cycle de l'eau : le fleuve qui descendait jusqu'à la mer, la formation des nuages qui dérivaient ensuite au-dessus des terres, les pluies ou les chutes de neige, et de nouveau le fleuve coulant vers la mer. Quelques vers, qu'Adam aimait citer, lui revinrent en mémoire :

Quand je vois, sur la face étoilée de la nuit,
Les grands symboles nuageux d'une haute romance,
Et pense que peut-être je ne vivrai plus pour suivre
Leurs ombres...

Pour la première fois depuis de nombreux mois, les larmes montèrent à ses yeux au souvenir d'Adam. Elle avait été si heureuse, si insouciante, ce soir. Elle regarda les étoiles, qui se brouillèrent en émettant des pinceaux de lumière opaque. Oh, splendides étoiles, oh merveilleuse Croix du Sud ! Leur beauté et leur indifférence semblaient la transpercer.

Le canot changea de cap et le ciel pivota lentement. Ils descendaient au fil du courant, les avirons glissaient sans effort dans l'eau. Tout était silencieux, on entendait seulement le léger grincement des dames de nage.

Quand ils arrivèrent en face du *Philadelphia*, Brenton rama jusqu'au milieu du fleuve, rentra les avirons, puis vint s'asseoir à côté d'elle, laissant le canot dériver. Il la prit dans ses bras et leurs joues se frôlèrent.

« Comment ? Des larmes ? » Il feignit de reculer sous le coup de la surprise. «Vous trouvez qu'il n'y a pas assez d'eau dans la Murray?»

Elle sourit tristement. La silhouette solide de Brenton et la force de ses bras étaient infiniment réconfortantes.

«Vous êtes une étrange créature.» Il la fit asseoir sur ses genoux et ils regardèrent leurs visages plongés dans la pénombre, tandis que le bateau dérivait silencieusement. Il joua avec ses cheveux et une longue mèche tomba. Il plaça ses mains autour de sa gorge en simulant un geste de menace, et elle mordit doucement son index. Puis il l'embrassa, sans fin, jusqu'à ce que le canot s'échoue mollement dans la courbe qui suivait le confluent de la Campaspe.

Ils ramèrent en silence vers le vapeur, et tout le temps il la regarda. Quand il prit sa main pour l'aider à monter sur le gouvernail, puis sur le pont, il s'écria: «Vos mains sont gelées! Je vais vous préparer une boisson chaude.

— Non, je ne veux rien. Je vais simplement remettre mon chapeau — je l'ai laissé sous l'auvent, je crois.

— Je vais le chercher.»

Elle essayait vainement de recoiffer ses cheveux dont les mèches tombaient sur ses épaules, quand il revint avec le chapeau. La lanterne brûlait à la poupe, et la silhouette de Délie se détachait gracieusement en contre-jour: il vit sa taille mince, sa poitrine arrondie, les longs pans vaporeux de sa jupe.

Comme ils marchaient sur le côté du bateau, il se baissa brusquement pour manipuler quelque chose près de la passerelle. Puis il se redressa, tira la passerelle sur le vapeur et la jeta avec fracas sur le pont.

«Maintenant, nous sommes sur une île, complètement entourés d'eau», dit-il, et il la souleva dans ses bras.

37

M. Hamilton regarda Délie d'un œil soupçonneux quand elle entra dans le studio en lançant un «bonjour» plein d'entrain. Elle enleva son chapeau devant le petit miroir, examina son visage pour voir s'il paraissait différent, plus sage ou plus adulte. La nuit précédente, elle avait eu le sentiment bouleversant d'être totalement livrée aux forces élémentaires de la vie, brutales, impersonnelles, impitoyables; comme si leurs corps n'avaient été que les instruments de quelque puissance aveugle. Elle avait certainement changé...

« Qu'avez-vous donc ce matin? grommela M. Hamilton. Vous semblez fort contente. »

Je suis amoureuse! faillit-elle s'écrier. J'aime, j'ai aimé, j'ai été aimée, j'aimerai... Mais elle se reprit et réussit à dire : « Oh, je ne sais pas, la matinée est tellement belle.

— Vous trouvez? Pour moi, il fait un peu froid.

— Mais non! C'est une matinée magnifique. »

Il poussa le sofa devant la balustrade italienne. « Miss Griggs a pris rendez-vous pour ce matin, vous savez. Tenez, voulez-vous arranger ces fleurs? Je tiens à ce que le travail soit impeccable, car elle peut nous amener beaucoup de clients. »

Bessie venait ce matin! Délie se rappela avec stupéfaction sa jalousie envers Bessie quand Adam s'était installé dans cette ville. Bessie Griggs, ses traits charmants, ses bonnes manières et sa garde-robe quasi illimitée; populaire auprès des filles, très prisée par les garçons, paternaliste avec elle, Délie. Ce matin, elle se sentit brusquement inaccessible à Bessie.

Elle travailla paisiblement, bien que le souvenir physique de Brenton brûlât de temps à autre dans sa mémoire, faisant chavirer son cœur. Elle rêvait de lui quand la porte s'ouvrit et que Bessie entra dans le studio. Elle portait un élégant costume bordé de fourrure, et un petit chapeau orné d'un oiseau dont les ailes s'étendaient de part et d'autre des boucles blondes de son front. Ses cheveux dorés étaient tirés en arrière, ses lèvres et ses joues aussi fraîches et roses que celles d'une petite fille.

Sur ses talons entra une grande fille languide aux cheveux noirs et aux longs yeux sombres, vêtue avec une élégance décontractée qui sentait Melbourne. Délie désirait les regarder, mais elle s'obligea à garder le nez baissé sur le carnet de rendez-vous.

« Bonjour, Délie, tu dois être ici tous les matins d'aussi bonne heure? s'écria gaiement Bessie. C'est à peine si nous avons pu nous tirer du lit pour être à l'heure. Délie travaille pour gagner sa vie, Nesta. Elle est mignonne, tu ne trouves pas ?» Elle dévoila ses dents parfaites et menues en riant ; ses yeux étaient aussi inexpressifs que de la porcelaine bleue.

La grande fille ne rit pas et ne répondit pas davantage à la question posée ; elle observait attentivement Délie.

«Je m'appelle Nesta Motteram, puisque Bessie a oublié de nous présenter.» Comme Délie s'y était attendue, sa voix était grave et profonde.

«Très heureuse. Je suis Philadelphia Gordon.

— Quel prénom inhabituel ! C'est à cause de la ville, d'un bateau, ou d'autre chose ?

— A cause de la ville. Mon père voulait absolument aller là-bas. Mais il y a un navire qui porte mon nom.

— Un navire ! Un vieux et minuscule vapeur à aubes, se moqua Bessie, jalouse d'être exclue de leur conversation.

— Mais c'est formidable ! J'adore les vapeurs à aubes. Pourrais-je le voir ?

— Il est au port en ce moment ; si vous voulez m'accompagner jusqu'au quai à l'heure du déjeuner, proposa Délie, sans très bien réaliser ce qu'elle disait.

— De toute façon, j'allais te demander de déjeuner avec nous», dit Bessie. Passablement dépitée, elle les quitta pour prendre la pose sur le sofa ; elle voyait d'un mauvais œil l'attirance immédiate entre ses deux amies. Malgré tout, elle sourit complaisamment à M. Hamilton et sa chambre noire.

«Venez visiter mon atelier.» Entre ses cils, Délie observait la silhouette svelte de la jeune fille, qui portait un tartan brun et blanc décoré de velours marron, et une toque de velours allant parfaitement avec ses longs yeux bruns égyptiens. Cette inconnue la fascinait. Elle la fit entrer dans la petite pièce du fond. Nesta se déplaçait comme si tout l'ennuyait, mais ses yeux lumineux étaient vifs et observateurs.

«Qu'est-ce que c'est ?» demanda-t-elle immédiatement, en saisissant une des peintures à l'huile de Délie, qui représentait une vue d'Echuca. «C'est vous qui l'avez fait ?

— Oui. La peinture est mon vrai métier. Ici, je travaille seulement pour gagner ma vie.

— Mmm.» Un hochement de tête approbateur. Délie rougit de plaisir.

«J'espère aller bientôt étudier à Melbourne.»

— Bonne idée. J'espère que j'y serai encore.

— Vous n'habitez pas là-bas ?

— Si, mais je pars à l'étranger à la fin du mois d'août.

— Oh oh ! La France, l'Italie... Florence... le Louvre ; les Offices, le palais Pitti...

— J'espère écrire un journal de voyage. J'aime écrire, mais je manque de... d'invention, je ne suis pas vraiment une bonne conteuse.» Elle s'assit au bord de la table, regarda par la fenêtre un moulin à vent qui tournait lentement. «Vous savez quel est mon problème ? Trop d'argent.»

Elle fit cette confidence sur un ton si naturel et enjoué qu'on ne pouvait la prendre pour une forfanterie. Délie parut stupéfaite.

«Trop d'argent ! Mais c'est impossible.

— C'est pourtant vrai. Il faut tellement de volonté pour renoncer au confort. Je sais que si je voyageais à la dure et en seconde classe, je verrais davantage de choses, je rencontrerais des gens plus intéressants. Stevenson a traversé le sud de la France sur un âne, et voyez quel livre il en a tiré ! Mais c'est comme ça — j'aime le confort, et puis le fait d'être une fille n'est pas un avantage.

— Absolument.» Elles se regardèrent et rirent.

«De quoi parlez-vous, toutes les deux ?» s'écria Bessie d'une voix enjouée : elle entra en tenant d'une main ses cheveux, sa tête oscillant de droite et de gauche avec coquetterie.

«Oh, nous parlons chiffons, chaussures, et cire à cacheter, dit Nesta.

— Cire à cacheter !» Bessie sauta sur le dernier mot. «L'autre jour, au magasin, j'ai vu un violet tout simplement *divin*, tellement plus séduisant que ce rouge vulgaire et si commun.

— J'aimerais vous peindre dans cette position !» s'écria soudain Délie. Elle avait observé l'attitude gracieuse et nonchalante de Nesta, assise sur le bord de la table, une longue main reposant, paume levée, sur ses cuisses, ses yeux sombres fixés au-delà de la fenêtre, quelque part dans le futur.

Nesta posa sur elle son regard langoureux. «Vous peignez aussi des portraits ?

— Oui, mais surtout ne le dites pas à M. Hamilton ! Il

n'aime pas la concurrence des peintres. En fait, j'ai seulement exécuté deux ou trois autoportraits, en dehors des exercices scolaires avec les autres élèves. Ah, si seulement j'avais mes affaires ici!» Elle chercha fiévreusement un crayon, sentant qu'elle devait noter cette pose avant que Nesta ne bougeât.

«Tu ne m'as jamais proposé de faire mon portrait, Délie.

— Oh, seul l'appareil photo est digne de toi, ma chère Bessie. Tu es trop parfaite.» Ses yeux bleus pétillaient de joie et d'excitation. «Accepterez-vous de poser pour moi, Nesta?»

Nesta se leva, puis lissa sa jupe. «Pourquoi pas? Je pourrais même vous commander un portrait, si vous voulez.»

Délie la regarda, et le rouge lui monta aux joues. L'insolence paresseuse de la voix l'avait piquée au vif, plus encore que les mots. «Je ne veux pas de votre argent, dit-elle avec mépris. Seul votre visage m'intéresse. Aucune somme d'argent ne pourrait me contraindre à perdre mon temps avec vous.

— Je suis désolée.» Avec une vivacité dont elle n'avait pas fait preuve jusqu'ici, elle tendit la main à Délie. «C'est ce que je veux dire quand je parle d'avoir trop d'argent. Ça vous rend méfiant envers les gens, même les gens aussi intègres que vous.

— Merci!

— Non, il n'y a pas de quoi! Dites-moi que vous me pardonnez. Et faites mon portrait si vous le désirez.

— Bien sûr. Quand pourriez-vous poser pour moi?

— Viens donc le peindre à la maison. Nesta reste une quinzaine de jours.

— Il faudra que je vienne le soir pour les premiers croquis. Simplement, Bessie, tu ne devras pas lui parler pendant qu'elle pose. Je tiens à saisir ce regard lointain.

— Bon, très bien. Allez, Nesta, viens. Nous avons tellement de courses à faire.» Cette conversation, où il n'était question ni d'hommes ni de vêtements, commençait à assommer Bessie.

«Quel adorable petit vapeur!» Debout sur le quai, Nesta regardait en contrebas le *Philadelphia*, fraîchement repeint en blanc. Le courant glissait contre ses flancs et formait de petites vagues brunes, donnant l'illusion que le bateau remontait le fleuve.

De la fumée sortait de la cheminée de la cuisine. On distinguait vaguement Ah Lee, en pantalon bleu et veste blanche, qui allait et venait sous l'auvent. Ben apparut sur le côté et remonta un seau d'eau. Brenton sortit de sa cabine et leur fit un grand signe, sa casquette à la main ; le soleil brillait sur ses cheveux.

Délie se demanda si ses amies pouvaient entendre les battements sourds de son cœur, tandis qu'elles descendaient l'escalier sombre vers le quai inférieur. Brenton les attendait en bas pour les aider à monter à bord. « Oh, merci, minauda Bessie quand il saisit sa main. J'ai eu une peur *bleue* en descendant l'escalier. »

Nesta suivait, et Délie qui observait la scène de l'œil attentif de l'amoureuse remarqua le regard appuyé que Brenton échangea avec l'amie de Bessie. Il lui plaît, se dit-elle avec un coup au cœur. L'attirance des contraires, le blond et la brune, les yeux bruns et les yeux bleus. Comment pouvait-il regarder quelqu'un d'autre ce matin ? Puis la main de Délie fut prise dans celle, ferme et décidée, de Brenton, et elle ne sentit plus rien, sinon le courant chaud et vibrant créé par ce contact.

« Oh, capitaine Edwards, pouvez-vous nous montrer toutes les petites roues qui tournent, et le reste ? Voici mon amie, Miss Nesta Motteram, de Melbourne ; elle est passionnée par les vapeurs à aubes.

— Eh bien, il ne s'agit pas exactement d'un mécanisme d'horlogerie, Miss Griggs. Un moteur à vapeur n'a rien de très compliqué ; il y a une chaudière, comme dans une locomotive, mais au lieu d'entraîner des roues posées sur des rails, elle entraîne des roues à aubes... Attention, le sol est très glissant. Voici l'arbre d'entraînement des roues. »

Ils poursuivirent leur visite en traversant l'espace exigu de la chaudière ; Brenton tira brusquement Délie en arrière, et l'embrassa sauvagement. « Chérie, je t'appellerai vers huit heures, ce soir.

— Oui... » dit-elle, haletante.

Ils rejoignirent Nesta, avec sa démarche indolente et ses yeux vifs, et Bessie, son bavardage excité et ses yeux inexpressifs.

« C'est ici qu'on charge la chaudière. » Brenton ouvrit la

porte des réserves pour montrer les piles de bûches d'eucalyptus longues de quatre pieds, alignées derrière la chaudière. «Ce cadran est la jauge de pression; si l'aiguille dépasse les soixante-quinze livres, la chaudière risque d'exploser, il y a donc une soupape de sécurité pour faire tomber la pression. Mais Charlie la fait monter aux environs de quatre-vingts; si la soupape se met en marche avant, il pose un poids dessus pour la fermer.

— Ce n'est pas dangereux?

— Pas très. Parfois une chaudière explose et tue quelqu'un, comme le chauffeur et le mécano du vieux *Lady Augusta*. Tous les bons mécaniciens trafiquent leur soupape. Aujourd'hui, il faut aller le plus vite possible, car les chemins de fer nous prennent beaucoup de marchandise. Nous sommes obligés de faire la course contre la montre.»

Soudain, un chant aviné se fit entendre à bâbord, et Charlie McBean apparut, sa casquette posée en équilibre précaire sur sa tête; il titubait au bord du quai.

«Oh, il va tomber à l'eau! s'écria Bessie.

— Ne vous inquiétez pas, la rassura Brenton. De temps en temps, il est comme ça.»

Charlie s'effondra brusquement à quatre pattes et rampa le long de la passerelle, tout en continuant de chanter. Arrivé sur le pont, il s'écroula pour de bon, et marmonna: «Lee! Ah Lee! Apporte-moi un sandwich à l'oignon frais. Ça va me requinquer... Rien de tel que l'oignon pour faire passer une petite... hips, indigestion.»

Brenton s'avança vers lui. «Allez, Charlie, je vais t'aider à te mettre au lit. Nous allons nous occuper de tes oignons car pour l'instant il n'y en a pas à bord.

— *Pas d'oignons!* Je demande seulement un p'tit oignon, c'est pourtant pas la mer à boire!

— Allez, viens, Charlie.» Le prenant à bras-le-corps avec facilité, Brenton monta les escaliers et disparut dans la cabine de l'ingénieur.

«Je dois partir si je veux avoir le temps de déjeuner», dit Délie; elle se rappela brusquement que ces mêmes bras musclés l'avaient portée dans cet escalier.

«Certainement, allons-y», dit Bessie avec une expression de

dégoût, tout en serrant ses jupes autour d'elle. En revanche, Nesta souriait en regardant la cabine de Charlie, d'où sortaient des jurons étouffés.

«Votre capitaine me plaît, Délie. Je crois que je serais ravie de posséder un vapeur à aubes.»

Je n'en doute pas, songea Délie non sans quelque amertume. Oui, tout cela est facile pour toi; tu peux satisfaire tes moindres caprices — acheter un vapeur, voyager autour du monde. Tu peux étudier les beaux-arts avec les plus grands maîtres, t'offrir toutes les peintures et toutes les toiles que tu veux...

Le regard intéressé que Brenton jeta à Nesta quand il lui dit au revoir n'améliora pas l'humeur de Délie. Le déjeuner ne fut pas un succès. Délie, qui avait perdu presque toute confiance en elle, était assise, gênée, entre ses deux amies tirées à quatre épingles; avec sa robe de serge et son corsage, elle se sentait fruste, condamnée à la pauvreté.

Bessie, dont le tact n'était pas la qualité première, acheva la déconfiture de Délie en s'écriant brusquement, d'une voix profondément choquée: «Délie! Tu as les ongles sales!»

C'était vrai; ce maudit bleu d'Anvers était resté sous ses ongles, car dans son impatience, elle ne les avait pas frottés convenablement. Elle cacha ses mains sous la table en rougissant. Quelle opinion Nesta allait donc se faire d'elle? Brenton l'avait-il comparée à cette superbe fille sophistiquée venant de la ville? Elle termina rapidement son déjeuner, sans le moindre plaisir.

38

Allongé sur un tapis de broussailles, Brenton regardait le ciel nuageux. Il faisait étonnamment chaud pour une nuit d'hiver — et c'était tant mieux, car seul le manteau de l'homme couvrait leurs corps.

«Je me sens tellement apaisé, et toi?» dit-il.

Délie se souleva sur un coude et joua avec les cheveux de Brenton. «Oui. Je suis très heureuse.»

C'était la vérité ; elle était très heureuse de lui avoir donné du plaisir, d'avoir réussi à ne pas crier. Elle avait dû se mordre la lèvre pour s'empêcher de pleurer, se répéter qu'elle devait supporter cette douleur, et ne penser qu'à la communion de corps et d'esprit qui les unissait.

« Il doit être très tard », dit-elle, alors qu'à l'horizon les nuages se dissipaient vers l'est, laissant apparaître quelques étoiles brillant dans un ciel d'encre. Les constellations du sud, autrefois inconnues, lui étaient désormais aussi familières que des visages amis ; leur progression régulière à travers le ciel ressemblait aux flux des eaux, forme visible de l'écoulement du temps.

« L'heure n'a pas d'importance pour moi. » Pendant qu'il parlait, le carillon de l'hôtel de ville d'Echuca sonna minuit et la coïncidence le fit rire.

« Oh, il faut que je parte. Ma propriétaire... Et si la porte était fermée ?

— Ce serait une bonne chose. Car tu serais obligée de passer toute la nuit avec moi.

— Mais il faut que j'aille travailler demain. Je t'en prie, mon chéri. Laisse-moi partir.

— Très bien, pars. Je ne te retiens pas », dit-il en la serrant étroitement contre lui.

Elle était trop sage pour lutter contre lui. Son corps se détendit complètement. « Je suis morte de fatigue.

— Excuse-moi. Je suis une brute égoïste. »

A contrecœur ils se séparèrent, immédiatement agressés par le froid de la nuit. Des vapeurs humides montaient du fleuve qui glissait en silence devant la rive où ils s'étaient allongés. Sa surface brillait faiblement.

« Veux-tu qu'on se voie demain soir ? lui demanda-t-il, comme ils approchaient de la pension.

— Je crois que je serai occupée. Je dois commencer le portrait de Nesta Motteram.

— La fille brune ?

— Oui, elle reste en ville pour deux semaines seulement, et...

— Je ne pourrais pas m'attarder beaucoup plus long-temps.

— Je sais, mais je lui ai promis. Et puis elle a un visage tellement intéressant.

— Très bien. A samedi, alors.

— Samedi soir. Je dois peindre tout l'après-midi.»

Ils étaient seuls devant la porte dans la longue rue déserte. Il la surprit en posant brusquement sa tête sur son épaule, cachant son visage comme un enfant coupable.

«Je suis désolé, Délie! dit-il d'une voix étouffée.

— Désolé? Pourquoi? Je ne vois pas pourquoi tu devrais l'être!

— Tu es si jeune! Quel âge as-tu?

— Tout juste vingt ans.

— Vingt ans! Et moi qui en ai vingt-huit. Je ne peux pas me marier pour l'instant.

— Mais je n'arrête pas de te dire que je ne veux pas me marier.

— J'ai peur que tu aies un enfant.

— J'adorerais avoir un enfant de toi. Ce serait un garçon, d'une parfaite beauté. Mais ne t'inquiète pas, j'ai fait tout ce que tu m'as dit.

— Oui, ça va aller. Pourtant...

— Pourquoi ne pourrais-je pas avoir un bébé de toi, puisque je t'aime? Je ne comprends pas la raison de toutes ces complications légales. Tout notre système social est à revoir.

— Il est meilleur que la plupart.

— Il est complètement bancal. Les mères célibataires...

— C'est un problème économique. Une femme ne peut pas à la fois élever ses enfants et travailler. Et puis il y a tellement peu d'emplois pour les femmes.

— Si on leur en donnait l'occasion, elles pourraient faire tout ce que font les hommes.

— Tout sauf une chose», dit-il en riant.

«Passez donc la betterave à Délie, mon cher.»

Mme Griggs présidait au bout de la table avec une majesté somnolente; ses yeux étaient de la même couleur de porcelaine bleue que ceux de Bessie, perpétuellement mi-clos, comme si elle ne parvenait pas à lever les paupières au-delà de son opulente poitrine. Délie était arrivée peu avant l'heure du dîner, son matériel sous le bras. Elle brûlait de commencer.

M. Griggs passa la betterave, puis examina la table pour voir s'il manquait quelque chose. C'était un petit homme précis aux cheveux gris, au visage grave et alerte. Il adorait interrompre un repas en envoyant les couteaux à aiguiser à la cuisine, ou en en réclamant d'autres.

Depuis des années, Mme Griggs avait beau augmenter le nombre de sauces, condiments et autres confitures sur la table, son digne époux trouvait toujours moyen d'en inventer de nouvelles.

«Ma chère, où est donc la sauce à la moutarde?» lui demandait-il maintenant, en jetant un regard aigu et triomphant à son épouse.

Prenant un air las et désespéré, Mme Griggs sonna. «Susan, y a-t-il de la sauce à la moutarde?» Celle-ci fut servie, M. Griggs cacha sa déception et le repas put continuer.

«Délie est tellement occupée à observer Nesta qu'elle en oublie ce qu'il y a dans son assiette», dit méchamment Bessie.

Délie rougit en sentant tous les regards converger sur elle. Elle ne pouvait s'empêcher de regarder son modèle; l'esprit entièrement absorbé par le travail à venir, elle avait remarqué le teint olivâtre de Nesta, les ombres aux coins de sa bouche et des narines, les courbes assez arrogantes du nez et des lèvres, les yeux marron foncé.

«Comment voulez-vous me faire poser, Délie? Comme ceci?» Nesta appuya ses coudes sur la table, croisa les doigts sous le menton et tourna les yeux vers le plafond en prenant une pose grotesque.

Les autres rirent. Délie ne sourit même pas; elle était furieuse. La nourriture semblait buter sur une boule de rage enfouie au fond de sa gorge. Elle garda les yeux baissés pendant toute la fin du repas.

Les autres ne remarquèrent pas, ou firent semblant de ne pas remarquer son silence; mais au moment de sortir de la salle à manger, Nesta serra chaleureusement le bras de la jeune fille et chuchota: «Ne m'en veuille pas, Philadelphia. Viens, nous allons les laisser pour nous enfermer toutes les deux, et je ferai tout ce que tu me diras.»

Le magnétisme de son contact, ces paroles qui faisaient de

nouveau d'elles des alliées dissipèrent toute la rancune de Délie. Elle suivit Nesta dans la petite pièce qu'on avait préparée pour la séance de pose. Nesta tint toutes ses promesses, et au bout d'une heure Délie avait exécuté plusieurs esquisses au crayon, dont une préfigurait le portrait à venir. Elle avait saisi la courbe indolente de la main et du poignet, l'expression intense mais rêveuse des yeux sombres, qui avaient éveillé son intérêt.

Le samedi suivant, elle sauta le déjeuner pour recopier l'esquisse au crayon sur la toile qu'elle avait préparée. L'excitation croissait en elle à mesure qu'elle voyait le portrait prendre forme. La lumière se concentrerait sur le front et les yeux, la main blanche posée sur les cuisses, et un livre à couverture claire sur la table, près du coude de son modèle.

Quand elle arriva chez Bessie, ses doigts avaient hâte de saisir le pinceau. Elle piaffait d'impatience et se pliait aux formules de politesse indispensables avec Mme Griggs. Ils venaient à peine de finir de déjeuner, et la maîtresse de maison insista pour que Délie prît une tasse de thé avec eux.

« Tu es vraiment sûre d'avoir déjeuné, mon enfant ?

— Tout à fait, mentit Délie.

— Oh, Délie se nourrit exclusivement de l'odeur des chiffons à peinture », se moqua Bessie. Elle adorait manger et commençait à prendre des rondeurs aussi opulentes que celles de sa mère.

Délie rit et sortit de sa sacoche un vieux chiffon à peinture. « Ah, je préfère cent fois cette odeur à celle du meilleur rôti, dit-elle en reniflant, les yeux fermés. Allez, viens, Nesta. »

Elles parlèrent de mille choses pendant que Délie travaillait, avec des intervalles chaleureux de silence amical. Délie se découvrit d'accord avec la plupart des idées de Nesta ; même si, parfois, elle était choquée par l'arrogance ou l'intolérance qui faisaient partie du caractère de Nesta.

Pourtant, quelque chose n'allait pas. Elle ne put obtenir la même pose. L'attitude était identique, mais l'expression des yeux avait changé. Ils brillaient d'excitation, comme des braises sous un feu à peine éteint ; ils refusaient de rêver.

« Que t'est-il arrivé depuis que j'ai fait ces esquisses ? demanda-t-elle. Il s'est passé quelque chose d'important, qui a modifié ton visage. Je vais le laisser de côté pour l'instant.

— Je ne vois pas pourquoi j'aurais changé.» Mais Nesta baissa les yeux, un sourire secret se dessinant sur ses lèvres pleines.

Délie se concentra sur les mains. «Comparez les mains sur une toile d'un grand maître du passé, disait souvent Daniel Wise, avec les mains de n'importe quel portrait moderne. Vous saurez tout de suite si l'artiste sait peindre ou non.»

Le portrait avançait rapidement, Délie lui consacrait tout son temps libre. Brenton se plaignait de ce qu'elle le négligeait ; il semblait si lointain et transformé qu'elle prit peur et lui promit le déjeuner du lendemain, car Nesta avait un rendez-vous pour le déjeuner, et Délie comptait travailler le fond du tableau.

«A dire vrai, je déjeune demain avec quelqu'un, lui répondit Brenton. Tu auras donc tout le temps de travailler sur ton tableau.

— Je suis un peu inquiète. Nesta semble refouler en elle une sorte d'excitation — je crois qu'il s'agit d'un homme — je n'arrive plus à capter l'expression de ses yeux.

— Elle a des yeux étranges», dit Brenton.

Le vendredi suivant eut lieu la dernière séance de pose avant le départ de Nesta pour Melbourne. Délie retrouva avec ravissement ce qui lui avait manqué : le regard intense et rêveur, concentré sur quelque vision lointaine, était revenu, et un léger sourire incurvait les lèvres pleines.

«Voilà! C'est exactement l'expression que je désire! Oh, je vais devoir effacer la moitié de ton visage et tout recommencer.»

Le pinceau volait entre la palette et la toile. La puissance et la gloire étaient descendues sur elle ; elle ne pouvait se tromper. Quand elle eut enfin terminé, elle regarda son œuvre et la trouva réussie, quoique bien en-deçà de ce qu'elle avait rêvé.

«C'est excellent, Délie! J'aimerais beaucoup l'acheter, s'écria Nesta, enthousiaste.

— Non. Il n'est pas à vendre.»

Juste avant le départ du *Philadelphia*, Délie aurait voulu revivre avec Brenton toutes les heures qu'elle avait consacrées à son tableau. Un soir, alors que l'équipage était à terre, elle monta à bord pour signer des papiers d'assurance et discuter de primes, d'indemnités ; comme auparavant, elle termina sur la couchette du capitaine. Cette fois, ce fut moins douloureux ; elle se sentit rajeunie, régénérée, totalement nouvelle, comme s'ils étaient Adam et Ève se réveillant pour la première fois au jardin d'Eden. Adam et Ève... Oh, Adam, songea-t-elle avec remords, comme je t'ai oublié !

Mais Brenton était là, bien vivant ; elle sentait sous son oreille les battements réguliers de son cœur. Elle pensa que ce cœur pouvait s'arrêter, que ce corps chaleureux, vivant, aimant, se transformerait un jour en une poignée de poussière.

Désespérée, elle l'étreignit. « Brenton ! Promets-moi de ne pas mourir !

— Un jour, pourtant, il faudra bien que je meure.

— Tu ne dois pas mourir ! Tu ne dois pas ! » Agenouillée à côté de lui, elle se mit à pleurer en se balançant d'avant en arrière, ses longs cheveux noirs tombant sur son visage, comme si elle se lamentait déjà au-dessus de son corps sans vie.

« Petite noix ! dit-il avec amour, en enroulant une longue mèche sur son poignet. Je te promets de ne pas mourir pendant au moins vingt ans.

— J'ai eu peur que tu partes dans cette horrible guerre en Afrique du Sud.

— Certainement pas ! J'ai enfin compris à quel point cette guerre était ignoble. Pourquoi faudrait-il que nous aidions les grands manitous de l'Empire britannique à tuer quelques pauvres types comme nous, sous prétexte qu'ils refusent de payer des impôts injustes ? Les Boers veulent simplement leur liberté et leur tranquillité.

— Brenton ! Tu défends les Boers ?

— Et comment ! Mais je suis aussi *contre* la guerre en général. Je n'ai pas la moindre intention de tuer mes semblables simplement parce qu'une bande de politiciens et de gros bonnets me disent que c'est pour une noble cause.

— Pour les Boers, contre la guerre », chantonna-t-elle. Comme elle n'avait jamais entendu personne proférer de telles opinions, elle était passablement choquée. On parlait toujours des partisans des Boers comme de la lie de l'humanité, et les Boers étaient pires encore : « Les salopards de Hollandais », s'était un jour écrié le portier de l'Institut, un vétéran de la Crimée.

Elle réalisait maintenant pour la première fois qu'en ce moment même, en Afrique du Sud, des filles boers disaient adieu à leur amant qui partait à la guerre, avec le même cri angoissé : « Tu ne dois pas mourir, tu ne dois pas ! »

Vers minuit, elle entendit des voix sur la partie supérieure du quai. Elle bondit, soudain consciente de sa présence à bord, du mépris des conventions que cela impliquait. Délie considéra sa propre conduite du point de vue de sa mère défunte, de Mme McPhee, voire de Bessie Griggs. La société tout entière semblait regroupée là-haut, pointant sur elle un index accusateur.

« Ne t'inquiète pas, dit Brenton, tandis qu'elle s'habillait en hâte et se recoiffait d'une main tremblante. Ce ne sont que des bringueurs qui essaient de retrouver leur bateau. »

En effet, les voix tonitruantes s'éloignèrent bientôt vers l'extrémité du quai. Elle se détendit, arpenta l'espace confiné de la cabine, jeta un coup d'œil aux deux brosses à cheveux impeccables rangées dans leur étui de cuir, prit un livre ou deux sur l'étagère. Elle tomba sur un volume d'œuvres choisies de Shelley. L'ouvrant distraitement, elle lut sur la page de garde, écrit à l'encre verte : « En guise de cadeau d'adieu. N. »

L'ouvrage ne semblait pas neuf, mais l'écriture était familière ; elle l'avait déjà vue quand Nesta avait laissé un billet à sa pension pour lui dire qu'elle était désolée, mais qu'elle ne pouvait pas poser le lendemain.

« N ! » répéta-t-elle à haute voix, en examinant l'écriture anguleuse, les lettres bien formées, nettement séparées les unes des autres. Et cette encre verte ! Le sang se mit à tambouriner dans ses oreilles. « C'est Nesta qui t'a offert ce livre ?

— Oh, ça ! » Il tendit nonchalamment la main et prit le livre. « Oui, c'est elle, en effet.

— Mais, Brenton ! » Elle le regardait, ses yeux bleus écarquillés de stupéfaction. « Je ne savais pas que tu la voyais, sauf le jour où nous sommes venues à bord ensemble.

— Si, nous nous sommes vus plusieurs fois. L'autre jour,

c'est avec elle que j'ai déjeuné.» Il souriait légèrement, mais semblait un peu gêné.

«Pourquoi ne pas m'en avoir parlé? Et pourquoi ne m'a-t-elle rien dit? Je ne comprends pas.

— Eh bien, elle ne se doutait pas de nos rapports, à moins que tu lui en aies parlé; de mon côté, naturellement, je n'ai rien dit.

— Moi non plus, bien sûr. Mais pourquoi ne m'as-tu rien expliqué?

— Je ne sais pas. J'avais peur que tu me fasses une scène. J'ai pensé que tu serais peut-être jalouse parce que je te volais une séance de pose avec elle.

— Jalouse! Bien sûr que je ne suis pas jalouse. D'autant que tu la connais à peine.» Elle rit, mais une question restait sans réponse.

Nesta était tellement séduisante. Elle-même s'était sentie attirée par sa vitalité, sa sensualité. Brenton aussi, sûrement; ils appartenaient à la même espèce.

Elle essaya de chasser son malaise, bien décidée à ne pas manifester une méfiance injustifiée. Après tout, Brenton et elle s'étaient donnés l'un à l'autre: il était tout bonnement impossible qu'il pût s'intéresser à une autre.

39

Une fois plantée dans son esprit, cette graine de suspicion germa et se développa au point que ses fleurs vénéneuses empoisonnèrent tout le bonheur de Délie. Incapable de dormir, elle se leva, alluma la lampe, puis se dirigea vers le portrait de Nesta, posé sur un chevalet contre le mur.

Les yeux sombres et oblongs la regardaient, fixés sur un rêve ou quelque vision du passé, les lèvres pleines ébauchaient un sourire secret. D'une main rageuse, Délie retourna le tableau vers le mur.

Le lendemain, incapable de se concentrer, elle marchait de long en large dans son petit atelier de photo. Quand elle fut certaine que le train postal en provenance de Melbourne était

arrivé, elle demanda la permission d'aller à la poste pour
réceptionner une lettre qu'elle attendait.

Au guichet, elle acheta des timbres et demanda s'il y avait
du courrier pour le *Philadelphia*, auquel cas elle s'en charge-
rait. L'employé, qui la connaissait et savait qu'elle possédait
des parts sur le vapeur, passa en revue les casiers avec une
lenteur exaspérante.

Il y avait trois lettres, deux pour le second et une pour le
capitaine. Elle s'obligea à sortir dans la rue avant de les regarder. Alors elle vit l'écriture manuscrite à laquelle elle s'était
attendue — reconnaissable entre toutes, l'encre verte et le
tampon de Toorak.

Sa première réaction fut la colère, qui la laissa faible et
tremblante. Elle tourna à droite au lieu d'aller directement vers
le quai, et descendit vers le fleuve à travers les eucalyptus. Elle
voulait déchirer cette lettre, la jeter à l'eau.

Ou bien l'ouvrir pour la lire. Mais si elle faisait une chose
pareille, elle se mépriserait trop, se disait-elle, surtout si ses
soupçons se révélaient injustifiés. Refermer la lettre et ne rien
dire, n'empêcherait pas la honte. Mieux valait la détruire
immédiatement.

Tenant les autres sous son bras, elle saisit la lettre à deux
mains pour la déchirer. Non! Elle préférait voir la réaction
de Brenton. Et puis elle avait tellement hâte de savoir! Elle
sortit son mouchoir de sa manche pour essuyer ses mains
moites.

Sur le quai, Brenton était occupé à charger des marchandises et donnait des ordres aux hommes d'équipage pour
ranger dans la cale une dangereuse cargaison de cartouches
destinées à un port de la Darling.

Il était torse nu. Elle évita de regarder les muscles de sa
poitrine, sa peau satinée qui luisait au soleil, très blanche là où
elle n'était pas bronzée. Il s'avança vers elle en souriant.

Délie sortit brusquement la lettre de derrière son dos et la
tendit à Brenton sans un mot. Ses mains étaient sales, mais il
ne lui demanda pas d'aller la mettre dans sa cabine. Un
instant, il fronça les sourcils, prit la lettre et la glissa dans la
poche de son pantalon.

«Comme je devais aller à la poste, j'ai ramené le courrier,

dit-elle en s'efforçant de parler calmement. D'ailleurs, il y avait également deux lettres pour le second.

— Tu devrais les mettre dans sa cabine. C'est son jour de congé aujourd'hui. Je te retrouve là-haut dans une minute. »

Elle se raidit, puis monta les marches ; quand elle eut déposé les lettres du second dans sa petite cabine, elle alla dans la cabine voisine. Elle chercha immédiatement le petit volume de Shelley, qu'elle découvrit sur la table sous quelques papiers.

Elle l'ouvrit, relut la dédicace, puis le feuilleta rapidement. Elle aperçut brusquement un trait vert en marge d'une strophe. Le sang martelait son crâne au point de le faire éclater ; elle lut :

> *Quand l'extase de la passion est épuisée,*
> *Si la tendresse et la vérité peuvent durer*
> *Ou vivre, tandis que toutes les violences sombrent*
> *Dans un profond sommeil, mortel et sombre,*
> *Je ne pleurerai pas, je ne pleurerai pas !*

Elle laissa tomber le livre sur le plancher. Derrière elle résonnait le pas de Brenton.

« Brenton ! » Le doute, la colère et la faiblesse faisaient trembler sa voix.

Il s'assit au bord de sa couchette, elle vit ses splendides épaules nues ; ses yeux bleu-vert la regardaient avec candeur.

« Brenton, il y a quelque chose entre vous !

— Non ; c'est fini.

— Où est la lettre ?

— Je l'ai jetée par-dessus bord.

— Sans la lire ?

— Si ; je l'ai lue. C'était simplement pour me dire au revoir.

— Vous avez tout fait ensemble, n'est-ce pas ? Exactement comme entre toi et moi ?

— Oui, en un sens. » Ses yeux brillants semblaient décontenancés, presque blessés, mais sans trace de culpabilité.

« Mais... comment as-tu pu ? » Elle s'effondra brusquement sur la couchette à côté de lui ; ses jambes refusaient de la soutenir davantage. Des larmes brûlantes commencèrent à ruisseler sur ses joues.

« Ne pleure pas, ma chérie. Ce n'est pas ce que tu crois. »

Son front se plissa sous l'effort qu'il fit pour s'expliquer. « Bien sûr, tu ne pouvais pas comprendre, mais... elle considère tout cela presque comme un homme. Et puis... eh bien, elle en avait très envie.

— Je n'en doute pas. Elle a aussi beaucoup d'argent », dit-elle d'une voix stridente.

Son visage s'assombrit. « Elle ne m'a pas acheté, si c'est ce que tu veux dire. Je savais que je n'étais pour elle qu'une expérience de plus, une parmi d'autres. Elle n'était pas vierge.

— Et tu trouves que cela excuse ta conduite ?

— Bien sûr que non, pas de ton point de vue. Mais c'est totalement différent avec toi. Je voudrais t'épouser, et vraiment je ne désire personne d'autre. Mais tu as éveillé mon désir pour ensuite me laisser insatisfait. Tu étais toujours prise par ta peinture, ou pressée de rentrer chez toi.

— C'était parce que tu m'as fait très mal.

— Très mal ? » Il la dévisagea, tandis qu'elle se mouchait d'un air malheureux. « Délie, pourquoi ne m'as-tu rien dit ? Tu es tellement adorable. » Il l'attira contre lui et se mit à caresser son visage renfrogné, lissant d'un doigt ses sourcils rectilignes. Elle se raidit, mais comme toujours fondit à son contact. Elle essaya de le repousser sans conviction.

« Non. Tu es capable de faire la navette entre elle et moi, comme si cela n'avait aucun sens. Te rappelles-tu, au moins, que je suis moi, Philadelphia Gordon, ou suis-je seulement une femme de plus pour toi, une femme comme une autre ?

— Oh là là ! » Il grogna et la fit taire d'un baiser. « Pourquoi ne peux-tu pas simplement jouir de la vie, ma chérie ? Toutes ces réflexions, ces discussions, réflexions, discussions... Ça n'a pas de sens. Voilà ce qui est réel.

— Oh, non ! Je t'en prie, non.

— Tu aimes ça, tu sais que tu aimes ça.

— Laisse-moi ! » Elle se débattait. « Je ne sais pas si je voudrai jamais te revoir.

— Tu vas me revoir.

— Je ne sais pas, je ne sais pas ! » Elle tamponna ses yeux, se regarda dans le miroir et arrangea sa coiffure. Elle était plongée dans une grande confusion. Il devrait être à genoux, la supplier de le pardonner ; au lieu de quoi il avait trouvé moyen de la mettre dans son tort. Son pied frappa quelque chose, elle se pencha rapidement, ramassa le volume de poèmes, et le lança sauvagement par la petite fenêtre. Quand il tomba à l'eau, elle se sentit mieux.

Ce soir-là, Délie essaya en vain de dîner dans sa chambre. S'emparant du chevalet, elle retourna la toile. Le sourire calme et secret, les yeux rêveurs lui semblèrent pleins de moquerie. Elle savait à quel souvenir rêvaient ces yeux ; elle comprenait maintenant le sens de ce sourire. Le corps de Brenton avait marqué celui de Nesta.

Prise d'une rage aveugle, Délie s'empara d'un couteau et poignarda les yeux de la toile. Puis elle lacéra le visage et les bras, jusqu'à ce que la toile fût réduite en lambeaux multicolores. Tremblant de tous ses membres, Délie se jeta alors sur le lit et lança le couteau à terre. Elle avait l'impression d'avoir assassiné son propre enfant.

Plus tard, elle prit un crayon et un bloc-notes pour écrire à Brenton, lui annoncer qu'elle partait à Melbourne, que tout était fini entre eux. Elle noircit des pages et des pages véhémentes, d'une écriture sauvage et indisciplinée — récriminations, interrogations, mensonges destinés à sauver la face :

«Je ne t'ai jamais vraiment aimé, je t'ai choisi comme certains hommes choisissent l'alcool ou la drogue, afin d'oublier quelqu'un d'autre...»

Quand, deux soirs plus tard, il vint la chercher, elle découvrit avec surprise que son cœur battait d'excitation, comme si elle n'avait pas vraiment décidé de ne plus l'aimer.

Elle avait beau essayer d'éviter son regard, les yeux brillants de Brenton cherchaient les siens, et il grimaçait un sourire, comme pour s'excuser de ne pas sembler plus coupable et déprimé.

Cette bouche — à la pensée de l'autre bouche qu'il avait si récemment embrassée, une telle douleur poignarda Délie qu'elle en eut le souffle coupé. Toutes les larmes brûlantes et salées, tombées sur le livre qu'elle avait essayé de lire la veille au soir pour s'endormir... Les pages étaient maculées de grosses étoiles aux nombreuses branches. Et il avait le toupet de sourire !

«Tu as reçu ma lettre? dit-elle d'une voix crispée tandis qu'ils remontaient Hare Street.

— Oui; mais je ne compte pas y répondre, du moins pas par écrit. Nous pourrions entretenir une correspondance de ce genre pendant des années, avec pour seul résultat un énorme gâchis de papier. Les mots! Ils empêchent tout simplement de vivre.»

Les lèvres de Délie s'incurvèrent en une moue obstinée, mais elle ne répondit pas.

Pendant qu'ils attendaient la commande chez Stacey's, elle l'informa de sa décision: lui vendre la part qu'elle possédait dans le vapeur, et utiliser cet argent pour étudier les beaux-arts à Melbourne.

«Tom aurait été navré d'apprendre, dit sobrement Brenton, que tu n'as plus rien à voir avec son bateau. C'est bien ce que tu désires?»

Elle jouait avec des miettes sur la nappe en évitant de le regarder. «Je ne sais pas ce que je veux, sinon m'en aller! Je pourrais peut-être conserver la moitié de mes parts. Avec trois cents livres, je tiendrai le coup pendant trois ans.

— Il faudra aussi que tu achètes ton matériel de peinture.

— Oui, et que je paie les cours. Je logerai dans une chambre de bonne.

— Eh bien, j'espère que cela te suffira, car pour l'instant je ne pourrai disposer que de trois cents livres, une fois payées la marchandise et les réparations. Tu sais que tu dois participer à l'achat de la marchandise, si tu veux toucher ta part de bénéfices; mais Tom n'a jamais insisté sur ce point, et je ne le ferai pas non plus.

— Brenton!» Ses joues rosirent. «Pourquoi ne me l'as-tu jamais dit? J'ai toujours trouvé cela miraculeux, cet argent qui tombait du ciel. Je ne me suis jamais rendu compte de rien. Je suis perdue dès qu'il s'agit d'argent. Il faut que tu reprennes toutes mes parts, au moins la moitié.

— Pas question! Tu vas en avoir besoin plus que jamais.

— Mais je ne peux pas les garder... tu ne comprends donc pas... après ce qui s'est passé entre nous. C'est comme si tu me payais pour...

— Ne parle pas comme ça! la coupa-t-il rudement en

saisissant ses doigts fébriles. Si tu redis des bêtises de ce genre, je t'embrasse sur-le-champ, devant tout le monde.»

La serveuse leur apporta deux poissons de la Murray, et ils commencèrent à manger mécaniquement, intensément conscients l'un de l'autre.

«Il faut que tu m'écrives de Melbourne pour me dire si tout va bien. Dès que nous nous arrêterons dans un port de l'État de Victoria, je ferai un saut à Melbourne, quitte à y passer une seule journée.

— Je ne suis pas seule au monde, j'ai toujours mon tuteur. Inutile de te montrer aussi protecteur.

— Tu es une petite diablesse! dit-il. Mais je crois que, malgré tout, tu m'aimes encore.»

Elle refusait de rencontrer son regard et resta obstinément silencieuse.

Quand ils sortirent dans la rue, il saisit sa main et entre-croisa ses doigts à ceux de Délie. Il la regarda, les yeux brillants, interrogateurs. Parce qu'il partait le lendemain, Délie trouva son visage plus aimable ; les boucles dorées de ses cheveux, la courbe de ses oreilles, ses traits réguliers n'éveillaient que de l'amour en elle.

«Allons nous promener au bord du fleuve, dit-il. Tu vas me laisser te dire au revoir, n'est-ce pas ?

— Oui... je crois que oui», soupira-t-elle.

Dès qu'ils furent seuls sur la berge du fleuve, il la prit dans ses bras. Son visage pressé contre l'épaule solide de Brenton, elle sentit s'évanouir toute la tension, l'amertume et la souffrance des deux derniers jours. La paix, songea-t-elle, je connais la paix, cette paix qui dépasse l'entendement.

Délie descendit sur le quai pour assister au départ de son homonyme. Après les pluies de l'hiver, les crues de printemps dues à la fonte des neiges faisaient monter régulièrement le fleuve ; une activité intense régnait sur l'arc de cercle du quai.

Délie regarda le flot ininterrompu du fleuve jusqu'à la courbe lointaine, pensa à l'océan méridional dans lequel il se jetait, aux nuages qui s'élevaient de la mer avant de se transformer en pluie ou en neige, et elle se sentit au cœur d'un mystère. Le flux régulier du temps l'emporterait peut-être au loin ; pourtant, ce moment existerait toujours, exactement comme cette portion d'espace continuerait d'exister quand elle l'aurait quittée ; même quand elle contemplerait les brisants tumultueux du dernier rivage.

A ses pieds se trouvait le *Philadelphia*, son nom fraîchement repeint sur la timonerie. Était-il possible qu'elle ne le revoie jamais ? Elle ne pouvait pas y croire. Le rythme du fleuve avait pénétré dans son sang, elle sentait qu'un jour elle le retrouverait.

Elle monta à bord et se promena pour la dernière fois sur le bateau. Dans la timonerie, elle tourna légèrement la roue, touchant ses gros rayons où reposeraient les mains de Brenton. Elle passa la tête dans le salon, où son tableau du vapeur semblait faire entrer le fleuve éclaboussé de soleil dans le sombre espace lambrissé.

Elle redescendit sur le pont principal, serra la main de Brenton, lui souhaita bonne chance et bon voyage, puis franchit la passerelle.

Alors qu'elle gravissait les marches vers les niveaux supérieurs du quai, les yeux embrumés de larmes, Brenton bondit sur le quai et l'embrassa devant tout l'équipage. Tous poussèrent des cris de joie, sauf Ah Lee et l'ingénieur, qui haussa les épaules et maugréa : « Combien de temps vais-je encore faire monter la vapeur sur ce tas de ferraille ? » tout en essuyant ses mains sur sa casquette graisseuse.

Debout au soleil sur le quai, Délie regarda les roues commencer à baratter l'eau, l'écume laiteuse qui léchait les piliers du quai, tandis que le vapeur faisait demi-tour pour se diriger vers l'aval du fleuve. Avec un long coup de sirène infiniment émouvant et dont les échos se répercutèrent sur les arbres des berges, il disparut dans la courbe de la Campaspe.

40

Le vent froid poussait un rideau de pluie oblique dans Swanston Street, bousculait les voyageurs à peine sortis de la gare de Flinders Street, malmenait les malheureux chevaux des taxis, montait la colline en rafales, plongeait dans une quasi-obscurité les piliers gris et massifs de la National Gallery.

A l'intérieur, on alluma la lumière électrique ; quelques visiteurs lugubres passaient d'une toile à l'autre en chuchotant comme à l'église. Les gardiens assis à l'écart ressemblaient à des croque-morts ayant abandonné tout espoir d'activité.

Les vastes pièces inférieures étaient occupées par les élèves de l'École de la Gallery qui travaillaient sur leurs dessins et leurs toiles. La pâle lumière grise du ciel tombait des hautes fenêtres. Une cloche résonna à travers le bâtiment ; le modèle du cours de nu quitta sa pose et se détendit ; dans la salle réservée à la nature morte, les élèves essuyèrent leurs pinceaux et plissèrent les yeux, soudain conscients de leur dos endolori, d'un pied engourdi, de la froidure de cette matinée d'hiver.

Une élève, une fille mince qu'on remarquait à cause de la quantité de peinture dont elle réussissait à enduire tant sa toile que sa blouse, semblait n'avoir rien entendu. Très concentrée, elle continuait de travailler dans le tumulte général, alors que les autres rangeaient leurs affaires dans leurs sacoches ou leurs boîtes à peinture, et replaçaient leurs chevalets contre le mur.

« Cela suffit pour aujourd'hui, Miss Gordon, dit le professeur à l'impeccable moustache noire et au menton rasé de près. N'oubliez pas de ranger votre chevalet, s'il vous plaît.

— Très bien, monsieur Hall. »

Après son départ, elle sembla hébétée, ses yeux bleu foncé toujours absorbés par la toile à laquelle elle avait travaillé. Elle repoussa de son front une mèche de cheveux noirs, et y déposa une tache d'alizarine jaune.

Elle détestait travailler selon des horaires rigides, devoir s'arrêter avant de sentir vraiment le tableau, et recommencer lentement, maladroitement, dans le manque d'inspiration. Elle enleva son tablier après avoir nettoyé ses pinceaux à la térébenthine, puis se lava les mains et le visage dans la petite salle d'eau, où l'on lisait sur un panneau : IL EST INTERDIT DE LAVER LES PINCEAUX DANS LES LAVABOS.

A la sortie, un jeune homme potelé, un camarade d'étude, attendait pour la soulager de sa sacoche. Comme elle n'avait pas cours cet après-midi, elle comptait déjeuner chez elle.

« Accompagne-moi en ville, Del, je t'offre un café bien chaud, dit-il en regardant les joues pâles et le visage amaigri de la jeune fille. On dirait que tu ne manges jamais à ta faim.»

— Désolé, Jeremy. Imogen m'attend; elle a préparé un de ses curries.

— Ça ne te fera pas de mal de boire d'abord quelque chose de chaud, s'obstina Jeremy.

— En effet.» Mais elle ne le regardait pas. Elle se sentait coupable d'accepter les cafés, les déjeuners, les thés qu'il lui offrait, et qu'elle-même n'aurait pu payer; mais elle ne devait pas tomber malade, et elle avait besoin d'une boisson chaude après un cours dans l'atelier glacé, ou un après-midi de peinture en plein air au beau milieu de l'hiver.

Jeremy, qui avait un faible pour la bonne chère, était trop paresseux pour jamais devenir un artiste. Elle ne l'admirait pas, mais... «Une fille doit bien vivre», comme se plaisait à répéter Imogen. Sans conviction, elle s'efforça de lui reprendre sa sacoche, puis se mit à marcher à ses côtés, remontant le col de son manteau pour se protéger de la pluie.

Un tramway retenu par un câble montait la colline. Jeremy saisit fermement le coude de Délie et ils traversèrent en courant la rue glissante, passant devant le trolley tiré par une paire de chevaux fumants. Dans le tramway, Délie s'adossa à son siège et fut prise d'une quinte de toux; Jeremy la regarda d'un air inquiet.

«Tu as assez chaud? Vraiment? Veux-tu mon écharpe? Melbourne n'est pas une ville où il fait bon passer l'hiver.

— Mais si; moi je l'aime par tous les temps. Tu ne sais pas ce que cela signifie pour moi d'être ici, après avoir vécu dans une ville de province.»

Bien qu'habitant Melbourne depuis un an à peine, Délie s'y sentait chez elle. Quand elle y entra par le pont du Prince, par un matin brumeux et lumineux, quand elle vit les reflets des arbres et des maisons sur la calme Yarra, les altières flèches grises de Saint-Paul, les foules de gens pressés et le flot de la circulation, les parcs si verts et paisibles sous les branches nues des arbres, le bonheur et l'excitation firent battre son cœur plus vite.

Telle était la cité à ses yeux, elle y avait découvert son vrai foyer. Un authentique mouvement artistique s'y épanouissait depuis que Tom Roberts était rentré d'Europe, cinq ans auparavant, avec une expérience directe des impressionnistes ; et comme dans un tableau impressionniste, l'air semblait palpiter de vie, ferment impalpable des idées.

Elle n'éprouvait pas beaucoup de sympathie pour Bernard Hall, le directeur des Beaux-Arts ; mais elle aimait travailler avec le professeur de dessin, Frederick McCubbin, doté d'une grosse moustache et d'yeux pétillants d'enthousiasme et d'humour.

Étudier dans cette cité méridionale la ravissait. Mais par des journées comme celle-ci, quand le vent cruel attaquait sa gorge, elle pensait parfois avec nostalgie à Echuca, à son climat doux et ensoleillé, même en hiver.

Au Nouvel An, elle avait participé aux cérémonies de la ville qui fêtait le nouveau Commonwealth ; et plus tard, à son deuil après la mort de la reine Victoria, pour lequel elle avait porté un corsage de soie pourpre pendant une semaine entière.

Echuca, qui en tant que ville frontière avait longtemps lutté contre les restrictions douanières, avait été saisie d'un vent de folie le jour de la fédération, en 1901. Son oncle Charles lui avait envoyé les coupures du *Riverine Herald*, qui avait publié une édition spéciale entièrement tirée à l'encre bleue.

Désormais, le travail monotone dans le magasin de photographie, les activités saisonnières du fleuve étaient relégués loin au nord, et chaque jour encore plus loin dans le passé. Elle venait juste de descendre d'un tram dans Little Collins Street, à Melbourne...

Il pleuvait toujours, mais c'était maintenant un crachin froid. Obéissant à la pression du bras potelé de Jeremy, elle bifurqua vers la gauche et ils descendirent les marches obscures d'un petit café.

Gravissant d'un pas rapide la pente raide de Punt Road vers l'appartement de South Yarra qu'elle partageait avec Imogen, Délie fut prise de quintes de toux. Pendant l'hiver, elle avait eu plusieurs bronchites, et maintenant sa toux se déclenchait chaque fois qu'elle marchait vite ou qu'elle s'énervait.

Elle ralentit et s'obligea à respirer régulièrement. Elle avait les joues brûlantes, et malgré le froid une sensation de chaleur et de faiblesse envahissait tous ses membres.

Elle approchait de chez elle ; le prochain portail de fer. Un des avantages de l'appartement, en fait le pavillon du jardinier d'une grosse maison, était le vaste jardin où elles pouvaient faire des croquis le dimanche matin. Les occupants de la maison étant des amis de la mère d'Imogen, elles avaient l'entière jouissance du jardin. Délie trouvait merveilleux d'être enfin débarrassée des pièges mortels de la respectabilité, des repas guindés, des vêtements qu'on mettait pour aller à l'église, et de toutes les conventions absurdes du dimanche dans une petite bourgade de province.

Comme elle foulait les vieilles pierres de la véranda du cottage, elle entendit du remue-ménage et des éclats de rire à l'intérieur. Avançant en faisant le plus de bruit possible, elle entra dans le salon et découvrit un jeune homme debout devant la fenêtre, qui regardait ostensiblement dehors, et Imogen — petite, cheveux noirs, vive et cependant aussi sensuelle qu'une chatte — qui s'étirait sur son canapé-lit dans un coin de la pièce.

« Je savais bien que c'était Délie ; elle ne sera pas choquée », dit-elle d'une voix moqueuse.

Le jeune homme s'inclina, Délie lui adressa un bref sourire, puis se hâta de rejoindre la cuisine (la seule autre pièce), en enlevant son béret écossais et son manteau mouillé. Elle commençait à s'habituer à l'amoralité d'Imogen, mais elle avait bel et bien été choquée, au début, par la rapidité avec laquelle Imogen changeait d'amants, comme d'autres de chapeau.

Elle alluma le poêle et mit le curry à réchauffer. Parce qu'elle avait faim, elle espérait que le jeune homme ne partagerait pas leur plat, très peu de viande mélangée à beaucoup de riz. Imogen entra avec une assiette supplémentaire. « Ça ne te dérange pas qu'Alby reste à déjeuner, n'est-ce pas ? » dit-elle avec son étrange sourire figé.

Ses yeux vert pâle frangés de cils noirs dévisagèrent longuement Délie. « Tu as l'air épuisée, ma chérie. Tu es trempée ? Va donc t'asseoir dans le salon pendant que je prépare à manger. »

Imogen avait tendance à la materner. Les oublis et les absences de Délie Gordon avaient quelque chose de touchant. Elle égarait sans arrêt des objets, ou se perdait elle-même, elle se trompait de train et se retrouvait à des kilomètres de sa destination, ou bien oubliait de descendre à la bonne station. Parfois, elle était même incapable de retrouver un endroit où elle était pourtant allée une douzaine de fois.

Ses camarades la considéraient avec une sorte d'ironie teintée d'irritation. Quand elle n'oubliait pas ses rendez-vous, elle arrivait en retard, elle cassait des vases, trébuchait sur les chats, perdait son porte-monnaie et devait emprunter le prix de son billet de tramway ; au bout de quelque temps, les gens se firent une raison.

Délie retourna dans l'autre pièce, alluma le poêle près duquel elle s'accroupit. Elle essaya de parler à Alby sans trop savoir quoi lui dire.

Il était mince et filiforme, pâle et étiolé comme une plante restée trop longtemps en appartement ; il avait une grosse moustache soyeuse et des yeux voilés par de lourdes paupières. Sa voix profonde et grasseyante donnait l'impression d'un homme que la vie ennuyait au plus haut point. Ce n'était pas un artiste, mais un étudiant qui suivait vaguement quelques cours, et ce depuis plusieurs années déjà.

Délie était tout sauf ravie de le découvrir chez elle aujourd'hui, alors qu'Imogen avait insisté pour qu'elle revienne déjeuner. Non qu'elle fût jalouse, bien sûr ; ce serait ridicule ; pourtant...

Alby, qui regardait par la fenêtre d'un air profondément blasé, ne fit pas le moindre effort pour alimenter une conversation que Délie essayait d'entretenir par pure politesse. Qu'il ne la considérât pas comme une femme irritait un peu Délie ; mais elle était trop lasse et frigorifiée pour s'efforcer de l'intéresser. Brusquement, elle se sentit désespérément seule ; et, comme cela lui arrivait souvent, elle imagina combien tout serait différent si Brenton avait été là, au lieu d'Alby.

Imogen entra avec trois assiettes fumantes sur un plateau. Elle avait partagé le curry en parts égales, y ajoutant des triangles de toasts beurrés. On l'avait préparé pour deux personnes seulement, mais Alby, qui n'avait apparemment jamais cours le matin, était arrivé. Elle posa le plateau, puis resserra sa boucle d'oreille en argent sur son oreille gauche.

Alby fut secoué d'un frisson. «Je ne supporte pas de te voir faire cela.

— Quoi donc, mon ange?

— Ce métal *froid* qui mord dans ta chair...

— Bah, ça pince juste un peu. D'ailleurs, je devrais me faire percer les lobes.

— Ne fais jamais ça!» Alby trembla de nouveau. «Je crois que je ne pourrai pas avaler une bouchée.»

Tant mieux, pensa Délie, il n'y en a pas assez pour tout le monde. Mais bien que le jeune homme contemplât son assiette d'un œil chaviré, il l'engloutit rapidement.

Il y avait des fruits au dessert, mais rien d'autre. Délie avait encore faim. Elle décida de manger des biscuits plus tard. Pendant qu'ils buvaient du vin, Alby s'écria d'une voix mélodramatique: «Ne bouge plus!»

Le verre d'Imogen resta figé près de ses lèvres. «Tu vois?» dit Alby en s'enfonçant dans son fauteuil, ses longues jambes allongées sous la table. «Tu vois la tache de lumière sur sa joue, sur le verre, ce *je ne sais quoi** dans son attitude.» Il se tourna vers Délie: «J'ai l'œil et la sensibilité d'un artiste, mais je manque de... hum... technique.»

Imogen posa soudain son verre. «Ah, j'ai oublié, Del. Il y a un télégramme pour toi. Je l'ai mis sur la cheminée.»

Délie se leva et déchira lentement l'enveloppe, avec la prémonition d'un désastre qu'éveillent toujours les télégrammes. Mais à mesure qu'elle lisait le message, la coloration rouge de ses joues s'accentua, ses pupilles se dilatèrent, ses yeux semblèrent s'agrandir. Elle adressa à Imogen l'intense regard bleu de ses yeux brillants.

«J'ai deviné! Brenton arrive, dit Imogen.

— Oui. Il arrive ce soir.» Elle relut le bref message: ARRIVE CE SOIR TRAIN 18 H 30 DE ECHUCA BAISERS BRENTON.

Brenton arrive! Elle souleva sa robe étroite au-dessus de ses chevilles et entama une danse frénétique autour de la table, lançant un coup de pied à la toile inachevée posée contre le mur.

---

* En français dans le texte.

« Alby, il va falloir que tu me fasses sortir ce soir, *très tard*, dit Imogen. Va-t'en maintenant, Délie va commencer à décorer l'appartement. Rendez-vous à sept heures et demie devant la poste. »

Alby n'en revenait pas. Il n'avait jamais vu l'amie d'Imogen aussi gaie.

Délie craignait tellement d'être en retard ou que le train arrivât en avance, qu'à six heures elle attendait déjà derrière la barrière, dans la fièvre froide de l'excitation. Elle était prise de faiblesse et de nausée, sa bouche était sèche, ses mains glacées tremblaient. Aucun tourment n'aurait pu égaler cette dernière demi-heure d'attente.

Elle aurait vraiment dû manger quelque chose. Son maigre déjeuner était loin, mais elle était incapable de manger. Elle dut se hâter d'aller aux toilettes. Dans le miroir fixé au-dessus du lavabo, elle aperçut son visage livide. Était-elle vraiment mince ? La trouverait-il changée ? L'écharpe vaporeuse couvrant ses cheveux noirs et nouée sous le menton encadrait ses joues creuses, les faisant paraître plus rondes. Ses lèvres étaient d'un rose plein de santé.

Rassurée, elle retourna sur le quai. Là, ses peurs l'assaillirent de nouveau. Une année s'était écoulée depuis leur dernière rencontre, depuis qu'elle lui avait déclaré qu'elle ne voulait plus jamais faire l'amour avec lui. Comment allait-il se comporter, qu'allait-il dire ?

Elle avait reçu deux lettres de lui, postées très en amont de la Darling, où il parlait surtout des aventures du vapeur, de l'état des rivières. Ses lettres venaient toujours d'endroits inconnus et lointains. Et maintenant, lui-même arrivait, avec le parfum de ces lieux sauvages, des fleuves scintillants au soleil et des grandes plaines arides à travers lesquelles ils serpentaient.

Au-dessus de sa tête, la pendule indiquait six heures et demie, l'heure prévue pour l'arrivée du train du Nord. Il lui sembla alors que le temps s'immobilisait. Brenton n'arriverait jamais. Elle resterait éternellement debout sous l'horloge arrêtée, regardant les deux rails vides qui disparaissaient dans l'obscurité brumeuse d'une nuit d'hiver.

Le coup de sifflet strident d'un train résonna dans la gare, comme la sirène du *Philadelphia* au confluent de la Campaspe... Des porteurs envahirent brusquement le quai, poussant des chariots à bagages ; une foule se rua sur elle. Elle s'accrocha aux barrières de fer, prête à s'évanouir.

41

Au restaurant, à la lumière de la bougie allumée sur leur table, elle regardait fixement ses yeux bleu marine. Tout se passait bizarrement, comme en rêve ; elle savait à peine de quoi ils avaient parlé, bien qu'ils eussent discuté joyeusement et sans interruption depuis la gare.

Dès que la main de Brenton toucha la sienne, sa peur et sa faiblesse disparurent, et elle flotta calmement comme un navire rentrant au port. Main dans la main, ils avaient fendu la foule, et tandis que le flot des gens se séparait pour se refermer derrière eux, elle avait eu le sentiment qu'ils constituaient le centre réel d'un monde irréel et flottant.

Maintenant, elle le regardait manger avec son appétit habituel ; il enroulait des spaghetti brûlants autour de sa fourchette avant de les engloutir d'une main preste et habile.

«Tu ne manges pas, chérie.» Il s'arrêta et lui adressa un regard inquiet.

«J'aime te regarder.

— Mais moi, j'aime te voir manger. On dirait que tu as maigri. As-tu consulté un médecin ?

— Non, pourquoi ?

— Je n'aime pas la façon dont tu toussais pendant que nous marchions vers l'arrêt du tram.

— Oh, je tousse uniquement quand je suis essoufflée. Ce n'est rien.

— Je crois pourtant que tu devrais consulter un médecin.

— Mais je n'ai pas assez d'argent.»

Il sortit son portefeuille et compta une pile de billets qu'il posa sur la table. «Voilà ta part sur les bénéfices de l'année.»

Elle le regarda par en dessous. «Mais je n'ai plus qu'un quart des parts maintenant. Brenton, nous avons déjà parlé de ça. Je refuse de prendre un quart des bénéfices sans réinvestir une livre dans le bateau. Tu as presque tout dépensé pour les réparations, les améliorations et l'achat de la marchandise. Tu n'as quasi rien gardé pour toi.

— Eh bien, c'est un investissement. Et je m'octroie un salaire de vingt livres par mois. D'ailleurs, il existe une solution très simple à toutes ces discussions, — marions-nous et tout sera réglé.»

Elle baissa les yeux sur la nappe. Elle avait enlevé son fichu vaporeux, ses cheveux tombaient sur ses épaules, et au milieu de leur masse souple son cou blanc et gracile s'élevait comme la tige d'une fleur.

«Ne parlons pas de cela maintenant, dit-elle d'une voix presque inaudible.

— Très bien.» Il leva son verre de riesling. «Aux plus beaux yeux de l'État de Victoria.»

Elle sourit, partagea en deux la pile de billets, sans les compter, puis lui en rendit la moitié. «Voilà pour acheter de la marchandise, de la peinture et le reste. Moi aussi, je considère cela comme un investissement.»

Il se renfrogna, mais remit les billets dans son portefeuille. «Tu es la tête de mule la plus butée que j'aie jamais rencontrée. Mais je tiens à ce que tu me préviennes immédiatement si tu as des problèmes d'argent.

— Nous avons toujours des problèmes d'argent, Imogen et moi, mais nous nous débrouillons.

— Vous mangez du pain rassis dans un grenier, j'imagine. Ah, les artistes!

— Nous vivons, c'est l'essentiel.

— Tu pourrais bien mourir.»

Il dit cela avec une telle sobriété qu'un frisson de peur secoua Délie. Était-elle vraiment malade des poumons? Cette toux, cette impression d'épuisement, le matin...

Après la deuxième bouteille de vin, elle prit conscience qu'elle n'avait jamais autant bu de sa vie, mais elle se sentait parfaitement bien. Néanmoins, quand ils se levèrent pour partir, elle eut besoin de la main de Brenton qui la guida parmi les tables. Il lui sembla descendre les marches en flottant, sans en toucher plus d'une ou deux.

L'air froid de la nuit emplit ses poumons, une sauvage exaltation s'empara d'elle. Elle dansa et virevolta dans la rue. Ce n'était pas seulement l'effet du vin, mais aussi les vitrines brillamment éclairées, le tohu-bohu de la circulation, les lampadaires électriques, le fait qu'elle avait vingt et un ans et qu'elle se promenait dans les rues d'une grande cité au bras de son amoureux. Je suis ivre, je suis ivre, se disait-elle avec enthousiasme, levant les yeux vers les pâles étoiles qui semblaient tourbillonner. Ivre de vin, de bonheur, de jeunesse, d'espoir et d'amour.

Elle savourait cette expérience nouvelle, l'enregistrait sur la plaque sensible de sa mémoire où, comme sur une photo, tous les événements de sa vie étaient gravés de façon indélébile, pour s'illuminer brusquement dans le souvenir, longtemps après qu'on les a crus oubliés.

Son premier souvenir évoquait une mousse veloutée, d'un vert éclatant, qu'elle creusait entre les vieilles briques rouges d'un mur qui la dominait — l'odeur de la terre, la texture de la mousse, le contraste de l'émeraude et du vieux rose, étaient aussi présents aujourd'hui qu'autrefois. Elle acceptait toutes les expériences, désirait explorer la vie, ce grand fleuve, jusqu'en ses mortes eaux les plus secrètes.

« Je crois que tu ne verrais pas d'inconvénient à te faire amputer d'une jambe, lui avait dit un jour Imogen. Tu resterais assise, notant avec intérêt tes impressions. »

« A quand remontent tes premiers souvenirs ? demandat-elle à Brenton qui observait sa danse improvisée tout en cherchant un taxi.

— Oh, je ne sais pas ; à l'âge de cinq ans, il me semble. Je me rappelle ma mère assise en larmes au bord de son lit, à cause de quelque chose que mon père avait dit ou fait ; je me rappelle avoir souhaité être assez fort et grand pour le faire souffrir comme il la faisait souffrir.

— Mes souvenirs remontent bien plus loin ; c'est une sensation colorée, rose et verte ; avant l'âge de trois ans ; un mur dans le jardin de ma grand-mère. Tu sais, je crois que je suis née avec une sorte de prédilection pour la couleur. A cinq ans, j'ai plongé une de nos poules blanches dans un bol de teinture rose. Ses plumes ont pris une superbe couleur rose, mais elles se collèrent toutes ensemble; la poule a fait quelques pas et puis elle est morte. J'ai pleuré, parce que j'avais peur de me faire gronder, mais mon père a déclaré que cela dénotait un esprit scientifique et une curiosité précoce. Une autre fois que ma mère nous avait laissés seuls, John et moi, avec une tante, nous avons trouvé un pot de peinture et nous avons peint sa porte d'entrée en rouge; je m'en suis mis plein les cheveux...»

Les mots s'échappaient d'elle en un flot ininterrompu, elle aurait ainsi parlé jusqu'à l'appartement s'il ne l'avait fait taire d'un baiser. A leur arrivée, ils trouvèrent la lampe allumée et un feu rougeoyant dans la cheminée.

Brenton tira le canapé devant le feu, puis fit asseoir Délie sur ses genoux.

«J'ai dit, murmura-t-elle rêveusement, j'ai dit que je ne voulais plus jamais te revoir.

— Oui. Tu as également dit que tu ne voulais plus la moindre part dans le *Philadelphia*. Mais tu en possèdes toujours le quart; et tu désires toujours me voir.

— Oui.

— Et tu désires toujours que je te fasse l'amour.

— Non.

— Si, tu le désires.» Et lentement, gravement, il entreprit de la déshabiller.

«Nous n'avons pas besoin de la lampe, dit-elle, paralysée par la timidité.

— Si, nous en avons besoin. Je veux te voir. Tu as un joli petit grain de beauté ici, et puis il y a tout ce réseau de rivières bleues que je dois explorer, jusqu'à cette sombre forêt donnant sur la mer...» dit-il en embrassant chaque partie de son corps à mesure qu'il la déshabillait.

«Ah, Capitaine Fracasse!» s'écria-t-elle en riant, profondément ravie. Elle savait qu'il n'en était pas à son premier voyage d'exploration: combien de Nesta avait-il connues au cours de son existence? Mais en cet instant, elle se sentait invulnérable; même le souvenir de Nesta ne pouvait la blesser. Et puis, elle n'était pas la même personne qu'un an auparavant. Le temps s'était écoulé lentement, imperceptiblement, façonnant un être nouveau. Repensant à sa vie, elle sentit que maintes fois déjà elle était morte pour renaître, bien que le fil du souvenir reliât toutes ses incarnations passées.

Deux heures s'écoulèrent avant qu'ils ne songent au retour possible d'Imogen ; à contrecœur ils se levèrent, épuisés, comme drogués ; tandis qu'ils s'habillaient lentement et remettaient le lit en ordre, ils ne pouvaient s'empêcher de se frôler ou de s'embrasser en une étreinte paisible, animée par le souvenir du désir. Brenton, toujours anxieux de «la faire manger», fit griller des toasts sur les dernières braises du feu, et ils les partagèrent en échangeant des baisers.

La consigne où il avait laissé son sac fermait à onze heures, mais il s'attardait, disant pour la troisième fois : «Nous devrions nous marier.»

Elle soupira et se mordit la lèvre. «Tu sais bien que c'est impossible.

— *Pourquoi* est-ce impossible ?» Maintenant que l'idée du mariage était entrée dans son esprit, les réticences de Délie l'agaçaient.

«Parce que... parce que je veux devenir peintre, et puis... nous avons des idées différentes. Je ne pourrais pas te partager avec une succession de Nesta.

— Je t'ai déjà dit qu'elle ne comptait absolument pas pour moi, sinon comme un défi. Je ne comprends pas que tu puisses être jalouse d'une fille comme elle. Je te croyais plus intelligente.

— Je n'y peux rien, Brenton. Je suis possessive avec toi, c'est ainsi.

— Je crains que tu n'épouses un de ces idiots d'artistes à cheveux longs, et que je ne te revoie plus jamais.

— Je te promets de n'épouser personne. Je désire simplement travailler. Mais... oh, j'ai tellement envie de ne plus jamais te quitter, de voyager sur le fleuve ! Et puis ici, ce n'est pas tout à fait ce que j'attendais. Je veux dire, parfois quand nous peignons dans la petite cour derrière la Gallery, perdus dans une sorte de — de dévotion religieuse pour l'Art (ne ris pas, s'il te plaît, je n'ai jamais parlé de cela à personne), parfois j'ai l'impression de vivre au sommet de l'existence. Mais j'ai aussi été un peu déçue...

« J'ai découvert que Bernard Hall n'est pas Dieu le Père, que la plupart des étudiants n'ont pas ce sérieux qui caractérise les prêtres et les dévots, et puis peut-être ne l'ai-je pas non plus... Tu ne m'écoutes plus, n'est-ce pas ?

— Non. Tout cela me paraît complètement stupide. Tu es une femme, et je te le demande pour la quatrième fois : veux-tu m'épouser ? »

Elle répondit d'un air obstiné : « Ça ne marcherait pas. »

Elle mourait d'envie d'accepter, mais un mystérieux instinct l'avertissait qu'elle aurait tort. Elle devait continuer à peindre coûte que coûte, elle devait rester fidèle à cette part essentielle d'elle-même.

Il partit d'assez mauvaise humeur, et le lendemain ils se séparèrent à la gare avec des visages fermés, presque comme des étrangers. Pour cacher la blessure infligée à son amour-propre, Brenton affectait un ton enjoué, un air viril. Au cours des vingt-neuf années de son existence, il n'avait pas encore rencontré une femme qui lui eût résisté quand il était déterminé à la conquérir.

Dès que son train fut parti, Délie se sentit submergée de désespoir, et le lendemain, après une nuit d'insomnie, elle voulut se précipiter à la poste pour lui télégraphier : « D'accord pour mariage immédiat ». Mais une fois de plus, son instinct la retint.

Elle travailla sur un tableau passionnant au cours de nature morte ; quand il fut terminé, elle reçut un grand compliment de la part de M. Hall : « Hum ! Les étudiants réussissent rarement des choses aussi remarquables. » Une nouvelle ambition s'empara d'elle : être la première femme à remporter la bourse de voyage, décrochée deux ans auparavant par Max Meldrum et décernée tous les trois ans.

Jusqu'ici, seuls des portraitistes de talent l'avaient remportée ; à l'École de la Gallery, la peinture de paysage était moins prisée, alors que Délie donnait toute sa mesure dans ce genre. Néanmoins, elle voulait essayer. Elle travailla d'arrache-pied, faisant l'impossible pour oublier son amour pour Brenton.

L'Art Gallery de Melbourne abritait de nombreuses reproductions des vieux maîtres, car une des conditions de la bourse d'étude à l'étranger était que le lauréat renvoie des copies des chefs-d'œuvre figurant dans les musées étrangers qu'il visitait.

Délie les étudia avec intérêt, mais retournait encore et toujours à quatre paysages australiens — *Soirée d'été* par Louis Buvelot, *Bassin à Coleraine* par le même peintre, *Clair de lune* par David Davies, et *Le Pouvoir transparent de la lune pourpre* par Streeton.

Elle s'aperçut que Buvelot était le premier artiste australien qui avait rendu l'anatomie spécifique de l'eucalyptus, sans en faire une sorte de chêne étiolé. Streeton avait un sens très aigu de l'herbe sèche, des bleus profonds et de l'or rutilant, propres à l'été australien. Elle pouvait passer des heures devant l'étude lyrique et impressionniste de Davies, son ciel crépusculaire aux lumineuses teintes nacrées.

Un tableau de Frederick McCubbin, *Soirée d'hiver*, l'intéressait aussi ; elle avait vu certaines de ses œuvres exposées à la Société des Artistes de Victoria, tellement imprégnées de l'atmosphère australienne qu'elles semblaient exhaler l'odeur de l'eucalyptus et de la brousse.

Les longues heures passées devant ces tableaux, leur examen minutieux et sa rage de «mettre son nez dans la peinture» l'initièrent à la technique de ces artistes ; on aurait presque dit que, debout à côté d'elle, ils lui chuchotaient leurs secrets tout en l'encourageant. «Regarde, on fait comme ça ; ces dégradés imperceptibles de couleurs et de lumière, ce n'est pas difficile...»

Le moment arriva de se préparer à l'exposition de printemps de la Société des Artistes de Victoria. Plusieurs étudiants membres de cette Société choisirent leurs plus beaux tableaux pour les soumettre au comité de sélection. Délie sortit la seule grande toile qu'elle avait ramenée d'Echuca ; elle représentait un camp de vagabonds au confluent de la Campaspe, avec un léger filet de fumée bleue se détachant contre les arbres sombres. L'argent que Brenton lui avait donné lui permit de la faire encadrer.

Elle choisit une autre vue du fleuve, qu'elle avait peinte en s'inspirant d'un croquis depuis son arrivée à Melbourne, ainsi

que deux autres tableaux peints pendant les cours, une nature
morte et un paysage. Sur les quatre tableaux, un seul fut
retourné par le comité ; *Soirée sur la Campaspe*, son œuvre la
plus ambitieuse, fut acceptée. Mais le jour du vernissage,
quand elle arriva à la galerie, ses tableaux lui parurent
incroyablement petits, accrochés à côté des autres sur un
immense mur.

Juste avant l'ouverture, un nouveau souci chassa l'exposition de son esprit ; elle avait certes affirmé courageusement à
Brenton qu'elle ne craignait pas de porter son enfant, mais
cette éventualité l'emplissait maintenant de terreur.

Elle examina le calendrier, effectua des calculs qui ne
tombaient jamais juste. Elle était négligente pour les dates,
comme pour tout ce qui ne concernait pas la peinture, et se dit
qu'il n'y avait peut-être pas de quoi s'inquiéter. Pourtant, elle
ne se sentait pas bien, le matin elle ne pouvait rien avaler.

Elle ne confia pas ses craintes à Imogen ; en parler rendrait
cette possibilité encore plus réelle. Elle dormait très mal.
Chaque nuit, elle se réveillait plusieurs fois, baignée de sueur.

Enfin le jour de l'ouverture arriva. Bien qu'elle ne fût qu'une
artiste parmi tant d'autres, elle se sentit folle d'excitation à
l'idée d'exposer ses toiles en public pour la première fois.
Quand l'*Age* fut publié le lendemain matin, elle l'ouvrit immédiatement pour lire l'article relatif à l'exposition.

On ne parlait pas de l'unique toile d'Imogen, un bouquet de
fleurs ; mais vers le milieu de la colonne, elle lut : « Delphine
Gordon est une nouvelle venue dont le travail dénote une
bonne technique (surtout pour rendre les reflets irisés de l'eau)
mais un manque d'originalité. Son tableau intitulé *Soirée sur la
Campaspe* rappelle fortement Louis Buvelot... »

Étrange ! Car elle avait peint ce tableau à Echuca, alors
qu'elle n'avait jamais vu la moindre toile de Buvelot. On
parlait de ses vues du fleuve, mais pas un mot sur la nature
morte, résultat d'une année entière de travail.

Elle commença à se demander — ce n'était pas la première
fois — si l'enseignement académique de la Gallery aidait ou
entravait son développement artistique. Dans l'*Argus*, Smith,
qui avait une dent féroce contre l'école impressionniste, ne
mentionnait pas son nom.

A la fin de la semaine, alors que ses règles n'étaient toujours pas arrivées, elle ne put supporter davantage son incertitude. Elle parcourut Upper Collins Street en lisant les noms des médecins sur leurs plaques de cuivre, et en choisit un au hasard. Elle se présenta sous le nom de Mme Edward Brenton. Elle détesta l'examen du médecin ; la peur du praticien autant que de son diagnostic accélérait les battements de son cœur.

Quand elle ressortit dans la rue, ses joues étaient vivement colorées, elle avait la gorge sèche, ses mains tremblaient. Prise d'un accès de faiblesse, elle entra dans un salon de thé, s'assit, puis essaya de réaliser les conséquences terribles du diagnostic.

Elle ne parvenait pas encore à y croire : sa carrière à Melbourne était brisée, elle devrait quitter les Beaux-Arts, l'éventualité d'une bourse de voyage en Europe était désormais exclue.

Le médecin avait examiné ses mains, pris sa température, appliqué son stéthoscope sur sa poitrine, avant de l'interroger longuement sur son alimentation et son sommeil ; tout cela avait semblé passablement futile à Délie, qui ne désirait savoir qu'une seule chose. Enfin, quand il eut terminé son examen, il lâcha son verdict comme une bombe :

« Je crains que vous n'ayez la tuberculose, mais à un stade précoce. Un seul poumon est touché. Cependant, vous avez besoin de repos sous un climat chaud et sec, si vous voulez enrayer la maladie. Un test d'expectoration serait nécessaire pour confirmer le diagnostic, mais pour ma part, il ne fait aucun doute. »

Elle se sentit d'abord soulagée ; elle ne risquait pas d'avoir d'enfant. Le médecin avait déclaré qu'une grossesse était fortement déconseillée dans son état. Il fallait beaucoup de soleil, beaucoup de repos, un peu de bon vin rouge aux repas...

Elle commanda machinalement un café, les yeux dans le vague. « Je vous conseillerais un climat continental... Si vous passez encore un hiver à Melbourne, ce pourrait être votre dernier... »

On lui servit son café, qu'elle but machinalement, après quoi elle en commanda un autre. Ses idées s'éclaircissaient, mais ses joues étaient encore brûlantes, et son souffle court. Elle regretta amèrement l'absence de Brenton; elle aurait voulu être dans ses bras pour affronter l'avenir.

Brenton! Qu'avait-il déclaré? «Tu pourrais bien mourir.» Et c'était la vérité, elle risquait de mourir, l'hiver suivant serait peut-être son dernier. Pourtant, elle ne pouvait y croire. Il y avait trop de choses qu'elle désirait faire, qu'elle désirait voir et connaître, trop de tableaux qu'elle voulait peindre à tout prix. Elle ne pouvait pas mourir déjà.

«Vous devez déménager... Un autre hiver à Melbourne... l'intérieur du pays serait idéal pour une personne souffrant de votre mal...»

Un immense bonheur l'envahit brusquement. Pendant des semaines, depuis que Brenton était retourné à Echuca, elle avait lutté contre son amour pour lui. Maintenant, tout se décidait par la force des choses. Elle allait lui écrire sur-le-champ, lui dire qu'elle revenait vers lui. Il l'accepterait certainement, même avec un seul poumon, tout comme elle continuerait de l'aimer si par malheur il perdait une jambe.

La serveuse apporta la deuxième tasse de café, et fut remerciée d'un sourire éclatant. Délie réchauffa ses doigts glacés autour de la tasse. Elle ne tremblait plus. Elle retournerait vers le fleuve, ainsi qu'elle l'avait toujours su. Là-bas, dans l'air limpide à odeur d'eucalyptus, elle guérirait. Elle savait qu'elle allait guérir.

42

Délie passa de courtes vacances à Bendigo avec les McPhee avant son mariage. Sa santé s'améliorait déjà, sa toux s'estompait. Il semblait que le conflit entre son amour et ses ambitions artistiques ait été à l'origine de sa maladie.

Maintenant que son conflit était résolu, elle acceptait sa nouvelle existence avec bonheur et soulagement. Brenton refusait d'attendre un an pour voir si le changement de climat aurait raison de sa maladie. Il insista pour qu'ils se marient immédiatement, et qu'elle l'accompagne quand le *Philadelphia* lèverait l'ancre à destination de la Darling et des plaines sèches et ensoleillées de l'Ouest. Il n'avait aucune peur de la maladie.

Le changement d'Angus McPhee pendant les deux années où elle ne l'avait pas vu, la bouleversa. Il avait terriblement vieilli : il souffrait de rhumatismes et d'arthrite, lui confia Mme McPhee à voix basse. Il se déplaçait lentement en s'appuyant sur une canne, son dos était voûté, ses mains autrefois musclées semblaient tordues, difformes. Bien que ses cheveux et sa barbe fussent aussi fournis que jadis, ses yeux bleus avaient perdu leur éclat. Ils paraissaient ternis par la douleur lancinante qui taraudait toutes ses articulations.

Avant le départ de Délie, il lui donna un chèque généreux. «Achète-toi un petit quelque chose avec cet argent. Vous aurez besoin de pas mal de meubles pour votre maison.

— Mais je vais vivre sur un bateau, monsieur McPhee. Il y a seulement des couchettes et nous n'avons de place pour aucun meuble.

— Vivre sur un bateau ! Nom d'un petit bonhomme ! Habiter une coque de noix, sans même un jardin devant la maison, avec les bébés qui risquent de tomber dans le fleuve et se noyer ! »

Délie éclata de rire. «Nous ne comptons pas avoir d'enfants dans l'immédiat, vous savez. Et puis je leur apprendrai à nager le plus tôt possible. »

«Cette année, le fleuve ne nous sera pas très favorable, dit Brenton d'une voix pensive. Je ne sais pas si nous allons pouvoir remonter au-delà de l'île Campbell, avec deux barges.

— Alors ce n'est pas la peine de prendre deux barges en remorque. L'an passé, il n'y en avait qu'une.

— Mais maintenant je suis un homme marié, j'ai une femme à charge. (Il l'embrassa tendrement.) Il faut que je gagne davantage d'argent. L'an passé, un autre chargement de laine nous aurait au moins rapporté cinq cents livres supplémentaires.

— Mais *nous*, dit Délie, soulignant légèrement le pluriel, aurions dû payer un autre maître de barge et deux autres mariniers.

— Oui, cela fait un salaire de vingt livres par mois, une

bagatelle, comparée au bénéfice. Non, cette année, j'en prends deux.»

Délie renonça à discuter. Elle n'attachait pas grande importance au nombre de barges remorquées, mais elle avait remarqué que Brenton ne feignait même plus de la consulter pour les affaires du bateau. Apparemment sa conception du partage des biens de ce monde se résumait à : «Ce qui est à toi est à moi, mais ce qui est à moi reste à moi».

«Évidemment, poursuivit Brenton, cela implique que la marchandise ne sera pas assurée avant le confluent de la Bidgee. Nous n'avons pas de licence de l'Association des Assureurs Maritimes pour deux barges.

— Alors, pourquoi ne pas la demander?

— Ça prendrait trop de temps pour ce voyage. Nous devrions partir d'ici une ou deux semaines. La garantie de connaissement n'est valable que pour les remorques vers l'aval du fleuve, nous serons donc couverts au retour.»

Brenton avait beau essayer de l'exclure des décisions, Délie s'obstinait à s'intéresser à la vie du bateau, manifestement la grande passion de son mari. Elle était certaine qu'il l'aimait, mais l'amour n'était pas essentiel pour lui. Tant mieux, comprit-elle avec sagesse, si j'ai mon propre travail; au moins, il ne sera jamais jaloux des intérêts de sa femme.

Pendant environ trois jours après leur mariage, Brenton avait consacré toute son attention à Délie. Il n'aurait pu y avoir pire moment pour leur union : le *Philadelphia* venait de quitter la cale sèche, après une révision générale; le bruit courait que le fleuve commençait à monter, et Brenton avait télégraphié aux membres de l'équipage, engagé de nouvelles recrues et préparé le chargement.

Pour son mariage, Délie avait porté un costume de serge couleur crème et un chapeau décoré de grosses roses jaunes. Passablement scandalisée, Bessie avait déclaré qu'«elle-même ne se sentirait pas mariée» si aucun voile ne recouvrait son visage; mais Délie tenait à son idée et Brenton préférait une cérémonie aussi discrète que possible.

Délie avait été touchée par les efforts de son oncle pour se rendre présentable au moment de «passer la main à l'heureux élu». Charles avait soigneusement brossé son vieux costume sombre, ses joues étaient rasées de frais et il s'était coupé les cheveux ; mais le talon d'une de ses chaussettes noires arborait un gros trou. Lors du repas de mariage, il but trop de whisky et se mit à sangloter, les larmes ruisselant de ses yeux aux paupières rougies jusque dans son épaisse moustache.

Quand ils lui avaient appris la nouvelle, il n'avait pas semblé particulièrement ravi.

« Habiter un bateau ! s'était-il écrié avec une grimace dubitative. J'avais espéré, ma chère — ils étaient dans le salon maintenant poussiéreux, au plafond couvert de toiles d'araignées —, j'avais espéré que tu ferais un brillant, euh... Avec ton charme et tes talents... Enfin, je sais bien que je suis mal placé pour donner des conseils. Mon propre mariage... » Il soupira.

Ses yeux ternes et injectés de sang, sa moustache grise tombante s'arquèrent en un sourire mélancolique. « Enfin... du moment que tu es heureuse... »

Délie remarqua qu'il était incapable de terminer une phrase, chacune s'achevant sur un grommellement indistinct. Il portait des bottes à soufflet, un pantalon de cheval et une chemise d'une propreté douteuse. Délie trouva étrange de l'entendre ergoter à propos de Brenton Edwards — Brenton qui avait pris sur lui de se présenter devant Charles, ses boucles dorées aplaties à coups de brosse, un faux col immaculé soulignant sa mâchoire carrée, impeccablement rasée.

Charles s'était d'abord montré affable, il avait apporté du whisky et des verres d'une main tremblante. Délie avait averti Brenton, qui ne broncha pas devant l'apparence miteuse de Charles. Il observa avec intérêt l'élégance désuète de la pièce, la soie plissée des abat-jour poussiéreux, des bougeoirs posés sur le piano, les vases vieillots, les roses passées du tapis élimé.

Deux jeunes femmes aborigènes avaient jailli de la cuisine quand ils étaient arrivés dans un sulky de location, avant de déguerpir en riant vers les collines sablonneuses au-delà de la ferme. Délie se rappela le jour où elle avait franchi la barrière pour la première fois, voilà tant d'années, Lucy et Minna qui pouffaient derrière le réservoir.

Minna, la splendide fille que le Temps avait détruite longtemps avant sa mort, était décédée. Hester et Adam aussi étaient morts. Quand, avec une répugnance visible, Charles demanda si Délie et Brenton voulaient rester manger, elle lui répondit qu'ils devaient rentrer en ville. Son ancienne maison était désormais hantée par des fantômes, surtout celui d'Adam.

Son oncle lui dit de choisir un objet de la ferme, qu'il voulait lui offrir pour son mariage. Délie sentit qu'Hester se retournerait dans sa tombe si elle prenait quelque fragile trésor, et choisit le repose-pieds en tapisserie sur lequel elle s'asseyait jadis aux pieds de Miss Barrett. Elle recevait parfois des nouvelles de Miss Barrett, qui habitait maintenant la France; elles étaient restées en contact, bien que leur correspondance fût de plus en plus irrégulière.

Après le mariage, l'heureux couple s'était rendu au *Palace Hotel* en attendant que le *Philadelphia* fût prêt à partir. Brenton déclara qu'une étroite couchette était trop petite pour dormir avec elle; le grand lit à deux places était plus confortable.

«Tu as déjà l'air en meilleure santé», dit-il au bout d'une semaine, en séparant les longs cheveux noirs qui tombaient sur ses épaules blanches, tandis que ses doigts frôlaient les vertèbres de Délie. «Je ne peux plus les compter aussi facilement qu'avant, et tes yeux sont nettement moins cernés.»

Sa fragilité et sa santé délicate le ravissaient, lui donnaient le sentiment d'être plus fort et protecteur. Il examina ses pieds aux os fragiles, ses petites rotules, avec l'attention concentrée d'un enfant découvrant une nouvelle poupée.

D'ordinaire, son choix se portait sur des corps plus voluptueux, mais il était maintenant amoureux des petits seins pointus et de cette peau diaphane où l'on distinguait un fin réseau de veines bleutées.

«Il vaut mieux que nous dormions sur des couchettes séparées, dit-il en enfouissant son visage entre ses seins. Je risquerais de t'épuiser, et puis tu sais ce que le médecin a dit.

— Il a dit que je ne devais pas avoir de bébé pour l'instant.

— Non. Nous devons faire très attention.»

Délie était persuadée que son bonheur durerait éternellement. Elle ne ressentait que de la pitié pour Imogen, dont les liaisons toujours malheureuses et violentes ne duraient jamais; et une sympathie nouvelle pour Bessie, maintenant mariée à un fringant jeune homme anémique et guindé, qui n'avait jamais quitté Echuca et ne connaissait que le commerce d'étoffes de son père, dont il espérait hériter un jour.

Bessie rayonnait de plaisir, très fière de son nouveau foyer, que son père avait décoré de meubles sophistiqués. Elle était enceinte ; son visage, que Délie avait toujours connu pétulant, était désormais calme, comme attentif, et son teint florissant. Bessie était un arbre chargé de fruits. Délie enviait presque sa future maternité.

Le soir, elle se sentait souvent fiévreuse. Une brûlure sèche envahissait ses joues, symptôme de sa maladie qui la rendait plus belle encore et faisait briller ses yeux d'un éclat singulier.

Le matin, elle se réveillait pâle et léthargique, ses longs cheveux étalés sur l'oreiller, encore trempés des suées nocturnes qui consumaient son énergie. Mais bien qu'elle restât souvent au lit pour le petit déjeuner, le désir de voir Brenton, d'être à ses côtés, de le toucher, devenait bientôt si fort qu'elle se levait et descendait vers le quai.

Ils s'embrassaient ; ensuite il regardait rarement dans sa direction, mais elle le sentait conscient de sa présence tandis qu'il supervisait le chargement d'outils agraires, de sacs de farine, de pièges à lapins et de caisses de bière ; débordant d'énergie, il entassait des sacs ou rangeait des piles de planches d'eucalyptus destinées à remplacer les aubes endommagées.

Quand il s'interrompait pour reprendre haleine, la sueur assombrissait ses boucles blondes, et Délie mourait d'envie de le rejoindre, de sentir son bras contre le sien. Tous ses sens en éveil et malgré tout insatisfaite, elle était intensément consciente de sa présence physique. Elle pensait que tous les gens devaient sentir l'incroyable attirance qui les reliait, tel un arc de feu.

Un des nouveaux membres de l'équipage avait déjà pris ses quartiers à bord. Le premier jour où Délie descendit vers le bateau, respirant avec délice l'odeur de boue et de pourriture qui montait du fleuve, regardant les irisations de lumière dorée danser sur les planches et les poutres, elle entendit avec stupéfaction une voix tonnante sortir de la timonerie :

«Garde à... VOUS! Présentez ARMES! Bande d'empotés, vous allez vous faire tuer!»

Elle leva les yeux, s'attendant à découvrir quelque vieux loup de mer, mais rencontra le regard plein de sagesse d'un perroquet vert qui l'observait par la fenêtre ouverte de la timonerie.

«Qu'est-ce que tu as dit? demanda-t-elle poliment.

— Où est le coquin qui a pris le tournevis?» rétorqua le perroquet d'une voix sévère.

Elle monta jusqu'à la timonerie pour lui serrer la patte et lui gratter le dos, mais le perroquet attaché par une petite chaîne, battit en retraite en lançant un flot de mots incompréhensibles.

«Il t'injurie en danois, lui cria Brenton. Il connaît des injures en trois langues, l'anglais, le danois et le suédois.

— Où l'as-tu trouvé?

— C'est le capitaine Jacobsen qui me l'a donné, car il prend sa retraite. Il était marin au long cours et a trouvé Skipper en Amérique du Sud. Il m'a dit que Skipper avait besoin de vivre sur un bateau, et puis je crois que nous nous entendons bien.

— Tous les oiseaux semblent t'aimer», répondit Délie, qui pensa aux perroquets que Brenton avait sifflés dans la forêt d'eucalyptus, sur la rive opposée, lors du pique-nique organisé le lendemain de leur mariage. Il voulut lui faire l'amour dans la Nouvelle-Galles du Sud, car il était né dans cet État. Sa famille habitait une petite ville de la brousse, mais il avait vécu tant à Sydney qu'à Melbourne avant l'âge de quinze ans. Il avait une sœur mariée au Queensland et un frère à Sydney; ses deux parents étaient morts. Son père avait été sellier.

«Nous n'avons jamais possédé d'objets luxueux de ce genre, avait-il déclaré à Délie en sortant de la maison de Charles. Pas de tapis, pas de piano, rien. Nous vivions surtout dans la cuisine; il y avait une pièce pour les visiteurs, mais elle était quasiment condamnée. Dès que l'occasion se présentait, je sortais de la maison, et je faisais l'école buissonnière. Mais les grandes villes, avec leurs immeubles et leurs murs, m'ont déplu. Au moins ici, on respire.»

Elle le voyait hors de la ville pour la première fois, à

l'exception du soir où ils s'étaient promenés sur les berges avec l'idée fixe de s'éloigner des «gens».

Elle découvrait maintenant un nouvel aspect de sa personnalité, le naturaliste à l'œil perçant qui connaissait parfaitement les oiseaux du pays de son enfance. Délie avait vu les pies de la Murray venir prendre des morceaux de fromage entre ses doigts; il lui avait parlé du ménate apprivoisé toujours posé sur son épaule quand il était enfant.

Il ne prenait jamais plus d'un œuf dans un nid, et se battait avec les garçons qui voulaient les prendre tous. Il conservait des boîtes pleines d'œufs sous son lit.

«Parfois j'oubliais d'en vider un, et maman me volait dans les plumes quand il commençait à sentir mauvais.»

Délie débordait de tendresse pour ce petit garçon aux cheveux blonds et sa collection d'œufs d'oiseaux. Brenton montrait beaucoup de douceur et de délicatesse avec les objets fragiles — ce solide homme de la terre et de la brousse, capable, d'un seul coup de poing, d'envoyer bouler sur le pont un membre indiscipliné de son équipage.

Il trouva des fleurs sauvages qu'elle n'avait même pas remarquées, les saisit délicatement entre ses gros doigts, les nomma pour elle; il posa un minuscule lézard dans la paume de sa main, puis le caressa jusqu'à ce que le petit animal se calme; il souleva Délie dans ses bras pour lui montrer les œufs d'une blancheur immaculée d'un perroquet dans la branche creuse d'un arbre.

Les enfants l'aimaient. Quand ils arrivaient sur le quai, brûlant de pouvoir monter à bord, Délie remarquait la gentillesse, la douceur et les attentions qu'il avait pour eux.

Tout cela effaça l'impression assez désagréable que Brenton lui avait faite en écrasant sous son doigt le papillon blessé, quand tous deux avaient dîné à bord pour la première fois.

Mais l'agréable compagnon de ces pique-niques en brousse redevint le capitaine affairé; même le dimanche, ils n'étaient seuls que le soir. Alors, dans les derniers instants de conscience précédant la plongée dans le sommeil, elle était totalement heureuse de sentir son flanc, l'intimité de leurs pieds sous les draps, et ce plaisir annulait la solitude de la journée.

L'après-midi, elle se reposait pendant deux heures sur son

lit, ainsi que l'avait recommandé le médecin. Ses journées se passaient à peindre et dessiner, rendre visite à Bessie, et attendre, presque aussi impatiemment que Brenton, que le fleuve soit de nouveau navigable.

Enfin tout fut prêt ; les eaux de fonte des neiges, qui grossissaient déjà le fleuve en amont, et dont la progression était annoncée quotidiennement en ville, devaient toucher Echuca le surlendemain.

On engagea des matelots supplémentaires, un nouveau maître de barge et un chauffeur, homme taciturne au sombre visage couturé. Délie le trouva assez inquiétant, mais Brenton lui expliqua que ce n'était point la faute du malheureux : lors de l'explosion d'une chaudière, il avait été gravement brûlé par des cendres et des braises ; des fragments de métal avaient lacéré son visage et il n'avait survécu que par miracle.

Ben revint, un peu plus sûr de lui que l'an passé, mais avec les mêmes yeux bruns, timides et intelligents. Il aida Délie à installer des rideaux de chintz neufs dans les cabines et le salon ; il était toujours là pour porter un message ou faire une course.

Charlie, le mécano, était plus désagréable et bougon que jamais ; mais le second, Jim Pearce, était joyeux et amical. Ah Lee monta à bord avec une valise dont il ne se sépara pas avant de la cacher dans un recoin mystérieux de la cuisine.

Comme il n'y avait pas assez de cabines pour tout le monde, le second et le mécanicien partagèrent la cabine voisine de celle du capitaine, le chauffeur et Ben une petite cabine sur l'arrière. Les autres matelots, le maître de la première barge et les mariniers, ainsi que le cuisinier chinois, dormaient sous une bâche sur la barge.

Ah Lee, qui se plaignait de ne pouvoir dormir à cause des ronflements des autres, décida de s'installer dans l'avant-bec, où l'on entreposait la peinture et les provisions. Mais une nuit, le second oublia sa présence et sauta à l'intérieur pour aller chercher une corde. Il atterrit directement sur Ah Lee, qui fut fort mécontent.

« Dieu du ciel ! s'écria-t-il. Un homme pas pouvoir dormir sur ce bateau ! »

Les capitaines des vapeurs qui revenaient de Yarrawonga et

d'Albury, en amont, avec un chargement de farine, dirent que les lacs Moira étaient presque à sec. Les mariniers envisageaient tristement une saison commerciale médiocre, car il n'avait pas davantage plu à Queensland, et le niveau de la Darling était fort bas.

«Nous lèverons l'ancre dès qu'il y aura suffisamment d'eau sur la Chienne et ses Chiots pour pouvoir passer, dit Brenton. Il va falloir faire la course pour atteindre le confluent de la Darling avant que le niveau recommence à baisser. Si nous traînons trop, nous devrons attendre une nouvelle crue.»

Quand ils partirent enfin, Délie ne se doutait pas qu'elle ne reverrait pas Echuca avant presque deux ans.

Avant le départ, elle reçut une lettre de Kevin Hodge, qui allait être rapatrié d'Afrique du Sud. «Cet endroit me convient, écrivait-il. Dès que j'aurai vu ma famille, je reviendrai pour acheter un terrain; et puis, il y a une petite Sud-Africaine qui va m'attendre...»

Délie l'avait presque oublié. Elle apprit avec plaisir qu'il ne pensait plus à elle.

43

Ils avaient dépassé le Récif de la Murrumbidgee alors que des capitaines plus prudents attendaient de voir si la crue se maintenait. Dans la Courbe de Clump, Teddy Edwards jura pour la première fois, un long juron marmonné à voix basse, tout en tournant rapidement la grosse roue.

Ses yeux ne quittaient jamais le fleuve, où le courant descendait le long d'un S accentué, au milieu duquel se dressait une grosse souche. Brenton dirigea le bateau droit sur la souche, qui passa sous la proue sans occasionner le moindre dégât. Heurtant une roue à aubes, elle aurait tordu le cadre métallique et brisé toutes les pales.

«Allez vas-y, vieux; courage», grommela-t-il, en tournant la roue en sens inverse. «Le bateau gîte à droite, dit-il au second, qui s'était placé de l'autre côté de la roue pour peser de tout son poids sur ses rayons.

— Oui, dit Jim Pearce. La marchandise n'est peut-être pas arrimée correctement.

— Sûr. Faudra y jeter un coup d'œil dès que nous nous arrêterons pour nous approvisionner en bois.»

Immobile, Délie restait debout dans un coin de la timonerie, essayant de ne gêner personne. Quand elle le vit se retourner vers les deux barges qui négociaient le virage derrière lui, elle comprit pourquoi on disait: «Teddy Edwards deviendra un excellent marin.»

«Ouf!» Il poussa un long soupir de soulagement quand la deuxième barge sortit normalement de la dernière courbe; puis du dos de sa main il essuya la sueur qui perlait à son front. «Ça ne va pas être un voyage d'agrément, ma chérie. Le fleuve ne pourrait pas être pire.»

Pour la deuxième fois depuis leur départ, il la regarda en face. Jusque-là, la conduite du bateau avait réclamé toute son attention, toutes ses pensées: le *Philadelphia* devenait vivant entre ses mains; il s'adressait à lui comme à un être humain. Maintenant, il regardait Délie avec une expression qui avait d'abord déplu à la jeune fille, la tête légèrement penchée en arrière, les yeux mi-clos; Délie crut que son cœur allait s'arrêter: jamais elle ne l'avait autant aimé.

Elle le voyait maintenant dans son univers, commandant naturellement, facilement, sans arrogance ni vanité. Il avait presque dix ans de plus qu'elle; en lui, elle trouvait à la fois son père mort, son cousin noyé et son mari.

La crue qui avait fait monter de deux pieds le niveau des eaux était déjà terminée, et le fleuve baissait. Une fois encore, les racines entremêlées des arbres qui poussaient sur les rives devinrent visibles.

Pour Délie — qui découvrait enfin ces courbes inconnues, ce long ruban mystérieux qu'enfant, elle avait tant rêvé d'explorer —, la pente abrupte des berges argileuses, interrompues par des pointes sablonneuses jaune vif dans les courbes, avait quelque chose de décevant. Elle retrouvait les mêmes berges, les mêmes arbres sombres se mirant dans l'eau et, derrière eux, les mêmes forêts grises infinies d'eucalyptus qu'elle avait connues au-dessus d'Echuca.

Le ciel était morne et couvert. Le vent frais de la vitesse

pénétrait dans la timonerie, et devant eux un rayon de soleil tombait sur les arbres sombres, éclairant leurs troncs gris pâle, colorant d'ambre et d'olive leurs feuilles luisantes, métamorphosant les brindilles en fils de soie écarlate.

Brusquement, Délie songea que la grande aventure avait enfin commencé, qu'elle allait rejoindre la Darling, qu'elle vivait tout cela avec l'homme qu'elle aimait.

Une vague de bonheur emplit sa poitrine, qu'elle ne put contenir plus longtemps. Elle saisit la corde qui pendait à l'arrière de la timonerie et lança un grand coup de sirène.

«Mille millions de mille sabords!» s'écria le perroquet, surpris.

Le second parut choqué, et Brenton fronça les sourcils.

«Ne fais pas ça. Charlie va croire que je lâche de la vapeur pour m'arrêter à une pile de bois, et il va faire baisser la pression. Ou alors le maître de barge va se dire que c'est le signal du déjeuner.

— Désolée», fit Délie en rougissant. Mais elle dressa l'oreille pour entendre les échos de ce coup de sirène merveilleux se répercuter le long des courbes invisibles. Et elle faillit ajouter: «C'était parce que je t'aime», mais le second était là, penché par la fenêtre, cherchant des yeux l'arbre qui signalait le nombre de milles les séparant d'Albury.

«On dirait un cinq? marmonna-t-il. Tu vois un cinq sur ce gros arbre dans le renfoncement de la courbe là-bas, celui avec la tête de nègre? Je commence à voir des cinq sur tous les arbres. Le prochain marque les trois cent soixante-cinq milles.»

Délie essayait de passer inaperçue et chantonnait dans son coin. Enfin elle était partie: les merveilles qui lui étaient destinées l'attiraient irrésistiblement vers la courbe suivante du fleuve...

Si ce mouvement n'était qu'illusion; si les rives se déplaçaient, tandis qu'elle et le bateau restaient immobiles sur un fleuve figé, eh bien cela était sans importance. Elle était heureuse de laisser la vie couler vers elle, ou l'emporter. Elle étendit les bras pour l'accueillir totalement, jusqu'à la dernière expérience, le grand mystère de la mort. Elle entendit les vagues blanches déferler sur la grève.

Près de Koondrook, où de grosses bûches d'eucalyptus étaient empilées sur les rives à côté d'énormes tas de sciure rouge sang, ils aperçurent la fumée du *Success*, parti juste après eux. Immédiatement, on ouvrit la porte de la chaudière pour jeter des bûches dans la fournaise, et le bateau s'élança.

Pendant dix-sept milles, ils longèrent l'île Campbell, où kangourous et cochons sauvages noirs les observèrent dans les herbes et les roseaux. Le fleuve, que l'île séparait en deux bras, devenait extrêmement étroit. Les branches basses des arbres balayaient le pont ; feuilles, brindilles et nids d'oiseaux bruissaient contre les planches.

Quand le second partit se reposer, Ben monta donner un coup de main à la timonerie dans les virages serrés. A cause de son chargement mal réparti, le *Philadelphia* sortait laborieusement des courbes, qu'il franchissait en dérapant comme un crabe pataud.

Ben, mince et gauche avec son pantalon remonté jusqu'aux genoux, adressa à la femme du capitaine un regard craintif. Ses oreilles bourdonnaient quand il sentait les yeux de Délie, si grands, doux et bleus, posés sur lui. Il répondit en bafouillant à son accueil chaleureux, puis regarda droit devant lui.

Ce matin-là, Brenton devait écrire dans son journal de bord :

6 heures du matin. Vapeur chargé avec gîte sur tribord. Également trois pouces d'inclinaison sur l'avant, assiette rendant le bateau difficilement gouvernable. Au pont de Swan Hill, devrons nous arrêter pour rééquilibrer la marchandise.

Malgré son expérience dans le port de Williamstown, il utilisait parfois les termes «gauche» et «droite», qu'on employait sur le fleuve indifféremment aux termes marins ; Brenton tenait un journal de bord, comme s'il naviguait en haute mer.

Ils firent halte à la réserve de bois de Falkiner, où une chaîne d'hommes debout sur la passerelle transportèrent à bord des bûches de six pieds pour la chaudière. Délie profita de cet arrêt pour aller demander du lait frais dans une modeste ferme, non loin de la rive du fleuve.

Une femme décharnée portant une robe noire, un long

tablier et un bonnet en sortit pour remplir comme à contrecœur le bidon de Délie.

«Quel âge as-tu?» lui demanda-t-elle en observant avec
curiosité la silhouette mince de Délie, son corsage de batiste
rose et sa jupe droite, dont la taille était soulignée par une
large ceinture; elle détailla aussi ses cheveux noirs et brillants,
ainsi que son visage aux traits réguliers.

«Je viens d'avoir vingt et un ans, répondit Délie.

— Et quel âge crois-tu que j'aie?

— Oh, je ne sais pas...» Délie regarda le visage tanné et
ridé, les mains gercées, les cheveux rêches et sales qui dépassaient de sous le bonnet, la bouche où une incisive manquait.
Puis elle détourna les yeux, gênée.

«J'ai vingt-cinq ans, dit la femme, avec un sourire amer.
Oui, quatre ans seulement de plus que toi. On dirait pas, hein?
Mais, vois-tu, j'ai eu la vie dure. Je trime au milieu des vaches
depuis l'âge de dix ans; je devais les traire avant d'aller à
l'école, les traire à nouveau le soir alors que je m'endormais
sur mon tabouret... Je déteste les vaches.»

Trois enfants maigres aux cheveux crasseux, tous âgés de
moins de cinq ans, se cachaient dans ses jupes en observant
l'inconnue d'un air craintif. «Pourquoi avez-vous épousé un
fermier, alors?» faillit demander Délie. Mais elle comprit que
cette femme était condamnée. Elle n'avait rencontré que des
rustres, n'avait jamais connu autre chose que les vaches et le
mariage. Jusqu'à sa mort, sa vie serait consacrée aux vaches.

«Parfois je pleurais de peur quand je sortais les vaches de
ces sacrés marécages. Ça grouillait de serpents tigrés. Et puis
la rivière est dangereuse par ici, je ne crois pas que les gamins
s'en tireront. Ils sont condamnés», dit la femme avec une sorte
d'orgueil désespéré.

Délie se sentit terriblement coupable en pensant à l'existence facile qui était la sienne; elle rougit même de ses mains
immaculées et de son visage lisse.

Voulant consoler l'autre en lui apprenant son infortune, elle
ajouta rapidement: «Mais vous savez, je... je suis malade. Je
dois me reposer beaucoup et je ne peux pas faire grand-chose.
Il paraît que ce climat est excellent pour lutter contre la tuberculose. Le médecin m'a dit de...»

La femme recula comme si un nuage de bactéries était sorti de la bouche de Délie.

«Rentrez! Rentrez à la maison! commanda-t-elle aux enfants d'une voix furieuse, en les faisant déguerpir. Écartez-vous, je vous dis. Obéissez!» cria-t-elle en s'emparant de la plus jeune, qui marchait en vacillant vers la visiteuse, des bulles s'échappant de ses lèvres poisseuses.

Le dégoût perceptible dans sa voix stupéfia Délie. «Je n'ai pas la lèpre, ni la peste», lança-t-elle quand la marmaille se fut éloignée. Elle était bouleversée. Et si Brenton avait réagi ainsi à sa maladie?

Le *Success* aurait dû les rattraper pendant la halte, mais le concurrent ne donnait aucun signe de vie, on n'apercevait même pas sa fumée au loin. Ce ne fut que beaucoup plus tard qu'ils apprirent que sa barge, éperonnée par une souche flottant entre deux eaux, avait coulé au-dessus de l'île Campbell, et que son équipage avait mis deux jours à sauver la marchandise et remettre la barge à flot.

En dessous de Swan Hill, le fleuve avait changé. Ce n'était plus le cours d'eau mystérieux balafrant une forêt inexplorée où chantaient des oiseaux inconnus, mais un fleuve régulier qui serpentait dans une plaine herbeuse, bordé de fermes et de vergers irrigués.

Délie passait le plus clair de son temps dans la timonerie, fascinée par le paysage. Brenton, qui n'était normalement de quart que six heures sur douze, ne quittait presque jamais la timonerie, où il se faisait même monter ses repas.

Elle apprit une foule de choses à propos du fleuve en écoutant les phrases laconiques lâchées par le capitaine et le second.

Chaque courbe, presque chaque arbre semblait posséder sa propre histoire de collisions, d'incendies, d'éperonnages ou de naufrages, de courses entre capitaines rivaux et de remorquages épiques.

Elle remarqua avec stupéfaction que Brenton savait toujours où il était, sans jamais consulter la grande carte roulée dans un coin de sa cabine. Son œil avait photographié toutes les courbes, les anses et les récifs; bien avant d'aborder un haut-fond, il lançait un coup de sirène pour avertir le marinier chargé de dérouler le câble traînant sur le fond du fleuve.

Ils avaient dépassé Tooley Buc, la station de pompage expérimentale de Goodnight, et d'autres lieux-dits dont les noms formaient une étrange musique dans l'esprit de Délie : la Souche Noire, Wood Wood, la Courbe du Pendu, Tyntynder, Pyangil.

Alors Teddy Edwards mit le contrôleur de marche de la timonerie en position « très lentement » et, tenant fermement la roue du gouvernail, posa son menton sur son avant-bras hâlé avec un air méditatif.

« Qu'y a-t-il ? » demanda Délie, car elle ne voyait devant le vapeur qu'une banale courbe du fleuve.

« La Chienne et ses Chiots. Juste après le prochain virage. Tu n'entends pas l'eau rugir ? »

44

Devant eux apparurent la grande île et plusieurs récifs à fleur d'eau, la Chienne et ses Chiots dangereux, qui barraient toute la largeur du fleuve à l'exception d'un étroit et périlleux chenal ; le passage que tous les marins étaient contents d'avoir derrière eux en période de basses eaux. Aux endroits où le fleuve était le moins profond, il n'y avait guère que trois pieds d'eau et des tourbillons blancs d'écume se formaient au-dessus d'une barre de rochers.

« Notre tirant d'eau est de deux pieds six pouces ; normalement, nous devons passer », dit calmement le capitaine. Il lança un long coup de sirène et mit la barre à tribord, faisant décrire au bateau un large arc de cercle, jusqu'à ce qu'il se trouve face au courant, les deux barges suivant le mouvement.

Brenton entreprit ensuite de faire passer lentement les barges dans l'étroit chenal : il amarra le vapeur et laissa chaque barge dériver lentement au fil du courant, allongeant le câble de remorque au fur et à mesure de l'opération. Des matelots munis de perches se tenaient prêts à repousser les barges loin de l'argile et des roches de l'île et des récifs ; même le chauffeur et le cuisinier montèrent sur le pont pour prêter main-forte, le cas échéant.

Quand les barges furent amarrées en sécurité en aval du fleuve, Brenton laissa le courant entraîner le vapeur, sans même utiliser un câble. Les roues à aubes tournaient à peine, le vapeur recula lentement. Tous les hommes d'équipage remarquèrent avec inquiétude que le courant faisait légèrement dévier le bateau, tout en l'entraînant vers le chenal qui semblait à peine assez large pour lui.

A cet instant, une bourrasque souffla dans ses hautes superstructures, écartant le *Philadelphia* de l'axe du chenal. Brenton mit aussitôt le contrôleur en position «Avant Toute», et le bateau trembla tandis que les pales mordaient l'eau, propulsant le bateau sain et sauf vers l'amont du fleuve.

Brenton restait de marbre ; il donnait l'impression de naviguer en toute sécurité au milieu d'un grand lac.

Une deuxième fois ils redescendirent centimètre par centimètre, mais le vent les fit de nouveau dévier. Cette fois, le tambour de la roue bâbord heurta l'un des Chiots quand ils repartirent en avant. A leur troisième tentative, ils reculèrent dans le chenal, comme un fragile bernard-l'ermite cherchant à pénétrer dans un coquillage ; le courant tumultueux leur fit alors passer le chenal sans autre dommage qu'une pièce de bois arrachée au tambour de la roue.

Le *Philadelphia* fit demi-tour pour se remettre dans le sens du courant, ses deux barges en remorque, puis navigua au maximum de sa vitesse, huit nœuds, augmentée des quatre nœuds du courant. Après ce passage difficile, la tension se relâcha à bord. Il n'y avait désormais plus de souci à se faire avant Jeremiah Lump et les Roches de la Borne, en amont d'Euston.

Brenton sortit un mouchoir pour essuyer ses paumes moites, seul signe tangible de l'inquiétude qu'il avait peut-être éprouvée.

Les berges redevinrent boisées ; la Wakool arriva brusquement sur la droite, et le fleuve s'élargit. Délie refusa d'aller se reposer dans sa cabine, car ils allaient bientôt rencontrer le confluent de la Murrumbidgee. Les berges devinrent plus hautes, couronnées de sable rouge et des pins sombres de la Murray.

Des nuages obscurcirent le ciel et un vent froid se leva. Brenton ferma les fenêtres, si bien que la timonerie devint un réduit confortable. Il montra à Délie les hérons jaune pâle qui s'envolaient des arbres juste devant le bateau, la lumière se reflétant sur leurs ailes cuivrées.

«Tu vois les oiseaux? dit-il. Y en a un dans l'arbre, tout près, tu le vois? Tu distingues sa crête bleue? Les longues plumes blanches de son dos? En fait, ce sont des hérons nocturnes, ils se nourrissent que la nuit, mais le bateau les débusque de leurs arbres.

— Où, où?» s'écria Délie, qui ne voyait rien. Elle était maintenant habituée à ses fautes de grammaire occasionnelles, qu'elle ne remarquait presque plus.

Il lâcha la roue pour s'approcher d'elle, prendre sa tête entre ses mains et la tourner dans la bonne direction. Mais elle ne vit pas les oiseaux; elle ferma les yeux, s'abandonna entre ses mains, s'émerveillant de la magie de leur contact.

Deux cygnes noirs battirent longuement de leurs ailes aux pointes blanches, et s'envolèrent pour rejoindre la forêt. Un cacatoès traversa silencieusement le fleuve.

«Ces sacrés oiseaux, marmonna le second d'un air méditatif. Chaque fois que je les vois ou que je les entends, le matin et au coucher du soleil, je me rappelle comme ils se sont moqués de moi quand j'ai débarqué en Australie.

— A moi, ils m'ont fait peur, la première fois que je les ai entendus, dit Délie.

— Eh bien, vous savez ce que j'étais quand je suis arrivé? Un vrai bleu — costume sombre, casquette de tweed, chaussures noires. A Port Adelaïde, j'ai déserté d'un navire marchand, j'ai trouvé un bateau jusqu'à Murray Bridge, après quoi je suis parti à pied à Morgan, où l'on disait qu'il y avait beaucoup de vapeurs et qu'on trouvait du boulot.

«J'ai marché dans la brousse, en suivant plus ou moins le fleuve. Faisait brûlant! Jamais eu aussi chaud. J'ai enlevé mon manteau et l'ai noué autour de mon cou; j'ai enlevé mon gilet, et je l'ai jeté. J'avais une peur bleue des serpents; plusieurs fois j'ai dû traverser des marais asséchés pleins de roseaux...

«Et puis chaque fois que je me reposais à l'ombre d'un grand arbre, ces satanés volatiles commençaient à se moquer de moi. De vrais oiseaux moqueurs. Jamais je n'ai entendu un rire aussi sarcastique. Foutue région, j'ai pensé. Je n'y remettrai plus jamais les pieds (la plante de mes pieds était couverte d'ampoules). Et je n'y ai jamais remis les pieds, sinon pour descendre d'un vapeur, traverser la route et aller au pub.

— Mais vous aimez le fleuve, même si cette région ne vous plaît pas?

— Cette région ne me plaît pas? Qui a dit que cette région ne me plaisait pas? Je ne pourrais vivre nulle part ailleurs, et certainement pas dans cette Angleterre pourrie et humide. C'est un pays superbe, un fleuve épatant, et maintenant personne n'a intérêt à me traiter de bleu.

— Moi non plus, rétorqua Délie.

— Voilà la Bidgee, signala Brenton.

— Où? Où?» Elle se précipita de l'autre côté de la timonerie, et colla son nez contre la fenêtre tribord.

«Ne t'inquiète pas, elle ne va pas s'envoler.

— C'est ça?» Délie fut déçue; la Murrumbidgee, qui charriait les eaux de fonte des neiges de Kiandra, où Délie avait passé une partie de son enfance, et qui était une rivière navigable sur la moitié de son cours, se mêlait à la Murray aussi paisiblement que n'importe quel petit affluent. En aval du confluent, le fleuve s'élargissait; c'était maintenant un fleuve aux proportions majestueuses, bien que toujours aussi sinueux. Ils arrivèrent à un endroit où le courant avait érodé une étroite bande de terre, isolant un long méandre de six milles, qui allait progressivement s'envaser, avant de se transformer en bras perdu, définitivement coupé du fleuve. Dans l'étroit goulot, long de cent mètres seulement, le courant était très rapide. Il y eut une brève concertation entre le capitaine et le second.

«Je crois que je peux le faire passer par là, Jim.

— Je ne sais pas, Teddy. Le courant paraît violent.

— L'ancien chenal est envasé, et puis il n'y a pas beaucoup d'eau. Non, je crois que je vais y arriver.»

On frappa à la porte de la timonerie, et la tête de Ben apparut au niveau de leurs genoux, car il se tenait debout sur les marches inférieures.

« Un message de l'ingénieur, capitaine. Il dit que si vous voulez traverser la percée de Wilson, il vaut mieux avancer très lentement. »

Teddy Edwards pencha la tête en arrière, et ses yeux bleus, mi-clos, se fixèrent sur Ben. Il s'appuyait confortablement sur la roue, que son corps massif maintenait en position.

« Ah oui ? Il croit ça ? Attends un peu ici, mon garçon. »

Il quitta un instant la roue, descendit sur le pont et s'approcha du bord. Les deux mains serrées sur le bastingage, il observa la percée de Wilson, afin d'estimer la vitesse du courant. Puis il remonta dans la timonerie, reprit la roue et serra les mâchoires.

Une seconde après, ils étaient emportés par le courant. Un cri de panique monta de la première barge, le convoi accéléra brusquement, déporté vers une berge au point que la roue bâbord toucha les roseaux et la boue. Le capitaine se retourna quand la dernière barge heurta la rive en émergeant, intacte, de la percée.

« Maintenant Ben, mon garçon, dit-il, tu peux redescendre et dire à ce mécanicien borné que j'ai emmené le bateau à pleine vitesse.

— Euh, oui, mon capitaine. » Sur ce, il disparut, trop ébahi pour en dire davantage.

« Nous avons gagné environ six milles, dit Brenton.

— Et failli perdre six cents livres de marchandise, plus une barge », ajouta sombrement le second.

Mais le capitaine se contenta de sourire, un léger sourire d'autosatisfaction.

45

Au-delà de la Course du Diable, le *Philadelphia* dut s'arrêter pour réparer. On démonta une roue à aubes afin de redresser son cadre métallique, et deux pales brisées furent remplacées.

Transformé en charpentier, Teddy Edwards abattait et débitait un jeune arbre sur la berge pour remplacer un étançon de pont brisé. Fort habile au maniement de la hache, il avait abattu l'arbrisseau de quelques coups bien placés.

Le perroquet sortit de la timonerie en sautillant, puis s'envola jusque sur l'épaule de Délie, accoudée au bastingage du pont supérieur pour mieux observer les réparations.

« Où est le coquin qui a pris le tournevis ? » demanda sombrement Skipper.

Quand le second monta pour rejoindre sa cabine, Délie l'arrêta. « Jim, dit-elle à voix basse, je vous ai entendu conseiller au capitaine de se déhaler au-dessus du récif dangereux, là-bas — comment s'appelle-t-il déjà ? Le Récif MacFarlene — et de ralentir dans la Course du Diable. Vous ne le trouvez pas un peu présomptueux ? On dirait qu'il fait presque toujours l'inverse de ce qu'on lui conseille.

— Ah, Miss Philadelphia, seule l'expérience pourra lui apprendre cela. Nous autres, les anciens, on ne peut rien lui enseigner. Il fera un rudement bon marin, mais il est encore un peu jeune. Au cours de ce voyage, il va apprendre ce qu'on peut faire et ce qu'on ne peut pas se permettre avec deux barges en remorque. »

Au Récif MacFarlene, la coque avait heurté le roc, mais ils s'en étaient tirés indemnes ; à la Course du Diable, quand Brenton ralentit avant de s'engager dans les rapides, un vent de travers sournois, qui toute la journée avait soufflé en rafales, se leva soudain. Le *Philadelphia* traversa le fleuve en diagonale, comme un immense bateau en papier, puis percuta les arbres de la berge et la rive de la Nouvelle-Galles du Sud. Le cadre de la roue à aubes s'écrasa comme une boîte d'allumettes, des étançons de pont furent arrachés, une longue branche trans-perça la fenêtre grillagée de la cuisine, manquant de peu Ah Lee (« Clénom d'une pipe ! Voilà que les arbres viennent mettre leurs feuilles dans le lagoût ! » s'écria-t-il) ; et ils se retrouvèrent empalés comme un oiseau par une épine.

Derrière, les barges offraient moins de prise au vent, mais ne pouvaient rien faire pour s'arrêter. Les mariniers essayèrent seulement de ne pas percuter l'autre barge ou le vapeur immobilisé, tandis que le courant les emportait au-delà du *Philadelphia*. La première barge s'arrêta brutalement au bout de son câble, arrachant presque sa bitte d'amarrage ; la seconde s'échoua avec une telle gîte que la moitié de sa cargaison passa par-dessus bord ; les balles de foin partirent à la dérive au fil du fleuve. L'équipage réussit à en récupérer quelques-unes, qu'on mit à sécher sur les berges, mais la plupart furent bel et bien perdues. Entre-temps, tout le monde hurlait des conseils, beuglait des ordres, criait des insultes, jusqu'au perroquet qui jurait en danois dans la timonerie.

Tous les membres de l'équipage, même ceux qui n'étaient pas de quart, joignirent leurs forces pour remettre le *Philadelphia* à flot. Tous savaient qu'il fallait se hâter ; ils s'étaient aventurés sur un fleuve déjà dangereusement bas afin de battre de vitesse les autres vapeurs jusqu'à la Darling et ses entrepôts de laine, car là-bas le premier arrivé serait le premier servi. Personne ne se démenait avec davantage d'énergie que Brenton, qui abattait des arbres afin d'amener un câble sur la rive opposée pour déhaler le vapeur et la barge échouée.

Juste avant l'achèvement des réparations, l'ingénieur monta sur le pont inférieur et essuya ses doigts sur sa casquette graisseuse. Il adressa à Délie un hochement de tête bougon, puis leva le nez dans le vent, reniflant comme un chien.

« J'ai cru sentir une odeur de fumée, dit-il. Vous ne voyez rien ? »

Il mit sa main en visière et regarda vers l'est. Dans cette direction, en-dessous de Euston, la Murray décrivait une courbe de quatre-vingt-dix milles vers le sud, puis revenait sur elle-même vers Mildura. Par-delà cette large bande de terre, apparut une mince tache de fumée, trait noir se détachant sur le ciel, comme si un train venait de passer. Mais il ne s'agissait pas d'un train.

« Bon Dieu ! s'écria Charlie. Le *Fierté de la Murray* est à nos trousses.

— Vous voulez dire que vous pouvez reconnaître un vapeur à sa fumée ?

— Suffit de regarder la façon dont la fumée monte, et sa couleur », répondit Charlie sans broncher.

Délie en resta bouche bée ; elle ignorait que Charlie avait vu le mécanicien du *Fierté de la Murray* juste avant leur départ, et qu'il savait que les autres étaient sur le point de partir et feraient l'impossible pour les rattraper avant Wentworth et le confluent de la Darling. C'était un vapeur à roue de poupe, un bateau plus rapide mais plus gros, qui aurait donc davantage de mal à franchir les rapides et les hauts-fonds que le petit *Philadelphia*, à moins de profiter d'une crue imprévue.

Charlie dévala l'escalier au-dessus du tambour de roue afin de prévenir le capitaine, puis Délie vit Brenton lancer un bref regard par-dessus son épaule, avant de mettre en place l'étançon terminé. Une demi-heure plus tard, la chaudière du *Philadelphia* était sous pression, et le vapeur descendait le fleuve, une épaisse fumée noire tourbillonnant au-dessus de sa cheminée.

Délie crut discerner un son nouveau montant de la cale ; le bruit discret et régulier du moteur s'était transformé en un halètement saccadé, les aubes cliquetaient à un rythme plus rapide, le bateau tout entier tremblait et frémissait sous l'effort.

Elle remit Skipper sur son perchoir, et descendit jusqu'au pont inférieur, derrière les hautes piles de sacs de farine qui assombrissaient l'entrée de la salle des machines, entre les tambours des roues, les toilettes et la cuisine. Elle vit le chauffeur au visage noir ouvrir brusquement la porte de la chaudière pour lancer une brassée de bûches dans la fournaise. Un morceau de chiffon à la main, Charlie regardait avec satisfaction la jauge de pression.

Délie se savait indésirable, mais elle alla examiner la jauge. L'aiguille indiquait 80. Une grosse brique et une clef à molette fixées avec un morceau de fil de fer pesaient sur la soupape de sécurité.

Charlie lança à Délie un coup d'œil dément sous ses sourcils en bataille.

«Inutile de venir fourrer votre nez ici, dit-il. Je sais ce que je fais. J'ai déjà poussé la jauge à quatre-vingt-deux et la chaudière n'a pas moufté. Les constructeurs font du bon boulot.

— Pas moufté ! Écoutez un peu le moteur ! On dirait qu'il va rendre l'âme. »

Charlie écouta les halètements frénétiques du métal, un sourire fou illumina son visage buriné.

«Il le sait ! Il sait que le *Fierté de la Murray* est à ses trousses. Si je cravache un peu, nous arriverons les premiers à Wentworth, vous verrez. »

Délie remonta à la timonerie pour prévenir Brenton.

«Ce n'est pas prudent! Ce mécanicien toqué va tous nous tuer.

— Arrête de dire des bêtises, petite. Je fais entièrement confiance à Charlie quand il est à jeun.

— Ah, vous les hommes! Vous êtes tous pareils.»

Ils voyagèrent toute la nuit, grâce à deux lampes à acétylène équipées de grands réflecteurs qui illuminaient le fleuve devant le bateau et faisaient briller les arbres d'un éclat de diamant, effarouchant les pluviers et autres cacatoès posés dans les frondaisons. Mais à l'aube, quand le miroir d'acier du fleuve commença à réfléchir les arbres, on distinguait toujours une sombre bande de fumée au sud-est, beaucoup plus proche que la veille.

Ils firent une brève halte au campement d'irrigation de Mildura; Brenton en profita pour monter à la poste afin d'apprendre les dernières nouvelles concernant le niveau du fleuve et de la Darling. Délie, qui le matin ressentait souvent une lassitude mortelle, resta allongée en chemise de nuit sur sa couchette, réunissant ses forces avant de se lever. Par la porte de la cabine, elle voyait les extraordinaires falaises rouges, les vignobles verts et les collines de sable orange défiler devant ses yeux.

Enfin, le vert d'un saule qui se détachait sur une dune ocre la tira de sa contemplation. Elle s'habilla rapidement, espérant un nouvel arrêt du bateau. Mais elle put seulement esquisser une aquarelle qui représentait des collines rose et jaune, car ils ne s'arrêtèrent pas; le petit *Philadelphia* poursuivait régulièrement sa route, talonné par la menace grandissante du ruban de fumée qui barrait le ciel pur et pâle.

«Nous arriverons à Wentworth avant le *Fierté*», annonça Brenton avec satisfaction quand Délie le rejoignit dans la timonerie. Elle regarda son profil musclé, son court nez droit, et son menton carré. Il ne semblait pas fatigué, malgré les nuits sans sommeil et les longues heures passées dans la timonerie. Une vitalité illimitée émanait de lui, qui à travers lui s'étendait à tout le navire.

Quand ils arrivèrent en vue du confluent de la Darling, le *Fierté* n'était plus qu'à deux ou trois courbes derrière eux.

Pendant quelque temps, ils longèrent l'autre fleuve, visible à travers les arbres ; puis ils contournèrent une longue pointe de sable et s'engagèrent dans la Darling, sur les eaux laiteuses et boueuses de l'affluent. Le quai incurvé de Wentworth s'avançait loin sur l'eau ; plusieurs bateaux « du bas » y étaient accostés — le *Fairy*, le *Pyap*, le *Renmark* et le *Queen* — qui déchargeaient des marchandises, tandis que le *South Australian*, l'« express » du fleuve, larguait les amarres.

Le pont-levis était ouvert et, lançant un long coup de sirène, le *Philadelphia* passa devant la ville sans ralentir.

« Bon Dieu ! s'écria Charlie, sorti regarder Wentworth. Le *South Australian* fait maintenant la course contre nous. Deux barges, mais il se moque du courant ; pas de doute, nous sommes foutus.

— Ne prononce jamais ce mot, Charlie, avertit le chauffeur.

— Quel mot ? Moi qui ne jure jamais !

— Foutu. Ça porte malheur.

— Bah ! fit Charlie en passant rapidement le dos de sa main contre son nez. Tu devras te boucher les oreilles si jamais il nous dépasse. Maintenant, au turbin ! Verse un peu de kérosène sur ce foutu bois. »

Il plongea entre les tambours de roue, pendant que le chauffeur ouvrait la porte de la chaudière et enfournait les bûches les plus sèches du meilleur bois. Il avait déjà utilisé tout le kérosène pour arriver à Wentworth avant le *Fierté*.

Ils luttèrent désormais contre le courant. Le *South Australian*, plus rapide, les rattrapa, navigua quelque temps de concert, puis — sous les sifflets moqueurs et les exclamations sarcastiques de son équipage, dépassa le *Philadelphia*, qu'il laissa dans son sillage.

Sur le pont inférieur, Charlie McBean piétinait sa casquette, hurlant à son homologue et rival : « Je ne ferais qu'une bouchée de ta coquille de noix si nous descendions le courant ! » Dans son excitation, il donna un coup de pied dans un seau qu'il croyait vide ; mais « ce foutu seau » était plein d'écrous et de boulons que le chauffeur venait de trier, et Charlie écrasa ses orteils dessus. Une bordée d'injures accompagna le panache de fumée et d'étincelles quand le *South Australian* dépassa son concurrent.

Lorsque Délie lui monta son repas, Brenton fit une grimace et refusa de manger, se contentant d'avaler d'un trait un pot de thé brûlant. Il détestait se faire dépasser. Son refus de manger parut passablement enfantin à Délie, mais elle ne dit mot.

Maintenant qu'aucun vapeur ne semblait les suivre, Brenton réduisit un peu la vitesse et décida de se baigner pendant que le bateau poursuivait sa route.

Si les nuits et les matinées étaient très froides, le soleil continental flamboyait dans le ciel bleu toute la journée. L'eau, qui avait parcouru mille milles à travers des plaines écrasées de chaleur, était toujours tiède. Brenton laissait parfois la roue au second, enlevait sa chemise et ses chaussures — s'il en portait, car il aimait marcher pieds nus sur le bateau — puis plongeait dans l'eau. Quelques instants plus tard, il était de nouveau sur le pont, après être remonté par le gouvernail.

Sur les barges, les mariniers adoraient assister à ce spectacle, surtout quand il exécutait son célèbre numéro consistant à plonger sous une roue à aubes.

Délie assista pour la première fois à cette prouesse terrifiante alors qu'elle venait de descendre jusqu'au tambour de roue bâbord pour chercher le beurre qu'on gardait là au frais. Elle s'arrêta afin d'observer la force aveugle de la roue de quatre mètres cinquante.

Fascinée, elle contemplait les pales qui frappaient l'eau avec violence, et elle sentait un frais brouillard d'embruns sur son visage. La roue ne s'enfonçait pas très profondément, mais les pales en bois étaient placées afin de transmettre la plus grande impulsion possible au navire.

Dans la cuisine, elle beurra quelques biscuits pour le casse-croûte de Brenton, disposa harmonieusement des tranches de fromage et des cornichons. Quand, l'assiette à la main, elle sortit de la cuisine, elle découvrit Brenton portant seulement un pantalon, debout au bord du pont et regardant l'eau laiteuse.

« Je pique une tête et je reviens », dit-il avant de plonger droit devant la roue et l'écume bouillonnante. La bouche de Délie était encore ouverte en un cri de protestation à l'instant où il réapparut dans le sillage. Il nagea en direction de la rive, longea les hautes berges boueuses pour se retrouver devant le bateau, après quoi il revint vers lui.

«C'est terriblement dangereux!» s'écria-t-elle en l'étreignant quand il fut remonté sur le pont et malgré l'eau qui dégoulinait sur son corps. «Ne refais jamais cela, Brenton! Je t'en prie!

— J'ai déjà fait ça cent fois, rétorqua-t-il le sourire aux lèvres. On m'a surnommé l'Épagneul de la Murray. Ce n'est pas très difficile de passer sous les pales, il suffit de plonger assez profond.

— Je préférerais que tu ne recommences pas.»

Mais elle savait qu'il recommencerait.

46

Délie détesta la Darling pendant tout le restant de ses jours. Dès l'instant où ils naviguèrent sur ses eaux boueuses, tout parut aller de travers. Ils étouffaient entre les hautes berges de boue grisâtre, distinguant seulement le ruban nuageux de l'eau, devant et derrière le bateau, le ciel au-dessus de leur tête, et sur les berges une procession d'arbres bleu-gris aux troncs évoquant de sombres poutrelles tordues.

«Mais c'est une vraie tranchée! s'écria-t-elle. Une grande tranchée boueuse remplie d'eau sale.

— Ah, tu ne vois pas la Darling sous son meilleur jour; parfois, elle est pleine à ras bord, et elle déborde même. Tiens, une fois, le capitaine Randell a été chercher de la laine à vingt milles du chenal principal. En période de crue, on voit les plaines qui s'étendent jusqu'à l'horizon, dit Brenton, et la seule façon de trouver du bois consiste à partir en barque pour en couper dans les endroits à peu près secs. Même là où il n'y a pas d'eau, une sorte de mirage scintille le long de l'horizon, avec des reflets comme sur un lac.

«Le pays est formidable par ici. Ce n'est pas comme cette campagne à choux de Victoria.

— Je préfère la Murray, s'obstina-t-elle. Il n'y a rien à

peindre ici ; pas d'espace, pas de couleur. Tout est gris et brun. »

Elle détestait cette impression d'enfermement ; il lui semblait voyager dans une tranchée de chemin de fer longue de plusieurs centaines de milles.

Au petit campement de Menindie, un bourg en fer galvanisé qui abritait un pub et d'innombrables chèvres, ils déchargèrent de la bière et de la farine, puis se hâtèrent de repartir ; le fleuve était bas ; mais les pluies saisonnières de Queensland étaient déjà tombées, l'eau ne remonterait probablement pas.

Le premier incident se produisit en dessous de Wilcannia, à quatre heures du matin. On aperçut de la fumée sortant de l'avant-bec, et le vapeur fut amené en toute hâte vers la berge. Un incendie s'était déclaré dans la dangereuse cargaison entreposée à l'avant. Les membres de l'équipage, aidés par les mariniers des barges, firent la chaîne avec des seaux d'eau. Alors une caisse de poudre explosa, et des cartouches partirent en tous sens, heureusement sans blesser personne.

Ben aida Délie à descendre à terre avant l'explosion. Le cuisinier les suivit, apparemment fort calme, serrant la poignée de sa valise qu'il avait été chercher dans la cuisine. A ce moment, il y eut une deuxième explosion, qui, par bonheur, projeta l'incendie dans le fleuve ; mais plusieurs sacs de farine empilés sur le pont furent éventrés, et la poudre blanche se mit à tomber du ciel comme de la neige. Une caisse de confiture parut mettre un temps infini à retomber, et quand elle le fit, elle passa à quelques centimètres de la tête de Ah Lee.

Son calme oriental s'évapora instantanément. « Par le Ciel ! » s'écria-t-il avant de filer comme une flèche, mais sans oublier sa précieuse valise. Dans l'obscurité, il traversa l'étroite bande de terre qui séparait le fleuve d'un torrent, puis plongea tête la première.

Délie soigna les blessures et autres brûlures causées par la retombée des débris. Une demi-heure plus tard seulement, quelqu'un s'interrogea sur le sort du cuisinier. On entreprit des recherches et on finit par le retrouver dans le torrent, accroché à une souche, sa tête seule émergeant de l'eau. Quand on le sortit de là, il tenait toujours fermement sa valise, et bien que tremblant de froid, il refusa obstinément d'en lâcher la poignée. On lui donna une boisson chaude, on le persuada que tout danger était écarté, et on le mit au lit, claquant des dents, essayant vainement de comprendre ce qui venait de lui arriver.

Les dégâts, étonnamment peu importants, se résumaient presque à un trou calciné dans l'avant-bec du bateau. On découvrit que des souris installées dans des boîtes d'allumettes en cire étaient à l'origine de l'incendie. Brenton s'aperçut aussi qu'un fût de bière destiné à Louth avait été «accidentellement» mis en perce dans la confusion générale, mais il ferma les yeux. La plupart des mariniers, qui avaient toujours soif, se munissaient d'une vrille et de quelques pailles pour goûter à la marchandise.

Le lendemain, le second dirigea seul le navire sur une portion rectiligne du fleuve (car le capitaine refusait de dormir quand ils naviguaient de nuit, même s'il était moins dangereux de remonter le fleuve que de le descendre), et Brenton alla se reposer quelques heures dans sa cabine.

Délie tira les deux petits rideaux sur les fenêtres de la cabine et se prépara à le quitter, allongé sur la couchette de sa femme, car il semblait trop fatigué pour rejoindre la sienne. Alors que Délie remontait la couverture sur son corps, la main qui pendait mollement au-dessus du sol saisit brusquement son poignet dans une étreinte de fer.

«Ne pars pas tout de suite. Nous ne sommes plus jamais seuls ensemble.

— Mais tu veux te reposer.

— Qui a dit que je voulais me reposer? C'est *toi* que je veux.

— Je croyais que tu étais fatigué.

— Bien sûr, mais je ne suis pas épuisé.»

Elle soupira, néanmoins heureuse de le rejoindre sur la couchette. Chaque fois, elle y voyait comme une nouvelle preuve de son amour et du besoin qu'il avait d'elle; Délie répondait encore maladroitement à ses caresses, presque toujours autoritaires et brutales, mais elle avait la satisfaction de se donner à lui et de sentir son plaisir en elle. Sa raison lui disait qu'il aurait pu le trouver, et qu'il l'avait souvent trouvé avec d'autres femmes, que peut-être n'importe quelle femme lui aurait convenu ; mais le cœur qui avait ses raisons, transformait toujours cela en un acte d'amour.

Le second renonça à négocier seul les Rocs de Noël, et accosta. Il appela le capitaine. Brenton prit un air soucieux en constatant la faible hauteur d'eau au-dessus de ces deux bandes rocheuses qui barraient presque complètement le fleuve. La situation, déjà mauvaise en ce début de saison, ne pourrait que s'aggraver quand le niveau commencerait à descendre. On courait le risque de se retrouver piégé dans un trou d'eau jusqu'à la fin de l'année.

Juste en dessous de Wilcannia, ils furent dépassés par le *Waradgery*, un vapeur à aubes de poupe d'Echuca, mais son équipage ne lança aucun des cris de joie habituels ; les marins se contentèrent d'un salut rapide et morose qui étonna les hommes du *Philadelphia*. Quand ils accostèrent à côté du *Waradgery* et du *Fierté de la Murray*, ils comprirent la raison de leur abattement.

« Le *Providence* a explosé, en dessous de Kinchega », dit à Brenton le capitaine Ritchie du *Waradgery*, alors qu'il se rendait à son bord, accompagné de Délie. Elle serra fortement le bras de son mari, qui dévisagea l'autre capitaine.

« Il y a des... victimes ?

— Ils ont tous été tués. Le seul survivant est l'homme de la barge qu'ils remorquaient. Il a dit que le vapeur avait littéralement volé en éclats. Il n'en est rien resté.

— Le bébé ! s'écria Délie, blanche comme un linge.

— George Blakeney ! dit Brenton. Ce pauvre George.

— Si vous voulez mon avis, dit le capitaine Ritchie, mieux vaut que toute la famille ait disparu. Ce serait terrible d'être le seul survivant. »

Cette nouvelle sonna comme un glas dans tout le port, où les équipages des vapeurs constituaient la majorité d'une population fluctuante, composée de conducteurs de bestiaux, de prospecteurs d'opale, de tondeurs de moutons et d'ouvriers venus se distraire en ville.

Délie trouva l'endroit séduisant, une authentique ville de l'Ouest, avec ses cow-boys oisifs en vêtements négligés, ses

vitrines remplies de selles, de bottes, d'entraves pour chevaux
et de grelots ; son unique église et ses treize hôtels, son impressionnante prison en pierre et son tribunal, ses larges rues
ombragées de poivriers verts, tout cela évoquait une authentique métropole après les quelques baraques de tôle et les
dunes de sable de Poincarrie et Menindie.

Délie alla faire des courses pendant qu'on déchargeait du
bateau des fûts de bière et des balles de foin ; assoiffés, les
membres de l'équipage décidèrent de s'humecter le gosier.
Brenton avait hâte de repartir avant que ses hommes ne fussent
trop ivres et querelleurs, risquant alors de se bagarrer avec
l'équipage d'un des bateaux « du bas » ; car une rivalité mortelle
opposait les hommes « du bas » à ceux « du haut ». Et maintenant qu'ils naviguaient dans des eaux hostiles où l'on pouvait
rencontrer des bateaux d'Australie du Sud, les hommes du
Fierté de la Murray étaient, non plus des concurrents, mais des
alliés.

Le foin qu'il avait acheté cinq shillings le sac à Swan Hill,
Brenton le revendit une livre à Wilcannia. Une sécheresse
implacable frappait tout le cours supérieur de la Darling, et
l'on payait des prix astronomiques le fourrage permettant de
maintenir en vie un bétail affamé. Il avait rempli les barges, où
il restait encore un peu de place, avec mille sacs de foin, qui lui
rapportaient maintenant près de 750 livres de bénéfice ; cette
somme le dédommageait largement des dégâts causés par
l'incendie et de la perte des marchandises due à l'échouage de
la barge.

Au moment de partir, Charlie le mécano n'était pas là.
Brenton finit par le trouver et le traîna sur le sol dans un état
semi-comateux. Il l'avait cherché dans six hôtels avant de le
découvrir ivre mort ; Charlie chantait tout en protestant que sa
formidable soif n'était toujours pas étanchée.

Sur le quai, il refusa de monter sur la passerelle. Il finit par
tomber à genoux et ramper jusque sur le pont, grommelant
qu'un petit sandwich à l'oignon ne lui ferait pas de mal... Le
chauffeur avait déjà fait monter la vapeur ; Brenton emmena le
Philadelphia quelques milles en amont, puis l'amarra sur la
rive opposée à la ville, afin que le mécanicien et certains
membres de l'équipage s'éclaircissent les idées.

Puis le bateau s'éloigna de la rive et reprit sa remontée du fleuve, prêt à affronter les bancs de sable, îles, barres rocheuses, écueils et courbes serrées.

Le chauffeur profita de sa pause de six heures, pendant laquelle le matelot de pont le relayait, pour sortir un fusil et, perché au sommet des sacs de farine empilés à l'avant, se mit à tirer sur les canards. Teddy Edwards se pencha par la fenêtre de la timonerie.

«Arrête de tirer sur les canards sauvages», lui commanda-t-il. Une paire de canards gris et blanc se posèrent tranquillement sur la berge devant le bateau.

«Pff, on n'a même plus le droit de chasser le gibier, marmonna le chauffeur.

— Pas les canards sauvages, en tout cas. Comment irais-tu les chercher, à supposer que tu en touches un? Ce n'est pas comme s'ils étaient sur l'eau.»

Le chauffeur se consola en tirant, sans espoir de les atteindre, sur deux aigles qui planaient très haut en décrivant des cercles, comme deux escarbilles noires s'élevant au-dessus d'un feu. Le chauffeur était un homme sombre et taciturne à la voix moqueuse; Délie ne pouvait s'habituer à son horrible peau tavelée.

Il détestait les Chinois et ne cessait de railler le cuisinier. «Salut, le chinetoque!» lançait-il quand Ah Lee sortait de sa cuisine pour vider une casserole par-dessus bord. Pendant les repas, il disait: «Cette soupe a l'odeur du métèque qui l'a préparée.»

Le cuisinier restait impassible, mais parfois ses yeux bridés lançaient à Steve un regard féroce. Un jour, le chauffeur passa les bornes. Il venait de nettoyer le moteur pour Charlie et sortait en tenant un chiffon imprégné d'huile et de cambouis. A ce moment, le cuisinier passa la tête hors de sa cuisine et regarda le soleil pour estimer l'heure. Steve le visa et le chiffon crasseux atteignit Ah Lee sur la joue.

Le cuisinier tendit la main derrière lui, puis jaillit de la cuisine en brandissant le maillet dont il se servait pour attendrir la viande.

«Vingt dieux! se moqua Steve. Viens ici régler ça à mains nues. Hé, le chinetoque!»

— Par le Ciel! glapit Ah Lee, pour une fois hors de lui. J'allive tout de suite! Dehors, dedans, comme tu veux, mais pal mes ancêtles, je vais te bliser les dents!»

Il se rua sur le chauffeur, avec une expression si meurtrière que Steve décida de battre en retraite dans les toilettes situées sous le tambour de roue en attendant que Ah Lee fût un peu calmé.

Jour après jour, le ciel était du même bleu uniforme, un soleil implacable brillait dans l'air sec et limpide. La santé de Délie s'améliorait progressivement; elle dormait mieux, s'essoufflait rarement. Un après-midi, ils arrivèrent en vue d'une sorte de promontoire au-dessus de la Darling, plate-forme qui dominait d'une quinzaine de mètres la plaine argileuse environnante; là, les couches noires des alluvions de la Darling n'avaient pas recouvert le sable rouge de l'ancienne mer intérieure.

Ce sable rouge, qui toute la journée était exposé au soleil, irradiait maintenant une chaleur torride. Quelques arbres chétifs aux petites feuilles ternes se dressaient à côté d'une cabane en fer solitaire. A l'horizon, une mince ligne indigo, en fait une rangée d'arbres, vibrait par-dessus un mirage étincelant.

«Ici, nous trouverons du lait de chèvre frais, dit Brenton, qui lança un coup de sirène et obliqua vers la rive droite. Et puis je boirais volontiers un verre.»

Depuis qu'il avait appris la disparition du *Providence* et de son équipage, il était morose et silencieux, Délie remarqua qu'on avait enlevé les poids sur la soupape de sécurité, et que le *Philadelphia* naviguait maintenant à une allure plus raisonnable; mais elle ne fit aucun commentaire.

Quand un cordage fut attaché à un arbre devant le bateau et un autre à l'arrière, quand la passerelle fut posée sur la berge abrupte, elle fit mine de descendre à terre avec son mari.

«Ce n'est pas la peine de venir, tu sais», dit Brenton.

Elle sentit immédiatement qu'il préférait être seul à terre, mais elle s'obstina: «Mais si, j'en meurs d'envie. Je suis fatiguée de ces berges grises et boueuses.»

La montée jusqu'au sommet du promontoire était raide;

Jim, le second, et Brenton l'aidèrent. Une horrible vieille, évoquant une sorcière, et une jeune femme sale, au beau visage fier, se tenaient sur le seuil de la masure quand ils arrivèrent, suivis à distance par quelques membres de l'équipage. Délie portait un bidon pour le lait.

Elle se sentit gênée par les regards des deux femmes, qui examinèrent jusqu'au moindre détail de sa robe et de son visage. En revanche, elles accueillirent le capitaine et le second avec des sourires chaleureux et des yeux cupides.

« Ces messieurs désirent-ils entrer boire un verre ? proposa la vieille harpie. J'ai une bonne limonade bien fraîche et des oranges pressées, dit-elle en lançant un clin d'œil hideux sous ses sourcils gris et broussailleux, ainsi que du canard rôti et du mouton avec des légumes.

— Vous voulez dire du cacatoès grillé et de la chèvre, rétorqua Brenton d'une voix égale. Pourtant, je crois que je vais essayer votre "orange pressée". Cette dame voudrait un peu de lait de chèvre pour le bateau.

— Lily, va chercher du lait », dit la vieille en s'emparant du bidon et le tendant à la fille aux cheveux noirs et au visage farouche ; celle-ci ne broncha pas et se contenta de balancer le bidon d'un air provocant autour de ses hanches.

« Cette fois, capitaine, je suppose que vous repartirez avant la nuit ? » Elle adressa un regard appuyé à Délie.

« Absolument, dit Brenton. Nous sommes pressés, car le niveau baisse et nous avons à nos trousses la moitié de la flotte du bas du fleuve. » Le visage renfrogné, il avança vers la fille.

Elle ne s'effaça pas pour le laisser passer, resta fièrement où elle était, se balançant légèrement en avant, si bien que sa poitrine presque nue frôla le bras de l'homme. Ses yeux noirs et moqueurs restaient fixés sur Délie. Ce fut la vieille qui prit le bidon et revint avec le lait. Délie le prit en marmonnant quelques remerciements hâtifs, puis redescendit rapidement au bateau sur le sable rouge et brûlant, moucheté par l'ombre des arbres malingres.

Comment Brenton pouvait-il connaître cette horrible souillon ? se demandait-elle. Elle avait accepté l'existence d'autres Nesta, mais jamais de femmes comme celle-ci ! Jamais elle ne comprendrait les hommes, jamais.

Quand il revint à bord après la tombée de la nuit, chancelant et empestant le whisky, elle était déjà allongée sur sa couchette et fit semblant de dormir.

47

A Tilpa, il y avait un hôtel qui possédait une licence de spiritueux, mais l'alcool y était à peine meilleur que celui qu'on servait dans les cabanons du bord du fleuve, avec leur grog de fabrication maison, pudiquement nommé « orange pressée ».

Le patron de l'hôtel avait placé sur le comptoir un grand cercueil plombé, qu'il remplissait constamment de rhum, vendu au prix de trois pence le gobelet. Il aimait astiquer cet étrange récipient, au cas où lui-même « claquerait subitement », comme il le disait ; à ses yeux, le fait que son cercueil ait contenu de l'alcool ne pouvait qu'aider à conserver son cadavre quand il serait allongé dedans.

Partout s'étendait le même paysage plat et désolé, la même terre grise alternant avec le sable rouge, les mêmes mirages qui vibraient dans les lointains indigo, les mêmes arbustes secs et les arbres bleu acier. Les couleurs élémentaires, rouge, bleu et jaune, pâlies et comme délavées par la chaleur, prenaient une nuance terne et sinistre. Délie se souvint d'une opale qu'elle avait vue autrefois, dont les couleurs semblaient noyées dans le blanc laiteux de la pierre.

Ils déchargèrent la bière, puis apprirent une mauvaise nouvelle : il n'y avait plus beaucoup d'eau en amont de la Darling. Il était peu probable qu'un vapeur pût remonter jusqu'à Bourke, ou même Louth. Une baisse imprévue d'un pied dans le niveau du fleuve risquait de les piéger au-dessus des Rochers de Yanda jusqu'à la saison prochaine. Le *Fierté* et le *Waradgery* ne monteraient pas au-delà de Wilcannia ; mais le *Philadelphia* devait livrer à Port Dunlop un chargement de farine, de pièges à lapins et de munitions.

Brenton comptait ramener une précieuse cargaison de laine, car la tonte serait terminée avant leur départ. Plutôt que de

vendre sa marchandise à perte et rebrousser chemin pour
tenter sa chance contre les autres vapeurs, essayer de trouver
une cargaison de laine à Tolarno ou dans un autre port en
aval de la Darling, il choisit de continuer, de naviguer jour et
nuit. Pourtant, le niveau du fleuve avait déjà commencé de
baisser.

L'heure était grave, les membres de l'équipage très tendus.
Quand le maître de la première barge s'endormit (il travaillait
depuis douze heures au lieu des six réglementaires), et laissa sa
barge percuter la berge où elle s'enfonça rapidement dans la
boue, les cris et les jurons fusèrent de toute part. Néanmoins,
comme la barge n'était pas trop lourdement chargée, on put la
remettre à flot sans trop de mal.

Mais avant Dunlop, le désastre les frappa. Teddy Edwards
avait parié sur le niveau du fleuve, et perdu. Car en une nuit,
celui-ci tomba d'un pied, et de six pouces supplémentaires le
lendemain. Toute retraite leur était désormais coupée ; et il fut
bientôt impossible d'aller de l'avant.

Juste en dessous de la petite masure de Winwar, la coque
glissa sur un haut-fond rocheux et le vapeur pénétra dans un
bassin relativement profond, long d'un quart de mille, mais
barré en amont par un haut-fond infranchissable ; là, coincés
entre ces deux barrages naturels, ils durent rester. On tendit
des bâches sur chaque côté du navire pour protéger les ponts et
la peinture contre le soleil continental. L'équipage reçut désormais une demi-solde et entreprit des travaux de peinture et de
nettoyage pour s'occuper.

Charlie révisa et astiqua le moteur ; Teddy remplit le journal de bord, bien qu'il n'eût pas grand-chose à y relater, et
entreprit de restaurer une vieille carte défraîchie ; Ben lut tous
les livres de Délie ; et Délie peignait, en début de matinée et au
coucher du soleil, quand les couleurs, absentes du paysage
pendant la journée, teintaient d'opale et de rose les cieux
limpides et l'eau presque immobile.

Le paysage qui s'étendait au-delà des hautes rives du fleuve
l'effrayait ; tout était tellement vide. Non seulement il n'y avait
rien à voir, sinon une immense plaine grise parsemée
d'épineux, et le mirage indigo qui barrait l'horizon ; mais ce
paysage faisait naître un tel sentiment d'immobilité, de séche-

resse et de désolation, qu'on en oubliait l'existence d'autres
terres moins ingrates.

Délie fut d'abord heureuse. L'endroit était calme et paisible,
elle voyait davantage Brenton, et au moins les berges restaient
immobiles pendant qu'elle peignait. Pourtant, elle regrettait
l'étrange sensation de paix que lui procurait toujours le déplacement régulier du navire. Elle ressentait cette tranquillité
quand son corps était propulsé à travers l'espace, et tout particulièrement sur le fleuve. C'était comme si ce flux sans fin, le
recul régulier des arbres, des berges et de l'eau annulaient une
mystérieuse inquiétude ; comme si seul ce mouvement pouvait
harmoniser son esprit avec l'écoulement du temps, la révolu-
tion de la terre et le cycle éternel des étoiles.

Mais quand l'eau cessa de couler et se mit à stagner, quand
la boue des hautes berges se craquela sous le soleil, et que la
vermine grouilla dans les mares ; quand le lit du fleuve privé
d'air se transforma en étuve tandis qu'une odeur de pourriture
montait du bois putrescent et des poissons à l'agonie, alors
Délie devint presque aussi nerveuse que les hommes. Ils
commencèrent à murmurer que le capitaine n'aurait jamais dû
s'aventurer aussi loin pendant la mauvaise saison et sur un
fleuve dont le niveau chutait. Manifestant la sagesse facile de
l'après-coup, ils déclarèrent qu'ils avaient «prévu» ce désastre
— bien qu'aucun n'en eût jamais parlé auparavant. Les
hommes devinrent susceptibles, des querelles éclataient pour
un rien.

Teddy Edwards dut choisir entre deux solutions : soit garder
ses marchandises et son équipage, en espérant qu'une chute de
pluie au Queensland entraînerait une crue importante du
fleuve, qui leur permettrait de remonter jusqu'à Dunlop, puis
de redescendre à Wentworth ; soit faire la part du feu, ne
conserver qu'un équipage restreint et envoyer un message à
Bourke pour demander des bœufs qui transporteraient ses
marchandises à un prix exorbitant.

Le ciel restait d'un bleu pur et profond. La seule idée de
la pluie, même dans le lointain Queensland, semblait utopi-
que, mais Brenton s'entêta. D'énormes nuages blancs, empilés sur l'horizon comme des palais de marbre, arrivèrent len-

tement de l'ouest, jetant sur le paysage une ombre passagère et tellement sombre qu'elle semblait l'écraser. Très haut dans la fournaise bleue, une paire d'aigles noirs tournaient sans relâche.

Un jour, une bande de pélicans qui descendaient le fleuve apparurent en amont, en un lent vol majestueux. L'arrière-pays s'asséchant, ils se dirigeaient vers les eaux plus régulières de l'Anabranch et de la Murray. Brenton les observa sombrement. Ces oiseaux n'étaient pas prisonniers d'un bassin dont le niveau descendait; leurs ailes leur permettaient de s'échapper.

Brenton pivota sur ses talons en entendant un coup de fusil venant de l'avant du bateau. Le chauffeur, son visage rébarbatif grimaçant de dégoût, épaulait de nouveau quand Brenton arriva à sa hauteur et donna un coup de poing sur le canon du fusil.

«Je t'ai déjà dit de ne pas tirer sur les pélicans, s'écria-t-il d'une voix furieuse.

— Aaah, on peut donc tirer sur rien dans ce foutu rafiot. D'abord c'est les canards sauvages, et maintenant les pélicans. Mais pour qui tu te prends? Le protecteur des volatiles?» Sur quoi il épaula de nouveau son fusil, bien que les oiseaux fussent presque hors de portée.

La seconde suivante, Brenton lui arracha le fusil des mains, et l'arme rebondit sur le pont. Steve fit une grimace et se mit en garde, mais d'un uppercut bien ajusté Brenton l'allongea sur le pont à côté du fusil.

Le chauffeur se releva, frotta sa joue d'un air mauvais, mais renonça à ramasser son fusil. Brenton le posa contre le tambour de la roue, puis se dirigea vers sa cabine. Steve, humilié, aperçut Ah Lee, debout sur le seuil de la cuisine, qui se moquait de lui.

«A ta place, le chinetoque, je rentrerais vite fait dans ma coquille! glapit Steve. Sinon, je vais balayer le pont avec ta face de lune.»

Imperturbable, le Chinois continuait de sourire. Steve rassembla la salive dans sa bouche, puis cracha, avec assez de précision pour toucher le bras du cuisinier. Le sourire de Ah Lee disparut aussitôt. Il se précipita vers le tambour de la roue, saisit le fusil, le pointa sur le chauffeur et lui tira une balle dans la poitrine.

Brenton sortit aussitôt de sa cabine, convaincu que Steve recommençait à tirer sur les pélicans ; posant les mains sur le bastingage du pont supérieur, il se pencha et découvrit le corps inerte du chauffeur ; des rigoles de sang coulaient déjà sur les planches.

Il dégringola les marches, retourna le corps de l'homme, lui prit le pouls, colla son oreille contre son cœur. Le chauffeur était mort. Il pensa d'abord que Steve, submergé de chagrin, s'était tué ; alors il vit Ah Lee, figé à quelques mètres de lui, la fumée montant encore du fusil qu'il tenait. Il s'avança vers lui, mais le Chinois leva son arme et la pointa d'un air menaçant sur le capitaine.

« Pas toucher ! hurla-t-il d'une voix suraiguë. Ah Lee tuer vous aussi, tuer tout le monde !

— Rentre ! » dit Brenton d'une voix pressante, voyant que Délie l'avait suivi hors de la cabine jusqu'en haut des marches. « Dis à Jim de descendre discrètement. Vite ! Je crois qu'Ah Lee a perdu la boule. »

Charlie arriva par l'autre extrémité du pont, tandis que Jim descendait l'escalier ; Ah Lee pointait alternativement son fusil sur les trois hommes. Ses yeux déments brillaient, ses lèvres retroussées en un rictus hideux dévoilaient des dents énormes.

« Détourne son attention pendant que j'essaie de passer derrière lui », dit Brenton. Mais Ah Lee était adossé aux superstructures du pont, et bientôt, tenant toujours en joue les trois hommes, il escalada les caisses et les sacs de farine empilés à l'avant, enjamba le bastingage de la timonerie, et de là monta sur le toit de la timonerie.

Il contrôlait ainsi tout le navire ; le seul endroit plus élevé était la cheminée. Les autres parlementèrent, le menacèrent et le supplièrent pendant une heure. Quant à Délie, terrifiée, elle entendait tout à travers la porte de sa cabine. Enfin, elle réalisa que Brenton, dans une tentative désespérée pour le désarmer, montait rejoindre le cuisinier.

« Allez-vous-en ! Reculez ! hurlait Ah Lee. Sinon je tile ! Leculez ! »

Brenton poursuivit néanmoins son ascension.

Délie voulut lui crier de redescendre, mais elle sentit qu'elle ne devait pas le distraire, ne fût-ce qu'un instant. Son regard impérieux rivé sur les yeux fanatiques de Ah Lee, Brenton ne cessait de lui parler d'une voix apaisante : « Pourquoi fais-tu cela, Ah Lee ? Nous ne te voulons pas de mal. Nous amis, pas vrai ? Allez, redescends, ne fais pas l'idiot. Tu ne vas pas passer la nuit là-haut, et puis il faut que tu nous prépares à manger. Allez, viens maintenant. Ce chauffeur n'arrêtait pas de t'asticoter, pas vrai ? Nous ne te reprochons rien, Ah Lee. Nous voulons seulement que tu redescendes avant de tomber de ton perchoir. Viens maintenant, ne fais pas tant d'histoires... »

Brenton avait posé son pied sur la fenêtre de la timonerie, et sa tête dépassait du toit. Il restait parfaitement immobile, le fusil pointé droit sur son front, et il continuait à parler.

Petit à petit, Ah Lee se détendit et baissa le fusil vers ses pieds.

« Lee ! Ah Lee ! Écarte ton arme maintenant, et descends tranquillement. Tu m'écoutes, Ah Lee ? Il est tout à fait inutile que tu... » A cet instant précis, Brenton fut assez près du Chinois pour saisir le canon du fusil et le lui arracher des mains. Il le lança aux hommes qui, en bas, retenaient leur souffle, s'empara de la cheville de Ah Lee et le fit tomber avec un bruit mat sur le toit de la timonerie. En quelques minutes, le dément fut maîtrisé, puis ligoté à un étançon du pont inférieur, où il délira, grommela et jura en chinois ainsi qu'en mauvais anglais pendant deux heures.

Quelqu'un rama jusqu'à Winwar pour envoyer un message à Bourke, afin qu'un membre de la police montée vînt chercher le cuisinier. Vers la tombée de la nuit, Ah Lee se calma, mais on n'osa pas l'envoyer à ses fourneaux, de peur qu'il ne mît le feu au bateau ; il fut donc enfermé dans la salle de bains, jusqu'à l'arrivée du policier, le lendemain.

Brenton ouvrit la valise que le Chinois avait cachée dans la cuisine, et découvrit qu'elle contenait mille livres en billets. Quand le policier monté arriva avec un deuxième cheval pour le prisonnier, Brenton lui confia l'argent et les effets personnels de Ah Lee, ainsi qu'une déclaration écrite où il relatait tous les événements, y compris les provocations répétées du chauffeur.

L'équipage perdit ainsi deux de ses membres, et il fallut trouver quelqu'un pour préparer les repas. Tous les regards convergèrent alors sur Délie, seule femme à bord. La cuisine est une affaire de femmes, c'est bien connu ; toutes les femmes savent cuisiner ; et Délie était une femme. Il n'y avait aucune échappatoire à leur logique. En vain elle déclara à Brenton qu'elle n'avait jamais préparé un seul plat de sa vie, sinon des œufs à la coque pour Imogen et elle-même.

Par bonheur, Bessie lui avait offert un livre de cuisine en cadeau de mariage, et bien qu'elle l'eût rarement feuilleté jusque-là, il devint désormais sa bible, et ses conseils aussi indiscutables que les Saintes Écritures. Ses pages furent bientôt écornées, tachées de lait renversé, maculées de farine, car elle se référait scrupuleusement à ses indications.

Les produits de base disponibles étaient si limités qu'elle ne risquait aucun échec spectaculaire. « Prenez douze œufs, battez-les pendant vingt minutes... » lisait-elle avant de tourner la page, car il n'y avait pas d'œufs à bord, seulement du lait en boîte et de la viande salée, parfois un canard, un lapin ou un poisson que Ben nettoyait pour elle. Les seuls légumes étaient les pommes de terre et les oignons provenant des magasins du port.

Délie se rappela les merveilleux repas que sa tante Hester avait préparés à Kiandra avec les mêmes ingrédients limités, et elle eut honte. Il y avait de la farine en abondance, mais ses premières tentatives pour faire du pain se soldèrent par des échecs lamentables.

Brenton, qui était bon cuisinier mais aurait considéré comme dégradant de se mettre aux fourneaux, s'occupa néanmoins de la cuisson du pain. Ben se transforma en marmiton, épluchant tous les légumes et faisant la vaisselle.

Pourtant, malgré son aide, une odeur de pain brûlé ou de porridge carbonisé sortait de la cuisine presque tous les matins, ou bien les cris et les plaintes de Délie quand une casserole débordait ou lui brûlait les mains. Le fracas de la vaisselle brisée ou des couverts tintinnabulant sur le sol se répercutait sur les hautes berges de la Darling.

Une semaine durant, ils se délectèrent de mouton rôti ; car une brebis, maigre et affaiblie par la sécheresse, descendit la berge opposée pour s'abreuver et s'embourba près du bassin. Ils auraient pu l'aider à remonter au-dessus de la berge, mais comme en leur absence la brebis aurait été perdue, ils la tuèrent. On suspendit la viande à l'ombre dans un sac en mousseline pour la protéger des mouches.

L'équipage mangeait stoïquement les puddings liquides et les gâteaux croquants de Délie, lesquels semblaient leur plaire, car ils en redemandaient. Mais elle se savait fort mauvaise cuisinière. «Je vais apprendre, s'encourageait-elle. N'importe quel individu doué d'une intelligence normale peut apprendre ce qu'il y a dans un livre.»

Elle ne pouvait se servir d'un chien comme cobaye, car il n'y en avait pas à bord ; un jour, elle tendit au perroquet un petit gâteau sortant du four. Skipper le prit dans sa serre et l'examina d'un air perplexe, hochant la tête de droite et de gauche.

«Où est le coquin qui a pris le tournevis ?» éructa-t-il brusquement, comme si cet instrument contondant était indispensable pour briser le gâteau. Puis il entreprit de l'ouvrir comme une amande, brisant la croûte et l'émiettant sur le pont.

«Jacko veut boire», dit-il ensuite, de sa voix gutturale. Délie lui apporta une soucoupe en émail, qu'elle posa au-dessus de sa tête ; mais il voulait une tasse. Il se mit à chanter et à pérorer dans sa tasse. Il arpentait son perchoir en se dandinant d'un air ridicule, et donna le fou rire à Délie, qui fit ensuite un dessin de lui, intitulé *Le Corsaire de la Darling*, et que Brenton accrocha dans le salon.

Le capitaine et ses hommes passaient de longues soirées tièdes allongés sur le pont, se racontant des histoires, fumant et chassant les moustiques. Ces nuits exotiques étaient imprégnées de magie ; sur le bassin paisible, on entendait seulement l'appel des oiseaux de nuit. Cela les dédommageait de la chaleur écrasante et de la monotonie des journées.

D'énormes étoiles dorées scintillaient dans le ciel velouté ; la lune se levait, métamorphosant les berges désolées et l'eau boueuse en formes fascinantes, noires et argentées. Il n'y avait jamais de rosée ; l'air était sec et chaud.

Pour la centième fois, Délie regretta de ne pas être un homme. Elle aurait aimé s'allonger parmi l'équipage, écouter leurs histoires et fumer avec eux, mais bien que ne percevant jamais la moindre hostilité ouverte, elle se joignait rarement à eux. Un antagonisme subtil l'excluait de leur cercle.

Quand elle sortait sur le pont, elle sentait comme une gêne ; les hommes s'asseyaient, surveillaient leur langage, regardaient du coin de l'œil l'éclat de son pâle visage au-dessus de sa robe blanche, puis détournaient vivement le regard. Elle commença à désirer fortement la compagnie d'une autre femme.

Si seulement j'étais laide et vieille, tout irait mieux, pensait-elle tristement. Un jour, quand j'aurais cinquante ans — non, soixante — je n'aurai plus de problème. Mais elle ne pouvait s'imaginer aussi vieille.

Quand le printemps fit place à l'été, il devint évident que le *Philadelphia* ne bougerait plus de l'année. Les hommes, de plus en plus mécontents et querelleurs, partaient en virée à Winwar et se soûlaient avec du mauvais whisky. Brenton décida de les renvoyer chez eux à l'exception du maître de barge, du second, de l'ingénieur et du matelot de pont. Ben pourrait diriger la deuxième barge, le cas échéant, jusqu'à ce que le capitaine engage un nouvel équipage quand le niveau du fleuve aurait remonté.

On envoya un message pour demander des bœufs ou des chevaux afin de transporter la cargaison, et l'équipage retourna à Wentworth en diligence. Certains comptaient rentrer chez eux à Echuca, mais la plupart étaient des migrants prêts à prendre n'importe quel boulot dans l'arrière-pays avant de trouver un poste sur un autre vapeur.

Le niveau du bassin où le *Philadelphia* était immobilisé baissa encore ; néanmoins, quand le bateau fut soulagé de sa cargaison, il resta encore assez d'eau pour qu'il pût flotter. Il fallut transporter tous les sacs et les caisses à dos d'homme le long de l'abrupte berge argileuse.

Aussi longtemps qu'il flotta, le navire donna l'impression de

vivre ; à la moindre brise, son reflet se ridait d'irisations
dorées.

L'eau se mit à stagner, et à bord l'atmosphère se fit brûlante,
étouffante. Le second grommelait qu'il voulait retourner chez
lui pour passer Noël en famille. Brenton accepta de payer son
voyage de retour à Echuca, mais il lui supprima sa solde tant
qu'il resterait absent du bateau.

Délie refusa de rentrer à Echuca avec lui pour habiter chez
Bessie. « L'air sec du continent me fait tellement de bien, dit-
elle, j'ai l'impression que mes poumons sont déjà presque
guéris. Et puis je ne veux pas te quitter. Je ne pourrais pas
supporter de te laisser seul. »

Il l'embrassa et renonça à discuter. Il n'était pas attiré par la
seule femme habitant la masure de Winwar, que tout l'équipage s'était partagée avant de partir ; et puis s'il devait rester
coincé ici pendant des mois, une femme serait aussi indispensable que le boire et le manger. Délie lui aurait manqué ; elle
était si adorable, même si elle ne savait pas cuisiner !

Les hommes lavaient leur linge. Délie, qui s'occupait du
sien et de celui de Brenton, emmenait les vêtements sales
jusqu'au récif rocheux qui retenait l'eau du bassin. Quand elle
songeait à tout ce qui grouillait dans cette eau, elle pouvait à
peine boire son thé, bien qu'il eût bouilli.

En aval de la barre, le fleuve s'était métamorphosé en un
ruisseau bourbeux, bordé de petites mares qui s'asséchaient
peu à peu. Dans l'une d'elles, elle observa l'extraordinaire vie
aquatique qui grouillait d'une activité fébrile avant de mourir
dès que l'eau serait évaporée. L'eau bouillonnait des mouvements frénétiques des têtards, araignées d'eau, embryons de
crevettes et d'écrevisses luttant pour absorber les derniers
restes d'humidité et d'oxygène qu'elle contenait.

Elle regarda avec horreur ce terrible et absurde combat pour
la survie. Pourquoi ? se demanda-t-elle. Pourquoi ? Mais sa
question resta sans réponse.

Ben réussissait encore à pêcher quelques poissons dans les
trous d'eau, en amont ou en aval. La forme massive du vapeur
intimidait les oiseaux, mais Délie les voyait virer sur l'aile
au coucher du soleil : cacatoès noirs, vols de perruches
inséparables, petits perroquets aux cris aigus filant dans

l'air bleu comme des bancs de poissons vert émeraude.

Brenton lui apprenait leurs noms, mais c'était Ben qui l'accompagnait le soir jusqu'au trou d'eau voisin où les oiseaux venaient boire. Quand il lui rapportait une plume chatoyante qu'il avait ramassée ou un poisson qu'il avait pêché, la joie de Délie allumait une lueur de plaisir dans les yeux sombres et timides du jeune homme.

Il ne l'ennuyait jamais en regardant par-dessus son épaule pendant qu'elle peignait, mais il lui demandait toujours, d'une voix hésitante, de lui montrer le tableau quand il serait achevé. La pertinence de ses rares commentaires la surprit et lui plut davantage que les louanges systématiques de Brenton, pour qui tout ce qu'elle faisait était « sacrément bon ».

Le tempérament calme et doux de Ben compensait dans une certaine mesure le manque de compagnie féminine. Brenton lui avait offert une machine à coudre le jour de leur mariage, et pendant les longs mois d'été, elle eut tout loisir de tailler et de coudre les mesures de tissu qu'elle avait emmenées à bord. Ben fit preuve d'un goût surprenant ; il choisissait des patrons pour elle dans le *Ladies' Home Journal*, écartait les autres en les qualifiant de « trop excentrique » ou « trop vieux jeu ».

Ce serait tellement agréable d'avoir un mari qui s'intéresse à mes vêtements, songea-t-elle avec regret. Brenton ne remarquait jamais ce qu'elle portait. Quans elle sollicitait son avis à propos d'une nouvelle robe, il lui répondait tout bonnement qu'il la préférait sans aucun vêtement...

48

Ce ne fut pas avant les maigres pluies de la saison suivante que le niveau de la Darling remonta suffisamment pour permettre au *Philadelphia* et aux barges de franchir la barre rocheuse qui les avait retenus prisonniers pendant presque douze mois. Brenton se hâta de descendre le fleuve, engagea un équipage complet en cours de route, et télégraphia au second de les rejoindre à Wentworth.

Après ce long été, ils se sentirent revigorés par l'hiver bienfaisant, les nuits fraîches et piquantes et leurs étoiles gelées, le ciel bleu limpide, les vents froids et secs balayant le sol noir des plaines.

Ils chargèrent à bord la première laine, suffisamment pour remplir une barge, mais comme la sécheresse avait décimé les troupeaux, le produit de la tonte était singulièrement pauvre.

Aucune crue notable ne suivit le relèvement du niveau des eaux. Des nouvelles alarmantes circulaient aussi à propos de la Murray ; non seulement la saison avait été exceptionnellement sèche dans la Nouvelle-Galles du Sud et au Queensland, mais il n'avait quasiment pas neigé dans les montagnes.

L'État de Victoria n'avait pas connu ses traditionnelles pluies de début de saison. Des affluents comme la Goulburn et la Campaspe étaient presque à sec.

Tandis que le *Philadelphia* descendait avec précaution la Darling en cette sombre année 1902, un homme se tenait constamment à l'avant du navire pour sonder le chenal avec une perche. La nuit ils s'arrêtaient, car les hauts-fonds étaient trop dangereux pour qu'on songeât à les franchir dans l'obscurité en descendant le fleuve.

La campagne stérile et brûlée (les moutons affamés avaient déterré les racines des arbustes) avait beau être cachée par les hautes herbes grises, les effets de la sécheresse se faisaient néanmoins sentir. Quand ils s'amarrèrent pour la première fois, le courant saumâtre fit défiler devant eux des formes enflées, pattes pointées vers le ciel. Les berges étaient couvertes d'êtres pitoyables — moutons affamés, épuisés, descendus boire et trop faibles pour s'extirper de la boue visqueuse. Les corbeaux s'envolaient à l'approche du vapeur...

Cédant d'abord aux supplications de Délie, ils avaient abattu les moutons pour mettre fin à leur supplice, mais il y en eut bientôt tellement, que plus personne n'eut le goût ni le désir de continuer à tirer. Délie s'enferma dans sa cabine et refusa d'en sortir, même pour les repas, bien qu'il y eût un nouveau cuisinier. Elle ne mangeait que du pain sec (il n'y avait plus de beurre depuis si longtemps qu'elle en avait presque oublié le goût) avec du thé et un peu de lait en conserve. Jusqu'à l'air qu'elle respirait avait une saveur de putréfaction.

Quand ils rejoignirent enfin la Murray après un long et pénible voyage jusqu'au confluent, elle se sentit immensément soulagée. Mais le fleuve autrefois majestueux n'était plus que l'ombre de lui-même ; au confluent une longue pointe de sable rejoignait presque la rive opposée, l'étroit chenal serpentait entre de vastes plaques de boue exposées au soleil pour la première fois depuis maintes années. De vieilles souches et des barges coulées, couvertes d'alluvions grisâtres, séchaient au soleil.

Brenton jeta un coup d'œil à ce spectacle désolant et jura doucement. «Nous n'irons pas loin si le fleuve est aussi bas, dit-il. En tout cas, il est hors de question de passer au-dessus de la Chienne.»

Une légère crue, causée par un orage près de la source de l'Ovens, à des centaines de milles de là dans l'État de Victoria, leur permit de franchir le Récif MacFarlene en toute sécurité. Mais ensuite, le niveau baissa rapidement, et il fallut haler le *Philadelphia* au treuil dans les passages difficiles, si bien que, certains jours, ils ne progressaient que de quelques milles. La cargaison de laine présentait l'avantage de ne pas être périssable. A Mildura, les paysans se lamentaient sur la perte de la récolte fruitière de la saison passée, qui finissait de pourrir sur le quai car aucun vapeur n'avait pu arriver jusque-là. Et les travaux du chemin de fer n'étaient pas encore assez avancés.

La récolte de la saison suivante était, elle aussi, compromise, car l'eau était si basse que l'usine de pompage ne fonctionnait plus, interrompant ainsi toute irrigation. La situation était dramatique tout le long du fleuve, au point qu'une Commission inter-États fut constituée pour étudier la possibilité d'installer des écluses sur l'ensemble du fleuve.

Ils franchirent sains et saufs les Rochers de la Borne et le sinistre Jeremiah Lump, mais après le confluent de la Murrumbidgee — qui était presque à sec —, il devint évident qu'ils ne pourraient aller beaucoup plus loin.

Ils chargèrent du bois à la pile de Fraser Smith, et apprirent qu'en amont du confluent de la Wakool, le fleuve se réduisait à une série de trous d'eau. Cette année-là, aucun vapeur ne franchit la Chienne et ses Chiots.

Malgré tout, Teddy Edwards refusa de s'arrêter. Il s'acharna tant qu'il y eut un centimètre d'eau sous la quille. Il avait revendu l'une des barges à Wentworth, car il n'avait trouvé aucune marchandise à transporter, et elle risquait de les gêner.

Alors, au détour d'une courbe, ils découvrirent un spectacle affligeant : l'*Excelsior* échoué dans la boue avec une légère gîte, telle une construction incongrue. On avait tendu des bâches, lancé des caillebotis sur la boue jusqu'aux berges, des lignes de pêche pendaient des ponts. Son équipage cria des bravos sarcastiques quand le *Philadelphia* passa lentement à côté de lui.

« Vous venez nous rejoindre à " Port Pourri " ? demandèrent-ils. Vous n'irez pas beaucoup plus loin, les gars. »

Après la courbe suivante, une rangée de vapeurs échoués apparut — l'*Oscar W.*, le *Resolute*, le *Trafalgar*, le *Waradgery*, et même des petits vapeurs comme l'*Alert*, le *Success*, le *Cato* et l'*Invincible*.

Teddy Edwards, qui voulait toujours être le premier, réussit à naviguer jusqu'à la tête de ce groupe lamentable avant que le *Philadelphia* ne s'immobilise avec un soubresaut, ses pales enfoncées dans la boue.

Ce fut très différent de leur échouage solitaire sur la Darling, à mille milles en amont. Le groupe des vapeurs présentait un vague air de pique-nique, et malheur partagé est toujours soulagé.

Délie préféra de beaucoup cette situation, car dans la vaste vallée de la Murray — en fait une immense plaine alluviale à travers laquelle le fleuve serpente dans un lit large d'un mille —, la vue s'étendait loin, et elle ne ressentit nullement cette impression d'étouffement dont elle n'avait pu se défaire sur la Darling.

Du pont supérieur, elle voyait l'étendue plate et monotone des buissons d'eucalyptus, mer de feuilles vert sombre et de branches minces ; et assez près, le terrain dégagé d'une ferme désolée, frappée par la sécheresse. Des monticules de sable enfouissaient partiellement les clôtures, des pierres calcaires jonchaient les pâturages.

Il n'y avait aucun passager sur les vapeurs échoués, aucune

femme ; s'il y en avait eu, elles étaient déjà parties en diligence. En revanche, à la ferme, il y aurait sûrement une femme. Une incertitude qui n'avait cessé de la préoccuper durant ces dernières semaines lui faisait désirer les conseils d'une femme.

Au crépuscule, Délie se fraya un chemin vers la fenêtre éclairée de la ferme.

Elle s'attarda le long de la rive du fleuve, trouvant très étrange de voir l'eau prisonnière d'un bassin privé de vie ; le charme du fleuve tenait à son écoulement irrésistible, incessant. Regardant vers le sud-est le méandre suivant, elle aperçut une succession de couleurs subtiles qui reflétaient les teintes plus âpres de l'ouest. David Davies avait perçu ces effets de lumière éthérés, les avait rendus sur la toile. Si cela était possible, alors tout était possible. Demain soir, elle essaierait de peindre le ciel au coucher du soleil.

Les moustiques commencèrent à bourdonner autour d'elle tandis qu'elle marchait vers le portail délabré de la ferme. Celle-ci se réduisait à une masure de deux pièces, avec un appentis à l'arrière ; pourtant la lumière du soir, la lueur brillant à la fenêtre et les volutes de fumée qui sortaient de la cheminée la transformaient en un foyer accueillant.

Elle s'arrêta sous la véranda pour regarder par la fenêtre ouverte. Assise à une table de bois brut, près de la lampe, une femme cousait. Ses cheveux gris étaient noués en un chignon grossier, une ride profonde barrait verticalement son front, le soleil et le vent avaient tanné sa peau. De part et d'autre de la cheminée, où une bouilloire noire sifflait, étaient assis un homme et une jeune femme, manifestement le père et sa fille.

Quelque chose dans le calme des deux individus assis près du feu attira l'attention de Délie. La fille contemplait sombrement les racines d'eucalyptus qui brûlaient ; l'homme regardait la fille. On entendait seulement le chuintement régulier de la bouilloire.

Elle passa sur le côté de la véranda, puis frappa à la porte. A l'intérieur, il y eut un silence étonné puis des bruits de pas, et la porte s'entrouvrit de quelques centimètres. La femme leva la lampe dans sa main gauche pour examiner la visiteuse imprévue. Elle semblait vouloir refermer la porte, mais Délie tendit le bidon qu'elle avait apporté pour justifier sa visite. «S'il vous plaît... Je viens d'un des bateaux échoués sur le fleuve, en bas. Je vous serais très reconnaissante de me donner un peu de lait frais. J'ai été malade...»

Cette allusion à sa maladie, dont elle se considérait désormais comme guérie, frisait la malhonnêteté ; pourtant, tous ces derniers matins, elle avait ressenti un étrange malaise. La femme ouvrit davantage la porte, fit entrer Délie, examina sa frêle silhouette, ses traits pâles et délicats, après quoi l'expression bourrue de son visage s'adoucit un peu.

«Venez derrière», dit-elle rapidement, presque furtivement. Elle posa la lampe sur la table, et Délie la suivit par la porte qui donnait directement dans le salon. L'homme la dévisagea brièvement, sans croiser son regard. Les yeux de la fille restèrent rivés aux braises. La femme, qui avait allumé une bougie, emmenait maintenant Délie dans la cuisine attenante.

Près de la porte du fond, se trouvaient deux grandes jattes de lait entier. La femme prit une louche et remplit à moitié le bidon de Délie. «Excusez-moi de ne pas vous en donner davantage, mais je ne veux pas troubler la crème. Par contre, je peux vous donner un peu de beurre.»

«Du beurre! Volontiers. Je n'ai pas mangé de beurre depuis... oh, depuis presque un an. Mais ai-je assez...?» Elle montra gauchement l'argent qu'elle avait apporté. La femme le prit sans même le compter, et le mit dans la poche de son tablier. Délie lui raconta leur échouage en amont de la Darling.

«Ça n'a pas pu être pire qu'ici», rétorqua l'autre ; elle tenait le beurre enveloppé à la main et regardait par la fenêtre de derrière le pays plat et obscur. «Ces buissons, comme je les déteste!» Elle parla de cette terrible année de sécheresse, de la mort de tous leurs moutons, de leurs plantations irrémédiablement perdues, des pâturages pleins de pierres.

«Pourtant, vous avez le fleuve.

— Bah! Il rend la situation tout juste supportable. Mais il me porte sur les nerfs — quand il coule, je veux dire, pas comme il est maintenant. Depuis tout le temps que nous sommes ici, je ne l'ai jamais vu aussi bas ; et ça fait plus de trente ans que nous avons cette ferme.»

Elle tourna la tête. Ses yeux étaient encore agrandis et comme vidés par l'obscurité qu'elle avait contemplée ; Délie s'aperçut avec stupéfaction qu'ils étaient beaux — bleu ciel, clairs comme ceux d'un enfant.

« Trente ans ! s'écria-t-elle, terrifiée. Vous êtes mariée depuis si longtemps ?

— Vous venez de vous marier, n'est-ce pas ? Ça se voit tout de suite. » Son visage ridé s'adoucit en un sourire enfantin.

« Il y a un an. Le bateau est mon seul foyer depuis notre mariage. Mon mari est le capitaine. Venez donc nous rendre visite demain ?

— Je verrai. »

A ce moment, un gémissement et des borborygmes se firent entendre, de l'autre côté d'une couverture accrochée au toit pour isoler une partie de la cuisine. Le visage de la femme se durcit immédiatement, retrouvant toute son amertume et ses rides. Les sourcils se froncèrent, séparés par un trait de colère qui barrait le front comme une balafre.

« Sarah ! » appela-t-elle d'une voix dure. Elle jeta le beurre dans les mains de Délie, ouvrit la porte de derrière et la poussa presque dehors, dans la nuit, tandis que la fille arrivait.

Ébahie par ce congé brutal, Délie trébucha dans la cour, tomba sur de vieilles roues et des morceaux de fer rouillé à demi enfouis dans le sable. Puis elle repéra les lumières du *Philadelphia* dans la courbe du fleuve et se dirigea vers elles.

La chaleur était telle qu'elle décida d'aller se baigner, maintenant qu'il faisait trop sombre pour qu'un homme pût la voir d'un vapeur. Dans sa cabine, elle enfila son maillot de bain bleu marine et passa une robe en tissu-éponge. Dieu qu'il aurait été agréable de sortir sans le moindre vêtement, comme les filles aborigènes de la ferme quand elle était enfant !

Elle trouva un banc de sable sans herbes ni roseaux, puis s'élança dans l'eau fraîche du fleuve. Le courant était négligeable ; elle flottait comme dans une immense baignoire. C'était très différent du danger et de l'excitation qu'elle avait ressentis en apprenant à nager avec Miss Barrett dans le courant violent de la Murray. Où donc était Miss Barrett à cet instant ? Sur les berges de quelque grand fleuve d'Europe, le Rhône, le Danube ou la Seine ?

Elle flottait entre deux firmaments étoilés, l'un au-dessus d'elle, l'autre reflété sur le miroir de l'eau. Elle entendit un cri venant du *Philadelphia* : « Regarde ce cabillaud, Charlie ! Il fait au moins sept kilos... » puis un bruit d'éclaboussures quand on relança la ligne. Elle reprit pied sur la rive, rafraîchie et comme purifiée de toute cette année de sécheresse passée sur la Darling.

Alors qu'elle traversait la passerelle, Brenton la héla de la berge : « Ce soir, nous pique-niquons, chérie. Habille-toi et viens nous retrouver autour du feu. Tu n'as jamais mangé un poisson comme celui-ci. »

Elle découvrit presque tout l'équipage réuni autour du feu, Brenton surveillait la cuisson du cabillaud posé sur une grille en fil de fer. On lui tendit un morceau de poisson sur une tranche de pain, qu'elle savoura longuement, car il était délicieux : tout juste pêché, cuit au feu de bois en plein air, servi avec du thé. Elle se dit qu'elle n'avait jamais rien mangé d'aussi bon. Il existait certaines compensations à leur séjour obligé dans ce beau lagon ombragé d'arbres immenses.

49

Toute la journée du lendemain, elle attendit la visite de la femme, mais quand le soir arriva, elle l'avait seulement aperçue de loin, portant un seau entre la berge du fleuve et la porte de sa cuisine. L'approvisionnement en eau de la maison, quand les réservoirs d'eau de pluie étaient vides, semblait extrêmement précaire.

Les cinq vaches et le cheval attendaient tristement d'être nourris. Ils restaient immobiles, n'ayant plus le moindre brin d'herbe à manger entre les pierres.

Peut-être est-elle occupée aujourd'hui. Inutile de m'inquiéter, pensa Délie qui étalait du beurre frais, pâle mais délicieux, sur du pain sortant du four. Je ne vais pas aller l'importuner, simplement attendre qu'elle vienne me voir sur le bateau.

Elle s'était interrogée sur les étranges grognements presque animaux entendus derrière la couverture de la cuisine, la hâte de la femme à se débarrasser d'elle, la dureté de sa voix quand elle avait appelé la fille. On aurait dit un bébé ; certainement pas le sien, car elle était trop âgée. Très probablement un enfant illégitime — « une bâtarderie », comme on disait dans la région ; et la mère avait honte pour sa fille.

Comme si cela importait, songea Délie. Elle se demanda comment signifier avec tact qu'elle n'avait pas d'idées préconçues sur ce sujet.

Ce soir-là, alors qu'elle peignait un soleil couchant sur la berge du fleuve, elle entendit soudain la voix de la femme derrière elle.

« Alors, comme ça, vous peignez ? » C'était une simple constatation, qui n'impliquait ni louange ni désapprobation. « Je n'aurais jamais pensé qu'une artiste trouve quoi que ce soit à peindre dans les environs.

— Mais vous vivez ici. Pour vous, le paysage se limite aux buissons à feuilles persistantes ; moi, je trouve très gracieuses ces branches filiformes, semblables à des fouets, et leurs feuilles minces, surtout quand elles se détachent contre le ciel. Je viens d'Angleterre, où pendant la moitié de l'année les arbres sont une masse touffue de feuillage, et des squelettes nus durant l'autre moitié — c'est simple comme bonjour, voyez-vous, alors que les eucalyptus de votre...

— Vous venez d'*Angleterre* ? s'écria la femme, comme si Délie avait dit qu'elle était tombée de la lune. Ce doit être merveilleusement vert, là-bas.

— En effet ; vert et propre. Je n'étais qu'une enfant quand je suis partie, et maintenant je découvre qu'un pâturage d'herbe jaune desséchée me plaît davantage qu'un pré verdoyant. A propos, je m'appelle Délie Gor... je veux dire Edwards. »

Les grands yeux enfantins de la femme quittèrent la toile pour se poser pensivement sur Délie. « Je suis Mme Slope. J'ai toujours pensé que j'aimerais vivre sur un bateau, voyager sur le fleuve. L'autre jour, c'est ce que je voulais dire, le fleuve vous donne des fourmis dans les jambes. Mes quatre garçons sont tous partis vadrouiller sur le fleuve.

— Moi, j'ai habité une ferme au-dessus d'Echuca ; chaque

fois qu'un vapeur passait devant, je regrettais de ne pas être à bord.

— Oui. Je vois les vapeurs passer devant la maison quand le fleuve est assez haut. Mais nous n'avons jamais eu autant de compagnie que cette année, avec tous ces équipages. »

Ils vendaient l'intégralité des produits de la ferme aux vapeurs, dit-elle, conservant à peine assez de lait pour leur consommation personnelle. Elle promit de garder quelques œufs pour Délie le lendemain.

Délie retourna au bateau avec elle, et le lui fit visiter, du salon à la cuisine, en passant par la chaudière. Puis elles s'assirent pour parler tissus, recettes, maladies et opérations (se souvenant de la réaction de la femme de Wood Wood, Délie s'abstint d'évoquer sa récente maladie); elles bavardèrent tranquillement, à l'écart des oreilles masculines. Le seul sujet qu'elle désirait aborder, les bébés, ne fut pas mentionné par Mme Slope, et par délicatesse Délie s'abstint d'y faire allusion.

Ce soir-là, elle parla à Brenton des gémissements mystérieux qu'elle avait entendus, elle lui dit que Mme Slope lui plaisait, bien que son comportement fût un peu bizarre. Brenton n'était manifestement pas intéressé; il lui prêta une oreille distraite pendant quelques instants, puis d'un baiser coupa son flot de paroles.

« Dis donc, petite, tu as l'air bien remontée. Tu n'avais pas papoté avec une autre femme depuis longtemps, hein ?

— Oui, et puis je voulais lui demander quelque chose, mais je n'ai pas osé. Tu vois, je crois que... enfin... Il me semble que nos précautions ont été insuffisantes. Tu sais, Bessie m'a parlé de ses symptômes, apparemment je les ai tous. Cela t'ennuie beaucoup ?

— Si ça m'ennuie ! Grand Dieu, tu risques de mourir si tu es enceinte. Tu sais bien ce qu'a dit le médecin !

— Mais je me sens tellement mieux et plus forte qu'il y a un an. En fait, je crois que le médecin s'est trompé... Et puis, je suis plutôt contente. » Elle sourit doucement, pour elle-même.

« Mais tu vas être malade, tu vas devenir difforme, tu n'auras plus le temps de peindre. Comment peux-tu te réjouir ? Les femmes sont vraiment bizarres. »

Quand, le lendemain, elle alla chercher les œufs, elle rencontra M. Slope, qui ne lui fit pas grande impression. Sa femme manifestait le peu d'estime qu'elle lui portait par le ton méprisant de sa voix lorsqu'elle s'adressait à lui. Il était maigre, moustachu, doté d'un nez mince, de paupières rougies et de cils presque blancs. Il semblait rentrer sous terre devant son épouse, essayer d'apaiser une profonde colère qu'il savait justifiée.

Délie n'aperçut pas le bébé, si tant est qu'il s'agît d'un bébé ; quant à la fille mince et débraillée, elle ne la vit que de loin, descendant vers le fleuve afin de puiser de l'eau pour les poules.

« Profites-en pour ramener des œufs, souillon ! » s'écria durement sa mère, comme la fille ressortait du poulailler avec le seau vide. Elle fit demi-tour sans piper mot. « Cette fille est une vraie limace, expliqua Mme Slope. Il faut toujours être derrière elle. »

Elle prit un carton dans le tas d'ordures près de la porte de derrière, se dirigea vers le poulailler alors que la fille en sortait, et lui arracha les œufs des mains avec méchanceté. Délie se sentit mal à l'aise. L'atmosphère de cette ferme frappée par la sécheresse lui semblait empoisonnée, pleine d'une haine corrosive et secrète.

Elle paya Mme Slope pour ses œufs, et alors qu'elle allait partir, un étrange babil animal et des grognements sortirent de la cuisine, paralysant presque Délie. Elle se força à continuer de marcher comme si de rien n'était.

Chaque jour, presque à la même heure, le fleuve coulait légèrement, remplissait le lagon où ils étaient enfermés, lequel débordait en aval. Bientôt, l'arrivée d'eau s'interrompait, jusqu'au lendemain. Brenton observa ce phénomène avec intérêt, allant jusqu'à le chronométrer avec sa montre.

Un jour, il annonça que quelqu'un, en amont, devait avoir construit un barrage pour pomper l'eau du fleuve pendant plusieurs heures du jour. Puis la pompe s'arrêtait, et le barrage débordait durant quelques minutes.

« Touchante attention, que de nous laisser un filet d'eau une fois par jour, dit-il. Il n'existe donc pas de loi interdisant d'interrompre le cours d'une rivière, Jim ? »

Le second, qui faisait office de juriste, ferma les yeux, se concentra, puis récita mécaniquement : « Quand-une-terre-est-située-à-proximité-d'un-cours-d'eau-naturel...

— Hé là, Jim ! Doucement.

— ... eh bien le propriétaire de cette terre a le droit de prélever et d'utiliser l'eau à toutes fins raisonnables. Le propriétaire situé en aval a la jouissance de l'eau, dont la qualité ne doit pas être altérée, compte tenu du droit précité du riverain situé en amont. Le problème est de savoir ce qui est raisonnable ou pas en période de sécheresse. »

Deux semaines plus tard, l'eau cessa complètement de couler. On en conclut que « les salopards » qui avaient construit le barrage pompaient toute l'eau de la Murray.

M. Slope, bien que principal lésé en tant que riverain dont les droits étaient bafoués, refusa d'entreprendre la moindre action. Il ne voulait pas de problèmes, déclara-t-il. En revanche, sa femme se montrait fort soucieuse, car les vaches avaient besoin d'eau.

Brenton sortit son calibre 303 et le huila. Charlie nettoya le fusil qui avait appartenu au chauffeur décédé. Puis ils partirent vers l'amont du fleuve, à pied et sans Jim Pearce qui les aurait volontiers accompagnés en canot, mais refusait de marcher sur les berges.

Les deux hommes revinrent triomphalement, chacun ramenant deux maigres lapins accrochés à leur ceinture. Un filet d'eau, puis un flot plus substantiel les avaient précédés.

« C'est un bel endroit, à huit milles en amont, dit Brenton. Ils pompaient toute l'eau, pas vrai, Charlie ?

— Et comment ! Ils ont construit un grand barrage sur toute la largeur du fleuve, et ils ont un lac de retenue qui s'étend sur des milles. Des champs de luzerne tout verts et frais, des arbres fruitiers autour de la maison. Ils ne sont même pas au courant de la sécheresse...

— Quand nous sommes arrivés, ils surélevaient leur barrage. Mais nous avons réussi à les convaincre, dit Brenton en tapotant le barillet de son revolver. Ils ont fini par reconnaître que le fleuve appartient à tout le monde. Par-dessus le marché, ils ont un réservoir souterrain plein d'eau de pluie. »

Le lendemain, le flot redevint un filet d'eau, mais il ne s'interrompit jamais.

Enfin, Délie confia à Mme Slope, montée à bord avec un petit pot de crème, qu'elle croyait être enceinte.

«Alors je vous souhaite beaucoup de joie, répondit Mme Slope d'une voix plate, en regardant par la fenêtre de la cabine.

— Mais... vos propres fils... Vous avez sûrement été très heureuse d'avoir votre premier fils?

— Heureuse? Ah oui, j'ai été heureuse. Je ne me doutais pas qu'en grandissant ils abandonneraient leur mère juste au moment où elle aurait besoin d'eux! Je ne me doutais pas davantage qu'un de mes enfants me ferait honte jusqu'à la fin de mes jours.

— Vous parlez de... votre fille?

— Oui, elle. Maintenant, vous avez certainement deviné qu'il y a un enfant chez nous. A cause de cette petite traînée.

— Ce n'est pas si terrible, madame Slope. Ce genre de chose arrive souvent, dans tous les milieux de la société. Vous ne devriez pas être si amère.

— Peut-être que non. On ne peut pas reprocher à cette fille d'être une vraie limace, comme je vous l'ai déjà dit. Mais *lui*!» Elle cracha le dernier mot avec un mépris plein de haine.

Un pressentiment terrible se fit jour dans l'esprit de Délie, si terrible qu'elle préféra le chasser. Troublée, elle se leva brusquement de la couchette où elle était assise, bredouillant qu'elle allait mettre la crème au frais. Mme Slope la suivit, puis descendit à terre sans ajouter un mot à propos du bébé.

Quand Délie retourna chercher des œufs à la ferme, il n'y avait personne dehors, si bien qu'elle frappa à la porte de derrière; Mme Slope lui dit d'entrer. Clignant les yeux dans l'obscurité de la cuisine, elle vit la fermière, les bras plongés dans la pâte jusqu'aux coudes.

«Je suis venue vous demander quelques œufs, si cela...

— Argh, ggurgh, arrgh», fit une voix à ses pieds.

Elle sursauta, puis baissa les yeux. Un garçon de quatre ou cinq ans jouait sous la table avec des casseroles noires. Il était proprement vêtu d'une salopette grise et d'une chemise verte.

«Bonjour, comment t'appelles-tu?» dit-elle gaiement en se penchant vers lui. Mais quand ses yeux furent habitués à la faible lumière, son sourire se figea sur ses lèvres. L'enfant la regardait avec de petits yeux d'animal, un rictus rappelant étrangement celui de M. Slope tordait son visage.

Sa tête et son cou ne faisaient qu'un, le crâne n'était pas plus large que le cou, les oreilles plaquées contre la tête, implantées très bas. Sa mâchoire inférieure pendait; un filet de salive en dégoulinait jusqu'au sol. Son visage exprimait la joie et la ruse.

«Argh une gghdam, fit la créature.

— Oui, c'est une dame. Maintenant prends tes affaires et file dans l'autre pièce. Allez, dit doucement Mme Slope, tu fais trop de bruit ici.»

Le garçon avança son maxillaire inférieur en une horrible grimace, mais il ramassa ses casseroles et s'éloigna en grognant comme un animal obéissant.

Les grands yeux bleus et limpides de Mme Slope se posèrent sur Délie. «Maintenant, vous savez tout, dit-elle. Vous comprenez pourquoi j'ai honte. Il restera toujours comme ça.» Elle chuchotait presque. «Si jamais il y en a un autre, je le tuerai de mes propres mains. Je le noierai dans le fleuve.»

Stupéfaite, Délie la regardait. La vie qui se développait en elle semblait protester.

«Et savez-vous pourquoi il est anormal? C'est une punition, voilà ce que c'est. La punition d'un homme monstrueux et de la fille qui a permis cela.» Sa voix était devenue dure et stridente. «Dire que je dois vivre avec cette honte sous les yeux.»

Délie ne trouva rien à répondre. «Tu voulais des œufs, ma chérie? Ça ne t'ennuie pas d'aller les chercher au poulailler? Autant que tu en prennes des frais.

— Merci, marmonna Délie en posant son argent sur la table. Le cuisinier les attend pour préparer le repas, il faut que je retourne au bateau.» Elle se dirigea vers le poulailler, regardant droit devant elle, redoutant de rencontrer l'homme ou sa fille.

Sur la paille, elle trouva quatorze œufs chauds, blancs et propres.

Pour la première fois, elle s'inquiéta pour l'enfant à naître.

50

Délie savait qu'aucune impression ne pouvait modifier l'apparence d'un fœtus, pourtant elle ressentait une sorte de crainte superstitieuse. Elle ne voulait surtout pas revoir l'enfant handicapé ; elle ne voulait pas davantage voir la fille, dont elle connaissait le secret, et encore moins l'homme.

« J'aimerais tellement partir d'ici, déclara-t-elle à Brenton, sans lui avouer la vraie raison de son désir. Cet endroit me rend nerveuse. Ne pourrions-nous pas, juste toi et moi, prendre des vacances à Melbourne ?

— Abandonner le bateau ? » Il la fusilla du regard. « Tu sais parfaitement que je ne peux pas le quitter. Aucun capitaine digne de ce nom n'accepterait. Si une crue arrivait, et que je ne sois pas là ? »

Pour la première fois, Délie ressentit de la jalousie envers l'autre *Philadelphia*. « As-tu déjà entendu parler d'une crue en pleine sécheresse, au beau milieu de l'été ? lui demanda-t-elle.

— On a déjà vu plus bizarre. »

Elle savait qu'il ne pensait pas ce qu'il disait, mais il n'avait manifestement pas la moindre intention de prendre des vacances avec elle. Il n'en voyait pas la nécessité. « Pars seule, dit-il. Descends voir Imogen à Melbourne.

— Je ne veux pas y aller seule. Je veux être avec toi. »

Car la présence physique de son mari l'obsédait toujours. Pendant la journée, elle trouvait mille prétextes pour monter à la timonerie, rester à côté de lui, le toucher, comme par inadvertance. En revanche, quand il la rejoignait sur sa couchette, elle se raidissait, se découvrait incapable de se donner à lui. Il ne lui vint pas à l'esprit qu'elle avait grand besoin de prendre des vacances sans lui.

Mme Slope n'était pas revenue sur le bateau, et Délie pas davantage retournée à la ferme, bien qu'elle eût promis de venir y chercher des patrons de vêtements pour bébés. Mme Slope regrettait peut-être de s'être confiée à une jeune femme qu'elle connaissait à peine.

Délie se sentait si agitée et seule que, le soir, elle prit l'habitude d'aller s'asseoir sur le pont avec les hommes, surtout quand ils recevaient la visite d'autres équipages.

Un soir, adossée à l'extrémité bâbord du tambour de roue, elle se retrouva assise à côté de Charlie McBean.

La discussion portait sur les chaudières — Brenton argumentait en faveur d'un moteur à chaudières jumelles qui entraînerait les roues à aubes deux fois plus vite —, mais Charlie, bien que spécialiste en la matière, ne pipait mot.

Apparemment très nerveux, il remuait sans arrêt, reniflait, se raclait la gorge, faisait des gestes brusques pour chasser les moustiques. Délie sentait que sa présence le gênait, mais il faisait trop chaud pour rentrer au salon ou se retirer dans sa cabine.

Ses reniflements devinrent plus bruyants ; son voisin commençait à l'agacer. Ces temps-ci, elle se sentait nerveuse, susceptible. Elle sortit son mouchoir et se moucha ostensiblement.

Charlie fut saisi d'une autre crise d'agitation désordonnée, frénétique. Fébrile, il essaya de dénouer les lacets de ses vieilles chaussures en toile. Il retira une chaussure, puis une chaussette noire en laine ; se moucha soigneusement dedans ; remit la chaussette, puis la chaussure. Délie fut tellement ébahie qu'elle en oublia de rire.

Il y avait davantage d'émeus et de kangourous, enhardis par la faim, que de lapins. La soupe à la queue de kangourou figurait souvent au menu, avec des canards sauvages rôtis par le nouveau cuisinier qui, loin d'être chinois, était un Australien corpulent nommé Artie.

Artie n'avait aucun complexe, il appela d'emblée le capitaine « Teddy », comme tous les membres de l'équipage, avec qui il entretenait des rapports de parfaite égalité. Mais, comme les autres, il appelait Délie « Mme Edwards » ou tout simplement « M'dame », avec toute la déférence due à une femme isolée parmi une société masculine.

Quand Mme Slope se décida enfin à lui rendre visite, avec ses grands yeux enfantins et son visage buriné, Délie sentit à quel point elle lui avait manqué. Mme Slope semblait plus heureuse et moins tendue, comme si le seul fait d'avoir évoqué sa honte secrète l'avait aidée à soulager son fardeau. « Je suppose que nous devons tous porter notre croix en ce bas monde », dit-elle, et ce fut sa seule allusion au secret qu'elles partageaient désormais.

Elle avait apporté des patrons de chemises de nuit et de robes aux volants immenses, qui laissaient une place minuscule pour le corps et les bras.

« Mais c'est beaucoup trop petit ! s'écria Délie. Cela ne conviendrait même pas à une petite poupée !

— Tu n'y connais rien du tout. Le bébé que tu vas mettre au monde, tu crois qu'il va être bien gros ? D'habitude, les nouveau-nés ne pèsent pas plus de sept livres. »

Ensemble, elles récupérèrent le tissu de deux chemises de nuit blanches appartenant à Délie et d'une robe en cachemire, car elle avait utilisé presque toutes ses mesures de tissu sans penser qu'elle en aurait besoin pour le nouveau-né. La machine à coudre bourdonna toute la journée. Mme Slope avait aussi apporté de la laine blanche, et Délie se mit à tricoter, affairée comme un oiseau préparant son nid. Un jour, elle songea que tante Hester aurait aimé la voir s'activer à ces tâches ménagères, cette pauvre Hester qui n'avait pas eu de petits-enfants, et dont le fils unique était mort trop tôt.

Vers mars, le filet d'eau arrivant de l'amont s'arrêta complètement, et une autre expédition d'hommes armés de fusils leur apprit qu'en amont aussi la source était tarie. Le grand fleuve Murray avait bel et bien cessé de couler, réduit à un long chapelet de trous d'eau saumâtre.

Le bruit courait qu'au pont de Swan Hill on pouvait traverser le fleuve à pied ; en Australie du Sud, trente bateaux reposaient sur la vase à Morgan, telles des bûches échouées. Les membres de la Commission de la Murray, qui l'année précédente avaient inspecté le fleuve en bateau, durent emprunter la route en dessous de Renmark. Le besoin pressant de barrages et d'écluses n'aurait pu se manifester plus clairement.

Délie contemplait le bassin immobile dans lequel flottait encore le vapeur ; elle songea à l'écoulement ininterrompu du temps, se rappela qu'enfant ou adolescente, elle s'était souvent dit : « Si seulement le temps pouvait s'arrêter ! Si seulement ce moment pouvait durer toujours ! »

Mais non, en réalité elle préférait l'évolution, l'expérience, le

changement... Elle s'en rendait compte maintenant. Le fleuve
se métamorphosait et transformait chaque chose, à jamais.

Elle avait maintenant vingt-trois ans, et son enfant naîtrait
au mois de mai. Semaines et mois avaient passé comme en
rêve, dans une existence étrangement immobile, mais le temps
se mesurait désormais à la croissance de la vie qu'elle portait,
et dont elle avait perçu les premiers mouvements avec un
mélange de plaisir et d'anxiété. Si, début avril, le fleuve n'avait
pas donné signe de vie, elle partirait à Swan Hill et descendrait
jusqu'à Melbourne pour accoucher.

51

En avril, le fleuve se mit en branle. D'abord un filet d'eau,
puis un flot boueux et tumultueux emplit le fond de son lit
— mais si maigre et si sale qu'on doutait qu'il pût jamais redevenir un cours d'eau claire et profonde.

On envoya des câbles aux membres absents de l'équipage,
on alla en recruter d'autres à Swan Hill, on enleva les bâches,
et l'on se tint prêt à partir dès qu'il y aurait assez d'eau sous les
dix quilles en eucalyptus des vapeurs échoués.

Le *Philadelphia* avait belle allure après ses deux immobili-
sations forcées ; les hommes restant à bord en avaient profité
pour peindre, nettoyer et réparer au point qu'on eût dit un
navire sortant d'un chantier naval.

La première semaine de mai, Teddy Edwards leva l'ancre et
remonta le fleuve. Toujours impatient, bien décidé à être le
premier, il n'avait pas l'intention d'attendre que le fleuve fût
parfaitement navigable. Quelques centimètres d'eau sous sa
quille lui suffisaient.

A Swan Hill, ils durent s'arrêter. Il y avait si longtemps
qu'un vapeur n'était passé que le pont-levis ou les hommes qui
le manœuvraient étaient rouillés ; on leur annonça qu'ils ne
pourraient le franchir avant une heure. Tandis que Brenton
vitupérait, Délie alla en ville acheter de la laine blanche et des
rubans et consulter un médecin. Celui-ci jugea son état satis-
faisant, déclara qu'il n'envisageait aucune complication, mais,

comme son bassin était assez étroit, il serait préférable qu'elle accouchât à l'hôpital d'Echuca.

Quant à ses poumons, il les trouva parfaitement sains. Il lui demanda qui avait diagnostiqué une tuberculose, et fit remarquer que même les médecins des grandes métropoles pouvaient se tromper. «En fait, dit-il, je crois que vous avez simplement souffert de bronchite chronique.»

Au moment du départ, Mme Slope avait été terriblement déprimée. Elle avait mis une robe propre pour faire ses adieux. Buvant une tasse de thé avec Délie au salon, elle lui confia que la ferme était déjà hypothéquée et que la banque ne leur accorderait plus le moindre crédit. S'il ne pleuvait pas bientôt, ils devraient abandonner la ferme aux corbeaux et partir à Melbourne grossir les rangs des miséreux.

«Il *faut* qu'il pleuve», dit-elle d'une voix opiniâtre, ses doux yeux enfantins tournés vers le ciel limpide, d'un bleu dur et vibrant — ce ciel qui avait adressé le même sourire bleu à maints voyageurs mourant de soif dans la brousse.

«Il pleuvra bientôt», dit Délie; après tout, l'hiver approchait et le fleuve coulait de nouveau.

«Oui, et cela signifie que vous allez partir. Ç'a été... vous ne savez ce que ç'a été pour moi, de pouvoir parler à quelqu'un après toutes ces années de solitude. Merci, ma chérie, et que Dieu te bénisse», et elle glissa dans la main de Délie une petite taie d'oreiller en tricot.

Délie saisit les mains rêches et calleuses dans les siennes. «Moi aussi, je suis très heureuse de vous avoir connue, dit-elle avec chaleur. Je vous remercie pour toute votre gentillesse. Cela paraît injuste que je sois si heureuse et que vous ayez tant à supporter — la sécheresse, et... et le reste», bafouilla-t-elle, incapable de faire une allusion plus directe au secret qu'elle partageait avec Mme Slope.

«Merci, Délie. Bonne chance et je te souhaite que ce soit un garçon.»

Ce fut un garçon; mais il ne naquit pas à l'hôpital d'Echuca. Une semaine après leur départ, ils luttaient encore contre le courant, se halant au treuil au-dessus de la Souche Noire, de Funnel Bend, du saut de Kelpie, franchissant tous les passages difficiles dans l'étroit chenal sinueux qui longeait l'île Campbell.

Il y avait là des milliers de cygnes noirs et de canards sauvages. Les marais et les marigots, les vastes plans d'eau des lacs Moira étaient toujours asséchés; si bien que les oiseaux s'étaient tous réunis dans les arbres bordant le chenal qu'aucun vapeur n'avait emprunté depuis presque un an.

Bien que les pluies printanières fussent descendues des hautes terres pour alimenter le chenal, le temps était toujours au beau fixe. Charlie, prophète météorologique au pessimisme proverbial, annonça lugubrement une autre année de sécheresse.

«Encore une année comme les deux dernières, et le commerce fluvial sera terminé, que je sois pendu si je me trompe!» annonça-t-il. Mais comme à chaque printemps il déclarait: «Ça va être le pire été de mémoire d'homme!» personne n'accorda beaucoup de crédit à ses prophéties.

A Euston, Tooley Buc et Gonn Crossing, où des bacs faisaient la navette d'une rive à l'autre, ils apprirent qu'on allait construire des ponts.

«Encore des difficultés pour la navigation», grommela Brenton. A Koondrook, ils découvrirent un pont déjà terminé, qui reliait la ville de Barham, en Nouvelle-Galles du Sud, à l'autre rive. Dès qu'ils lancèrent un coup de sirène, une foule de gens accourut des deux villes, car un vapeur passait pour la première fois sous le pont. Une ovation éclata quand Brenton dirigea le navire à pleine vitesse entre deux piliers.

Dans la timonerie, Délie retint son souffle jusqu'à ce qu'ils fussent de l'autre côté du pont; l'enfant qu'elle portait la rendait plus inquiète qu'auparavant. Mais Brenton partit d'un grand éclat de rire, excité et flatté par l'admiration de la foule.

Pendant le dernier tronçon, relativement facile, il était resté dans sa cabine pour se reposer, ne montant dans la timonerie qu'au moment de franchir le pont. Ses yeux bleus étaient injectés de sang, ses boucles blondes plaquées contre son crâne, une barbe de quelques jours couvrait ses joues et son menton. Depuis quelque temps déjà, il se négligeait, se rasait plus rarement, arpentait le pont avec de vieilles chaussures en toile percées aux orteils, ou pieds nus.

Le *Philadelphia* poursuivit son chemin, personne ne soupçonna qu'aucun vapeur ne passerait sous le pont avant deux
semaines. Car la foule excitée qui attendait impatiemment que
la section mobile du pont fût remise en place, sauta trop vite
dessus, et le pont s'écroula aussitôt sous ce poids ; la roue de la
poulie s'emballa follement, puis la force centrifuge la fit voler
en éclats, qui manquèrent de peu les deux préposés aux
manœuvres. Il fallut attendre deux semaines l'arrivée et
l'installation d'une autre roue.

Ils quittèrent Barham par une journée torride et poussiéreuse, le vent du nord apportait l'haleine brûlante des vastes
étendues desséchées du continent. Ils se dirigeaient vers le sud-
est, mais le fleuve serpentait tellement qu'ils naviguaient tantôt
contre le vent, tantôt vent arrière.

C'était la fin de l'après-midi ; les yeux de Brenton étaient
fixés sur l'étroit chenal, que recouvraient parfois des bourrasques de poussière rouge. Délie se reposait dans la cabine.
Le bébé était descendu et s'était apaisé, comme s'il économisait ses forces en vue du grand bouleversement de la naissance.

Soudain des cris confus éclatèrent sur le pont, accompagnés
d'une course précipitée. Délie se dressa sur sa couchette. Des
seaux s'entrechoquaient, on entendait l'eau éclabousser. Les
hommes ne lavaient pourtant pas les ponts à cette heure du
jour. Puis une odeur âcre entra par la porte ouverte, une odeur
qu'elle avait appris à reconnaître et redouter, l'odeur du feu.

Elle se rua hors de sa cabine pour rejoindre la timonerie
voisine. Mâchoires serrées, Brenton essayait de faire faire
demi-tour au *Philadelphia* qui naviguait contre un vent violent
et brûlant ; à l'avant du bateau, des flammes et une fumée noire
montaient vers le ciel ; les flammes rabattues par le vent
léchaient déjà la peinture neuve des superstructures. Le perroquet Skipper jurait en danois, réclamant le tournevis d'une
voix stridente.

« Au canot », dit Brenton entre ses dents. Il jura sauvagement, arc-bouté sur la roue.

« Je ne veux pas partir sans toi.

— Ne sois pas stupide. » Avec une rapidité terrifiante, les
boiseries extérieures avaient pris feu, et les flammes léchaient
maintenant les fenêtres de la timonerie.

«Arrêtez, nous devons abandonner le navire!» cria-t-il aux hommes qui, malgré tous leurs efforts, durent battre en retraite vers le milieu du vapeur. Ben monta les marches quatre à quatre, visage livide, sourcils brûlés.

«Votre femme, capitaine?

— Emmène-la au canot, vite, mon gars.»

Ben la prit par le bras, mais Délie se dégagea pour se précipiter dans sa cabine.

Elle n'avait pas le temps de penser. Ses peintures étaient réunies sur la commode, les vêtements du bébé dans un coffre sous la couchette du bas. En un éclair, elle roula ses toiles, puis se rua dehors alors qu'un tourbillon de fumée noire s'engouffrait par la porte. Ben saisit son bras et l'entraîna vers l'arrière. Le tambour de la roue avait déjà pris feu, l'escalier s'était écroulé.

Délie se figea brusquement. «Où est Brenton? Je ne veux pas partir...

— Il est en sécurité. Il a certainement sauté à l'eau. Nous aussi, nous allons sauter.»

Paralysée par la peur, elle regarda la surface de l'eau qui semblait tellement lointaine. Une flamme lécha son pied, et Ben poussa vivement Délie. En hurlant, elle tomba dans le fleuve et sentit l'eau froide se refermer sur elle.

Quand enfin elle remonta, elle entendit, tel un écho de son propre hurlement, le sifflement continu de la sirène du vapeur. Brenton avait attaché la poignée en position basse pour faire tomber la pression de la vapeur dans la chaudière, qui autrement aurait risqué d'exploser; incapable de diriger le *Philadelphia* vent arrière, il l'avait amené sur un haut-fond qu'il connaissait, près de la rive gauche du fleuve, pour l'échouer là. Alors il libéra le perroquet de sa chaîne et sauta par-dessus bord au moment où ses vêtements prenaient feu.

La poussière et la fumée avaient séparé Délie de Ben; submergée d'un terrible sentiment de solitude, elle se mit à nager vers la rive, gênée par son corps lourd, sa jupe longue et sa blouse. Elle n'avait même pas eu le temps d'enlever ses chaussures. Sûre que Brenton s'en tirerait, elle songea avec inquiétude à cette vie qui se développait en elle.

Soudain, une tête dorée, l'éclair rassurant de dents blanches apparurent à ses côtés.

« Parfait, ma chérie, je suis avec toi. Maintenant détends-toi. Allonge-toi sur le dos. » Et avec un délicieux sentiment d'abandon, elle se laissa aller entre ses bras, avant de sombrer dans l'inconscience.

En rêve, elle se revit sur la lointaine plage méridionale avec Tom. Lorsqu'elle reprit connaissance, Brenton était assis à côté d'elle. Elle lui sourit. Soudain, une douleur terrible la transperça, secouant violemment son corps.

Comme elle sombrait à nouveau dans le sommeil, parfaitement détendue, la même douleur la foudroya à nouveau. Plus vive que la précédente, elle dura aussi un peu plus longtemps.

« Brenton ! cria-t-elle.

— Tout va bien, chérie. Reste allongée. » Une grande main se posa tendrement sur son épaule. « Tu t'es évanouie juste au bon moment, un parfait exemple de coopération... Nous sommes certainement à quelques milles de Torumbarry ; George est parti en amont du fleuve. Là-bas, il trouvera bien un véhicule et nous verrons s'il y a moyen de l'amener jusqu'ici à travers le maquis. De toute façon, un vapeur ne va sûrement pas tarder à arriver. »

La douleur ayant reflué, Délie demanda des nouvelles du bateau.

« Le pauvre a brûlé jusqu'à la ligne de flottaison, mais je l'ai bien échoué sur un banc de sable et nous pourrons le remettre en état. Par bonheur, ni la barge ni la laine n'ont souffert. Nous aurons besoin de tous nos sous quand...

— Brenton ! »

Cette fois, la panique qui faisait trembler sa voix, la souffrance qui écarquillait ses yeux bleus inquiétèrent pour de bon le capitaine.

« Qu'y a-t-il ? Bon Dieu, serais-tu blessée ?

— Brenton, je sens le bébé qui vient ! »

Il la regarda ; une panique similaire apparut sur son visage. « Oh, non !

— *Si !* » Une nouvelle douleur vrilla son corps. Elle serra fortement la main de Brenton ; quand il grimaça et contracta les muscles de ses mâchoires, elle s'aperçut qu'un lambeau de chemise entourait grossièrement sa main. Aussitôt, elle oublia sa propre douleur et sa peur.

«Tu es blessé!

— Seulement aux mains. Elles ont été brûlées quand je tenais la roue du bateau pour le diriger sur le banc de sable. J'ai mis un peu de graisse dessus. Ce n'est pas grave, ça fait juste un peu mal. Chérie, souffres-tu beaucoup?

— Pas vraiment, mais chaque contraction est plus douloureuse que la précédente, et... et j'ai peur.» Ses lèvres pâles tremblaient, elle frissonnait, car ses vêtements étaient trempés.

«Oh, Seigneur! Que faire?» Brenton se leva, désespéré.

Une frêle silhouette aux cheveux noirs plaqués autour d'un visage blême s'arrêta à côté de lui. «Excusez-moi, capitaine, mais j'ai apporté des couvertures sèches de la barge pour votre dame.» Il parlait par-dessus un gros paquet qu'il tenait dans ses bras. «Et l'un des hommes avait des sous-vêtements propres, bouillis de ce matin. Vous allez avoir besoin de linges et d'eau chaude.

— Ben! T'y connais-tu en ce genre de chose?

— Oui, capitaine Edwards. Plus d'une fois, j'ai aidé la sage-femme avec ma mère. Nous devons allumer un feu, faire bouillir de l'eau; vous devriez aider votre femme à retirer ses vêtements trempés.»

Le capitaine se hâta de suivre les conseils de son plus jeune matelot de pont. Sa maladresse et sa peur étaient touchantes. Entre chaque contraction, Délie observait en souriant les efforts désordonnés de son mari. Maintenant, la peur avait cédé la place à une espèce d'exaltation indéfinissable qui lui faisait supporter la douleur. Comme en cette première nuit qu'elle avait partagée avec Brenton, l'envahissait un sentiment de puissance débordante, la force vitale!

Pourtant, elle ne pouvait s'empêcher de gémir, par instants. Lorsqu'elle vomit, Brenton s'écria: «Je ne supporte pas ça! Que quelqu'un m'emmène en barque jusqu'à Echuca; je vais chercher un docteur. Cela peut encore durer des heures. Que font donc les autres bateaux? Même si Jim ramène une carriole, nous ne pourrons pas la transporter. Ben!»

Et ce fut long, en effet. Le solide enfant de Brenton, grandi

dans un corps menu et délicat, se frayait lentement et douloureusement son chemin vers la lumière.

Délie se rendit vaguement compte du retour de Jim Pearce,
longtemps après la tombée de la nuit, des silhouettes masculines se déplaçant autour du feu, de la voix apaisante de Ben,
de sa main posée sur son front brûlant, aussi tendre qu'une
main de femme. Durant toutes ces heures, elle crut vivre autant
de choses que pendant toute sa vie passée, comme si le cours
du Temps s'était gelé, glacier progressant de manière imperceptible.

Elle réclama Brenton, mais il n'était pas revenu. Elle se
sentait désespérément seule, malgré la présence de Ben, qui
chuchotait que le médecin serait bientôt là. Alors, ressentant
un choc qui lui fit oublier tout le reste pendant un moment, elle
regarda droit au-dessus d'elle et vit les étoiles.

Les étoiles étaient toujours là! Inchangées, elles suivaient
leur trajectoire régulière et majestueuse à travers le ciel, alors
qu'elle-même avait cru l'univers entier réduit à l'infime noyau
où elle luttait pour mettre au monde son enfant. La Voie lactée
était un fleuve de lumière tranquille, le Scorpion brillait à
l'Occident comme un point d'interrogation géant, une question
éternelle et fascinante.

La dernière phase de l'accouchement commença bien après
minuit. Elle était maintenant certaine de mourir, de ne pouvoir
survivre à toute cette souffrance; pourtant c'était sans importance. Tout plutôt que cette atroce douleur, pensa-t-elle, en
écoutant avec une sorte de détachement le cri animal qui
montait du fond de sa gorge. Elle sombra alors dans une
inconscience bénie, d'où elle sortit parfaitement calme. Elle
avait franchi les terribles rapides.

Son détachement persista. Elle ne ressentait aucune honte
devant les mains adroites de Ben qui s'acquittait fort bien de sa
tâche; elle et lui ressemblaient à deux initiés d'une religion
nouvelle, officiant à l'intérieur du cercle sacré.

Le violent vent du nord s'était arrêté, remplacé par une
douce brise méridionale chargée d'humidité, qui avait chassé
la poussière. Les premières heures du jour furent limpides et
tranquilles. Levant les yeux, Délie contempla, sur la face
étoilée de la nuit, d'énormes symboles nuageux qui se mêlèrent

à ses rêves. Épuisée, elle s'endormit sans remarquer qu'elle n'avait pas entendu le cri du nouveau-né.

Enfin le médecin arriva avec Brenton, qui l'avait tiré de son lit. Ils avaient rejoint Perricoota en buggy pour continuer à pied à travers le maquis inhabité. Le médecin, qu'inquiéta le pouls faible, fit immédiatement une piqûre pour stimuler le cœur. Alors elle demanda, faiblement, à voir le bébé.

Un bref silence gêné s'ensuivit. Le médecin tapota la main de Délie comme pour la rassurer.

«Qu'y a-t-il? Comment est le bébé? Bien sûr, je sais... Je m'en suis toujours doutée. Estropié? demanda-t-elle d'une voix pathétique.

— Non, chère madame, c'est un garçon, et il est... il était parfaitement formé.» Le médecin se racla la gorge. «Malheureusement... L'accouchement a été difficile... il n'a pas survécu.

— Ça ne fait rien, chérie, ajouta vivement Brenton, qui posa sa main blessée sur celle de Délie, inerte à côté d'elle. C'est toi qui importes. Et grâce à Dieu, tout va bien pour toi.

— Quelques points de suture seront nécessaires, et le plus tôt sera le mieux. Si quelqu'un veut bien tenir cette lanterne, je crois pouvoir m'en charger tout de suite.»

52

Le bébé de Délie ne fut pas la seule victime de ce désastre. On ne retrouva pas trace du gros cuisinier, il avait dû se noyer. Quant au perroquet, il avait disparu dans la brousse. Charlie, resté auprès de son moteur bien-aimé jusqu'au dernier moment, eut les mains gravement brûlées. Les plaies s'infectèrent. Il fut admis à l'hôpital d'Echuca, où il resta pendant que le *Philadelphia* était remorqué en cale sèche pour être remis en état.

Délie avait perdu tous ses vêtements, toutes ses couleurs et ses pinceaux, ainsi que ce qu'elle avait préparé pour le nouveau-né: en revanche, ses toiles, résultat de deux années de travail dans la sécheresse et la chaleur du continent, étaient sauvées.

Dès qu'elle se sentit mieux, elle décida d'organiser une exposition à l'Institut de Mécanique d'Echuca. M. Hamilton plaça un de ses tableaux dans sa vitrine ainsi qu'une affiche, et M. Wise, son ancien maître, y emmena ses élèves de l'école des Beaux-Arts. La vente des billets permit à Délie de réunir un petit pécule.

Daniel Wise acheta une huile pour son école. Les progrès de son ancienne élève lui firent un grand plaisir. Délie vendit également deux aquarelles, un lever et un coucher de soleil, peintes sur le lagon de la Murray où ils avaient passé tant de mois.

Les autres tableaux étaient trop «modernes»: ils essayaient d'exprimer la sécheresse, la chaleur, le désespoir. Les visiteurs les trouvèrent «laids et déprimants».

Délie n'en fut nullement affectée, et d'autant moins que Daniel Wise lui prodigua force éloges. Son oncle vint la voir; il était si heureux qu'il en pleura de joie. Tout cela fit que Délie retrouva un peu la joie de vivre.

Brenton ne comprenait pas ou ne partageait pas ses sentiments concernant la mort de leur enfant. Pour lui, elle ne le désirait pas vraiment. Dans ces conditions, pourquoi sa perte était-elle si dramatique? se demandait-il, en regardant les yeux cernés et la bouche rebelle de sa femme, dont les traits s'étaient affermis.

Délie avait bandé ses seins pour empêcher la montée d'un lait désormais inutile. Elle avait l'impression que c'était son cœur qu'elle comprimait ainsi. Elle ne pouvait confier à Brenton — décidément, il y avait beaucoup de choses dont elle ne pouvait lui parler — son inexplicable sentiment de culpabilité. N'avait-elle pas d'abord pensé à lui, puis à ses tableaux, et pas au bébé qu'elle portait? Si elle avait rejoint le canot à temps... si elle avait pu aller à l'hôpital où il y avait de l'oxygène... l'enfant aurait peut-être survécu.

Et ses toiles? Avaient-elles une quelconque valeur? Quand elle les examina d'un œil critique, encadrées et accrochées aux murs de l'Institut, elle ressentit un pincement de fierté. Non seulement elle avait fait des progrès sur le plan technique, mais il s'agissait vraiment d'une création. Peut-être pas encore ce qu'elle cherchait... même si la lumière, la chaleur, l'immensité caractéristiques des grandes plaines continentales se trouvaient là, figurées sur la toile.

Elle décida d'envoyer ses trois meilleures œuvres à l'Exposition de Printemps de la Société des Artistes de Victoria. Imogen l'avait informée des activités récentes de la Société : « Nous sommes maintenant tout à fait reconnus, bien que nos phares, Arthur Streeton et Tom Roberts, résident à Londres. Mais au moins, nous avons pour principe de faire organiser l'exposition par des artistes *qui produisent quelque chose*, et non une bande de vieux barbons qui peignent des chromos... Je travaille beaucoup. J'ai fait un tableau de Prince's Bridge, tout en lumières dorées et en ombres bleutées sous les arches — une des meilleures choses que j'aie jamais réalisées. Je vais avoir l'âge inquiétant de *vingt-deux ans* cette année, tu te rends compte ? Mais je vais bien... »

Prince's Bridge ! Délie pensa à Melbourne par une matinée brumeuse, avec ses jardins verts et ses rues grises, ses fins clochers sur fond de ciel brouillé, et la Yarra reflétant tout cela. C'était un autre continent, presque une autre planète, comparé aux immensités torrides et desséchées des plaines intérieures.

Elle commença à se languir de la somptueuse ville verte. Quand elle fut complètement rétablie, et Brenton confortablement installé dans une pension pour superviser la reconstruction du navire, elle prit le train vers le sud.

Chaque mille parcouru ajoutait à son excitation ; elle regardait les panneaux bleus défiler par la fenêtre : Les Frères Griffith à quatre-vingts milles — repas, café, cacao... soixante-dix milles... cinquante... Quand elle sortit de la gare et se jeta dans le flot de la foule qui n'avait cessé de circuler pendant toute son absence, elle se sentit rajeunie et comme aérienne.

Les expériences des deux dernières années, qui avaient affermi les traits de son visage, semblèrent s'éloigner d'elle ; en revanche, elles restaient gravées dans l'expression rebelle et passionnée de sa bouche, dans l'imperceptible ride d'inquiétude qui séparait ses sourcils rectilignes.

Elle logea chez Imogen, présentement sans amant, et fut ravie de la retrouver. Délie se promena dans l'appartement, regarda par les fenêtres, admira ou critiqua les dernières toiles d'Imogen, et vécut une nouvelle fois cette expérience étrange qui consiste à retrouver un lieu bien connu après une longue absence.

«Tu as l'air en forme, dit Imogen du bout des lèvres, mais je suis sûre que ce n'est pas une vie qui te convient. Tu ne devrais pas habiter sur un bateau.

— Et pourquoi non?

— Eh bien, tu es loin de tout, et puis...

— C'est peut-être bien pour une artiste... Melbourne me manquait terriblement, c'est vrai, les discussions sans fin, l'émulation de l'atelier, et pourtant... je crois que la solitude est une bonne chose, on ne risque pas d'être influencé par les autres artistes, ou de se laisser distraire par la grande ville.

— Les distractions! Oui, je sais que je ne travaille pas autant que je devrais.

— Oh, toi tu trouverais matière à te distraire n'importe où... je te connais!»

Imogen sourit, lissa ses cheveux noirs en prenant une pose gracieuse et féline.

«Je n'ai personne en ce moment, vraiment! J'en ai eu assez du dernier. Il voulait m'épouser, m'installer dans la maison respectable de sa mère, une veuve. Tu te rends compte!

— Je crois que je bénéficie de tous les avantages d'un foyer sans connaître l'ennui mortel des banlieues. J'ai même un jardin, avec mes bacs à fleurs — ou plutôt j'en avais un avant l'incendie. Et puis tout va être nouveau; Brenton m'a promis d'aménager un réservoir d'eau que le moteur remplira, pour que nous ayons de l'eau chaude en permanence.

— Tout ça me paraît très dangereux, tu aurais pu être tuée dans cet incendie. Mais j'imagine que tu ne regrettes pas trop pour le bébé. Je veux dire, que tu aurais passé tout ton temps à pouponner au lieu de peindre...

— Pas regretter!» Délie lui lança un regard horrifié. Le rouge lui monta aux joues. «Tu ne comprends rien, Imogen!

— Oh, eh bien...» Imogen paraissait gênée. «Je ne dois pas avoir un instinct maternel très développé, ma chérie.» Elle se hâta de changer de sujet. «Il faut que je te montre le nouveau déshabillé que j'ai moi-même dessiné. Il est en mousseline blanche, avec des rubans fuchsia...»

Délie resta pour l'Exposition de Printemps ; le comité de sélection avait accepté ses trois tableaux, mais aucun ne fut vendu. Les gens achetaient des vases de fleurs, des vues célèbres de la Yarra, des représentations de fermes typiques ou d'églises connues.

Son paysage intitulé *Au-delà de Menindie* montrait une bicoque de tôle, de rares arbres gris acier perdus dans une vaste plaine qui se fondait en un mirage aveuglant. « Intéressant, mais pour rien au monde je ne voudrais accrocher ça dans mon salon », commenta une femme respectable et bien habillée.

Le deuxième tableau était une étude d'un énorme nuage noir dans un ciel d'un bleu intense, et dont l'ombre s'étendait sur les arbustes de la plaine. Dans le troisième, *Ferme du maquis*, elle avait essayé de rendre l'horreur de la sécheresse, le bétail affamé, épuisé, les galets de calcaire blanc dans les pâturages, les monticules de sable recouvrant les clôtures ; ainsi que la stérilité spirituelle qui lui avait semblé imprégner la région où ils étaient restés prisonniers.

Les articles des journaux parlèrent des toiles de Délie en ces termes : « On remarque trois études originales de Delphine Gordon, dont deux interprétations assez sordides et déprimantes de la vie paysanne, ainsi qu'une étude saisissante de ciel nuageux... »

« Ses bleus irréels et ses teintes criardes... »

« Louable tentative pour rendre l'ambiance de la désolation... »

Ce dernier article était meilleur ; on sentait que son auteur avait compris le but de Délie. Mais de toute façon elle faisait peu de cas des critiques. Seuls comptaient à ses yeux les jugements et les commentaires d'autres artistes, ainsi que les discussions avec des gens capables de comprendre ses intentions profondes. Le besoin de créer l'envahit à nouveau et, avec lui, le désir violent de retrouver Brenton.

Il la prenait dans son sommeil, dans ses rêves ; elle se réveillait en tremblant, le front moite. Mais elle attendit jusqu'à son rendez-vous chez le médecin, qui confirma le diagnostic de son confrère de Swan Hill ; ses poumons étaient en parfait état. Alors elle sauta dans le premier train pour Echuca.

La nuit suivante, les époux réunis dormirent peu. Le bateau était presque terminé et, comme dit Brenton, ils allaient bientôt retrouver l'inconfort de couchettes séparées ; il tenait à battre le fer tant qu'il était chaud.

« En tout cas, tu es un forgeron infatigable », dit-elle en riant doucement. Se penchant sur elle, Brenton contemplait son visage faiblement éclairé par la lune.

« C'est ta faute, dit-il. Tu me parais changée. Qu'as-tu donc fait à Melbourne ?

— Rien. Simplement, je me sens différente. Je crois que je suis heureuse.

— Alors pourquoi as-tu pleuré ce soir, pour la première fois ?

— Parce que j'étais trop heureuse.

— Bon ! Je renonce à comprendre. »

Le lendemain, elle se sentit comme transfigurée, immortelle. L'enfant qui avait grandi dans son corps et bien failli le détruire en naissant ne s'était pas développé en vain. Tout l'amour qu'elle avait engrangé pour le nouveau-né se reportait maintenant sur son mari.

53

La sécheresse était terminée. En ce printemps de 1903, la Murray et la Darling reprirent leur cours majestueux. Le *Philadelphia*, entièrement reconstruit au-dessus de la ligne de flottaison, peint en blanc et portant son nom en lettres noires devant la timonerie, reprit ses voyages. Les pales de ses roues semblaient tourner à un rythme plus gai.

Son homonyme aussi était ravie. Elle désirait simplement peindre toute la journée, reposer à côté de Brenton toute la nuit. Il la gâtait, la cajolait, mais l'ignorait dès qu'il avait l'occasion de discuter avec un homme. Délie acceptait désormais cette situation.

Il lui avait donné carte blanche pour la décoration du salon et des cabines, où elle installa des tentures de coton bleu et blanc sur les portes et les fenêtres ainsi que des dessus-de-lit assortis. Les périls provoqués par la sécheresse ayant disparu, Délie avait le sentiment de vacances perpétuelles. Même la Darling lui sembla un fleuve différent, en l'absence des brebis affamées qui avaient hanté ses berges ; et quand elle contempla les boules crémeuses des buis, le sable des rives couvert de lis blancs, les tapis de fleurs sauvages qui éclosaient magiquement après une averse, elle comprit que ce fleuve aussi connaissait des moments de beauté et de paix.

Pourtant, le trafic fluvial diminuait de façon inquiétante. Les colons s'étaient habitués à se passer des vapeurs pendant les deux années de sécheresse, et les lignes de chemin de fer desservaient maintenant tant de ports que les marchandises se faisaient rares. Les taxes exorbitantes créées par les gouvernements de la Nouvelle-Galles du Sud et de Victoria, désireux d'attirer dans leur capitale le riche trafic fluvial, désavantageaient aussi les vapeurs.

Brenton, que les performances du *Philadelphia* n'avaient jamais entièrement satisfait, avait mis en œuvre toutes sortes d'idées nouvelles lors de sa reconstruction. Le bateau possédait maintenant deux chaudières qui, théoriquement, devaient lui permettre de doubler sa vitesse.

« Comme si une seule chaudière ne me causait pas assez de soucis, avec la jauge à surveiller, la pression, la soupape et tout le tintouin, grommelait Charlie. Le prochain coup, il va vouloir deux mécanos ; mais si jamais un confrère monte sur ce rafiot, moi j'en descends illico. »

Les chaudières jumelles n'améliorèrent pas notablement les performances du bateau, et donnèrent beaucoup de travail supplémentaire. Brenton devint morose ; il s'était endetté pour financer la reconstruction du navire, et même sur la Darling le trafic avait diminué. En 1904, alors qu'ils étaient amarrés à Wentworth après avoir déchargé une barge à demi vide, il annonça à Délie que la partie supérieure du fleuve n'était plus exploitable. La faute en revenait au nouveau chemin de fer qui desservait Swan Hill, Mildura et Menindie.

La solution la plus sage consistait à se transformer en magasin flottant, comme le *Mannum* ou le *Queen*, ou à signer un contrat postal, comme Randell ou Hugh King. Brenton comptait en parler avec le capitaine King, qui avait besoin d'un petit vapeur supplémentaire pour assurer le trafic postal entre Morgan et Wentworth.

« Il est rudement séduit par les nouveaux aménagements du *Philadelphia*, ajouta Brenton.

— Tu ne comptes pas le *vendre* ?

— Non, mais nous pourrions nous joindre à sa flotte, la Compagnie de Navigation de la Murray — maintenant, la compagnie, c'est *lui* —, louer nos services par contrats. A moins que tu ne préfères que nous continuions à perdre de l'argent ; c'est l'un ou l'autre. »

Le capitaine King les invita à dîner à bord de son vapeur. Il assumait les fonctions de commandant du *Gem*, le plus vaste et le plus luxueux transport de passagers sur la Murray, avec Jim Mutchy pour second. Le *Ellen*, encore plus gros, s'était révélé inefficace, sinon en période de crue, à cause de son fort tirant d'eau, et on allait le transformer en barge.

Quant au petit *Ruby*, avec son tirant d'eau de vingt et un pouces seulement, qui avait transporté du courrier et des marchandises pour la flotte, on allait l'allonger de quarante pieds et le destiner aux passagers. Le capitaine King déclara qu'il voulait que le *Philadelphia* le remplaçât pour le courrier ; il préférait d'ailleurs l'acheter.

Les commandants-propriétaires travaillant à leur compte devraient bientôt s'intégrer à une grande compagnie, ou bien disparaître, expliqua-t-il ; le trafic fluvial devenait trop incertain pour un homme isolé, sans capital important...

« Eh bien, monsieur, dit Brenton, ma femme possède la moitié des parts du vapeur, auquel elle est très attachée, d'autant que le bateau porte son nom. Je ne crois pas qu'elle désire se séparer du *Philadelphia*, hein chérie ?

— Oh *non* !

— Alors n'en parlons plus, conclut le capitaine King en s'inclinant galamment. Il faut toujours respecter les désirs d'une femme. »

Délie fut charmée par ce solide capitaine courtois et chaleureux, à la grande barbe grise et aux yeux pétillants ; une sorte de Père Noël, songea-t-elle.

« Vous avez la réputation d'arriver toujours le premier, mon garçon, et la rapidité est la qualité essentielle pour le transport du courrier. Vitesse et régularité. Inutile de faire souffrir le bateau pour avoir une avarie à mi-chemin. Maintenant, parlons un peu de ces deux chaudières.

— Je crois que je vais en laisser tomber une. J'essaie toujours d'améliorer les performances du bateau, mais j'ai l'impression que la puissance supplémentaire est perdue à cause du poids des deux chaudières et des arrêts aux piles de bois. Je viens d'installer de nouveaux condenseurs... »

Ils se lancèrent dans une discussion technique à laquelle Délie ne comprit pas un traître mot. Bientôt, ils sortirent examiner les moteurs du *Gem*, tandis que Délie bavardait avec le second, consciente des regards admiratifs des passagers masculins assis dans le salon.

« Quel homme charmant que le capitaine King, dit-elle sans réfléchir.

— Oui, c'est un vrai gentleman. Mais il n'est pas toujours aussi avenant, croyez-moi. Je me rappelle la fois où nous transportions un groupe de tondeurs venant d'Avoca. Au port du lac Victoria, nous nous sommes arrêtés pour charger de la laine et le matériel de tonte. Cela se passait juste après la grande grève, et le lac Victoria tondait au noir. Il y a eu une émeute et les tondeurs locaux ont essayé de monter à bord. Les deux groupes de tondeurs s'injuriaient ; Cap'tain King a hurlé aux hommes d'Avoca d'aller à l'arrière et d'y rester, puis il fit empiler toute la laine à l'avant, jusqu'au bastingage du pont supérieur. Il fit monter les tondeurs du lac Victoria au sommet de la pile de laine, après quoi il annonça qu'il jetterait lui-même à l'eau le premier ouvrier qui oserait franchir l'arbre d'entraînement des roues.

« Nous n'avons plus eu le moindre problème ; mais nous avons manqué le train de Morgan.

— Il donne l'impression de savoir diriger les hommes », dit Délie.

Brenton et le capitaine revinrent et discutèrent encore quelques minutes.

« Je me demande comment je vais descendre en dessous de Wentworth ? fit Brenton. Je suppose que ce n'est pas aussi

difficile que dans la partie supérieure du fleuve, et qu'il y a
moins de courbes.

— Tout le cours de cette sacrée rivière est dangereux. Mais
le pire, dans le bas, c'est le vent, quand on navigue sur une
longue portion rectiligne et dégagée ; et puis l'ombre des
falaises quand il fait nuit noire. Ce vieux capitaine Hart, qui
commandait l'*Ellen*, percuta une berge, de nuit — il l'avait
prise pour un simple reflet. Il a été tué sur le coup, on l'a
retrouvé effondré sur la roue de la timonerie.

— Existe-t-il des cartes auxquelles on puisse se fier ?

— Oui, le capitaine Hart en avait dressé une bonne ; elle est
actuellement sur le *Marion*, mais je pourrais la récupérer. Il y
a des passages difficiles que vous connaîtrez vite, comme le
Coude du Diable — dans un paysage de falaises irréelles, et la
Percée de Pollard, où le courant est très rapide... Votre second
connaît-il cette partie du fleuve ?

— Non ; Jim Pearce est un homme d'Echuca.

— Pour votre premier voyage, je vous conseille de prendre
quelqu'un qui la connaît bien. La seule façon de s'initier au
chenal, c'est un marin qui l'a longtemps pratiqué. Les cartes
sont très rapidement périmées, car après chaque crue le chenal
se déplace. Rien de plus facile que de s'échouer.

— Merci, dit Brenton, pour ces paroles encourageantes. Je
vais essayer de trouver un vieux marinier qui voyagera gratis. »

Quand ils furent retournés à bord du *Philadelphia*, le bateau
leur parut minuscule et inconfortable comparé au *Gem*, à ses
cent passagers, son grand salon, sa salle à manger décorée de
peluche rouge et ses boiseries impeccablement vernies. Délie
était excitée d'avoir dîné au milieu de tant de gens, émerveillée
par le luxe et les dimensions du gros vapeur. Elle avait regardé
et admiré tous les détails, la cuisine moderne, les petites salles
de bains équipées d'eau chaude et froide, les cabines élégantes
avec leurs boutons magiques permettant d'allumer et
d'éteindre l'électricité.

Elle s'était habillée avec élégance, revêtant sa robe de
bombasin bleu pâle orné de guirlandes de roses, laquelle la
serrait maintenant un peu à la taille ; car elle avait légèrement
grossi, vu l'existence tranquille et heureuse qu'elle menait,
mais cela lui allait bien. Les os de la jeune fille ne saillaient

plus sur la gorge blanche ou ses bras graciles ; les rondeurs de sa poitrine et de ses épaules étaient à peine suggérées sous le tissu vaporeux de son fichu. Cette année-là, elle atteignit le plein épanouissement de la chair, après lequel commence un lent déclin, comme pour l'arbre qui a déjà porté ses fruits.

« Tu es tellement belle, ce soir », dit sincèrement Brenton, en la regardant traverser la passerelle, sans aide, car il ne bondissait plus depuis longtemps pour saisir son coude. « Cela fait une éternité que je ne t'ai pas vue avec cette robe ; sous les lumières électriques, tu scintillais littéralement. »

Elle se retourna en posant le pied sur le pont, rougissant de plaisir, ses yeux intensément bleus à la lumière de la lanterne du bateau.

« Te rappelles-tu la nuit où tu as tiré la passerelle à bord en disant : "Maintenant nous sommes sur une île" ?

— Et comment ! Ce soir, il y a autant d'eau autour de nous. »

Comme elle soulevait les pans de sa robe pour gravir les marches vers le pont supérieur, il prit une de ses chevilles minces dans sa main, et l'embrassa, faisant courir ses doigts le long de ses jambes. Elle trembla à leur contact, et se figea. « J'arrive dans une minute », dit-il.

Trébuchant d'impatience, elle monta les marches quatre à quatre. Dans la petite cabine, elle alluma la lampe et observa ses yeux brillants dans le miroir. Elle se déshabilla rapidement, retira les épingles de ses cheveux sombres, dont elle laissa retomber la lourde masse sur ses épaules. Elle les brossa, puis se glissa nue entre les draps.

La soirée, la qualité inattendue du dîner, le retour tardif vers le bateau silencieux, avec Brenton, tout cela avait réveillé le souvenir vivace des premiers temps de leur amour à Echuca, avant leur mariage.

Elle attendait impatiemment, les yeux rivés à l'encadrement sombre de la porte, guettant son pas. Que faisait-il ? Elle finit par se lever pour se poster sur le seuil de la cabine.

Avec précaution, elle passa la tête dehors. La cabine donnait sur la rive opposée à la ville ; Délie vit l'eau sombre couler vers son confluent avec la Murray. Puis elle entendit des voix monter d'en dessous, celles de Brenton et de Charlie.

Ils discutaient des chaudières.

Elle ignorait combien de temps s'était écoulé quand elle entendit enfin son pas sur le pont, qui la tira de sa léthargie et la fit sursauter.

«Tu ne dors pas, chérie?» demanda-t-il joyeusement en dénouant sa cravate.

Elle resta silencieuse, telle une coupe de champagne abandonnée toute la soirée, tiède et éventée; et fut presque aussi étonnée que lui quand, dès qu'il la toucha, elle se mit à sangloter de façon incontrôlable.

«Je n'y comprends rien! dit Brenton d'une voix irritée. Les femmes sont de vraies girouettes.»

54

Avant leur départ de Wentworth, Délie se rendit en visite sur d'autres vapeurs et assista à un bal organisé à l'Institut de Mécanique. Tout l'équipage était présent, sauf Charlie, qui passa la nuit en compagnie de quelques bouteilles.

Les hommes de la ville, coiffures impeccablement gominées, foulards immaculés noués autour du cou, étaient réunis près de la porte, tandis que les jeunes filles, sagement assises contre les murs de la salle, attendaient que la musique commence.

Dès que la musique démarra, après l'arrivée de Délie, tout le contingent masculin se rua sur elle. Elle était nouvelle, et la jeune femme la plus séduisante de l'assemblée; Brenton dut repousser tous ses partenaires potentiels et se dresser à côté d'elle pour la protéger de leurs assauts.

Il dansait avec beaucoup d'autorité, mais sans finesse. Bientôt hors d'haleine, au bout de deux danses, il confia Délie à Jim.

Au cours de la soirée, elle dansa avec tout le monde — tondeurs et matelots, conducteurs de bestiaux et cuisiniers, débardeurs et colons installés dans les ports voisins. Jusqu'à deux heures du matin, fraîche et rayonnante dans sa robe de mousseline blanche rehaussée d'une ceinture de velours noir, elle tourbillonna sous les lampes à pétrole qui faisaient scintiller la poussière en suspension dans l'air de la salle.

Elle dut affronter des questions et des remarques surprenantes. Un paysan solide et musculeux l'entraîna dans une valse effrénée, et lui demanda ensuite avec sympathie :

« Vous transpirez beaucoup, madame Edwards ? Pas autant que moi, en tout cas. Je sue comme un cheval. »

Un autre partenaire, beau, bronzé et terriblement timide, semblait chercher désespérément un sujet de conversation, pour finir par aboyer :

« A votre avis, pour ce qui est de labourer un champ, il vaut mieux un cheval ou une jument ? »

Un vieux cuisinier râblé et pansu lui fit danser une polka à bout de bras, après quoi il lui donna une recette de gâteau au chocolat.

Vers deux heures du matin, on manqua de pétrole et les lampes s'éteignirent une à une, bien qu'on entendît encore l'accordéon et la batterie dans un coin obscur. A contrecœur, portée par un bonheur qui dissipait toute sa fatigue, Délie dut retourner au bateau. Elle pensa plus tard que ce fut la dernière nuit de sa jeunesse.

Pour son premier voyage en qualité de vapeur du service postal de Sa Majesté, le *Philadelphia* quitta Wentworth par une matinée ensoleillée de printemps ; au lieu de contourner la pointe de sable du confluent pour remonter la Darling, il se laissa porter par le courant vers une partie de la Murray sur laquelle il n'avait jamais navigué.

Les pluies tombées au Queensland avaient beaucoup grossi les eaux de la Darling, tandis que la Murray coulait lentement et maigrement, car sur les montagnes la neige n'avait pas encore fondu. Au confluent, les eaux vert foncé translucides du fleuve et la Darling jaune coulaient un moment côte à côte, comme deux races étrangères. Puis elles se mêlaient peu à peu, essaimant çà et là des taches de couleurs variées, et à trois milles en aval du confluent elles se mélangeaient enfin, colorées de ce vert laiteux caractéristique de la Murray inférieure.

Un vieux « loup de mer de la Murray » qui avait « écumé » la

Darling pour se changer les idées, débarqua en ville juste avant
leur départ. Il n'aimait pas la Darling, déclara qu'il n'y avait
que «des colons rapaces et des cuisiniers incapables» le long
de ce satané fleuve, et que tous avaient refusé de donner une
simple poignée de farine à un homme affamé. Il prétendit
connaître la Murray inférieure comme sa poche, et voyagea
donc gratuitement en qualité de pilote.

Harry le Barbu — c'était son nom — portait une barbe
grise en bataille au milieu de laquelle une zone jaunie par la
nicotine indiquait la bouche. Ses sourcils étaient encore plus
ébouriffés et touffus que ceux de Charlie, et l'on aurait dit ses
cheveux coupés avec une paire de grands ciseaux pour
moutons par un tondeur fort maladroit.

Son vieux canot avait coulé sous ses pieds, affirma-t-il, juste
au-dessus de Wentworth. Il monta à bord, tous ses biens
enroulés dans une couverture grise, à laquelle étaient fixés un
bidon noir, une poêle à frire et un gobelet en fer-blanc. Ces
ustensiles avaient reçu d'innombrables aumônes de thé et de
sucre, et Dieu sait combien de mesures de farine ; pour dire la
vérité, un nombre indéterminé de côtes de mouton avaient
cuit illégalement dans sa poêle, provenant d'un animal qui «de
toute façon, aurait été perdu».

«On m'a tout volé, déclara pompeusement Harry, quand ma
barcasse a coulé sous mes pieds, tous mes pièges à lapins,
mon matériel de pêche ; me voilà maintenant dans les eaux
glacées d'un monde sans cœur, condamné à me débrouiller
tant bien que mal. Si vous acceptez de m'emmener jusqu'en
Australie du Sud, cap'taine, vous ne le regretterez pas, et ce
sera une vraie bénédiction pour ce pauvre Harry. Je resterai
dans les villes d'irrigation jusqu'à l'été prochain, puis je ferai
les vendanges dans les vignobles pour économiser afin de
m'acheter une autre barcasse.»

(«Jamais il n'achètera un autre bateau, si tant est qu'il en ait
jamais eu un, dit Brenton. S'il trouve un petit boulot pour les
vendanges, il boira tout son salaire en moins de temps qu'il
n'en aura mis à le gagner.»)

«Où puis-je poser mon barda ?» demanda Harry le Barbu
en montant à bord. Il prit une expression déçue et passablement outragée quand Brenton lui indiqua une bâche étendue

sur le pont arrière. « De quoi ? Il faut que je dorme là-dessous ? Le pilote n'a pas de cabine individuelle ? » Quand il s'aperçut que Brenton ne prenait même pas la peine de lui répondre, il se dirigea vers l'arrière du navire en marmonnant dans sa barbe.

Les deux chaudières ne cessèrent de poser des problèmes pendant toute la descente du fleuve jusqu'à Rennmark. Brenton déclara que Charlie ne s'en occupait pas correctement sous prétexte qu'il s'était toujours opposé à leur installation. Il pestait, maugréait, s'inquiétait à propos du chenal, se plaignait de migraines. Son visage avait pris des couleurs ; il s'empourprait dès qu'il se mettait en colère ; une grosse veine saillait alors sur son cou, bleue et dilatée, comme sur le point d'éclater.

Ils durent finalement s'arrêter pour réviser une chaudière. Obturer l'orifice de la chambre de combustion, nettoyer les conduits de la chaudière avant de la remettre sous pression leur prit quasiment vingt-quatre heures.

Ce retard fut une aubaine pour Délie, car ils avaient accosté devant une colline de sable orange, surmontée de deux pins sombres de la Murray, dont les silhouettes élancées se reflétaient dans l'eau verte. Elle passa toute la journée à dessiner et peindre.

« Le paysage est splendide dans cette région, écrivit-elle à Imogen. Après la monotonie du fleuve en amont, il y a tellement de couleurs et de diversité ! J'ai vu des eucalyptus magnifiques dans les lagons (parfois larges d'un mille), des roseaux, des saules verts, des falaises multicolores qu'on dirait sculptées dans du sucre rose et jaune, des collines de sable aux teintes extraordinairement subtiles, orange, rose saumon, rouge vénitien... »

Ils passèrent devant les plus grands pâturages à moutons longeant le fleuve : Port Moorna, propriété des frères Chaffey, qui fondèrent Mildura, et Ned's Corner, dont les terrains longent le fleuve sur quatre-vingts milles. Sur les rives, ils virent des kangourous et des émeus, tandis que des vols de pélicans pêchaient dans les lagons.

Fièrement assis sur un haut tabouret dans la timonerie, Harry le Barbu conseillait le capitaine. Délie, dans sa cabine jouxtant la timonerie, entendit des jurons, des mains qui martelaient les rayons de la roue qu'on faisait tourner rapidement. Elle regarda dehors et remarqua que la roue bâbord barattait la boue alors que le navire s'engageait dans une courbe serrée. Quand Brenton fut un peu remis de ses émotions, elle l'entendit parler d'une voix peu amène :

« Ce n'était pas le Coude du Diable ?

— Hein ? Oui, c'était ça, je crois.

— Alors pourquoi ne m'as-tu pas prévenu ? Je croyais que tu connaissais cette portion du fleuve comme ta poche ?

— Bien sûr, patron. Mais ce sacré chenal a pas mal bougé depuis que j'y suis passé la dernière fois.

— Pas mal bougé ? Quand l'as-tu emprunté pour la dernière fois ?

— Eh bien, patron, ça doit faire une vingtaine d'années, la dernière fois que j'ai navigué sur un vapeur, je veux dire. Parce que, sur une barque, chenal ou pas chenal, c'est du pareil au même.

— Vingt ans ! La Percée de Pollard n'existait pas encore, j'imagine.

— Si ; mais on l'empruntait rarement. L'ancien chenal n'était pas encore trop envasé, si bien que presque tous les capitaines faisaient le grand tour — pour prendre moins de risques.

— Espèce de vieil hypocrite ! Tu seras donc totalement inutile. Je t'offre ton voyage et tes repas, mais je te prie de débarrasser le plancher de ma timonerie. Ben ! BEN ! rugit Brenton. Viens donc me donner un coup de main pour négocier ces saletés de virages. »

Harry le Barbu descendit d'un air vexé les trois marches de la timonerie. Délie le plaignit quand il passa devant sa cabine, la mine défaite, marmonnant sombrement dans sa barbe jaunie par le tabac, ses mains tremblantes, couvertes de taches de son, enfouies dans les poches de sa veste élimée.

Comme c'était un authentique personnage, Délie se dit qu'elle aimerait peindre son portrait. Ainsi, Harry, privé de ses fonctions de pilote, se mit à poser devant le chevalet de Délie. Ils s'installèrent sur le pont avant, où le vent de la vitesse plaquait sa barbe grisonnante et les mèches de ses cheveux sales.

Délie découvrit qu'il lisait régulièrement le *Bulletin* et pouvait citer de mémoire Banjo Patterson ainsi que d'autres poètes de la brousse. De plus, il connaissait un vaste répertoire de chansons populaires, et chantait d'une voix chevrotante de ténor des classiques comme *The Old Bark Hut, Whalin' in the Bend*, ou :

> *Avec mon sac de farine posé sur une souche,*
> *Le thé, le sucre et mes provisions de bouche ;*
> *Un joli cabillaud au bout de mon hameçon,*
> *Et quatre petits gâteaux offerts par le marmiton...*

Quand il ne chantait pas, il amusait Délie avec ses histoires et ses anecdotes ; elle songea qu'il méritait vraiment de voyager gratuitement.

Les nombreux bateaux qu'ils rencontrèrent témoignaient de la prospérité du commerce dans la partie inférieure de la Murray. En plus des transporteurs de passagers et des magasins flottants, ils virent le *Pevensey*, l'*Indompté*, le *Reine du Sud*, et le *Petit Miracle* — ainsi nommé, disait-on, parce que cela tenait du miracle qu'il ne chavirât pas. Il gîtait extraordinairement sur tribord et avançait en crabe. Le *Rothbury*, un petit navire rapide, et le *South Australian* les dépassèrent pendant la descente du fleuve. Après cet affront, Teddy Edwards se mit à broyer du noir.

Délie, qui, dans sa cabine, ignorait que le *Philadelphia* venait de passer dans le sillage du deuxième bateau, commit l'erreur d'entrer dans la timonerie pour supplier le capitaine de faire une courte halte près d'un banc de sable accueillant, dont lui-même pourrait profiter pour se baigner. Car elle désirait peindre les falaises pittoresques situées sur l'autre rive, érodées par le vent et l'eau au point de ressembler à une citadelle maure.

« S'arrêter pour que tu peignes ! S'arrêter pour nager ! » Il pinçait les lèvres après chaque phrase ; elle remarqua combien sa bouche était dure et impitoyable. Il jeta un regard furibond vers le fleuve, une veine se mit à saillir sur son cou.

« Je... je trouvais l'endroit tellement beau...

— Je dois travailler, au cas où tu ne le saurais pas. Tu sembles oublier que nous sommes sous contrat.

— Jim Pearce dit que nous sommes en avance sur l'horaire, et puis...

— Nous venons d'être dépassés par le *South Australian*, mais je compte bien le doubler à la prochaine pile de bois, dit-il sombrement. Jamais il ne nous aurait rattrapés si, au dernier arrêt, ils avaient chargé le bois un peu plus vite. Ben ! File en bas dire à Charlie de mettre toute la gomme, et de balancer du kérosène sur le bois si nécessaire. »

Délie soupira, puis regarda le paysage défiler de chaque côté. Quel merveilleux voyage ils auraient pu faire sur ce fleuve bordé de lagons paisibles, s'ils avaient pris leur temps.

Songeuse, elle observa Harry le Barbu confortablement allongé sur le pont chauffé par le soleil, son chapeau rabattu sur les yeux. Lui « écumait » les fleuves dans une vieille barque, s'arrêtait chaque fois qu'il le désirait, mangeait dès qu'il avait faim, dormait quand il en avait envie. Son existence ne connaissait ni montres ni horaires !

Devait-on réellement vivre au rythme effréné d'une fourmilière ? L'obsession de Brenton pour la vitesse et le succès commençait à la fatiguer. Tous deux auraient pu vivre paisiblement sur le navire, partager leur temps entre la pêche, la natation, la peinture et les bains de soleil. Mais Brenton se serait vite lassé de ce genre de vie. Pourtant, à quoi bon posséder le navire le plus rapide du fleuve, ou même toute une flotte de navires, si l'on devait y sacrifier santé et jeunesse ?

La cheminée haletait maintenant frénétiquement, tout le bateau vibrait sous l'effort, le clapotement régulier des roues à aubes était devenu un barattage uniforme. Tendue et nerveuse, elle serra les mains sur un étançon de bois.

Et si les chaudières jumelles explosaient ? S'ils heurtaient une bille de bois à cette vitesse, ou percutaient une berge dans une courbe difficile ? Depuis qu'elle avait appris la fin du *Providence*, Délie était inquiète. Elle osa poser une main implorante sur le bras de Brenton.

Il baissa les yeux sur elle avec une expression de surprise, presque de dégoût. « Qu'y a-t-il, chérie ? Je suis occupé. » Sa question était de pure forme ; sa voix, glacée.

«Simplement, eh bien, tu crois que ce n'est pas dangereux, avec les deux chaudières ? Je veux dire, est-ce que Charlie peut les surveiller en même temps ?

— Écoute-moi bien, je connais mon boulot. Je ne me mêle pas de ta peinture, alors fais pareil pour moi.»

Cette réponse la réduisit au silence, et elle quitta immédiatement la timonerie. Trois ans ! Ils n'étaient mariés que depuis trois ans ! Déjà, il avait changé ; comment serait-il dans dix ans, dans quinze ?

Ils passèrent devant les Falaises Frontalières et les anciennes douanes de la frontière d'Australie du Sud ; ils entraient dans cet État pour la première fois. Jusqu'à Renmark, les falaises étaient si belles, avec leurs couleurs vives et leurs formes fantastiques, que Délie essaya d'en dessiner quelques esquisses tandis qu'ils passaient devant elles sans s'arrêter. Ce n'était pas réellement difficile, car ils repassaient souvent devant les mêmes falaises une heure après les avoir vues pour la première fois.

Le cuisinier monta à la timonerie annoncer qu'il n'avait plus d'œufs, et réclamer un arrêt à la prochaine ferme pour qu'on en achetât. Brenton scruta la courbe du fleuve et la vaste étendue de terre qu'elle enfermait. «Va me chercher un sac étanche, dit-il, je m'occupe des œufs.»

Il réduisit légèrement la vitesse, passa la main au cuisinier (assez habile pour diriger le navire ; le second prenait ses six heures de repos), puis plongea par-dessus bord. Une demi-heure plus tard, quand le *Philadelphia* eut contourné les terres de l'intérieur du méandre, et négocié deux virages serrés, Brenton nagea vers le bateau avec le sac rempli d'œufs, puis monta sur le gouvernail sans en casser un seul. Il enfila un pull-over sec et reprit la roue, sans enlever ses chaussures ni ses pantalons dégoulinants d'eau. Il plaça immédiatement le contrôleur de marche en position «en avant toute».

Près de Bunyip Reach, les moteurs peinaient tant et l'écho de leur vacarme se répercutait si bruyamment sur les hautes falaises que Délie sortit sur le pont pour découvrir en frissonnant la berge noire et les arbres calcinés à l'endroit où le *Bunyip* avait pris feu et coulé, trois membres de l'équipage ayant péri lors du naufrage. Juste après la courbe suivante, on distinguait la fumée du *South Australian* — du moins Charlie jurait-il ses grands dieux qu'il s'agissait bien du *South Australian*.

Des panaches de fumée noire, encore obscurcie par le kérosène qu'on versait sur le bois, montaient de la cheminée du *Philadelphia*; fermant les yeux, Délie imagina les chiffres indiqués par les aiguilles des jauges de pression. Non plus une seule chaudière, mais deux, prêtes à les expédier vers le ciel en une fraction de seconde!

Ils négocièrent la courbe et aperçurent le vapeur rival, le bateau «du bas», qui naviguait dans les parages de son port d'attache. Dix minutes après, ils l'avaient dépassé; le *Philadelphia* lança un bref et insolent coup de sirène — Teddy Edwards n'allait pas gâcher de la vapeur avec un long coup de sirène —, frôla de si près son concurrent que les deux ingénieurs, passant la tête entre les tambours des roues, purent se dévisager, l'espace d'un instant.

«Ha, ha! glapit Charlie. Rendez-vous à Renmark, si jamais vous y arrivez.

— Pfff! Deux chaudières! Réglé comme du papier à musique: elles vont exploser!»

Pourtant, ils arrivèrent sains et saufs dans la paisible portion du fleuve bordée de saules, où se développait la nouvelle station d'irrigation. L'alignement des vignes, couvertes de jeunes feuilles vert pâle, striait la terre rouge fertile; le vert sombre des orangers, des vergers, des poiriers et des abricotiers formait une oasis dans le désert de maquis et de sable qui entourait la colonie.

Là, ils prirent congé de Harry le Barbu, qui jeta un dernier regard admiratif à son portrait et proposa, assez timidement, de l'acheter.

«Merci de votre proposition, Harry, répondit Délie, mais quitte à m'en séparer, je préférerais vous le donner. Je crois que c'est l'un des meilleurs portraits que j'aie jamais peints, et je voudrais le garder pour une exposition à Melbourne.»

Harry reconnut qu'il serait ravi de savoir son portrait accroché dans «une de ces grosses galeries de Melbourne», et puis il n'avait manifestement pas un sou en poche pour l'acheter. Il confia à Délie que lui aussi avait peint «dans sa jeunesse», déclaration qu'elle interpréta comme un simple moyen d'entretenir la conversation ; Harry n'avait-il pas déjà raconté que «dans le temps il avait possédé des parts sur un vapeur», ou qu'il avait «autrefois acheté un bout de terrain en Australie du Sud»?

Délie s'était découvert une passion pour la peinture de personnages et se promenait en ville à la recherche de sujets. Le deuxième matin, alors qu'on chargeait le *Philadelphia* en vue du voyage de retour, elle se leva de bonne heure et marcha jusqu'au pont, longea un vaste lagon d'où les poissons sautaient en une série d'éclairs argentés. La surface de l'eau ressemblait à de la soie brodée de sequins d'argent. Elle ne distinguait jamais la forme d'un seul poisson, seulement le reflet éblouissant du soleil sur ses écailles quand il bondissait.

Des volutes de vapeur montaient lentement de la surface du fleuve, brouillant le reflet des eucalyptus et des saules pleureurs ; debout dans l'eau peu profonde, une fille avenante et plantureuse nettoyait des brèmes.

Elle avait remonté haut sur ses cuisses sa robe en tissu rose délavé. Derrière elle, sur la rive, on voyait une cabane de pêcheur ; de la fumée sortait de la cheminée en fer-blanc.

«Bonjour», dit Délie, sentant une excitation désormais familière s'emparer de tout son être, et une démangeaison tout aussi familière chatouiller ses doigts en quête de pinceaux. La courbe des jambes de la femme, la courbe de ses bras mouillés, la courbe argentée du poisson qu'elle tenait, contrastaient avec la ligne horizontale de l'eau et le trait acéré du couteau ; de plus, le vert argenté de l'eau et des arbres servait de repoussoir aux couleurs chaudes du personnage. «Cela vous dérangerait si je vous dessinais en train de travailler?»

Elle eut bientôt achevé une série d'esquisses, puis elle se hâta de retourner au bateau pour en ramener une toile et des tubes de peinture. Elle passa une matinée merveilleuse, peignant et bavardant avec le pêcheur et sa femme, qui lui offrirent un succulent déjeuner de brème frite. Puis elle se remit à peindre, et l'après-midi était déjà bien avancé quand elle se rappela que le *Philadelphia* devait larguer les amarres à deux heures.

«Oh, mon Dieu!» s'écria-t-elle, et elle réalisa brusquement le sens des coups de sirène répétés qu'elle entendait d'une oreille distraite depuis un certain temps déjà. Elle rassembla rapidement ses affaires, puis partit en courant, criant des remerciements et des au revoir par-dessus son épaule.

Brenton l'accueillit avec un regard meurtrier et une bouche hermétiquement close.

«Je suppose que tu sais que nous sommes prêts à partir depuis plus d'une heure. Il est presque trois heures. Où donc étais-tu passée, bon Dieu? Ben t'a cherchée dans toute la ville et j'ai donné tellement de coups de sirène que j'en ai mal aux bras.

— Je suis navrée, Brenton, dit-elle d'une voix timide. Je peignais, et j'ai perdu le sens de l'heure.

— Tu peignais! Si au moins ta peinture nous rapportait un peu d'argent, ce ne serait pas trop grave. Mais non seulement tu perds ton temps, mais tu nous fais perdre de l'argent.»

La colère bouillonna en elle. Elle faillit évoquer le temps et l'argent que *lui* perdait en «améliorations» d'un bateau parfaitement au point. Et puis comment savait-il qu'elle perdait son temps? Tout cela n'avait ni rime ni raison; ils ne parlaient pas le même langage. Elle ravala son indignation et réussit à se taire, mais elle se fit une promesse: il regrettera ces paroles. Et si seul l'argent peut le convaincre de mon talent, eh bien je vais en gagner.

Pendant tout le voyage de retour, Délie travailla d'arrache-pied: elle acheva ses toiles représentant les falaises lorsqu'ils repassèrent devant, en profita pour synthétiser toutes ses impressions, pour rendre ce qu'elle appelait le caractère essentiel des falaises, avec leur roche primitive, aborigène, et leur coloris ocre. Le résultat était tout à fait original; même si les habitants de Melbourne n'aimaient pas cela, ils seraient contraints de s'arrêter devant.

55

« Tu as de la chance, dit Délie, de ne pas avoir épousé une maniaque de l'ordre, qui serait toujours dans la cuisine à embêter le cuistot, qui enquiquinerait le mécanicien à force de briquer la chaudière — pardon, *les* chaudières ! — et mettrait sans arrêt son nez dans ce qui ne la regarde pas.

— C'est *toi* qui as de la chance, rétorqua Brenton avec bonne humeur. Tu passes toute la journée à bayer aux corneilles et à regarder le paysage.

— Oh, je sais, je sais que j'ai de la chance ! Mais à partir de maintenant, il va falloir que je tricote un peu. De la layette, mon chéri. Je crois que nous en aurons besoin vers le mois de septembre. »

Il recula en la regardant avec horreur. « Mon Dieu ! J'espère que tu vas faire attention, cette fois. Je veux que tu descendes de ce bateau immédiatement, tu m'entends, que tu ailles le plus vite possible à l'hôpital. Je ne tiens pas à revivre ce cauchemar. »

A cette dernière remarque, Délie sourit faiblement.

« Ne t'inquiète pas, je ne compte pas prendre le moindre risque. J'aimerais aller à Melbourne pour avoir des spécialistes, des infirmières et des anesthésistes, surtout des anesthésistes. »

— C'est ce que tu dis maintenant ! Mais je connais ton courage, je dirais même que tu es beaucoup trop téméraire : demain tu n'y penseras plus, tu me diras que tout va bien...

— Non, je te promets. Je veux aller voir le brave docteur qui m'a poussée dans tes bras, même s'il s'est trompé, même s'il m'a fait une peur bleue. C'est lui qui est la cause de tout cela. »

Elle regarda ses boucles brillantes et désordonnées, ses yeux bleu marine pour une fois concentrés sur elle avec une expression de tendre intérêt, comme si le bateau avait disparu. Elle se sentit submergée de gratitude pour tout ce qu'ils avaient traversé ensemble.

« Chéri, je lui en serai éternellement reconnaissante ! »

Brenton l'attira vers lui et caressa ses cheveux noirs et lisses tandis qu'elle enfouissait son visage contre sa poitrine. L'émotion qui faisait vibrer la voix de Délie le toucha. Il ressentit une soudaine tendresse pour cette créature irritante, irrationnelle, incompréhensible, qui sentait toujours la térébenthine et l'huile de lin. Dès qu'il l'eut possédée, il l'entoura de moins d'attentions ; mais aucune femme n'avait jamais eu pour lui le charme unique de Délie.

Physiquement, le mariage lui avait réussi. Les mains de Brenton parcoururent avec plaisir les courbes plus pleines de son corps. Malgré la dureté du climat continental, la peau de son cou évoquait encore le satin lorsque ses lèvres s'y posaient ; seule une minuscule ride pensive qui barrait son front blanc, un léger affaissement de ses sourcils rectilignes témoignaient du passage du temps. Et ainsi qu'il arrive chez certaines femmes, l'approche de la maternité embellissait son teint.

« Pourquoi Ben nettoie-t-il toujours tes chaussures ? » demanda-t-il en sautant du coq à l'âne. La tenant à bout de bras, il plongea son regard dans ses yeux bleus. « Il ne te fait pas du gringue au moins ? »

Elle rit gaiement. « Ben ! Mais ce n'est qu'un enfant. »

Brenton rit aussi. Il sentait qu'il pouvait lui faire confiance. Chaque fois qu'il avait eu une liaison avec une femme, il s'était lassé le premier.

Son nouveau jouet — les chaudières jumelles — le fatiguait déjà, d'autant que Charlie ne manquait jamais une occasion de lui faire remarquer combien il revenait cher. Ce qu'on gagnait en vitesse était perdu lors des chargements de bois, car il fallait s'arrêter deux fois plus souvent qu'auparavant.

Un jour, Brenton lut une publicité concernant une vieille locomotive, dotée d'une grosse chaudière à trois foyers. Il s'enticha d'une nouvelle lubie destinée à améliorer les performances du vapeur. Lorsqu'il l'acheta, Délie s'inquiéta des dépenses, et Charlie prophétisa qu'elle engloutirait davantage de combustible que les chaudières jumelles. Brenton embarqua sur un autre bateau de la compagnie Gem, le *Shannon*, pendant qu'on installait la nouvelle chaudière sur le *Philadelphia*.

Délie resta à Wentworth, acheta des tissus pour les vêtements du bébé, songeant avec un mélange de plaisir et de peur
à sa prochaine maternité.

Lors des premiers essais après ses modifications, le
Philadelphia parut voler au-dessus de l'eau. Il laissa sur place
jusqu'au rapide *Rothbury* et doubla facilement le *South
Australian*, pourtant beaucoup plus gros.

Brenton semblait enfin content. Délie le supplia de renoncer
à sa dangereuse habitude qui consistait à plonger sous les
roues, car le navire allait désormais beaucoup plus vite ; mais
les craintes de sa femme le firent éclater de rire.

« Le bateau me connaît, se vanta-t-il. Jamais il ne voudra me
faire mal, n'est-ce pas, vieux frère ? » et il donna un coup de
poing affectueux sur les rayons de la roue. « Et puis, maintenant qu'il va plus vite, la roue à aubes met moins de temps à
passer au-dessus de moi. C'est donc moins dangereux qu'a-
vant, tu comprends ? »

Délie, qui ne comprenait rien du tout, ressentit, comme
maintes fois auparavant, de la jalousie envers son homonyme.
Jalouse d'un bateau ! C'était ridicule, mais c'était ainsi. Elle
aurait voulu qu'il l'accompagnât à Melbourne ; mais il n'en
voyait pas la nécessité. Imogen allait s'occuper d'elle, et elle
serait parfaitement en sécurité à l'hôpital.

Ils remontaient le fleuve ; en chemin, ils devaient charger
une cargaison de laine et de peaux destinée à la gare de chemin
de fer de Mildura. Délie était assise sur le seuil de sa cabine,
car la nuit était brûlante ; la brise due à leur déplacement sur la
surface lisse des eaux la rafraîchissait tandis qu'elle cousait à
la lumière de la lampe posée derrière elle. D'innombrables
petits insectes tournaient autour ou tombaient à terre, formant
un anneau de cadavres.

Assis sur la plus basse des trois marches de la timonerie,
Ben jouait de vieux airs nostalgiques écossais sur son ocarina.
Une demi-lune flottait sur les eaux calmes du ciel ou dansait
sur les vagues de leur sillage. Le long des rives, les feuilles des
eucalyptus se détachaient contre le ciel lumineux.

Délie était en proie à une tristesse ineffable, causée par la
lueur blême de la lune, les étoiles tranquilles, la musique pathé-

tique et la progression régulière du petit vapeur à travers un paysage sombre et solitaire.

Brusquement, on vit une lanterne sur la rive, ainsi que les deux lampes d'un buggy. Le propriétaire de la laine était descendu jusqu'au ponton pour les guider. Comme ils accostaient, Délie aperçut une silhouette ronde et féminine assise en robe légère dans le buggy, si bien qu'elle alla à terre pour l'inviter à monter à bord.

« Désolée, madame, je ne suis pas digne de vous rendre visite, je le crains. » Délie s'aperçut que ses cheveux étaient blancs, et qu'elle parlait avec un fort accent écossais, comme si la musique jouée par Ben avait été prophétique.

« Allez, Miss Flora, montez donc, dit le propriétaire. Ça vous fera du bien de voir des visages nouveaux. » Il présenta à Délie Miss Flora Anderson, son ancienne gouvernante, restée à son service pour devenir la gouvernante de ses propres enfants, eux-mêmes en âge d'avoir des bébés.

La vieille dame descendit en maugréant, manifestement excitée. Sa main fripée, percluse de rhumatismes, trembla quand elle se posa sur le bras de Délie qui l'aidait à franchir la passerelle.

« Ouh, quelle jolie maison vous avez, dit Miss Flora. Mais les bébés ne risquent pas de tomber à l'eau ?

— Il n'y en a pas pour l'instant, mais dans six mois environ nous espérons...

— Alors faudra mettre des filets sur le pont, pour sûr... Ah, un foyer et des marmots, voilà quelque chose que je n'ai jamais connu. »

Dans le salon, elle regarda les toiles de Délie, et la complimenta.

« Dans le temps naguère, dit-elle rêveusement, j'aimais bien faire un peu de peinture ; et puis je jouais du piano, je chantais un peu. *Lang syne*, je crois que je m'en souviens encore.

— Pourriez-vous chanter, si l'on vous accompagnait à l'ocarina ? Nous avons perdu notre piano lors d'un incendie. »

Quand la laine fut chargée à bord et qu'ils furent tous réunis dans le salon autour d'une tasse de thé, Délie demanda à Ben de jouer *Campanules d'Écosse*. Du pied, Miss Anderson marquait le rythme ; son visage avait pris des couleurs et ses

yeux bleus brillaient. Sa voix claire, fluette et douce, se joignit
à celle de Ben quand il entonna *Annie Laurie*. Mais quand elle
commença *Bonnie Doone* et arriva au couplet :

> *Tu me rappelles les jours anciens*
> *Quand mon amour mensonger, mon amour mensonger était*
> *vrai*

les larmes ruisselèrent sur ses joues et l'on dut remplir sa tasse
de thé pour la calmer.

Elle était heureuse et bavarde comme une pie en quittant le
bateau. «Quand vous reviendrez, je vous apporterai des
gâteaux dans le buggy!» leur cria-t-elle tandis qu'ils s'éloignaient du ponton.

Délie monta à la timonerie et se campa à côté de Brenton. Il
était tard, la lune qui descendait derrière le rideau d'arbres illuminait leur sillage ; devant le bateau, le fleuve était éclairé par
les grands réflecteurs avec leurs lampes à acétylène, si bien que
les arbres semblaient sculptés dans du jade vert contre le ciel
sombre.

«Wilson m'a raconté là-bas l'histoire de cette femme, dit
Brenton. Apparemment, elle reste toujours dans ce camp,
qu'elle n'a jamais quitté depuis cinquante ans. Elle avait une
vingtaine d'années quand elle est arrivée d'Écosse pour devenir
gouvernante un peu en amont du fleuve. Le propriétaire est
tombé amoureux d'elle — elle était très jolie à l'époque, m'a
dit le vendeur de laine, elle jouait merveilleusement du
piano — et puis tout d'un coup sa femme est morte sans prévenir.

«Tout le monde en a fait des gorges chaudes, on a fini par
l'accuser de l'avoir empoisonnée, et il a été condamné à la
prison à vie. Il est mort dans sa cellule, il y a longtemps. Miss
Anderson était innocente, mais toute cette publicité l'a tellement bouleversée qu'elle a refusé de voir quiconque, à l'exception de cette famille qui lui a donné du travail dans leur camp.

— Cette vieille femme! dit Délie, incrédule. Tu veux dire
que quelqu'un a commis un meurtre pour ses beaux yeux?
— C'est ce qu'on raconte, en tout cas. Tu oublies qu'autrefois elle a été aussi jeune que toi. Un jour, toi aussi tu seras une
vieille femme.

— Non ! Jamais !» s'écria violemment Délie.

Regardant la lune couchante qui rougeoyait sombrement parmi les nuages noir et jaune, elle se rappela son éclat argenté à jamais disparu et un frisson glacé parcourut brusquement son corps.

«O temps, écoule-toi doucement ! supplia-t-elle. Coule lentement, fleuve sombre et implacable.»

56

En août, Délie entama le long et lent voyage en train de Mildura à Melbourne, où elle était certaine de mettre au monde un fils. Toute à son excitation, elle ne se sentit même pas fatiguée après sa nuit de voyage.

Le lendemain matin, quand le train arriva dans les faubourgs aux arrière-cours noires de suie, elle contempla, telle une déesse, les existences précaires et innombrables qui défilaient sous ses yeux. Les panneaux des gares, les publicités peintes sur les murs, les véhicules à moteur, de plus en plus nombreux dans les rues — tout renforçait son impression d'aventure.

A la gare de Spencer Street, Imogen l'attendait avec un taxi. Délie la trouva amaigrie et fatiguée. Elle s'était installée dans une chambre au dernier étage d'un immeuble de la ville ; de la fenêtre et par-dessus les toits gris de Melbourne, la vue s'étendait jusqu'au ruban argenté de la Yarra et les navires à quai.

Délie s'assit et laissa Imogen lui préparer une tasse de thé sur un réchaud à gaz. Puis Imogen défit les bagages de son invitée pendant que les deux amies se racontaient les événements marquants de l'année passée. Délie n'empêchait jamais quiconque de lui rendre un service, du moment que c'était de bon cœur. Elle se détendit complètement et dit : «Comme c'est formidable de retrouver Melbourne, même dans mon état ! Je compte bien m'amuser ; peut-être ne reviendrai-je pas ici pendant des années.»

Elle entra à l'hôpital deux semaines plus tard, plus tôt que prévu, mais sans ressentir la moindre peur. Vers la fin, on lui permit d'inhaler profondément un anesthésiant, elle sentit ses membres s'engourdir et toute sa douleur tourbillonner vers le ciel comme un ballon multicolore. A son réveil, elle entendit les vagissements de son fils.

Malgré sa faiblesse, elle insista pour le voir immédiatement. Les infirmières lui tendirent une petite chose fripée au visage cramoisi, aux cheveux noirs et mouillés, dont les poings minuscules battaient furieusement l'air froid inconnu. Oui, il était vivant! Elle poussa un profond soupir de contentement, et dès que le nouveau-né fut remis dans son berceau, sombra dans un lourd sommeil.

Elle désirait que son fils fût de son temps, et voyagea donc de l'hôpital à la chambre d'Imogen dans un taxi motorisé, mourant presque de peur tandis que le véhicule filait à trente kilomètres à l'heure. Elle avait plutôt honte de ce moutard laid, maigre, aux cheveux noirs, perdu dans les longs pans de tissu et les plis de la couverture. Brenton s'attendait certainement à un fils plus gros et plus beau que cela! (Elle avait aussitôt envoyé un câble à Brenton.) Elle décida unilatéralement de l'appeler Gordon, d'après le nom de famille de son père.

Imogen, qui guettait le taxi, descendit l'escalier quatre à quatre pour l'aider.

«Laisse-moi prendre ce petit chéri dans mes bras pour que je lui chante une berceuse!» s'écria-t-elle.

Délie fronça les sourcils et prit un air protecteur. «Ça va, je peux le porter», dit-elle. Son enfant était sacré, c'était un garçon, qu'il fallait traiter avec dignité. «Mon fils, dit-elle fièrement. Mon fils...»

Imogen, temporairement libérée de tout souci d'ordre affectif, s'occupa de son amie comme une mère. Délie insista pour payer sa nourriture; elle allaitait le bébé. Imogen surveillait le nourrisson entre deux tétées, et Délie en profita pour faire encadrer ses tableaux. Elle avait maintenant une série de toiles très originales; elle sentait qu'elles auraient certainement un impact sur le milieu artistique de Melbourne, si elle pouvait les exposer.

Elles invitèrent un groupe d'artistes à une fête dans l'appartement. Ils s'assirent par terre et tous se mirent à parler en même temps, pendant que le bébé dormait paisiblement dans le couloir, sans se réveiller une seule fois, même quand les invités en surnombre se mirent à discuter près du berceau. L'atmosphère était celle d'un vernissage privé ; la plupart des visiteurs se montrèrent enthousiastes et lui conseillèrent d'organiser sa première exposition.

Ainsi, Imogen l'aida à envoyer des invitations à une « Exposition des toiles de Delphine Gordon, Galerie de Buxton, Swanston Street, le 20 septembre 1906, à 17 heures. »

Cela ressemblait à un pari. Il y avait les frais d'impression des invitations et des catalogues ; le coût des encadrements ; plus la location de la salle, et quinze shillings par semaine pour l'employé de la galerie. Délie fit pour le mieux et attendit anxieusement le résultat de l'exposition.

Sa plus grande toile, qui représentait des falaises orange se reflétant dans un marais, était digne de figurer dans une galerie, du moins l'espérait-elle. Elle l'avait inscrite au catalogue au prix de cent guinées. Mais bien que le public admît qu'une romancière pouvait avoir autant de talent qu'un romancier, il ne reconnaissait pas l'égalité des sexes en peinture. Très peu de femmes exposaient dans les galeries de Melbourne ; néanmoins, son statut de brillante ancienne élève de l'École de la Gallery joua en sa faveur.

Les journalistes furent invités à un vernissage privé, et la critique de l'*Argus* lui rendit le service de décrire *La Femme du pêcheur* comme une étude « audacieuse et sensuelle », tout en admirant la maîtrise technique de l'artiste ainsi que l'harmonie de la composition. Dès la parution de cet article, elle gagna davantage d'argent — car la coutume voulait qu'on payât un shilling à l'entrée d'une galerie. Le tout-Melbourne vint et fut choqué.

L'*Age* admira ses paysages de falaises, les couleurs vives et lumineuses, la technique impressionniste utilisée pour représenter « cette région peu connue de l'État de Victoria, rappelant les paysages du Loing peints par Alfred Sisley ».

Elle se rendit aussitôt à la bibliothèque publique et découvrit un volume de reproductions de ses toiles, à côté de celles d'autres impressionnistes français. Les toiles de 1870 l'émerveillèrent — même en reproduction leur éclat, leurs coloris chauds, leur lyrisme tendre lui firent comprendre que Sisley aimait le bleu vibrant du ciel, le cours méandreux du fleuve encaissé entre de hautes falaises. Ces paysages ressemblaient à ceux de l'Australie dans le cours inférieur de la Murray.

Elle fit plusieurs ventes encourageantes, puis arriva l'apothéose. Trois membres de la direction de la National Gallery vinrent à l'exposition, et on lui annonça qu'ils désiraient acquérir *La Femme du pêcheur* au prix de quarante guinées.

En revanche, personne ne lui avait proposé d'acheter son grand tableau, et elle se demanda ce qu'elle allait en faire. Il était trop grand pour être accroché sur le bateau, ou même entreposé dans le petit appartement d'Imogen.

Le dernier jour, arriva un visiteur distingué au teint mat, impeccablement habillé, doté d'une barbe blanche pointue qui tranchait singulièrement avec sa peau sombre. Il retourna plusieurs fois regarder le portrait du vieux Harry, à côté duquel un papillon rouge signalait qu'il était déjà vendu.

Avant de partir, il alla trouver l'employé de la galerie, signa un chèque, puis sortit dans la rue avant que Délie n'ait eu le temps de coller un petit papillon à côté de sa grande toile, *Falaises de la Murray*. Délie eut l'impression d'avoir déjà rencontré cet homme; ses yeux foncés et oblongs lui étaient familiers. Examinant le chèque, elle lut la signature: «W. K. Motteram»; alors elle sut qu'il s'agissait du père de Nesta.

Pendant qu'elle se réjouissait de cette vente, une douleur d'une intensité surprenante la transperça soudain. Elle se rappela l'époque amère où elle avait détruit le portrait de Nesta. Où était Nesta aujourd'hui? Probablement mariée, vivant à l'autre bout du monde, trop riche ou trop affairée pour continuer à écrire.

Brenton pensait-il encore parfois à elle? Un doute vague naquit dans son esprit. Peut-être se consolait-il dans les bras d'une autre, pendant qu'elle-même s'occupait de son enfant? Depuis un certain temps déjà, il ne la rejoignait plus jamais sur sa couchette, mais il ne faisait pas partie des hommes qui s'accommodent facilement du célibat. Tant que je ne sais rien, je n'en demande pas plus, pensa-t-elle.

L'un dans l'autre, son exposition lui rapporta cent cinquante livres, tous frais déduits. Pour une nouvelle venue dans le monde des arts, c'était un succès : mais bien plus important était l'achat d'une de ses toiles pour la Gallery, qui lui signifiait ainsi son approbation. Il lui semblait qu'elle avait réussi.

Quand elle câbla la nouvelle à Brenton, elle se sentit presque aussi fière que le jour où elle lui avait annoncé la naissance de leur fils. Elle allait lui montrer si elle perdait son temps ! Ensuite, elle dépensa avec plaisir l'argent gagné, acheta quelques babioles pour le bébé, une chemise de nuit pour elle-même, un cadeau pour Imogen, un assortiment de brosses à cheveux pour Brenton. Il commençait à lui manquer, ainsi que le fleuve. Elle adorait passer quelque temps en ville, mais ne se sentait pas chez elle. Elle prit le train pour retrouver Brenton et le fleuve.

Il aurait été superflu de défendre le bébé contre les gâteries de son père. Quand ils arrivèrent au bateau et qu'elle défit les langes, Brenton examina le nouveau-né avec curiosité, comme un phénomène bizarre, lui laissa un instant tenir son gros doigt, puis traversa la cabine en sifflant pour examiner ses molaires dans le petit miroir fixé au-dessus de la bassine d'eau.

« Tu ne trouves pas qu'il te ressemble ? » demanda Délie, passablement mortifiée. Maintenant âgé de cinq semaines, le bébé commençait à ressembler à l'idée que sa mère s'était faite de lui.

« Il ne ressemble à rien du tout, dit Brenton.

— Bien sûr, il est plutôt petit. Et puis j'espérais qu'il serait blond... Mais les infirmières m'ont assuré que ses cheveux allaient changer de couleur. »

Délie déboutonna le col de sa robe et se prépara à lui donner le sein. Prenant un air dégoûté, Brenton observa son fils téter goulûment le sein en le serrant passionnément dans ses mains minuscules. Il sortit de la cabine avant qu'elle eût terminé de l'allaiter.

A son retour, Délie jouait avec le bébé, penchée au-dessus de lui pendant qu'il tirait sur ses cheveux noirs. Brenton arpentait nerveusement la petite cabine. Il finit par s'écrier : « Bon ! Tu te décides à le remettre dans son berceau, oui ou non ?

— Une minute. Il adore jouer quand il vient de manger.

— Tu vas lui donner une indigestion, et après il va brailler toute la nuit.»

Il hurla effectivement dès qu'on le mit dans son berceau. Le lait d'une mère fatiguée, énervée lui avait déplu. Il en régurgita une partie. Délie le reprit dans ses bras, essuya sa bouche, tapota son dos, puis le recoucha. Il continuait de hurler.

«Je sors! dit Brenton. Je ne supporte pas ce bruit.»

Délie s'assit pour écouter le pas décidé de Brenton qui s'éloignait sur le quai en bois. Le premier soir qu'elle passait chez elle, alors qu'elle avait tant de choses à lui raconter! Et pour la première fois depuis des mois, elle était en mesure de faire l'amour; mais Brenton était parti sur un coup de tête! Était-il jaloux de son propre fils?

Stupéfaite, elle restait assise, à peine consciente des pleurs du nourrisson, dont la colère tournait maintenant à la rage. Elle alla le chercher et enfouit son visage dans cette chaleur douceâtre.

Enfin il s'endormit dans ses bras. Elle le remit dans son berceau, éloigna la lampe, puis se déshabilla et enfila l'élégante chemise de nuit aux nœuds bleus qu'elle avait achetée à Melbourne. Elle retira ses épingles à cheveux noires, les posa soigneusement sur la coiffeuse, et brossa sa chevelure lisse et brillante.

Sur sa couchette, elle tourna le dos à la lampe et resta les yeux grands ouverts à regarder sa propre ombre sur la cloison en bois: une masse sombre, le bord du drap, la courbe de ses cils, le creux de sa joue. Si elle avait eu un crayon... mais elle était trop épuisée pour en chercher un maintenant.

Elle poussa un soupir, puis se tourna de l'autre côté. Elle distinguait confusément la tête du bébé à travers la moustiquaire qui le recouvrait. Alors son regard devint fixe. Le bébé était parfaitement immobile, Délie n'entendait pas le moindre bruit de sa respiration. Cédant à la panique, elle bondit de sa couchette pour arracher la moustiquaire.

Les paupières de son fils étaient hermétiquement closes, son visage, que les pleurs de colère avaient empourpré, était maintenant blanc, et son poing minuscule crispé sur le drap. Retenant son souffle, Délie l'observa intensément et finit par distinguer le faible mouvement régulier des couvertures : il respirait. Ses lèvres se plissaient légèrement dans son sommeil.

Délie sourit de sa propre inquiétude, remit en place la moustiquaire, puis regagna sa couchette.

Au bout d'un moment, son oreiller lui tint insupportablement chaud. Elle se souleva sur un coude pour le retourner. Devant ses yeux un objet brillait dans la lumière de la lampe, coincé entre l'extrémité de la couchette et la cloison en bois. Elle essaya de l'attraper avec son ongle. Il glissait de plus en plus vers le bas, mais elle finit par le sortir. C'était une épingle à cheveux en métal doré. De sa vie, elle n'avait jamais utilisé d'épingle à cheveux de cette couleur.

« Avez-vous transporté des passagers lors du dernier voyage, Jim ? » demanda Délie au second, comme pour confirmer quelque chose qu'elle savait déjà. Brenton se reposait dans la cabine, et Jim Pearce dirigeait le bateau dans la somptueuse région de Moorna, où les arbres inclinés au-dessus de l'eau semblaient jaillir de leurs reflets immobiles.

Elle n'avait pas parlé de l'épingle à cheveux à Brenton. Ses soupçons étaient peut-être injustifiés, et de toute façon elle ne comptait pas lui faire une scène de jalousie, car il se serait débrouillé pour la mettre dans son tort et la culpabiliser.

« Oui, nous avons eu des passagers, dit Jim d'un ton lugubre. Un type et sa sœur. Enfin, il racontait que c'était sa sœur. » Il fit tourner la roue et mit le cap sur un eucalyptus à tronc blanc qui poussait au bout de la portion rectiligne du fleuve. Le *Philadelphia* commença à se diriger vers l'autre rive du fleuve en suivant le chenal invisible.

« Mais où ont-ils dormi ?

— Dans le salon, ils ont accroché une couverture au plafond en guise de rideau. La fille était une vraie enquiquineuse. Elle montait sans arrêt ici quand j'étais de quart ; "Oh, monsieur Pearce, j'espère que vous ne m'en voulez pas de vous déranger quelques instants ? J'adore tellement vous voir tenir cette grande roue", l'imita-t-il cruellement. J'avais une peur bleue de me retrouver seul avec elle.

— Je suis sûre que le capitaine aurait plutôt été flatté.

— Oh, elle a aussi essayé avec lui. Mais il n'a pas bronché, ne vous inquiétez pas pour ça. » Puis, comprenant que sa remarque manquait un peu de tact, il bafouilla : « Elle n'était plus vraiment jeune, bien qu'elle prétendît le contraire. Mais lui jouait toujours aux cartes, le frère. D'ailleurs, il m'a ratiboisé. Je sais pas pourquoi, mais je n'ai jamais eu de chance contre lui. »

Délie appuya ses bras sur le rebord de la fenêtre de la timonerie, puis colla son front contre la vitre. Le cœur battant, elle dit : « Vous ne savez donc pas que les aigrefins ont toujours des complices blondes ? »

Jim Pearce sifflota et s'appuya pensivement sur la roue. « Les aigrefins ? Oui, je parie que c'était un tricheur professionnel. Et puis elle était blonde en effet, platinée même, mais ça ne paraissait pas vraiment naturel. Ils avaient quelque chose de malsain, ces deux-là.

— Pourtant, cela vous a fait un peu de compagnie féminine pendant mon absence. Pour les repas, je veux dire. » Elle parlait maintenant d'une voix âpre, disait tout ce qui lui passait par la tête, puis elle dégringola les marches de la timonerie. Elle n'alla pas dans la cabine — Brenton y dormait —, mais descendit jusqu'au pont inférieur, se dirigea vers l'avant du navire, et, accroupie contre le pilier de l'étrave, regarda la vague verte qui déferlait sur le miroir liquide.

« Elle était blonde en effet. » Elle utilisait donc des épingles à cheveux dorées. Elle s'était allongée sur la couchette inférieure dans la cabine du capitaine, *sa* couchette, où... Le poing de Délie s'abattit sauvagement sur la bille d'eucalyptus, mais elle ne sentit rien. Elle continua de contempler l'étrave écumante qui fendait l'eau.

57

Délie se demandait avec désespoir comment elle aurait pu se douter qu'élever des enfants en bas âge sur un bateau était une tâche quasiment surhumaine... Elle ne pouvait pas leur dire d'« aller jouer dehors » ; son attention ne se relâchait jamais, sauf quand ils dormaient, car elle craignait qu'ils ne tombent dans le fleuve. Jamais elle n'avait désiré plus de deux enfants, et encore à un intervalle raisonnable ; mais en un rien de temps ils furent trois, l'aîné marchant à peine.

Après cette découverte, elle devint farouchement déterminée à ne plus avoir d'enfant. Gordon était à elle — elle annonça de but en blanc que tel serait son prénom ; Brenton maugréa, puis finit par céder. Elle décida de se coucher tôt tous les soirs et de faire semblant de dormir jusqu'à ce qu'il comprît qu'elle n'était plus sa chose ni son jouet. Car elle refusait de le partager avec la première passagère venue.

Mais elle aurait dû savoir que ses efforts seraient vains. Elle l'aimait toujours, malgré tous ses défauts ; le charme physique de son mari la séduisait plus que jamais. Le soir suivant la conversation de Délie avec son second, il entra au moment précis où elle installait le nouveau-né dans son berceau, et il la prit immédiatement dans ses bras.

L'espace d'un instant, elle se raidit, puis elle se détendit complètement contre lui, conquise sans le moindre combat. Pourtant, quand il voulut la porter sur la couchette inférieure, elle recula. « Pas là ! » s'écria-t-elle en montant sur la couchette supérieure.

« Tu t'es fait mal à la main, chérie, dit-il, remarquant pour la première fois l'éraflure violacée, tandis qu'elle saisissait le rebord de la couchette.

— Ce n'est rien, dit-elle sombrement. Je me suis cognée contre quelque chose... »

Elle s'allongea et regarda dans le vague ; Brenton se demanda ce qu'elle pouvait bien avoir ce soir. Il conclut qu'elle n'était pas encore complètement remise de la naissance du bébé. Tout cela s'arrangerait avec le temps. Il s'installa sur le côté, nicha son visage au creux de son épaule et dormit bientôt comme un bienheureux. Délie resta éveillée, les yeux grands ouverts dans les ténèbres, attendant la prochaine tétée du bébé.

Oh, les années de cauchemar qui suivirent, les nuits sans sommeil, les journées passées à laver les langes, calmer les enfants pour qu'ils ne dérangent pas Brenton, soigner les terrifiantes maladies infantiles sans l'aide rassurante d'un médecin de famille !

« Trois fils ! » dit Délie qui, tard dans la soirée, pliait des

couches sur la table du salon. «Quatre, en comptant celui qui...
qui n'a pas survécu. Il me semble que je suis Lady Macbeth, et
que tu m'as dit : "Engendre seulement des enfants mâles !" Ah,
je suis tellement lasse d'avoir des enfants !

— J'aimerais avoir une fille, dit Brenton d'une voix
obstinée. Une fille pour s'occuper de moi quand je serai vieux.

— Elle se mariera probablement avant de partir au bout du
monde. De toute façon, nous ne pouvons plus en avoir, car il
n'y a plus de place.

— Je sais, mais apparemment nous ne pouvons rien y faire.
Je veux dire que toutes nos précautions n'ont servi à rien.

— Nous pourrions essayer des cabines séparées. *Ça*, ce
serait infaillible.»

Il lui lança un regard méfiant et elle tenta de rester impassible ; mais il tendit le bras, l'attira vers lui, et elle sentit bientôt
une chaleur familière et une faiblesse délicieuse s'insinuer en
elle. Il n'y avait rien à y faire.

«Simplement, il faudra faire très attention, dit-elle faiblement.

— Maman ! Dordie veut boire de l'eau», fit une voix dans
la cabine voisine, depuis longtemps transformée en nursery.
Au même instant, le bébé dans le berceau émit un cri de colère,
se tut pendant deux secondes, puis commença de hurler à
pleins poumons.

«En tout cas, dit-elle en repoussant les bras de Brenton, il
n'y aura bientôt même plus *le temps* d'en faire un autre.»

Elle donna une poupée au bébé, apporta un verre d'eau à
Gordon, mais quand elle arriva à son chevet, il s'était déjà
rendormi. La lueur de la bougie fit ouvrir les yeux au petit
Brenny, dont les longs cils battirent, et qui se mit à geindre.
Délie repoussa les boucles blondes de Gordon et posa la main
sur son front. Il était moite et brûlant. Elle enleva une de ses
couvertures, embrassa tendrement Brenny, puis sortit. Dès
qu'il faisait chaud, Gordon avait un sommeil agité ; il se réveillait en hurlant, ne se calmait qu'au bout d'une bonne demi-
heure. Délie s'appuya contre le bastingage pour regarder la
nuit paisible.

Ils étaient amarrés à Overland Corner, sous les hautes
falaises calcaires dont les coquillages fossiles avaient habité la

chaude mer crétacée qui avait autrefois recouvert la vallée de la Murray inférieure. Ils naviguaient maintenant entre Wentworth et Morgan, à la Courbe Nord-Ouest, où la Murray obliquait à angle droit, son premier véritable changement de direction, pour couler régulièrement vers le sud avant de se jeter dans la mer.

Le fleuve était si bas que toute navigation nocturne était impossible. L'eau glissait silencieusement sous le pont, les joyaux de la Croix du Sud et l'éclatante Canope se reflétaient sur sa surface unie. Délie scruta les eaux sombres, puis leva les yeux vers l'immensité du ciel saupoudré d'étoiles ; elle se rappela certain soir à Kiandra où Adam lui avait montré la Croix étincelant dans la nuit glacée.

Rien n'avait changé, pourtant elle s'était confiée au fil du temps, naviguant désormais sur une portion du fleuve où le courant commençait à ralentir ; elle avait maintenant vingt-neuf ans, trente dans quelques semaines, trente ans ! Et qu'avait-elle réalisé ? Avec trois enfants en bas âge, dont un bébé de six mois, que pouvait-elle faire ?

Sa peinture était quasiment au point mort. Des idées de tableaux, de compositions, de toiles plus ambitieuses que celles qu'elle avait déjà peintes, fourmillaient dans son esprit. Irriguant ses propres veines, elle sentait l'immense continent, la langueur de l'été brûlant, les cieux limpides, elle aspirait à les transmuter en peinture, à jeter sur la toile sa vision des grandes terres du Sud, avant qu'elle ne s'évanouît et devînt insaisissable. Mais le temps manquait, et il n'y avait aucune échappatoire.

Certains jours, la promesse du matin, la fuite des nuages ténus dans le bleu du ciel, comme de gigantesques coups de pinceau d'un blanc immaculé, l'emplissaient d'une agréable fébrilité. Les tubes de couleur et la toile lui manquaient cruellement, presque physiquement. Alors arrivaient les premiers vagissements du nouveau-né, et la cohorte mortelle des tâches domestiques qui se terminaient longtemps après le coucher du soleil, quand elle s'effondrait sur sa couchette, trop épuisée pour faire autre chose que dormir.

Quelque part derrière elle, elle croyait entendre une clef géante tourner dans un verrou. Comme tant d'autres, comme son propre père peut-être, qui avait toujours désiré voyager, elle était tombée joyeusement, volontairement, les yeux grands ouverts, dans le piège si habilement posé et si délicieusement appâté par la nature ; trop tard hélas, elle avait entendu la porte de fer claquer derrière elle.

Les ponts du bateau furent entourés par des grillages de fil de fer hauts de presque un mètre ; mais Gordon, qui allait maintenant sur ses quatre ans, commençait à grimper partout. Il était blond, mince, actif et nerveux ; doté du menton et du nez solides de Brenton, qu'on reconnaissait déjà sous les traits du bébé, il avait cependant les yeux de sa mère : plus grands, plus doux et plus bleus encore que ceux de Brenton.

Le petit Brenny avait des boucles brunes et les yeux de son père : brillants, bleu marine, le regard droit et dépourvu d'imagination. Il causait fort peu d'ennuis. Quant au bébé, Alex, il était de santé délicate, affligé d'une toux chronique qui l'empêchait de dormir paisiblement. Délie le berçait parfois longuement, tout en somnolant de fatigue. Les médecins ne pouvaient rien faire pour lui. Il s'agissait d'une faiblesse congénitale, déclarèrent-ils.

Une fois par mois environ, il souffrait de bronchite, faisait de la température pendant une semaine, et il fallait alors s'en occuper nuit et jour. Délie, qui redoutait une pneumonie, se demandait s'il dépasserait l'âge de dix ans, ou rejoindrait son petit frère sans nom dans une tombe solitaire au bord du fleuve. Elle songeait parfois à la femme qu'elle n'avait jamais connue, à cette mère qui avait enterré ses trois enfants dans le monticule de sable, près d'Echuca.

Elle se découvrit de la sympathie pour cette femme malheureuse. Existait-il épreuve plus terrible pour une mère que la mort d'un de ses enfants ?

Ben l'aidait merveilleusement. Il berçait le bébé malade et distrayait le jeune Brenny. Gordon suivait partout son père, l'aidait à tenir la grosse roue de la timonerie, s'y accrochant tellement que ses rayons le soulevaient du sol. Son père avait commencé de s'intéresser à lui dès qu'il avait pu marcher, et lui apprenait maintenant à nager.

Chaque matin, Brenton se laissait tomber bruyamment de

sa couchette — il ne se déplaçait jamais en silence, ne respectait jamais la fatigue de Délie — et elle entendait un grand bruit d'éclaboussures quand il plongeait. Au bout de quelques minutes, il appelait Gordon, mais Délie ne voulait pas qu'il réveillât les autres enfants. Elle s'obligeait donc à se lever pour aller réveiller Gordon. Son lit était trempé ; elle respirait l'odeur âcre de l'urine.

« Gordie ! chuchota-t-elle. Papa est déjà dans l'eau. Tu vas prendre ta leçon de natation ?

— Mmm... oui, maman. » Gordon s'assit dans son lit et prit un air effarouché. Elle le souleva et il se débattit pour se débarrasser de son pyjama trempé. Elle l'aida à enfiler un slip propre. Ses cheveux blonds étaient pleins d'épis, ses yeux encore ensommeillés, et l'une de ses joues toute rouge.

On entendait du bruit dans la cuisine. Le chauffeur jetait des bûches dans la chaudière.

Elle emmena Gordon jusqu'au pont inférieur et le souleva par-dessus le grillage. Brenton, qui nageait sans effort le long de la coque, l'appela. « Saute, Gordie ! »

Gordon hésita et recula en frissonnant.

« Allez ! Saute, dépêche-toi. » Il fronça les sourcils en attendant son fils, battant des pieds pour se maintenir à la surface. « Je compte jusqu'à trois ; si, à trois, tu n'as pas sauté, je monte pour te mettre à l'eau. Je n'aime pas les froussards. Allons-y : un... deux... »

Une peur l'emporta sur l'autre et Gordon sauta. Délie poussa un soupir de soulagement. Il serait ravi en sortant de l'eau ; mais c'était un enfant nerveux et elle croyait que ses cauchemars nocturnes étaient liés à ses leçons de natation.

Quand le jeune Brenny eut trois ans, son père entreprit de lui apprendre à nager. D'emblée, la différence entre les deux enfants s'imposa. Brenny jouait dans l'eau comme un poisson.

Lui aussi avait le menton de son père, en plus de son nez court et volontaire. Quand il avait décidé de faire quelque chose, rien ne pouvait l'en empêcher. Il sautait joyeusement à l'eau — il aurait même sauté du haut de la timonerie si son père le lui avait demandé. Il nagea bientôt magnifiquement, plus vite que Gordon.

«Je suis sûr qu'on en fera un champion», déclara fièrement Brenton.

Leur port d'attache était désormais Morgan, plus connu sous le nom de la Courbe Nord-Ouest, ou tout simplement la Courbe. Morgan était une bourgade hideuse, avec des bâtisses de pierre et de tôle ondulée échelonnées le long d'une falaise rocheuse et nue ; pas d'arbres, pas de jardins, seulement le vent brûlant du nord qui, l'été, couvrait d'une fine poussière blanche la grande rue sablonneuse.

Malgré tout, loin de l'affairement du quai où les trains en provenance d'Adélaïde chargeaient et déchargeaient des marchandises, le fleuve conservait son charme habituel. L'eau verte et translucide coulait lentement sous les falaises jaunes, tandis que les eucalyptus poussaient sur les berges — non pas en un mur compact comme dans la partie supérieure du fleuve, mais avec une majesté solitaire, chaque arbre se penchant au-dessus de son reflet en une attitude de contemplation.

Jim Pearce, son diplôme de capitaine en poche, partit prendre le commandement d'un vapeur. Mais Charlie McBean, l'ingénieur, resta avec eux. Quant au jeune Ben, il travaillait en vue de son examen de second.

On ne lui demandait pas de savoir naviguer par rapport aux étoiles, ou de déterminer sa position en se guidant sur le soleil, mais il devait mémoriser les moindres détails du bassin fluvial. On pouvait l'interroger sur plus de trois mille milles de chenaux compliqués, sur la Wakool, l'Edwards, la Murrumbidgee et la Darling, même s'il n'avait pas la moindre intention de naviguer en dehors de la Murray.

Il devait connaître la hauteur des ponts mobiles en période de crue, la configuration de la Murray à la Percée de Pollard, la profondeur du fleuve près du quai de Goolwa, sans oublier la largeur entre deux piliers du pont d'Echuca, à mille milles en amont.

«Ben, tu es vraiment sûr que c'est ce qui te convient ?» lui demanda un jour Délie, le découvrant qui peinait sur l'immense carte de la timonerie. «Tu es intelligent, tu devrais demander une bourse pour aller à l'université.

— Mais je ne gagnerais pas un sou pendant des années, Miss Délie, répondit Ben, interloqué.

— Et alors ? Tu ne comptes pas te marier dans l'immédiat, n'est-ce pas, Ben ? »

Il rougit. « Non, ce n'est pas ça. Je ne sais pas, je n'ai pas envie de quitter le fleuve. » L'espace d'un instant ses timides yeux foncés la regardèrent avec chaleur.

Son regard davantage que ses paroles exprimait le fond de sa pensée ; je n'ai pas envie de quitter le fleuve, parce que cela reviendrait à vous quitter.

Délie rougit légèrement, puis se pencha vers le bébé qui grattait le goudron entre les planches du pont. Il toussait maintenant beaucoup moins et prenait rapidement du poids. Elle ne pouvait oublier que Ben l'avait aidée à accoucher de son premier enfant ; cela créait une sorte d'intimité entre eux.

Délie s'accroupit, puis rampa sur le pont en grognant comme un ours. Ravi, le bébé riait. Ben se mit à quatre pattes à côté d'elle. Ils grognaient, avançaient d'un air pataud, se cachaient derrière les caisses et les tonneaux, et Alex les suivait en se traînant sur le pont. Les huit années qui séparaient les deux adultes semblèrent s'évanouir.

Brenny arriva en hurlant, le visage écarlate, la bouche largement ouverte.

« Qu'y a-t-il, mon chéri ? » Délie saisit un de ses poings, qu'il plaquait sur ses yeux, mais il se dégagea et continua de brailler.

« Dis-moi ce qu'il y a ! » Elle sentait sa propre rage monter rapidement. Elle ne pouvait rester calme pendant plus d'une minute, et les hurlements de l'enfant étaient terrifiants.

Gordon se coula en biais sur le pont, le long des cabines.

« Gordon, viens ici ! Tu as frappé Brenny ?

— Non ! Il est cinglé.

— Dordie m'a donné une tape. Fait mal à l'œil. Ouin-in-in ! »

Délie fondit sur Gordon et le gifla, abattant sur sa joue toute la colère provoquée en elle par les pleurs du petit Brenton. Gordon hurla, et le bébé, perturbé par ce brusque changement d'atmosphère, se mit à crier de terreur. Ben le prit dans ses bras, mais Délie courut à l'autre bout du pont, les mains plaquées sur les oreilles.

Elle aurait aimé pouvoir crier, elle aussi. Tout ce vacarme lui portait sur les nerfs, et le manque de sommeil la rendait encore plus susceptible qu'à l'ordinaire. De l'autre côté se trouvait une merveilleuse falaise jaune — ce lieu-dit s'appelait les Falaises Brisées ; trois énormes blocs de roc avaient dégringolé du sommet et reposaient à demi immergés dans l'eau vert olive. Ses doigts eurent envie de pinceau ; le désir de peindre s'empara d'elle.

Fermant les yeux, elle prit une profonde inspiration, puis descendit à la cuisine pour préparer le repas du bébé. Grâce à Dieu, songeait-elle, grâce à Dieu ils grandissaient, et dans trois ans plus aucun n'aura besoin de couches. Pour une fois, elle voulait accélérer le cours du temps, pour qu'enfin il la libère de son présent esclavage.

58

Entre les hautes falaises jaunes, l'air immobile était irrespirable. Le fleuve lézardait dans la chaleur, l'eau s'écoulait à peine. De petits reptiles somnolaient au soleil sur le sable blanc, vierge de toute trace à l'exception des empreintes de leurs pattes minuscules.

D'énormes nuages immobiles, aussi blancs et massifs que des blocs de marbre, semblaient posés sur l'horizon, et très haut dans la fournaise du ciel, juste au-dessus du pont du *Philadelphia*, deux aigles tournoyaient, telles des cendres montant dans les courants d'air chaud au-dessus de la terre brûlante.

En nage, les membres de l'équipage transportaient à bord un chargement de bois de chauffe acheté au campement de Lyrup. Teddy Edwards refusait d'attendre qu'ils se baignent dans le fleuve pour se rafraîchir. Ils devaient nager aux premières heures du jour, ou pendant que le bateau naviguait, comme leur capitaine. Alors qu'ils repartaient, un des jeunes matelots de pont, descendu dans le canot, se laissa traîner derrière le vapeur au bout d'une corde pour une baignade rapide dans l'eau tiède.

Pieds nus dans la timonerie, Brenton portait en tout et pour tout un pantalon de coton. Du revers de la main, il essuya les gouttes de sueur qui perlaient sur sa lèvre supérieure.

«Prends la roue, Ben, tu veux? dit-il au garçon. Je vais piquer une tête.»

Le second, dont le quart était terminé, se reposait dans la petite cabine construite à l'arrière pour l'ingénieur et lui-même quand la famille du capitaine s'était agrandie.

Brenton mit le contrôleur de marche en position demi-vitesse, puis exécuta un plongeon impeccable du haut du tambour de roue. Il remonta à la surface, attrapa le gouvernail au moment où il passait devant lui, grimpa dessus et revint à son point de départ sur le pont, rafraîchi et riant aux éclats. La caresse de l'eau profonde l'avait rempli d'audace et d'insouciance.

Il ne remonta pas sur le tambour de roue, mais enjamba le grillage en fil de fer et s'immobilisa sur le pont, juste devant la grande roue.

Délie, qui donnait le sein au bébé sur le pont pour profiter de la brise due au mouvement du bateau, l'aperçut et bondit sur ses pieds. «Attends!» s'écria-t-elle. Elle avait remarqué dernièrement que la silhouette de Brenton s'était singulièrement empâtée; il grossissait, des cheveux gris se mêlaient à ses boucles blondes. Malgré tout, il croyait toujours pouvoir exécuter ses simagrées d'adolescent attardé.

«Pas sous la roue, mon chéri! Je t'en prie, Brenton, ne fais pas ça.»

Il salua brièvement en souriant de toutes ses dents, prit une profonde inspiration, puis plongea impeccablement devant les pales vrombissantes. Le temps d'une douzaine de battements de cœur, Délie ferma les yeux. Quand elle les rouvrit, la tête hilare de Brenton montait et descendait dans le sillage.

Il nagea en diagonale vers le rivage, courut rapidement sur la berge, enjambant racines et troncs d'arbres, puis plongea devant le bateau, fit une pointe de vitesse et remonta à bord par le gouvernail comme précédemment.

Délie était furieuse. La peur terrible qu'elle venait de ressentir la laissait pantelante.

« Comment oses-tu faire ça ! s'écria-t-elle quand il passa devant elle pour rejoindre la timonerie. Si tu te moques de ce que je ressens pour toi, essaie de te rappeler que tu as une famille à charge. Tu fais le malin comme un gamin de dix ans ! Mais ton corps n'est plus capable de ce genre d'excentricité, ajouta-t-elle méchamment, tandis qu'il la regardait de ses yeux bleu ciel, presque verts. Si tu te fais tuer, qu'adviendra-t-il de nous tous ? »

Il restait figé, baissant les yeux sur elle pendant qu'elle brandissait sous son nez le biberon du bébé. L'orgueil et la colère brillaient dans ses yeux. Il avançait le menton avec son arrogance habituelle et la fixait d'un regard impitoyable. Elle aurait donné n'importe quoi pour retirer ses dernières paroles.

« Ah oui ? C'est comme ça ? dit-il d'une voix sardonique. Eh bien, je vais recommencer, histoire de te montrer de quel bois je me chauffe ! »

Sans lui accorder un autre regard, il se dirigea vers le pont inférieur, enjamba le grillage et plongea devant la grande roue. Il y eut une brusque irrégularité dans le cliquètement de la roue, puis son corps fut éjecté derrière, flottant sans vie dans l'écume du sillage.

Délie posa vivement le bébé sur le pont, puis gravit en courant les trois marches de la timonerie. L'instant suivant, le hurlement de la sirène faisait écho au hurlement silencieux qui explosait dans son esprit. Ils ne pouvaient s'arrêter sans d'abord lâcher de la vapeur. Elle aida Ben à tourner la roue ; le *Philadelphia* coupa son propre sillage. Le canot fut mis à l'eau, et le corps inerte de Brenton hissé à bord.

Aucun de ses membres n'était brisé et son corps semblait intact, à l'exception d'une horrible entaille à la base du crâne. Délie appliqua son oreille contre son torse nu et humide, et entendit son cœur battre faiblement.

« Il est vivant ! s'écria-t-elle, tandis que des larmes de reconnaissance inondaient ses yeux. Aidez-moi à le transporter jusqu'à la cabine arrière — nous devons éviter de le déplacer plus que nécessaire. » Gordon apparut à ses côtés, terrifié, en larmes. « Gordie, va surveiller le bébé. Ne réveille pas

Brenny. Papa a été blessé, mais tout va bien maintenant.»

Elle plaça des bouteilles remplies d'eau chaude autour de Brenton, et fit couler un peu de brandy sur ses lèvres bleues. Elle pouvait seulement le réchauffer et le maintenir au calme avant qu'ils n'arrivent au poste sanitaire de Renmark.

Charlie McBean monta les voir; sous la broussaille de ses sourcils, l'éclat sauvage de ses yeux était adouci par une profonde émotion.

«J'pousse le moulin au maximum, m'dame, et j'ai monté la pression comme jamais, dit-il. Teddy était un bon capitaine; l'un des meilleurs.

— Pas *était*; EST, corrigea-t-elle vivement. Il n'est pas mort, il ne va pas mourir.»

Il ne va pas mourir, il ne va pas mourir, il ne va pas mourir, se répétait-elle en son for intérieur. Si je le répète assez longtemps, cela doit devenir vrai.

Pendant que Brenton était soigné à l'hôpital de Renmark, un autre capitaine prit le commandement du *Philadelphia*. Délie et ses enfants durent s'installer en ville. Dès qu'elle avait un moment de libre, elle filait à l'hôpital. La propriétaire, qui l'avait prise en pitié, proposa de s'occuper du bébé pendant son absence.

«Tu me le confies quand tu veux, ma chérie», lui dit-elle aimablement, en repoussant de son front une mèche gris-jaune. Elle portait un maquillage outrancier, avait des poches sous les yeux, probablement dues à une vie passablement dissolue, mais elle semblait généreuse.

Pendant dix jours, Brenton resta dans le coma. Commotion cérébrale, dit-on à Délie; son cerveau risquait d'en conserver des séquelles. Mais on ne pouvait rien dire avant qu'il ne reprît conscience.

«Vous devez vous préparer à ce qu'il ne puisse plus parler, la prévint le médecin, ou qu'il reste paralysé d'un bras et d'une jambe.»

Le onzième jour, elle le découvrit conscient, immobile sur son lit, la tête bandée. Un voile semblait couvrir ses yeux bleu marine; il souriait faiblement.

«Délie! Délie! chuchota-t-il. Je suis... désolé.

— Ne t'inquiète pas, mon chéri ! » Agenouillée à côté du lit, elle essayait de refouler ses larmes. Elle caressa ses boucles blondes qui dépassaient du bandage. « Le principal est que tu sois revenu parmi nous.

— Mon... bras droit. Je ne peux plus le bouger. Je suis... fini. »

Elle serra le bras valide du blessé. « Non ! Tu vas guérir. Voilà Gordon, regarde ! Et Brenny... »

Il tourna un peu la tête pour voir ses fils, puis une grimace de douleur lui fit fermer les yeux. Sa bouche n'était-elle pas légèrement tordue ? Son élocution semblait brouillée... Mais apparemment, il avait les idées claires.

Une robe amidonnée froufrouta derrière elle ; une infirmière posa la main sur son bras. « Vous ne devez pas le fatiguer, madame Edwards. Je crois que cela suffit pour aujourd'hui. »

Son état s'améliora lentement au fil des semaines interminables. La vie revint d'abord dans ses doigts, puis à l'ensemble de son bras droit. Son crâne n'avait aucune fracture — d'après les médecins, sa boîte crânienne était particulièrement résistante —, mais pendant longtemps, il souffrit de fortes migraines.

Délie commençait à s'habituer à la vie à terre. Elle affronta l'éventualité où Brenton ne pourrait plus jamais commander un bateau. Et elle avait un nouveau souci, dont elle n'osait pas lui parler vu son état.

Si Brenton ne récupérait pas toutes ses facultés ? Avec un mari impotent à charge, comment allait-elle subvenir aux besoins d'une famille entière ? En tout cas, le moment était mal choisi pour avoir un autre bébé !

En proie à la panique et à la solitude, elle songea à l'aimable mais dissolue Mme Patchett, sa propriétaire — il s'agissait certainement d'un « madame » de pure forme, car personne ne parlait jamais de M. Patchett, bien qu'un « monsieur » vînt trois soirs par semaine pour boire du gin en sa compagnie et jouer au poker.

Pourtant, elle ne put se résoudre à se confier à Mme Patchett. Elle était persuadée que sa propriétaire saurait quoi faire en ces circonstances, et avait peut-être déjà aidé maintes femmes dans son état. Apparemment, Mme Patchett devina ses pensées ; car un jour qu'elle préparait le repas du bébé dans la cuisine, la propriétaire regarda son visage livide, puis sa silhouette, avant de dire : «Tu ne manges plus rien depuis un certain temps, ma chérie, pas vrai ? »

Délie rougit légèrement et fit la sourde oreille.

«Tu n'as même pas pris de petit déjeuner... Pourtant, tu as sevré le bébé, non ?

— Oui. Il a onze mois maintenant.

— Hum !» Elle coupait un oignon sur une planche avec un hachoir parfaitement aiguisé, qu'elle tenait solidement dans sa main bouffie aux doigts couverts de bagues. «C'est le moment où il faut bien faire attention, quand on vient juste de le sevrer.

— Oui, j'imagine.

— Tu ne veux pas en mettre un autre en route tout de suite, je suppose, avec ton mari qui est malade, et tout ?

— Non, dit Délie d'une voix faible.

— Si jamais tu as besoin d'aide... le genre d'aide que seule une femme peut te procurer, j'ai un ami qui peut arranger ça facilement. Ça ne te coûtera que cinq livres.» Tac, tac, tac, tranchait le hachoir.

«Merci beaucoup, mais tout va bien pour l'instant.»

Délie prit un plat chaud plein de nourriture et se hâta de sortir de la cuisine, les joues en feu.

Elle savait en quoi consistait l'«aide» de Mme Patchett, et que l'«ami» en question était probablement le «monsieur» qui lui rendait visite. A la pensée de ses ongles noirs et de son col crasseux, elle frémit.

Ce soir-là, elle lut une publicité imprimée sur la couverture rose d'un journal connu. Cela semblait prometteur :

MESDAMES ! NE SOYEZ PLUS INQUIÈTES : Prenez mes pilules spéciales extra-fortes en cas d'irrégularité de votre cycle. Mon traitement vient à bout des cas les plus désespérés. Une livre seulement.

Une livre parut une somme énorme à Délie, mais elle envoya un mandat et attendit nerveusement l'arrivée du colis. Les pilules, d'apparence assez anodine, s'avérèrent totalement inefficaces. Elles la rendirent terriblement malade, mais n'eurent d'autre résultat que de la laisser blême et sans force.

Elle se traîna jusqu'à l'hôpital, laissant Brenny, qui avait une bronchite, aux soins de Gordon dans leur chambre, et le bébé avec Mme Patchett. Elle trouva Brenton en tellement meilleure forme qu'il songeait déjà à quitter l'hôpital pour habiter avec elle.

Dès qu'elle ouvrit la porte d'entrée de la pension, elle entendit le tohu-bohu. Mme Patchett et son «fiancé» braillaient d'une voix avinée :

Oh souviens-toi de Black Alice, gros coquin,
Black Alice si noire et éméchée
Qu'elle buvait son gin avec une paille dans le nez,
Et ses dents pointues comme celles d'un requin

Le bébé, trop épuisé pour pleurer, vagissait doucement, Brenny toussait et hurlait en s'étouffant, et Gordon chantait à tue-tête «La ferme, la ferme, la ferme...»

Délie monta quatre à quatre l'escalier, prit dans ses bras un Brenny au visage écarlate, tout en reprochant à Gordon de ne pas s'occuper de lui.

«Il faisait exprès de m'embêter, dit Gordon, maussade. Il a bien mérité la gifle que je lui ai donnée.

— Viens avec moi», dit-elle; elle reposa Brenny et saisit fermement la main de Gordon. «Le bébé pleure, je ne crois pas que Mme Patchett puisse l'entendre.»

En bas, elle frappa à la porte du salon marquée «Privé», mais ses coups se perdirent dans le vacarme qui régnait à l'intérieur. Ouvrant la porte, elle découvrit Mme Patchett, son corsage sale déboutonné, ses cheveux tombant sur sa figure, appuyée contre le mur et en train de chanter. Une bouteille de gin à moitié vide était posée sur la table. Son «fiancé» chantait d'une voix tonitruante en balançant son verre en cadence : «Oh, souviens-toi...

— Attends-moi ici, Gordon.» Elle referma vivement la porte, le laissant dehors. Elle s'empara du bébé vagissant, qui semblait bizarrement inerte et inconscient de sa présence. Aussitôt, il vomit un peu, et Délie s'aperçut que son haleine empestait l'alcool.

«Madame Patchett! Vous avez donné du gin au bébé!»

Mme Patchett cessa de chanter, éructa un hoquet solennel, puis braqua son regard de chouette sur sa pensionnaire.

«Juste une 'tite goutte, mon chou. Y a pas de mal à ça. Et le
p'tit agneau, il en redemandait. Après ça, le bébé dort comme
un ange.

— Oh, souviens-toi..., braillait le fiancé.

— Il ne dort pas ; il pleurait il y a une seconde. Je l'ai
entendu crier de la porte d'entrée.» Elle était tellement furieuse
que ses jambes faillirent se dérober sous elle.

«T'inquiète donc pas, mon chou...»

Délie sortit de la pièce brusquement, bien résolue à quitter
cette pension dès que possible.

Brenton avait presque totalement recouvré l'usage de son
bras ; en revanche, il boitait légèrement car sa jambe droite
traînait un peu derrière lui. Son élocution était redevenue
claire, mais ses yeux avaient à jamais perdu un peu de leur
éclat juvénile, et les mèches grises étaient plus nombreuses
dans ses cheveux.

Son séjour à l'hôpital l'avait fait grossir. Sa taille avait
encore épaissi, et une profonde cicatrice barrait sa nuque. Une
sorte de voile rendait ses traits moins aigus, moins précis,
comme sur une photo floue.

«Ah, ça fait du bien de se retrouver dans un vrai lit, à côté
de toi», dit-il le premier soir après sa sortie d'hôpital. Il installa
confortablement son grand corps, puis la regarda, avec dans
les yeux ce sourire bleu qu'elle aimait tant.

«C'est merveilleux de te retrouver.» Les lèvres de Délie
tremblaient. Il enroula une mèche de ses cheveux noirs autour
de son poignet.

«Et ça va être formidable de retrouver le fleuve ! J'étouffais
dans cet hôpital. Tout était immobile. Tu as remarqué qu'un
bateau est toujours vivant, même à quai ? Les reflets de l'eau
sur les planches de la coque, les craquements dès que le vent
ou le courant arrive sur lui...»

Délie soupira en se mordant la lèvre. «Le problème, c'est
qu'il n'y a pas assez de place sur le bateau. Je veux dire, quand
nous aurons un autre bébé... Oh, Brenton !» Elle se jeta dans
ses bras en pleurant.

«Alors c'est vrai ?» Il sifflota machinalement quelques
notes. «Bon Dieu, je ne sais pas, Del, mais je veux que tu restes

avec moi. C'est beaucoup plus économique de vivre tous à bord.»

Alex, le bébé, se mit à pleurer, réveillé par les moustiques qui lui piquaient les joues. «Tu ne peux pas faire arrêter ça? s'écria Brenton. Seigneur, je ne supporte pas ces cris.»

Délie sursauta, se sentant brusquement coupable. Depuis son accident, Brenton était anormalement sensible au bruit; le bébé se contentait de pleurnicher doucement. Elle le prit dans ses bras et le berça à travers la pièce.

Brenton, descendu sur le quai pour bavarder avec le capitaine d'un vapeur qui venait d'arriver, se hâta de revenir à la pension, tirant impatiemment sa jambe droite avec sa main plaquée derrière sa cuisse.

Il avait discuté avec le capitaine Ritchie, du *Mannum*, le petit vapeur qu'on avait soi-disant conçu pour qu'il pût traverser un champ d'herbe en période de forte rosée. Le bateau avait été aménagé en navire de commerce, doté d'un comptoir où l'on vendait toute une kyrielle de marchandises, des tissus aux fusils en passant par les aiguilles à coudre et les pièces de pompes. Ce genre de produits était très demandé le long du fleuve et à l'écart des villes, si bien que ce commerce prospérait.

L'ancienne Compagnie de Navigation de la Murray allait se transformer en une petite société, le capitaine Hugh King renonçait à son poste et abandonnait la navigation fluviale.

«Notre contrat nous liait à l'ancienne compagnie, dit Brenton, et je crois que nous serons mis sur la touche, nous aussi. Hughie King était un type formidable, doublé d'un employeur on ne peut plus loyal; j'ai toujours aimé travailler sous contrat avec lui, mais je ne connais pas la nouvelle équipe. Nous allons transformer le *Philadelphia* en magasin flottant, et nous ferons fortune.»

Délie semblait sceptique.

«Plus besoin de matelots de pont pour manier la marchandise; même un second sera superflu, car nous pourrons passer la nuit à quai ou amarrés à une berge pour que je puisse dormir. Il y aura donc davantage de place pour la famille.

Mais il faudra que tu mettes la main à la pâte, car il n'y aura pas de cuisinier...

— Pas de cuisinier! Oh, Brenton! Je préférerais être matelot de pont ou second. Et puis il faut que j'apprenne à diriger le bateau, au cas où tu tomberais malade. Le travail pénible ne me fait pas peur, je peux t'aider à amarrer le bateau ou à tourner la roue du gouvernail — tu as dis toi-même que je m'en tirais bien.» Ses yeux brillants d'excitation et trop grands dans son visage livide étaient suppliants. Elle n'arborait pas le teint florissant que lui avait donné sa première grossesse.

Brenton se mordait l'intérieur des joues et réfléchissait. «Tu n'es pas assez forte. Et puis, dans ton état, tu ne pourras bientôt plus sauter à terre et cabrioler sur le pont.

— J'ai l'intention de ne plus jamais me retrouver dans cet état.

— Bon... je suppose que ce sera différent dans six mois. Mais alors, tu auras un nouveau bébé sur les bras. D'un autre côté, je ne vois pas pourquoi tu n'essaierais pas de passer ton brevet de second. Je ne sais pas si une femme a jamais été capitaine sur le fleuve, mais il n'y a aucune raison pour que tu ne sois pas la première.

«Viens donc me voir à la timonerie quand je tiens la roue, je commencerai à t'initier au chenal. Bon, maintenant, dis-moi qu'elle est la profondeur d'eau maximale qu'on ait jamais enregistrée sur les Rocs de Noël, en amont de Wilcannia?»

Délie prit un air déconfit. «Mais c'est sur la Darling. Je ne connais pas la Darling.

— Alors il y a beaucoup de choses que tu ne connais pas. Tu devras pouvoir répondre à des questions touchant à n'importe quel fleuve. Je te dessinerai une carte du bassin fluvial. Et Ben te servira de répétiteur.»

59

Brenton tenait la roue, le bébé dormait, et Délie s'initiait au chenal dans la timonerie; pourtant, elle n'apprenait pas grand-chose, car le *South Australian* était à leurs trousses. Bientôt, le gros bateau les dépassa ; le chauffeur et le mécanicien lancèrent des cris moqueurs, et sa sirène lâcha quelques brefs appels triomphants.

Teddy Edwards vit rouge. Les muscles de sa mâchoire se crispèrent, il serra les dents, sur son cou une grosse veine se mit à saillir de façon inquiétante. Son visage devint rouge betterave.

« Ça n'a aucune importance qu'ils nous dépassent », s'écria Délie. A voir le capitaine, on pouvait craindre qu'il n'eût une crise ou une attaque, qu'il ne s'écroulât mort à ses pieds. « Inutile de faire la course. »

En effet, le *Philadelphia*, maintenant aménagé en magasin flottant, commerçait en amont de Morgan, dans les stations d'irrigation en plein développement de Waikerie, Berri, Cobdogla et Loxton. Il y avait assez de travail pour plusieurs bateaux ; une navigation paisible entre les fermes isolées et les campements était ce qui convenait le mieux aux affaires. Mais Teddy et son « cinglé de mécano » n'étaient pas habitués à cette allure calme. La seule chose à laquelle il avait renoncé depuis son accident était la natation. Désormais, il ne plongeait plus quand le bateau naviguait sur le fleuve.

Il poussa le contrôleur de marche au maximum, la cheminée se mit à vibrer et haleter. Charles n'avait besoin d'aucun message pour savoir que le moment était venu de jeter dans le foyer ses dernières provisions de bois sec, mis de côté en vue de semblable occasion, et d'obturer la soupape de sécurité pour empêcher la vapeur de s'en échapper, même sous une pression de quatre-vingts livres.

« Il remorque deux barges pleines, dit Brenton d'une voix tendue. Nous n'avons pas de barge, et pourtant ce salaud nous a laissés sur place. »

Ils franchirent une courbe puis se mirent à rattraper l'autre vapeur dans une longue ligne droite. Le fleuve était large, un vent violent soufflait dans le sens du courant et entravait leur progression. Le *South Australian*, beaucoup plus gros, et ses deux barges ballottées par les rafales de vent, furent immédiatement ralentis. Le *Philadelphia* les dépassa bientôt. Brenton lâcha une série de coups de sirène sardoniques avant de les laisser dans son sillage.

Quand ce moment de triomphe fut passé, il se tourna vers Délie avec une expression d'orgueil ; et découvrit, à sa grande surprise, qu'elle était dans une fureur noire.

« On les a laissés sur place ! » dit-il en lui lançant un regard gêné. Il se campait toujours à gauche de la grosse roue, tandis qu'elle s'installait sur un haut tabouret à côté de lui, à moins qu'elle ne l'aidât à négocier un virage serré ; elle descendait alors de son perchoir, et pesait avec une force surprenante sur les rayons de la roue, de l'autre côté du moyeu central.

Elle avait sauté de son tabouret et traversé la timonerie ; ses yeux brillants de colère étaient fixés sur lui.

« Tu ne grandiras donc jamais ! Faire la course et risquer nos vies, pour le simple plaisir de faire la course ! Si tu ne te soucies pas de moi, tu pourrais au moins penser aux enfants. Tu as donc oublié le sort du *Providence* ? »

Il fit la moue, haussa les épaules et détourna la tête avec irritation. « Bien sûr que je m'en souviens. Mais le *Providence* ne faisait pas la course quand il a explosé. Sa chaudière était défectueuse.

— Je m'en moque, ce n'est pas prudent ! Tu sais très bien que Charlie obture la soupape de sécurité, et par-dessus le marché tu l'encourages. Tu es entièrement responsable de tout ce qui se passe sur ce navire.

— Oh, pour l'amour du Ciel ! »

Ils remontaient une large portion du fleuve entre des falaises jaunes crevassées et un lagon bordé de roseaux. Elle savait qu'elle s'emportait, mais un torrent de mots continuait à se déverser d'elle. « C'est tellement stupide ! Nous sommes passés devant une ferme, plus bas, j'ai vu une femme sur la véranda, nous aurions dû nous arrêter pour lui proposer nos tissus. Quand nous ferons halte, le *South Australian* nous dépassera de toute façon. Je ne comprends tout simplement pas comment...

— Je déteste naviguer dans le sillage d'un autre bateau, gronda-t-il. Maintenant, ferme-la et prends la roue. Je vais descendre demander à Charlie de laisser la soupape tranquille, puisque tu fais un tel foin pour cette brouille. Garde le cap sur cette souche noire, à l'entrée du virage. »

Elle traversa la timonerie, saisit deux rayons de la roue, et amena lentement, très lentement, l'aiguille du compas en face

de la souche noire. Après quoi elle ramena la roue dans sa
position initiale. De temps à autre, elle déviait légèrement de sa
course, pour ressentir le plaisir de rectifier le cap du bateau,
dont la proue semblait alors se déplacer sur l'horizon.

Sa colère se dissipa. Elle adorait tenir la roue, rester seule
dans la timonerie.

Elle laissa son esprit dériver vers l'état rêveur, quasiment
hypnotique, que provoquaient en elle le déplacement régulier
du navire, le rythme des pales et du moteur. Le grand bateau
palpitait d'une vie presque animale. En avant, en avant,
toujours en avant, chantonnait-il dans ses oreilles.

Les fenêtres de la timonerie étaient closes. Des reflets sans
cesse mouvants croisaient d'autres reflets, lesquels se superpo-
saient au paysage réel. On aurait dit qu'il existait plusieurs
couches de réalité ; quand on se concentrait sur l'une d'elles,
toutes les autres devenaient irréelles.

Un plan d'eau miroitant, réfléchi par le fleuve derrière le
bateau, croisait les arbres qui, au-delà de la fenêtre, semblaient
reculer régulièrement ; se superposant à ces arbres en mouvement, les reflets d'autres arbres avançaient tout aussi régulièrement. Des nuages fantomatiques croisaient de vrais nuages, ce
qui était derrière semblait devant, le passé venait à votre
rencontre, tandis que le présent disparaissait au fil du temps.

Le temps, songeait confusément Délie, est toujours là, inté-
gralement là ; on peut le traverser dans toutes les directions,
dès qu'on s'est affranchi de l'illusion selon laquelle on se
déplace continuellement d'un passé à jamais révolu vers un
avenir inconnu.

D'ailleurs le fleuve ne remonte-t-il pas vers sa source, éternellement, se reconstituant au-dessus de la mer en d'impal-
pables courants aériens, pour recommencer à couler, sans fin ?
Tout est toujours présent, malgré l'apparence d'un mouvement
allant d'un commencement précis vers un but fixé. Le temps
est un fleuve dans lequel nos existences ne sont que des molé-
cules d'eau...

Elle distinguait vaguement son propre reflet sur les vitres,
ombre à travers laquelle le fleuve scintillait, le paysage fuyait.
Était-elle réelle ? Ou bien n'était-ce qu'une illusion, une simple
combinaison d'ondes lumineuses ? Pourtant, elle sentait son

corps toujours plus lourd, le poids croissant de la vie qui se développait en elle. Cela était réel, trop réel.

La robe de popeline noire qu'elle avait portée lors de ses trois grossesses précédentes cachait les modifications de sa sihouette. Un corsage rose pâle mettait en valeur ses cheveux sombres et son teint délicat. Elle pouvait encore porter du rose, car malgré la vie au grand air elle ne bronzait ni n'attrapait de taches de rousseur.

Brenton ne revenait toujours pas. Elle avait franchi le virage, mais elle ne connaissait pas le chenal au-delà ; elle savait seulement qu'on trouvait l'eau la plus profonde à l'extérieur des courbes, et les hauts-fonds dangereux à l'intérieur, là où le fleuve coulait plus lentement. Bien que l'*Industry* se chargeât d'enlever les souches du fleuve, il y avait maints passages difficiles où le marin inexpérimenté risquait de s'envaser ou de s'échouer sur un banc de sable.

L'heure approchait de préparer les légumes et la bouillie du bébé. Elle s'occupait toujours personnellement de la nourriture des enfants, malgré la présence du cuisinier, davantage apprécié comme matelot de pont ; Charlie et Ben l'avaient surnommé le « Chef empoisonneur », et l'un demandait souvent à l'autre : « Qui a traité le cuisinier de bâtard ? » sur quoi l'autre répondait : « Qui a traité ce bâtard de cuisinier ? »

Délie se sentait épuisée. Ses mains étaient moites sur les rayons de la roue, son dos était douloureux. Entre ses sourcils, les trois petites rides de nervosité devinrent plus marquées. Brenton ne risquerait certainement pas un accident pour le simple plaisir de la punir ?

Un pas résonnant sur le pont lui redonna courage. Elle appela, et la tête de Ben apparut.

« Laissez-moi tenir la roue. Vous semblez fatiguée, dit-il tendrement. Depuis combien de temps dirigez-vous le bateau ?

— Oh, depuis une demi-heure à peine. J'aime vraiment ça, mais je ne connais pas le chenal. »

Il se campa à côté d'elle ; quand il tendit le bras pour saisir un rayon, elle déplaça la main sur le même rayon, et celle de Ben se referma sur la sienne. Elle se crispa aussitôt en une étreinte douloureuse, plaquant les doigts de Délie contre le

bois, tandis que la jeune femme sentait les yeux du garçon
rivés sur son visage. Délie regarda droit devant elle, mais le
rouge monta rapidement à ses joues pâles.

« Ma main, dit-elle avec distance. Tu me fais mal.

— Je suis désolé. » Il retira immédiatement la sienne. « Mais
vous êtes tellement belle ! Je... je tenais à vous le dire. »

Sa voix était basse, presque inaudible. Lentement, il inclina
sa tête brune pour embrasser la main posée sur la roue. La
gêne de Délie s'évanouit. Elle se sentit brusquement très mûre,
sage et maternelle.

« Merci ! Mais j'ignore si tu connais mon âge, Ben ? J'aurai
trente ans cette année ; et quand tu auras trente ans, j'en aurai
quarante — le début de la vieillesse. Par ailleurs, je suis
mariée.

— Je n'y peux rien. »

Pendant ce temps, le bateau abandonné à lui-même se dirigeait droit vers la rive bâbord. Ben se hâta de corriger le cap.

« Pour moi, douce amie, jamais vous ne serez vieille », dit-il.
J'ai lu tous les sonnets de Shakespeare dans le livre que vous
m'avez offert ; ils me font toujours penser à vous ;

> *Comment vous comparer à un jour d'été ?*
> *Vous êtes plus aimable et plus mesurée...*

— Ben ! Tais-toi ! Arrête immédiatement de dire des
bêtises. » Mais sa voix était douce et tendre.

« Ce ne sont pas des bêtises, c'est ma vie. Vous... êtes tout
pour moi : une mère, un professeur, une amie, une sœur et...
mon unique amour.

— Ben ! S'il te plaît ! »

Maintenant, il embrassait son bras, le creux de son coude
sous la manche relevée. Elle s'était sentie émue par sa voix
passionnée, et maintenant sa nature féminine la plus profonde
lui disait qu'il n'était plus un garçon, mais un homme doté des
désirs d'un homme. Elle se raidit et se contraignit à le blesser.

« Ben ! dit-elle durement. Je suis mariée, je suis la femme
d'un autre, et je vais avoir un autre enfant, très bientôt. *Son*
enfant. Il est mon mari, et je l'aime. »

Au moment précis où elle prononçait ces paroles, elle se
demanda avec une sorte de détachement si elles correspon-

daient encore à la vérité. Elle aimait l'image de Brenton, tel
qu'il avait été : l'amant joyeux, irrésistible, aux boucles dorées ;
et comme c'était toujours la même personne — évidemment ! — eh bien elle devait l'aimer encore.

Ben avait brusquement lâché son bras. «Je suis désolé,
bredouilla-t-il. Je crois que je me suis oublié.» Ce fut son tour
de rougir. Détournant les yeux, il fixa son regard sur le fleuve.

«Je dois descendre à la cuisine pour préparer le repas du
bébé.» Puis elle ajouta d'une voix plus douce, navrée de son
malheur : «Excuse-moi, Ben. Je suis très touchée et flattée,
comme le serait n'importe quelle femme. Mais dans quelques
années, le souvenir de cet instant te fera rire.

— Jamais !» dit-il d'une voix âpre.

Délie se demanda s'il fallait prévenir Brenton, puis décida
de se taire, du moins tant qu'elle pourrait éviter d'autres
scènes.

Elle devint froide et distante avec Ben, mais les enfants
l'aimaient beaucoup et recherchaient sa compagnie ; leur
présence contribuait à maintenir une atmosphère naturelle
entre les deux adultes.

Quand ils redescendirent à Morgan et furent amarrés au
quai, Brenton lui apprit que Ben allait quitter le *Philadelphia*.

Il vint faire ses adieux à Délie dans sa cabine. Il resta
debout dans l'encadrement de la porte pendant qu'elle changeait les couches du bébé ; une longue mèche de cheveux noirs
tombait sur son visage, elle était penchée au-dessus de l'enfant
qui se débattait.

«Tenez, autant que je vous les rende», dit-il sombrement. Il
tenait à la main le volume de sonnets. «Je connais par cœur les
plus beaux d'entre eux.»

Elle assit Alex sur la couchette du bas, puis saisit le livre
ouvert. Le sonnet numéro LXXXVII était entouré au crayon
noir :

Adieu ! Tu es trop précieuse pour être mienne...

Elle songea au volume annoté de Shelley qu'elle avait jeté
par cette même fenêtre, tant d'années auparavant ! Elle tendit
brusquement la main, et il la prit entre les deux siennes.

«Ce n'est pas un adieu, Ben; seulement un au revoir. Nous nous reverrons un jour, quand tu posséderas ton propre bateau.»

Pourtant, il allait quitter le fleuve, lui dit-il. Il était uniquement resté à cause d'elle; maintenant, il descendait jusqu'à Port Adélaïde pour embarquer à bord d'un navire de haute mer.

«Mais Ben, tu es trop intelligent et sensible pour devenir un simple marin. Et puis, tu es tellement gentil avec les enfants, tu devrais être maître d'école. Pour ce qui est de tes études...

— Peut-être, je ne sais pas. J'ai fait pas mal d'économies sur ma paie. Je n'ai jamais dépensé un sou pour le tabac ou l'alcool.» L'ombre d'un sourire passa sur ses lèvres. «Seulement pour des livres. C'est grâce à vous, et aux livres que vous m'avez prêtés, que je sais ce que je sais. Vous m'avez permis de découvrir tout un univers.

— J'en suis très contente.» Elle retira sa main.

«Je sais que je ne vous oublierai jamais.» Il la regardait comme hypnotisé, ses lèvres, ses yeux si doux, si vastes et d'un bleu si profond qu'il semblait s'y noyer. «J'aimerais vous demander une faveur, après quoi je m'en irai et je ne vous demanderai plus jamais rien. Philadelphia! Laissez-moi!... Juste un baiser. Un seul.»

Elle avait souhaité une séparation formelle et brusque, mais il s'était déjà emparé de ses deux mains, et il l'attirait lentement vers lui. Cédant à une impulsion subite, elle se pencha en avant, leurs lèvres se rencontrèrent et restèrent unies un long moment. Puis il fit demi-tour et sortit sur le pont en vacillant. Elle ne le revit pas.

60

Aucun affluent ne se jetait dans la Murray tout au long de ses cinq cents milles de vagabondage dans cette plaine desséchée de l'Australie. Le fleuve traversait une région assoiffée; aspiré par de puissantes pompes à vapeur, il arrosait les campements d'irrigation et les orangeraies qui ressemblaient à de vertes oasis parmi la pierre jaune et les sables brûlants.

Les feuilles venaient à peine d'éclore sur la vigne et les arbres fruitiers quand le quatrième enfant de Délie naquit à l'hôpital de Waikerie — une fille. Brenton fut d'abord ravi par cette naissance. Mais c'était un bébé chétif qui ne semblait jamais rassasié, même si, désespérée par ses pleurs interminables, Délie se levait deux ou trois fois chaque nuit pour lui donner des tétées supplémentaires.

Néanmoins, ces nuits mouvementées lui permirent de contempler et d'admirer la Comète de Halley, revenue cette année-là avec son cortège scintillant dans le ciel nocturne. Seules des infirmières travaillant de nuit ou des marins qui prenaient leur quart à minuit purent la voir aussi bien. Elle sema son panache étincelant dans le sombre ciel continental, et les étoiles qui brillaient dans l'air limpide se mirent à palpiter doucement à travers un nuage de lumière diaprée. Elle observa ce mystérieux et fascinant visiteur, qui ne devait revenir qu'après sa mort.

Quand Brenton constata que le nouveau-né pleurnichait de jour comme de nuit, sa fierté paternelle se mua brusquement en irritation. Une nuit, il se dressa sur sa couchette, se prit la tête entre les mains et rugit : « Si cette gosse ne la boucle pas dans une seconde, je la balance à la flotte ! »

Son visage évoquait tant celui d'un dément, avec sa grosse veine saillant sur son cou, ses pupilles dilatées et ses yeux injectés de sang, que Délie, descendue de sa couchette pour essayer de calmer le bébé, le serra contre elle pour le protéger. Brenton n'est pas dans son état normal, se dit-elle, il ne le pense pas vraiment ; mais la menace monstrueuse résonna longtemps dans la cabine exiguë, faisant vibrer l'air étouffant et confiné.

Bientôt, le bébé devint léthargique, s'arrêta de pleurer puis sombra dans un profond sommeil. Sa peau était cireuse, sa tête semblait anormalement grosse pour ses membres graciles. Presque un mois plus tard, quand ils retournèrent à Waikerie, Délie l'emmena à l'hôpital.

Le médecin qui avait mis au monde la petite fille examina l'enfant, puis regarda les seins de Délie. « Malnutrition, déclara-t-il laconiquement. Il faut l'alimenter oralement, mais au début elle risque de ne pas aimer ça. Il vaudrait mieux la laisser ici quelques semaines, le temps qu'elle s'habitue à son nouveau régime.

— Laisser le bébé ? Vous voulez dire qu'il n'est pas nécessaire que je m'occupe d'elle ?

— Exactement ; elle sera entre de bonnes mains.» Il la regarda avec sagacité par-dessus ses lunettes. C'était un petit homme corpulent à l'aimable visage rubicond, qui évoquait davantage un médecin de famille que le directeur d'un hôpital public. Une couronne grise de cheveux floconneux entourait son crâne rose. «Vous pourriez, vous aussi, reprendre un peu de poids, dit-il. Élever trois gamins sur un bateau ne doit pas être de tout repos, n'est-ce pas ? En tout cas, cela vous déchargera d'une quatrième bouche à nourrir.»

Elle expliqua qu'ils devaient partir pendant un mois au moins, mais le Dr Hample agita la main en signe de dénégation. «Ne vous inquiétez pas ; nous allons nous occuper de votre enfant jusqu'à votre retour. Vous ne la reconnaîtrez pas quand elle aura commencé de prendre du poids.»

Ce fut comme un sursis. Délie retourna sur le bateau, retrouva le silence béni des nuits paisibles, un Brenton moins irritable, un Alex heureux, persuadé d'être débarrassé une bonne fois pour toutes de sa rivale, et, surtout, moitié moins de couches à laver. Ses sentiments maternels étaient taris. Elle ne ressentait désormais qu'impatience et lassitude en face de ce petit bout de vie pleurnichard.

Pour la première fois depuis des mois, elle ressortit sa boîte de peinture. Elle avait laissé quelques traînées de couleur sur la palette, dans l'intention de les utiliser dès qu'elle aurait eu un moment de libre, lequel n'était jamais venu. La couleur avait séché en croûtes dures et friables. Elle les gratta avec un couteau, puis pressa des couleurs fraîches hors des tubes, ajoutant un gros tas de blanc en haut de la palette.

Elle ne savait pas encore ce qu'elle allait peindre, mais le contact des tubes et des pinceaux, ainsi que l'odeur de la peinture à l'huile la remplissaient d'excitation. Elle avait une toile déjà préparée, qui portait un dessin au fusain maintenant dépourvu de sens. Elle la nettoya avec du pain, puis chercha un sujet.

Ils étaient amarrés un peu en dehors de la ville, car l'ingénieur avait découvert un défaut dans le fonctionnement de la jauge à eau. Ses yeux rencontrèrent le large fleuve vert, des falaises jaune mat sur une rive, et une étendue monotone, gris et vert, couverte de saules sur l'autre rive. Un chêne noueux, squelette noir se détachant contre le ciel bleu, se dressait en haut de la falaise, à côté de deux cabanons en tôle qui constituaient manifestement les « cabinets d'aisance » de la propriété. On les avait autrefois peints en rouge, mais la couleur avait viré à un rose crayeux.

Alentour, il n'y avait que des falaises. Délie se mit bientôt au travail, peignant avec un réalisme impitoyable les emblèmes hideux de la civilisation, coincés entre le roc et le bleu infini du ciel. Les parallélépipèdes roses, dont un côté était plongé dans l'ombre, se détachaient magnifiquement contre le bleu du ciel. Quand elle gratta les sigles HOMMES et FEMMES dans la peinture humide, Délie se rappela le commentaire de tante Hester à propos du premier dessin qu'elle avait réalisé en Australie, lequel représentait la « petite maison » perdue dans le désert enneigé de Kiandra : « Ce n'est pas un sujet vraiment approprié pour un tableau, je dois le dire. »

Elle intitulerait son tableau *Égalité des sexes* dans le catalogue de sa prochaine exposition. C'était maintenant un sujet d'actualité, et cette provocation dérangerait certaines personnes. Délie adorait scandaliser les gens qui se prenaient trop au sérieux.

Avant qu'elle n'eût terminé, Gordon et Brenton vinrent l'assiéger d'innombrables questions et commentaires, puis Alex se réveilla, indisposé par la chaleur de l'après-midi. « Va t'occuper de lui, Gordon », dit-elle sur un ton d'impatience, sans s'arrêter de peindre. Quand le dernier coup de pinceau fut en place, et pas avant, elle remarqua brusquement les hurlements de rage ou de détresse qu'elle entendait sans y prêter attention depuis un long moment déjà.

Gordon revint et déclara avec une mine dégoûtée : « Il est cinglé. Il veut pas s'arrêter. »

Délie se sentit coupable, laissa tomber ses pinceaux et se précipita vers Alex, couverte de peinture.

«Poupée m'a mordu, geignait Alex. Méchante poupée rose...»

— Là, là ; la méchante poupée est partie maintenant», dit-elle pour le calmer. Dans les cauchemars d'Alex figuraient toujours des objets qui le mordaient ; leur diversité et leur originalité les rendaient dignes de figurer dans les annales de n'importe quel institut psychiatrique. Alex avait près de deux ans, sa toux inquiétante avait disparu, il avait une peau rosée au teint délicat, des sourcils noirs finement dessinés et des yeux gris. Il ne ressemblait vraiment pas à ses parents.

Elle embrassa les boucles soyeuses et humides de sa nuque, le fin duvet noir de ses cheveux. Ces quelques heures de peinture avaient apaisé une partie de la tension et des conflits qui faisaient rage en elle ; elle se sentait de nouveau heureuse d'être mère, détendue et comme régénérée.

Brenny arriva, puis colla son visage contre celui de son frère, chatouillant ses joues roses avec ses cils. Alex gloussa de joie. Délie les attira tous deux dans ses bras et s'abandonna à une sorte de bonheur animal, regardant leur peau douce comme des pétales, leurs cheveux brillants, leurs longs cils et leurs grands yeux clairs. Ils atteignaient maintenant le sommet de la perfection, tels des boutons de fleurs à peine éclos dans la rosée matinale. Impossible d'imaginer qu'ils dussent décliner et connaître la calvitie, les rides et les infirmités de la vieillesse !

Depuis longtemps déjà, elle était obsédée par le temps comme puissance destructrice qui emportait tous les êtres vivants vers le néant ; mais elle commençait maintenant à le considérer comme une qualité inhérente aux choses, qui existaient dans le temps comme dans l'espace. Désormais, elle devait voir le monde d'un œil nouveau, l'envisager sous son aspect temporel, si bien que les corps humains semblaient vaciller comme des flammes en période de sécheresse. En chaque vieillard elle discernait le jeune homme plein d'audace qu'il avait été, en chaque adolescent le nouveau-né fragile, et en chaque femme au visage séduisant l'épave ridée qu'elle deviendrait peut-être un jour.

Quand elle revit son bébé, il semblait aussi frêle et délicat et avait les mêmes cheveux noirs floconneux qu'auparavant ; pourtant, la petite fille avait déjà changé, elle avait grossi, ses joues étaient roses et elle débordait de vie.

« Elle prend deux cent quarante grammes par semaine, déclara fièrement l'infirmière en chef. Elle pousse quasiment à vue d'œil. »

C'était exactement l'impression de Délie ; pourtant, elle la voyait déjà se transformer en petite vieille ratatinée aux cheveux gris.

Elle aurait voulu donner à sa fille le prénom de Mignon, mais Brenton s'y opposa ; il voulait « quelque chose de simple ». Coupant la poire en deux, ils la baptisèrent Mignon et la surnommèrent Meg. Quant à Alex, maintenant qu'il pouvait tenir le biberon et nourrir sa petite sœur, il oublia son ancienne jalousie, et Brenton commença à sentir de l'affection pour sa fille, car elle pleurait beaucoup moins.

Je ne verrais pas d'inconvénient au fait d'avoir des bébés s'ils n'étaient pas aussi sales, pensait Délie en nettoyant la deuxième couche de la journée. Au moins il y avait de l'eau à volonté, mais la pollution du grand fleuve qui accueillait toutes les déjections humaines la faisait frissonner.

Cependant, le fleuve se purifiait lui-même dans son écoulement incessant, tout comme le temps absorbait les événements de l'histoire dans son flux sans jamais en être saturé, emportant toutes les souffrances et tous les combats vers un silence éternel.

Brenton lisait le rapport de la Conférence inter-États de 1911. De temps à autre, une exclamation lui échappait et il agitait nerveusement le journal.

« "Pas un fleuve au monde ne se prête plus facilement à l'installation d'écluses, lut-il, seule une fraction du débit actuel de la Murray serait nécessaire pour la rendre navigable pendant toute l'année." Bah ! Cela fait des années qu'ils le savent, pourtant ils n'ont encore rien fait. Si seulement le gouvernement de l'Australie du Sud commençait, les autres suivraient peut-être le mouvement.

« Le gouvernement de l'État en question, lut-il, était décidé à construire une série d'écluses afin de rendre le fleuve navigable en permanence jusqu'à Wentworth. Un accord inter-États était néanmoins nécessaire, car les écluses Nos 7, 8, 9, 10 et 11 seraient de l'autre côté de la frontière. La Conférence avait ratifié l'accord de 1907 par lequel l'Australie du Sud pouvait utiliser le lac Victoria, en Nouvelle-Galles du Sud, comme réservoir. Les travaux devaient commencer immédiatement; leur coût était estimé à 200 000 livres.»

Il jeta le journal au loin.

«Immédiatement! Voilà qui est bien dit. Pourtant, ils ne vont pas lever le petit doigt. La première conférence organisée pour construire des écluses sur le fleuve remonte à 1872, et aujourd'hui, quarante ans plus tard, rien n'a été fait. Si seulement il y avait des marins au Parlement!

— Pourquoi ne poses-tu pas ta candidature? demanda Délie, plaisantant à moitié.

— Je ne devrais pas m'en priver!»

Brenton se leva et se mit à arpenter le petit salon en donnant de violents coups de pied dans le journal. «Bon Dieu! Ils vont donc attendre qu'il y ait une autre sécheresse comme celle de 1902? Ça ne leur a pas suffi! Mais maintenant, s'il y a une autre sécheresse, ce ne sera pas seulement le trafic des vapeurs qui en pâtira, avec quelques vignerons. Aujourd'hui, des milliers de sociétés dépendent de l'irrigation tout le long de la Murray inférieure. Elles seront toutes acculées à la faillite; et quel scandale, quand tout le travail et l'argent investis pour créer les vergers et les vignes seront réduits au néant! Tous ces politiciens ne sont bons qu'à parler.»

Délie le calma, car elle redoutait les violentes colères de Brenton. Les enfants avaient appris à s'éloigner ou à faire le mort dès que la veine de son cou saillait, dès que ses yeux bleus s'injectaient de sang et brillaient d'un éclat sauvage. Au fil des mois, ses accès de violence devenaient plus fréquents. Dès qu'ils entendaient son pas vif et boitillant, les enfants semblaient se recroqueviller sur eux-mêmes et adressaient des regards gênés à leur mère.

Avec la petite Meg seulement, il se montrait toujours affectueux, maintenant qu'elle ne pleurait presque plus. C'était devenu une fillette solide et rieuse, qui avait hérité les cheveux noirs de sa mère et les yeux bleu-vert de Brenton.

Si seulement elle avait pu naître la première, songeait Délie, elle m'aurait aidée à élever les autres, contrairement à Gordon.

Pourtant, Gordon était son préféré; le timide et rêveur Gordon aux magnifiques boucles dorées qui rappelaient celles qu'avait eues son père, aux grands yeux bleus frangés de longs cils, comme ceux d'une fille.

Délie s'efforçait toujours d'être impartiale, de cacher sa préférence pour son fils aîné; en revanche, Brenton ne faisait rien pour dissimuler son penchant pour la petite Meg. Elle jouissait de libertés qu'aucun des autres n'aurait osé revendiquer. En gloussant, elle levait vers lui ses yeux bleus pleins de gaieté, essayait de grimper le long de sa jambe de pantalon comme sur un arbre à la cime inaccessible, et Brenton se penchait pour la poser sur ses épaules.

Le jeune Brenny était l'ombre de son père, il imitait le moindre de ses faits et gestes avec une admiration servile mêlée de terreur. Alex l'évitait autant que possible. D'habitude, il tenait un pan de la jupe de sa mère et jetait des coups d'œil craintifs à cet homme bruyant qui lui paraissait énorme. Gordon, timide et vaguement hostile, l'évitait aussi.

«Tu aimes Gordon plus que moi, n'est-ce pas? demanda un jour le jeune Brenny à sa mère, sur le ton de la conversation.

— Je vous aime tous, chéri.

— De toute façon, je m'en moque, rétorqua Brenny en changeant de sujet, parce que c'est moi que papa préfère. Je suis plus courageux que Gordie. Je peux presque lui flanquer une raclée, et je nage plus vite que lui. J'aimerais bien qu'il s'arrête de grandir pour que je sois plus fort que Gordie.

— Ne t'en fais pas, mon chéri, tu vas le rattraper. Quand tu auras dix-huit ans, tu seras peut-être plus grand que Gordon, et puis il aura cessé de grandir.

— *Vraiment?* Alors je pourrai le battre?

— Oh, cesse donc de parler de bagarres», dit-elle d'une voix lasse.

Gordon eut six ans cette année-là; elle songea qu'elle devrait commencer à lui apprendre à écrire et à compter. Il connaissait déjà son alphabet et savait lire les livres pour enfants qu'elle lui avait achetés. Gordon adorait les leçons que

lui donnait sa mère. Car il avait Délie entièrement à lui ; il
aimait l'odeur de ses cheveux quand elle penchait la tête à côté
de la sienne, le contact de ses doigts quand elle lui prenait la
main pour guider le crayon. Et puis les couleurs vives et lumineuses de son premier livre d'école étaient merveilleuses ; le
chat fascinant assis sur un tapis rose vif bordé de jaune, la
boule de cricket rouge, la batte orange, la bande bleue en haut
de l'image. Parfois il prenait grand plaisir à dessiner avec une
boîte de crayons de couleur sur du papier à étagère, traçant des
silhouettes d'oiseaux qui évoquaient de grands « V » volant au-
dessus d'une colline.

Il connaissait l'existence des collines et savait comment les
dessiner, bien qu'il n'en eût jamais vu. Au cours de sa brève
existence, il avait parcouru des milliers de milles sur un fleuve
qui serpentait sans fin dans une vaste plaine. Il n'avait vu
que des falaises au sommet aplati ou de basses dunes de sable.
Les collines étaient hautes et arrondies, il le savait, et
les montagnes hautes et pointues. Il *savait* que ces choses
existaient et que, quelque part, se trouvait une grande
étendue d'eau qu'aucune berge ne bordait, nommée la
mer.

« Tout là-haut, à l'endroit où naît le fleuve, lui disait souvent
Délie, se dressent de grandes montagnes bleues aux sommets
couverts de neige. La neige fond au printemps, l'eau descend le
fleuve et coule maintenant sous notre bateau ; elle a mis
presque deux mois pour arriver là. »

Gordon regardait alors par la fenêtre le paysage écrasé de
chaleur estivale et l'eau qui glissait silencieusement dans
l'ombre du navire. Elle était verdâtre, comme un tesson de bouteille miroitant au soleil, mais on ne voyait pas parfaitement
au travers ; et puis elle semblait froide, mais il savait qu'elle ne
l'était pas vraiment, car lorsque maman ou papa l'emmenaient
se baigner (il craignait toujours que quelque chose ne montât
d'un trou profond pour saisir son pied ; une fois, une herbe
s'était enroulée autour de sa jambe et il avait crié), elle était
assez chaude en surface, avec de bizarres zones plus fraîches ici ou là. Par temps calme, elle brillait comme du
verre, et l'on voyait tout en double comme dans un miroir ;
mais dès qu'il y avait du vent, l'eau s'agitait, prenait un aspect

sale, se couvrant d'une écume ressemblant à la surface d'un lavoir après la lessive.

Il apprenait à ramer sur le canot avec beaucoup de plaisir, à cette exception près qu'une rame semblait fonctionner bien mieux que l'autre. Si seulement les deux avaient marché aussi bien, il aurait pu aller très vite. Le matin, quand on avait posé des lignes de pêche pendant la nuit, il allait les relever, mais il n'aimait pas beaucoup enlever l'hameçon de la bouche de poissons vivants ; malgré tout, c'était excitant quand on faisait une bonne prise, car on pouvait manger de la brème ou du cabillaud au petit déjeuner.

Brenny voulait toujours l'accompagner, après quoi il désirait ramer ; à la fin, Gordon devait le repousser violemment, Brenny se mettait à hurler et papa entrait dans une colère noire. Gordon essayait donc de s'éclipser discrètement de bonne heure, sans réveiller Brenny qui dormait juste en dessous de lui.

De l'autre côté du fleuve s'étendait un vaste lagon parsemé de bouquets de roseaux prouvant que l'eau ne devait pas y être très profonde. Au-delà du lagon des falaises se dressaient, où il distinguait des cavernes mystérieuses, noires et pleines d'ombre. Il était très tôt, le soleil n'était pas encore levé, et le *Philadelphia* ne devait repartir qu'après le petit déjeuner.

Gordon ramait aussi silencieusement que possible. Il tenait à ne réveiller personne, désirait que toute l'étendue du fleuve n'appartînt qu'à lui seul, à lui et à la grande grue blanche qui pêchait, immobile au bord du lagon. Le ciel et le fleuve étaient nimbés de lumière, mais l'aube ne mettait aucune touche rose au paysage, car il n'y avait pas le moindre nuage. Gordon avait l'impression d'avancer dans un immense bol éblouissant.

L'image renversée des arbres figés sur le lagon silencieux semblait aussi réelle que les arbres eux-mêmes ; quand il se fut éloigné du bateau, il distingua un autre bateau renversé en dessous de lui. Un poisson sauta, et des rides concentriques firent trembler l'image du bateau qui disparut brusquement. Ensuite, les morceaux commencèrent à se remettre en place, à se recoller, et bientôt l'image réapparut. Cela ressemblait à un tour de magie.

Il jeta un coup d'œil par-dessus son épaule, repéra un gros arbre sur lequel mettre le cap, mais sans cesse il butait dans des roseaux ou y emmêlait ses rames. Le soleil était maintenant visible, une fumée bleue montait de la cheminée de la cuisine, pourtant il était encore loin des falaises. La plus vaste caverne n'était toujours qu'un trou minuscule dans le roc jaune.

Des bruits familiers lui parvinrent du bateau : l'éclat d'assiettes entrechoquées, un seau d'ordures qu'on vidait dans le fleuve, le fracas de la porte de la chaudière. On se préparait à partir ! Il essaya de ramer plus vite, enfonça trop profondément sa rame et faillit la perdre. Puis il s'échoua sur un massif de roseaux.

Il découvrit qu'il serait certainement plus efficace de se mettre debout et d'utiliser un aviron comme une perche. D'une dernière et violente poussée, il envoya la barque dans le fleuve, mais perdit l'équilibre et dut se rattraper au liston pour ne pas tomber à l'eau. Il lâcha l'aviron, lequel partit à la dérive sur le fleuve.

Il essaya d'abord de l'attraper avec l'autre aviron, mais craignait de le perdre aussi ; à ce moment, il entendit des cris inintelligibles venant du *Philadelphia*, il aperçut son père et sa mère penchés par-dessus le bastingage, et pensa qu'il ferait mieux de retourner vers le bateau.

C'était très difficile avec une seule rame : il tournait en rond ; pourtant, il s'approchait peu à peu. Il fut bientôt assez près pour voir que papa était furieux ; la grosse veine saillait sur son cou, son visage était cramoisi, et maman semblait pâle et inquiète. Brenny regardait aussi, ce qui était peut-être pire.

«Pourquoi n'as-tu pas récupéré l'autre aviron, sale petit crétin ? rugit son père.

— Il dérivait trop vite, et puis j'ai cru que vous me disiez de l'abandonner. »

Gordon se débattait comme un beau diable avec son unique aviron et finit par amener le canot près de la poupe.

«Heureusement qu'il n'y a pas de vent, sinon tu n'aurais jamais pu revenir, lui dit sa mère. Je t'interdis de prendre la barque sans le demander, tu m'entends ? Je me suis beaucoup inquiétée.» La voix de sa mère était pleine de colère et de reproches.

«Nous sommes prêts à partir; nous t'attendons depuis une demi-heure», gronda son père, comme il attachait la corde du canot. Gordon grimpa sur le gouvernail, puis une violente gifle sur l'oreille le fit s'écrouler sur le pont. «J'espère que cela te servira de leçon. Maintenant, retourne à ta couchette et restes-y.»

Se tenant l'oreille, le visage livide et les yeux pleins de larmes, Gordon monta les marches en chancelant; mais il ne laissa pas échapper la moindre plainte avant de se jeter sur sa couchette dans la cabine obscure.

Un peu plus tard, quand Délie entra avec un petit déjeuner qu'elle avait préparé spécialement pour lui, il tourna la tête vers le mur et refusa de la regarder.

61

Les études préliminaires concernant le réservoir du lac Victoria amenèrent une vie nouvelle à cette province désolée du sud-ouest de la Nouvelle-Galles du Sud, juste au-delà de la frontière d'une région aride et désertique de l'Australie méridionale.

Il fallait affermir les berges de ce lac peu profond enchâssé parmi les dunes de sable orange et de petites falaises d'argile rouge. Le réservoir possédait déjà un fond naturellement imperméable de fine argile, ainsi qu'une alimentation venant de la Murray le long de Frenchman's Creek. Il était question de construire des régulateurs sur ce torrent ainsi que sur Rufus Creek, le déversoir du lac qui rejoignait la Murray.

Mais une guerre devait interrompre les travaux, ajourner pour six autres années la transformation du lac en réservoir.

«Ils n'ont même pas commencé à travailler sur la première écluse, dit Brenton, et tant que la n° 9 ne sera pas construite, ainsi que les portes régulatrices, eh bien toutes les études préliminaires ne serviront à rien.

— Je suppose qu'il faut bien commencer quelque part, hasarda Délie.

— Alors ils devraient s'attaquer aux écluses. Tu verras : ils se feront surprendre par une autre sécheresse avant d'avoir fait quoi que ce soit. »

Il y avait un camp de géomètres sur la rive sud-ouest du lac, près du déversoir de la Rufus, et Brenton eut l'idée de vendre ses produits, ainsi que du whisky, aux hommes installés là. Car ils ne savaient pas quoi faire de leur argent, lequel leur brûlait littéralement les poches. Et il n'y avait pas d'alcool au camp.

« Et pas davantage de femmes, ajouta-t-il d'un air entendu. Ne descends surtout pas du bateau quand nous serons là-bas. Je ne veux pas avoir d'ennuis.

— Je suis assez grande pour m'occuper de moi, merci. »

Seul un petit vapeur comme le *Philadelphia* pouvait remonter les méandres étroits et boisés de la Rufus pour rejoindre le pont routier près du déversoir du lac, à huit milles de la Murray. Wentworth se trouvait à une soixantaine de milles, accessible par une piste grossièrement tracée à travers la brousse.

Les hommes du camp, dont les tentes se dressaient dans l'angle formé par le torrent et la rive du lac, trouvèrent leur bonheur dans les magasins du bateau. Ils s'agglutinaient derrière le comptoir qu'on avait construit à l'avant du navire, là où l'on entreposait autrefois la marchandise excédentaire. Matériel de pêche, allumettes, tabac, lanternes, verres de lampe, chemises en flanelle, conserves de fruits, pots de confitures, — toutes sortes de denrées changeaient rapidement de mains.

Délie sentait les regards des hommes converger sur elle tandis qu'elle allait et venait dans le magasin, prenait les marchandises sur les étagères et les passait à Brenton. Les regards masculins étaient admiratifs, lascifs, sentimentaux ou appréciateurs ; aucun ne restait indifférent à sa beauté. Dans cet avant-poste exclusivement masculin, elle était la Femme, le symbole de tout ce qui leur manquait.

Le jeune assistant d'un ingénieur géographe, mince et bronzé, l'appela pour lui demander si elle vendait la même laine que celle du pull-over qu'il portait. Il se retourna pour lui montrer une grande déchirure aux bords effilochés sur son épaule.

Elle se mit à chercher au milieu d'écheveaux de laine bleu ciel, heureuse de cette parenthèse, prétexte tout trouvé pour cacher son visage; car les yeux bleus du jeune homme l'avaient troublée. Son visage juvénile et plein de vie l'avait séduite; en un sens, il lui rappelait le Brenton d'avant son mariage. Bien que le jeune homme fût plus mince, il possédait la même assurance, le même charme.

«Ma mère l'a tricoté pour moi, dit-il, je ne voudrais pas devoir le jeter à cause de ce trou.

— Il aurait fallu le recoudre dès que vous l'avez troué. Maintenant, il a besoin d'une bonne reprise.

— Pas d'aiguille; enfin, si... je voudrais aussi un paquet d'aiguilles à repriser, avec des chas assez larges. Je ne suis pas très fort en couture.

— Laissez-moi votre pull-over, je vais le recoudre pour vous, dit-elle, cédant à une impulsion subite.

— De Dieu, vraiment? C'est terriblement gentil de votre part.» Ses yeux bleus, clairs et brillants de santé, la regardèrent avec gratitude; bien que les yeux d'Adam eussent été marron, ceux du jeune homme lui rappelèrent brusquement Adam. Ah, la jeunesse... Elle faillit pousser un long soupir en prenant le vêtement de ses mains, tandis qu'autour du jeune homme les clients se moquaient gentiment de lui et se plaignaient qu'eux aussi avaient beaucoup de raccommodages à faire...

«Revenez après le déjeuner, ce sera prêt», dit-elle en les ignorant.

Brenton, occupé à encaisser de l'argent, n'avait rien remarqué. L'ingénieur en poste, venu acheter un rasoir neuf, découvrit que le capitaine s'intéressait à tous les projets de retenue d'eau, et proposa de lui faire visiter le site des futurs travaux l'après-midi même.

Assise sur le pont supérieur devant la porte de sa cabine, Délie cousait avec de la laine bleue. Le pull-over, légèrement usé sous les bras, dégageait une odeur de transpiration virile qui était loin d'être désagréable.

Alex et Meg dormaient, Gordon et Brenny faisaient la sieste sur leur couchette en regardant des livres d'images. Pour Délie, c'était le moment le plus tranquille de la journée. Une pile de linge attendait d'être repassée, et elle avait beaucoup de couture à faire pour elle-même ; mais elle prit tout son temps pour exécuter une reprise impeccable qui aurait étonné sa tante Hester.

« Ça va ? »

Elle regarda par-dessus le bastingage la tête blonde du jeune homme qui la hélait. Vêtu d'une chemise propre bleu délavé, il avait manifestement plaqué ses boucles sur sa tête avec de l'eau.

« Je n'ai pas encore terminé. Venez », dit-elle.

Il monta à bord, puis tira une chaise pliante à côté d'elle, se penchant pour examiner son travail.

« Merveilleux ! s'écria-t-il en touchant la reprise d'un doigt allongé. Vous savez, c'est vraiment...

— Terriblement gentil de votre part ! » le taquina-t-elle. Tous deux rirent.

« Chut, les enfants dorment encore. »

Ils parlèrent à voix basse pour ne pas les déranger. Cela leur donna une impression d'intimité pendant qu'ils bavardaient côte à côte au soleil. Elle se sentit immédiatement à l'aise avec ce jeune homme, comme s'ils se connaissaient depuis des années.

Quand elle eut terminé, elle pressa la reprise entre ses doigts et la lissa avec la pointe de l'aiguille. « Là ! Il faudrait serrer davantage les points, mais au moins la laine ne s'en ira plus.

— C'est parfait. » Il prit le pull-over et le tira vigoureusement par-dessus sa tête.

« Attention, vous le mettez à l'envers !

— Je sais. Mais comme ça, votre reprise sera sur mon cœur », dit-il avec un regard qui ne trompait pas.

Rougissant, elle se leva rapidement. « C'est l'heure où les enfants se réveillent », dit-elle.

Elle jeta un coup d'œil dans la cabine où Meg était encore profondément endormie dans son berceau. Dans la pièce voisine, Alex dormait paisiblement. Venant du salon, ils enten-

dirent la voix de Gordon : « Nous pouvons nous lever maintenant, maman ?

— Mais oui, mon chéri. Tu sais mettre tes chaussures tout
seul, n'est-ce pas ?

— Je vous laisse, madame. Et merci encore.

— Ce n'est rien, dit-elle froidement et formellement au
jeune homme. Je suis certaine que votre mère aurait fait cela
beaucoup mieux. »

Quand il l'avait enfilé, le pull-over avait semé le désordre
dans ses boucles blondes ; il paraissait si charmant et si jeune
que Délie s'inquiéta de ses propres sentiments.

Gordon arriva sur le pont en traînant ses chaussures non
lacées.

« Bonjour ! » dit-il d'une voix amicale. Délie alla aider
Brenny à mettre ses chaussures. Quand ils ressortirent sur le
pont, Gordon et le jeune homme discutaient passionnément de
méthodes de pêche. Le visiteur disait à Gordon qu'il lui
montrerait comment préparer une ligne de fond, pour qu'un
cabillaud ne puisse jamais se détacher une fois qu'il avait
mordu à l'hameçon.

« Nous pouvons y aller, maman ? supplia Gordon.

— Hum... Le bébé va se réveiller dans quelques minutes.
Est-ce loin ?

— A quelques pas, sur la rive, madame.

— Bon, attendez une minute. » Elle regarda de nouveau les
deux enfants assoupis, puis mit un chapeau — elle en portait
rarement, mais sentit que cela lui conférait de la dignité, affirmait son statut de femme mariée.

Ils partirent tous les quatre à pied autour du lac. Elle craignait de perdre de vue les garçons, au cas où ils s'égareraient
dans les dunes arides.

Sur le chemin du retour, elle se sentit plus gaie, jeune et
insouciante que cela ne lui était arrivé depuis des années. Elle
ne reverrait jamais ce jeune homme, et cette perspective ne
l'attristait nullement ; pourtant il l'avait rendue heureuse
l'espace d'un après-midi. Il incarnait les deux amours de sa vie,
Adam et Brenton. Et cela fit naître en elle un regain de
tendresse pour son mari.

Ce soir-là, elle comptait parler de sa promenade à Brenton ;

mais dès l'heure du dîner, Gordon mentionna qu'ils étaient descendus à terre avec un homme du camp, qui était venu à bord pour « parler avec maman ».

Délie expliqua qu'elle lui avait proposé de recoudre son pull-over ; maintenant cela semblait bizarre et peu convaincant. Elle ne pouvait expliquer son impulsion subite, dire à son mari que le jeune homme lui avait rappelé son cousin Adam. Brenton fronça les sourcils, la veine de son cou se gonfla. Les enfants devinrent silencieux et tendus. Le soir, dès qu'ils furent couchés dans leur cabine, il se tourna vers elle.

« Ne t'ai-je pas dit de ne pas descendre du bateau sans moi ?

— Si, mais les garçons voulaient absolument y aller, et ce jeune homme semblait tellement gentil que...

— Tellement gentil ! Combien de temps est-il resté à bord cet après-midi ? Tu as dû te dire que cela te changerait, espèce de petite salope. »

Elle le regarda, trop ébahie pour répondre. Avait-il réellement dit cela ? Ses veines saillaient maintenant sur ses tempes comme sur son cou, son visage était rubicond. Une partie de l'esprit de Délie remarqua le contraste coloré entre son teint pourpre et ses yeux bleu marine.

« Alors comme ça, tu t'es dit qu'un "gentil jeune homme" te changerait agréablement de ton vieux mari éclopé ? » Il arpentait la petite cabine en boitant d'un air irrité, aidant sa jambe infirme d'une main nerveuse.

« Brenton, pour l'amour de Dieu, sois raisonnable. Il ne s'est rien passé, nous avons parlé quelques minutes, le temps que je finisse sa reprise, et puis nous sommes allés nous promener sur la rive avec les enfants.

— Je suppose que c'est le type que j'ai vu en revenant... Un petit gringalet aux cheveux blonds, je pourrais le mettre K.-O. d'un seul coup de poing. Alors je ne te suffis pas ? »

Il saisit le bras de Délie dans une poigne de fer.

« Combien de whiskies as-tu bus après le dîner ? demanda-t-elle avec mépris.

— T'occupe pas. Faut plus de quelques whiskies pour enivrer Teddy Edwards. » Il tordit le bras de Délie, la contraignant à s'agenouiller par terre. « Que s'est-il passé d'autre ? Avoue ! »

— Lâche-moi! *Lâche-moi!*» Furieuse, elle martelait son épaule avec sa main libre, essayait de mordre la main implacable qui enserrait son bras. Il la libéra soudain et elle s'écroula sur le sol.

Elle comprit que c'était la jeunesse de l'autre qui le mettait en rage. Brenton ne supportait pas de vieillir. Elle se releva lentement en se frottant le bras. Si seulement Ben était là. Elle pensa à Ben, toujours si doux, et qui l'aimait tant. Comme elle avait bien fait de ne pas parler de Ben à Brenton!

«Tu es tellement stupide, dit-elle froidement. Si j'avais voulu du changement, comme tu dis, j'aurais facilement trouvé un homme pour te remplacer, et depuis belle lurette. Tu ne sais donc pas que j'ai une foule d'admirateurs à Melbourne? Tu ne t'es jamais donné la peine de m'y accompagner, mais je t'ai toujours été fidèle. Et maintenant, tu me fais une scène de jalousie à cause d'un gamin que j'ai vu une seule fois, tout simplement parce qu'il te donne l'impression d'être vieux.»

La pique atteignit son but et Délie se réjouit méchamment du regard blessé de Brenton.

Il se détourna en refoulant un sanglot, puis se campa devant elle, menaçant. «Fous le camp! Dehors!»

Elle sortit la tête haute, puis se mit à marcher de long en large sur le pont obscur. Il avait osé lui parler sur ce ton! Après tout ce qu'elle avait enduré en silence, la fille dans la cabane, la femme aux épingles à cheveux dorées, Nesta, et combien d'autres?

Son esprit tourbillonnait au bord de précipices insondables. Pour la première fois, elle comprenait le sens de l'expression «son esprit chancela». Tout était terminé entre eux; c'était la fin.

Elle marcha vers la poupe, monta à bord du canot; ses doigts gourds dénouèrent la dure amarre. Elle passa sous le pont, puis pendant des heures rama sans but sur la vaste étendue du lac Victoria, tandis que les étoiles se déplaçaient lentement vers l'ouest et dansaient en points incandescents sur les eaux noires du lac.

62

Il y avait encore beaucoup de trafic sur la partie inférieure du fleuve — vapeurs de commerce, bateaux de pêche, navires habités, barques des «écumeurs de la Murray», et d'étranges embarcations monoplace mues par des pédales, comme une machine à coudre. Brenton trouvait souvent quelqu'un avec qui bavarder et il ne rentrait que très tard dans la nuit.

Délie avait pris la décision de ne plus partager sa couchette ; elle ne lui avait pas pardonné et ne désirait plus d'enfant.

«Si je n'obtiens pas ce que je veux ici, ne t'inquiète pas, je peux toujours aller ailleurs», lui déclara-t-il froidement, un soir qu'elle avait repoussé ses avances. Il s'habilla, sortit et ne revint que le lendemain matin.

Après cet affrontement, il la laissa tranquille ; pourtant elle était bizarrement mécontente et malheureuse. Le soir, elle faisait quelques dessins quand les enfants étaient couchés, pour ne pas perdre la main ; mais le plus souvent, elle s'endormait sur sa couchette peu après eux.

Un mois plus tard, un soir, Brenton rentra plus tôt que d'habitude, alors qu'elle venait d'éteindre la lampe. Elle resta parfaitement immobile dans l'obscurité chaude qui sentait encore le pétrole. Un moustique vrombissait près des lattes du plafond. Elle entendait la respiration lourde et rapide de Brenton pendant qu'il se déshabillait tout près d'elle dans la petite cabine ; elle voyait sa silhouette massive qui se détachait contre la portion de ciel étoilé encadrée par la porte. Dans un instant, il monterait sur la couchette supérieure.

Brusquement, traîtreusement, son corps se mit à le désirer, elle devint intensément consciente du moindre de ses gestes, de son souffle haletant, elle voulut le sentir plus près d'elle.

Je ne le désire pas, songea-t-elle. Je le hais. Mais l'instant suivant, quand il s'allongea sur la couchette de Délie, une immense joie la submergea.

«Non... Je suis fatiguée», protesta-t-elle faiblement.

Il rit avec assurance. «Tu me désires ; je le sens.»

Après tout c'est mon mari, pensa-t-elle juste avant que son moi conscient ne sombrât complètement. Mais ensuite, elle ne put échapper à l'impression lancinante que son corps l'avait trahie.

Ce n'était pas la première fois que ses sens prenaient le contrôle et supplantaient sa volonté. Ils l'avaient déjà trahie auparavant, quand elle avait désiré de toute son âme se donner à Adam ; son corps l'avait lâchée quand elle avait voulu poursuivre ses études d'art au lieu de se marier ; et sa faiblesse avait abouti à toutes ces années de maternité qui sapaient son énergie créatrice, transformaient les meilleures années de sa vie en une ronde infernale de tâches domestiques.

Les saints avaient raison de mortifier la chair, d'affamer et de flageller leur corps méprisable afin de le dompter. Car la chair n'était pas faible ; elle était forte, irriguée par l'implacable force vitale qui réclamait sa reproduction, et toujours s'opposait à la vie contemplative.

Elle aurait dû, songeait-elle avec désespoir, entrer dans quelque ordre religieux austère, doté d'une discipline stricte ; jeûne, continence, solitude et silence, voilà ce qu'elle désirait vraiment, ce qu'elle avait trop peu connu. Seule, elle aurait pu triompher de son esprit.

Alex était un enfant curieux, aux yeux pétillants de malice sous de fins sourcils noirs. Tout ce qui vivait et bougeait le fascinait, une chenille verte trouvée dans un chou, un beau papillon, ses ailes couvertes de poussière d'or et semées de points cramoisis, qu'il rapporta à sa mère dans sa petite main brûlante, « avec toute sa poudre qui tombait ».

Elle trouva pour lui quelques chrysalides du papillon nommé Vagabond Orange, qu'il plaça dans une boîte en carton garnie de branches et de coton. Mais il tripota tellement les superbes chenilles vert pâle qu'une seule survécut.

Délie le surprit en train d'observer, yeux écarquillés et visage attentif, les terribles efforts que faisait l'insecte pour émerger — l'éclatement de l'enveloppe maintenant transparente, l'apparition d'une aile fripée.

« Ça doit lui faire mal, disait-il sans arrêt.

— La naissance est parfois un moment épuisant ; mais ça vaut la peine de se battre pour sortir au soleil. »

Cela valait-il vraiment la peine, après tout ? se demandait-elle en regardant les mouvements frénétiques du papillon, s'interrogeant de nouveau sur cette force vitale aveugle et impersonnelle. Enfin l'insecte tout entier émergea, puis se reposa en tremblant, ses ailes déployées étaient aussi poisseuses qu'une feuille à peine éclose. Elle observa avec pitié cette malheureuse créature qui allait tomber dans le fleuve, devenir la pâture d'un oiseau ou d'un lézard, ou simplement mourir de froid l'hiver prochain.

Alex captura un petit lézard gecko sur une pointe de sable où ils s'étaient amarrés pour la nuit. Même lorsqu'il tendit la main, le reptile demeura immobile, le fixant de ses petits yeux brillants. Il le saisit par la queue — et l'instant suivant, le lézard était parti, tandis que le garçon tenait à la main l'horrible moignon qui se tortillait comme un ver. Alex le lâcha en poussant un hurlement de terreur. La queue continua à se convulser sur le sable, telle une chenille attaquée par des fourmis.

Il se rua vers sa mère en criant : « Sa queue, elle est tombée ! Sa queue, elle est tombée ! »

Elle lui expliqua que le lézard n'avait pas souffert, que sa queue était faite pour se détacher de son corps afin d'effrayer l'ennemi quand l'animal était en danger ; sceptique, Alex ne parvenait pas à croire qu'une nouvelle queue pouvait pousser au lézard. Son gros orteil aurait-il repoussé s'il l'avait perdu ?

Il était fasciné par les petites hirondelles qui, chaque année, faisaient leur nid sous le rebord du pont arrière. Elles n'émigraient jamais pendant l'hiver, contrairement à ces espèces qui, assurait maman, traversaient la mer pour rejoindre le Japon. Leurs hirondelles restaient sur le bateau été comme hiver, remontant et descendant le fleuve avec lui.

Il aimait les voir filer à toute vitesse autour du bateau pendant qu'ils naviguaient, passer au ras de la proue avant de rejoindre leur nid. Leur dos ressemblait à du satin bleu marine. Les humains ne les dérangeaient pas ; Alex était sûr qu'elles ne seraient pas effarouchées s'il mettait la main dans l'un des petits nids de boue pour toucher les oisillons. Mais maman ne lui permettrait jamais d'enjamber le grillage ; il ne savait pas diriger le canot, et on ne l'autorisait même pas à y descendre tout seul, car il ne nageait pas encore assez bien.

Un jour que papa et Gordon étaient descendus à terre pour transporter une pile de marchandises jusqu'à une ferme, il resta avec Brenny sur le pont arrière, près du grillage. Deux hirondelles revinrent vers leurs nids, chacune tenait un insecte dans son bec. L'un des petits, invisible, se mit à gazouiller d'excitation.

«Je vais grimper par-dessus pour regarder, dit Alex.

— Tu vas te faire disputer», l'avertit Brenny avec indifférence. Il boudait parce que son père ne lui avait pas demandé de l'aider.

Alex passa une jambe potelée par-dessus le bastingage. Il y avait un rebord de l'autre côté, large de quelques centimètres seulement. Il s'y accrocha d'une main, puis explora de l'autre l'espace situé sous le pont. Mais il avait le bras trop court et ne sentait rien.

Juste en dessous, l'eau verdâtre du fleuve coulait et sa surface soyeuse réfléchissait la lumière aveuglante du soleil. Il distinguait de minuscules insectes et jusqu'à des grains de poussière qui dérivaient au fil de l'eau. Il lâcha un filet de salive, vit les ondes circulaires s'élargir, scintiller en rides dansantes et dorées qui se réfléchirent sur la poupe.

Ses doigts de pied s'accrochèrent aux mailles du grillage et il se suspendit dangereusement au-dessus du vide. Ses fines boucles blondes pendaient, le sang empourprait son visage. Ses doigts réussirent à toucher le rebord d'un nid. Il sentit quelque chose de chaud et duveteux, puis tendit davantage le bras. Alors son pied glissa. Poussant un cri bref, il tomba la tête la première dans le fleuve.

Délie était dans la cuisine, occupée à mélanger de la purée de pommes de terre et du jaune d'œuf pour le bébé; le Chef Empoisonneur empilait des assiettes sur le plan de travail; le jeune Brenny arriva en courant et annonça avec un air important: «Alex est dans le fleuve!»

Délie laissa tomber la saucière par terre et se rua au-dehors, tandis que l'Empoisonneur, qui n'écoutait jamais «ces sacrés mioches», regardait d'un air absent la femme qui s'élançait, puis la purée répandue sur le sol; il tordit avec perplexité une extrémité de sa moustache jaunâtre.

Alex était tombé du côté opposé à la rive. Délie comprit

qu'à tout moment il risquait de couler en eau profonde. Il était allongé sur l'eau, le visage immergé, ses bras et ses jambes remuant faiblement.

Elle enleva prestement ses chaussures, puis sauta à l'eau à côté de lui. Dès qu'elle fut remontée à la surface, elle le saisit et le retourna; il était à moitié conscient et elle put le remorquer en nageant sur le côté. Quand elle sentit sous ses pieds la boue molle de la rive, elle poussa un soupir de soulagement.

Avant de sortir complètement de l'eau, elle prit Alex dans ses bras et lui mit la tête en bas; de l'eau s'écoula de sa bouche et de ses narines, il se mit à tousser et à pleurer. Autrefois, on l'avait, elle aussi, sortie ainsi de la mer...

Délie frissonnait dans ses vêtements mouillés; elle serra son fils contre elle pour le calmer. Brenton dévala la berge au pas de course, Gordon sur ses talons.

«Que s'est-il passé? Tu es tombée à l'eau?

— Alex est tombé, dit-elle d'une voix mal assurée. Si Brenny ne m'avait pas prévenue, il se serait noyé.

— Comment as-tu fait ton compte, fils? Tu as enjambé le grillage?

— Voui, papa. Alex voulait voir les hirondelles dans leur nid.

— Oh, Alex, vilain garçon! Tu aurais pu...

— Attends un peu, Délie. Bon, Alex, je veux maintenant que tu recommences.

— Quoi?

— Attends, je t'ai dit.» Il saisit l'enfant qui claquait des dents, monta à bord, puis le posa de l'autre côté du grillage, auquel Alex s'accrocha, terrifié. Brenton retira sa chemise et ses chaussures, et plongea dans l'eau.

«Maintenant, saute, dit-il.

— Je veux pas, je veux pas! Alex a peur de l'eau.

— Saute quand je te le demande! Tu ne risques rien si je suis là. Papa va t'attraper dès que tu seras dans l'eau.»

Qu'il eût lâché prise malgré lui ou obéi à son père, Alex tomba en poussant un faible cri. Brenton le prit dans ses bras dès qu'il remonta à la surface.

«Inutile de paniquer; tu n'as qu'à faire ce que je te

dis. Maintenant, allonge-toi sur le dos et laisse-toi flotter.»

Il tint quelques instants la tête de l'enfant, puis retira doucement sa main. «Tu vois, ce n'est pas compliqué. Hé, reste bien allongé sur l'eau. Étends-toi comme sur un lit. Si jamais tu retombes à l'eau, fais la planche jusqu'à ce que quelqu'un arrive.»

Délie était maintenant remise de son choc, mais elle prit Alex par la main dès que son père le ramena sur la berge.

A ses reproches, Brenton se contenta de répondre: «S'il n'était pas retourné aussitôt dans l'eau, il en aurait eu peur jusqu'à la fin de ses jours. Et un marinier qui ne sait pas nager, ça ne sert à rien.»

Craignant un refroidissement, Délie enveloppa Alex sur sa couchette avec deux bouteilles de whisky remplies d'eau chaude. Il somnolait déjà quand Brenton entra avec un bébé hirondelle, gris et duveteux, pelotonné dans sa grande main.

«Tiens-le au chaud dans ton lit un petit moment, mais ne lui fais pas mal. Il faut que je le remette dans son nid pour que sa mère lui donne à manger.»

Alex rayonnait de bonheur.

«Peuh! marmonna Brenny à voix basse. Si *moi*, j'avais enjambé le grillage, on m'aurait flanqué une de ces raclées...»

Tous les matins sur le pont, Délie donnait des leçons aux deux aînés. Gordon essayait souvent de faire disparaître les rides profondément marquées entre les sourcils de sa mère, et que la lumière crue du grand jour soulignait.

«Tu sembles tellement fatiguée», dit-il en levant les yeux de son cahier d'écolier pour examiner, avec le regard impitoyable de la jeunesse, les lèvres affaissées de Délie et le fin réseau des pattes d'oie au coin de ses yeux.

Elle se pencha pour corriger une faute d'orthographe, et Gordon examina sa tête toute proche. «Mais tes cheveux deviennent gris!

— C'est faux!» Elle sursauta et recula, comme mordue par un serpent.

«Si, c'est vrai!» Avançant la main, Gordon essaya d'arracher l'un des nombreux fils gris qui striaient la chevelure de sa mère. Ses doigts ne purent l'isoler de la masse noire et il en arracha plusieurs. Il les brandit triomphalement sous le nez de Délie.

Elle les prit avec irritation, puis les examina, silencieuse et troublée. Quatre cheveux luisaient du sombre éclat de la soie ; mais le cinquième, mort et gris, semblait plus rêche, plus épais.

Ce soir-là, elle regagna de bonne heure sa cabine où, à la lumière de la lampe, elle observa longuement, d'un œil critique, les altérations survenues si progressivement sur son visage qu'elle ne les avait pas remarquées. Elle s'assit sur la couchette inférieure, puis retira ses chaussures et ses bas.

Ses jambes étaient blanches, couvertes d'un fin duvet brun. Leur galbe s'épaississait ; sur ses mollets, un réseau de veines bleuâtres saillaient, car au cours de sa dernière grossesse elle était restée trop longtemps debout. Et ses pieds, ses jolis pieds gracieux ! Ses orteils s'évasaient, le petit doigt de pied était aplati par les chaussures portées depuis trente ans. Ce ne seraient plus jamais les pieds d'une jeune fille.

Comme le temps avait passé depuis ses treize ans, depuis le jour où ces mêmes pieds nus avaient pénétré pour la première fois dans les eaux fraîches et soyeuses de la Murray ! Délie ferma les yeux et se rappela cette nuit lointaine, l'appel distant et flûté des cygnes, les étoiles scintillant comme des diamants sur le sein apaisé du fleuve.

Vingt ans avaient passé ! Vingt ans !

Le fleuve qui lapait la proue du navire descendait régulièrement et paisiblement vers la mer. Et pourtant, elle avait le sentiment d'être entraînée dans un courant sans cesse plus rapide, un flux impossible à interrompre.

63

Dans l'univers restreint du fleuve, les affaires du monde semblaient lointaines et futiles. La politique était uniquement locale : législation portant sur la navigation ou l'industrie de la laine, jalousies entre États rivaux qui se disputaient telle ou telle portion du fleuve, conclusions des commissions inter-

États — on discutait de tous ces sujets âprement et en connaissance de cause.

Peu se souciaient des prétentions britanniques à défendre la Belgique contre toute agression, ou de la puissance et de l'arrogance grandissantes de l'Allemagne. Cependant, au cours des quatre années suivantes, d'innombrables gens du fleuve devaient trouver la mort loin de la paisible Murray, en France, dans les Flandres, ou à Gallipoli, pour défendre « la petite Belgique » contre l'envahisseur allemand.

Plus important pour Délie que les affaires du monde, plus terrible encore que la menace de la guerre, elle s'aperçut qu'elle était de nouveau enceinte. Elle reprocha à Brenton son imprudence, mais elle se reprocha bien davantage de lui avoir cédé malgré ses résolutions. Pareille faiblesse l'humiliait et elle se sentait punie.

Il buvait plus que jamais, ne l'aidait que rarement à s'occuper des enfants, qui le craignaient. Délie envisageait l'avenir avec désespoir. Cinq enfants! Elle sentit qu'elle ne pourrait le supporter, qu'elle préférait mourir.

Ce n'était pas tant le fait de revivre toutes ces épreuves, la lourdeur physique, les nausées et autres indigestions, les souffrances de l'accouchement; elle commençait à penser qu'elle se laissait submerger par les tâches domestiques, et qu'année après année, inlassablement, sans dormir ni se reposer, elle élevait des bébés.

Entre-temps sa jeunesse s'envolait, ses talents créateurs s'étiolaient alors qu'elle aurait dû peindre. Les falaises aux couleurs vives, les longues étendues paisibles de la Murray inférieure, les immenses eucalyptus inclinés, aussi gracieux que des saules, mais aux formes beaucoup plus originales, les lagons avec leurs roseaux et leurs oiseaux, tout cela l'emplissait douloureusement du désir de dessiner et de peindre.

Elle exécuta quelques esquisses au crayon et au fusain, nota quelques formes intéressantes dans son carnet de croquis en vue du vaste tableau qu'elle réaliserait « un jour ». Elle devait lutter contre son envie de couleurs, son désir de plaquer de larges masses colorées sur une grande toile, alors qu'elle lavait ou pliait des couches, préparait le repas des enfants, somnolait au chevet d'Alex, terrassé par une nouvelle attaque de bronchite, corrigeait les exercices de Gordon et de Brenny, ou baignait la petite Meg. Elle regrettait amèrement l'aide de Ben quand les garçons se battaient ou braillaient au point qu'elle-même avait envie de crier.

Quand elle parlait de cette situation à Brenton, il paraissait indifférent. Pour lui, d'autres fils signifiaient davantage de main-d'œuvre gratuite. Les enfants l'aidaient déjà comme matelots de pont. Son commerce lui rapportait beaucoup d'argent, surtout la vente du whisky au campement du lac Victoria, où il détenait un monopole, ainsi qu'à la ville officiellement privée d'alcool de Mildura, où il vendait des alcools forts à des prix tout aussi «forts».

Il décida de racheter une barge pour transporter davantage de marchandises, et d'engager deux autres mariniers. Il semblait avoir oublié sa manie de la vitesse ; une nouvelle obsession s'était emparée de lui : gagner de l'argent.

Un soir, elle le surprit en train de transvaser un peu de whisky hors de neuf bouteilles, dans une dixième qui était vide. Après quoi il ajouta de l'eau dans les neuf autres.

Délie appréciait les rentrées d'argent supplémentaires qui lui permettaient d'habiller les enfants ou d'acheter des couvertures, mais la façon dont cet argent était gagné la culpabilisait. Elle avait déjà protesté contre la vente de whisky au campement du lac Victoria ; un homme avait été tué lors d'une rixe au camp des ingénieurs, et un autre, tombé dans le feu alors qu'il était ivre mort, avait succombé à ses brûlures.

«Tu ne peux pas faire ça, Brenton ! s'écriait-elle maintenant. C'est malhonnête. Ils paient déjà assez cher le whisky...

— Qu'est-ce qui te prend ? Tant que ça a le goût de whisky, ils sont contents. Tu commences par me reprocher leurs rixes d'alcooliques, et maintenant tu te plains sous prétexte que je coupe le whisky ? Tu ne crois pas qu'il vaut mieux pour eux qu'ils le boivent avec un peu d'eau, même s'ils l'ignorent ?

— Tu as peut-être raison, reconnut-elle à contrecœur. Mais je préférerais que nous ne soyons pas mêlés à cela.»

Depuis la furieuse crise de jalousie de Brenton, elle n'était plus jamais redescendue à terre et n'avait pas revu le jeune homme au pull-over bleu, car sa grossesse l'empêchait d'aider son mari derrière le comptoir. Elle espérait que Brenton ne buvait pas trop ; ses yeux avaient été autrefois si clairs et si brillants.

Elle ne ressentait aucun besoin de compagnie féminine, mais une immense solitude pesait sur son âme. Elle avait été trop occupée pour entretenir une correspondance, et Imogen avait progressivement cessé de lui écrire. Elle n'avait pas séjourné à Melbourne depuis des années. Elle mourait d'envie de « parler boutique » avec d'autres artistes, de participer à des discussions stimulantes. Les deux journaux d'art qu'elle lisait ne faisaient qu'accentuer son impression d'isolement.

Un jour, à Morgan, alors que le *Philadelphia* chargeait des marchandises sur sa barge, elle remarqua sur le quai un personnage insolite et barbu — un homme au nez aquilin, aux yeux sombres et attentifs, qui serrait un carnet de croquis sous son bras et tenait une boîte de peinture à la main.

Elle observa ses lèvres minces et rouges sous une fine moustache noire, le nez osseux, arrogant, le pâle visage surmonté d'un panama, les vêtements élégants mais sobres. Il détonnait au milieu des dockers, des mariniers et des cheminots, comme une orchidée dans un champ de pommes de terre.

Elle descendit sur le quai et passa devant l'inconnu en scrutant ses yeux sombres. Comme elle, c'était un artiste, et elle désirait lui parler. Pendant ce qui lui parut une éternité, il lui rendit son regard ; puis ses yeux se fixèrent au-delà de Délie et le miracle prit fin. Mais l'humour avait brillé dans ses yeux, et le frémissement d'un sourcil l'avait encouragée. Délie ignorait pourquoi, mais cet homme lui rappelait son père défunt.

Il fit demi-tour pour gravir la pente de pierre blanche menant à la grand-rue. Elle le suivit, s'attarda devant une vitrine quand elle le vit entrer quelque part, mais elle ne put se résoudre à lui parler.

Avant qu'il ne ressortît et risquât de remarquer sa présence, elle se hâta de retourner à bord.

Le lendemain, elle l'aperçut qui posait sa boîte à peinture ainsi que des provisions dans une barque amarrée à la berge et chargée de matériel de camping. Il partit vers les falaises jaunes qui se dressaient en amont, au-delà de la courbe du fleuve, ramant régulièrement et sans effort. Il ne devait pas être très jeune, elle lui donna au moins quarante ans. Un désespoir irraisonné la submergea pendant qu'elle le regardait s'éloigner, comme si elle avait perdu un ami.

Avant qu'ils ne repartent de Morgan, l'eau commença de baisser. Le fleuve coulait, limpide et lent, car toutes les alluvions en suspension étaient tombées au fond de son lit.

«Ça mord, Dan?» tonitrua Brenton de la timonerie, alors que le *Philadelphia* s'approchait du camp du Vieux Dan, où des filets étendus sur la berge ainsi que des lignes de fond signalaient le quartier général d'un pêcheur professionnel.

«Bof, grogna Dan, que tous les gens du fleuve avaient surnommé La Déprime. Avec cette eau transparente, la perche et la brème sont au rendez-vous. Mais ce foutu fleuve bouge si lentement que le cabillaud ne va pas tarder à se terrer dans son trou. Je n'aime pas ça.»

Pour une fois Dan avait de l'argent, et il avait fait signe au vapeur de s'arrêter afin d'acheter quelques fournitures pour son campement — un pot neuf, une ou deux couvertures grises, plus quelques lignes et des hameçons de rechange.

«Ça fait presque quinze ans que j'ai ce pot», dit La Déprime en balançant un coup de pied dans un vieux bidon noirci posé près du tas de pierres qui lui tenait lieu de cheminée. «Et voilà qu'il me lâche. Cette saleté fuit comme une passoire.

— Tu crois que nous sommes bons pour une période de sécheresse? demanda Brenton. Ça me rappelle drôlement le début de 1902 — le temps, je veux dire. Je ne sais pas pour ce qui est du fleuve, car à l'époque je naviguais dans la partie supérieure.

— L'année prochaine, nous allons avoir droit à une sécheresse terrible, prophétisa Dan la Déprime d'une voix lugubre, retirant sa pipe noire de sa barbe jaunie pour l'agiter en l'air. Tu peux me croire, p'tit gars. Ce sera pire que la dernière en date, quand j'ai traversé le fleuve à pied en pleine ville de Morgan.»

Brenton prit un air maussade. Il croyait aux prophéties météorologiques des anciens. Pour la première fois depuis des années, il se retrouvait avec une barge en remorque, et davantage de marchandises à vendre qu'il n'en avait jamais transporté!

A un hiver sec succéda un été torride, et les sombres prédictions de Dan la Déprime se confirmèrent. Peu ou pas de pluie était tombée dans la Nouvelle-Galles du Sud et dans l'État de Victoria ; il faisait tellement chaud qu'une mince couche de neige recouvrait seulement les Alpes. Le niveau du fleuve baissait régulièrement.

Des millions de litres d'eau indispensable aux fermiers et aux maraîchers qui avaient construit tout un réseau d'irrigation se jetèrent en pure perte dans la mer. Au début de l'été 1914, la situation devint critique. A Renmark, la Compagnie d'Irrigation avait fait construire un barrage de sacs de sable en travers du fleuve afin de retenir suffisamment d'eau pour que les pompes puissent fonctionner jusqu'à la récolte des fruits. Tout le long du fleuve, les vapeurs se faisaient piéger dans des trous d'eau peu profonds, ou bien s'échouaient et s'enfonçaient chaque jour davantage dans la vase.

« Une seule écluse ! Avec une seule écluse, ils pouvaient retenir l'eau du fleuve, s'écria Brenton. Je t'avais bien dit qu'ils ne lèveraient pas le petit doigt avant qu'il y ait une autre sécheresse ! Dire qu'ils dépensent des millions en pure perte avec leurs chemins de fer qui concurrencent les vapeurs... Quelle bande de crétins. »

Il considérait cette sécheresse comme une preuve de la malveillance du Destin, de la Nature, ou de quelque autre abstraction ; car elle arrivait au moment précis où il développait son commerce, il avait englouti presque tout son capital dans l'achat d'une nouvelle barge et d'un gros stock de marchandises. Délie écoutait ses jérémiades et observait son visage sanguin, redoutant qu'il n'eût une attaque quand ils s'échoueraient sur un banc de sable.

Brenton n'était pas dans la timonerie quand cela arriva. Ils naviguaient entre Waikerie et Kingston ; il venait de confier la barre au nouveau second et regardait les vagues miner les berges à leur passage — signe indubitable d'un fleuve à son niveau le plus bas.

« Alf ! cria-t-il à l'intention de l'Empoisonneur. Va à l'avant du bateau pour sonder le fleuve. Je ne crois pas qu'il y ait plus d'une douzaine de centimètres d'eau sous la quille. »

Le contrôleur de marche était en position « lent ». Quand, en plein milieu du fleuve, ils heurtèrent un banc de sable généralement immergé sous de nombreux pieds d'eau, ils s'arrêtèrent doucement, sans le moindre à-coup.

Personne n'avait jamais entendu le nouveau second jurer. Il affichait une expression compassée en toutes circonstances, et avait emmené à bord, avec ses affaires, trois exemplaires différents de la Bible. Quand le capitaine rentra en trombe dans la timonerie, il découvrit le second à genoux, qui priait.

Brenton l'écarta en poussant un juron, enclencha la marche arrière et tenta de dégager le bateau, mais il réussit seulement à remuer du sable.

« Saloperie de tas de ferraille ! s'écria-t-il en arpentant la timonerie. Saloperie de fleuve, et saloperie de gouvernement qui se contrefout de la navigation. Quant à toi ! tonna-t-il en tournant autour du second qui faisait le gros dos, disparais hors de ma vue ! Grenouille de bénitier ! »

Il fit attacher un câble métallique autour du tronc d'un gros eucalyptus devant le bateau, et fixa l'autre extrémité sur un taquet de l'arbre d'entraînement. Le *Philadelphia* avança de quelques pieds, puis s'immobilisa de nouveau. On fixa un câble à l'arrière et les roues à aubes tournèrent à l'envers, tandis que les enfants observaient la manœuvre avec intérêt. Mais ils étaient bel et bien échoués, même si leur barge flottait librement derrière eux.

Peu de temps après, le *Philadelphia* se retrouva piégé dans un bassin d'eau stagnante, comme sur la Darling tant d'années auparavant ; mais cette fois c'était pire, car le navire était échoué sur un côté et le pont se mit à s'incliner à mesure que le niveau de l'eau baissait. Les objets glissaient ou roulaient sur les tables, pour un rien le lait débordait des pots, les casseroles se renversaient sur le réchaud. On se serait cru en mer, avec la gîte régulière d'un voilier naviguant au plus près.

Les enfants s'amusaient énormément à courir sur le pont en pente avant de percuter le grillage, ou à marcher avec un pied plus haut que l'autre, en chantant : « Je suis né au flanc d'une colline, je suis né au flanc d'une colline. »

« Exactement comme en 1902 ! » grognait Brenton, qui ordonna à l'équipage de tendre des bâches sur la barge et le navire afin de protéger la peinture du soleil de l'après-midi. Comme il y avait à bord d'innombrables pots de peinture, l'équipage entreprit d'appliquer deux nouvelles couches sur les superstructures du bateau. Déprimé et impuissant, le capitaine se résigna à attendre une crue improbable.

Délie trouva cette situation moins insupportable que la sécheresse de 1902, car elle n'avait pas sous les yeux les souffrances des moutons à l'agonie sur les rives de la Darling, ni la misérable ferme isolée dans le maquis, près de laquelle ils s'étaient échoués. Les grands eucalyptus des berges conservaient leurs feuilles vert olive, leurs branches aux coloris délicats mauve et corail, ainsi que leurs énormes troncs lisses, ambre, gris et rose saumon.

D'un côté s'étendait ce qui avait été une île ; c'était maintenant un petit bois perdu dans une mer de boue, où des arbustes touffus entremêlaient leurs branches, où des saules et des coolabahs inclinaient leur feuillage bleu-gris. Au pied de la passerelle, Brenton fit poser des planches sur la boue, pour que les hommes puissent rejoindre l'île.

A l'autre extrémité du lagon où ils étaient échoués se dressait une haute falaise jaune, dont les teintes variées se détachaient contre le bleu profond du ciel. Une conduite d'irrigation courait sur son flanc, et on distinguait une pompe à vapeur à sa base. Une ferme devait se trouver là, invisible au sommet de la falaise.

Quand le lit du fleuve eut suffisamment séché, Délie descendit du navire et s'aventura dessus. Le fond de la Murray s'était transformé en un dallage hexagonal de boue cuite au soleil, strié de fissures si profondes qu'elles semblaient résulter de quelque convulsion de l'écorce terrestre. Çà et là, le fond était sablonneux, dépourvu de craquelures, mais présentait des anneaux concentriques, témoins des baisses successives du niveau de l'eau.

Délie rejoignit la partie la plus encaissée du fleuve, où serpentait encore un petit ruisselet, si étroit qu'elle pouvait l'enjamber, dernier vestige de l'imposante Murray. Elle se retourna pour observer le navire, constata que personne ne la regardait, puis, relevant ses jupes, prit son élan et sauta par-dessus le fleuve. Elle s'imagina racontant au cercle de ses petits-enfants ahuris qu'un jour elle avait sauté d'un seul bond par-dessus la Murray.

Elle leva les yeux vers les berges et découvrit que, tout en haut, de l'herbe verte avait commencé de pousser ; mais un univers de mort s'étendait autour d'elle. Quelques coquillages vides gisaient dans les fissures de la boue, la mâchoire blanchie d'une brème, un thorax de crevette, un poisson desséché.

En temps normal, dix mètres d'eau auraient recouvert la tête de Délie. Elle songea à cet énorme volume liquide, à la quantité d'eau nécessaire pour remplir seulement cette portion du fleuve, à supposer même qu'il ne se fût pas écoulé vers la mer à la vitesse de deux ou trois milles à l'heure. Il semblait que le fleuve était mort, que plus jamais il ne coulerait.

Pourtant, elle avait déjà contemplé ce spectacle de désolation ; si seulement les plans des ingénieurs avaient été réalisés au lieu de moisir dans les tiroirs d'un ministère !

Les ingénieurs avaient déjà montré de quoi ils étaient capables en construisant l'énorme barrage Burrenjuck sur la Murrumbidgee. Déjà il permettait de sauver du bétail dans les territoires irrigués de Riverina. Un autre barrage de cette taille sur la Murray, plus une série de déversoirs et d'écluses pour empêcher l'eau de s'écouler vers la mer, suffiraient à régulariser le régime du fleuve. Seule l'incapacité des États à s'entendre entre eux s'opposait aux travaux.

On avait même envisagé de bâtir un mur ou un immense barrage en travers de l'estuaire du fleuve, que l'on fermerait en période de sécheresse pour empêcher l'écoulement de l'eau douce ainsi que la pénétration de l'eau salée dans la Murray ; car toute la partie inférieure du fleuve était maintenant salée, et l'on avait pêché un mulet d'eau de mer à Mannum, à plus de cent milles de l'estuaire.

Elle regarda les pentes couvertes de boue séchée et se demanda si elle verrait jamais l'embouchure du fleuve, la longue plage blanche où déferlaient les vagues écumantes et dont elle avait entendu parler dans son enfance ; ou si sa vie s'achèverait dans un bassin d'eau stagnante comme celui-ci, déchue et détournée de ses buts élevés, cernée par les témoignages désolants d'expériences révolues.

64

La ferme qui se dressait au sommet de la falaise était très différente de la maison du maquis où Mme Slope menait une existence stérile et sans espoir. Les terres étaient irriguées à partir du fleuve, et la maison, fraîche et confortable, construite dans le calcaire local et entourée d'arbres fruitiers.

Quand l'épouse du fermier apprit l'état de Délie, elle lui proposa de s'occuper de ses enfants pendant son séjour à l'hôpital. Les propres enfants de Mme Melville, tous adultes, avaient quitté le foyer, à l'exception d'un fils, Garry, qui aidait son père à s'occuper de l'orangeraie, des champs de luzerne et des vaches. Jim, l'aîné, était marié et habitait la station d'irrigation de Waikerie.

La maison se dressait en retrait des falaises ; le sentier qui y aboutissait commençait assez loin de l'endroit où le vapeur était échoué. Il suivait une sorte de faille dans le mur abrupt de roche jaune, épousant le tracé d'un escalier naturel. Mais vers le sommet, sur cinquante pieds, il avait fallu tailler des marches dans le roc.

Quand M. Melville voulait descendre, il préférait emprunter la conduite d'eau, chemin plus rapide bien que dangereux ; il se laissait choir par-dessus le bord de la falaise et glissait en quelques instants jusqu'au niveau du fleuve. De là, un étroit sentier tracé au bas de la falaise rejoignait les dernières marches, où une barque était amarrée.

La compagnie d'une autre femme enchanta Mme Melville. Surmontant sa peur des marches, elles avait visité le bateau, après quoi Délie et ses deux aînés, l'avaient raccompagnée à la ferme. Mais ce fut la petite Meg qui la toucha le plus, sa gaieté amicale et son visage épanoui.

Jadis, elle-même avait peut-être eu le teint aussi frais, — ses yeux et ses sourcils étaient encore sombres, mais ses cheveux étaient gris acier, et deux taches roses coloraient ses joues pleines de santé.

« J'aimerais tant avoir de nouveau quatre enfants, dit-elle à Délie, qui n'en crut pas ses oreilles.

— Pourtant, cela représente tellement de travail ! » s'écria-t-elle. Dernièrement, elle avait consacré beaucoup de temps à tailler et coudre de nouvelles chemises de nuit pour elle-même et le bébé dans du tissu pris sur le stock du bateau, et à rattraper tous les travaux de couture qu'elle repoussait depuis des mois.

« C'est parce que vous les élevez dans des conditions très difficiles. Comme cela doit être lassant d'habiter un espace aussi réduit, et de dormir sur une couchette. Ce doit être terriblement inconfortable.

— Pas du tout ! dit Délie pendant que Mme Melville remplissait une bouilloire et la posait sur le poêle. J'adore ça ; pour rien au monde je ne voudrais vivre dans une maison. Il y a juste une chose qui me manque.

— Quoi donc ?

— Un robinet avec l'eau courante.

— Vous n'avez pas l'eau courante sur le bateau ? Toute l'eau dont vous avez besoin, vous la puisez dans le fleuve avec un seau ?

— Pas toute. Quand le moteur tourne, elle est pompée automatiquement dans un réservoir, lequel alimente la salle de bains. Mais Brenton dit qu'un robinet dans la cuisine serait ouvert en permanence et qu'on gâcherait beaucoup d'eau.

— Eh bien ! Et vous arrivez à faire la cuisine dans une pièce aussi minuscule ?

— Oh oui, c'est là que j'ai appris à cuisiner ; j'ai étudié des livres de recettes, et les cuisiniers que nous avons eus à bord m'ont appris ce qu'ils savaient. J'étais fermement décidée à devenir une bonne cuisinière, et je crois avoir réussi, bien que ma maladresse me fasse souvent casser des œufs à tort et à travers, ou renverser les paquets de farine.

— Tout simplement parce que vous n'avez pas assez de place ! » rétorqua triomphalement Mme Melville. Elle promena un regard satisfait sur sa vaste cuisine impeccablement rangée. « Il vous faut davantage d'espace.

— Non, pas du tout, s'obstina Délie. Les grandes pièces impliquent davantage de sol à nettoyer. Tout est tellement compact sur le bateau. Pensez au temps que la plupart des femmes consacrent au nettoyage de leurs planchers, de leurs fenêtres, de leur véranda et de leur porche. Les travaux domestiques sont une vraie corvée ; on nettoie seulement les choses pour qu'elles puissent se ressalir.

— Peut-être, je ne sais pas, dit Mme Melville avec un petit rire, l'air vaguement choquée. Je n'y ai jamais pensé sous cet angle. Mais je dois dire que je n'aimerais pas bouger tout le temps.» D'un geste décidé, elle versa l'eau bouillante sur le thé.

«Nous ne bougeons pas en ce moment, et c'est terrible.

— N'empêche, je crois que vous devriez persuader votre mari — je veux dire, quand vous aurez cinq enfants — de prendre un travail à terre, ou au moins de vous installer dans une petite maison au bord du fleuve pendant qu'il voyage.

— Lui demander cela ne me viendrait pas à l'esprit», répondit Délie.

Pour Délie, Mme Melville avait oublié le fardeau que représentaient quatre enfants dont l'aîné était âgé de huit ans, tout comme elle avait oublié l'épreuve qu'elle allait endurer quand la fermière lui proposa de s'en occuper pendant quinze jours. Mais ce fut un grand soulagement, car elle redoutait de les laisser à Brenton dans son humeur actuelle, surtout avec les caisses de whisky entreposées à bord.

Une route longeait les falaises, mais il aurait été malaisé de charger les caisses sur la barque, de les hisser au sommet de la falaise pour ensuite les faire transporter par chariot. Sur l'autre rive du fleuve s'étendait un espace désolé de marécages desséchés, d'arbustes, de roseaux et de bras de rivière transformés en marais bourbeux.

Le *Philadelphia* était échoué sur une langue de sable reliée à l'île, sur la rive opposée aux falaises. Quantité de lapins, et même quelques lièvres habitaient cette île ; et comme le fleuve était poissonneux, ils ne manquèrent jamais de nourriture.

Brenton mit en congé sans solde le mécanicien et Prentice l'Empoisonneur, puis resta à bord, morose et solitaire, après le départ de Délie et des enfants. L'hiver avait commencé, mais nulle part on n'entendait parler de pluie. Il se sentait condamné à végéter éternellement dans ce trou d'eau saumâtre ; pourtant, il refusait d'abandonner le bateau sans personne à bord.

M. Melville emmena Délie à l'hôpital de Waikerie dans son camion motorisé, voyage cahotant et pénible sur une piste qui serpentait entre les dunes et traversait des lits pierreux de torrents à sec.

Après la dernière anesthésie, Délie aborda la phase finale de l'accouchement avec un sentiment de triomphe. Non parce qu'elle mettait au monde un autre bébé — cela n'avait désormais rien de nouveau —, mais pour la première fois il lui sembla savoir comment s'y prendre. Ce savoir que, dans leur sagesse, les femmes aborigènes transmettaient aux jeunes filles de la tribu avant qu'elles n'accouchent de leur premier enfant sur des feuilles d'eucalyptus propres et dotées de vertus antiseptiques, elle l'avait acquis lentement et douloureusement, seule.

A chacun de ses six accouchements, elle s'était approchée un peu plus de ce savoir millénaire, qui disait tout simplement qu'il ne fallait pas *lutter contre* la douleur, mais *faire corps avec elle*, accueillir chaque spasme déchirant comme une nouvelle étape vers la libération et se laisser porter comme une pierre sur le lit du fleuve en crue.

Au lieu de s'arc-bouter contre la souffrance, elle s'abandonna à elle, et aussitôt elle devint plus supportable. «C'est bien, petite! Pousse! Vas-y! Tu approches de la lumière», chuchota-t-elle, retrouvant d'instinct les paroles des anciennes chansons psalmodiées par les aborigènes pour hâter la venue de l'enfant : «Viens! Voici ta tante qui attend de te voir. Viens! Ouvre tes yeux sur cette journée splendide...»

On souleva un instant le nouveau-né pour qu'elle pût voir ses cheveux noirs mouillés et ses yeux hermétiquement clos. Une petite poupée chinoise, pensa-t-elle dans un demi-sommeil. Le lendemain, elle attendit longtemps qu'on lui apportât son bébé — c'était une fille, lui avait-on dit — mais la lumière déclinait, le soir tombait et elle n'avait toujours pas vu son enfant.

Brusquement, toutes ses appréhensions revinrent. Quelque chose n'allait pas. Elle avait seulement entrevu son visage la nuit dernière, à minuit, quand le bébé était né.

«Où est mon bébé? demanda-t-elle à l'infirmière chargée de la surveillance nocturne des femmes qui venaient d'accoucher. Pourquoi ne me laissez-vous pas le voir?

— Vous la verrez demain, dit la religieuse d'une voix apaisante. De toute façon, vous n'avez pas encore de montée de lait. Aujourd'hui, nous l'avons laissée se reposer, après le dur labeur de la mise au monde.

— Pourquoi ? répéta Délie, méfiante. La naissance a été normale, n'est-ce pas ? Ç'a été un accouchement facile, non ?

— Oui, en effet. Je dois dire, ma fille, que vous avez été formidable, répondit chaleureusement la religieuse. Si toutes les parturientes étaient aussi coopérantes que vous...

— Ce n'est pas la première fois. »

Elle se détendit et cessa de s'inquiéter. Elle se sentait ici chez elle ; il lui semblait que quelques jours à peine s'étaient écoulés depuis son dernier séjour avec Meg. Et maintenant un autre bébé ! Bientôt, elle en aurait plus qu'assez ; mais pour l'instant, elle tenait à profiter de son sommeil...

Le lendemain matin, quand on lui apporta son bébé, il était éveillé et rivait sur elle deux petits yeux sinistres à la forme bizarre. Elle l'examina avec une curiosité douloureuse, le cœur battant la chamade. Apparemment apathique, il ne s'intéressait pas à ses seins, même si avec l'aide de l'infirmière il finit par téter.

Dès que l'infirmière fut partie, elle examina ses traits en détail. Le nez se réduisait à une simple proéminence, la bouche était informe, les oreilles étrangement petites et implantées bas sur la tête ; le crâne lui-même avait une forme étrange, plus large que long.

Les doigts tremblants, elle retira le châle et la couverture, puis allongea le nouveau-né sur l'oreiller. Ses membres semblaient normaux, bien qu'un peu courts. Mais la tête et les yeux dont les coins étaient recouverts par des plis de chair bouffie lui rappelèrent le petit monstre répugnant de la ferme du maquis, avec ses minuscules yeux rusés et ses borborygmes animaux. Elle entendit de nouveau Mme Slope lui dire : « Le médecin affirme que cela peut arriver à n'importe qui... » Pourtant, elle ne posa aucune question à l'infirmière quand elle revint pour placer le bébé dans un berceau à côté d'elle. Lorsque le médecin entra pour l'examiner, avec son regard enjoué et plein de sagesse, son visage rond et bon enfant, elle se sentit soulagée par sa seule présence. Il lui avait rappelé l'époque de la maladie de Meg, et ils étaient amis.

«Le bébé, tout va bien pour lui, docteur?» demanda-t-elle d'une voix hachée, luttant pour s'asseoir sous le dessus-de-lit blanc dès qu'il eut finit de l'examiner. Elle sentait des larmes d'épuisement et d'angoisse sourdre sous ses paupières.

«Bien sûr qu'elle va bien, dit-il chaleureusement, mais Délie ne pouvait voir son visage tandis qu'il sortait le petit paquet de son berceau. Les deux ou trois premiers jours, ils paraissent tous un peu bizarres, mais vous connaissez ce phénomène.

— Oui, je sais... Pourtant, sa tête?

— Hummm... Un peu déformée par l'épreuve de la naissance, peut-être. Cela arrive souvent. Il n'y paraîtra plus dans quelques jours.

— Pourtant, l'accouchement a été facile, elle est plutôt menue, elle ne pèse que sept livres.

— Ne vous tracassez donc pas, ma chère. Les soucis sont déconseillés aux jeunes mères. Et puis je suppose que vous ne désirez pas que vos angoisses fassent tourner votre lait», dit-il en portant le bébé vers la fenêtre.

Il garda le dos tourné au lit pour examiner l'enfant à la pleine lumière, palpant les fontanelles au sommet du crâne, pendant que Délie l'observait intensément. Il saisit un poing minuscule et déplia les doigts, regarda soigneusement la paume de la main; il déplia les orteils qu'il étendit sur sa propre main. Le bébé bâilla et le médecin en profita pour examiner son palais.

Quand il se retourna pour remettre le bébé dans son berceau, il était à contre-jour, mais Délie crut discerner une expression de souffrance sur son visage, avant qu'un masque de gaieté ne vînt la remplacer.

«Bon, dit-il, vous connaissez la formule : il faut les gaver et les laisser dormir. La montée de lait est normale, n'est-ce pas? Je ne pense pas que vous aurez des problèmes d'allaitement avec celle-ci, d'autant que vous êtes en excellente santé. Reposez-vous pendant dix jours ici, et vous pourrez la ramener chez vous.»

Les lèvres de Délie remuèrent en silence. Elle voulut demander : «Est-elle mentalement anormale? Deviendra-t-elle une idiote?» Mais les mots refusaient de sortir. Elle n'osa pas interroger le médecin.

De la porte, il lui adressa un salut amical, puis quitta sa chambre.

Elle s'allongea et tira le drap sur sa tête, s'abandonnant à l'horreur et au désespoir. Elle savait, aussi sûrement que s'il lui avait avoué la vérité. Elle repoussa le drap, se pencha sur le côté du lit, puis souleva le nouveau-né avec effort et déroula une fois encore la couverture. Examinant les pieds, elle remarqua que le gros orteil semblait s'écarter des autres, mais que les pieds étaient normalement constitués. Puis les mains ; ce n'étaient certainement pas des mains d'artiste, plus larges que longues, avec des doigts courts et boudinés, et un pouce incurvé. C'était surtout la tête qui l'effrayait, le crâne court, les oreilles difformes. Pour un bébé, ce n'était pas si grave, mais cela deviendrait une fille, puis une femme.

Elle prit le bébé contre son sein, mais pendant qu'il tétait, elle détourna le visage vers le mur.

L'infirmière en chef refusait obstinément d'admettre la moindre anomalie, bien qu'elle eût remarqué que la mère n'était pas très heureuse de son enfant ; alors qu'on devait empêcher d'autres mères de troubler le sommeil de leur enfant par leurs marques d'affection, celle-ci prenait seulement le sien dans son lit pour l'allaiter à intervalles réguliers, restant allongée en lui tournant le dos, fixant le mur ou regardant la fenêtre.

Lors de la visite suivante du médecin, la dernière avant le départ de Délie (car il s'était absenté pendant une semaine, retenu par une urgence dans l'arrière-pays), l'infirmière en chef entra avec lui, et commença d'un air solennel :

« Nous devons vous dire quelque chose, madame Edwards. Votre bébé aura besoin de soins particuliers...

— Je sais. Voudriez-vous me laisser seule avec le docteur ? »

L'infirmière parut légèrement offusquée, puis sortit avec majesté, bombant le torse et tenant très droite sa tête surmontée d'une toque blanche. Le médecin haussa les sourcils et adressa à Délie un regard impuissant.

« Je crois que vous savez déjà ce que j'ai à vous dire, ma chère.

— Oui. » Sa voix était atone, sans expression. « Mon bébé

est un idiot congénital. Elle ne sera jamais mentalement adulte. Elle sera toujours laide et gauche ; plus elle vieillira, plus son état s'aggravera. J'aimerais simplement savoir pourquoi. Mon premier enfant est mort-né, c'était un bébé magnifique, parfaitement formé. Et maintenant, ce... cette chose a le droit de vivre. Pourquoi ? »

Il haussa les épaules, puis étendit les bras en un geste d'impuissance, paumes tournées vers le ciel. « Qui pourrait vous répondre ? Ces anomalies sont apparemment inexplicables. Si vous désirez connaître les raisons cliniques, nous sommes dans le brouillard le plus complet. Cela semble se produire sans raison ; néanmoins, on croit que des facteurs prénatals sont responsables — irrégularité endocrine chez la mère, fatigue émotionnelle, tuberculose ; nous ne savons pas. Mais une chose est certaine : plus la mère est âgée, plus il y a de chances pour que cela se produise. Quel âge avez-vous, trente-quatre ans ?

— Presque trente-cinq. Mais je connais un cas, j'ai vu un cas sur le fleuve, où la mère n'était qu'une jeune fille.

— Un cas de crétinisme, très probablement. Cela s'explique aisément par les glandes de l'enfant, mais le phénomène ne devient évident qu'à partir du sixième mois. D'ailleurs, il s'agit d'une maladie qu'on peut soigner. Mais cela, c'est un cas typique : la ligne simienne, le pouce incurvé, la forme du crâne et des pieds, je crains qu'on ne puisse rien faire pour un enfant mongolien.

— On ne peut rien faire. » Mais aussitôt elle pensa : Oh mais si, on peut faire quelque chose. On *doit* faire quelque chose.

65

Les irisations lumineuses dansaient au plafond de la cabine tandis que Délie se reposait sur sa couchette, les yeux grands ouverts. La lumière tremblait en ondes vibrantes... qui dansaient, comme dans une ronde enfantine, où une petite fille pleine de joie de vivre...

Elle gémit puis enfouit son visage dans l'oreiller. A côté d'elle, le bébé était allongé dans son berceau, calme, remuant les mains sans but précis, apercevant peut-être les formes fascinantes qui se métamorphosaient constamment au plafond. Les mains de Délie se crispèrent désespérément sur la taie d'oreiller.

Comme la vie pouvait être haïssable, d'une cruauté totalement gratuite. Son premier bébé, l'enfant de l'amour et de la joie, n'avait même pas respiré. Et maintenant la haine et la honte avaient engendré ce monstre plein de santé qui respirait parfaitement, grandissait normalement... Pendant le restant de ses jours elle aurait cette calamité sous les yeux. Aujourd'hui, elle savait ce que Mme Slope devait ressentir.

Levant la tête, elle regarda le berceau, et son visage se figea comme un masque. Puis elle sortit sur le pont, où Brenton posait des lignes de pêche.

«Brenton, pourrais-tu monter à la ferme ce matin pour demander à Mme Melville de garder les enfants quelques jours de plus? Je sais que nous devons les récupérer demain, mais je crois que cela ne posera pas de problème.

— D'accord, mais pourquoi?

— Je ne me sens pas... je ne me sens pas encore tout à fait rétablie. Et puis je voudrais que le bébé soit en pleine forme.

— La petite me paraît en excellente santé. Bien que ce ne soit pas une beauté. En tout cas, ce n'est pas à *moi* qu'elle ressemble.

— Tu iras?

— Je t'ai dit que j'étais d'accord.»

Ce matin-là, il avait pêché un assez gros cabillaud, que Délie cuisait au four avec des pommes de terre et une farce délicieuse.

«Tu deviens un vrai cordon bleu, dit-il du bout des lèvres en se resservant. Mais tu ne manges pas. Qu'est-ce qui se passe?

— Je t'ai dit que je ne me sentais pas très bien. De plus, je me fais du souci pour... Oh, arrête de me poser des questions!», s'écria-t-elle d'une voix hystérique.

Il la dévisagea, puis posa sa fourchette sur la table. «Tu ne sembles pas dans ton assiette. Va te reposer sur ta couchette, si tu veux. Je débarrasserai la table quand j'aurai fini de manger.

« — Tu veux bien ? Je... je crois que je vais aller me promener ; une bonne marche m'aidera à dormir.

— Non, il y a trop de serpents tigrés sur l'île.

— Alors j'irai ramer sur le lagon. »

Elle descendit toute seule dans la barque — cette même
barque où Brenton l'avait invitée par un soir fatal, voici tant
d'années, où il l'avait embrassée tandis qu'ils dérivaient sur le
fleuve.

La déchéance et la ruine inévitables de tout rapport humain
éveillaient en elle une sombre tristesse. Elle comprenait maintenant que la mort d'Adam était loin d'être une tragédie ; car
dans la mémoire de Délie, il restait toujours jeune, beau et
aimant ; le spectacle de sa décrépitude et de son indifférence
progressive lui avait été épargné.

Prenant les avirons, elle rama jusqu'à l'extrémité du lagon
d'eau stagnante où ils étaient emprisonnés. Tout était tellement
différent quand le fleuve coulait. Elle aimait alors remonter le
courant à la rame, puis laisser le bateau dériver au fil de l'eau,
lentement, lentement mais inéluctablement entraîné par le
courant. Alors il lui semblait faire corps avec le fleuve.

Maintenant, quand elle cessait de ramer, la barque s'immobilisait, oscillait légèrement à cause de la faible brise. Elle
écouta le chœur des grenouilles, l'appel d'une poule d'eau
effrayée, les gouttes d'eau qui tombaient des rames. Le temps...
son esprit retourna vers son obsession ; pourtant le temps
paraissait suspendu tant qu'elle restait immobile, les avirons
figés au-dessus de la surface lisse du lagon.

Mais même en cet instant, le bébé respirait, grandissait,
vieillissait... Elle avait l'absolue certitude que c'était un mal.
Elle devait simplement se montrer forte et inflexible, faire ce
qu'il fallait, pour le bien des autres enfants, pour le bien du
bébé lui-même. Aucune sentimentalité, aucun argument en
faveur du caractère sacré de la vie humaine ne devait l'empêcher d'agir.

D'un geste décidé, elle plongea les avirons dans l'eau et fit
voler en éclats le reflet d'une étoile. Seules quelques étoiles
brillaient, car une froide lumière bleue envahissait encore le
ciel. Quand elle arriva sous la poupe et saisit la corde d'amarrage, elle se figea, horrifiée. Dans la lumière du crépuscule, elle

distingua une tache rouge sur la corde. Elle la lâcha aussitôt en poussant un faible cri. Il y avait deux autres taches à l'avant de la barque. Du sang... Elle regarda la paume immaculée de ses mains, puis se hâta de monter à bord, son cœur battant douloureusement dans sa poitrine. Brenton dormait déjà sur la couchette supérieure.

Par une splendide matinée ensoleillée, elle marchait sur la berge du fleuve et foulait le sable jaune d'une longue plage qui descendait progressivement vers l'eau. Quelqu'un avait creusé un trou dans le sable, tout près du bord, remarqua-t-elle.

Elle se dirigea vers le monticule irrégulier qui s'élevait à côté du trou. Il lui sembla marcher longtemps avant d'y arriver. Saisie d'une réticence mystérieuse, elle regarda dans le trou. Un enfant y était allongé, un petit garçon d'une dizaine d'années, aux magnifiques cheveux blonds et aux yeux fermés. Immédiatement, elle comprit qu'il s'agissait d'une tombe.

Mais certainement pas de la tombe de cet enfant! Car il semblait dormir, sa peau luisait de santé, ses joues étaient légèrement roses et ses cheveux brillaient au soleil. Quand elle avança, une petite cascade de sable tomba et se répandit sur le bras nu du garçon.

Elle vit les paupières frémir, essayer de se lever. Les yeux s'ouvrirent; sous les paupières une cavité blanche grouillait de vers.

Poussant un hurlement, elle se retourna pour courir, mais le sable cédait sous ses pas et semblait l'aspirer.

Elle criait toujours quand Brenton la réveilla, penché au-dessus de sa couchette. Après cela elle somnola par intermittence, redoutant le sommeil, jusqu'à ce que les premiers rayons de soleil matinal envoient des reflets dansants sur le plafond de la cabine.

Elle sut que l'enfant de son rêve était son premier fils, enterré depuis longtemps dans le sable de la berge du fleuve, près de Torumbarry. Il aurait aujourd'hui dix ans, non, onze. Elle se leva, balança le seau par-dessus bord, puis passa un peu d'eau froide sur ses yeux enflés.

La corde du seau lui rappela quelque chose; avec une

crainte superstitieuse, elle alla à la poupe et tira la barque vers elle. Il y avait une tache de peinture rouge vif sur la corde, et deux autres à l'avant de la barque... Sous le banc de nage elle découvrit un petit pot de peinture rouge, que Brenton avait dû utiliser la veille pour fabriquer un leurre à cabillaud. Elle faillit rire de ses craintes passées. Une fois de plus, elle se sentit forte et déterminée.

«J'y vais», dit Brenton. Sans lui jeter un regard, Délie continua de laver la vaisselle. Le bébé, nourri et habillé aussi soigneusement que d'ordinaire, dormait dans son berceau. Elle se rappela que, le premier soir où elle avait dîné avec lui à bord, Brenton avait refusé son aide pour la vaisselle... Étrangement, son esprit retournait inlassablement vers cette époque. Elle savait que les événements de cette année lointaine avaient inéluctablement abouti au présent qu'elle vivait aujourd'hui, à ce jour précis de son existence, qu'elle n'oublierait jamais.

«Veux-tu que je demande quelque chose pour toi à la ferme?

— Non. Embrasse les enfants de ma part. De toute façon, Mme Melville te donnera des œufs et de la crème.

— Elle va me demander des nouvelles du bébé.

— Dis-lui... dis-lui qu'il va bien.»

Il sauta assez lourdement dans la barque, qui oscilla sous son poids puis se stabilisa. Il installa les avirons, les remua quelques instants au-dessus de l'eau, et commença de ramer. Délie, qui l'observait avec impatience, eut l'impression qu'il mettait des heures à partir.

Parce que le temps l'obsédait, les transformations physiques de son mari la frappèrent violemment. Elle remarqua l'empâtement de sa silhouette, son visage rubicond aux traits lourds, ses boucles grises, autrefois dorées comme le soleil, puis elle baissa les yeux sur ses propres mains crevassées, vit des taches de son sur leur dos. Oh, pourquoi le temps nous détruisait-il ainsi? Lentement, imperceptiblement, il nous minait!

Elle alla terminer la vaisselle, ranger méticuleusement assiettes et couverts, balayer la cuisine, sortant sans arrêt pour voir si Brenton approchait de la rive. Quand elle le vit atteindre les falaises et amarrer la barque à un gros rocher, elle monta dans sa cabine pour regarder le bébé, toujours profondément endormi. Puis elle redescendit et fit les cent pas sur le pont inférieur.

Brenton gravissait maintenant la fissure de la falaise. Elle monta sur le pont supérieur, puis redescendit. Elle ne tenait pas en place. Serrant les poings, elle monta de nouveau les marches. Quand elle aperçut la cabine devant elle, son cœur se mit à battre frénétiquement dans sa poitrine. Grâce au Ciel, elle avait pris sa décision !

Elle vit tout de suite que l'enfant endormi avait roulé sur le ventre et semblait inerte dans son berceau. Il pouvait soulever un peu la tête, mais pas longtemps, car les muscles de sa nuque n'étaient pas encore assez développés. L'oreiller était épais et mou.

Pivotant sur ses talons, elle sortit de la cabine en courant, dévala l'escalier au-dessus du tambour de roue, puis traversa la passerelle et emprunta les planches posées sur la boue jusqu'à l'île. Elle ne s'était jamais aventurée loin sur l'île, car elle craignait les serpents tigrés, mais maintenant elle pénétrait toujours plus avant dans les fourrés de petits saules et de buis, inconsciente de sa destination. Les buissons qui poussaient en terrain marécageux lui barrèrent la route, mais elle continua d'avancer aveuglément, malgré les épineux qui écorchaient ses jambes. Elle savait qu'elle n'entendrait rien ; mais elle voulait être hors de portée du moindre bruit provenant du bateau.

L'île était très longue, bien que peu large. Quand elle eut atteint le chenal de l'autre côté — une simple bande de boue, avec un petit trou d'eau au centre —, elle en suivit le bord jusqu'à se retrouver du côté de l'île où le *Philadelphia* était échoué, d'où elle aperçut les falaises.

Elle songea à s'asseoir et attendre de voir la barque quitter le pied de la falaise, car ses jambes et ses bras étaient douloureux, égratignés, couverts de sang : mais elle ne pouvait rester en place. Au bout de quelques minutes, elle se leva et reprit son périple de l'île en sens inverse. Elle luttait contre le désir terrible de retourner à bord du bateau pour voir le bébé.

Délie arriva enfin en un point de l'île diamétralement opposé au bateau, et elle entendit soudain le bruit des avirons et le grincement des dames de nage. Elle s'effondra derrière un buisson. Quelque chose s'éloigna de ses pieds en bruissant, lézard ou serpent, mais elle s'en aperçut à peine. Elle tendit l'oreille. Était-ce l'enfant qui pleurait? Jamais elle ne pourrait revivre ce cauchemar...

Alors cela arriva, le cri de l'homme, teinté d'angoisse.

«Délie! Délie! Où es-tu?»

Elle s'obligea à marcher lentement, à ne pas courir. Elle ne devait montrer aucune inquiétude.

«Délie! Mon Dieu! Elle est tombée par-dessus bord! Délie! Où es-tu?

— Je suis là. Sur l'île. Je cherchais un...

— Viens vite. Pourquoi as-tu laissé le bébé?

— Quoi?

— Le bébé... je crois qu'il est mort. Il a dû se retourner sur le ventre. Il ne respire plus...

— Tu es sûr?»

Il la dévisagea quelques instants, frappé par la pâleur de son visage, ses membres égratignés, ses cheveux en désordre. Elle gravit la passerelle.

«Bon Dieu, pourquoi es-tu descendue à terre? A mon retour, la petite était là, le visage enfoncé dans son oreiller.»

Elle se hâtait maintenant, montait les marches quatre à quatre. Brenton avait posé le bébé sur la couchette; il était allongé, inerte, ses yeux bizarres à jamais clos. Sa poitrine minuscule ne se soulevait plus, aucune pulsation ne battait dans ses veines. Délie tomba à genoux près de la couchette, des sanglots de soulagement secouant son corps.

Dès qu'elle eut repris ses esprits, elle insista pour que Brenton allât immédiatement chercher un médecin à Waikerie. Il voulait emmener le bébé avec lui, mais elle n'en démordit pas; elle tenait à affronter le médecin ici même.

Quand Brenton fut parti et que le grincement des dames de nage se tut, elle se lava, se coiffa très soigneusement et mit sa plus belle robe en popeline couleur lilas. Son esprit s'était calmé. Elle ne devait pas sembler nerveuse ni simuler la souffrance, car le médecin se douterait certainement de son soulagement, voire de sa joie.

Elle s'assit sur la couchette, prit le nouveau-né sur ses genoux et le contempla rêveusement. Pour la première fois, elle affrontait la mort sans la moindre émotion. Son esprit restait de glace, elle ressentait seulement de l'étonnement en regardant les petits ongles des mains — continuaient-ils à pousser ? —, les cheveux bouclés. Rien n'avait changé dans l'apparence du bébé ; simplement, son cœur avait cessé de battre, ses poumons de respirer.

Si le souffle revenait, comme il arrive parfois aux noyés, la vie aussi reviendrait dans ce petit corps ; dans ce cas, comment croire que l'âme quittait le corps au moment de la mort ? L'âme, la personnalité, l'esprit semblaient uniquement une manifestation de l'énergie, exactement comme la chaleur. Et un enfant si jeune, au cerveau non encore totalement développé, pouvait-on vraiment affirmer qu'il possédait une « âme » ?

Oui, c'était la mort qui rendait la vie si mystérieuse. L'individu, cet organisme si fragile, si complexe et délicat, pouvait mourir à chaque instant ; pourtant, la force vitale était indestructible, qu'on l'appelle énergie, volonté, rythme ou Dieu.

Elle leva les yeux vers les irisations lumineuses qui dansaient au plafond et sur les murs : tout était là, comme dans la plus infime créature translucide se débattant dans la boue du fleuve, et « cela » avait irrigué ce minuscule échantillon d'humanité, fruit de sa propre chair vivante, pour finir par le quitter. Elle comprenait maintenant qu'on avait tort de dire « Il est mort » ; mieux valait dire « *Cela* l'a quitté, *cela* est parti, la vie l'a abandonné. »

Elle était toujours assise là, dans une sorte de transe, l'enfant mort sur ses genoux, quand Brenton revint avec le médecin au bout de deux heures. Elle entendit leurs pas sur l'escalier du tambour de roue, mais elle était si engourdie qu'elle ne put bouger. L'espace fugace d'un instant, elle crut que la vie l'avait quittée, elle aussi : qu'elle était morte. Puis elle ressentit une douleur lancinante dans les jambes et les bras quand le sang recommença de les irriguer, et elle songea qu'être rappelé à la vie devait être atrocement douloureux.

Baissant la tête, Brenton franchit le premier la porte basse. Le médecin entra derrière lui et posa sa sacoche sur la commode. Avant d'examiner le bébé, il saisit la main glacée de Délie et scruta son visage.

«Vous feriez bien de servir une boisson chaude à Mme Edwards, dit-il d'une voix brusquement soucieuse. Ses mains sont gelées.

— Oui, tout de suite, répondit Brenton, qui en profita pour ressortir.

— Quant à vous, allongez-vous sous les couvertures», ordonna le médecin à Délie. Il prit l'enfant mort dans ses bras et le posa sur un linge sur la commode.

«Je me sens bien...

— Vous avez pris froid, et vous êtes encore sous le choc, naturellement.» Il entreprit de déshabiller le bébé, et procéda à son examen. «Hum, oui... asphyxie, aucun doute possible. Je suppose que votre mari l'a découvert allongé sur le ventre, le visage dans l'oreiller?

— En effet.

— Combien de temps s'était-il écoulé depuis votre départ du bateau?

— Je ne sais pas... Un bon moment.

— Et tout vous a semblé normal quand vous êtes partie?» Un silence.

«Elle respirait normalement quand vous êtes descendue à terre?

— Oui.

— Pourquoi les mamans s'obstinent-elles à acheter des oreillers aussi mous? Rien de plus dangereux.»

Les pupilles de Délie étaient si dilatées que ses yeux semblaient totalement noirs dans son visage blême. Les mains crispées sur la couverture, elle regardait le médecin. Le dos tourné, il recouvrit d'un linge le petit cadavre.

«Je ne sais plus si je vous en ai parlé, madame Edwards, mais cela vous soulagera peut-être d'apprendre que très peu d'enfants mongoliens vivent au-delà de cinq ans, et que parmi ceux qui passent ce cap seulement la moitié atteignent l'âge adulte. En tout cas, votre fille avait une espérance de vie extrêmement faible.

— Oh!» Ce fut à peine un souffle.

«Ils sont surtout sujets aux infections pulmonaires, à la

tuberculose, et comme vous aussi êtes plutôt fragile des poumons... »

Marchant jusqu'à la fenêtre de la cabine, il regarda les quelques arbres et les buissons touffus qui poussaient sur l'île. « Vous allez souvent vous promener sur l'île, madame Edwards ? Elle ne semble pas particulièrement accueillante.

— Oh... je préfère ramer, mais, voyez-vous, Brenton était parti en barque, et puis j'ai pensé... » Elle ne put continuer. Il s'était retourné pour poser sur elle ses petits yeux brillants de sagesse et de compréhension. En un éclair, elle comprit qu'il savait. Les mots restèrent au fond de sa gorge. Suivit un silence interminable, pendant lequel elle s'imagina arrêtée, inculpée de meurtre, jugée coupable, condamnée à mort ou à la prison à perpétuité.

« ... Eh bien, je dois signer le certificat de décès. Raison de la mort : asphyxie. Il est parfaitement inutile que vous assistiez à l'enquête. Pour moi, la mort est due à un accident pendant que l'enfant n'était pas surveillé.

— Merci, docteur. » Les grands yeux de Délie exprimaient une immense gratitude.

Brenton arriva avec une tasse de cacao brûlant, puis invita le médecin à boire un whisky dans le salon. Il avait apporté une bouteille remplie d'eau chaude enveloppée dans une serviette, qu'il plaça contre les pieds de Délie. Évitant de regarder la forme menue dissimulée sous le linge funèbre, Délie but le cacao. Brusquement, elle se sentit complètement épuisée.

66

Les enfants posèrent très peu de questions. Comme ils n'avaient pas vu le bébé, celui-ci existait à peine pour eux. A leur retour sur le bateau, ils semblaient heureux et pleins de santé ; Délie fut ravie de leur présence, de leurs voix joyeuses, de leurs yeux intelligents. La montée de lait la faisait souffrir, mais le temps avait déjà recouvert de ses alluvions l'insupportable forfait qui reposait comme un roc au fond de son esprit.

Le médecin avait-il confié quelque chose à Brenton tandis qu'ils buvaient leur whisky dans le salon, ou lors du retour en barque ? Elle avait l'impression désagréable qu'il la regardait bizarrement. Le fleuve ne donnait aucun signe de vie, et son mari devenait chaque jour plus morose, buvait toujours davantage de whisky.

Un matin, Délie entendit des coups de fusil, sortit de sa cabine et le vit tirer sur un vol de pélicans qui se dirigeaient vers le bas du fleuve et leurs nids de Coorong, plus au sud. Il tira de nouveau, mais leur formation impeccable n'en fut pas modifiée. Il jura, puis visa encore.

« Brenton ! » Elle posa la main sur son bras. « Tu ne vas tout de même pas tirer sur des *pélicans* ! »

Ses yeux étaient embrumés par l'alcool, mais il baissa son fusil et rentra à l'intérieur. Elle entendit le bouchon sauter d'une nouvelle bouteille de whisky.

« J'aimerais tellement que tu boives moins, Brenton, lui dit-elle un soir, essayant d'adopter une voix égale, un ton impersonnel pour qu'il ne se sente pas insulté. Cela te fait du mal, et...

— Que veux-tu qu'un homme fasse, piégé dans un trou d'eau, recevant seulement des factures d'hôpital, la note d'honoraires du médecin... avec une femme qui ne lui sert à rien ? » D'un geste brusque, il déplaça la bouteille de whisky sur la table du salon.

« Tu ne devrais pas passer des heures ici, à boire tout seul...

— Avec qui veux-tu que je boive ? Avec toi ? » Il eut un rire méchant.

« Tu pourrais aller voir Jim Melville.

— Escalader cette falaise dans l'obscurité ? Tu veux peut-être que je fasse une chute et que je me casse le cou ? Que deviendrais-tu, hein ? Enfin, je ne crois pas que cela te ferait beaucoup de peine, sauf du point de vue financier.

— Brenton ! Comment oses-tu...

— "Brenton ! Comment oses-tu !" imita-t-il. Je ne veux pas dire que l'argent t'intéresse, tu n'es pas assez maligne pour ça. Je veux dire que tu aimerais être libre, débarrassée de nous tous, tu aimerais consacrer tout ton temps à barbouiller de la peinture sur une toile. Tu détestes les responsabilités, n'est-ce pas ? Seulement, tu ne peux pas y échapper, et sans moi tu serais plutôt mal barrée, pas vrai ? »

Elle ne sut que répondre. Ses paroles contenaient un peu de vérité, suffisamment pour la plonger dans le doute quant à ses propres motivations. N'avait-elle pas inconsciemment désiré la mort de son bébé, avant même sa naissance ? Avait-elle trouvé une justification dans son caractère anormal ? Un puits noir et sans fond lui sembla s'ouvrir à ses pieds. Délie poussa la double porte grillagée de la cabine, contre laquelle moucherons et papillons se jetaient en folle sarabande, et sortit sur le pont en vacillant.

Elle vit les étoiles inchangées, éternelles : Orion, qui se déplaçait vers l'Occident, la Croix, qui brillait juste au-dessus de l'île. Elles se réfléchissaient sur le fleuve, en un ciel renversé à l'éclat plus doux, légèrement troublé. Si elle le regardait assez longtemps, le fleuve devenait un ciel noir, et le ciel un grand fleuve qui s'écoulait régulièrement vers l'ouest. Le haut et le bas s'inversaient, tout devenait irréel.

Puis son esprit se libéra des étoiles consolatrices.

« Tu aimerais être débarrassée de nous tous. » Soupçonnait-il son geste, qu'elle s'était délibérément éloignée pour laisser mourir son bébé ? Elle doutait maintenant de sa décision. Elle marchait de long en large, torturée par la culpabilité.

Pourtant, ses anciennes convictions revinrent peu à peu. Le médecin avait compris — elle en était persuadée — et tacitement approuvé. L'enfant n'aurait jamais été mentalement adulte, son espérance de vie était minime. Elle s'accrocha à l'idée que son bébé avait seulement renfermé le germe d'une âme, qui croissait et se développait dans le corps comme dans l'esprit. Ce qu'elle avait détruit différait peu de l'embryon ou des deux cellules initiales. Et puis elle n'avait pas agi, sinon par défaut, et quelles que fussent ses intentions...

N'avait-elle pas ressenti le même cruel désespoir avant la naissance de ses deux derniers enfants ? Pourtant, son instinct maternel l'avait alors emporté. Elle avait sauté à l'eau sans la moindre hésitation pour sauver Alex de la noyade. Non ! Brenton avait menti par pure méchanceté. Son courage revint, la renforçant dans ses convictions.

Mme Melville vint lui rendre visite, lui apporta des fruits et des fleurs comme à une invalide, la submergea d'une sympathie que Délie eut beaucoup de mal à supporter. Pourtant, cette gentillesse fit poindre des larmes de reconnaissance dans ses yeux.

En août, la sécheresse sévit plus durement que jamais. Un jour, M. Melville apparut au sommet de la falaise, agitant les bras et criant une nouvelle si importante qu'il ne pouvait attendre de se laisser glisser par la conduite d'eau avant de ramer jusqu'au bateau. Plaçant ses mains en porte-voix, il cria. Délie et Brenton, debout contre le bastingage, distinguèrent un seul mot : « Guerre ».

Ils se regardèrent sans mot dire, émus par ce moment historique. Des rumeurs de guerre circulaient depuis longtemps déjà, et maintenant la guerre était là. Elle n'affecterait pas beaucoup l'Australie, bien sûr, et certainement pas cette partie du fleuve continental ; mais il y avait quelque chose de solennel, de dramatique, à penser aux hommes, même à l'autre bout de la terre, qui se mettaient en route pour s'entre-tuer, conquérir et détruire.

Délie se souvint de la guerre des Boers, de ses appréhensions à l'idée que Brenton pût y participer. Grâce au ciel, ses fils étaient trop jeunes pour celle-ci. Brenton affirma que tout serait terminé d'ici quelques mois.

Il fêta la nouvelle en ouvrant une autre caisse de whisky. A mesure que le nombre des bouteilles pleines diminuait, il se mit à veiller de plus en plus tard, chantant à tue-tête, battant la mesure sur la table avec une bouteille, empêchant Délie de dormir.

Son humeur était devenue si instable qu'elle craignait de lui faire le moindre reproche. Elle l'évitait autant qu'il était possible dans un espace si réduit. Il dormait tard le matin et se réveillait, l'haleine fétide et les yeux injectés de sang. Il marchait toujours avec une jambe raide, et elle remarqua que son élocution se brouillait de nouveau, devenait presque aussi incompréhensible qu'au lendemain de son accident.

Un soir où il était particulièrement bruyant, elle se dirigea à pas de loup vers la porte du salon pour la fermer afin qu'il ne réveille pas les enfants. Alex et Meg dormaient désormais dans l'ancienne cabine de l'ingénieur et du second, et les deux aînés dans la petite cabine récemment construite à l'arrière.

Alors que Délie tendait silencieusement le bras vers la poignée de la porte, Brenton leva ses yeux injectés de sang.

«Laisse ça tranquille! grommela-t-il. J'ai besoin d'air.

— Mais...

— Et puis tire-toi, tu m'entends? Quesse t'as à me r'garder tout le temps avec les yeux ronds?» Ses boucles grises étaient trempées, la grosse veine saillait sur son cou comme une corde pourpre.

Reculant sur le pont, elle fut stupéfaite de heurter quelqu'un.

«Gordon! Que fais-tu ici?» chuchota-t-elle.

Saisissant sa main, il l'entraîna vivement à l'écart. «Pourquoi fait-il tant de bruit? Il est cinglé, ou quoi?

— Chut! Non, simplement, ce n'est pas sa faute, mais la sécheresse le déprime, il boit trop. Il...»

Elle se figea, comme pétrifiée par la voix avinée qui sortait du salon:

«Criminelle! Saloperie de criminelle! Tu vaux pas mieux que moi, t'entends? Au moins, moi, j'aurais jamais abandonné ma gosse pour qu'elle meure. J'devrais t'faire la peau avant que t'en tues d'autres avec ta foutue négligence...»

Paralysés de terreur, étreignant leurs mains, la mère et le fils restaient figés sur le pont obscur. Ils entendirent une chaise racler le sol, tomber à terre, le bruit d'un verre qui se brisait... puis le claquement de la culasse d'un fusil qu'on ouvrait et refermait.

«Vite! murmura Délie à l'oreille de Gordon. Cours à l'arrière, tire Brenny de son lit et détache la barque. Monte dedans et attends-moi là-bas. Pas de bruit!»

Quand elle se glissa dans la cabine où dormaient les deux plus jeunes, et qu'elle prit dans ses bras les enfants ensommeillés, son esprit était calme et déterminé. La semaine dernière, quelque chose avait dû arriver à Brenton; comme si son ancienne blessure avait eu un effet à retardement sur son cerveau, et que, maintenant, il eût brusquement perdu la raison...

Elle était à mi-chemin de l'escalier menant au pont inférieur quand Alex se mit à geindre contre son oreille.

«Chut! Chut, mon chéri», chuchota-t-elle, terrifiée.

Mais à moitié réveillé, l'enfant commençait à gigoter dans ses bras. «Non! *Non!* Je veux pas, je veux pas!» cria-t-il. Ils entendirent comme un raclement sur le pont supérieur, puis la voix de Brenton:

«Qu'est-ce qui se passe, là-bas?»

Sans répondre, elle dégringola les marches jusqu'au pont inférieur, courut vers l'arrière. Elle tendit les enfants à Gordon, et au moment de monter dans la barque, aperçut Brenton penché sur le bastingage du pont supérieur, une lampe à la main et son fusil dans l'autre.

«Revenez!» rugit-il.

Les mains tremblantes, elle saisit les avirons, dirigea l'embarcation sous l'abri du tambour de roue, où il ne pouvait les voir. Puis elle rama de toutes ses forces vers la rive opposée, en direction de l'escalier taillé au flanc de la falaise.

«Reviens, 'spèce de salope!» Il était maintenant sur le pont inférieur. Ils entendirent une détonation sèche, et une balle ricocha sur l'eau, tout près de la barque. Heureusement, il faisait nuit noire! Délie redoutait surtout, non pas le fusil pointé sur eux, mais que Brenton sautât à l'eau pour les arrêter, et peut-être faire chavirer la barque. Mais il resta sur le pont, abreuvant sa femme d'insultes. Le claquement d'une deuxième détonation, puis d'une troisième, se répercuta contre la falaise. Il y eut ensuite le bruit sourd d'une chute, puis le silence.

Par la suite, elle ne put se rappeler comment elle avait réussi à faire gravir les marches de la falaise à ses enfants en pleurs et terrifiés par l'obscurité. Sans Gordon, elle ne serait jamais parvenue au sommet. Peut-être les ténèbres les aidèrent-ils, car ils ne distinguaient pas l'escalier vertigineux et ne soupçonnaient guère que le moindre faux pas risquait de les précipiter dans le fleuve. La ferme des Melville était plongée dans les ténèbres, mais ils furent bientôt accueillis par des voix et des lumières amicales.

«J'ai peur, j'ai peur! gémit-elle. J'ai entendu le bruit sourd d'un corps qui s'écroulait, et puis plus rien. Je me demande s'il ne s'est pas tué d'un coup de fusil.»

Mme Melville prépara du lait chaud pour les enfants qui tremblaient de peur, puis les coucha dans les lits encore tièdes dont ils venaient de sortir, pendant que Délie s'occupait des deux plus jeunes. Elle insista pour que M. Melville, qui voulait partir seul en barque jusqu'au bateau, se fît accompagner d'un policier et du médecin.

« S'il est vivant, il risque d'être dangereux, dit la fermière. Il a un fusil, et apparemment il a perdu la raison. Mais hâte-toi d'y aller. Il est peut-être blessé. »

La froide lumière de l'aube commençait à inonder le ciel et les coqs chantaient dans la basse-cour des Melville, quand le fermier revint, fatigué et les traits tirés.

« Il n'est pas mort, dit-il en posant tendrement sa lourde main sur l'épaule de Délie, l'obligeant à s'asseoir dans un fauteuil près du poêle à bois. Mais... vous devez être courageuse. Le médecin dit qu'il a eu une attaque et restera paralysé. S'il n'a pas d'autre attaque, il restera en vie ; mais la prochaine risque de lui être fatale. Je l'ai emmené à l'hôpital de Waikerie. »

67

En 1915, le fleuve se remit à couler. Délie comprit que la sécheresse était terminée quand elle entendit le courlis gazouiller dans les marécages : mais vers la même époque, elle comprit également que Brenton, autrefois si fort, actif et viril, ne marcherait plus jamais et demeurerait jusqu'à sa mort une masse de chair inerte.

Ironiquement, maintenant qu'il ne pouvait plus naviguer, les réformes qu'il prônait depuis si longtemps commençaient à être appliquées. La récente sécheresse (qui avait contraint les maraîchers de Renmark à transporter leurs produits en carriole jusqu'aux stations ferroviaires à un coût exorbitant) avait convaincu les États rivaux de régler à l'amiable le problème des écluses.

L'Australie du Sud devait construire neuf écluses entre

Blanchetown et Wentworth; le fleuve allait se métamorphoser en une série de marches gigantesques, chacune longue de quarante milles, qui assureraient toute l'année une profondeur d'eau de six pieds. Le 5 juin 1915, Sir Henry Galway, gouverneur de l'Australie du Sud, posa la première pierre de la première écluse à Blanchetown.

Délie lut à un Brenton silencieux le compte rendu de la cérémonie publié dans le *Marion*; on parlait de foules en délire, de la présence de parlementaires. Brenton entendait ce qu'on lui disait, mais ne semblait pas toujours comprendre le sens des mots. Il répondait aux questions en fermant les yeux, une fois pour acquiescer, deux fois pour dire non. Comme il n'avait pas perdu de poids, le spectacle de cet homme massif immobilisé sur son lit était plus affligeant que s'il eût été mince et maigre.

A sa sortie d'hôpital, il pouvait encore articuler quelques mots. Mais il se contentait de répéter, inlassablement: «Je veux... Je veux...»

Bien qu'elle tendît désespérément l'oreille, penchée tout près de ses lèvres, bien que la sueur perlât au front de l'infirme à cause du terrible effort qu'il faisait pour s'exprimer, il ne dépassa jamais ces deux mots. Délie se demanda s'il voulait dire qu'il préférait mourir, ou s'il y avait quelqu'un qu'il désirait voir absolument. Mais quand elle suggéra cette dernière hypothèse et cita plusieurs noms, il ferma les yeux négativement d'un air las.

Après cela, il ne parla plus. Sa bouche ne remuait jamais, sinon pour épouser le rebord d'une tasse. L'attaque n'avait pas tordu ses lèvres, mais leur dessin rappela à Délie la bouche de tante Hester juste avant la fin — incurvée vers le bas en une moue d'amère résignation, figée, sévère, intraitable.

Mme Melville avait adopté Délie ainsi que sa famille. Brenton occupait une pièce meublée d'un grand lit sur le devant de la maison; Délie dormait sur un lit de camp à côté de lui. Il attirait son attention en se raclant la gorge. Maintenant, il n'y aurait plus de bébés, songeait Délie. A la place, elle devrait s'occuper de cet homme comme d'un bébé, et cela jusqu'à la fin de ses jours... cela ressemblait à une condamnation à perpétuité. Elle ne pouvait s'empêcher d'y voir une punition.

Afin de remercier Mme Melville, qui refusait tout argent, Délie se mit à décorer de menus objets pour la maîtresse de maison ; elle peignit une scène du fleuve sur un abat-jour en verre, fabriqua des couvre-livres et des trousses en daim et utilisa même ses précieuses peintures à l'huile pour décorer des napperons de soie noire — que Mme Melville apprécia bien davantage que le plus beau des paysages de Délie.

Cela lui donna une idée pour gagner de l'argent. Quand elle retourna à Waikerie, elle se rendit chez le plus gros drapier de la ville et lui montra son travail. Le propriétaire l'engagea pour décorer des bibelots avec des scènes typiques pour les touristes qui voyageaient sur le fleuve durant les mois d'été.

Mme Melville lui demanda ce qu'elle comptait faire du vapeur ; ne valait-il pas mieux le vendre, et investir l'argent dans une petite boutique où elle pourrait écouler les objets qu'elle fabriquait ? Mais Délie secoua obstinément la tête. Une moitié du bateau appartenait à Brenton, et c'était sa vie ; sans lui, il voudrait mourir. Elle devait s'arranger à tout prix pour que le *Philadelphia* naviguât de nouveau.

Avant les grandes crues du fleuve, elle passa un examen devant le Bureau de Navigation, et reçut son diplôme de commandant — la première femme capitaine de vapeur sur la Murray. Ses fonctions de second en poste sur le *Philadelphia* lui donnaient les deux années d'expérience requises, et elle passa haut la main l'examen théorique.

Par chance, elle avait une excellente mémoire visuelle ; les yeux fermés, elle visualisait la longue portion rectiligne de la Moorna et la souche calcinée sur laquelle on mettait le cap pour suivre le chenal, ou le dangereux récif à fleur d'eau juste à la sortie de la Percée de Pollard...

Elle fit encadrer son certificat et le montra fièrement à Brenton.

« Cela ne te fait pas plaisir ? Si j'ai réussi, je le dois à toi et à ce que tu m'as appris, non ? »

Les paupières s'abaissèrent brièvement.

« Chéri, le fleuve monte : bientôt, il y aura assez d'eau sous le *Philadelphia* pour recommencer à naviguer. Tu aimerais retourner sur le fleuve ? »

Il baissa longuement et gravement ses paupières. Quand elles s'ouvrirent, ses yeux désormais plus gris que bleus, mais toujours vivants et mobiles dans son corps prostré, cherchèrent anxieusement ceux de Délie.

« Ne t'inquiète pas. J'ai envoyé un télégramme à Charlie, et je sais qu'il viendra, à cause de toi. Quant aux garçons, ils peuvent rester ici, aller à l'école — il y en a une de l'autre côté des pâturages, ils pourront y aller en poney. J'ai promis à Mme Melville de lui laisser aussi la garde de Meg pour un temps, mais pas celle d'Alex tant que ses poumons ne seront pas complètement guéris. Je vais insister pour lui payer une pension.

« Dans quelques années, ils feront de bons matelots, mais ils doivent aller à l'école ; entre-temps, un garçon de la draperie de Waikerie m'aidera à bord — il est fou de vapeurs et serait prêt à nous payer pour qu'on l'engage dans l'équipage. De toute façon, tu es toujours capitaine... »

Il ferma deux fois les yeux.

« Bon, alors je serai capitaine, et tu seras second. Nous allons construire une grande fenêtre dans ta cabine pour que tu puisses voir tout ce qui se passe. Ce sera bien, non ? »

Il ferma les yeux d'un air las, et elle serra sa grosse main inerte. Des larmes de compassion montèrent aux yeux de Délie, qui inclina sa tête vers celle de Brenton. Le terrible malheur qui l'avait frappée dissipait toutes les amertumes, toutes les rancœurs passées. Elle n'éprouvait que tendresse et amour pour l'épave magnifique qu'il était devenu, tel un navire jadis plein de fierté et irrémédiablement échoué.

Lui aussi semblait avoir oublié la rage folle qu'il avait nourrie contre elle. Une lueur ressemblant à celle du plaisir illuminait ses yeux quand il la voyait entrer dans sa chambre. Mais l'expression de sa bouche était inaltérable, quoique ses muscles ne fussent pas complètement paralysés ; ainsi, il pouvait toujours manger.

Mais il fallait assumer tout le reste pour lui ; il était aussi impuissant qu'un nouveau-né. Délie comptait s'occuper de lui comme une infirmière d'un malade, élever un enfant en bas âge, et diriger un vapeur à aubes avec l'aide d'un ingénieur fou et d'un garçon qui n'avait jamais mis les pieds dans une timonerie. Elle réalisa qu'elle aurait besoin d'un cuisinier ; celui-ci et Alex garderaient un œil sur Brenton quand elle tiendrait la roue. Pour le reste, ils n'auraient qu'à s'amarrer à la berge quand elle ne barrerait pas, du moins jusqu'à ce qu'elle eût appris au garçon à distinguer un récif d'une souche flottant entre deux eaux.

Et sa peinture ? Désormais, elle n'aurait plus une minute à lui consacrer. Au fil des ans, les ambitions de sa jeunesse avaient rapetissé comme une peau de chagrin ; elle ne se souciait plus de représenter la Yarra en feu ; elle désirait simplement avoir assez de calme et de temps pour peindre la vérité qui était en elle. Mais cela aussi était désormais compromis. Elle rangea soigneusement son matériel de peinture dans un coffre, ferma le cadenas, et jeta la clef dans le fleuve.

Charlie McBean arriva pour voir Brenton. Ses sourcils broussailleux étaient désormais plus blancs que gris, mais ses yeux avaient conservé leur éclat bleu de liberté et d'indépendance.

Délie l'avait averti du spectacle qui l'attendait ; pourtant, il se figea sur place, bouche bée, en découvrant les ravages du temps sur son ancien capitaine. Il resta assis, bouleversé, se contentant de presser une main sans vie, battant rapidement des paupières, dardant ses yeux pleins de colère sur le visage paralysé de Brenton, emplissant la chambre d'une forte odeur d'oignon.

Il retrouva le moteur et la chaudière comme de vieux amis, les nettoya et les astiqua avec un chiffon en chantonnant pour lui-même : « Je connais pas cœur les habitudes de ce bon vieux moulin, et il connaît les miennes, m'dame. Il s'est toujours donné à fond avec moi.

— Teddy est toujours capitaine, tu comprends ? » dit Délie, qui se demandait comment Charlie réagirait à l'idée de travailler sous les ordres d'une femme. « J'ai mon diplôme, au cas où il y aurait une inspection du Bureau de Navigation, mais de sa cabine Teddy surveillera tout ce qui se passe, il commandera de là-haut. »

C'était une fiction, tous deux le savaient, mais Charlie opina vigoureusement du chef, tout en se frottant le nez du dos de la main.

«Teddy Edwards dépérirait à terre, exactement comme moi, dit-il. Même dans cet état, il demeure un des meilleurs capitaines du fleuve. Pauvre vieux Teddy — j'aurais jamais cru ça, si je l'avais pas vu de mes propres yeux.» Il soupira bruyamment, et Délie dut reculer devant l'odeur d'oignon. Charlie avait évidemment eu recours à la thérapie de l'oignon après une bonne cuite. «Vous êtes courageuse, m'dame, j'dois vous accorder ça.»

Délie rougit comme une petite fille, puis sourit. Elle mesurait à sa juste valeur ce compliment dans la bouche d'un misogyne comme Charlie.

«Juste une chose, Charlie. Je ne veux pas que tu bloques la soupape de sécurité. Le bateau n'est plus aussi jeune qu'autrefois, et si jamais il arrivait quelque chose, je me sentirais responsable. Le capitaine n'aurait pas la moindre chance de s'en tirer si la chaudière explosait.

— *Moi*, bloquer la soupape! rétorqua Charlie, comme insulté. Vous me prenez pour qui?»

Il avait besoin de ce travail, car ses beuveries occasionnelles le rendaient trop irrégulier pour un vapeur postal ou un transporteur de passagers, astreints à des horaires fixes; de plus, les vapeurs de commerce privés susceptibles de lui fournir du travail devenaient de plus en plus rares. La récente sécheresse avait encore nui au commerce fluvial, et les chemins de fer concurrençaient toujours davantage les vapeurs.

Délie avait réussi à vendre à un hôtel de Waikerie les caisses de whisky qui restaient à bord. Elle tenait à se débarrasser de cette marchandise avant que Charlie ne s'aperçût de son existence. Mais elle se demandait comment ils allaient reprendre leur commerce, car ils ne possédaient aucun capital pour acheter des marchandises, quand une nouvelle inespérée vint résoudre ses problèmes.

Tout se passa comme si ce cher oncle Charles avait deviné ses soucis et envoyé l'argent nécessaire. Une lettre arriva, qui avait longtemps transité dans divers ports du fleuve, leur annonçant sa mort, et que Délie héritait de la ferme près d'Echuca.

D'abord, elle fut tentée de renoncer à commander seule le *Philadelphia*, pour retourner à la ferme avec toute sa famille, où ils pourraient au moins vivre de la terre pour ne pas mourir de faim. Mais cela aurait été une régression, elle le comprit rapidement. Elle reprit courage et décida d'affronter les épreuves futures.

Le testament était certainement homologué ; elle câbla aux exécuteurs testamentaires d'Echuca pour qu'ils vendent au meilleur prix, et lui envoient le capital réalisé. Elle leur faisait confiance pour obtenir le meilleur prix de la ferme, car leur commission était proportionnelle à la vente. Puis elle entreprit de commander des marchandises ; pas de whisky, mais une kyrielle de petits objets utiles, qui se vendraient rapidement parmi les ménagères éloignées de toute boutique.

Le dernier membre de sa famille résidant en Australie était maintenant mort, et les seuls parents de Brenton habitaient Sydney. Mais ses enfants tissaient de nouveaux liens ; contrairement à elle, ils étaient nés dans ce pays, et Australiens de la troisième génération par leur père. Pour eux, l'Angleterre ne serait qu'une lointaine contrée brumeuse, dont ils entendraient parler lors des cours de géographie, mais qu'ils ne connaîtraient peut-être jamais. Peut-être y partiraient-ils un jour, mais sans elle. Car elle craignait toujours la mer.

M. Melville, habile artisan, installa une nouvelle grande fenêtre dans la cabine, au-dessus du lit qu'on avait aménagé pour Brenton ; dès qu'ils furent prêts à lever l'ancre, on le transporta à bord.

Comme il reposait, suivant des yeux les ondes lumineuses qui tremblaient au plafond de la cabine, ses traits parurent se détendre ; l'expression amère et résignée de sa bouche s'adoucit légèrement et il sembla presque content. Délie se rappela comme il aimait lui montrer les fleurs sauvages aux premiers temps de leur mariage, et elle cueillit quelques pâquerettes de la Murray pour les placer dans sa cabine, ainsi que de petites immortelles qui ressemblaient à des soleils dorés entourés de flammes blanches.

Voulant lui faire plaisir, elle glissa une de ces fleurs vaporeuses dans sa main qui reposait, inerte, sur le dessus-de-lit. Sa gorge émit une sorte de râle, puis, à l'immense tristesse de Délie, deux larmes coulèrent des yeux qui contemplaient la fleur. Elles glissèrent sur les joues de Brenton avant de tomber sur l'oreiller. Il ferma les yeux, mais les larmes continuèrent de couler. Jamais elle ne l'avait vu pleurer.

Elle se jeta sur le lit à côté de lui, partagée entre le remords et le désespoir. Toutes les paroles de consolation qui montaient de sa gorge y mouraient avant d'être prononcées. Que dire à un homme frappé aussi durement? Les fleurs avaient déjà parlé à sa place : « Le printemps est là ; la vie continue sans toi. »

Il ne pouvait même pas lever la main pour essuyer ses larmes. Elle prit un mouchoir et tamponna ses joues, puis le porta à ses propres yeux :

« Charlie a fait monter la vapeur, dit-elle enfin. Nous sommes prêts à partir. Tu te sentiras mieux dès que nous naviguerons ; tu disais toujours qu'un bateau est un être vivant ; tu verras comme le *Philadelphia* sera content de retrouver le fleuve. Tu vas regarder par la fenêtre pour me dire si je m'en tire bien. Brenton, tu m'entends ? » L'immobilité de son mari l'effrayait.

Ses yeux s'ouvrirent et ses paupières battirent une fois. Elle déposa un baiser sur son visage impassible, puis sortit, se révoltant contre la vie, qui pouvait humilier à ce point un homme. D'habitude elle aimait la vie, mais en certaines occasions, au moment du naufrage, à la mort d'Adam, lors de la perte de son premier enfant, sa cruauté absurde la révoltait... Dire que Brenton avait été si actif, si vivant.

Dès qu'elle entra dans la timonerie, son humeur changea. C'était davantage qu'un départ ; car elle abandonnait derrière elle un endroit haï, pour affronter un avenir qui ne pouvait être pire. Seule sa séparation d'avec ses trois enfants la peinait. Mais elle demanderait souvent des nouvelles à la ferme, et elle savait que Mme Melville s'occuperait d'eux bien mieux qu'elle n'aurait su le faire. La petite Meg l'avait immédiatement adoptée.

Ce fut avec fierté et exaltation que, le nouveau matelot de pont larguant maladroitement les amarres, elle fit faire demi-tour au *Philadelphia* pour entamer la descente du fleuve.

La note perçante et orgueilleuse de la sirène se répercuta sur les falaises comme si le navire n'avait pas connu une année entière d'inactivité humiliante. L'eucalyptus des roues à aubes mordit l'eau ; des panaches de fumée sortirent de la cheminée pour dériver lentement sur le fleuve.

Charlie monta des entrailles du navire et arriva au bas de l'escalier de la timonerie.

« Vous vous débrouillez comme un chef, patronne, dit-il. De toute ma carrière d'ingénieur, j'ai jamais été sous les ordres d'une femme, mais j'crois que je vais m'y faire. Simplement, allez-y doucement avec la sirène, d'accord ? Le petit nouveau connaît rien au boulot de chauffeur, et je dois lui donner un coup de main jusqu'à ce qu'il ait un peu de plomb dans la cervelle.

— D'accord, Charlie. C'était simplement pour faire plaisir au capitaine. » Mais ce coup de sirène s'adressait aussi à Délie, défi lancé à l'avenir, cri destiné à braver le destin. Fermant les yeux, elle entendit les échos lointains de son appel sauvage et libre se répercuter sans fin sur les berges d'invisibles courbes.

Livre Trois

UNE FEMME
PARMI LES HOMMES

Et le bond du poisson surpris dans le
fleuve
Retourne au silence qui englobe toute
chose.

Roland ROBINSON

68

Les premières lueurs de l'aube envahirent lentement le ciel derrière les saules. Des bancs de brume recouvraient le fleuve. Une fauvette cachée dans les roseaux lança ses trilles perçantes.

La nature se tut, dans l'attente du grondement profond qui s'amplifiait : le halètement lointain se transforma en pulsation régulière quand le petit vapeur à aubes *Philadelphia* émergea de la courbe aval du fleuve, ses roues barattant l'eau. Le bruit semblait se déverser de la coquille vide et colorée du ciel.

Dans un grand battement d'ailes, une troupe de pélicans s'envola d'une anse ; en vol, leur corps malhabile devenait étonnamment gracieux. Longtemps, ils décrivirent des cercles autour du vapeur, à distance respectable, se déplaçant silencieusement, comme en rêve.

La femme seule dans la timonerie observa avec ravissement les oiseaux raser l'eau, tels les fantômes planant autour du navire dans *le Dit du Vieux Marin* :

Les ailes tournent et tournent encore en un froissement soyeux...

J'ai parfois l'impression d'être ce Vieux Marin, se dit-elle en son for intérieur, « seul sur la mer immense ». Pourtant, il y a les berges et les falaises, Charlie qui monte se plaindre du nouveau chauffeur, « Suppôt de Satan », ou du mauvais bois chargé lors de notre dernier arrêt.

Elle sursauta, s'apercevant brusquement qu'elle parlait à voix haute.

Elle parlait toute seule ! Elle commençait à se sentir bizarre, comme un ermite solitaire campant sur une berge déserte du fleuve.

Elle ressentait le besoin terrible de parler à quelqu'un, en dehors des enfants, des hommes d'équipage et des ouvriers du bâtiment du chantier de l'Écluse. Ce chantier était d'ailleurs devenu leur gagne-pain, maintenant qu'elle avait vendu toutes ses marchandises pour payer les honoraires médicaux de son mari et pourvoir à l'éducation de ses enfants. Elle ne possédait pas assez de capital pour acheter de nouvelles marchandises, bien que certains aient fait fortune avec des magasins flottants. Par ailleurs, le bateau n'était pas assez spacieux pour transporter des passagers, et presque toute la laine arrivait désormais à Melbourne ou Sydney par chemin de fer.

La construction de la première écluse et du premier barrage sur la Murray représentait un énorme chantier qui mobilisait une importante main-d'œuvre et beaucoup de matériel. Le *Philadelphia* fut l'un des bateaux loués par le ministère des Travaux publics pour remorquer des barges d'équipement à partir de la gare ferroviaire de Murray Bridge — palées de fer pour les coffrages du barrage, moteurs de pompes, poulies et palans, poutrelles et machines pour battre les pieux. Cela la changea considérablement de ses produits habituels, ustensiles ménagers et tissus de confection.

Blanchetown avait des allures de petite ville, avec les huttes des ouvriers et les magasins bâtis alentour. Quand cette écluse serait terminée, il faudrait en construire une douzaine d'autres pour transformer le fleuve en une série de bassins paisibles, longs de quarante milles, semblables aux marches d'un gigantesque escalier.

Tournant la roue du gouvernail, elle corrigea le cap en s'engageant dans une portion rectiligne de sept milles. Elle jeta un regard derrière elle et aperçut la barge chargée qui suivait le bateau comme un mouton obéissant, le maître de barge actionnant sa propre roue à l'arrière. Les chaînes du gouvernail cliquetaient, la cheminée tremblait, les roues à aubes battaient l'eau à coups réguliers. Tout était bien ; Charlie avait même oublié de se plaindre. Elle évalua leur vitesse à huit nœuds environ. Elle devait se rappeler de ralentir en abordant le chantier de l'Écluse pour adopter la vitesse réglementaire de cinq milles à l'heure.

Elle grimaça un sourire en pensant à la rage et aux vociférations de Brenton qui s'emportait autrefois contre la passivité du gouvernement. Aujourd'hui, ce projet ambitieux était en cours de réalisation (on avait posé la première pierre voici plus d'un an, en 1915). Le chantier de l'Écluse leur permettait de gagner leur vie tandis que Brenton reposait sur sa couchette, et par la fenêtre dardait son regard bleu, seul signe de vie dans son corps impotent.

Il se remit légèrement de son attaque, retrouva l'usage de la parole ; bien qu'il pût seulement marmonner quelques mots indistincts, il parut sortir un peu de sa solitude, car il devint au moins capable de communiquer ses besoins. Il regardait le paysage défiler, les berges, l'agitation sur le quai de Morgan, mais il ne parlait jamais de la conduite du vapeur, et ne montrait pas davantage d'intérêt pour les horaires ou la marchandise transportée. Depuis son accident, il avait renoncé à tout ce pan de son existence.

La vie — l'univers excitant du fleuve, ses rivalités, ses vapeurs, ses capitaines et ses équipages récalcitrants, ses courses et ses beuveries, les incendies et les échouages, la bière et les filles, les baignades, les plongeons et les courses de vitesse contre la baisse du niveau du fleuve —, tout se réduisait désormais aux dimensions d'une pièce exiguë, aux soins prodigués par une épouse qu'il ne pourrait plus jamais tenir dans ses bras, à la succession des repas (des plats faciles à mastiquer, qu'il mangeait en s'aidant de sa main gauche) qui interrompait la monotonie des longues journées.

Le vapeur approchait maintenant de la première courbe après la Longue Ligne Droite, l'une des rares portions rectilignes du fleuve longues de plus d'un ou deux milles.

« *Rapproche-toi un peu. Coupe légèrement le virage, mais pas trop tôt... Bon, maintenant, mets le cap sur l'arbre brûlé jusqu'à ce que tu voies la prochaine ligne droite.* »

Il lui semblait entendre la voix de Brenton, tantôt patiente, tantôt agacée, et la carte du fleuve se déroula dans son esprit, ainsi qu'elle avait souvent déroulé le long rouleau sur l'étagère de la timonerie, avec ses croix de mauvais augure signalant les rochers à fleur d'eau, ses bancs de sable marqués en jaune, et de temps à autre ces lettres d'avertissement : « TD » pour Très Dangereux, ainsi que cette inscription : « Mauvais en période de basses eaux ».

Philadelphia s'appuya contre la fenêtre de la timonerie et maintint le cap du bateau, suivant le chenal invisible qui traversait le lit du fleuve en une longue diagonale.

Elle n'avait pas coupé le virage, ce qui aurait impliqué de diriger le bateau en travers du courant, puis de redresser le cap pour remettre le vapeur dans la bonne direction, car elle n'était pas assez musclée pour adopter la méthode célèbre des capitaines « du haut » comme Brenton Edwards, habitués aux virages serrés du cours supérieur du fleuve : en revanche, elle avait mis au point une méthode personnelle pour négocier les courbes. Elle dirigeait le vapeur vers l'extérieur — ce qui était beaucoup plus sûr, car les bancs de sable se trouvaient généralement à l'intérieur des courbes —, et abordait le courant directement par l'étrave en mettant le cap sur la courbe suivante. Ensuite, au moment de corriger la trajectoire du navire, le courant lui-même l'aidait à se remettre dans l'axe, au lieu de la gêner.

Devant elle, une colline de sable orange reflétait les premiers rayons du soleil levant et semblait s'embraser. Elle s'élevait à partir de la berge du fleuve, sa crête dessinait une ondulation ocre contre le bleu pâle du ciel froid. Plus près se dressaient les collines et les falaises nues qui signalaient Blanchetown, nimbées de rose et d'or par le soleil rasant, opalescentes à travers la brume bleutée du petit matin. Quelques fenêtres scintillaient comme des diamants jaunes. Elle vit son escorte de pélicans s'éloigner vers un marécage paisible derrière une rangée d'eucalyptus. Des filets de brume montaient du fleuve comme des volutes de vapeur.

Délie, qui avait autrefois peint sous le nom de Delphine Gordon, sentit une excitation familière lui nouer la gorge, l'étouffant presque. Oh, s'arrêter, se reposer, rester au même endroit assez longtemps pour réapprendre à voir, puis transposer cette vision sur une toile !

Certaines combinaisons de couleurs, tels cet or, cet orange et ce bleu, éveillaient en elle une sensation physiquement douloureuse. Mais ses tubes de couleurs étaient enfermés dans un coffre dont elle avait jeté la clef dans le fleuve.

Maintenant figée et comme hypnotisée par ce paysage, elle se souvint d'un autre moment de sa vie où elle avait contemplé par une fenêtre — non celle d'une timonerie — les subtiles gradations colorées du ciel. Elle n'y avait pas repensé depuis des années, pourtant elle revoyait maintenant tout le paysage d'il y a vingt ans : la nappe en peluche verte, les douces boucles châtaines de Miss Barrett, l'embarras juvénile d'Adam... La mort lui avait enlevé l'un de ces compagnons, et l'éloignement l'autre ; néanmoins, tous deux existaient toujours dans les circonvolutions de son cerveau.

Après la mort d'Adam, elle s'était demandé si son souvenir pourrait un jour s'effacer, son image disparaître de son esprit et de son cœur. Aujourd'hui, elle savait que le temps impitoyable interrompait tous les rapports humains, mais que leur réalité existait éternellement. La petite fille qu'elle avait été, grattant la mousse entre les briques roses de son grand-père, participait éternellement au tissu de la vie ; tout comme les fossiles du miocène emprisonnés dans le calcaire de ces falaises existaient à la fois maintenant et voici des millions d'années, quand ils étaient des êtres vivants nageant dans une mer chaude.

Délie avait remarqué sans vraiment en prendre conscience qu'elle approchait du campement du chantier. Sursautant brusquement, elle s'aperçut qu'elle avait oublié de lancer un coup de sirène pour que l'ouvrier chargé du «téléphérique» rehaussât les câbles.

Ils formaient une ligne noire en travers du fleuve, juste devant le *Philadelphia*, sur lequel ils fonçaient à la vitesse de huit nœuds. La benne remplie de pierres et de ciment, suspendue près du milieu du fleuve, abaissait encore les câbles.

Délie saisit la corde de la sirène tout en poussant le contrôleur de marche en position «très lent». Il était maintenant trop tard pour avertir l'ouvrier, mais elle devait absolument lâcher de la vapeur si elle voulait éviter l'explosion des chaudières. La sirène poussa un hurlement désespéré. Suivit un grand fracas, planches arrachées et masse pesante s'écroulant bruyamment. Une partie de la timonerie avait été emportée avec la cheminée, qui avait tranché le câble inférieur, avant de s'écraser sur le pont arrière. Des torrents de fumée tourbillonnaient autour du moteur et de la salle de chauffe.

Charlie McBean bondit sur le pont, sa barbe grise se hérissant de surprise.

«Qu'est-ce que c'est que ce chambard?»

Délie était trop ahurie pour répondre. Se retournant pour regarder à travers le trou béant dans le coin de la timonerie, elle aperçut l'ouvrier du chantier qui trépignait de rage sur sa plate-forme, tandis qu'une équerre en bois pendait encore sur le câble vibrant.

Les ouvriers se ruaient hors des tentes et des huttes pour comprendre la raison de tout ce vacarme avant le petit déjeuner. Certains, qui enfilaient encore leur pantalon, sautillaient sur une jambe. Délie avait indubitablement fait sensation.

Le moteur s'asphyxiait, la vapeur s'échappait en sifflant des soupapes de sécurité et le *Philadelphia* longeait la berge. Avant même l'arrivée de la foule excitée, sa propriétaire distinguait les commentaires portés jusqu'à ses oreilles par la brise matinale, et rougit.

«Il a foncé droit dessus. A croire que le capitaine n'a jamais entendu parler des câbles.

— Il y avait une femme dans la timonerie. Le pacha devait laisser sa femme diriger le bateau pendant qu'il piquait un roupillon dans...

— Non, c'elle *elle* le pacha. Bon Dieu, tu ne sais donc pas? C'est Délie Edwards, elle a décroché son brevet de commandant pour la Murray inférieure. Elle arrête pas de faire la navette sur le fleuve, ses mioches sont matelots de pont, le mécanicien est un cinglé comme on n'en fait plus. Son mari a eu une attaque ou un truc dans ce genre; en tout cas, il ne monte jamais sur le pont.

— On devrait jamais confier un bateau à une femme.

— Sûr, elles commencent à fourrer leur nez partout, avec tous les soldats qui sont partis à la guerre. (Je serais bien parti, mais j'ai les pieds plats.) Tu vas voir, elles vont prendre tous les boulots réservés aux hommes.

— Tu dis que tu as les pieds froids ?

— Qui a dit ça ? Quel est le salaud qui a dit ça ? Il va voir de quel bois... »

Délie fut prise d'une rage impuissante, tant contre elle-même que contre ces hommes. Elle avait dû lutter durement pour décrocher son brevet, se faire reconnaître en tant qu'adulte responsable et intelligente, et pas simplement comme membre du sexe faible capable de faire un travail d'homme. Son corps frêle et mince, ses traits délicats et son ossature fragile n'avaient certes pas joué en sa faveur. Personne ne pouvait se douter de sa ténacité, de son désir intraitable de réussite.

Maintenant elle venait d'apporter de l'eau au moulin des réactionnaires, elle avait endommagé la propriété du gouvernement en percutant ce câble, endommagé son seul bien, le vapeur, et nui à sa propre réputation de capitaine aux yeux de l'équipage et des ouvriers du chantier — tous des hommes, cela va sans dire.

Encore tremblante, elle sentit des larmes de mortification envahir ses yeux. Puis elle se souvint de Brenton, allongé impuissant dans sa cabine, sur le toit de laquelle la cheminée s'était écrasée ; il ignorait l'obstacle qu'ils avaient percuté, ou ce qui s'était passé. Pourtant, elle ne pouvait abandonner la roue du navire.

Le jeune Alex arriva sur le pont, enfilant un pull-over par-dessus ses cheveux bruns.

« Qu'est-ce qui s'est passé, maman ? Dis-moi, qu'y a-t-il ? » commença-t-il à pleurnicher. Charlie McBean était redescendu pour aider le chauffeur à noyer le foyer de la chaudière et interrompre les émanations de fumée.

« Rien de grave. La cheminée est tombée, dit-elle d'une voix enjouée. Va prévenir papa. Parle-lui lentement et clairement ; assure-toi qu'il comprend bien. Il doit s'inquiéter. Dépêche-toi, Alex. »

Manœuvrant habilement, elle fit accoster le bateau, et la barge suivit impeccablement. Suppôt de Satan et le jeune Brenny lancèrent des amarres aux hommes postés sur le quai, puis installèrent la passerelle avec adresse et célérité. Dès qu'elle se fut assurée que Brenton allait bien, Délie descendit pour présenter ses excuses et ses explications au chef de chantier. Mais elle rencontra auparavant l'ingénieur responsable des travaux, un Canadien.

Il avait conçu et réalisé un dispositif complexe, comprenant un chaland à partir duquel la benne transportait des pierres et du ciment sur l'autre rive du fleuve, jusqu'à l'énorme coffrage du barrage, dont on avait déjà battu les pieux enfoncés profondément dans le lit sablonneux de la Murray. Une tour métallique se dressait sur une berge ; une grue mobile allait et venait au-dessus du fleuve sur des rails et des roues d'acier.

« Ne vous inquiétez pas, madame, déclara le solide Canadien au visage bronzé quand Délie lui expliqua nerveusement l'accident. Le câble n'est même pas coupé — on pourra le retendre facilement. Vous feriez mieux de penser aux dégâts subis par votre bateau.

— Oh, il est assuré. Et comme je remontais le courant avec une seule barge en remorque, l'Association des Assureurs couvrira tous les frais de réparation. En revanche, je m'inquiète davantage pour le temps perdu pendant que nous installerons une nouvelle cheminée. Et puis j'aurai peut-être une amende du ministère ou du Bureau de Navigation.

— Allons, allons, madame ; je vous promets qu'ils n'auront pas la muflerie de vous accuser de quoi que ce soit. Votre contrôleur de marche s'est coincé, vous n'avez rien pu faire. Vous avez lancé un coup de sirène d'avertissement, dès que vous avez compris que vous ne pourriez vous arrêter à temps. C'est bien ce qui s'est passé, n'est-ce pas ? »

Soulagée, Délie sourit au Canadien. « Vous êtes très aimable, dit-elle. En fait, je rêvais... au passé... et j'ai oublié que deux corps matériels ne peuvent occuper le même espace au même instant. »

Cyrus James la considéra d'un œil nouveau, puis s'interrogea sur ce fameux passé. Quand elle souriait, elle était assez belle — plus très jeune, mais féminine et séduisante. Elle avait de superbes yeux bleus ; il les avait d'abord crus foncés, à cause de l'ombre des cils. Maintenant que les traits crispés, presque hagards, de son visage se détendaient, elle était charmante. Quel âge pouvait-elle bien avoir ? Trente-cinq ans, peut-être.

Et puis elle paraissait cultivée. Bizarre. Il avait certes entendu parler d'une femme capitaine de vapeur, mais il s'était attendu à une sorte d'hommasse musculeuse à la voix rauque et au visage buriné par les intempéries. Dire que ce petit bout de femme réussissait à manœuvrer un bateau et à imposer son autorité à un équipage d'hommes!

Il baissa les yeux vers elle en souriant, conscient de sa silhouette massive qui contrastait avec la fragilité de Délie. «Eh bien, voilà, madame, dit-il, maintenant que nous nous connaissons, j'espère avoir le plaisir de vous revoir bientôt. Mais n'attendez pas de trancher un câble ou de rentrer dans un pilier en ciment. Nous n'avons pas beaucoup de compagnie féminine au camp.»

Le sourire de Délie s'évanouit aussitôt. Elle releva le menton et fronça les sourcils.

«Je vous remercie, mais je n'ai pas pour habitude de rentrer dans quoi que ce soit. Cependant, je suis certaine que mon mari sera ravi de vous recevoir à bord du *Philadelphia*, si vous nous faites l'honneur de votre visite. Il est — c'est un invalide, vous savez.

— Oui; je suis désolé, madame... madame Edwards, c'est bien cela?» Sa voix était pleine de gravité et de sympathie: il regrettait maintenant ses paroles frivoles. «Je m'appelle James, Cyrus P. James.

— Enchantée, monsieur James. J'espère que nous aurons l'occasion de nous revoir en des circonstances plus agréables. Je dois maintenant vous quitter pour m'occuper des réparations.»

Il l'accompagna quelques instants sur la berge, hésitant à la laisser partir, et ce fut elle qui s'arrêta, tendit le bras et lui donna une ferme poignée de main.

Il resta à la regarder avec un respect nouveau. Comme elle s'était cabrée quand il avait essayé de la taquiner, comme elle avait repoussé tranquillement et habilement ses avances! Il sentait en elle une force de caractère étonnante, derrière son apparente fragilité. Il résolut de la connaître mieux.

69

Comme pour s'opposer aux efforts entrepris afin d'endiguer ses eaux, qui coulaient librement à travers presque un sixième du continent depuis d'innombrables millénaires, la Murray s'enfla en une puissante crue. Le lac de retenue du nouveau barrage se remplit et les travaux du chantier de l'Écluse s'interrompirent.

Des meules de foin se mirent à descendre le fleuve, à côté de bétail noyé et d'arbres déracinés ; de nombreux serpents tigrés sortirent des bûches creuses. Les eaux inondèrent la grand-rue de Mannum, léchant les piliers de la véranda de l'hôtel, et pour la première fois les barges flottèrent au même niveau que le quai élevé de Morgan. Ce fut la plus forte crue qu'on eût jamais vue ; l'eau monta plus haut que lors des inondations de 1870 et de 1890, dont se souvenaient les vieux mariniers.

En période de basses eaux, le *Philadelphia* trouvait facilement des marchandises à transporter à cause de son faible tirant d'eau, mais tous les vapeurs de la Murray inférieure pouvaient maintenant naviguer. L'inondation du chantier de l'Écluse interrompit l'acheminement du matériel et, comme le brevet de Délie se limitait au cours inférieur du fleuve, elle ne pouvait remonter au-dessus de Wentworth pour transporter de la laine sur la Darling.

Elle achemina une cargaison de produits divers à l'un des campements, puis retourna vers la gare ferroviaire de Morgan avec des légumes cultivés sur les terres irriguées. Mais certains fermiers particulièrement évolués, comme M. Melville, commençaient à transporter leur propre marchandise dans des camions bringuebalants Model T, ramenant de la gare la plus proche les produits dont ils avaient besoin.

Il était de nouveau seul, car le benjamin ainsi que Jim, son fils marié, étaient partis au front. Aucun parent de Délie ne participait à la guerre, mais elle était bouleversée par les nouvelles du front, par la disparition dramatique de tant de jeunes gens, dont les noms formaient des listes toujours plus longues. Pourtant, cet état de guerre l'aida indirectement.

Elle apprit que la laine s'entassait dans les entrepôts de la cité à cause du manque de moyens de transport. Les exportateurs avaient renoncé à acheminer cette laine jusqu'au port maritime, car on ne pouvait plus la stocker nulle part; progressivement, les grands entrepôts en amont de l'embouchure se remplissaient eux aussi.

On lui demanda d'emmener le *Philadelphia* à Wentworth, d'y charger mille balles de laine et de les transporter jusqu'à un grand entrepôt vide de Morgan, propriété d'un homme qui possédait des magasins et des vapeurs sur toute la Murray inférieure. Quand son agent lui présenta le contrat, Délie faillit s'évanouir.

Ces yeux sombres, ce visage blême, les minces lèvres rouges, la barbe foncée taillée en pointe, où elle discernait maintenant quelques poils gris, les narines arrogantes et bien dessinées — elle avait déjà vu cet homme, elle rêvait même de lui depuis trois ans.

Chaque fois qu'ils accostaient au quai de Morgan, dont les immenses grues hydrauliques et l'activité frénétique, les trois trains quotidiens ainsi que la succession des vapeurs et des chalands lui rappelaient Echuca, elle espérait revoir le petit homme brun aperçu autrefois, remontant le fleuve à la rame avec son matériel de peinture, et à qui elle avait tant désiré parler. Mais elle ne l'avait jamais revu et elle ignorait son nom.

Il avait à ses yeux un aspect exotique, comme s'il débarquait d'un autre univers, plus civilisé que le monde rude et laborieux des ports fluviaux — peut-être était-il descendu à Melbourne pour consacrer ses vacances au dessin et à la peinture? Il lui semblait avoir quitté Melbourne depuis un siècle; et bien que Morgan ne fût qu'à une centaine de milles d'Adélaïde, elle n'y était jamais allée.

Elle découvrit alors que la vie de cet inconnu était autant liée au fleuve que la sienne; il possédait une entreprise de manufactures et d'entrepôts, dont elle avait lu le nom peint au-dessus de maints portails le long du fleuve. Il lui expliqua pourquoi elle ne l'avait pas rencontré plus souvent: jusqu'ici, il était basé à Goolwa ou Milang, mais le trafic sur la Murray inférieure avait tellement diminué qu'il travaillait désormais à Morgan. Il s'appelait Alister Raeburn.

Pendant qu'ils discutaient affaires dans le salon, elle vit ses yeux se diriger plus d'une fois vers son paysage lumineux de falaises qui faisait une tache claire sur un des murs de la petite pièce. (Son tableau représentant le *Philadelphia*, offert à Brenton, avait été perdu lors de l'incendie du bateau.)

«Cela ne vous dérangerait pas que j'examine cette toile de plus près? J'ai d'abord cru qu'il s'agissait d'une gravure.

— Non, je vous en prie.»

Il la regarda en détail, approcha du tableau son nez aquilin, cherchant une signature dans les coins, puis il recula, ses yeux attentifs toujours fixés sur la toile. Ses yeux étaient brillants, sombres, d'habitude voilés par de lourdes paupières, mais capables de s'ouvrir brusquement, révélant alors un regard de feu.

Ils étaient grands ouverts quand il se tourna vers elle, et elle s'aperçut que le tableau l'avait excité.

«Je m'intéresse à la peinture australienne, dit-il. Moi-même, je peins de temps à autre, mais pas aussi bien que mon homonyme écossais.

— Je sais que vous peignez», rétorqua Délie. Elle était si heureuse qu'elle faillit éclater de rire — ses yeux dansaient: elle mourait d'envie de lui parler d'elle.

«Vraiment?» Ses sourcils se soulevèrent légèrement. «En tout cas, je ne vois pas qui est l'auteur de ce tableau. Le savez-vous?

— C'est moi. J'ai peint ce tableau.

— Vous voulez dire que... vous l'avez copié?

— Non, je ne l'ai pas copié. C'est mon propre travail, du début à la fin.»

Il sourit vaguement; elle comprit qu'il ne la croyait pas. Les paupières étaient retombées, un voile semblait s'étendre sur ses yeux maintenant froids et sans expression.

«Il s'agit d'un travail de professionnel, madame Edwards.

— Absolument.

— Mais je croyais que votre profession... était celle de capitaine?

— Je croyais que vous étiez artiste, et non un agent commercial.»

Cette repartie lui arracha un sourire plus chaleureux. «Telle est en effet ma fonction. Mais j'ai commencé à travailler avec mon frère, et je m'occupe maintenant de cette affaire pour sa veuve.

— Et moi je m'occupe de ce bateau afin de pouvoir élever mes enfants. Est-ce là la raison pour laquelle vous m'avez proposé ce contrat ?

— En effet, j'ai entendu parler de vos difficultés, et je vous ai trouvée très courageuse de...

— Je ne vous demande pas la charité. Je me suis toujours débrouillée jusqu'ici.

— Vous ne me laissez pas finir. On m'a dit que vous étiez un excellent marin. Le capitaine du *Cadell* me l'a assuré.

— Oh !

— Oui. Figurez-vous que je tiens à ce que ma laine arrive à bon port... Cette toile m'intéresse beaucoup, madame Edwards. Est-elle à vendre ? »

Elle hésita. Elle avait donné ou vendu toutes ses œuvres préférées, sauf celle-ci, et maintenant elle n'avait plus le temps de peindre. Peut-être ne peindrait-elle plus jamais. Mais elle avait besoin d'argent, et cet homme pouvait évidemment payer un bon prix. Elle ouvrit la bouche et à son grand étonnement répondit : « Non. »

Il inclina légèrement la tête, acceptant sa décision comme définitive. Il jeta ensuite un coup d'œil dans la pièce, remarqua l'absence d'autre peinture, d'une toile en cours, de tubes de couleurs, de pinceaux, ou d'une palette. Comprenant qu'il ne la croyait toujours pas, elle fut brusquement mécontente.

« J'ai mis tout mon matériel sous clef et j'ai renoncé à peindre, du moins pour l'instant.

— Je vois. »

Il s'inclina de nouveau avant de partir. Elle avait voulu lui dire de chercher le nom de Delphine Gordon dans le catalogue de la galerie d'art de Melbourne, s'il ne la croyait pas, lui dire que c'était son nom d'artiste. Mais sa fierté l'avait retenue. Qu'il pense ce qu'il veut, ce prétentieux, débordant d'autosatisfaction... Elle s'assit, puis regarda son tableau, refoulant à grand-peine des larmes de déception. Leur entretien avait été très différent de ce qu'elle avait imaginé au cas où elle aurait rencontré le mystérieux inconnu.

Remontant vers Wentworth, elle s'arrêta à la ferme au-dessus de Waikerie où séjournaient deux de ses enfants. La douce Mme Melville et son mari placide semblaient n'avoir pas changé depuis l'époque lointaine où le vapeur s'était échoué en contrebas de leur propriété. Maintenant que ses fils se battaient au front, Mme Melville était plus que jamais ravie d'avoir d'autres jeunes pour remplir son nid vide.

L'évolution des enfants était frappante : Délie remarqua la solidité nouvelle, la virilité de Gordon, qui à quatorze ans était déjà bien développé ; quant à Meg, elle s'affinait et prenait des allures de petite jeune fille.

A la fin de l'année scolaire, Gordon partirait de la maison pour venir donner un coup de main sur le bateau. Son père, qui avait quitté l'école à treize ans, avait décidé que son fils aîné deviendrait un « homme du fleuve ». Le doux et rêveur Gordon — peut-être aurait-il mieux valu qu'il fût une fille. En revanche, Brenny deviendrait sûrement un marin hors pair, mais il devrait bientôt quitter le bateau pour aller à l'école. Délie ne pouvait plus assurer son éducation, car elle avait fort peu de temps à consacrer à ses leçons, malgré l'aide appréciable des cours par correspondance du gouvernement.

Brenton aurait aimé voir Meg, sa préférée, à bord, mais Délie refusa de laisser l'un des garçons seul à la ferme. Elle se souvenait trop bien des premiers mois qu'elle-même avait passés à Kiandra avant le retour d'Adam à la maison, alors qu'elle souffrait encore de la perte de ses frères et sœurs. Mme Melville était la douceur même, mais rien ne pouvait remplacer la présence d'un membre de sa propre génération.

« Oh, maman, quand pourrai-je revenir habiter sur le bateau ? » Gordon lança un coup de pied contre le montant de son lit, pendant qu'assise au bord, elle déballait les paquets de vêtements neufs qu'elle lui avait apportés.

« Essaie donc ce pull-over, mon chéri, regarde si les manches sont assez longues.

Il l'enfila en maugréant, ébouriffant ses cheveux déjà hirsutes, beaucoup plus foncés que lors de leur dernière rencontre. L'ombre d'un duvet ourlait sa lèvre supérieure. « Quand vais-je retourner sur le bateau ?

— Tu n'es pas heureux à la ferme ?

— Si, ça va, mais je préfère le fleuve. Et puis j'ai quatorze ans, et j'en ai assez de l'école.»

Elle sourit en soupirant. Sa voix avait mué, il affichait une maturité précoce qui, alliée au teint frais de l'adolescence, rappelait à sa mère le charme d'Adam. Il lui sembla étrange, quasiment incroyable, qu'elle eût un fils presque aussi âgé qu'Adam lors de leur première rencontre. Gordon aurait pu être le fils d'Adam : il avait les mêmes yeux bleus frangés de cils sombres. Ceux de Brenton étaient plus petits, plus rapprochés, d'un bleu plus clair virant parfois au vert. C'était le jeune Brenny qui ressemblait le plus à son père.

Quant à Alex, eh bien, Alex était un «crack», décida-t-elle, avec ses cheveux noirs et duveteux, son regard aigu, toujours en éveil. Il deviendrait biologiste ou naturaliste, peut-être médecin — oui, on aurait dit que le propre père de Délie avait sauté une génération pour se réincarner en Alex. Tous les êtres vivants le fascinaient, il ne craignait aucune bestiole qui nageait, rampait ou volait.

«Quand, maman ?

— A la fin de l'année, mon chéri — dès que tu auras ton certificat d'études. Tu pourras revenir sur le bateau et Brenny partira à l'école. De toute façon, tu passeras avec nous les prochaines vacances scolaires. Je ne sais pas, mais je trouve parfois effrayant que vous deviez grandir dans plusieurs maisons différentes ; pourtant, je ne vois pas comment je pourrais m'arranger autrement.

— Pourquoi est-ce effrayant ? demanda Gordon avec raison. Nous n'arrêtions pas de nous battre, tu te souviens ? J'étais jaloux de Brenny parce qu'il nageait mieux que moi, et il me détestait parce que j'étais plus fort que lui.

— Plus fort que lui... D'accord, mais c'est ton frère.

— Bon, si on allait à bord pour le voir ? Je le supporte un petit moment, mais après il m'énerve tellement...

— En tout cas, tu dois venir voir ton papa. Brenny est resté sur le bateau pour lui tenir compagnie.

— Oooh. Il faut *vraiment* que j'y aille ?

— Bien sûr ! dit-elle d'un ton sans réplique. D'ailleurs, il va beaucoup mieux, il peut s'asseoir et se servir de son bras gauche. Petit à petit, la vie retourne aussi dans sa main droite.

— J'ai tellement de mal à comprendre ce qu'il dit.

— Tu t'y habitueras. Je comprends presque toutes ses paroles. »

Il prit un air dubitatif. Délie alla voir Meg à la cuisine, et la découvrit qui aidait Mme Melville à glacer un gâteau, pendant que le jeune Alex nettoyait un bol.

« Regarde, maman, j'ai fait un joli dessin !

— Elle est si intelligente, dit Mme Melville avec admiration. Elle pile les amandes et s'en sert pour dessiner sur le chocolat glacé. »

Délie apprécia l'œuvre de sa fille, d'autant qu'elle était toujours à l'affût du moindre signe de talent artistique chez ses enfants. Pourtant, une femme était handicapée par son sexe en ce domaine ; Délie espérait découvrir les symptômes désirés chez un des garçons.

Meg, autrefois un superbe bébé, devenait une petite fille assez quelconque, avec un nez en trompette et une bouche trop grande ; mais ses cheveux ressemblaient à de la soie noire et ses yeux pétillaient de vie et de malice. Mme Melville déclara qu'elle ne pourrait jamais se séparer d'elle. « Elle m'aide tellement à la cuisine, vous ne pouvez pas savoir, une vraie petite maîtresse de maison. En tout cas, ce sera merveilleux pour vous de l'avoir à bord du bateau. »

« Comme elle est différente de moi au même âge ! » songea Délie avec un pincement au cœur. Elle et sa fille étaient presque des étrangères ; réussiraient-elles à trouver un terrain d'entente ? De retour sur le bateau, elle pourrait s'occuper des leçons de lecture de Meg, lui apprendre un tas de choses qu'on n'enseignait pas à l'école. Si seulement il y avait quelqu'un comme Miss Barrett pour l'aider à s'épanouir ! Mais elle devait accepter le fait que peut-être aucun de ses enfants ne possédait de talent particulier ; toutes les mères débordaient d'ambitions pour leurs enfants, c'est normal. Pourtant, elle avait vraiment foi en Gordon. Il y avait quelque chose de spécial dans son regard pensif et langoureux, dans la surprenante maturité qu'il manifestait parfois ; quelque chose qui rappelait Adam. Et puis Adam était son cousin issu de germain, la ressemblance n'avait donc rien de fortuit. Elle était heureuse que Gordon portât son nom, le nom de son père.

Brenny, qui avait l'esprit pratique, s'occupait de son père ; actif, courageux, droit, il manifestait ténacité et intelligence dès qu'il s'était fixé un but, autant de traits qu'il tenait de son père comme de sa mère. Désobéissant à Délie, il s'était entraîné à plonger d'endroits de plus en plus élevés du navire, jusqu'à atteindre le toit de la timonerie ; elle était toujours terrifiée à l'idée qu'il pût se blesser sur une branche ou un tronc flottant entre deux eaux.

Un jour qu'il s'exerçait, il fit un plat qui lui coupa le souffle pendant quelques secondes et l'obligea à se reposer, après quoi il remonta et récidiva.

«Ce gamin n'a pas froid aux yeux», commenta Charlie avec, dans la voix, une note d'admiration contenue, car les garçons et les matelots de pont étaient ses ennemis jurés. «Soit il mourra dans la fleur de l'âge, soit il deviendra l'un des meilleurs capitaines sur le fleuve, exactement comme son vieux.»

70

Des piles de balles de laine s'entassaient sur la barge du *Philadelphia* qui descendait rapidement le fleuve en crue. Délie voulait voyager le plus vite possible afin de surprendre M. Raeburn par sa rapidité et son habileté.

Pourtant, elle ne prit aucun risque superflu ; à mesure qu'elle laissait dans son sillage les endroits célèbres du fleuve — Ned's Corner, la Rufus, les Falaises Frontalières, l'Ile de Man (où un fugitif nommé Mann s'était autrefois réfugié, avant d'être abattu par les soldats), la Grande Courbe de Chowilla, Port Murtho —, elle fut certaine du succès de son voyage. Alors, près de Ral Ral Creek, juste en amont de Renmark, la barge heurta une souche.

L'extrémité acérée, dure comme l'acier, d'une branche d'eucalyptus perfora la coque de la barge juste sous la ligne de flottaison — heureusement en eau peu profonde (il y avait à cet endroit un mètre cinquante d'eau), et l'extrémité de la souche s'enfonça de trente bons centimètres dans la coque. Il fallut trois jours pour décharger la laine et remettre la barge à flot, mais deux balles seulement furent perdues.

Une troisième fut ouverte sur les ordres de Délie. En effet, le maître de barge, qui travaillait de bon matin, alors que les ponts couverts d'une forte rosée étaient dangereusement glissants, tomba dans l'eau glacée. Le courant l'emporta immédiatement, et quand on réussit à le tirer de l'eau, son corps était bleu.

« Déshabillez-le et ouvrez une balle de laine, commanda Délie.

— Mais, m'dame...

— Oh, je ne regarderai pas », dit-elle, agacée. L'espace d'un instant, elle avait complètement oublié qu'elle n'était pas un homme, mais commandait pourtant à son équipage. « Dépêchez-vous, pour l'amour de Dieu, avant qu'il n'attrape une pneumonie. Maintenant, enfoncez-le dans la balle de laine en laissant juste sa tête à l'extérieur, pour qu'il puisse respirer. Ne vous occupez pas de savoir si son corps est encore mouillé, la laine génère sa propre chaleur. »

Sceptiques, les mariniers pratiquèrent une longue entaille dans la toile d'emballage, et aussitôt la laine comprimée jaillit comme une écume crémeuse. On en retira encore un peu pour ménager une place au corps frissonnant du maître de barge. Après quoi on l'enfila dans la balle comme dans un bain turc. On lui administra des boissons chaudes ainsi qu'une gorgée de brandy, et ses lèvres bleues commencèrent à reprendre leur couleur normale.

Au bout d'un moment, il déclara qu'il avait « plutôt chaud », et quand il eut enfilé des vêtements secs, il parut totalement rétabli. Il débordait d'admiration pour la présence d'esprit du capitaine, « bien que ce fût une femme ».

Délie décida de rapporter cet incident à Cyrus James quand ils repasseraient par Blanchetown. Plusieurs fois elle avait répété mentalement son histoire, et fut très déçue — malgré son désir de rattraper le temps perdu — d'apprendre qu'il était descendu à Adélaïde pour quelques jours. Les balles de laine étaient assurées ; Alister Raeburn ne s'inquiéta pas de la perte des deux balles, et s'amusa beaucoup d'entendre Délie lui raconter les mésaventures de la troisième. Lui aussi loua son esprit d'à-propos, ignorant qu'elle avait lu le récit d'un accident similaire dans *la Vie sur le Mississippi*.

Elle le lui cacha, car les éloges de l'agent commercial la ravirent. Pourquoi attachait-elle tant d'importance à son jugement ? Elle ne le trouvait pas séduisant ; pourtant, elle avait remarqué la vivacité de son esprit, et comme un feu intérieur brûlant derrière son apparente civilité.

« Un bain de laine ! Quelle existence de sybarite on mène sur le fleuve ! s'écria-t-il pour la taquiner. Aucun bain de lait ne doit être plus doux à la peau. » Sa main, blanche et fine, caressait avec sensualité les flocons blancs dorés de la laine dégraissée.

Habituée à voir des mains viriles bronzées et tannées par le soleil, la corde et le bois de la roue, Délie la trouva efféminée ; mais elle réfléchit que cet homme avait consacré sa vie au commerce de la laine, et que même les rudes tondeurs et les manutentionnaires avaient souvent des mains merveilleusement douces en fin de saison, à cause de la lanoline qui imprégnait la laine brute.

« Nous possédons un autre entrepôt de laine sur les lacs, dit-il. Avez-vous déjà traversé le lac Alexandrina ? Sa surface couvre plus de deux cents milles carrés, vous savez, c'est presque une mer. Rien à voir avec la navigation entre les deux berges d'un fleuve. A mon avis, vous risqueriez de vous perdre.

— Pourquoi donc ? Je sais où trouver une carte, et puis je connais bien le chenal, du moins en théorie. Par ailleurs, sur un lac, on ne risque pas de heurter quoi que ce soit, ni de couler une barge à cause d'une souche à fleur d'eau.

— En effet. Mais il y a parfois des vagues de deux mètres cinquante, et comme le lac a la même profondeur, vous devez avoir un tirant d'eau minimal, ainsi qu'une assurance spéciale. On attend souvent deux jours que le vent tombe avant de pouvoir s'aventurer dessus.

— Essayez-vous de m'effrayer, monsieur Raeburn ?

— Je ne pense pas que ce soit facile. Non, je ne doute ni de votre courage ni de votre ténacité. Je songeais simplement à votre vapeur. Vous avez davantage à perdre que certains.

— J'ai aussi davantage besoin de prouver que je n'ai pas peur, ne serait-ce qu'à moi-même.

— Alors transportez un autre chargement pour nous, jusqu'à Milang.

— Très bien. Quand ?

— Je vous enverrai un câble. Pas avant la fin de la tonte au port du lac Victoria. Il faudra peut-être attendre deux mois. »

Quand ils eurent achevé de remplir les papiers et qu'elle eut signé un reçu contre son chèque de cinq cents livres, elle l'invita à boire un verre de vin dans le salon du bateau, espérant qu'il reparlerait de son tableau.

Mais il préféra l'inviter, elle, dans ses appartements situés derrière l'entrepôt de laine. Franchissant une lourde porte, ils pénétrèrent dans un autre monde, où un feu de cheminée dansait gaiement derrière une grille de fer forgé et lançait des reflets dorés sur quelques meubles en bois de rose, de splendides cristaux vénitiens et une figurine italienne en marbre.

C'était une pièce de connaisseur, aussi incongrue dans ce rude port fluvial qu'un temple grec au beau milieu du désert australien. Délie alla droit vers l'unique tableau du salon et l'examina longuement. Il n'y avait pas de signature ; la toile aux coins sombres était assez ancienne ; il s'agissait du portrait, exécuté avec assurance et sensibilité, d'un jeune homme portant un costume qui datait d'un siècle.

«Laissez-moi deviner ; un portraitiste écossais du siècle dernier... Raeburn ? Oh non, c'est impossible. Pourtant, la lumière... la facture du visage... les coups de pinceau nerveux... Raeburn ! Bien sûr, *c'est votre nom !* »

Elle se retourna, l'excitation de la découverte rajeunissant ses traits ; elle surprit les yeux sombres et étincelants de Raeburn fixés sur elle, grands ouverts.

«Ainsi, vous connaissez bien la peinture, dit-il doucement. C'est bien vous qui avez peint cet extraordinaire paysage de falaises, tellement lumineux.

— Naturellement ; je vous l'ai déjà dit. Me prenez-vous pour une menteuse ? dit-elle, cédant à une colère subite.

— Non, non, ne vous méprenez pas, je vous prie. Mais j'avais pensé que, peut-être, on vous avait aidée... influencée d'une façon ou...

— J'ai peint ce tableau en profitant des rares moments de liberté que m'ont laissés six grossesses, si vous tenez à appeler cela une "aide". Et si je dois citer une quelconque influence, il s'agit de celle de Sisley. Vous connaissez ses paysages du Loing ?

— J'en ai vu certains, oui, à Paris.

— Vous voulez dire les originaux ?» Elle le dévisagea comme s'il venait de lui dire qu'il avait rencontré Dieu. «Dans ce tableau, j'ai essayé de rendre l'essence des falaises, des roches, la dureté et la permanence du roc contrastant avec la fluidité de l'eau ; et en même temps de suggérer que ces rochers eux aussi sont fluides. Peindre la chose en soi et suggérer la vie tout entière, le temps global, dans l'incarnation passagère de la chose représentée.

— Quel projet ambitieux. Peut-être échappe-t-il à l'amateur d'art moyen, qui appréciera seulement la texture agréable et la vie qui se dégage de cette toile. Les gens sont conditionnés par une terminologie académique, le Paysage, la Nature morte, le Portrait. Mais la vie est partout, dans les rochers, les fleurs et les arbres autant que chez les humains — chez cet homme particulièrement vivant, par exemple.» D'un signe de tête, il indiqua le portrait de l'homme en redingote vert-de-gris, aux traits fins et volontaires, au regard moqueur et intelligent. «Il y a quelque chose dans son visage qui me plaît énormément. Vivant à la même époque, nous aurions pu devenir amis.

— Vous voulez dire, s'il n'était pas mort avant votre naissance ?

— Oui ; je songe souvent à tous les êtres délicieux dont nous sommes séparés autant par le temps que par l'espace. N'aimeriez-vous pas rencontrer Léonard en personne ? Ou bien la Joconde ?

— Oh si ! Et Rembrandt, mais cet intéressant jeune homme, est-ce vraiment un Raeburn ?

— Non, un de ses élèves l'a peint, John Watson Gordon ; mais votre erreur est parfaitement excusable.

— C'est aussi mon nom, Gordon est le nom de mon père. Et le vôtre ? Êtes-vous de la famille de l'artiste ?

— Mon père était cousin issu de germain du fils d'Henry Raeburn, affréteur maritime d'Edimbourg. Quand l'entreprise fit faillite, mon père, qui aurait dû entrer dans l'affaire, partit en Australie pour se lancer dans le commerce fluvial sur la

Murray. Mon frère reprit l'affaire à la mort de mon père. A l'époque, je m'intéressais uniquement à l'art, si bien que je partis étudier à Londres et en Europe.

« Ensuite, à la mort de mon frère, je dus revenir et prendre la direction de la société pour sa veuve, leurs enfants et mes deux vieilles tantes qui autrement auraient été sans ressources. La veuve de Henry est une femme charmante, mais tout à fait incapable. » Il la regarda, comme pour la comparer rapidement à Délie. « Je ne saurais vous dire combien j'admire votre courage et votre esprit pratique en des circonstances similaires.

— Je ne suis pas veuve.

— Non, mais... » Il étendit brièvement les bras.

« Mon mari est paralysé. Il lutte de toutes ses forces pour retrouver l'usage de son corps. Je me contente d'assurer les tâches quotidiennes et la bonne marche du navire jusqu'à ce qu'il soit rétabli. » Elle ne croyait pas vraiment ce qu'elle disait, mais c'était là un mythe rassurant.

« Comment avez-vous réussi à trouver le temps de peindre ?

— J'ai cessé de peindre, ainsi que je vous l'ai dit. J'ai compris que je devais couper les ponts avec l'art. Au début, ce fut comme une mort. Un jour, j'aurai peut-être davantage de temps. » Elle soupira.

Il souleva comiquement un sourcil touffu, broussailleux, dont l'aspect hirsute contrastait avec sa barbe impeccable et son apparence soignée. « Je déteste les responsabilités familiales, et vous ?

— Moi aussi.

— Elles sont tellement aliénantes !

— Les tâches domestiques assommantes !

— La monotonie de la monogamie !

— Vous êtes marié, donc ?

— Pas en ce moment, non. Mon épouse a jugé impossible de s'entendre avec sa belle-sœur et les enfants de mon frère — nous n'en avons jamais eu — sans oublier mes tantes écossaises. C'est une grande maison, mais ces femmes ne cessaient de se gêner et de se houspiller. Dieu, qu'elles piaillaient ! Ma femme a fini par s'en aller en compagnie d'un acheteur de laine anglais. »

Son ton était léger. S'il avait souffert, il avait manifestement fait contre mauvaise fortune bon cœur.

«Je n'ai jamais rencontré aucun membre de la famille de Brenton; il a quitté ses parents quand il était encore un gamin. Il a un frère marié qui doit habiter Sydney, mais je crois qu'il a perdu sa trace. Il me semble que toute belle-famille doit être difficile à supporter.

— Absolument. Surtout les femmes. Le seul membre de la famille qu'appréciait réellement ma femme fut ce pauvre Henry.»

Ses paroles contenaient maintenant une sorte d'amertume rentrée, si bien que Délie révisa son jugement. Peut-être n'avait-il pas pardonné à son ancienne femme, peut-être l'indifférence apparente de ses paroles cachait une blessure encore ouverte.

«Savez-vous ce que nous devrions faire, vous et moi? dit-il tout à trac. Nous devrions partir ensemble en... en Amérique du Sud, ou en Chine, pour nous consacrer exclusivement à l'Art.

— Et abandonner nos familles? Les laisser en plan? Quelle idée saugrenue! Et puis pourquoi ensemble? Cela ne ferait que compliquer de nouveau nos vies, dit-elle, adoptant son ton mi-moqueur mi-sérieux. Je crains que vous n'ayez trop d'imagination pour vous occuper d'affaires aussi concrètes, monsieur Raeburn.

— Ah, mais je suis aussi un artiste. Quand vous viendrez à Milang, je vous montrerai quelques-unes de mes œuvres. Mais j'aimerais tellement voir vos autres toiles. Dans quelques semaines, je retourne dans la région des lacs afin de préparer l'entrepôt pour la laine en provenance du lac Victoria.»

Délie lui dit de chercher dans le catalogue de la National Gallery de Victoria le nom de «Delphine Gordon», puis elle attendit sa réaction. Il n'y en eut aucune. Légèrement déçue, elle ajouta: «La prochaine fois que vous irez à Melbourne, allez donc voir *La Femme du pêcheur*.

— *La Femme du...*! Delphine! Mais bien sûr, je la connais. C'est un de mes peintres préférés parmi les modernes.» Il prit sa main, puis s'inclina très bas. «Tous mes hommages, chère madame. Vous êtes déjà une plus grande artiste que je ne le serai jamais. Il faut absolument que vous recommenciez à peindre.»

Sortant de l'entrepôt de laine, Délie croyait marcher sur des nuages. Les paroles d'Alister Raeburn, davantage que son vin, lui étaient montées à la tête. Il avait baisé sa main, humblement, avec admiration ; sa main, plus foncée, plus rêche que la sienne, durcie par les rayons de la grande roue qu'elle tenait par tous les temps, durcie par le contact des balles de laine qu'elle aidait à charger quand on manquait de main-d'œuvre ; elle avait même appris à manier habilement la hache.

Et il s'appelait Raeburn ! Jamais dans ses rêves les plus fous à propos du sombre inconnu, elle n'avait imaginé nom aussi évocateur.

71

Descendre le fleuve de nuit présentait le danger de se faire éperonner par une souche ou un écueil non porté sur les cartes ; pourtant Délie adorait cela, maintenant qu'elle avait surmonté sa terreur à l'idée d'être seule dans la timonerie, responsable de la sécurité de tous les hommes à bord.

Elle connaissait sur le bout des ongles le moindre récif, le moindre banc de sable. Et quand le chenal se déplaçait, elle enregistrait sa nouvelle configuration grâce à sa mémoire photographique. Elle avait découvert que sa formation artistique constituait un atout incalculable pour diriger un vapeur sur la Murray.

Elle avait appris à distinguer une falaise de son reflet, et par les nuits obscures elle menait posément le navire au cœur des ténèbres, car elle connaissait parfaitement la forme du fleuve. Son courage lui avait permis de venir à bout de tous les obstacles ; par mesure d'économie, il n'y avait pas de second à bord. Brenton était censé occuper ce poste, mais elle laissait le jeune Brenny tenir la roue pendant la journée dans les passages faciles, tandis qu'elle rendait visite à Brenton ou récupérait quelques heures de sommeil.

Le seul luxe qu'elle se permit fut celui d'un cuisinier. Il

fallait nourrir convenablement les hommes d'équipage, sinon ils partiraient. Elle ne pouvait diminuer cet équipage réduit au strict minimum — un ingénieur, un chauffeur, un maître de barge et un matelot de pont, sans oublier les deux garçons.

Comme la crue était terminée, ils transportaient des pierres provenant de la carrière de Mannum, à une centaine de milles en aval du site de l'Écluse, où il y avait un dépôt de granit près du fleuve.

Là, les vapeurs chargeaient leurs barges sous les éboulis de la carrière, s'approchant très près de la berge, car le chenal était fort profond à cet endroit. Parfois le soir, quand les ouvriers de la carrière s'arrêtaient de travailler, ils laissaient une benne pleine de pierres, et le premier vapeur arrivant le lendemain matin la chargeait, gagnant ainsi un temps précieux sur ses concurrents.

Le plus gros et le plus puissant navire du fleuve, le *Captain Sturt*, poussait trois barges pleines devant lui, si bien que, lorsqu'on venait de le charger, il fallait attendre longtemps le chargement suivant. C'était un vapeur à roues de poupe, semblable aux bateaux du Mississippi et importé d'Amérique en pièces détachées.

Ils avaient doublé le *Captain Sturt*, le commandant Johnstone tenant la roue, qui entra dans Blanchetown au crépuscule, car il ne naviguait jamais de nuit quand il était chargé ; l'ensemble était presque aussi long qu'un train de marchandises.

Aucun autre vapeur n'étant parti avant le *Philadelphia*, Délie espérait arriver la première à la carrière en début de matinée.

Les deux lampes à acétylène équipées de leurs grands réflecteurs illuminaient le fleuve devant le bateau ; les arbres gigantesques brillaient comme des diamants dans la lueur blanche et leur silhouette se détachait contre le ciel noir. Comme il n'y avait pas de lune, Délie ne risquait pas de confondre le paysage avec son reflet sur la surface du fleuve. La timonerie était plongée dans l'obscurité, et ses yeux parfaitement habitués à la lueur qui les précédait. Ils venaient de quitter Blanchetown pour descendre jusqu'à Mannum.

Heureuse, Délie fredonnait. Elle n'était pas seule, même si

aucune lumière ne signalait la moindre habitation, même si les falaises et le fleuve reposaient dans les ténèbres originelles.

Autrefois, elle aurait pu apercevoir les feux de camp tremblotants des aborigènes, les sauvages tribus moorundis qui avaient occupé la rive occidentale du fleuve. A cette époque lointaine, les aborigènes habitaient tout le long du cours méandreux de la Murray. Aujourd'hui, il n'en restait que quelques-uns, regroupés dans des campements sordides sur le pourtour des camps de pionniers, comme à Swan Hill ou à Mannum ; là, ils trouvaient la nourriture et le tabac de l'homme blanc, ses vêtements de rebut, là ils contractaient les maladies de l'homme blanc.

Cessant de fredonner, elle écouta le battement régulier des pales, le sourd teuf-teuf-teuf de la vapeur s'échappant par la cheminée. Une silhouette sombre, frêle et fluette, apparut à la porte de la timonerie, puis se glissa à côté d'elle.

«Le moulin ronronne de plaisir, dit Charlie l'ingénieur. Apparemment, il apprécie la nouvelle cheminée. Il est aussi content qu'un fumeur de pipe au coin du feu. Écoutez-le un peu...

— J'étais justement en train de l'écouter. Vous savez vous y prendre avec lui, Charlie.

— Ça oui ! Il me connaît, voilà tout. Bon Dieu, que j'sois damné si je me trompe ! Qu'est-ce que c'est que cette lumière, là-bas ?

— Où ?

— Qui monte vers nous, elle monte vite. J'parie que c'est le *Cadell* qu'essaie de nous rattraper.

— Possible. Ils mettaient la chaudière sous pression quand nous sommes partis. Je parie qu'il essaie d'arriver avant nous à la carrière de Mannum.

— Nous doubler ! Par tous les saints de l'enfer, nous allons nous occuper de ça ! J'vais...

— Charlie ! Charlie McBean ! » le rappela-t-elle à l'ordre. Il connaissait parfaitement l'opinion de Délie quant aux courses entre vapeurs.

«Oui, patronne.» A contrecœur, Charlie s'arrêta sur les marches.

Délie regarda par-dessus son épaule les lumières qui

s'approchaient régulièrement. Plus tard, elle ne devait pas comprendre ce qui s'était passé, peut-être avait-elle été «possédée», dominée par l'ancien esprit de compétition de Brenton. En tout cas, elle s'écria: «Dépêche-toi, Charlie! Fais-lui donner tout ce qu'il peut.

— Bien, patronne!»

Elle gagna le centre du fleuve pour profiter au maximum du courant. La barge vide n'avait aucune influence sur leur vitesse. Elle entendit la porte du foyer claquer quand le chauffeur enfourna les bûches les plus sèches et du meilleur bois dans la fournaise; lorsque la pression de vapeur eut monté, ils filèrent avec le courant à la vitesse de neuf nœuds.

Derrière, l'équipage du *Cadell* poussait follement les feux, des étincelles jaillissaient de la cheminée du vapeur rival, dont les entrailles semblaient rugir. Délie entendait leur propre cheminée vibrer et palpiter — grâce à Dieu, elle était neuve et bien ajustée. Dans la cale, Charlie obturait certainement la soupape de sécurité avec tout un assortiment de clefs anglaises.

Délie serra les mains sur la roue et perçut la vibration douloureuse du vapeur, mais le bois des rayons lui communiqua un sentiment de puissance illimitée. Elle tenait enfin l'occasion de prouver aux hommes qu'elle savait manœuvrer un bateau! Pourtant le *Cadell* les rattrapait peu à peu. Quand Délie coupa le virage suivant, le cadre de la roue à aubes frotta contre les branches basses des arbres. Quelques mètres de gagnés... Charlie remonta dans la timonerie, où il se mit à danser en tous sens, froissant sa casquette dans ses mains, et Délie sentit l'excitation de la course s'emparer de lui.

«C'est pas la peine, patronne! hurla-t-il. Y sont plus rapides que nous, et si jamais ils arrivent à nous dépasser... Mais il y a le kérosène, si je pouvais en donner un peu au chauffeur...

— Prends le kérosène! s'écria Délie. Et demande au cuisinier tous ses pots de graisse. Non, inutile de lui demander, il dort. J'arrangerai ça demain matin avec lui!»

Le *Cadell* naviguait maintenant bord à bord avec eux; Délie voyait son équipage danser à la lueur de la chaudière en hurlant des insultes. Pendant quinze milles, ils luttèrent pour l'emporter, mais l'habileté de ses manœuvres permit à Délie de conserver quelques mètres d'avance.

«Hourra! Tu peux exploser, mais je t'interdis de ralentir!» brailla Charlie, quelque part en dessous. Toute sa raison revint soudain à Délie. Elle se souvint du *Providence*... Mais ce vapeur ne participait à aucune course; il s'était désintégré sans raison apparente. Cessant de s'inquiéter, Délie ressentit un calme plein de fatalisme.

Dans la dernière courbe, elle réussit à repousser son concurrent vers l'extérieur, puis elle conserva ses quelques mètres d'avance pendant les neuf milles de la ligne droite. Les deux vapeurs rugissaient dans la nuit obscure, ne cédant pas un pouce, ne lâchant pas une livre de pression. Les lumières de Mannum devinrent plus vives, l'ingénieur et le chauffeur poussèrent des cris de joie, et le *Philadelphia* se glissa sous les éboulis de la carrière alors que l'aube pointait. Avec un sifflement assourdissant, la vapeur s'échappa des valves et la sirène poussa un hurlement triomphal.

Le *Cadell*, vaincu, lança trois coups pour reconnaître sa défaite, puis gagna la berge où il attendit son tour.

72

«Nous avons battu le *Cadell* depuis Blanchetown.»

Délie s'assit sur le lit où le corps invalide de son mari reposait parmi les oreillers, et elle attendit anxieusement sa réponse. S'il restait quoi que ce fût du vieux Teddy Edwards, le capitaine qui ne supportait pas d'être battu, qui tenait à posséder le bateau le plus rapide du fleuve; si une étincelle de l'ancien Brenton demeurait, alors il devait manifester son intérêt.

Lentement, ses yeux mélancoliques s'ouvrirent, ses lèvres remuèrent et les mots sortirent, déformés mais reconnaissables:

«Ce... sacré rafiot! Cela... m'étonne... pas.»

Elle sourit et se détendit. Saisissant sa main gauche, moins atteinte que la droite, elle entreprit de lui raconter tous les épisodes de la course : les deux vapeurs filant à travers la nuit, la dernière pointe de vitesse qui leur avait permis d'arriver en tête sous les éboulis de la carrière pour charger les quatre cents tonnes de pierres, tandis que le *Cadell* devait attendre qu'un nouveau chargement fût prêt. Encore maintenant retentissait le tonnerre des pierres qui dégringolaient dans la barge ; mais dans moins d'une demi-heure, ils seraient prêts à repartir.

« Quand je pense que j'ai pu te reprocher de faire la course ! dit Délie en serrant la main de Brenton. Je ne sais pas ce qui m'a pris, ça a dû être un coup de folie, mais il fallait absolument que je prouve que nous avions le meilleur bateau, et un meilleur marin dans la timonerie. Ça leur apprendra à se moquer des femmes capitaines !

— Meilleur homme... fleuve... tous pensent.

— Que dis-tu, mon chéri ? Que je suis le meilleur homme sur le fleuve ? Qui a dit cela ? Après avoir heurté le câble du téléphérique et tout...

— Charlie l'a dit. Meilleur homme après moi.

— Charlie McBean ! » Elle enfouit son visage dans l'oreiller à côté des cheveux gris pour cacher le sentiment de triomphe qui la submergeait. Charlie le misogyne avait loué ses talents. Après la performance de cette nuit, il serait certainement à genoux devant elle.

Ils avaient quitté Blanchetown la veille, à huit heures du soir et l'aube pointait déjà. Quand ils atteindraient le chantier de l'Écluse pour décharger, elle aurait passé vingt-quatre heures d'affilée dans la timonerie. Mais ils devaient rattraper le temps perdu à attendre les chargements en contrebas de la carrière. Elle s'accordait dix minutes avec Brenton pendant le chargement de la barge.

« As-tu regardé le livre ? » Elle ramassa *la Vie sur le Mississippi*, tombé à côté du lit. Brenton pouvait tenir brièvement un livre dans sa main gauche, mais il devait le poser pour tourner les pages, laborieusement, de ses doigts malhabiles. « Je vais te faire la lecture pendant qu'ils finissent de charger. »

Elle regarda l'ex-libris collé à l'intérieur de la couverture : *Ex Libris, Cyrus P. James*, jouxtant un étrange dessin de machine sur laquelle poussaient des roses. L'ingénieur était monté à bord du vapeur pendant qu'on réparait la cheminée, et lui avait apporté ce livre.

« Vous aimez Mark Twain ? lui avait-il demandé.

— Oui, j'aime beaucoup *Tom Sawyer et Huckleberry Finn*, je les ai lus il y a très longtemps. Mais j'aime moins *Innocents à l'étranger*.

— Bah, soit on apprécie son humour yankee, soit on y est réfractaire. En tout cas je vous garantis que vous aimerez celui-là. Un commandant m'a juré que presque tout ce qu'il raconte à propos du Mississippi est valable pour votre fleuve, ici. Gardez-le tant que vous voudrez, madame. Et puis votre mari voudra peut-être le lire aussi. »

Elle l'accompagna sur le pont supérieur pour lui présenter Brenton, avec qui il se montra courtois, compatissant sans excès à son malheur. Mais Teddy Edwards n'aimait pas avoir de la visite, même celle de ses vieux amis, il avait honte de son immobilité forcée, de ses efforts maladroits, de ses paroles brouillées. Devinant tout cela, M. James avait écourté sa visite.

Les illustrations, qui montraient de gigantesques palais flottants a deux cheminées et aux chaudières jumelles, avaient enchanté Délie. Ces navires ne ressemblaient pas aux vapeurs à aubes de la Murray. Un paragraphe retint particulièrement son attention.

« Nous remarquâmes qu'en amont de Duberque l'eau du Mississippi était d'un vert soutenu, magnifique couleur laiteuse sur laquelle jouaient les rayons du soleil... »

Bras morts et récifs, hauts-fonds, bancs de sable et promontoires, une description de la surface du fleuve à l'aube, semblable à un miroir, tout était là. Elle avait donné le livre à Brenton en lui promettant de le lui lire dès qu'elle en aurait le temps.

Maintenant, elle ouvrait le livre et commença au hasard :

« Le pilote naviguant sur le Mississippi doit posséder une mémoire prodigieuse. S'il a une mémoire relativement bonne en début de carrière, le fleuve la développera dans des proportions colossales — mais elle ne s'exercera que dans les limites de son travail. Cette mémoire est indispensable, car les bancs argileux se déforment et se déplacent, les souches saillant des berges grossissent ou se modifient, les bancs de sable ne restent jamais au même endroit ; les chenaux dérivent ou disparaissent purement et simplement... »

Levant les yeux, elle surprit le regard de Brenton, alerte et concentré, fixé sur sa bouche. Elle entama la diatribe de l'oncle Mumford :

« Quand il y avait quatre mille navires à vapeur et dix mille acres de barges et de radeaux, les écueils étaient plus denses que les soies sur le dos d'un sanglier ; mais aujourd'hui qu'il reste seulement trois douzaines de navires à vapeur et presque plus aucune barge ni radeau, le gouvernement a supprimé tous les écueils, illuminé les rives comme Broadway, si bien qu'un bateau est autant en sécurité sur le fleuve que sur un canal.

« Et je parie que, lorsqu'il ne restera plus le moindre bateau, la commission aura réorganisé l'ensemble de la navigation fluviale, balisé, dragué, clôturé, récuré, si bien que tout sera parfait, d'une absolue sécurité et d'une tranquillité à toute épreuve... »

« Tu vois ! Exactement... pareil. » Brenton agitait sa main gauche, impatient de s'exprimer avec ses lèvres à moitié paralysées. « Les gouvernements partout... même chose. Écluses toutes construites... grands barrages... digue barrant l'estuaire... de l'eau toute l'année... mais plus de bateau sur le fleuve. Terminé.

— Ce fut la concurrence des chemins de fer, il me semble, qui mit un terme à la navigation en Amérique ? » Elle feuilleta le livre. « Oui, il en parle : "Les trains ont supplanté les vapeurs, car ils accomplissaient en deux ou trois jours ce que les bateaux mettaient une semaine à faire... La navigation à vapeur sur le Mississippi est née en 1812 ; moins de soixante ans plus tard, elle avait disparu ! Quelle vie étonnamment brève pour une créature si majestueuse. Naturellement, elle n'est pas tout à fait morte ; de même un octogénaire infirme "... »

Les yeux de Délie parcoururent vivement le texte et s'écarquillèrent ; elle se mordit la lèvre, incapable de lire la fin de la phrase.

« Continue... Je l'ai lu. »

« "De même un octogénaire infirme autrefois capable de prouesses sportives. Mais quand on connaît sa grandeur passée, on peut dire que le Mississippi est mort". »

Le dernier mot sonna comme un glas dans le silence de la cabine, encore souligné par l'interruption soudaine du grondement des pierres tombant dans la barge.

Délie regarda Brenton en silence. « Méfie-toi de la pitié, se dit-elle en son for intérieur. Il désire tout sauf de la pitié... »

« Mort ! Oui. Mieux vaut... être mort. » Quand il la regarda, ses yeux avaient retrouvé leur autorité d'antan. « Donne-moi... mon... fusil. Va chercher... Tu m'entends ?

— Oui, je t'entends, Brenton. Mais je refuse. Nous avons besoin de toi, les enfants, le bateau, et je...

— Bah ! Sers à rien !

— Chéri, écoute-moi ! Tu vas déjà mieux. Tu peux parler, tu as retrouvé l'usage d'une main. Tu dois lutter, il faut que tu luttes, pour nous comme pour toi. Je ne crois pas que tu sois du genre à abandonner un combat !

— Je vais... lutter. Tu vas voir. Je sortirai de... ce lit... ou bien je mourrai. Je cesserai de manger ; pour finir tout ça. Pas envie de... moisir.. plus longtemps. »

Il leva son bras valide en un geste pathétique, comme s'il voulait attirer la malédiction des dieux sur quiconque aurait essayé de lui résister ; mais son bras retomba lamentablement à côté de lui.

On frappa à la porte de sa cabine ; le matelot de pont (Petit Suppôt, ou Suppôt de Satan, ainsi que l'appelait Charlie) passa la tête à l'intérieur.

« Le chargement est terminé, madame. L'ingénieur dit que la chaudière est sous pression.

— Très bien. J'arrive. »

Elle le regarda sauter et bondir comme un cabri sur le pont — il ne marchait jamais —, s'émerveillant de son énergie de si bon matin. Le jeune Brenny et Alex dormaient encore sur leurs couchettes. Suppôt de Satan était resté debout toute la nuit pour aider le chauffeur, savourant chaque instant de la course. Son visage rond, couvert de taches de rousseur, d'où ses dents saillaient, était aussi joyeux que d'habitude ; et comme toujours, son feutre mou était enfoncé sur ses oreilles.

Délie regarda vers l'aval, vers Mannum. Malgré l'heure matinale, la ville grouillait de vie. Elle voyait la lumière des boutiques et des maisons perchées sur les falaises comme des nids d'hirondelle ; le bac traversait laborieusement le fleuve, transportant les ouvriers qui travaillaient à l'usine de matériel agricole de David Shearer ; cette autre lueur sortait de la forge des chantiers navals J.G. Arnold, d'où arrivaient les bruits du marteau façonnant le métal.

Et là, quelque part vers le milieu du fleuve, le vieux *Mary Ann* du capitaine Randell reposait dans la vase. Ce bateau, le premier vapeur à naviguer sur la Murray, avait été construit ici même voici soixante ans, et les vapeurs du Mississippi avaient duré moins de soixante ans ! Elle sentit sur son corps un frisson qui n'avait rien à voir avec la fraîcheur de l'air matinal.

Deux aigles criards décrivaient des cercles au-dessus du fleuve, leur silhouette noire se détachant contre le ciel pâlissant. Leurs cris furent brusquement noyés dans le sifflement suraigu de la vapeur s'échappant des valves, et par l'appel de Charlie McBean.

« Hé, Suppôt de Satan, t'as prévenu la patronne qu'on était prêts à partir ?

— Bien sûr.

— J'arrive, Charlie, on y va. » Elle entra dans la timonerie. « Suppôt, largue l'amarre de proue. »

Le maître de barge et le chauffeur étaient prêts à se déhaler de la berge à l'aide de longues perches. Délie enclencha le contrôleur de marche, et les roues à aubes se mirent à battre l'eau.

> *Charlie, le roi de l'orge, du beurre et des œufs,*
> *Vendit sa femme contre deux œufs de canard,*

chantait le matelot d'une voix rocailleuse.

« Sale petit Suppôt ! rugit Charlie. Attends un peu que je te frotte les oreilles ! »

73

Ce fut un autre vapeur qui transporta la laine du lac Victoria jusqu'aux entrepôts Raeburn de Milang. Car une occasion se présenta, que Délie ne pouvait laisser passer, et qui l'empêcha de se rendre sur les lacs.

Le vieux *Cadell* avait repris le transport du courrier de Murray Bridge à Morgan, mais le courant était trop violent pour ses moteurs à l'endroit où le fleuve se resserrait devant le chantier de l'Écluse (on avait pompé l'eau après la crue, et le chantier débordait maintenant d'activité). Le capitaine avait donc essayé de se haler en fixant un câble sur un gros arbre, mais les planches pourries du bateau avaient cédé sous l'effort, et tout le château avait été arraché.

Sur les conseils du commandant du *Cadell*, Délie posa sa candidature et le *Philadelphia* fut choisi pour transporter le courrier. Cela signifiait des rentrées d'argent régulières, en plus des contrats temporaires ; mais cela impliquait aussi des horaires draconiens, car au départ comme à l'arrivée, des trains attendaient. Ce fut un triomphe pour elle et son bateau. Jamais auparavant, une femme n'avait transporté le courrier de Sa Majesté sur le fleuve.

Le campement de Blanchetown, à mi-chemin entre les deux ports, possédait une poste et son propre service postal, car il comprenait un gros village temporaire, des cabanes pour quatre-vingts hommes, en plus de réfectoires et de deux cottages destinés à l'ingénieur en chef et au conducteur des travaux.

Parfois, l'ingénieur consultant voulait envoyer des lettres ou des plis urgents, souvent à destination du Canada. Délie voyait beaucoup M. James, qui montait fréquemment à bord prendre son courrier ou prêter une pile de livres et de magazines à l'invalide.

En homme pratique, Brenton aimait lire les numéros du *Scientific American* qu'il lui apportait. Il s'était habitué aux visites de l'ingénieur, dont la présence était maintenant loin de l'importuner ; mais Délie s'aperçut peu à peu que ces visites trop fréquentes menaçaient sa propre tranquillité et son équilibre. Elle se mit à les attendre avec une fébrilité dont elle refusa d'abord d'analyser la raison.

Cyrus James était un homme imposant qui avait l'habitude de rester tout près d'elle quand ils étaient ensemble, tel un grand voilier accompagnant un frêle esquif, comme s'il voulait la séduire, la conquérir par sa simple supériorité physique. Elle savait que sa femme était restée au Canada, et qu'il menait une vie de célibat convenant mal à un homme aussi vigoureux, qui travaillait et se dépensait sans compter, tout en s'exprimant d'une voix douce et profonde. Il avait de grandes mains osseuses aux doigts courts, aux articulations couvertes de poils noirs, dont la virilité la fascinait tout en la repoussant.

Quand elle s'aperçut qu'elle rêvait de lui entre ses visites, elle décida que ces visites devaient cesser. Mais elle prit trop tard sa décision.

Il monta à bord un soir qu'on déchargeait des marchandises à Blanchetown, en plus des sacs de courrier. Debout côte à côte près de la table du salon, ils étudiaient la vieille carte du fleuve de Brenton, discutant de la formation des falaises et du lagon près du site de l'Écluse Trois, la prochaine qu'on construirait, à quatre-vingts milles en amont. Cyrus James ne dirigeait pas les travaux ; car dès l'ouverture du chantier de l'Écluse Trois, il devrait retourner au Canada.

La longue carte était en partie déroulée sur la table devant eux. Penchée au-dessus d'elle, Délie suivait du doigt le tracé du chenal, marqué à l'encre.

Une large ceinture soulignait sa taille mince, entre une jupe longue et son corsage de mousseline blanche, seul vêtement réellement féminin qu'elle portait à cette époque. Ses vêtements « élégants » étaient restés chez Mme Melville.

Cyrus James se tenait tout près d'elle, et toutes les fibres de son être se concentraient sur sa présence virile. L'homme se pencha pour examiner un détail et posa négligemment la main sur son épaule. Puis ses doigts glissèrent très délicatement vers le cou de Délie jusqu'à la racine des cheveux. Elle vacilla, saisie d'un brusque frisson. Elle ne pouvait plus parler.

« Vous êtes une femme merveilleuse, dit-il doucement à son oreille. Savez-vous l'effet que vous avez sur moi ? Je ne pense qu'à vous.» Ses doigts continuaient à caresser son cou. «Seigneur! Comme je vous désire.»

Faisant effort sur elle-même, elle s'éloigna de lui et contourna la table. «Vous feriez bien de partir, dit-elle, mais ses lèvres tremblaient et elle cachait son visage.

— Écoutez! Écoutez-moi!» Il saisit ses mains au-dessus de la table. «Levez la tête! Regardez-moi! Ce n'est pas que je ne vous aime pas, ne vous admire pas... Je vous aime telle que vous êtes. Mais je ne suis plus un gamin et vous êtes une femme. Reconnais-le. Tu as envie de moi, tu me désires aussi, n'est-ce pas? N'est-ce pas?

— Oui!... Non! Partez, je vous en prie.» Elle retira ses mains.

«Très bien.» Il parlait avec un calme soudain, comme s'il avait jugé inutile de raisonner une enfant hystérique. «D'accord, d'accord! Je vais partir. Mais vous commettez une erreur. Nous pourrions être tellement heureux, et cela ne ferait de peine à personne.

— Et votre femme?

— C'est fou... je ne sais pas, mais cela ne change rien à ce que j'éprouve pour elle; je l'aime encore, mais vous m'avez bouleversé.

— Alors il faut que je sois forte pour deux. Non! J'ai trop souvent vécu cette situation à sa place pour ne pas prendre le parti de votre femme. Et puis ce serait ignoble envers... envers Brenton, qui est paralysé, incapable de... Vous ne comprenez donc pas? Avez-vous réellement le sentiment de jouer un rôle très honorable?»

Cette pique lui arracha une brève grimace. «Ah, vous noircissez trop la situation... ainsi que moi-même. Croyez-moi, c'est plus fort que moi.

— Très bien, je vous crois. Mais maintenant, s'il vous plaît, allez-vous-en.»

Elle pensait avoir gagné, mais c'était sans compter avec la ténacité d'un homme qui s'obstinait à lancer des ponts bien que leurs fondations fussent régulièrement balayées, un homme qui avait mené à bien les travaux de la première écluse malgré la pire inondation qu'on ait vue depuis quarante-sept ans.

Contournant vivement la table, il la prit dans ses bras en bredouillant des paroles incohérentes, colla sa bouche sur celle de Délie. Son genou se glissa entre ses cuisses, ses doigts noueux pétrirent sa gorge, sa langue obligea ses lèvres à s'ouvrir. Elle se débattait sauvagement, pensant sans arrêt : je dois être forte... je dois être forte. Elle finit par se libérer, haletante, les vêtements en désordre.

«Si vous essayez encore de me toucher, dit-elle d'une voix rauque, j'appelle Charlie. Oh, quel gâchis ! Pourquoi a-t-il fallu que je sois une femme ? » Elle s'effondra dans un fauteuil et posa sa tête sur la table du salon pour cacher son visage.

L'instant d'après, elle sentit une main caresser doucement ses cheveux. «Écoutez-moi, Délie. Pour l'amour du Ciel, regardez-moi et écoutez-moi. Je m'en vais. Je suis désolé, vraiment, simplement, je suis fou de vous, je ne peux pas me passer de vous, vous comprenez ? C'est plus fort que moi ! » Sans lever les yeux, elle entendit la porte se refermer derrière lui.

Ce soir-là, allongée sur sa couchette, incapable de trouver le sommeil, les yeux rivés aux boiseries du plafond, elle lutta une nouvelle fois contre ses démons. Pourquoi pas ? chuchotait une voix insidieuse. Pourquoi pas ? Si personne ne le sait, à qui cela pourrait-il faire de la peine ? Pourquoi ne pas céder ?

Elle se retrouvait au pied du mur, elle devait prendre une décision. Ce n'était pas comme si elle aimait Cyrus James ; elle l'appréciait, elle l'admirait, elle le trouvait charmant, séduisant, mais rien de plus. Il n'y avait aucune justification, sinon celle, spécieuse, du *carpe diem* — le temps perdu ne se rattrape jamais, dans cent ans ses décisions n'auraient plus la moindre importance. Mais elle ne pouvait accepter ce genre de raisonnement. La vie nous est accordée une seule fois ; à nous d'en faire le meilleur usage, et nous devons nous comporter *comme si* tout avait de l'importance, sinon l'existence entière se transforme en une face grotesque.

En certaines occasions, certes, la vie était manifestement une farce... mais c'était la porte ouverte à l'hédonisme ou à la folie. Elle se concentra sur le problème que lui posait Cyrus James. Elle ne pourrait l'éviter complètement, mais il vaudrait mieux ne pas se retrouver seule avec lui. Elle n'était pas sûre de pouvoir se faire confiance, mais elle était certaine qu'elle ne pouvait lui faire confiance.

74

La Grande Guerre, la guerre pour sauver la Démocratie, la guerre pour en finir avec la guerre, était enfin terminée, au bout de quatre années de souffrances et de destructions effroyables. Les fabricants d'armes et autres magnats de l'acier s'étaient enrichis, mais le monde avait perdu maints jeunes gens prometteurs, maints jeunes poètes morts dans la fleur de l'âge.

En Australie comme dans d'autres pays, les rescapés revinrent, qu'on dut réinsérer dans les structures de la vie civile. On les avait jetés dans la mêlée avec un fusil et une baïonnette, on leur avait dit de massacrer sans pitié. Maintenant, du sang plein les mains et l'horreur dans l'âme, ils retrouvaient leur femme, leurs doux enfants, leurs emplois monotones dans des bureaux feutrés. Certains étaient aveugles, infirmes, défigurés à vie ; d'autres souffraient de blessures invisibles, purement mentales, mais tout aussi atroces.

De nombreux soldats démobilisés ne purent se réadapter à la vie civile, surtout dans les villes, et un gouvernement compatissant les envoya à la campagne. On leur donna des hectares de maquis aride à transformer en terres cultivables ; des buissons et des épineux tenaces qui, quand on les brûlait et les arrachait, rejaillissaient de leurs racines profondément enfouies dans la terre comme autant de dents de dragon. Et dès que les épineux avaient disparu, l'érosion arrivait, la mince couche de terre fertile était emportée par le vent, des monticules de sable recouvraient barrières et clôtures.

De nouvelles zones d'irrigation furent aménagées le long de la Murray ; les hommes démobilisés creusèrent des canaux et des fossés, installèrent des pompes.

On finit par les cantonner dans des quartiers réservés, pour cultiver des arbres fruitiers afin d'alimenter le marché des fruits secs. Les moins tenaces ne supportèrent pas ce mode de vie et retournèrent à la ville, ou bien battirent la campagne comme ouvriers agricoles, pendant que le calcaire de leur maison s'effritait et retournait à la poussière originelle. Les autres aménagèrent leurs terres et devinrent, sinon prospères, du moins capables de subvenir à leurs besoins.

Chez les Melville, un seul fils revint au foyer. Jim, l'aîné, fut tué en France peu de temps avant la signature de l'armistice. L'injustice de son sort, alors qu'il avait traversé sain et sauf trois années de massacres, aigrit beaucoup sa mère. Elle ne parlait plus jamais de son fils aîné, interdisait à son mari de prononcer son nom ; sa bouche, autrefois souriante se pinça ; deux rides profondes creusèrent ses joues entre ses narines et les commissures de ses lèvres.

Garry, le cadet, bien que jeune et solide, semblait marqué. Son visage avait vieilli, une sorte de tic nerveux le faisait battre lentement des paupières une fois ou deux comme s'il refusait de voir un spectacle insoutenable. L'armée l'avait renvoyé dans ses foyers pour cause d'invalidité et il était arrivé à peu près en même temps que la nouvelle de la mort de Jim.

Délie l'apprit quand elle monta à la ferme pour récupérer Gordon — maintenant en âge de quitter l'école —, et pour installer Brenny dans l'ancienne chambre de Gordon. M. Melville glissa au bas de la falaise dans la conduite d'eau, une expression de tristesse voilant son regard bleu, et d'une voix presque honteuse lui apprit la nouvelle. « La maman est bouleversée, chuchota-t-il. Mais à votre place, je resterais discrète. »

Tremblant d'appréhension, Délie pénétra dans la cuisine de la ferme — imaginant la joie de Mme Melville à la nouvelle de l'armistice, persuadée que ses deux garçons avaient survécu à la boucherie — et pressa silencieusement sa main entre les siennes.

La femme du fermier avait eu une semaine pour se remettre du choc. A vrai dire, elle commençait à peine d'y croire, réalisant que son Jim ne reviendrait plus jamais à la maison, Jim, son premier fils, son préféré, qui portait le même prénom que son père.

Calme et l'œil sec, elle regarda Délie comme si elle ignorait la raison de cette sympathie silencieuse. Elle tenait sa tête très droite, la bouche pincée ; seules ses mains couvertes de taches de son tremblèrent un peu lorsque Délie les lâcha. Elle les posa sur la table pour arrêter leur tremblement.

Les cheveux de Mme Melville étaient du même gris argenté ; ses joues fraîches et roses semblaient nier la blessure mortelle infligée à son cœur de mère. Mais ses yeux marron, autrefois brillants et lumineux, semblaient plus ternes, aussi sombres que deux étangs lorsqu'un nuage masque le soleil.

« Vous êtes donc venue reprendre Gordon ? dit-elle avec toute sa vigueur d'antan. Dire que j'avais songé à le garder pour remplacer mon garçon... Il va me manquer quand il sera retourné sur le bateau. C'est un enfant très timide, mais tellement réfléchi... Enfin, au moins vous ne le perdrez pas comme j'ai perdu le mien. Il n'y aura plus jamais de guerre.

— Je suis navrée, madame Melville. Je viens d'apprendre la nouvelle.

— Merci, ma chère. Il est mort pour aider le monde à se protéger contre l'Allemagne, au moins pour l'instant. Ces sales boches ! Si je pouvais, je les exécuterais tous, ou j'opérerais les hommes pour qu'ils ne puissent plus jamais avoir d'enfants.

— Je comprends très bien votre amertume. C'est tellement injuste, et puis la guerre était presque terminée... Mais je crois que nous devons cohabiter avec les Allemands. Nous sommes tous des êtres humains et ils ont reçu une bonne leçon. Jamais ils n'oseront recommencer.

— Je sais que je n'aurai jamais confiance en eux. Garry dit que ce sont des fanatiques, surtout les officiers. Non, il faut les surveiller de près.

— Melvie, Melvie ! » Meg entra en sautillant dans la cuisine, un panier plein d'œufs sur le bras. Elle s'arrêta net en voyant sa mère, puis, timidement, vint l'embrasser. Elle s'éloigna aussitôt.

« Melvie, la poule de Bantam a fait son nid dans les potirons. J'ai trouvé quatre petits œufs dedans !

— Très bien, ma chérie. Tu ne savais pas que ta maman était là ? Tu n'as pas entendu le bateau arriver ?

— Non, j'ai jamais entendu ; j'étais dans le poulailler, et les poules faisaient un tel boucan...

— Il faut dire : "Non, je n'ai rien entendu", ma chérie », l'interrompit Délie ; immédiatement, elle regretta ses paroles.

Meg répétait évidemment les expressions incorrectes entendues à l'école, qu'elle oublierait aussi vite qu'elle les avait apprises.

«Non, je n'ai rien entendu. J'suis surprise de te voir, m'man.»

Mais es-tu contente? se demanda Délie avec un pincement de jalousie. Mme Melville avait beau être la gentillesse incarnée, n'usurpait-elle pas la place de la mère de Meg?

Délie poursuivit avec une autorité tranquille: «Pose les œufs sur la table, Meg, et va te coiffer. Maman va croire que tu ressembles à un épouvantail.

— Non, je la trouve tellement mignonne! Elle a des cheveux d'une finesse... On dirait de la soie noire.» Délie les caressa tendrement, mais au bout de quelques instants Meg s'éloigna tranquillement.

«Je dois mettre un ruban? demanda-t-elle en regardant Mme Melville.

— Oui, le rose. Et lave-toi les mains. Après, tu pourras m'aider à beurrer les galettes.»

Meg sortit en dansant joyeusement. «C'est elle qui les a faites, dit Mme Melville. Gordon est parti chercher de l'eau au barrage. Il sera bientôt rentré et je préparerai du thé.»

Elle poussa vers le centre du poêle la grosse théière qui sifflait en permanence sur son support en bois. Sa cuisine était moderne et pratique pour une ferme, garnie d'étagères posées par son mari bricoleur et plein de vitalité. Il y avait des rideaux de mousseline aux fenêtres, un évier en porcelaine éblouissant, mais ils s'obstinaient à faire la vaisselle dans une cuvette en fer cabossée.

Garry entra dans la cuisine et Délie lui serra la main, regardant avec admiration cet homme brun et marqué qu'elle avait connu maladroit et réservé. Son nez osseux saillait sur son visage émacié, creusé par les intempéries; ses manches de chemise relevées montraient des avant-bras maigres et musclés. C'était le type même du colon australien. Deux doigts manquaient à sa main gauche, emportés par une balle.

Il savait que sa mère aurait préféré voir Jim revenir à la maison; lui-même le souhaitait parfois, car il essayait de se réhabituer au calme de la ferme après les grandes villes trépidantes — Le Caire, Paris, Londres — dont il avait eu un bref aperçu, après avoir connu l'excitation malsaine et répétée qui s'emparait des soldats montant à l'assaut des lignes ennemies.

Sa mère servit le thé ; il s'assit à la table de la cuisine, buvant d'un air maussade, perdu parmi ses souvenirs.

«Garry va devenir un vrai héros pour Brenny, dit Délie à Mme Melville.

— Je crois qu'il l'est déjà pour Meg. Cette enfant ferait n'importe quoi pour lui.

— Brenny va arriver d'un moment à l'autre. Il donne un coup de main au chauffeur pour charger du bois sur le bateau. Maintenant, il est costaud, et plein de vie, dit Délie. J'espère qu'il sera content ici. Je suis sûre que *lui* n'est pas timide.» Elle se mordit la lèvre, regrettant d'avoir employé l'expression «plein de vie», mais Mme Melville n'avait apparemment rien remarqué. «Je voudrais simplement vous demander une chose : j'espère que vous ne le laisserez pas descendre la falaise par la conduite d'eau. Il est prêt à tout, Brenton disait toujours qu'il était aussi casse-cou que Ned Kelly. Je préférerais qu'il descende par les marches, en attendant qu'il grandisse.

— D'accord, je préviendrai mon mari. Moi non plus, je n'aime pas le voir faire ça, mais il refuse de m'écouter. Ah, les hommes... C'est à eux que je dois mes cheveux gris. Parfois je regrette d'avoir eu des garçons. Meg ne m'a jamais posé le moindre problème, et elle m'aide pour tout. Je ne sais pas si je supporterais de me séparer d'elle, vraiment je ne sais pas.

— Moi aussi, il faudra bien que je me sépare d'elle un jour, quand elle se mariera», rétorqua Délie d'une voix enjouée. Elle commençait à se méfier de l'affection quelque peu possessive manifestée par Mme Melville à l'égard de ses propres enfants. Peut-être valait-il mieux reprendre Meg à bord dès l'année prochaine. Elle pourrait suivre des cours par correspondance avec Alex, une fois Brenny installé à la ferme.

Délie aurait aimé discuter ce genre de problème avec Brenton, mais il semblait se désintéresser de ses enfants, bien qu'il montrât quelque plaisir quand Meg lui rendait visite à bord.

Son invalidité ne gênait aucunement la petite fille, contrairement à Gordon, qui reculait instinctivement devant la souffrance et la maladie. Peut-être deviendrait-elle infirmière, songeait Délie ; son esprit bondissait dans le futur, elle voyait comme toujours l'avenir inscrit dans le présent, et le présent marqué par le passé.

Elle ne s'opposerait jamais à Meg, si sa fille voulait apprendre un métier ; Délie croyait qu'une jeune fille devait pouvoir assurer son indépendance. L'enseignement et les soins médicaux n'étaient désormais plus les seules carrières ouvertes aux femmes. Les années de guerre, la pénurie de main-d'œuvre avaient prouvé que les filles étaient non seulement capables d'effectuer un travail de secrétariat, par exemple, mais qu'elles étaient plus efficaces que les garçons de la même classe d'âge.

C'était déjà un avantage acquis ; mais l'égalité entre les sexes deviendrait effective quand partout on appliquerait la consigne : à travail égal, salaire égal. On voyait déjà des femmes médecins à Adélaïde. Peut-être Meg... Il serait merveilleux qu'elle pût gagner sa place dans un univers d'hommes, s'affranchir du joug de la féminité telle que l'imaginaient les hommes, ce que sa mère n'avait cessé de faire durant toute sa vie ! Elle aussi aurait un diplôme prouvant qu'elle était l'égale d'un homme dans la branche qu'elle aurait choisie. Et si elle voulait se marier, elle aurait tout le temps ensuite, une fois son diplôme en poche.

75

Après les inondations arriva la pestilence : mouches, moucherons et moustiques, sortis par millions des marécages, saturèrent l'air ambiant, et les serpents tigrés se mirent à grouiller sur la terre ; au seul campement de Berri, on en tua plus de cent en une seule journée.

Et tandis que refluait la crue barbare de la guerre, la pestilence se répandit sur la terre. Comme un miasme s'élevant de la boue ignoble où pourrissaient les hommes de tant de nations, un minuscule virus invisible, baptisé grippe espagnole par les médecins impuissants, se mit à décimer les peuples comme l'avait fait la guerre.

Le virus atteignit l'Australie par l'est en 1919. Les hôpitaux furent bientôt débordés ; il fallut soigner malades et agonisants à domicile. Les médecins furent rapidement surmenés par leurs visites.

S'inquiétant pour ses enfants, Délie voulut les garder tous avec elle. Elle les croyait davantage en sécurité sur le bateau, dans l'univers relativement isolé du fleuve, qu'à la ferme, où leurs camarades d'école risquaient de les contaminer. Toujours aussi sensible à la mort et à son appétit insatiable pour les jeunes comme pour les vieillards ou les infirmes, elle avait la crainte superstitieuse qu'un de ses fils ne fût désigné pour le sacrifice. « Si l'un d'eux doit mourir, faites que ce ne soit pas Gordon », priait-elle, reconnaissant implicitement que l'aîné était son préféré, s'adressant aveuglément à la puissance inconnue qui contrôlait le destin.

Mais ce fut Brenny qui attrapa la grippe espagnole. Le virus incubait certainement déjà dans son corps, quand elle fit halte à Waikerie et que Brenny monta à bord. Quelques jours plus tard, son corps était brûlant de fièvre et il délirait.

Elle s'amarra près de Morgan, où le médecin local put le soigner. Elle sous-traita le contrat postal à un autre vapeur et consacra tout son temps à Brenny. Elle renvoya Alex chez Mme Melville.

Le médecin reconnut son impuissance, ajoutant qu'il fallait laisser la maladie suivre son cours. Pour lui, la jeunesse et la forte constitution de Brenny devaient le tirer d'affaire. Il avait surtout besoin de soins attentifs.

Délie dormit à peine pendant les deux semaines suivantes. Sans cesse, elle pensait à ses propres frères, morts vers cet âge. Elle profita des longues veillées nocturnes pour commencer à lire Schopenhauer dans un volume poussiéreux et non coupé, trouvé à l'Institut de Morgan ; le livre s'intitulait *le Monde comme volonté et comme représentation* : « La forme de l'existence est un éternel présent, même si les individus, phénomènes de l'Idée, naissent puis disparaissent dans le Temps, comme autant de rêves évanescents. »

Mais la philosophie ne pouvait la consoler, pas plus que les conceptions fatalistes de son oncle ne l'avaient consolée de la mort d'Adam, ou la bigoterie de sa tante de la perte de sa famille. Elle se leva pour aller chercher des compresses froides et baigner la chair brûlante de Brenny, que la fièvre semblait consumer comme un incendie. Déjà ses joues s'étaient creusées. Elle se pencha pour examiner son visage, redoutant d'y découvrir le regard las et lointain d'un malade résigné à une mort inéluctable.

Mais elle découvrit qu'il avait peur. Ses yeux bleus brillants de fièvre, d'ordinaire si vaillants et vifs, lui adressaient un appel silencieux. Soulignés par des cernes sombres, ils semblaient enfoncés dans son crâne.

« Maman, je ne vais pas guérir, n'est-ce pas ? dit-il d'une voix faible. Je vais mourir. Je ne veux pas. Maman... »

D'une main tendre qui ne tremblait pas, elle baigna son front. Chassant la terreur de son propre cœur, elle lui dit : « Mais bien sûr que si, tu va guérir. Avec cette maladie, on va parfois plus mal avant d'aller mieux. En tout cas, tu ne vas pas mourir, je peux te le garantir. Quand tu étais petit, tu avais souvent de mauvaises bronchites, et j'ai parfois cru que tu ne guérirais jamais. Mais tu as toujours guéri ; depuis, tu as grandi, tu es devenu plus solide, et puis j'espère que tu ne crois pas que je vais te laisser mourir maintenant ? Il faudra que tu aides papa à s'occuper du bateau quand il sera rétabli, et un jour tu seras toi-même capitaine... »

A mesure qu'elle parlait, une certitude se faisait jour en elle. Comme si, en un éclair prémonitoire, elle voyait l'avenir : Brenny en jeune homme solide et beau, debout dans la timonerie où son père avait passé tant d'heures avant lui. *La forme de l'existence est un éternel présent... comme l'arc-en-ciel sur la cascade, elle demeure, tandis que les gouttes d'eau individuelles tombent et meurent.*

Entre-temps, sa voix apaisante avait plongé l'enfant dans un sommeil fiévreux et léger. Sortant brusquement de sa rêverie, elle s'aperçut que son souffle était plus lent, régulier et profond, que son visage et son cou étaient moites de sueur. La fièvre était passée : la crise terminée. A partir de ce jour, il se rétablit lentement.

Avant qu'il ne fût complètement guéri, Brenton attrapa le virus. Délie, qui les soignait tous les deux, ne savait plus où donner de la tête ; elle ne laissait personne s'approcher d'eux ; elle accrocha un drap imbibé de désinfectant en travers de la porte de la cabine pour isoler le malade. Jusque-là, Gordon et les autres membres de l'équipage avaient échappé à l'épidémie.

Elle dut faire preuve de toute son autorité pour empêcher Charlie McBean d'aller voir « le patron », car elle redoutait que le vieil ingénieur ne succombât à la maladie. Privé des services de Charlie, Brenton arbora bientôt une barbe fournie. Quand Délie essaya de la tailler maladroitement, il se mit en colère, la traitant de piètre infirmière avant de la chasser.

Sa barbe allait bien à son long visage harmonieux ; elle était bouclée, plus dorée qu'argentée, lui donnant l'apparence d'un ancien roi babylonien. Brenny, qui faisait des patiences avec un vieux paquet de cartes, déclara que son père ressemblait au majestueux roi de trèfle ; comme ils étaient couchés dans la même pièce, il cessa progressivement de le craindre.

Peut-être parce qu'il était déjà alité quand il avait contracté la maladie, et ne courait ainsi aucun risque de refroidissement, Brenton surmonta rapidement la crise initiale, mais sa convalescence fut lente. Quand le médecin les déclara tous deux guéris, Délie se sentit indiciblement fatiguée. Le médecin lui conseilla des vacances si elle-même ne voulait pas s'effondrer.

Elle prit Meg à la ferme, laissa Gordon et Charlie à bord du vapeur amarré près de Waikerie, puis descendit en train vers Adélaïde. Bien que Mannum ne fût éloigné que de cinquante milles d'Adélaïde, Délie n'avait jamais séjourné dans la capitale méridionale.

Ce fut avec une excitation croissante qu'elle regarda défiler les champs de blé, les hectares de chaume blond, les sacs de grain déjà pleins qui évoquaient de petites femmes potelées à la peau brune. Elle contempla des milles de pâturages qui lui rappelèrent les plaines du nord de Victoria ; au loin, comme un décor peint, se dressaient des collines bleutées. D'énormes nuages pommelés les surplombaient en une masse crémeuse qui plongeait dans l'ombre des vallées encaissées couvertes d'épineux.

Les couleurs chantaient dans sa tête : bleu et or, le bleu glorieux et l'or limpide. Tout son être désirait les tubes de peinture et les toiles enfermés dans le coffre du salon, mais elle savait qu'une seule semaine de vacances ne la contenterait jamais. Comme un alcoolique ou un drogué, elle ne pouvait se satisfaire de faibles doses du poison violent de la création.

Meg écrasait son nez contre la vitre. Elle voyait de vraies collines pour la première fois de sa vie. «Regarde les montagnes, maman!» s'écria-t-elle tandis que le train longeait le golfe et les usines aux cheminées fumantes de Port Adélaïde.

Souffrant de la chaleur, de la fatigue, plongées dans une sorte d'hébétude, Délie et Meg émergèrent de la longue rampe de North Terrace. Le soleil éblouissant la fit cligner des yeux. Aucune fumée ne brouillait l'air; les immeubles formaient de pâles blocs lumineux aux ombres nettes, comme sur un tableau qu'elle avait vu, qui représentait une ville espagnole. Au bout d'une large rue, elle aperçut la courbe apaisante d'une colline bleutée.

Elle héla un fiacre et fut rassurée par son amble régulier. Il ne s'agissait pas d'une autre Melbourne; l'atmosphère de cette cité était particulière. Les passants marchaient plus lentement que sur les trottoirs de Melbourne, traversant les alternances d'ombre et de lumière filtrée par les frondaisons d'arbres anglais. Plusieurs personnes sourirent à Meg, la petite campagnarde qui découvrait évidemment la ville pour la première fois, levait la tête pour regarder le sommet des immeubles tout en serrant farouchement la main de sa mère.

Délie avait hésité à emmener Meg avec elle, mais sa fille était en bonne santé et débordait d'énergie grâce à l'excellente alimentation de la ferme: gâteaux de miel, lait caillé, crème, fromage et légumes frais cultivés dans le potager irrigué.

Ce fut pour elle un immense plaisir, de se retrouver seule avec sa fille, loin de tous les soucis domestiques. Délie l'appelait parfois Mignon, regrettant presque qu'elle ne fût pas aussi svelte et gracieuse que le suggérait son nom; mais la fillette préférait Meg, qui lui allait certainement beaucoup mieux.

L'intelligence est plus importante que l'apparence, réfléchit Délie. Elle découvrit que Meg n'avait pas une sensibilité artistique très développée quand elle l'emmena à la Galerie d'Art de North Terrace. Pour l'instant, elle n'aimait que les tableaux représentant des chevaux, ou des bateaux et la mer, qui la fascinait parce qu'elle ne l'avait jamais vue.

« C'est *ça*, la mer ? s'écria Meg. Pourquoi ne déborde-t-elle pas ? Elle est très haute. Qu'est-ce qui la retient ?

— Ce n'est qu'une impression, ma chérie. Il s'agit de la ligne d'horizon. Elle s'abaissera quand nous serons plus près.

— Mais quel bleu, maman ! Je ne savais pas que l'eau pouvait être si bleue, sauf sur les tableaux. O-oh, du sable ! C'est plus grand que la plus longue pointe de sable que j'aie jamais vue ! »

Descendues du train à la gare du bord de mer, elles avaient marché jusqu'à une large plage blanche limitée par une promenade en ciment, des dunes à chaque extrémité et des massifs d'algues brunes qui ressemblaient à des baleines échouées. L'océan semblait très lointain ; le sable uni et brillant, des bassins d'eau claire s'étendaient presque jusqu'au bout de la jetée.

Meg s'était débarrassée de ses chaussures en courant pour filer droit vers le premier bassin. Elle revint essoufflée, le sable chaud et sec crissant sous la plante de ses pieds, puis dit d'une voix haletante : « C'est transparent comme du verre ; je vois tous mes doigts de pied à travers l'eau ; elle est sûrement bonne à boire ! Maman, maman, enlève tes chaussures et viens voir. » Puis elle repartit aussitôt.

Délie ramassa les chaussures de Meg, puis s'assit pour retirer les siennes. Le sable était soyeux entre ses orteils ; le soleil jouait sur les minuscules cristaux de mica et de quartz. Fermant les yeux, elle inspira profondément l'air salé et vivifiant qui soufflait de la mer.

« Mets ta jupe dans ta culotte, ma chérie, tâche de ne pas la mouiller », lança-t-elle, mais le bien-être qu'elle ressentait affaiblissait sa voix. Depuis des années, elle habitait l'intérieur du continent et naviguait sur les vastes cours d'eau boueuse ; plusieurs fois, de passage à Melbourne, elle était descendue à la plage assez lugubre de Saint Kilda, mais elle avait oublié ce qu'était la mer.

La mer, la mer ! La pleine mer,
Brillante, bleue et libre,

chantait Meg, qui gambadait dans l'eau peu profonde en éclaboussant sa jupe. Elle venait de lire un livre sur les poissons, et se rappela que le saumon bondissait très haut dès qu'il sentait l'eau salée. Celle-ci picotait ses jambes, mais elle était magnifique, limpide comme du cristal. Elle humecta ses lèvres et savoura son goût amer.

Les yeux mi-clos, Délie regardait la courbe bleue de la baie, d'où tout bateau était absent. La mer était là, souriant d'un large sourire bleu, innocent et accueillant : cette même mer cruelle avait englouti son père et sa mère ainsi que toute sa famille. Elle-même avait survécu ; mais pourquoi avait-elle été épargnée ? Peut-être à cause de son esprit plus aventureux ou impressionnable que celui de ses frères et sœurs, songea-t-elle. Elle avait tenu à monter sur le pont pour contempler l'immense terre méridionale, pendant que les autres dormaient dans leurs cabines ; et prisonniers dans leurs cabines, ils s'étaient noyés quand le navire avait coulé. Là-bas, les brisants rugissaient avec la force terrible de l'océan austral. Mais ici, de petites vagues léchaient la grève, de simples rides qui déferlaient dans un doux chuintement autour des chevilles de sa fille. Sa fille, presque aussi âgée qu'elle-même à son arrivée dans ce pays... Cette pensée lui rappela quelque chose. Elle devait absolument parler à Meg.

« Meg, ma chérie », dit-elle en remontant sa jupe qui descendait jusqu'à ses chevilles. Elle foulait les courbes harmonieuses dessinées par les vagues. « Meg, il faut que je te parle de quelque chose, maintenant que tu es une grande fille et que...

— Oh, ça va, maman, dit Meg qui marchait à reculons devant une vague. Mme Melville m'a déjà expliqué tout ça, elle m'a donné un livre, et puis à l'école toutes les filles ont déjà commencé. »

Délie resta bouche bée, puis sourit de sa propre innocence. Eh bien ! La jeune génération avait toujours un temps d'avance. Elle se rappela que sa propre connaissance de la physiologie avait choqué tante Hester. Excepté dans la petite enfance, Délie n'avait jamais eu de camarade d'école, et elle ne réalisait pas à quel point la franc-maçonnerie du sexe faisait circuler toutes les informations acquises au sein du groupe. Meg semblait parfaitement renseignée sur la question ; il n'y avait pas lieu de s'inquiéter pour elle.

Dans le train du retour, Meg regarda longtemps ses jambes bronzées, sur lesquelles de minuscules fragments d'algues sèches restaient collés comme des croûtes brunes et lisses. Elle distingua aussi de petites plaques de sable, semblables à du sucre sur un biscuit, et de minuscules cristaux blancs de sel. Ses jambes et le sable qui glissait dans ses chaussures lui prouvaient qu'elle n'avait pas rêvé ses jeux sur la plage.

Dans leur compartiment se trouvait une femme aux cheveux coupés court, que Meg ne se priva pas de dévisager. Délie aussi était fascinée, mais elle essayait de faire comme si de rien n'était ; elle n'avait jamais vu de près une coupe de cheveux féminine aussi courte. Elle préféra examiner le reflet de la jeune femme dans la vitre. Ce n'était pas vraiment très réussi, en tout cas pas autant que sur les dessins des magazines ; mais c'était une preuve de liberté. Les femmes pouvaient se faire couper les cheveux comme les hommes ! Peut-être, en ville, se ferait-elle couper les cheveux à la Jeanne d'Arc ; en tout cas, elle était bien décidée à acheter des cigarettes et un fume-cigarette. Elle se sentit brusquement très moderne avec son grand chapeau et sa robe neuve rayée.

Elle ne se fit pas couper les cheveux, mais elle vécut une expérience palpitante avant de retourner au bateau. C'était décembre ; Délie et Meg s'amusèrent beaucoup dans les boutiques de la cité, regrettant seulement de ne pas avoir davantage d'argent. Alors elle lut dans un journal que Ross Smith et son aéroplane étaient à Darwin. L'aviateur venait de réussir le premier vol reliant l'Angleterre à l'Australie.

On l'attendait d'un jour à l'autre à Adélaïde, car il devait d'abord s'arrêter à Sydney et Melbourne. Elles décidèrent donc de reporter de deux jours leur départ pour Morgan et attendirent dans les parcs au milieu d'une foule exubérante qui brandissait des drapeaux improvisés.

Meg ignorait ce qu'elles allaient découvrir ; elle avait déjà vu des dessins de machines volantes, représentant des as de la guerre dans leurs frêles engins, mais l'avion venu d'Angleterre devait être beaucoup plus gros.

L'excitation s'empara brusquement de la foule, des cris fusèrent. « Le voilà ! » Bouche bée, elle leva les yeux vers la petite machine semblable à un oiseau qui apparaissait à l'est, au-dessus des collines.

Il se rapprocha rapidement, elle distingua les ailes superposées du biplan, et les lettres peintes en dessous, G-EAOU, qu'un journaliste farfelu avait traduit « God 'elp All of Us » (Que Dieu nous aide tous.) Elle agita le bâton auquel on avait noué une écharpe.

Le petit avion aux moteurs vrombissants survola la cité, puis disparut vers l'aérodrome situé au nord. Meg abandonna son drapeau improvisé dans la poussière. La petite taille de l'avion l'avait passablement déçue, mais elle avait néanmoins vu de ses propres yeux un aéroplane. Ses frères allaient en mourir de jalousie.

Sa mère scrutait toujours le ciel vide.

« Il est venu d'Angleterre jusqu'ici ! dit-elle. Tu te rends compte, Meg ! Quand je suis arrivée d'Angleterre à bord d'un voilier, nous avons mis plus de quatre mois... Je suis sûre qu'un jour, on fera ce même voyage en quatre jours. Tout le courrier sera transporté par avion, et peut-être aussi des gens.

— Oh, maman ! Tu imagines trop de choses ! Les aéroplanes ne sont pas assez gros pour transporter des gens, ce serait trop lourd. Et puis tellement dangereux.

— Voyager en bateau n'est pas toujours sans risque », rétorqua sa mère.

76

En l'année 1920, les jupes à volants commencèrent à remonter imperceptiblement vers le genou et, si les aéroplanes constituaient encore une nouveauté, les automobiles devinrent désormais monnaie courante, même dans les campagnes. Néanmoins, les routes étaient encore de simples pistes, et le fleuve demeurait la principale voie de communication avec le nord du pays.

Mais en janvier le niveau de la Murray était bas, si bien que d'innombrables vapeurs se serraient sur les quais, entre Morgan et l'embouchure du fleuve. Le moment était venu de la révision annuelle du *Philadelphia*, et du renouvellement de son permis de navigation ; Délie décida de rehausser le franc-bord de dix-huit pouces afin d'obtenir l'autorisation de naviguer sur le lac, au cas où on lui proposerait une nouvelle cargaison de laine pour Milang.

Pendant les congés scolaires, elle pouvait héberger tous les enfants à bord, car l'équipage avait quitté le bateau, à l'exception de Charlie et du cuisinier. Il lui semblait avoir renoué avec sa fille pendant les quelques jours passés ensemble à la ville. Elles avaient partagé la même chambre d'hôtel, bavardé tous les soirs dans le noir et pouffé de rire pour un rien, comme deux écolières.

Reposée par ces courtes vacances, puis déchargée par Meg de maints soins à Brenton — Meg était une infirmière hors pair —, Délie découvrit soudain qu'elle avait du temps de libre. Alex n'était plus un bébé, et depuis que Gordon habitait le bateau, il suivait son frère comme son ombre.

Délie eut le sentiment d'entrevoir une vague lueur au bout du long tunnel. Elle demanda à un serrurier de fabriquer une nouvelle clef pour le coffre du salon.

Dans sa quarantième année, elle recommença de peindre. D'abord, quand elle partait en barque avec sa boîte de peinture, elle goûtait seulement l'intense plaisir de la solitude, après tant d'années — qui lui semblaient des siècles — consacrées aux autres. Elle était seule avec le soleil qui scintillait merveilleusement sur l'eau.

Mais quand elle installa sa toile, puis essaya de peindre, ses mains, rendues maladroites par le manque de pratique, tremblèrent d'excitation. Elle cafouilla, hésita, se reprit, rata son premier tableau et faillit pleurer d'humiliation en nettoyant la toile pour recommencer. Pourtant, c'était un début.

Cyrus James descendit à Morgan afin de prendre le train pour la cité, et il monta à bord — pour voir Brenton, prétendit-il. Il n'avait pas besoin d'être seul avec elle pour réduire à néant toutes les bonnes résolutions de Délie. Il suffisait qu'il la regarde pour que ses sens s'éveillent aussitôt. Après son départ, elle passa plusieurs nuits d'insomnie, fumant cigarette sur cigarette, luttant contre le désir qui la poussait vers cet homme viril, vers ces mains solides, vers ces baisers fous et passionnés qu'elle avait reçus à son corps défendant. Oh, si elle pouvait être avec lui maintenant !

Elle dut apprendre à sublimer ses désirs, à détourner toute cette énergie inemployée vers la peinture. Mais comment se détendre et se reposer quand son corps brûlait de frustration ? Elle s'imposa une discipline de fer.

Travailler pour la compagnie d'Alister Raeburn la stimula. Elle voulait avoir au moins une toile valable à lui montrer quand elle le reverrait. Comme il n'était pas revenu à Morgan, il devait séjourner à Milang en compagnie de la veuve de son frère et de ses tantes. Elle l'imaginait s'adaptant facilement à cette maisonnée féminine sur les berges du grand lac auquel une princesse avait donné son nom.

Au-delà des lacs, le fleuve se rétrécissait de nouveau, se divisant en plusieurs bras sinueux avant de passer devant Goolwa ; et au-delà de Goolwa se trouvait la mer.

Ici, aux alentours de Morgan, la campagne traversée par le fleuve était presque désertique, et un jeune explorateur avait jadis péri un peu au nord. Au-dessus des falaises alvéolées comme de gigantesques rayons de miel, la terre calcaire était nue ou couverte d'épineux malingres. Les rares touffes d'herbe étaient desséchées, brunâtres.

Grise, ocre, marron, couleur sable, indigo dans les lointains, l'immense plaine uniforme s'étendait jusqu'à l'horizon chauffé à blanc, aussi rectiligne qu'en mer ; sur les dunes de sable, seuls poussaient quelques rares plants de tabac ; des tourbillons de vent formaient d'étranges fleurs vacillantes de poussière rouge.

Pourtant, juste en contrebas, le fleuve coulait, frais et indifférent, ignorant la terre qui mourait de soif. Translucide, d'un vert laiteux rappelant la couleur du raisin, tendu vers son but lointain, le fleuve semblait un intrus dans ce paysage. Il suffisait de s'éloigner un peu pour perdre de vue le profond sillon qu'il creusait dans la pénéplaine stérile ; aucune haie d'arbres ne signalait le sommet des falaises et, la vallée eût-elle été comblée, l'aspect général du paysage n'en aurait nullement été modifié.

Du sommet de ces falaises, le regard embrasait l'impassible

ruban d'eau verte ainsi que l'immense plateau nu et vide, écrasé de lumière.

Le premier tableau qui satisfit totalement Délie fut une simple étude de colline sablonneuse orange, dépourvue de toute végétation à l'exception d'un arbre impressionnant au tronc noir.

Meg retourna à la ferme avec l'impression d'être plus vieille et sophistiquée depuis son séjour dans «la cité». Quand Garry Melville était revenu à la maison après la guerre, elle avait soudain trouvé la vie plus intéressante. Non qu'il fît beaucoup attention à elle, mais l'indifférence du jeune homme ne l'empêcha nullement de continuer d'adorer son héros à distance.

Elle possédait deux robes neuves, l'une en soie décorée de fleurs, l'autre en toile brodée. Ces deux vêtements achetés dans une boutique de la ville mettaient en valeur les rondeurs naissantes de son corps. Meg les trouvait terriblement élégantes. Le simple fait d'en porter une lui donnait une assurance nouvelle.

Garry était parti en ville avec le camion quand elle arriva à la ferme sur le vapeur, vêtue d'une vieille robe imprimée. Avant le repas, elle mit sa robe neuve en toile jaune, et quand elle eut dressé la table pour Mme Melville dans l'alcôve de la cuisine moderne, elle sortit et prit une pose qu'elle croyait séduisante contre la barrière, attendant le retour du camion de Waikerie. Elle l'entendit avant de le voir ; puis un long nuage de poussière blanchâtre, semblable aux gaz d'échappement d'une fusée, commença de s'élever au-dessus de la route. De profondes ornières creusaient cette route, exactement distantes de la largeur des roues, si bien que les pneus les suivaient commes des rails de chemin de fer.

Le véhicule apparut ; d'un coup de volant, Garry l'extirpa des ornières pour obliquer vers le portail. Meg avança d'un pas languide, retira la chaîne de la grille qu'elle ouvrit, debout sur le barreau inférieur de fer forgé. «Hello, Meggie, fit Garry. Merci, petite. Monte, je t'emmène jusqu'à la maison.»

Meg referma la grille derrière lui, s'obligea à ne pas gambader comme une écolière, monta d'un air détaché dans le camion, puis lissa la toile de sa jupe sur ses genoux. Elle avait lavé ses cheveux noirs le matin même, et ils brillaient de reflets ambrés.

«Qu'as-tu donc? Tu parais préoccupée.» Garry lâcha l'embrayage, descendit l'allée longeant la maison, puis obliqua vers les cabanes situées derrière, qui abritaient la charrue et la herse, les harnais et le fourrage des chevaux; le véhicule à moteur avait à peine la place de se garer et servait de perchoir aux volailles.

«Non, pourquoi donc?» Ses yeux bleus frangés de cils sombres brillaient au-dessus de son petit nez retroussé et se posèrent sur lui. Une subtile attirance sexuelle imprégnait chacun de ses mots.

«Je ne sais pas; maman t'a grondée pour une raison ou une autre?

— Mais non; elle ne me gronde jamais.» Maintenant, elle baissait les yeux et lissait mécaniquement un pli de sa robe en toile.

«Bon, si on descendait.» Il tourna la poignée de la portière, tout en abattant violemment son poing contre la plaque de fer, et elle s'ouvrit en grinçant. «Tu veux bien m'aider à porter ces paquets?» lui demanda-t-il, en prenant des sacs d'épicerie. Il pivota pour les passer à Meg, qui s'était approchée de lui; ses yeux brillaient de colère.

Il commença à entasser dans ses bras un sac de farine, deux paquets de savon, une conserve de viande, quand elle dit avec amertume: «Tu ne remarques jamais rien, n'est-ce pas?

— Qu'y a-t-il à remarquer, nom d'un chien?

— Tu ne vois donc pas que je ne suis pas comme d'habitude? J'ai été en ville, je me suis fait couper les cheveux par un Français nommé Prévost, j'ai occupé une chambre à l'hôtel Métropole, et je porte une robe neuve. Tu es aveugle, ou quoi? Débrouille-toi tout seul avec tes fichus paquets», et elle les jeta à terre. La conserve de viande tomba sur son pied. Garry poussa un grognement de rage et saisit le bras de Meg alors qu'elle faisait mine de partir.

«Espèce de petite!...»

Il tordit son bras mince tandis qu'elle se débattait en haletant, si maladroitement que Garry retrouva sa bonne humeur. «Vas-y, frappe-moi, qu'est-ce que tu attends?» ricana-t-il. Elle leva sa main libre, mais il s'en empara, la tenant complètement à sa merci.

«Maintenant tu vas me dire : "Excuse-moi d'être une petite chipie."

— Sûrement pas !» Elle prenait plaisir au combat, à sentir la force de ses muscles durs ; sa colère diminua progressivement. «Allez, dis-le !

— Euh... Excuse-moi. Maintenant lâche-moi, espèce de brute !» Comme elle essayait de libérer sa main gauche, que Garry tenait dans sa main mutilée, elle aperçut les doigts manquants, et toute son hostilité s'évanouit.

«Oh, Garry ! Ta pauvre main. Tu aurais pu te faire mal.

— Tu parles ! Je ne sens plus rien depuis longtemps.» Il cacha vivement sa main dans sa poche. Elle entreprit de ramasser humblement les paquets épars sur le sol, pendant qu'il déchargeait les autres. Alors qu'elle le précédait vers la porte de la cuisine, il lui dit d'un ton bougon : «Elle est plutôt jolie, ta robe. Elle te va... elle te va pas mal du tout.»

Meg lui lança un sourire reconnaissant par-dessus l'épaule.

La guerre eut pour conséquence d'ouvrir des débouchés nouveaux à l'industrie des fruits séchés australiens, qui poussaient le long de la Murray ; pendant les années de guerre, la Californie et l'Australie avaient assuré la totalité de la production mondiale. Deux Californiens, les frères Chaffey, avaient fondé les premiers vignobles irrigués à Mildura, lesquels étaient maintenant florissants ; et Renmark était devenue une colonie prospère.

En aval de la frontière de l'État de Victoria, la Murray se transforma. On partagea la terre en lopins de quinze acres, des pompes modernes amenèrent l'eau du fleuve cent cinquante pieds plus haut pour irriguer le sol stérile. Vingt villes et campements jaillirent simultanément de la brousse. Des groupes de soldats démobilisés arrachèrent les épineux du mallee, tracèrent des routes, creusèrent des canaux avec des outils primitifs, puis les cimentèrent, creusant, clôturant, labourant, gardant les racines des arbustes pour alimenter les chaudières à bois.

A la fin du premier été survint une grosse vague de chaleur ;

quinze jours durant, le thermomètre resta à 45° à l'ombre. L'eau se mit à stagner dans les nouveaux canaux d'irrigation, des lapins morts pourrissaient alentour et des millions de moustiques envahirent l'atmosphère. Une épidémie de typhoïde décima les survivants de la grippe espagnole. Les médecins de campagne, les yeux rougis par le manque de sommeil, passaient le plus clair de leur temps sur les routes cahotantes de la brousse ; les vapeurs à aubes acheminaient des stocks de médicaments et de désinfectants à de modestes dispensaires construits en toile d'emballage.

Un vapeur délivra même les consolations de la religion : car dans la lointaine Angleterre, les élèves du collège d'Eton, inclus malgré eux dans un programme d'aide à l'étranger, fournirent une chapelle flottante de l'Église anglicane à un bateau à aubes nommé *Etona*. Canon Bussell faisait la navette sur le fleuve entre Morgan et Renmark ; tous les dimanches matin — ou tous les matins quand l'*Etona* était amarré près d'un campement —, il réunissait une congrégation dont le saint-siège d'Angleterre n'avait certainement jamais vu la pareille.

Chasseurs de lapins et pêcheurs, tondeurs en tabliers graisseux, ouvriers des chantiers d'irrigation en vieilles vestes de l'armée, tous étaient les bienvenus à bord, dans la petite chapelle peinte en blanc. Pendant que Canon Bussell martelait les pédales de l'orgue, les fidèles chantaient de vieux cantiques, que certains n'avaient pas entendus depuis leur enfance. Chanter leur plaisait ; pour cela, ils supportaient patiemment les longs sermons que leur délivrait Canon, une fois remis de ses exercices de musculation à l'orgue...

Plus loin en aval, juste avant la région des lacs, on pompait l'eau pour la rejeter dans le fleuve. De part et d'autre de Murray Bridge, les marécages de la vaste plaine alluviale furent assainis, leurs dépôts fertiles transformés en pâturages, si bien que des terres devinrent cultivables sur une longueur de cinquante milles. Le lait des vaches allait à une coopérative agricole fondée à Murray Bridge, qui se chargeait de son conditionnement.

A Wall, Pompoota, Jervois, Mobilong, Mypolonga, les oiseaux du fleuve perdirent leurs anciens sanctuaires quand on draina les marais. Canards sauvages et cygnes noirs, pélicans et cormorans huppés rejoignirent les grands plans d'eau de Goolwa et les eaux salées de l'estuaire, à Coorong.

Lentement, patiemment, avec l'organisation laborieuse d'une fourmilière, les hommes contraignaient l'immense fleuve à suivre un nouveau cours. Le fleuve se soumettait, acceptait toutes les indignités imposées par ces chétives créatures, et attendait tranquillement son heure.

77

Délie travailla d'arrache-pied au cours des mois suivants, car il y eut beaucoup de marchandises à transporter ; une fois encore, les vapeurs furent aussi actifs que des abeilles dans une ruche, montant et descendant le fleuve vers les nouveaux chantiers.

Sa silhouette s'était encore affinée, son visage émacié, ses pommettes saillaient au-dessus de ses joues creuses ; mais elle conserva miraculeusement son superbe teint d'Anglaise, dont la couleur évoquait des fleurs de pommier légèrement flétries.

Le plus souvent, elle portait une chemise simple avec une jupe droite tombant jusqu'aux chevilles, ainsi qu'un chandail d'homme quand il faisait froid, et parfois une veste de l'armée enfilée par-dessus. Elle n'avait pas de chapeau. Ses cheveux noirs poussaient toujours aussi abondamment, çà et là striés d'un fil d'argent qui surprenait et témoignait du passage du temps.

Comme les marchandises transportées étaient payées le même prix, que le vapeur les livrât à Morgan, à deux cents milles de l'estuaire, ou à Goolwa, Délie préférait revenir avec un chargement consigné à Morgan quand elle emmenait une cargaison de farine de Murray Bridge, ou de bière et de matériel pour les ouvriers de l'Écluse Trois. D'habitude, elle redescendait le fleuve avec de la laine ou du blé.

Si elle transportait un chargement de laine, et qu'elle accostait à Morgan de bonne heure, vers six heures du matin, on pouvait expédier les mille balles de laine à Adélaïde par le train de deux heures de l'après-midi. Les grosses grues à vapeur déchargeaient cent balles à l'heure. La marchandise valait trente shillings la tonne; ils gagnaient beaucoup d'argent, mais la fatigue commençait à marquer leurs visages, surtout celui du vieux Charlie.

Délie décida que, dès qu'elle aurait mille livres de côté, elle vendrait la barge et réaménagerait le vapeur en magasin flottant. Les nouveaux campements abritaient une nombreuse clientèle, et l'on construisait une grosse cité ouvrière près du chantier du lac Victoria.

Une autre cargaison de laine suffirait. Elle songeait à partir à Wentworth avec un chargement de farine pour essayer de revenir avec de la laine, mais avant le départ une lettre de Raeburn arriva, qui lui demandait d'aller chercher la première tonte de la saison au port du lac Victoria, puis de la descendre jusqu'à son entrepôt de Milang. Elle télégraphia immédiatement son accord.

Le vapeur avait reçu son permis de navigation en mer, mais Délie se sentait un peu nerveuse. Elle ne s'était jamais aventurée sur un plan d'eau aussi vaste, et une fois au cours de la crue de 1917, elle s'était perdue dans un lagon en confondant le chenal principal avec une trouée dans les arbres des berges. Sur le lac Alexandrina, les rives seraient peut-être invisibles, et elle devrait naviguer au compas pour la première fois.

Sur l'étagère du salon, elle trouva une vieille carte du lac : le chenal longeait le rivage quand le lac s'évasait en dessous de Wellington, puis abandonnait la direction nord-ouest pour s'incurver vers Milang et la rive occidentale. Elle discuta avec le capitaine Wallin, de l'*Oscar W.* qui doutait fort qu'une femme réussît à rejoindre Milang sans encombre.

«Vous êtes trop jeune, trop menue, l'avertit-il. Le vent sur les lacs, il souffle en rafales du sud-ouest, et il n'y a plus rien à faire. Le vent frappe le vapeur de plein fouet, vous roulez et tanguez dans des vagues de deux mètres cinquante, à chaque vague votre roue à aubes tribord sort de l'eau et tourne dans le vide. Suffit de pas grand-chose pour se mettre à tourner en rond.

«Maintenant, écoutez-moi : vaut mieux partir à l'aube, avant même le lever du soleil. A l'aube, il n'y a presque jamais de vent. Mais s'il a soufflé du sud-ouest, vous devrez peut-être attendre deux jours avant que les vagues ne se calment. Sinon, le lac est si peu profond que vous risquez de heurter le fond et de briser votre coque.»

Elle entendait encore ses mots en passant devant le vieux pub au sommet de la falaise de Wellington, dernière ville du fleuve avant les lacs. Elle avait déplié une grande carte sur le sol de la timonerie, et regardait le chemin rectiligne qu'elle avait choisi pour rejoindre Milang ; cela lui parut beaucoup plus simple que le labyrinthe des chenaux jusqu'à Goolwa et l'estuaire.

Elle comptait suivre le conseil du capitaine Wallin, s'amarrer pour la nuit à l'abri du Cap Pomander, avant l'évasement du lac. Levant les yeux vers le ciel, elle vit des nuages bas et tourmentés qui filaient rapidement vers le nord-est. De ce côté, le fleuve était abrité par les saules, mais sur la rive opposée elle distingua leurs longues branches minces presque horizontales qui s'agitaient et se tordaient comme des serpents verts.

Elle n'avait pas la moindre envie d'entendre la coque du *Philadelphia* «heurter le fond du lac», qu'on disait recouvert d'une vase capable d'engloutir un homme. Il y avait bien une barque en guise de canot de sauvetage, mais les vagues hautes de plus de deux mètres auraient bien vite raison de lui. Délie avait peur.

Malgré son anxiété, son cœur bondit comme un saumon qui retrouve la mer, quand les saules disparurent brusquement et que les eaux s'élargirent en un large chenal reliant le fleuve au plan d'eau. Pour la première fois elle vit devant elle les signaux de navigation — noirs à bâbord, rouges à tribord. Ces carrés et triangles mystérieux, surmontés de mouettes et de cormorans huppés, évoquaient pour elle la pleine mer.

Ils passèrent devant le phare 94 à la nuit tombante ; sur la gauche elle aperçut deux souches hideuses qui émergeaient de l'eau peu profonde.

La ferme de Wellington Lodge apparut à bâbord, entourée de palmiers et de peupliers, et, plus loin, un cap au ras de l'eau. Concentrée sur sa manœuvre, elle se dirigea vers l'appontement de Nalpa, sur l'autre rive, à côté du grand dépôt en

pierre. La tonte était imminente ; des lumières amicales signalaient les huttes des ouvriers.

Ils amarrèrent bientôt des cordages aux énormes piliers
d'eucalyptus qui, songea Délie, provenaient des lointaines
forêts au-dessus d'Echuca où elle s'était autrefois promenée
parmi ces arbres géants. On amarra la barge à un grand saule.
Les bourrasques de vent apportaient des huttes le son d'un
accordéon.

« On part en virée après le dîner, hein, Charlie ? dit le Jeune
Suppôt, imitant la voix rocailleuse d'un vieux loup de mer. Ces
tondeurs ont sûrement de la gnôle, en tout cas y a de la
musique. Mais pas de femme... dommage. » Son visage juvénile
s'illumina d'un sourire étincelant.

« Sale Petit Suppôt de Satan ! Et puis quoi encore ? De la
gnôle et des femmes ! T'auras tout le temps de t'occuper de ça
quand tu auras mon âge ! As-tu convenablement amarré ton
câble, au moins ? Pas de nœud de grand-mère ? Cette nuit, il va
souffler un vent à décorner un bœuf, et si jamais il tourne...

— Tu crois qu'il va tourner, Charlie ? » Délie descendit de
la timonerie et croisa les bras sur sa poitrine pour se frotter les
épaules. Elles étaient étonnamment ankylosées ; Délie avait dû
serrer trop fort les rayons de la roue, angoissée à l'idée de
pénétrer dans des eaux inconnues.

Charlie scruta le ciel sous ses sourcils en bataille.

« Je crois pas qu'il va tourner, mais... peut-être à l'ouest. En
tout cas, il ira pas au nord sans tout de suite repartir vers le
sud et vers l'est, alors vous inquiétez pas pour les amarres. Ces
arbres nous abritent parfaitement du vent d'ouest.

— Mais sera-t-il tombé demain ? »

Charlie cracha par-dessus bord. « Sais pas. J'connais pas les
vents dans cette partie du monde. J'suis un étranger ici. Mais je
pourrais aller discuter le coup avec les tondeurs, là-bas, les
interroger...

— Charlie ! » Elle lui adressa un regard suppliant autant
que terrifié. Il savait ce qu'elle pensait. S'il allait là-bas, les
histoires et l'alcool... C'était déjà suffisant de naviguer sur le
lac pour la première fois, sans avoir un ingénieur soûl à bord
par-dessus le marché.

« Vous inquiétez pas, patronne. » Il abaissa la visière de sa vieille casquette graisseuse pour cacher son regard malicieux. «J'ai pas envie d'y aller. Mais le Jeune Suppôt pourrait y faire un saut, histoire de trouver du pain frais. Les tondeurs font toujours un pain délicieux.»

Jeune Suppôt, qui n'attendait que la permission de Délie, enfonça fermement son feutre mou sur ses oreilles, puis partit comme un boulet de canon, bondissant de traverse en traverse sur la petite voie de chemin de fer posée sur les marécages de passe-pierre pour transporter les balles de laine jusqu'au quai.

A côté des appentis réservés à la tonte et des quartiers des ouvriers, se trouvait une usine de dégraissage de la laine, surmontée d'une haute cheminée; au flanc du bâtiment, on avait construit un four en pierre pouvant contenir quinze miches de pain. Suppôt revint en sautillant avec une miche double sous chaque bras. «Les tondeurs disent qu'il va faire un vent infernal», annonça-t-il gaiement.

Ce soir-là, Délie mangea à peine; elle écoutait le vent mugir dans les saules, tendait l'oreille vers un chuintement plus doux, qu'elle prit pour le bruit des vagues s'écrasant sur la rive du lac, au-delà du cap.

Elle savait qu'il était inutile de confier ses soucis à Brenton, qui se désintéressait presque complètement de tout ce qui touchait au vapeur. Pour la première fois, elle regretta de ne pas avoir engagé un second qualifié avec qui partager ses responsabilités. Nominalement, Brenton était le capitaine, et Délie le second, mais elle assumait les deux fonctions, prenant quelques heures de repos quand elle le pouvait. Elle était trop épuisée pour continuer longtemps à ce rythme. Dès qu'elle aurait honoré ce dernier contrat, elle retournerait à un commerce moins éreintant.

Au matin, après une nuit sans sommeil, elle se leva de bonne heure. Le ciel s'était éclairci, les plus grosses étoiles brillaient encore; la blanche Vénus se levait juste avant le soleil, Arcturus jaune et lugubre au nord-ouest, et la Croix au zénith. Baissant les yeux sur l'eau, elle s'aperçut que dans cette partie abritée, le lac s'était calmé au point que les étoiles se reflétaient clairement, quoique déformées, à sa surface.

Un glaive argenté et sinueux qui reliait le vapeur à la rive opposée signalait la présence de Vénus; et droit devant, les étoiles de la Grande Ourse dansaient comme deux mains applaudissant en silence.

Charlie vint demander si elle voulait qu'il monte la vapeur. Elle examina le ciel clair, les feuilles qui remuaient doucement, puis lui répondit par l'affirmative, ajoutant qu'ils partiraient dès qu'il ferait jour. Il alla réveiller le chauffeur, qui avait toujours du mal à sortir du lit.

Le maître de barge et son adjoint se levaient. Elle entendit l'un d'eux se soulager dans l'eau, derrière une pile de balles de laine. Le fleuve acceptait tout, les chauds excréments comme la pure lumière des étoiles qui parcourait des milliards de kilomètres dans l'espace vide.

Gordon, qui aimait la chaleur de la cuisine et s'était lié d'amitié avec le cuistot, apporta à sa mère une tasse de thé fort et bouillant, ainsi qu'une tranche de pain grillé qu'elle emmena dans sa cabine. Gordon ou le Suppôt lui apportaient souvent ses repas à la timonerie, puis prenaient la roue en suivant ses instructions pendant qu'elle mangeait. Le cuisinier était une vraie bénédiction, homme morose, mais excellent cuisinier. Elle préférait diriger un bateau toute une nuit plutôt que de préparer un repas pour cinq hommes sourcilleux.

Elle monta à la timonerie au moment où le soleil apparaissait derrière les collines basses. Quand elle regarda le lac au-delà de l'étroite pointe de terre, son cœur frémit. L'eau était d'un gris olive sinistre, agitée de vagues recouvertes d'une écume blanche et sale. Quand elle ouvrit les fenêtres de la timonerie, la brise soufflant de l'ouest apporta à ses oreilles le rugissement confus de leur mêlée.

Mais déjà la chaudière était sous pression, et les garçons détachaient certaines amarres. Si elle annulait le départ maintenant, l'équipage la prendrait pour une timorée. Et Charlie, déçu, rejoindrait probablement les huttes des tondeurs pour entamer une beuverie qui risquait de durer deux jours.

« Larguez l'amarre de proue ! commanda-t-elle d'une voix ferme. La barge est-elle libre ? Gordon, enlève donc ce cordage, et monte à bord. Prends la perche et prépare-toi à nous déhaler du quai, ça y est ? » Elle enclencha la marche arrière, puis posa la main sur le contrôleur de marche. Les grandes roues à aubes fouettèrent l'eau et la refoulèrent, écumante, vers l'avant du bateau qui s'éloigna lentement du quai ; Délie tendit si doucement le câble de remorque que la barge démarra sans le moindre à-coup. Le maître de barge jura, admirant à contrecœur l'habileté du commandant. (Il n'aimait pas beaucoup voir une femme dans une timonerie.)

Dès qu'ils furent partis, l'excitation lui fit oublier toutes ses peurs, et elle se mit à fredonner en vérifiant ses points de repère, la forme lourde du Cap Pomander à droite, surmonté du phare, et Low Point, loin à gauche. Le puissant moteur vibrait, chantant « En avant, en avant, en avant... ». Maintenant parfaitement réveillée, elle fit un petit saut en l'air, et son crâne heurta la traverse basse du toit. Charlie gravit les marches de la timonerie, polissant du dos de la main le bout froid et rouge de son nez. Il avait enfoncé bas sur ses oreilles sa casquette graisseuse pour se protéger de la brise matinale.

« Le vent est tombé dans la nuit, dit-il sur le ton de la conversation. Ces ploucs de tondeurs ne connaissent rien au temps, sauf à la pluie ; ils disent alors que les bêtes sont mouillées, et se mettent les doigts de pied en éventail. Hé, Suppôt ! » rugit-il brusquement par la fenêtre de la timonerie. Le jeune Suppôt de Santan s'abritait à l'avant derrière quelques balles et observait, fasciné, les crêtes liquides tumultueuses et menaçantes qui se détachaient contre le ciel. « Va surveiller la jauge de l'eau, allez, file ! » Après quoi il referma la fenêtre. « Satan trouve toujours du travail pour occuper les oisifs », cita-t-il sentencieusement.

« Le vent est tombé, mais le lac est toujours aussi agité, dit Délie. Regarde ces vagues ! Il y a même des déferlantes.

— Les vapeurs à aubes n'ont pas été conçus pour naviguer hors du fleuve.

— Mais Charlie, certains ont rejoint le fleuve par leurs propres moyens, à partir de Melbourne. Le *Decoy* est même allé jusqu'en Australie occidentale avant de revenir sur le fleuve. S'ils ont pu naviguer en mer, nous pouvons certainement traverser un lac sur vingt-quatre milles. Autrefois, il y avait tant de vapeurs qui entraient et sortaient du fleuve qu'on avait installé une balise dans l'estuaire. Tu as peur ? Parce que dans ce cas... »

Charlie grimaça un sourire. « Je n'ai pas peur facilement.

Mais je serais pas étonné que vous fassiez demi-tour.» Sur ce, il pivota sur ses talons et dégringola les marches.

«Tu ferais bien de m'envoyer Gordon pour qu'il me donne un coup de main», lança-t-elle derrière lui. Serrant les dents, Délie sentit ses paumes moites se crisper sur les rayons de la roue. Elle était responsable de chacune de leurs vies, celle de Brenton, de ses enfants, de l'équipage. Elle était presque sûre que Charlie ne savait pas nager.

Dès qu'ils eurent passé le cap, elle sentit l'impact des vagues hautes et courtes sur la coque du navire : elles n'étaient pas régulières comme la houle de la pleine mer, mais hachées et vicieuses. Le vapeur frissonna et se mit à gîter sur bâbord, les pales de la roue tribord fouettant l'air la moitié du temps. Délie devait tenir fermement la roue pour l'empêcher de pivoter vers le côté submergé.

Gordon monta les marches, puis se campa fièrement de l'autre côté de la roue ; il la prit solidement dans ses mains et soulagea d'autant Délie. Elle se sentit aussitôt plus détendue. Ce n'était qu'un adolescent, mais elle constatait son calme et sa force.

A cet instant précis, le soleil apparut derrière un banc de nuages bas et illumina le Cap McLeay et le Cap Sturt, de l'autre côté du lac. A la place de la grisaille uniforme, une dune de sable orange éclatant et un monticule qui ressemblait à un bâtiment jaune et carré — en fait une falaise argileuse — se mirent soudain à briller comme un double fanal. Derrière, on distinguait des rideaux de pluie et un nuage indigo ; des roseaux rouge doré flamboyaient devant eux, et sept cygnes noirs s'envolèrent, fuyant le soleil. Cela ressemblait à une promesse, comme un arc-en-ciel après la pluie. Toutes les appréhensions, toutes les peurs de Délie s'évanouirent ; elle adressa un sourire rayonnant à Gordon.

«C'est plutôt amusant, non ?» dit-elle, et Gordon rit, excité et ravi.

«J'aimerais qu'on puisse descendre jusqu'à la mer», dit-il. Ses épais cheveux châtain clair étaient en désordre — il n'avait manifestement pas fait sa toilette ce matin —, mais pour une fois Délie ne le gronda pas. Elle regarda les iris bleus de ses longs yeux qui ressemblaient tant aux siens, et pensa avec une rare satisfaction : «Mon fils.» Ç'avaient été ses premiers mots quand on avait placé le nouveau-né dans ses bras à l'hôpital de Melbourne — était-ce vraiment seize ans auparavant ? La vie active de Brenton était peut-être terminée, et elle-même vieillissait, pourtant la vie continuait.

De l'autre côté du lac, le bref pinceau de lumière avait disparu. A bord, ils luttaient contre de hautes vagues, avançant lentement vers le rivage invisible.

78

Seuls deux autres vaisseaux étaient amarrés à la longue jetée incurvée de Milang quand le *Philadelphia* entra dans le port après sa traversée du lac.

«L'*Invincible* et le *Fédéral*», cria Alex, qui dansait de joie sur le pont supérieur, car ils étaient arrivés sains et saufs après un voyage qui lui avait semblé aussi périlleux que la traversée du Pacifique à Magellan. Jamais il ne s'était autant éloigné de la terre ferme ; et maintenant, ils allaient s'amarrer contre une vraie jetée, et non un quai longeant le fleuve.

Le *Nénuphar*, un navire bizarre qui ressemblait à un *schooner* inachevé, des planches de longueurs inégales dépassant de sa poupe, sortait du port, toutes voiles dehors, à destination de Cap McLeay.

Le responsable du magasin local, tous les élèves de l'école, les équipages des autres vapeurs et une foule d'habitants de la ville, y compris maints individus à peau sombre et visage aborigène, s'étaient réunis pour assister à l'arrivée du *Philadelphia* et de sa barge.

Délie, qui entrait dans un nouveau port et sentait tous ces regards ébahis braqués sur elle — une femme dans la timonerie ! — était mal à l'aise ; mais brusquement, l'appel d'une voix bien connue résonnant sur la jetée lui fit oublier toute gêne.

«Miss Délie ! Hé, patronne ! Félicitations ; vous dirigez votre bateau mieux qu'un homme. Je n'en ai pas cru mes yeux.

— Jim Pearce ! Que faites-vous ici ?» Elle sortit de la timonerie dès que les roues se furent arrêtées, puis s'accouda au bastingage.

Ce cher vieux Jim, second sur le *Philadelphia* avant l'incendie et la reconstruction du bateau ; Jim qui était parti chercher du secours quand son premier enfant était né au bord du fleuve.

« Hé, Jim ! cria-t-elle. Montez donc à bord ! Teddy voudra absolument vous voir. »

Elle était si excitée qu'elle ne remarqua même pas M. Raeburn qui, légèrement à l'écart de la foule, observait la scène d'un œil vif et amusé. Elle portait sa vieille veste militaire, une casquette ayant appartenu à Teddy Edwards et qui avait connu des jours meilleurs ; ses cheveux étaient dénoués. Elle descendit sur le pont inférieur pour accueillir Jim et l'accompagner jusqu'à la cabine de Brenton.

Jim, maintenant capitaine de l'*Invincible*, faisait la navette sur les lacs entre Milang et Meningie, ce qui expliquait pourquoi elle ne l'avait pas croisé avant sur le fleuve.

« Vous avez été un peu téméraire, non, de traverser le lac par un jour comme celui-ci ? Moi-même, je serais resté au port et j'aurais attendu. » Son visage battu par le vent et les intempéries était sillonné de rides profondes, tavelé comme un vieux cuir boucané ; la peau flasque de son cou formait un double menton, ses cheveux autrefois noirs étaient maintenant d'un gris ivoire qui faisait ressortir le bronzage de son visage. Délie fut stupéfaite par tous ces changements. Les cheveux gris de Jim Pearce lui rappelaient le passage du temps plus impitoyablement que les modifications insensibles de son propre visage. « Pourquoi cette hâte ? demanda-t-il.

— J'avais une bonne raison, lui confia-t-elle à voix basse. Charlie McBean est toujours à bord, et nous étions amarrés près d'un camp de tondeurs.

— Ah, je comprends... Ce bon vieux Charlie, toujours aussi costaud ?

— Bien sûr, venez donc le voir. »

Jim et Charlie se serrèrent la main, puis Jim monta voir Brenton, qui ne s'était jamais autant animé depuis des années. Ils ouvrirent une bouteille de bière pour fêter leurs retrouvailles en évoquant le bon vieux temps.

Délie se souvint qu'elle n'avait pas vu le cosignataire du
contrat, ni signé une décharge en bonne et due forme pour sa
marchandise, et elle retourna dans sa cabine, enleva sa vieille
veste, mit un corsage propre en soie, puis brossa ses cheveux.
Elle les enroula pour cacher autant que possible sa mèche
argentée, puis déposa un peu d'eau de lavande — son seul
luxe — derrière ses oreilles.

« A quoi bon toute cette coquetterie ? » demanda-t-elle
sombrement à son reflet, en s'examinant dans son petit miroir
« Alister Raeburn est un homme, mais il ne s'intéresse absolument pas à toi, et ce rendez-vous est strictement professionnel. »

Elle prit un châle en cachemire qui avait appartenu
à sa tante Hester, le plaça sur ses épaules, puis sortit sur le
pont.

« M. Raeburn était là, mais il est retourné à l'entrepôt, lui
apprit le maître de barge. M'a dit de vous dire que, vous
voyant occupée, il vous demande d'aller le retrouver là-bas
quand vous serez prête.

— Oh! fit Délie. Merci. »

Il l'avait donc vue en tenue de vieux loup de mer, apostro-
phant Jim comme une poissonnière ! Cette pensée la fit légèrement rougir, mais elle haussa les épaules et avança d'un pas
alerte sur la jetée, entre les rails qui séparaient deux hautes
piles de bois destinées aux vapeurs. La petite ligne de chemin
de fer aboutissait directement au sombre portail de l'entrepôt
de laine, de l'autre côté de la route longeant le lac. Le fronton
du bâtiment indiquait : « LAINE DE LA MURRAY, ET DE
LA DARLING », inscription surmontée d'un balcon en fer
forgé, qui donnait vraisemblablement sur l'appartement du
premier étage.

Le vent froid du sud-ouest l'enveloppa tandis qu'elle
marchait dans cet espace découvert, et elle frissonna. Quelle
bêtise d'échanger sa veste chaude contre un corsage en soie
pour s'aventurer hors de l'abri de la timonerie. Elle avait la
gorge sèche, comme si elle allait prendre froid.

La vanité, elle avait cédé à la vanité, bien qu'elle eût
quarante ans...

Dans la cabine de Brenton, avec sa large fenêtre où le soleil brillait à l'ouest dès que le voile des nuages se déchirait, les deux hommes se détendaient, en proie aux souvenirs et à la bière.

Après le choc initial — le temps et l'infortune les avaient tellement changés — ils s'aperçurent que leur être profond était demeuré identique. Teddy Edwards et Jim Pearce entretenaient des rapports amicaux plus que hiérarchiques; l'un avait souvent tiré l'autre d'un mauvais pas lors d'une bagarre; à bord de divers vapeurs ils avaient traversé ensemble inondations et incendies, ainsi que la grande sécheresse de 1902; en d'innombrables occasions, ils s'étaient enivrés ensemble, ils avaient discuté les mérites de tel ou tel vapeur ou capitaine. Tous deux étaient des hommes d'Echuca, élevés «en haut» du fleuve, et tous deux se retrouvaient maintenant «en bas», ayant perdu leur joyeuse vitalité d'antan. Fini les rivalités entre équipage «du haut» et «du bas»; fini les courses sur le fleuve, les déhalages au-dessus des récifs, la descente des rapides au bout d'un câble; et il n'y avait plus de filles dans les cabanons à gin de la Darling.

Jim avait neuf enfants, qui habitaient Goolwa avec leur mère; il n'aimait pas la quitter pour de longs voyages en amont du fleuve, bien qu'il assurât un transport de passagers jusqu'à Wellington tous les dimanches quand le temps le permettait. Son vapeur était un simple ferry du lac; quand le mauvais temps l'empêchait de naviguer, il arrondissait ses fins de mois en pêchant le mulet sur la plage de Goolwa ou en posant des pièges à lapin, dont il vendait ensuite les peaux.

Il évoqua peu à peu son existence présente, à mesure que la bière déliait sa langue.

«Ah, la vie n'est plus ce qu'elle était, Teddy, soupira-t-il en essuyant la mousse sur sa bouche. Quand on est jeune, on ne se rend pas compte que le temps file.

— Tu n'as pas trop... te plaindre... Jim. Regarde... un peu... ce qui m'est arrivé. Tu as toujours... ton vapeur, tu es actif, alors que moi...

— Oui, vieux, je sais. Je n'ai pas voulu en parler, mais je me demande comment tu as supporté ça, cloué au lit du matin au soir. Un gars solide comme toi, un gars remuant, actif comme pas deux, condamné à végéter pour le restant de tes jours...

— Pas... pour restant de mes jours!» Avec effort, Brenton s'assit dans son lit, puis repoussa son drap. «Tiens mon verre, Jim... Maintenant, regarde!» Lentement, avec une volonté de fer, il fit pivoter son corps jusqu'à ce que ses jambes pendent au bord de la couchette. Puis il se détendit, le souffle court. «Tu vois? Chaque jour, chaque jour je pose les pieds par terre, pour que... pour que le sang les irrigue à nouveau. Je commence à pouvoir... les bouger. Et regarde ça. Passe-moi... ces livres!»

Jim lui donna les deux gros volumes qu'il réclamait une *Géographie de l'Australie méridionale* et une *Histoire de la colonisation de la Nouvelle-Galles du Sud*.

«Délie croit que je me cultive. Tu sais à quoi ils me servent?» Il s'allongea de nouveau sur sa couchette, puis prit un livre dans chacune de ses grosses mains. Ensuite, il les souleva lentement, lentement, à bout de bras, jusqu'à ce qu'ils arrivent à la verticale de ses épaules. «Déjà... bras beaucoup plus forts. J'vais leur montrer. Surpris... ils vont être épatés. L'an prochain, j'retourne dans la timonerie.

— Magnifique, Teddy! Tu vas leur montrer! Un gars comme toi a plus d'un tour dans son sac!»

On frappa à la porte, et Charlie McBean entra sans sa casquette; son couvre-chef faisait tellement partie de lui qu'il paraissait amputé, comme s'il avait perdu le sommet de son crâne. Il serrait une bouteille de whisky sous son bras. «Ce bon vieux Charlie. Entre!» Brenton laissa bruyamment tomber les livres à terre, puis lança un bref regard d'avertissement à Jim Pearce.

Les yeux bleu pâle de Charlie clignaient sous ses sourcils broussailleux et blancs qui évoquaient deux morceaux de coton mal collés.

«J'ai pensé que vous manquiez de bière, dit-il. Un p'tit coup de whisky, ça fait de mal à personne. A la vôtre, les gars!»

Et bientôt on entendit trois voix étrangement mêlées entonner ce qui aurait à l'extrême rigueur pu passer pour une chanson:

Boire un petit coup, c'est agréable,
Boire un petit coup, c'est doux...

Entre-temps, Délie avait pénétré dans le magasin obscur, au-delà duquel elle apercevait l'immense entrepôt qui abritait d'innombrables balles de laine dont les piles montaient presque jusqu'au toit, des milliers de balles provenant de la partie supérieure de la Murray. C'était un énorme espace, vaste comme une cathédrale, aussi sombre et silencieux ; un rayon de soleil rouge doré entrait par une fenêtre à une dizaine de mètres du sol et incendiait l'atmosphère comme s'il avait traversé un vitrail.

« M. Raeburn est en haut », l'informait le responsable du magasin, quand elle entendit son pas et sa voix traînante l'appeler de l'étage supérieur.

« Ah, madame Edwards ! Je vous attendais. »

Élégant et menu, vêtu avec grand soin, de sa cravate unie jusqu'à ses bottines cirées, incongru dans cette petite bourgade au bord du lac, il l'intimida brusquement. Elle se réjouit d'avoir mis son plus beau corsage.

« Mes tantes m'ont supplié de vous inviter à prendre le thé cet après-midi. Elles ont entendu parler de vous, et désirent vous voir en chair et en os. »

Il y avait un humour contenu dans sa voix, dans le frémissement de son sourcil gauche, dans le regard voilé, moqueur et brillant de ses yeux sombres. Elle sentit qu'il comparait son élégance présente à la tenue de travail qu'elle avait arborée dans la timonerie ; elle comprit que ses tantes s'attendaient à contempler une sorte de phénomène, la casquette de capitaine, la veste militaire et le reste à l'avenant.

Levant la tête, elle dit : « Je vous remercie, monsieur Raeburn. Mais il me semble que nous devons discuter affaires. Il est trop tard pour commencer à décharger aujourd'hui, mais... »

Il était descendu jusqu'à la dernière marche ; ignorant le responsable de son magasin, il saisit la main froide de Délie, s'inclina pour y déposer un léger baiser.

« Vous êtes trop belle pour que nous parlions affaires, et j'ai trop envie de mon thé. Nous montons ? »

Comme il la précédait le long des marches, elle remarqua les superbes sculptures de la rampe et du pilastre, admira une ancienne nature morte représentant des fleurs et des fruits sur le premier palier, au sol recouvert d'un tapis rouge. Elle croyait rêver; on l'accompagnait dans un autre univers, elle remontait le temps, traversait la mer sur des milliers de milles, jusqu'à un escalier similaire conduisant au salon du premier étage de la maison de son grand-père. Durant toute son existence en Australie, elle n'était jamais entrée dans une telle maison. Et dehors, les lapins grouillaient dans les figuiers de Barbarie, les routes blanches et poussiéreuses traversaient des marais infestés de serpents noirs. Levant les yeux vers le haut des marches, elle aperçut la lumière étincelante d'un lustre en cristal.

79

Une impression confuse de gens, de voix, de visages... beaucoup trop de gens dans une seule pièce... dont son cerveau refusait de retenir les noms. «Voici mes tantes, Mlles Raeburn; ma belle-sœur, Mme Henry Raeburn; son fils Jamie et la petite Jessamine. Exceptionnellement, elles prendront le thé avec nous cet après-midi. Et la gouvernante des enfants, Miss Mellership.»

Stupéfaite et intimidée, car elle avait eu peu de contacts avec autrui au cours des dix dernières années, rencontré peu de femmes à l'exception de Mme Melville, Délie se retrouva assise dans une pièce remplie de femmes. Le seul visage familier était celui de M. Raeburn, qu'elle connaissait à peine.

Ses yeux parcouraient vivement les portraits à l'huile accrochés au-dessus de la cheminée — les fauteuils étaient disposés autour du feu —, mais ces peintures ne lui apportèrent aucune consolation; car sur une toile, une autre femme posait sur elle un regard implacable: des yeux aux lourdes paupières, un nez solide et proéminent, un front lisse et blanc, des lèvres arquées en une moue dédaigneuse.

«Voici une parente de notre famille, madame Edwards; une

de mes ancêtres, peinte par Lely à la cour de Charles Ier.

— Un Lely ? Vraiment ?

— Oui. Un authentique Lely.

— C'est merveilleux ! J'aimerais beaucoup pouvoir l'examiner à loisir.»

Son regard erra dans la pièce, Délie remarqua que le manteau et le foyer de la cheminée étaient en marbre, les murs couverts d'un papier satiné à rayures blanches et vertes.

«Lait ou citron, madame Edwards ?» Mme Raeburn, tenant immobile la théière d'argent, lui décocha un regard perçant de ses yeux gris et alertes, séparés par un nez aussi solide et proéminent que celui du portrait. Ses cheveux gris souris étaient remontés sur sa tête, selon une mode datant de vingt ans. Un jabot de fine dentelle cachait sa gorge décrépite, maintenu par une broche en pierre de cairngorm.

«Une maîtresse femme ! songea Délie. C'est elle qui fait la pluie et le beau temps ; et Mme Henry, la veuve éplorée, n'a jamais essayé de prendre sa place. Pas étonnant que l'autre Mme Raeburn soit partie, si elle avait un tant soit peu de caractère.»

A haute voix, elle répondit qu'elle prendrait volontiers du lait, que depuis les années qu'elle avait passées sur la Darling, elle considérait le lait frais comme un luxe ; car ils n'avaient eu que du lait en conserve ou du lait de chèvre quand ils faisaient halte à un campement.

«Vous avez vraiment remonté la Darling, m'dame Edwards ? demanda le jeune Jamie, les yeux écarquillés de surprise. Avec votre vapeur à aubes ? Pourtant, vous ne ressemblez vraiment pas à un homme. Tante Allie a dit...

— Ça suffit, Jamie. Les petits garçons ne sont pas censés parler, sinon ils vont boire leur thé dans la nursery. Miss Mellership, voulez-vous donner cela à Mme Edwards ?»

Délie saisit la fragile tasse de porcelaine translucide, et craignit qu'elle ne se brisât en mille morceaux entre ses mains ; elle avait toujours bu son thé dans un pichet grossier qu'un de ses garçons lui apportait à la timonerie ou dans sa cabine. On lui tendit une assiette, un napperon et un biscuit au beurre à poser en équilibre sur ses genoux, tandis que la beauté dédaigneuse enfermée dans le cadre doré dardait sur elle son regard impitoyable.

Comme un nageur épuisé qui s'accroche à une bouée de sauvetage, elle dit : « J'ai vu les mots "Laine de la Darling" inscrits au fronton de l'entrepôt. Étrange, n'est-ce pas, de penser que la laine récoltée si loin, près de la frontière de Queensland, aboutisse dans cette région de l'Australie, simplement à cause du cours arbitraire d'un fleuve ?

— Mais ce n'est plus le cas, ou très rarement. Tous les ports de la Darling supérieure expédient maintenant leur marchandise par chemin de fer à partir de Bourke, à destination des entrepôts de Sydney. Pourtant, je crois que les trains eux-mêmes seront finalement détrônés par les camions.

— Et peut-être un jour par des avions de transport », dit Délie, se souvenant de Ross Smith et de son enthousiasme, tandis que le petit aéroplane survolait les collines ; Délie avait alors cru que tout était possible à l'homme.

« Les avions ! Fariboles ! s'écria Miss Raeburn d'un ton sans réplique. L'homme n'est pas fait pour voler.

— Pourtant, il vole, tante Alicia.

— Qu'il se rappelle le destin d'Icare et que cela lui serve de leçon.

— Pourtant, Ross Smith n'est pas tombé dans la mer », dit Délie, piquée au vif par l'arrogance de Miss Raeburn.

Les sourcils bien dessinés de la maîtresse de maison se soulevèrent au point de rejoindre les boucles de ses cheveux sur son front. Mme Henry laissa échapper un léger cri de stupéfaction. Délie tourna la tête vers elle et s'aperçut que sa jolie bouche était entrouverte. Elle avait un grain de beauté sur la joue, au-dessus de son front blanc, une raie impeccable séparait ses cheveux bruns frisés. Ses sourcils en accent circonflexe, qui se rejoignaient au sommet de son nez, lui donnaient un air tragique.

« Madame Edwards désire peut-être un autre biscuit ? » proposa Miss Janet, la plus jeune des tantes, pour changer de sujet. Le visage d'Alister Raeburn était caché au-dessus de sa tasse, et ses épaules tremblaient légèrement.

Miss Janet avait une expression angoissée ; Délie apprit par la suite que c'était là son expression habituelle. Ses traits étaient flous, sa bouche molle et indécise. Elle ne ressemblait à son autoritaire sœur aînée que par la masse gris souris de ses cheveux empilés sur sa tête.

«Je vous remercie, mais je n'en veux plus.

— Une autre tasse de thé, peut-être?» Miss Raeburn abandonnait le sujet des aéroplanes; seul son ton pincé témoignait de son déplaisir.

«Alister, passe donc la tasse de Mme Edwards.

— Volontiers. C'est le meilleur thé que j'aie bu depuis longtemps.

— Avez-vous quelqu'un pour faire la cuisine à bord, madame Edwards? demanda Mme Henry d'une voix hachée. Je ne sais pas comment vous pouvez vivre ainsi.

— Bien sûr; nous avons un excellent cuisinier. Un homme, naturellement.

— Un *homme*!» Miss Janet parut scandalisée.

«Ce thé, s'interposa fermement Raeburn, je l'importe directement de Ceylan. Le café vient du Brésil, le rhum de la Jamaïque, les épices de l'Inde. Ne croyez surtout pas que notre commerce se limite à cette laine prosaïque.

— Mais même la laine peut être romantique, ne serait-ce que par sa quantité. Mille balles! Et notre chargement n'est rien en comparaison de ce qui doit parfois être entreposé ici, et puis elle vient de tellement loin.

— Et au prix de tant de difficultés. Voilà tout l'aspect romanesque des choses, madame Edwards. Avez-vous conscience, mesdames, d'avoir en face de vous une authentique héroïne? Elle est arrivée jusqu'ici à bord de son vapeur, seule dans la timonerie, en provenance de Wentworth — à cinq cents milles en amont; elle a traversé le lac pour la première fois avec un fort vent de sud-ouest. En outre, elle est mère de quatre — c'est bien cela? — de quatre enfants, une artiste peintre débordant de talent, et l'infirmière dévouée d'un mari invalide. Je salue votre courage, ma chère.» Et il leva galamment sa tasse de thé.

«Oh, je vous en prie!» Délie rougit comme une petite fille car elle sentit les visages des femmes réunies dans la pièce se fermer en un mur hostile.

«Quel prodige, murmura Mme Henry dans sa tasse.

— Ce n'est pas une occupation très féminine, proféra Miss Raeburn.

— Il vaudrait certainement mieux engager un... un capitaine pour diriger le bateau ? se hasarda Miss Janet.

— Cela nous obligerait à lui verser un salaire, dit Délie. Et pour parler franchement, avec l'éducation des enfants... et puis je crois sincèrement que mon mari dépérirait loin du fleuve. Ce qui me fait penser qu'il faut que j'aille le rejoindre.»

Comme elle se levait pour partir et prenait congé assez maladroitement, Jamie quitta son tabouret près du feu et s'approcha d'elle.

«Vous me plaisez», dit-il avec sincérité. Elle baissa les yeux vers son regard lumineux en se demandant si son père avait ressemblé à l'oncle Alister.

«Si ta mère te le permet, viens donc visiter le bateau demain.

— Avec moi», ajouta Jessie d'une voix décidée, écartant ses boucles brunes de son petit visage empourpré par la proximité du feu.

A la porte, Délie se sentit soudain faible et brûlante. Sa vue se brouilla, sa poitrine semblait prise dans un étau. Elle se tint à la balustrade tandis que Raeburn l'accompagnait au bas de l'escalier ; quand le vent froid la frappa de plein fouet, elle se mit à tousser.

Le souffle court, elle tendit la main. «Merci. Au revoir. Pouvons-nous signer les papiers demain ? Je me sens légèrement... Il faisait très chaud là-haut et toute la journée j'ai eu un peu froid.

— Vous êtes sûre que vous allez bien ?» Il tint sa main un peu plus longtemps que nécessaire. «Nous aurons tout le temps d'accomplir ces formalités demain. Je crois que je devrais vous raccompagner jusqu'à votre bateau.

— Non, je vous en prie ! L'air frais me fait déjà du bien. Et puis c'est tout près.»

Elle fit demi-tour et partit d'un bon pas avant qu'il ne pût insister. Elle savait que Brenton et Jim Pearce devaient en ce moment même évoquer les vieux souvenirs, fêter leurs retrouvailles avec quelques bouteilles, et elle sentait qu'il fallait conserver une cloison étanche entre ces deux univers. Inconsciemment, elle avait retrouvé des manières et une façon de s'exprimer qui avaient été les siennes avant son mariage. Ce n'était pas de l'affectation ; simplement, son ancien moi, la jeune fille dont les mains lisses ne touchaient rien de plus grossier qu'un crayon, une aiguille à broderie ou un piano, semblait toujours là dans les coulisses de sa conscience, prête à ressurgir dès qu'elle retrouvait son environnement naturel.

Elle croyait s'être fort bien comportée, sauf lorsqu'elle avait contredit la formidable tante Alicia. Il lui semblait que M. Raeburn était fier d'elle, et cette pensée la combla comme une enfant.

Une chanson grivoise, accompagnée du martèlement de bottes sur une table, arrivait du vapeur. Elle se réjouit d'être rentrée seule. Et puis, se souvint-elle, elle n'avait pas examiné de près le Lely, et pas davantage vu les toiles d'Alister Raeburn. Elle souhaita être réinvitée dans cette maison.

80

Charlie McBean s'extirpa de sa couchette et cligna des yeux pour se protéger contre le scintillement éblouissant du soleil qui se réfléchissait sur les vagues du lac. Il passa la main sur le dur chaume de sa barbe, puis enfila son pantalon. Ses yeux rougis étaient douloureux.

On vieillissait, c'était là le problème, pourtant, hier soir, ils n'avaient bu qu'une bouteille de whisky et un peu de bière. Sa bouche était aussi râpeuse que l'intérieur d'une botte.

Les bruits venant de la cuisine réchauffèrent un peu son cœur. Non qu'il envisageât d'avaler de la nourriture — les œufs du petit déjeuner, beurk ! En revanche, un café noir et le goût frais, piquant, d'un oignon cru...

Vieillir, vieillir... Ce matin, ce mot résonnait comme une litanie dans sa tête douloureuse. Maintenant, il ne retrouverait jamais de boulot sur un autre navire. D'un autre côté, le *Philadelphia* ne retrouverait jamais un ingénieur acceptant d'être aussi mal payé que lui.

Il se traîna jusqu'à la cuisine et passa la tête par la porte. Le regard que lui adressa le cuisinier n'était pas particulièrement amène.

« Le déjeuner n'est pas encore prêt, dit-il d'une voix renfrognée.

— Je suis seulement venu te dire de ne rien préparer pour moi. Je sais pas pourquoi, mais j'ai pas faim. Le café serait pas prêt, par hasard ? » ajouta-t-il vivement, ses yeux cherchant anxieusement des oignons. Ah, il y en avait dans le filet suspendu sous l'évier.

« Sers-toi », dit le cuisinier, en maugréant.

Charlie saisit la cafetière d'une main tremblante, puis versa du café dans une tasse sans soucoupe. Il ne tenait pas à ce que le cuisinier entendît la tasse tinter contre une soucoupe. « Ça me suffit, merci. Du café et un oignon.

— Un *oignon* ? » Le cuisinier ne travaillait pas à bord du *Philadelphia* depuis assez longtemps pour avoir vu Charlie avec la gueule de bois.

« Oui ; et une tranche de pain pour éponger le jus. »

Charlie prit une des tranches déjà coupées mais non grillées, puis un oignon dans le filet ; mais quand sa main mal assurée s'empara du couteau à découper la viande, le cuistot le lui arracha.

« Donne-moi ça, vieux grigou, tu as besoin de tes deux mains pour surveiller la chaudière. » Avec dextérité, il éplucha puis coupa l'oignon en rondelles, que Charlie disposa sur son pain, avant de le plier en deux.

« Ah ! dit-il en respirant l'odeur de son sandwich, pendant que ses yeux pleuraient. Voilà de quoi remonter le moral d'un régiment ! » Et sur ce, prenant sa tasse de café dans l'autre main, il sortit de la cuisine en mastiquant.

Délie aussi se réveilla avec une migraine — fait inhabituel pour elle —, et cela était injuste, car elle n'avait bu que du thé la veille au soir.

Sans dîner, elle s'était couchée immédiatement, brûlante et frissonnante, néanmoins ravie par les attentions de M. Raeburn. Même si ç'avait été pure politesse, cela faisait des années que personne ne s'était ainsi inquiété de sa santé.

Maintenant, elle se sentait bel et bien malade — elle changea de position en poussant un gémissement, — tous ses membres étaient courbatus, sa gorge douloureuse. Entendant du bruit dans la cuisine, elle eut envie d'une tasse de café brûlant. Elle désirait si intensément du café qu'elle voyait presque une tasse posée sur la table de nuit, près de sa couchette, remplie du liquide brun sombre, avec juste un peu de lait, des volutes de vapeur chaude s'élevant vers le plafond.

Comme par enchantement, Gordon passa la tête par la porte entrebâillée. Elle fut si heureuse de le voir qu'elle se retint de le réprimander de l'habituel : «Tu ne t'es pas coiffé ce matin», au lieu de quoi elle lui adressa un faible sourire.

«Tu veux une tasse de thé, maman?

— Oh, mon chéri! Du café, s'il te plaît... du café noir, non, avec juste une goutte de lait. Peux-tu me donner le flacon d'aspirine, sur la petite étagère sous la fenêtre. Et puis va voir si papa n'a besoin de rien; je ne crois pas que Charlie soit déjà réveillé.

— Alex peut s'en occuper. Je lui dirai que c'est toi qui l'as demandé. Tu te sens bien?

— Je suis un peu fiévreuse. Je crois que j'ai attrapé froid.

— En tout cas, ne bouge pas. Je t'apporte tout de suite du café.»

Allongée sur sa couchette, réconfortée comme si elle avait déjà bu son café brûlant, elle réfléchit que la vie présentait certaines compensations quand on avait la chance de vivre suffisamment longtemps. Tous les soins qu'elle lui avait prodigués, ses soucis, les nuits passées à son chevet quand il était malade, depuis la plus tendre enfance de Gordon, tout avait abouti à cet instant où il devenait le consolateur et elle la consolée. Elle avait même connu des familles où le temps avait complètement inversé le rapport naturel, si bien qu'un parent était considéré comme un enfant assommant.

Je ne veux pas vivre aussi longtemps, songea-t-elle; pas question de devenir un fardeau et un souci permanent pour mes enfants!

Son grand-père, se souvint-elle, était resté actif et alerte jusqu'à la veille de sa mort, et elle était prête à parier que Miss Alicia Raeburn appartenait à la même espèce. Quant à Brenton, bien que presque impotent depuis si longtemps, il n'avait jamais fait preuve du moindre infantilisme. Ses fils le respectaient, le craignaient même vaguement, quoiqu'il pût à peine bouger le bras.

« Je dois me lever », dit-elle à haute voix, tout en s'enfonçant délicieusement au fond de son lit.

« Mille balles de laine en parfait état. »

Raeburn signa le connaissement, puis le tendit à Délie par-dessus la table, avec un chèque. Elle lui donna son reçu, et se sentit immensément soulagée de savoir ce contrat terminé, et qu'elle pouvait retourner sur sa couchette, enfin fermer les yeux. Une toux sèche et profonde déchira sa poitrine ; involontairement, elle y porta la main, à l'endroit où un couteau semblait la transpercer à chaque inspiration.

« Ma chère madame Edwards... »

Les yeux de Raeburn, grands ouverts, l'observaient attentivement.

« C'est fini. Je crois que j'ai peut-être attrapé — un léger refroidissement. » Sa voix creuse et rauque sonnait étrangement à ses propres oreilles.

« Je ne me le pardonnerai jamais, si vous avez contracté une pneumonie à mon service. Vous êtes brûlante. » Il toucha délicatement sa joue, du dos de la main ; geste purement médical.

Sa réponse fut interrompue par une autre quinte de toux. La pneumonie ! C'était un mot terrible. Sa propre grand-mère Gordon en était morte, et Délie se souvenait, enfant, qu'on l'avait poussée dans une chambre obscure où sa grand-mère haletante rendait son dernier souffle et se noyait dans le pus inondant ses poumons.

« Un instant ! » Il alla chercher quelque chose dans le tiroir de la table de son bureau, sous l'escalier qui menait au corps d'habitation. Il revint avec un énorme tube de verre, un thermomètre centigrade. Avant que Délie ne pût protester, il le glissa dans sa bouche, puis saisit fermement son poignet gauche et lui prit le pouls avec deux doigts, les yeux rivés à une montre en argent attachée à une chaîne.

Ses doigts étaient doux, impeccablement manucurés, remarqua-t-elle en baissant les yeux, louchant par-delà le thermomètre. Assise, réduite au silence et gênée, Délie sentait son agitation accélérer le rythme de son pouls. Raeburn aussi était silencieux, concentré sur le pouls de la malade.

«Hum, hum!» Il retira adroitement le thermomètre de sa bouche, le lut, puis le secoua. Ses lèvres remuaient tandis qu'il calculait mentalement, puis il nota quelques chiffres. «Oui, c'est bien ce que je pensais; forte température. Trente-neuf degrés centigrades. Pourquoi diable avez-vous quitté votre lit?»

Son ton et ses manières étaient si anonymes et professionnels qu'elle ne put se retenir de rire.

«Et depuis quand appartenez-vous au corps médical? Votre attitude au chevet du malade est presque parfaite, mais elle ne me convainc pas tout à fait. Voyez-vous, mon père était médecin, et vous vous êtes trahi. Un vrai médecin ne divulgue jamais la température de son patient. La mystification fait partie de son art, disait toujours mon père, exactement comme chez le sorcier africain.»

Il sourit, mais reprit immédiatement son sérieux. «Malgré tout, je connais assez la médecine pour vous dire qu'avec votre température et votre pouls, vous n'auriez jamais dû quitter votre lit, d'autant qu'il y a du vent aujourd'hui. Le soleil est trompeur; il n'apporte aucune chaleur, avec cette brise humide qui souffle du sud-ouest. Vous devez immédiatement retourner vous coucher.

— Mais...

— Je vous en prie, madame Edwards. Voyez-vous, je me sens responsable de votre état.

— Mais c'est totalement absurde», protesta-t-elle faiblement. Elle sentit au même instant combien c'était merveilleux d'avoir de nouveau un homme à ses côtés, un homme capable de lui commander, de prendre des responsabilités, de décider à sa place. Car Délie était une femme totalement féminine malgré ses théories concernant l'égalité des sexes.

«Où votre père pratiquait-il, dans quelle région de l'Australie?

— Ce n'était pas en Australie. En un sens, il n'est jamais arrivé jusqu'ici...

— En un sens?» Ses paupières étaient légèrement voilées;

avec quelle incroyable rapidité ces yeux sombres reflétaient son humeur, le scepticisme comme l'intérêt, le souci comme l'humour.

« Il est enterré en terre australienne ; mais de son vivant, il n'a jamais posé le pied sur cette terre. Notre bateau a fait naufrage la veille du jour où nous devions arriver à Melbourne. Toute ma famille a été noyée. » Après tant d'années, sa voix tremblait toujours.

« Malheureuse que vous êtes ! Ainsi, vous avez certainement des parents en Angleterre ?

— Oh oui ; des cousins. Mon père était fils unique, la sœur de ma mère est morte à Echuca voici des années, mon oncle plus récemment. J'étais... »

Une quinte de toux l'interrompit. Il tapota sa main, puis bondit brusquement sur ses pieds. « Ne parlez plus. Je vais vous raccompagner chez vous, je veux dire, au bateau.

— Le vapeur est mon foyer.

— Bien sûr ! Pourtant, j'ai du mal à y croire. Vous semblez tellement déplacée dans ce cadre ; il y a tant de finesse et de délicatesse en vous. Savez-vous ce que je me suis dit hier après-midi ? Je me suis dit que vous étiez tout à fait à votre place dans mon salon. J'aurais dû me douter que le teint de votre visage était anglais. »

Il la prit par le bras quand ils s'engagèrent sur la large route longeant le lac, puis l'accompagna jusqu'à la jetée.

Elle s'arrêta soudain, frappée par une pensée. « Mais je n'ai toujours pas vu vos tableaux ! Où travaillez-vous ?

— Oh ! au dernier étage, au-dessus de l'entrepôt. Il y a une verrière.

— Dans cette jolie pièce circulaire, juste sous les toits ?

— Oui ; c'est aussi un observatoire et un poste de guet. J'ai fait installer un télescope, pour surveiller les navires qui s'approchent ; de là-haut, je distingue assez bien l'autre rive du lac. Et parfois, la nuit, je regarde la lune ou les planètes. Je vous y emmènerai dès que vous serez rétablie. »

« Ne pourrait-on l'installer ailleurs — dans une chambre plus grande, mieux aérée ? »

A moitié assoupie, Délie entendait la voix du médecin, assez sèche, comme si quelque chose l'irritait. C'était sa troisième visite en deux jours ; sa maladie devait être assez grave. Elle s'éveillait tout juste d'un cauchemar qu'elle faisait depuis son enfance, chaque fois qu'elle avait une forte fièvre.

Elle devait avaler une immense saucisse blanche, au goût subtilement révoltant, à l'odeur écœurante. Sa taille semblait augmenter au fur et à mesure qu'elle la mangeait ; pourtant, elle devait continuer à l'avaler, sans trêve ni repos, sinon la saucisse allait remplir toute la cabine, et ses horribles anneaux l'étoufferaient. Elle avait encore son goût répugnant dans la bouche.

« Puis-je entrer ? » Raeburn poussa la porte de la cabine, puis rejoignit Gordon et le médecin au chevet de la malade. Il n'y avait plus de place dans la petite cabine. « Docteur, je propose qu'on la transporte chez moi, où mes tantes pourront s'occuper d'elle, dans une chambre aérée.

« Vous aurez remarqué qu'en dehors de Mme Edwards il n'y a pas de femme à bord de ce bateau. Son mari est cloué au lit, seuls un cuisinier et un garçon de cabine pourraient s'occuper d'elle, en plus de son fils...

— *Deux* fils, murmura Délie, et Charlie McBean.

— Deux écoliers et un vieux cinglé. Je crois, docteur...

— Tout à fait d'accord. Ce n'est pas un endroit pour une malade. L'air humide monte du lac. Pas assez de ventilation. Malsain. Il faut la transporter. Chaudement enveloppée, sur un brancard. Hrrrrrp ! »

Il venait d'enfouir son grand nez dans un mouchoir avant de se moucher bruyamment ; comme le mot STOP dans un télégramme, ce coup de tonnerre ponctuait ses remarques.

« Je suis certain que nous pouvons arranger cela immédiatement. Peut-être désirez-vous en parler avec M. Edwards ?

— Oui. Quant à vous, ma jeune dame (cette épithète flatta vaguement Délie, pourtant consciente de sa jeunesse toute relative, car le médecin avait largement dépassé la soixantaine), vous devez vous montrer plus prudente à l'avenir. Ne sautez plus le moindre repas. Je vous interdis de travailler vingt-quatre heures d'affilée. Habillez-vous chaudement. Et des plats chauds, nourrissants. Buvez de la bière. Mais d'abord, nous devons vous débarquer à terre, vous installer convenablement. Hrrrpp!

— Oui, docteur», dit-elle, soumise. Elle se demanda comment Brenton et les garçons s'en tireraient sans elle; mais ils s'étaient déjà débrouillés tout seuls pendant qu'elle et Meg séjournaient en ville. Et puis elle était trop fatiguée pour discuter avec le médecin. Elle se sentait terriblement chaude, sa poitrine lui faisait mal.

«Je laisserai une ordonnance chez le pharmacien. Sirop expectorant... aspirine... bains de vapeur... cataplasmes. Miss Janet est une excellente infirmière. Je repasserai demain matin. Au revoir, madame. Hrrrpp!»

Il prit sa sacoche, puis alla voir Brenton. Il resta auprès de lui assez longtemps. Raeburn lui adressa un sourire rassurant, puis alla prévenir ses tantes de préparer une chambre de malade. Il savait que tante Janet serait ravie de pouvoir exercer ses talents sur une patiente. Quant à tante Alicia, eh bien il en faisait son affaire.

81

«Donne-moi la grande passoire, Meg, dit Mme Melville en retirant du poêle la casserole pleine de choux-fleurs. Continue d'écraser les pommes de terre, tu veux, ma chérie?»

Elle souleva le couvercle et regarda dans la casserole, son visage rouge et ridé brusquement enveloppé de vapeur. «Ils sont parfaits. Ce sont les choux-fleurs que tu as fait pousser, n'est-ce pas? Tu aurais dû être fille de fermier, Meg. C'est une vraie splendeur.»

Elle versa la «vraie splendeur» dans la passoire, où ses rondeurs crémeuses, dodues et compactes rappelaient un cumulus, tandis que la vapeur d'eau se ramifiait en volutes opalescentes, comme les branches d'un arbre. La sauce blanche, riche en beurre, couverte d'un fin semis de persil, était déjà prête, gardée au chaud à côté du poêle à bois.

Meg adorait participer au rituel du repas du soir. L'obscurité tombait: la lueur de la lampe semblait jaune, le ciel bleu foncé en haut de la grande fenêtre. L'odeur délicieuse de la nourriture cuite à la perfection embaumait la vaste cuisine lumineuse, ce parfum subtil qui prévient le cordon bleu que ses légumes sont prêts. Pour ce dîner, elle avait préparé un pudding à la vapeur et elle espérait un compliment de la part de Garry. Mme Melville prit un torchon et retira les assiettes chaudes du four.

«Je crois qu'il est temps d'appeler les hommes, Meg.»

Meg fit un détour par sa chambre, où elle gonfla la masse noire de ses cheveux avec une brosse. «Quand je serai mariée, confia-t-elle à son reflet, je préparerai le dîner, je le garderai au chaud dans le four, ensuite je me ferai belle, et seulement alors j'appellerai Gar — je veux dire mon mari — pour qu'il se mette à table.»

Ses lectures à la ferme se limitaient presque exclusivement à des revues féminines que Mme Melville conservait pour les recettes de cuisine et les patrons de couture, mais que Meg dévorait de la première à la dernière page : conseils aux jeunes épouses, feuilletons romantiques, histoires qui débutaient par une rencontre fortuite pour se terminer au son des cloches battant à toute volée pendant que les jeunes mariés sortaient sur le parvis de l'église. Sa conception de la vie était absurdement déformée ; malgré la réalité de l'existence de sa mère, telle qu'elle la connaissait depuis treize ans, Meg concevait les rapports entre les sexes comme une idylle sans fin et atemporelle ; en tout cas, son mariage à elle ne ressemblerait pas à celui de sa mère...

Son mari lui offrirait des fleurs pour leur anniversaire ; tous les soirs, elle l'accueillerait avec un joli ruban dans les cheveux ; et après le dîner, ils se retireraient ensemble pour connaître les délices mystérieuses et intimes du lit. En authentique fille de la campagne, elle connaissait, autant en théorie qu'en pratique, les positions surprenantes des animaux en rut ; mais son imaginaire échafaudait des châteaux en Espagne bien différents de cet univers tangible ; elle se voyait en chemise de nuit vaporeuse, dans des draps blancs comme neige, cédant à une félicité quotidienne, mais dont l'intensité ne faiblissait jamais.

Et quand arriverait un petit bébé, ils se pencheraient

ensemble au-dessus de sa charmante tête blonde et d'un ravissant berceau décoré de rubans. Ce serait un garçon, il s'appellerait Richard, ou une fille, Robina — incapable de se décider, elle optait parfois pour des jumeaux, un garçon et une fille, s'évitant ainsi un choix difficile. Alors l'homme (le mari indispensable) se tournerait vers elle pour lui dire : « Elle a les mêmes cheveux merveilleux que toi, ma chérie », et leurs lèvres se rencontreraient...

« Meg, tu les as prévenus que le dîner était prêt ? fit la voix de Mme Melville, teintée d'impatience. C'est servi.

— Oh, j'arrive », chantonna-t-elle avant de bondir sur la véranda.

Plus tard, alors qu'assis autour de la table ils buvaient le thé fort terminant chaque repas, Mme Melville adressa un regard plein d'amour à Meg. La petite était en beauté, ce soir. Si elle avait eu une fille, elle aurait aimé qu'elle ressemblât à Meg.

Ouvrant les yeux, Délie distingua une tache sur le papier mural bleu et argent. C'était une tache d'encre ou une mouche posée là, non, deux mouches, qui maintenant battaient des ailes.

Quelle bêtise ! Les mouches ne battent pas des ailes, il s'agit manifestement d'un oiseau noir. Comme elle la regardait, la tache grossit jusqu'à la taille d'un corbeau. Il battait paresseusement des ailes, sans pourtant s'envoler entre la rose bleue et le treillis argenté sur lequel il était perché. Elle souhaitait le voir disparaître rapidement, car il déparait l'harmonie du motif bleu et argent sur lequel elle aurait voulu reposer ses yeux brûlants et douloureux.

Venant d'au-delà du treillis, des voix arrivèrent jusqu'à elle... Était-elle allongée dans un jardin ? Elle tenta de se concentrer pour découvrir où elle se trouvait. Immédiatement, le corbeau s'immobilisa, rapetissa et se transforma en une grosse mouche posée sur le papier mural. Délie était alitée dans la maison des Raeburn, consciente d'un poids énorme pesant sur sa poitrine et d'un goût écœurant dans la bouche.

Oui, c'était bien la voix du médecin ; peut-être l'avait-il déjà examinée ?

« Forte fièvre, très forte fièvre. Soins attentifs, des bains pour faire tomber la température. Je compte sur vous, Miss Janet. L'hôpital serait préférable, mais trop tard maintenant pour la transporter... Voilà, hrrrrpp !

— Je ferai de mon mieux, docteur.»

Délie écoutait avec détachement, comme s'ils parlaient d'une malade sans rapport avec elle. Au bout du compte, rien n'avait beaucoup d'importance : elle était prête à quitter ce monde sans lutter, s'il le fallait. Elle ne s'inquiétait ni du sort de Brenton ni de celui des enfants ou du vapeur. Elle comparait sa vie à une goutte d'eau, à moins qu'une goutte d'eau, à une molécule emportée par l'immense fleuve du temps. Et puis, avec cette température, elle allait bientôt s'évaporer. Sa tête commença d'abord à se vaporiser, devint incroyablement légère. Puis son cou et ses épaules, et bientôt son cœur disparaîtraient aussi, tout son corps allait se métamorphoser en un nuage vaporeux...

Quelque chose de froid toucha ses lèvres.

«Sucez ce cube de glace, madame Edwards. Maintenant, je vais vous donner un bain pour faire tomber votre température ; vous vous sentirez mieux.»

Elle marchait seule sur une longue plage déserte quand une grande vague s'éleva, beaucoup plus haute que toutes les autres. Elle se retourna pour courir, mais trop tard. La vague s'abattit sur elle, la souleva loin au-dessus des dunes de sable, puis l'abandonna, suffoquant mais consciente, dans un lit couvert d'un drap en soie bleue, au milieu d'une grande chambre au papier mural bleu et argent, qu'elle se rappela avoir déjà vu quelque part. Dans une autre vie peut-être ?

Une femme était assise dans le fauteuil en rotin près de la fenêtre, elle faisait du crochet — tante Hester ! Et elle lui reprochait toujours la mort d'Adam. Si elle-même feignait de dormir, peut-être partirait-elle ?

Mais elle avait trop soif pour dormir. Ses lèvres étaient collées. Les yeux toujours clos, elle gémit doucement, et presque aussitôt elle sentit le rebord frais d'un verre contre ses lèvres, un bras soulevant ses épaules. Ouvrant les yeux, elle découvrit le visage soucieux de Miss Janet.

«Merci.» Puis elle s'effondra sur les oreillers, s'émerveillant de sa propre faiblesse. Elle se souvenait de tout, la traversée du lac, sa maladie et son installation dans cette maison.

« Vous avez déliré, dit Miss Janet avec un sourire contenu, mais un profond sommeil vous a permis de vous reposer. Vos yeux sont plus clairs maintenant et je n'ai pas besoin d'un thermomètre pour savoir que la fièvre est tombée. » Elle sortit un petit mouchoir bordé de dentelle, puis essuya ses lèvres, c'était là un tic, comme Délie le découvrit plus tard, par lequel Miss Janet semblait effacer de sa bouche toute expression inconvenante qui aurait pu s'y trouver.

Elle versa une dose d'un médicament à goût d'anis, qu'elle administra à Délie, puis sortit en disant qu'elle allait chercher du jus d'orange frais. Délie regardait les moulures en stuc du plafond, tellement plus élevé que les lattes de bois de sa cabine. Un tapis blanc couvrait le sol de la chambre, et à côté du fauteuil en rotin se trouvait un autre fauteuil tapissé de brocart couleur prune, sur le bras duquel était posée une robe de chambre rose en satin brillant. A qui appartenaient cette chambre ravissante, le vêtement en satin, ces chaussons en fourrure blanche qu'elle apercevait maintenant au pied du fauteuil ? Probablement à l'ancienne femme de M. Alister Raeburn, celle qui était partie avec l'acheteur de laine. Mais pourquoi avait-elle abandonné tout cela derrière elle ? Délie se rappela alors le rivage désert du lac, la petite bourgade provinciale, à soixante milles de la ville la plus proche, le vent froid du sud-ouest qui attaquait la façade de la maison, qu'aucun arbre ne protégeait.

A l'intérieur, on pouvait bien recréer comme une enclave de la patrie lointaine, avec des meubles de style et des œuvres d'art ; mais dehors, le vent mauvais hurlait sans relâche, les indigènes venus de la Mission de Cap McLeay s'immobilisaient aux carrefours, la sombre tristesse du continent perdu agrandissant leurs yeux. Les routes blanches filaient vers l'est jusqu'à un horizon vide ; et les lapins d'importation, qui ne ressemblaient plus à de charmants animaux en peluche, se multipliaient à un rythme effrayant dans les figuiers de Barbarie.

Sans enfants à élever, sans occupation intellectuelle, entourée de tant de femmes et de domestiques qu'elle n'avait plus rien à faire, une femme habituée à la vie citadine devait s'ennuyer à mourir. L'acheteur de laine n'avait sans doute pas eu besoin de se montrer très séduisant. Il lui avait suffi de proposer une nouvelle vie à Londres. D'autant que Raeburn était souvent en voyage, à Morgan, à Murray Bridge ou à Goolwa.

Un feu brûlait doucement dans l'âtre. De petites flammes bleues dansaient au-dessus des bûches rougeoyantes, mouraient puis renaissaient aussitôt. Délie les regarda sans les voir. Quel luxe que d'avoir un feu dans une cheminée, un épais tapis blanc sur le sol, et tout cet espace pour une seule personne !

Quand Miss Janet lui apporta son jus d'orange et, plus tard, un repas léger composé de poulet et d'un flan, elle mangea et but avec appétit, bien que rapidement rassasiée. C'était si agréable de se faire servir, de reposer paisiblement à l'écart de tout, comme si l'immense vague l'avait réellement transportée au-delà des soucis et des tracas de la vie quotidienne.

Le temps avait cessé de s'écouler régulièrement. Elle venait de rompre son jeûne après un long sommeil, et découvrait maintenant que c'était la fin de l'après-midi, presque le soir. Les deux enfants entrèrent dans la chambre après leur repas, et Miss Janet leur dit de ne pas s'attarder pour éviter de fatiguer la malade.

Jamie se coula timidement vers le lit, s'enquit poliment de la santé de Délie, puis déclara qu'il était content de la savoir presque guérie. La fillette marcha avec assurance jusqu'au fauteuil en brocart, écarta la robe de chambre et s'assit, les jambes dans le vide, regardant gravement Délie.

« Comment t'appelles-tu, ma chérie ? Jessie, c'est ça ?

— Je m'appelle Jessamine Raeburn, rétorqua fièrement l'enfant.

— Jessamine ! Quel joli prénom, on dirait un nom de fleur.

— Et vous, quel est votre prénom ? demanda Jamie.

— Je m'appelle Délie, ou Del, ou Delphine — j'ai plusieurs prénoms — mais mes parents m'ont appelée Philadelphia, d'après le nom de la cité américaine.

— Votre bateau porte le même nom que vous, n'est-ce pas ? J'ai été le voir avec oncle Alister ; le mécanicien nous l'a fait visiter. Il est drôle. Quand nous étions à bord, il croquait un oignon, exactement comme une pomme.

— Oh! fit Délie.

— Moi aussi, je veux y aller. Pourquoi oncle Alister ne m'a pas emmenée?» demanda Jessie d'une voix boudeuse, en balançant ses jambes.

— Parce que tu es une fille. Les filles ne peuvent pas...

— Oh mais si, les filles peuvent, le coupa Délie en souriant à Jessie. Quand j'étais petite fille, je montais déjà sur les vapeurs. Dès que je serai complètement rétablie, je te ferai visiter la timonerie, Jessamine.

— Na! dit Jessie en adressant un pied de nez à son frère.

— En tout cas, tante Allie dit qu'une femme doit rester au foyer.

— Oh, vraiment? murmura Délie pour elle-même, souriant dans ses couvertures.

— Pourtant, Florence Nightingale n'est pas restée chez elle, ajouta pensivement Jamie.

— Exactement! Je vois que tu réfléchis, Jamie.»

Le pâle visage du garçon se colora un peu après ce compliment. Il est beaucoup trop frêle, songea Délie qui le compara à ses propres enfants, solides et bronzés; ses yeux avaient un regard intense, presque douloureux. Probablement trop d'affection maternelle. Personne n'avait pris la place de son père défunt dans sa vie émotionnelle; il était certainement trop gâté par toutes ces femmes.

A ce moment, sa mère entra et s'approcha du lit en hésitant. Ses sourcils en accent circonflexe semblaient plus moroses que jamais.

«Ma chère madame Edwards, je suis si contente de savoir que votre état de santé s'améliore. Je crains de n'avoir pas été très utile à votre chevet. Je suis fort maladroite auprès d'une malade et...

— Absolument, dit Miss Janet d'une voix brusque, entrant avec une théière en cuivre qu'elle posa sur le manteau de la cheminée. Et il va falloir que vous sortiez bientôt, car je vais laver la malade. Tout le monde dehors! Les petits bouts de chou aussi.

— P'tit bout d'chou, p'tit bout d'chou, chantonna Jessie en s'allongeant presque sur le fauteuil.

— Je venais juste les chercher, se défendit plaintivement Mme Henry. C'est le jour de congé de la gouvernante, et ils me font tourner en bourrique. Vivement que je les mette au lit.

— J'veux pas aller me coucher.

— Vous pouvez toujours me les envoyer ; j'essayerai de les distraire, tant que je serai ici, dit Délie. Pourtant, il faut que je rentre chez moi au plus vite, dès que le médecin m'y autorisera, bien sûr, mais en attendant... Ils ne m'ennuient pas le moins du monde.

— Quoi qu'il en soit, ils doivent sortir immédiatement. » Miss Janet étendit adroitement une serviette sur le lit.

Pour la première fois depuis des mois, lui sembla-t-il, Délie se coiffa et regarda son visage émacié dans le petit miroir qu'elle pouvait à peine tenir dans sa main tremblante. Incapable de lever les bras pour remonter ses cheveux sur sa tête, elle les coiffa en deux longues tresses. Miss Janet lui fit enfiler une chemise de nuit propre, dont les boutons montaient jusqu'au cou, bordé de dentelle ; ce n'était pas une chemise de nuit de Délie.

S'observant dans le miroir, elle fut surprise par l'éclat bleu intense de ses yeux, la maigreur de son visage.

« Vous avez des cheveux magnifiques, ma chère, dit Miss Janet en soulevant une des lourdes tresses. Tellement fins, pourtant épais et abondants.

— Je déteste cette mèche grise. J'ai bien envie de la couper.

— Stupide ! Elle vous donne de la dignité. En tout cas, cela vaut mieux que des cheveux poivre et sel. » Elle rassembla la bassine, la serviette et le gant. « Maintenant, je vous laisse vous reposer. Voulez-vous que j'allume le gaz ?

— Non merci. Je désire regarder le ciel. »

82

Délie aurait aimé que son lit fût plus proche de la fenêtre, pour pouvoir contempler le lac. De sa chambre située au premier étage, elle distinguait seulement une bande de ciel empourprée par le soleil couchant, ainsi qu'un rayon d'or pur qui entrait presque horizontalement par la fenêtre et illuminait le mur opposé.

Allongée, elle regardait les grains de poussière dorée qui dansaient dans la lumière, comme en cet autre soir, voici un quart de siècle, à mille milles en amont du fleuve. A cette époque aussi, elle avait été alitée, mais elle se remettait alors d'une légère commotion. Un même sentiment d'irréalité l'avait saisie, comme si les lointains bruits d'activité dans la maison émanaient d'un autre univers. Alors Adam était entré et l'avait embrassée pour la première fois.

Comme si elle l'avait appelé, elle entendit quelqu'un frapper doucement, puis la porte s'ouvrit. Un personnage éblouissant pénétra dans la chambre, son pas tranquille foulant l'épais tapis, et elle se demanda brièvement si elle délirait encore. Alors elle reconnut Alister Raeburn, vêtu comme un sultan des *Mille et Une Nuits*.

Au-dessus du pantalon de son costume, il portait une robe de chambre somptueuse de brocart blanc et or, ainsi qu'une ceinture de soie écarlate frangée d'or. Avec sa courte barbe noire et ses yeux sombres, il semblait aussi exotique qu'un paon blanc. Elle était ravie, stupéfaite.

S'interposant entre elle et la fenêtre, il s'avança vers le lit, puis souleva sa main inerte posée sur la courtepointe, et ses lèvres frôlèrent les doigts amaigris.

« Grâce à Dieu, vous allez mieux. Vous nous avez fait une peur bleue. »

Elle sourit faiblement. « Comment mon état aurait-il pu s'aggraver avec les soins merveilleux qu'on m'a prodigués et tout le luxe qui m'entoure ? Votre famille est tellement gentille avec moi. Cet après-midi, j'ai eu la visite de Mme Raeburn, de Jamie et Jessamine ; Miss Janet est une infirmière hors pair.

— Pas de visite de tante Alicia ?

— Non, aucune de Miss Raeburn.

— Pourtant, elle aussi vous a veillée pendant que vous étiez inconsciente. Pour soulager tante Janet, elle est restée à votre chevet pendant la nuit.

— Je la remercierai dès que je pourrai me lever. Dans un ou deux jours, je serai sûrement rétablie.

— Non. Certainement pas dans un ou deux jours.» Sa main blanche et fine lissa la courtepointe bleue. «Votre cœur a été atteint par les toxines de la pneumonie. Vous devez encore rester au lit pendant deux semaines. Et vous ne pourrez reprendre vos pérégrinations que dans un mois.

— Mais c'est impossible! Je ne peux pas rester allongée là, laisser le vapeur à quai, avec Brenton et les enfants! Je vais parler au médecin. Il ne comprend pas ma situation.

— Il la comprend parfaitement, au contraire. Avec un cœur fragile, vous ne serez plus d'aucune utilité à votre famille; vous ne voulez tout de même pas être deux invalides à bord de votre vapeur. Je suis brutal, mais vous n'avez pas le choix.

— C'est impossible.» Des larmes de désespoir et de faiblesse emplirent ses yeux. Il reprit sa main.

«Vous devez vous y résigner; soyez déjà heureuse de guérir. Votre famille serait désespérée de vous avoir perdue. Quant à moi, eh bien je reconnais égoïstement que la perspective de vous garder ici me plaît.»

Ouvrant ses yeux voilés de larmes, Délie vit ses yeux sombres tout près de son visage, et, l'espace d'un instant, crut qu'il s'agissait de son cousin défunt. Il lui sembla que sa vie parcourait des cycles. Une fois encore, elle se retrouvait dans une maison étrangère après avoir frôlé la mort; cette fois-ci elle ne venait pas de la mer, mais des lacs. Et ce n'était pas Adam; alors une sorte de mystérieuse télépathie prévint Délie qu'il aimerait beaucoup l'embrasser. Pourtant, elle sentit qu'il n'irait jamais jusqu'à s'asseoir au bord du lit.

Pour dissiper la tension ambiante, elle dit d'une voix enfantine:

«Quelle ravissante robe de chambre! Ce tissu est splendide.

— Oui.» Lâchant sa main, il la regarda d'un air satisfait et passa ses doigts sur les broderies ornant la poitrine. «C'est un brocart chinois confectionné à Hong Kong. Le tissu vient de Singapour. Il y en a deux autres quelque part — une écarlate et une bleu turquoise. Je vous ferai porter la bleue. Elle s'harmonisera parfaitement à la couleur de vos yeux, bien qu'ils soient plus foncés — comme des lapis-lazuli.

— Je — je crois que Mme Henry m'a peut-être prêté...» Elle montra le fauteuil sur lequel était posée la robe de chambre de satin rose qui réfléchissait les derniers rayons du soleil. Il se retourna, fit un pas en avant, puis se figea sur place, le dos tourné. Délie vit tout son corps se raidir.

«Comment ce vêtement est-il arrivé ici?» demanda-t-il d'une voix étranglée. Quand il pivota, ses yeux étaient à demi voilés sous ses lourdes paupières, mais malgré la faible lumière elle vit qu'ils brillaient de rage.

«Je ne sais pas. Je l'ai découverte là, à mon réveil. Avec les chaussons.

— Tout cela appartenait à ma femme. J'avais donné l'ordre qu'on brûle toutes ses affaires.» Il saisit la robe de chambre et les chaussons, puis les lança à terre.

«Excusez-moi.» Il s'inclina, très raide, puis sortit.

Elle l'entendit marcher dans le couloir, puis ouvrir violemment une porte.

«Tante Alicia! Pourrais-je vous dire deux mots dans mon bureau, s'il vous plaît?»

Un peu plus tard, Miss Alicia Raeburn entra dans la chambre comme un vent froid. «Vous êtes dans le noir! dit-elle d'une voix brusque, en tirant les doubles rideaux. Je vais allumer le gaz, à moins que vous préfériez la lampe de chevet?

— Juste la lampe, merci.»

Quand la lumière jaillit et que Miss Raeburn se pencha sur la lampe pour régler la mèche avant de remettre le verre en place, Délie remarqua sur ses joues roses deux taches plus colorées qu'à l'ordinaire. Sur son bras, elle portait une autre robe de chambre, beaucoup plus belle que celle en satin rose, en brocart couleur turquoise, brodé de papillons dorés.

«J'ai tendance à penser, dit Miss Raeburn, que le rose ne vous va pas. Et puis, comme celle-ci est doublée, ce sera plus raisonnable pour quelqu'un qui se remet d'une pneumonie.»

Elle la posa sur le montant de cuivre du lit, puis ramassa l'autre.

«Sur le bateau j'ai une robe de chambre en laine. Je vais la faire chercher, puisqu'il semble que je doive rester ici encore quelque temps. Je ne savais pas que j'avais été gravement malade, ni combien je dois à vos soins, aux vôtres et à ceux de Miss Janet. Je tenais à vous remercier.»

Miss Raeburn haussa les épaules. «C'est la moindre des choses ; personnellement je n'ai pas beaucoup de mérites. Janet a tout pris sur elle, et puis je n'ai fait que mon devoir envers une inconnue hébergée sous mon toit, ainsi que le prescrit la Bible.»

«Exactement comme tante Hester après ma maladie!» pensa Délie, profondément troublée par la répétition des mêmes événements. Après le départ de Miss Raeburn, elle repensa à ce qui venait de se passer. Il semblait évident que l'indifférence de M. Raeburn envers la trahison de sa femme était feinte. Il avait dû être fort mécontent pour obliger la formidable Miss Alicia à faire disparaître l'autre robe de chambre.

Au cours de la semaine suivante, encouragée par son intimité naissante avec Miss Janet (beaucoup plus abordable que sa sœur), Délie se permit de l'interroger à propos de ce lointain scandale.

«Mme Alister Raeburn était-elle très belle ? demanda-t-elle, persuadée que tel avait été le cas.

— Eh bien... je ne dirais pas qu'elle était *belle*, répondit Miss Janet. Elle n'avait pas beaucoup de présence ni de dignité — non qu'une femme de petite taille ne puisse être ravissante, bien sûr —, mais elle avait des traits menus, des pieds minuscules et des yeux verts assez bizarres. Féline, oui, je crois que c'était une femme féline. Très jolie en tout cas. Mais comme vous vous en doutez, ses charmes et ses chatteries restaient sans effet sur Miss Alicia.

— Elles s'entendaient mal ?

— Elles ne pouvaient pas se sentir. Allie n'est pas une personne avec qui on s'entend facilement. Et la femme d'Alister, malgré sa douceur apparente, pouvait se montrer d'une dureté impitoyable.

— Et lui — fut-il bouleversé par son départ ? Comme il n'y avait pas d'enfant, la séparation n'a pas dû être trop douloureuse.

— Alister fut blessé dans son orgueil davantage que dans son cœur. Qu'elle ait pu partir avec ce rustre — comme il l'appelait — elle qui avait connu les plus belles choses, les attentions les plus délicates, qu'elle ait pu lui préférer un homme de Leeds s'exprimant avec un accent du Nord à couper au couteau, sans le moindre goût pour l'art ni la musique, oui, tout cela l'a blessé. Il est entré dans une colère noire. Il a brûlé ses portraits — celui qu'il avait peint ainsi que les photos d'elle — puis il a jeté sur le tas d'ordures tous les vêtements qu'elle avait abandonnés en partant, pour qu'on les brûle.

— Mais la robe de chambre posée sur le fauteuil, et les chaussons lui appartenaient ?

— Alicia ne supporte pas le gaspillage. Pourtant, je ne comprends pas pourquoi elle voulait vous les faire porter.

— Vous croyez qu'elle a fait exprès ?

— Oui, et Alister a pensé la même chose. Elle savait que cela le rendrait furieux. Il déteste tout ce qui lui rappelle sa femme. Maintenant, je me demande... »

Miss Janet la regardait curieusement, son visage assez allongé penché de côté. Elle sortit un mouchoir, puis essuya rapidement ses lèvres, gommant toute expression de son visage flétri.

« Oui ? Que vous demandiez-vous ?

— Oh rien. Je me demandais simplement pourquoi elle voulait lui rappeler son premier mariage. Alicia aime beaucoup Jamie », ajouta-t-elle, sautant apparemment du coq à l'âne.

Délie était perplexe. Miss Raeburn espérait-elle, s'il la voyait dans cette robe de chambre évoquant des souvenirs douloureux, qu'Alister éprouverait de l'aversion envers Délie ? Mais pourquoi ? Et que venait faire l'affection de Miss Raeburn pour Jamie ?

« Je ne suis qu'une vieille pie, ma chère, qui se laisse aller à son imagination. Et pourtant... Allie a le don de double vue. C'est un trait typiquement écossais. Elle devine parfois ce qui va arriver aux gens alors qu'eux-mêmes n'en ont pas la moindre idée. »

83

En bas, le *Philadelphia* et sa barge, amarrés à la jetée, restaient immobiles ; des camions avaient déjà emporté son chargement de laine dans le grand entrepôt du bord du lac. Le temps calme et ensoleillé évoquait davantage l'automne que le printemps.

Délie s'était inutilement inquiétée à propos de Brenton et des garçons. Tous se portaient fort bien sans elle. Brenton avait confié à Charlie qu'il pratiquait des exercices quotidiens, et l'ingénieur l'aidait tous les jours à s'asseoir dans un fauteuil où il restait brièvement, les muscles du dos douloureux, sentant le sang irriguer de nouveau ses membres amaigris.

Les garçons passaient des heures merveilleuses à explorer les bords du lac en barque, à découvrir des nids de cygnes parmi les roseaux. Chaque matin, ils partaient pêcher de bonne heure et attrapaient des mulets de mer qui avaient remonté le fleuve en suivant l'eau saumâtre.

Gordon pêchait davantage pour le plaisir de rester à l'ancre sur le miroir du lac que par goût pour cette activité paisible ; le soleil éblouissant se réfléchissait sur l'eau sous la ligne horizontale du rivage. Quant à Alex, il était trop impatient pour pêcher longtemps, à moins que le poisson ne mordît immédiatement. Mais si l'un d'eux attrapait un poisson, alors Alex était heureux. Il s'asseyait, très concentré, et entreprenait de disséquer le poisson avec un couteau bien aiguisé, observait la colonne vertébrale, la disposition des arêtes à mesure qu'il découpait des filets de chair, la dentelle rouge des ouïes, et, spectacle merveilleux, les yeux. Il s'intéressait passionnément au fonctionnement de tous ces organes, à leur agencement, à leurs rapports, comme à un jouet complexe et fascinant.

Pour Gordon, le poisson mort, son sang et ses viscères étaient écœurants, sa beauté et son intérêt disparaissaient dès qu'il avait cessé de vivre et perdu ses couleurs iridescentes. Il ne mangeait jamais avec plaisir un poisson qu'il avait lui-même pêché. Il aimait les attraper, exercer son astuce contre sa proie, mais supprimer une vie lui déplaisait. Quand des araignées d'eau entraient dans sa cabine, il les plaçait soigneusement sur un bout d'écorce ou une feuille de papier pour les faire sortir, bien qu'il ne les aimât pas. Il avait un respect de la vie quasi hindouiste.

Le médecin vint en personne annoncer à Brenton que sa femme ne pourrait revenir à bord du bateau avant quelques semaines; il lui cacha que, vingt-quatre heures durant, il avait jugé son état désespéré. La solidité de Brenton, la vitalité qu'il sentait frémir comme des braises ardentes sous la cendre de l'immobilité forcée, l'intéressèrent. Il avait parlé avec lui lors d'une précédente visite, et découvert une intelligence alerte ainsi qu'une volonté de fer derrière son élocution hachée. Le traitement de ce genre de handicapés le passionnait et il était très en avance sur les pratiques médicales de son temps.

A sa deuxième visite, il apporta à Brenton un livre du Dr Otto Schmeltkopf.

« Ne vous inquiétez pas du titre, dit le Dr Riceman. Texte allemand, un alphabet bizarre. Pas encore traduit en anglais. Cela signifie "Rééducation"; bourré de cas semblables au vôtre. Les illustrations vous seront utiles; montrent les exercices les plus efficaces. Hrrrrpp! ».

Il se moucha comme on sonne le clairon, puis rangea son mouchoir. « Maintenant, voyons, votre jambe gauche a retrouvé un peu de sensibilité? Et les doigts de la main gauche, ça va? Hum, hrmp! Fermez l'œil gauche. Maintenant le droit. Veut pas se fermer complètement, hein? Les cordes vocales aussi sont touchées. Mais vous avez déjà surmonté cela dans une certaine mesure.

— Travail... pénible. Mais je... peux parler.

— Vous avez découvert l'essentiel: le contrôle du souffle. Le truc consiste à avaler l'air comme une grenouille; puis à le faire remonter pour former des mots. Difficile au début; mais vous êtes en bonne voie. Bon, depuis combien de temps ne vous êtes-vous pas levé?

— Cinq... ans.

— Assis dans un fauteuil?

— Cinq heures.

— Diable! C'est donc ainsi que vous empêchez vos jambes de s'atrophier. Votre courage me plaît.

— Pour moi, debout... ou mourir.

— Excellent! Vous connaissez cette vieille rengaine, qui parle d'un type qui sort de prison? "Rappelé à la vie. Mais je ne veux pas vivre.". En tant que médecin, je trouve cela dramatique. Le désir de vivre est mille fois plus important que la condition physique. Bon, jetez un coup d'œil sur ces diagrammes.»

En soulevant quotidiennement de lourds livres, Brenton avait appliqué sans le savoir l'un des exercices préconisés par le médecin autrichien auteur du manuel. Il expliquait maints exercices plus compliqués, destinés à rééduquer les muscles contrôlant les doigts, les paupières, les mâchoires.

«Ça tombe sous le sens, s'écriait le Dr Riceman. On peut retrouver l'usage de muscles blessés ou atrophiés, par des exercices réguliers. Regardez ce qu'un entraînement quotidien réussit à faire de certains muscles: des danseurs, des acrobates. Vous ne voulez pas devenir acrobate; simplement pouvoir vous déplacer par vous-même, remettre un peu d'huile dans le moteur et tenir le gouvernail. Hrrrppm!

— C'est exactement ça, dit Brenton d'une voix intense. Tenir le... gouvernail!».

«Vous devez monter ces marches très lentement, madame Edwards», dit Raeburn en s'arrêtant avec elle sur un palier, à mi-chemin de l'atelier aménagé sous les toits.

Délie aussi apprenait à remarcher sur des jambes qui lui semblaient de bois. Elle s'appuyait de tout son poids sur le bras de son compagnon. Sur le premier palier, elle fut prise d'un accès de faiblesse. Mais elle avait tenu à monter à l'atelier. Elle éprouvait un intérêt croissant pour la personnalité de son hôte et ne pouvait attendre plus longtemps de découvrir ses toiles ainsi que l'endroit où il travaillait.

«Il n'y a aucun de vos tableaux dans la maison? demandat-elle. Pourquoi donc? J'ai regardé partout depuis que je peux me lever, mais je n'en ai vu aucun.

— Non.» Il se retourna, s'appuya à la balustrade et

regarda l'étroit escalier en colimaçon qu'ils avaient emprunté depuis le premier étage. «Je ne nourris aucune illusion sur la valeur de mon travail. Pour tout vous dire, j'ai une ou deux toiles dans ma chambre — mes préférées —, mais elles ne sont pas assez bonnes pour que je me permette de les exposer en public.

— Vous n'avez jamais exposé?

— Si, quand j'étais plus jeune. Je faisais partie de la Société des Beaux-Arts de l'Australie méridionale; les toiles que j'ai proposées furent toujours acceptées, mais elles ne me satisfaisaient pas. Aujourd'hui, je peins pour mon seul plaisir, le plaisir de m'exprimer par la forme et la couleur.

— A mon avis, c'est la seule raison valable de peindre. Mais je crois que chez moi il y a autre chose, le désir de créer une œuvre durable, capable de résister à l'épreuve du temps, porteuse d'un ordre propre, imposé de l'extérieur, totalement distinct des contingences de la vie. L'art satisfait pour cette raison précise: il tire une structure et une forme hors du chaos et du hasard.

— Reprenons notre ascension, voulez-vous?» Il semblait déprimé; ses sourcils se fronçaient en une expression de lassitude, ses paupières tombantes voilaient ses yeux.

«Oui. Je me sens d'attaque maintenant.»

Une trappe pivotant sur ses gonds découpait un rectangle sur le plancher de l'atelier. La lumière jaillissant de l'ouverture éclaboussait d'or les marches jaunes de l'escalier. Délie poussa un léger cri de plaisir quand elle émergea dans cet univers nimbé de soleil. Tout le paysage alentour s'offrait au regard, des baies vitrées couvraient les murs jusqu'à deux pieds du plancher hexagonal. Le sol était nu, à l'exception de deux tapis persans, dont les couleurs chatoyantes brillaient au soleil. L'ameublement se réduisait à un divan couvert de velours, deux vieux fauteuils confortables, un chevalet et une table maculée de peinture, qui supportait des pots de pinceaux et des boîtes pleines de tubes de couleurs.

Il y avait une toile inachevée sur le chevalet, un coucher de soleil sur un plan d'eau; tout autour de la pièce, des paysages marins étaient posés à terre contre les murs.

La mer au clair de lune, au coucher du soleil, à l'aube;

assombrie par un orage menaçant, inondée de lumière, parsemée de déferlantes... les seules toiles qui n'étaient pas des marines représentaient le lac ou de larges bras morts de la Murray.

N'en croyant pas ses yeux, Délie cherchait quelque chose à dire et passait d'un tableau au suivant. A quoi s'était-elle attendue? Pas à cela en tout cas. Des portraits sophistiqués, peut-être, des tableaux à intentions satiriques — mais pas à cet intérêt romantique pour les humeurs de la mer, les demi-tons de clair de lune ou de ciel pâlissant à l'aurore. Aucune toile ne représentait la lumière nette et tranchante du milieu de journée.

«Alors?» Dos tourné, il regardait le lac.

«Je suis épuisée, dit-elle enfin. Tout cela est tellement... tellement inattendu.»

Elle longeait les murs, accordant toute son attention à chaque toile, même aux croquis inachevés.

«Je ne vous connaissais pas cette passion pour la mer. Dites-moi, est-ce Goolwa Beach?» Les dunes de sable, les touffes d'herbe éparses et les vagues innombrables qui se brisaient sur la grève, tout était baigné dans une lumière cuivrée qui tombait d'un soleil rouge posé très bas sur l'horizon. Il acquiesça. «C'est bizarre; durant presque toute ma vie, j'ai imaginé cette plage, mais pour moi elle a toujours été froide, froide et blanche, avec des vagues bleues glacées, des dunes de sable semblables à des bancs d'écume gelée.

— Mais elle est ainsi! Le sable n'est pas vraiment blanc, les embruns soufflent sur la plage quand il y a du vent et forment comme des monticules de neige, et puis les vagues se brisent en un rugissement glacé, inhumain. J'ai peint cette toile le jour du grand incendie de brousse qui jetait sur la mer une étrange lueur cuivrée. L'estuaire de la Murray est juste derrière, perdu dans la brume.»

Elle regarda avec intérêt l'endroit qu'il désigna sur cette plage irréelle dont elle avait souvent rêvé, des milles de rivage inhabité, battu impitoyablement par l'océan du Sud.

«Voici mon préféré», dit-elle enfin; elle s'arrêta une fois encore devant une petite étude figurant une seule vague qui déferlait. Elle se dressait dans la lumière matinale; verte, translucide, ourlée d'écume et figée pour l'éternité à l'instant de sa destruction finale.

«Le titre est tout simplement *La Vague*, et c'est aussi un de mes préférés. Plusieurs fois, j'ai refusé de le vendre. Quel est votre verdict? Vous êtes restée longtemps silencieuse.

— Je vous l'ai dit, je suis surprise. Tout cela m'intéresse énormément, et je suis très impressionnée. Vous êtes tenace et plein d'énergie; mais la mer est une dure maîtresse, paraît-il.

— Je suis toujours tenace et plein d'énergie quand je désire quelque chose, dit-il avec un regard appuyé. Je vous aurai avertie.»

Sans relever cette dernière phrase, elle se tourna pour regarder par les fenêtres le paysage environnant, les plaines et le lac, dont on distinguait la rive opposée, distante de près de vingt milles. Au premier plan, la jetée et le *Philadelphia* ressemblaient à des jouets. Un vapeur qui arrivait de Cap Pomander laissait dans le ciel un sillage de fumée noire.

«Encore un chargement de laine pour notre entrepôt, dit Raeburn. Il me semble que c'est le *Pevensey*. Voyons cela de plus près.»

Près du mur est, il retira un tissu qui protégeait un objet à la forme bizarre, ouvrit une fenêtre, puis régla la lunette d'un grand télescope.

«Cet instrument est fort pratique pour obtenir des renseignements sur les vapeurs et leurs chargements, dit-il. La nuit, je peux aussi observer la lune et les étoiles. Cette partie du toit coulisse et le télescope pivote sur son pied. Je n'enclenche le mécanisme d'horlogerie que pour observer les corps célestes; il corrige la visée du télescope pour annuler les effets de la rotation de la terre, afin que l'objet observé reste toujours dans le champ de vision.

— Magnifique! J'aimerais tant voir les lunes de Jupiter, les anneaux de Saturne, les cratères de la lune, est-ce possible?

— Parfaitement, si vous attendez que la nuit tombe. Le ciel est dégagé, mais malheureusement nous ne pourrons voir Saturne ce soir. En attendant, regardez donc le vapeur. Il avance à bonne allure par ce temps calme.»

Délie colla son œil contre l'oculaire et vit le bateau à vapeur, comme raccourci, magiquement rapproché. La fenêtre de la timonerie était ouverte, le capitaine nettement visible derrière sa roue, regardant droit devant lui, totalement inconscient de l'œil qui l'observait de l'autre côté du lac. Elle vit quelqu'un, matelot de pont ou ingénieur, gravir les marches et lui adresser quelques mots en tendant le bras. Cela lui rappela l'un de ces nouveaux films, qu'elle avait vus avec ses enfants dans une salle de Morgan, des personnages grandeur nature qui bougeaient, gesticulaient et ouvraient la bouche sans qu'on entendît leurs paroles.

Elle se tourna vers Raeburn en souriant. «Avez-vous utilisé cet appareil pour m'observer?

— Oui, je vous ai vue dans la timonerie de votre bateau, vous disiez quelque chose à votre fils, après quoi vous avez ri tous les deux. Vous aviez quitté l'abri du cap depuis longtemps, et les vagues malmenaient votre vapeur. Je m'étais attendu à vous découvrir tendue, anxieuse. Cela m'a beaucoup impressionné.

— En réalité, j'avais peur. Mais je ne sais pourquoi, j'ai trouvé cette aventure plutôt cocasse. Voilà ce que je disais à Gordon : "C'est amusant, n'est-ce pas?" Et brusquement, cela le devint.

— Gordon est un charmant garçon. La nuit où vous avez déliré, il est resté à votre chevet jusqu'aux premières heures du jour. Je lui ai proposé de dormir dans votre chambre, mais il a refusé de se coucher.

— Oui, il est très sensible et affectueux. Il me fait penser à...» et alors elle parla à Alister Raeburn de son premier amour, son cousin mort à dix-neuf ans seulement, elle lui parla de Miss Barrett et de la ferme dans la partie supérieure du fleuve, de l'hostilité de tante Hester, de la fougue juvénile d'Adam. «Tout cela est tellement loin que je me demande parfois si cette enfant et moi sommes vraiment la même personne.

— Oui, évoquer le passé est parfois étrange. Dorothy Barrett, n'est-ce pas? Quel âge cette femme aurait-elle aujourd'hui?

— Oh, je ne sais pas, la soixantaine. Oui, elle doit avoir près de soixante ans. Cela me semble incroyable! C'était une personne merveilleuse, avec de magnifiques cheveux châtains, qui doivent être gris aujourd'hui. Nous nous écrivons régulièrement, environ une fois l'an, à Noël.

— Barrett, Barrett! Oui, je suis sûr que c'est elle. J'ai reçu une lettre d'un ami anglais, qui me recommande chaleureusement une gouvernante pour ma nièce et mon neveu, quelqu'un qui a travaillé à leur service; elle retournait en Australie et cherchait un emploi. Il s'agit peut-être de la même personne? Cette femme n'était plus jeune.

— C'est possible. La dernière fois que j'ai eu de ses nouvelles, elle était dans une famille du Dorset, les Polkinghornes. Ils...

— Mais oui! Quelle coïncidence; il s'agit bien de votre Miss Barrett. Vous êtes prête à la recommander aussi, à ce que je vois?

— Absolument et sans réserve. Bien sûr, je ne l'ai pas vue depuis vingt-cinq ans, mais son esprit est plus vif que jamais, ses lettres en témoignent. Ce serait merveilleux si...

— Alors, l'affaire est entendue. Miss Mellership est très bien, mais elle ne peut faire plus que garder les enfants. Je veux une personne capable de former leur esprit et leur caractère. Le jeune Jamie lui échappe déjà complètement; quant à sa mère... eh bien, franchement, sa mère n'a pas une bonne influence sur lui. »

Légèrement embarrassée par cette confidence, qui confirmait ce qu'elle pensait de Mme Henry, Délie ne répondit rien. Elle plaça de nouveau son œil devant l'oculaire et distingua clairement le bateau éclairé par les derniers rayons du soleil couchant.

« Quand il accostera, il faudra que je descende régler quelques affaires, dit Alister. Mais ils ne commenceront pas à décharger avant demain matin. Je serai donc bientôt de retour. Aimeriez-vous rester ici plutôt que d'affronter de nouveau l'escalier? Je demanderai qu'on vous fasse monter un repas.

— Merci. J'ai très envie de rester et de regarder le coucher de soleil. Quel endroit merveilleux pour travailler! J'ai l'impression d'être un oiseau perché sur la cime d'un arbre.

— Promettez-moi de ne pas regarder le soleil à travers le télescope. Vous risqueriez une cécité irréversible.

« — Je ne m'en servirai pas en votre absence.

— Je serai bientôt de retour, et nous mangerons... des sandwiches au poulet, qu'en pensez-vous, avec une bouteille de sauternes ?

— Parfait. »

Il commença de descendre par la trappe, puis s'arrêta un instant la tête au niveau du sol. Ses sourcils et sa barbe noire taillée en pointe rappelèrent à Délie le Méphistophélès de *Faust* retournant vers les profondeurs infernales. Puis elle l'oublia, pour se perdre dans la contemplation de l'espace illimité, de l'air et de l'eau, se sentant chez elle comme l'aigle dans son repaire.

Elle regarda avec indifférence le *Philadelphia* amarré au quai, bien que là-bas ce fussent ses fils qui ramaient vers le vapeur, puis montaient à bord avec un sac plein de poissons ; les panaches de fumée sortant de la cheminée de la cuisine signifiaient qu'on préparait le repas du soir, et derrière la grande fenêtre son mari cloué au lit mangeait lentement et maladroitement avec une seule main.

Elle aperçut une petite silhouette déguenillée surmontée d'une chapeau informe — ce ne pouvait être que le Jeune Suppôt, — qui courait au bord du pont, poursuivi par un personnage légèrement plus corpulent, sans doute Charlie qui pourchassait sa proie préférée. Le Jeune Suppôt fit un bond prodigieux jusqu'au quai, puis se retourna pour adresser une grimace à l'ingénieur.

Délie sourit en constatant la rage silencieuse de Charlie qui leva les bras au ciel, jeta sa casquette sur le pont et la piétina furieusement. Il semblait étrange de ne pas entendre le moindre juron accompagnant cette danse sauvage, mais Délie était trop loin.

Quand Ethel, la servante édentée, maigre et toujours gaie, monta les marches avec un plateau, elle regarda les sandwiches appétissants, les napperons brodés, les verres en cristal, la bouteille dorée couverte de minuscules gouttelettes, et songea à son premier dîner à bord du *Philadelphia*.

Le contraste entre l'omelette à l'oignon arrosée de bière et le poulet accompagné de sauternes symbolisait le fossé qui séparait son foyer et ce nid d'aigle. Pourtant, elle avait appris à aimer la bière et les repas improvisés dans la timonerie ou sur le pont.

84

Sur le *Philadelphia*, le cuistot abattait violemment des casseroles sur le poêle de la cuisine. Il faisait toujours un bruit infernal en lavant la vaisselle. Il avait plutôt mauvais caractère et chaque fois qu'il laissait tomber quelque chose — cuillère ou poêle à frire — , il décochait un violent coup de pied qui envoyait valser l'ustensile à l'autre bout de la cuisine.

Il était mortellement las de préparer du poisson, mais ces sales gosses étaient encore revenus avec un sac plein ; il n'y avait pas de glace et il ne supportait pas le gâchis.

« Hé, les morpions ! appela-t-il. Au travail ! »

D'ordinaire, quand le repas était prêt, il sonnait la cloche. Maintenant il appelait l'un des garçons pour qu'il vînt prendre le repas de Brenton avant de le porter dans sa cabine. En l'absence de Délie, ils s'occupaient de leur père à tour de rôle ; ce soir-là, c'était le tour d'Alex.

Il prit le plateau et l'assiette de poisson coupé en fins morceaux, mélangé à de la purée pour que Brenton pût le manger facilement, puis il le porta avec précaution jusqu'à sa cabine sur le pont supérieur. Son père reposait, le menton collé à sa vaste poitrine, ses yeux rêveurs fixés sur la fenêtre.

Brenton n'aimait pas rester à quai aussi longtemps ; il lui semblait que le bateau était piégé dans un trou d'eau, ainsi que cela était souvent arrivé dans le passé : immobilisé et inutile, comme lui-même. Contrairement au fleuve, l'eau du lac semblait stagner ; privé du mouvement des rives qu'il voyait défiler par la fenêtre de sa cabine, il avait le sentiment de croupir, de dépérir.

Et puis sa femme lui manquait, bien davantage que lorsqu'il avait été en bonne santé. Sans elle, il était désorienté, il se sentait perdu en pleine mer et sans boussole. Car elle assurait la continuité de son existence, elle constituait le lien entre ce qu'il avait été et ce qu'il était devenu.

Charlie était si fantasque depuis quelque temps — privé de ses responsabilités d'ingénieur et de l'influence bénéfique de Délie, il n'avait quasi pas dessoûlé à Milang. Son régime alimentaire se résumait presque exclusivement au whisky et à la bière, aux oignons crus agrémentés d'une tranche de pain. Sa main tremblait tant que Brenton avait refusé de se laisser raser le matin, si bien qu'une fois encore, il arborait une barbe fournie, non pas grise comme ses cheveux, mais raide et dorée.

L'ancienne terreur d'Alex devant son père n'avait pas entièrement disparu, bien que Brenton alité fût désormais à la hauteur de son fils, et presque aussi dépendant de sa progéniture qu'un enfant. Alex s'assit timidement au bord du lit, et demanda : « Veux-tu que je t'aide à manger, papa ? »

Brenton émit un raclement de gorge et adressa un regard furieux à Alex.

« Pourquoi donc ? Je suis parfaitement... capable... de manger tout seul. Qu'y a-t-il dans cette... bouillie ? » Saisissant sa fourchette, il remua lentement le contenu de son assiette.

« De la morue, papa. Un poisson d'eau de mer, c'est très bon. Gordie et moi venons juste de le pêcher. Je vais te préparer une tartine beurrée. » Brenton leva sa fourchette dans sa main gauche, et répandit du poisson sur le plateau. « Papa, tu penses que tu aurais pu traverser le lac à la nage ? Je veux dire, avant ta maladie ? Tu n'étais pas mauvais en natation, je crois ?

— Quoi ? Traverser le lac... sur vingt-quatre milles ? Ne sois pas téméraire, mon garçon.

— Il paraît qu'il y a des gens qui traversent la Manche à la nage.

— Oui, c'est vrai... Mais attends un peu... quelques années, j'essaierai peut-être. »

Alex parut sceptique.

« Attends, fiston, que je... sorte... de cette cabine. Vous allez voir. Pourquoi pas ? J'étais... meilleur nageur... sur toute la Murray.

— Mais papa ! (Alex semblait désespéré.) Tu ne pourras plus jamais marcher, n'est-ce pas ? »

Le sang empourpra brusquement le visage de Brenton, ses

yeux étincelèrent de colère. «Qui t'a raconté... ce foutu mensonge? Qui?»

Alex se mit à bafouiller: «Je, je sais pas, je croyais — et puis Charlie disait — il hurlait l'autre soir quand il est rentré plutôt éméché, que tu ne... que tu ne commanderais plus jamais un bateau.

— Ha! J'vais... te montrer quelque chose, petit. Donne-moi... cette corde. Derrière... la porte. Maintenant... attache-la... au bout du lit. Solidement. Pas de nœud de vache. Donne-moi... le bout.»

Il saisit l'extrémité de la corde et l'entoura deux fois autour de son poignet gauche. Ensuite, les pieds coincés contre le montant du lit, il se hissa en position assise, tira encore jusqu'à ce que ses genoux plient et que son corps fût ramassé au bout du lit. S'appuyant de son bras gauche sur le montant du lit, il pivota sur ses fesses et laissa ses pieds glisser vers le sol. Ses deux bras s'agrippèrent au montant et il se hissa lentement sur ses jambes vacillantes.

Il jeta un regard de triomphe à son fils avant de s'effondrer sur le lit, des gouttes de sueur perlant à son front.

«Qu'en dis-tu, hein? Je peux me tenir... sur mes... deux jambes. Mais n'en parle pas à ta mère. Lui faire la surprise. Chaque semaine... je deviens plus fort.»

Alex était impressionné. «Ouah, papa! Tu crois vraiment que tu pourras renager?

— Médecin a dit... natation est la meilleure chose. Moins lourd... dans l'eau. Mais elle ne doit pas être trop froide. L'été prochain... nous verrons.

— Ouah! répéta Alex. J'aimerais bien être médecin, faire remarcher les gens.»

Pour la première fois depuis sa maladie, Délie eut faim. Quand le soleil fut couché, que les couleurs eurent disparu du ciel et de l'immense miroir du lac, elle attendit impatiemment le retour d'Alister Raeburn dans la petite pièce mansardée. Elle entendit son pas dans l'escalier; ses sourcils noirs sataniques, puis son nez aquilin et sa barbe pointue émergèrent de la trappe, suivis par sa silhouette élégante.

«Des profondeurs de l'Enfer, je monte te retrouver!»

murmura-t-elle pour elle-même, car il portait l'une de ses merveilleuses robes de chambre, cette fois en soie japonaise d'un rouge méphistophélique.

«Vous êtes presque dans le noir!» s'écria-t-il. «Pourquoi n'avez-vous pas demandé à Ethel d'allumer la lampe? Ah, elle a monté notre repas, mais sans glace, quelle paresseuse! Il va falloir boire le vin avant qu'il ne se réchauffe.

— Oh, je vous en prie, n'allumez pas encore! J'aime tellement voir les premières étoiles scintiller dans le ciel.

— Et moi, j'aime voir ce que je mange», dit-il, imperturbable, en montant la mèche d'une grosse lampe à pétrole dont l'abat-jour peint rappela à Délie celui qu'elle avait brisé chez tante Hester voici tant d'années. «Et puis j'aime vous voir.»

Cela lui rappela vaguement quelque chose. Autrefois, quelqu'un lui avait dit la même chose, mais elle ne se souvenait de rien. Il déboucha bientôt la bouteille, goûta le vin doré et lui tendit un verre plein avant de se servir.

«A l'avenir!

— Je dois vous donner l'impression de penser toujours au passé.

— Vous ne devriez pas. C'est là une occupation de vieillard, de gens dont la vie est derrière eux. J'ai l'intime conviction que vous avez devant vous un avenir passionnant, et que j'en fais partie.

— Ah? Je ne vois pas...

— Tenez! dit-il, ravi. Personne n'a jamais vu une femme rougir avec autant de charme. Vous êtes restée une jeune fille: cette fraîcheur de teint, cette vivacité d'esprit qui transparaît dans votre regard.» Les yeux sombres et ardents d'Alister étaient fixés sur elle, grands ouverts pour une fois.

Détournant le regard, elle dit: «J'ai une faim de loup, si je peux me permettre. J'ai eu beaucoup de mal à me retenir de me jeter sur ces sandwiches au poulet pendant votre absence. Il me semble n'avoir rien mangé depuis des semaines.

— Quelle tristesse, vous n'avez en effet rien mangé de consistant. J'aurais dû demander un poulet entier; je suis un égoïste; tout cela parce que je préfère dîner légèrement. Tenez, mangez-les tous.

— Non, non ! protesta-t-elle en riant. Je ne suis pas affamée à ce point. »

Le vin léger fut néanmoins assez lourd pour la convalescente. Il lui sembla courir dans ses veines comme de l'or fondu ; elle se sentait réchauffée, comme illuminée. Elle mangea deux sandwiches, plus la moitié du troisième. Entre-temps, le crépuscule avait fait place à la nuit ; cependant le lac retenait les dernières lueurs du jour, comme s'il refusait de se laisser engloutir par les ténèbres.

Délie s'assit pour regarder le rectangle de lumière qui signalait la fenêtre de la cabine de Brenton. « Je déteste penser qu'il est allongé là-bas, impuissant », dit-elle avec mélancolie ; brusquement, sa présence dans ce petit nid d'aigle préservé des soucis de la vie quotidienne lui parut totalement irréelle. « Je dois retourner sur le bateau dès demain. Je lui manque certainement.

— Il a toujours été très actif, j'imagine ; sa maladie doit le rendre d'autant plus malheureux, dit Alister.

— Je n'ai jamais rencontré un homme aussi vivant. Quand il était plus jeune, il pouvait travailler vingt-quatre heures d'affilée sans manger ni dormir, après quoi il allait nager pour se changer les idées. Mais maintenant... » Elle haussa les épaules.

« Oui. » Il poussa un profond soupir. « La vie peut être d'une cruauté sans nom. Je ne sais si les étoiles vous consolent parfois ; pour ma part, j'ai découvert que, lorsque je suis confronté à un problème insoluble ou à des pensées insupportables, elles calment mon esprit comme rien d'autre.

— Regarder le fleuve me procure le même apaisement.

— Vous voulez dire que cela vous permet de relativiser les soucis quotidiens, les déceptions, les irritations ? Une seule constellation de la Voie lactée, contemplée à travers ce télescope, me suffit. »

Il souffla la lampe, puis ouvrit une partie du toit.

La lumière des étoiles tomba sur eux ; l'Épi de la Vierge les surplombait, tel un glaive de lumière.

« Voici la Vierge ; connaissez-vous les constellations du Zodiaque ?

— Oui ; je sais me diriger d'après les étoiles. J'ai commencé de les apprendre grâce au capitaine du voilier qui nous a amenés en Australie quand j'étais enfant. Le capitaine Johannsen... Il s'est noyé avec les autres. »

Elle revit la petite fille de douze ans, mince et vive, ses longs cheveux sombres fouettés par le vent.

« *Oh, capitaine Johannsen, quelle est cette odeur ? Ce sont des fleurs ?*

— *Non, c'est une odeur d'arbres, celle des eucalyptus. Même si nous ne pouvions pas voir la terre, je saurais que l'Australie est là, au vent.* »

« *L'Australie !* » Ses mains frêles serraient le bastingage, ses yeux scrutaient l'eau sombre à la recherche du mince ruban de la côte sous le ciel étoilé : sa première vision de la terre promise.

« *Regarde vers le nord-est, tu verras Arcturus se lever, une magnifique étoile jaune...* »

Mais les nuages avaient soudain envahi le ciel et obscurci les étoiles, si bien qu'elle n'avait jamais vu l'étoile jaune se lever au-dessus de la mer. Il y avait si longtemps...

« Où est Arcturus, est-elle au-dessus de l'horizon ? demandait-elle maintenant.

— Oui, dans le Bouvier regardez, on dirait une partie de la queue d'un grand cerf-volant renversé.

— Je voudrais la voir.

— Les étoiles sont assez décevantes, observées au télescope ; elles ne sont pas magnifiées, simplement leurs couleurs sont plus vives. Attendez, je vais la chercher pour vous. Vous devez régler l'œilleton à votre vue. »

Il se déplaça légèrement pour lui permettre de s'approcher de l'oculaire, mais resta près d'elle. Le mécanisme d'horlogerie bourdonnait, le point de lumière jaune fixait obstinément son œil. Elle eut soudain conscience de l'intimité de leur situation : ils étaient seuls dans les ténèbres à peine éclairées par les étoiles, en haut de la maison. Ils se sentaient plus proches des cieux et des constellations que des êtres humains habitant les pièces inférieures.

« Vous la voyez ? » Sa voix était étouffée, à peine audible, comme pour respecter la présence majestueuse d'autres univers. «Et maintenant, Jupiter; le spectacle sera plus intéressant.»

Regardant de nouveau dans l'oculaire, Délie poussa un cri de stupéfaction. Jupiter était une boule lumineuse striée de minces bandes colorées; de part et d'autre de l'astre évoluaient un chapelet de lunes minuscules, diaprées et alignées en un ordre parfait.

Alister s'était tellement approché derrière elle qu'elle sentait son souffle sur ses cheveux. Si elle avait légèrement reculé, ou tourné son visage... Mais elle restait collée à l'instrument, l'œil fasciné par cette vision surnaturelle. Une main doucement posée sur son épaule l'écarta.

«Maintenant, une constellation. C'est un amas stellaire composé d'environ cinquante mille étoiles, toutes de même origine. A l'œil nu, cela ressemble à un brouillard lumineux. Là, vous le voyez, à proximité du second Nuage de Magellan? Ce soir, la visibilité est excellente; elles semblent innombrables à travers ce puissant objectif. Maintenant regardez.»

De nouveau un léger cri de stupéfaction. Une cité stellaire, une cité d'étoiles. Des étoiles par milliers, comme un nuage brumeux.

D'autres merveilles suivirent: la nébuleuse de la Tarentule, émergeant d'un nuage de gaz lumineux et de sombre poussière interstellaire; une étoile double, vert et topaze, là où l'œil nu n'en distinguait qu'une; l'Écrin à Bijoux, poignée de grenats, diamants et rubis jetés à travers la Croix du Sud.

Délie sentit ses genoux commencer à trembler de fatigue. Elle voulait contempler encore les splendeurs du ciel nocturne, mais depuis sa guérison elle n'était jamais restée aussi longtemps debout, et les escaliers l'avaient épuisée.

«Je crois qu'il faut que je m'assoie, dit-elle.

— Oh, ma très chère! Quel oubli impardonnable. Vous étiez si intéressée, et mon enthousiasme m'a égaré.» Il la pressa de s'installer dans un fauteuil bas, puis s'assit à ses pieds; les yeux de Délie, habitués à la lumière des étoiles, remarquèrent son regard intense. «Les astronomes amateurs adorent trouver une nouvelle victime à qui montrer leurs merveilles. Ils se sentent quasiment propriétaires de ces corps célestes, presque comme s'ils les avaient eux-mêmes créés. Pourquoi ne pas m'avoir interrompu avant?

— Je ne voulais pas vous interrompre.»

Toujours assis sur le sol, il se pencha pour arrêter le moteur, et dans le silence qui s'ensuivit ils entendirent le cri d'un cygne dans les roseaux du lac. Tendant le bras, il prit sa main et la pressa contre son front. «Vous pouvez tout me demander, savez-vous? J'offrirais volontiers ma vie... à vos pieds.»

Il lâcha sa main, souleva l'un de ses pieds et embrassa l'intérieur de sa cheville. «Je vous offrirais tout, absolument tout! Vous n'avez qu'à demander.

— Mais je ne veux pas vous demander... autant! Simplement... Ne rendez pas mon existence plus difficile qu'elle n'est, ne la compliquez pas davantage.» Sa lèvre trembla. «Je ne pensais pas... je ne m'attendais pas à cela de votre part. Je vous croyais bien au-dessus de ce genre de sentiment. Vous semblez toujours tellement autonome, maître de vous-même.

— Vraiment?» Quand il enfouit son visage dans sa robe, elle sentit les muscles de sa bouche se contracter en une grimace ou un sourire. «C'est là où vous vous trompez... J'ai une immense capacité d'amour, qui reste inemployée. Je ne demande qu'à donner et donner encore; je ne vous réclamerai rien en retour, sinon de ne pas me haïr.

— Je ne vous hais pas, mais je ne suis pas davantage amoureuse de vous. Ainsi, la question de donner ou de recevoir ne se pose pas.» La situation lui semblait irréelle; cette conversation, un rêve; l'homme affalé à ses pieds ne pouvait être M. Raeburn. «Je vous en prie, levez-vous», s'écriait-elle.

Ses bras l'étreignirent convulsivement, son visage demeura enfoui. Retrouvant un geste maternel autant qu'immémorial, elle caressa ses cheveux; pourtant elle se sentait détachée, davantage surprise qu'émue.

«Ce n'est pas tout à fait vrai; je désire naturellement quelque chose de vous, je veux *tout* de vous, car je suis un homme. Je ne peux me scinder en un corps et une âme, la chair et l'esprit. Je vous aime de tout mon être, je vous désire de tout mon être, j'adore votre esprit et votre corps, jusqu'au dernier cheveu de votre tête bien-aimée.

— Alors ne m'ennuyez pas davantage avec toutes ces bêtises.

— Des bêtises ? Je n'ai jamais dit paroles plus sensées. Ah, si je pouvais seulement vous allonger sur un lit, vous m'aimeriez un peu. »

Il levait maintenant les yeux, sa voix était enfantine, audacieuse ; elle aperçut l'éclat de ses dents blanches entre sa moustache impeccable et sa barbe soignée.

« Oh ! Je m'en vais, je pars immédiatement. Je retourne au bateau dès ce soir.

— Ah, Délie, ne vous donnez pas la peine de me fuir. Je vous promets de ne plus vous importuner. »

Les mains de Délie touchaient toujours ses cheveux, mais elle s'était inconsciemment redressée, tenant son dos très droit. Elle sentit sur la tête d'Alister l'endroit où ses cheveux s'éclaircissaient, où naîtrait la calvitie. Ce n'était pas un garçon ni un jeune homme que quelques paroles dures rabroueraient. « Tenace et plein d'énergie... » Elle le croyait volontiers ; pourtant, elle se sentait protégée par sa propre indifférence.

Quand elle eut regagné sa chambre, elle resta longtemps assise au bord du lit, si étourdie qu'elle n'eut pas la force de se déshabiller. En dessous, les eaux du lac réveillées par la brise du milieu de la nuit léchaient inlassablement la rive en un doux chuintement.

Impossible de se convaincre qu'elle tombait des nues, que la déclaration d'Alister Raeburn l'avait surprise ; depuis sa maladie, elle avait bien senti qu'il était séduit, mais elle ne s'était pas attendue à une telle profondeur de sentiment, à cette passion contenue qui faisait vibrer sa voix. Il lui semblait avoir foulé la croûte fragile d'un volcan.

Délie retrouva la routine du bateau, tint la roue pendant douze heures d'affilée, manqua de temps pour penser à Alister Raeburn et à sa stupéfiante déclaration ; pourtant elle trouva un moment pour lui écrire ainsi qu'il l'avait demandé, mais elle ne fit aucune allusion à ce qui s'était passé entre eux.

Elle lui parla de son travail, de son projet d'acheminer des marchandises au chantier des travaux publics du lac Victoria, elle lui parla de la peinture et des tableaux qu'il lui avait montrés.

Vous m'avez donné l'impression d'être extraordinairement vivant; comme si j'avais somnolé depuis des années. Je ne demande qu'à déposer ma vie à vos pieds, à mourir comme la vague déferle puis disparaît dans le sable, si cela me permet de m'approcher un peu de vous.

Seule dans la timonerie, elle s'abandonnait parfois à des rêves éveillés de vie commune avec Alister; entourée du luxe des soies orientales et du luxe plus précieux encore de son adoration; à l'écart de tout souci, de toute responsabilité, libre de peindre toute la journée. Et de parler de son travail, de discuter des problèmes de l'art avec un autre artiste, avant de l'accueillir dans son lit, dans cette élégante et somptueuse maison au bord du lac.

Ces rêves éveillés tenaient du délire, elle le savait. Même si elle avait été libre, aucune existence ne pouvait atteindre à cette perfection; et comme elle était engagée ailleurs, ce désir plus ou moins inavoué était synonyme de trahison, à cause de Brenton et des enfants. Tous avaient besoin d'elle. Mais avaient-ils davantage besoin d'elle qu'Alister? Là n'était pas le problème: son devoir l'attachait à eux, et le devoir... triste fille de la voix divine! C'était un mot froid, qui réconfortait sans réchauffer le cœur, mais des générations d'austères presbytériens se tenaient derrière elle, acquiesçant gravement.

85

«Ta mère sera ici cet après-midi, Meg, dit Mme Melville. Vas-tu préparer un gâteau pour elle?

— Vous croyez que j'avais oublié? s'écria Meg. Tous les jours, j'ai barré les dates sur le calendrier.» Elle rejeta en arrière ses cheveux noirs, geste machinal qu'elle faisait souvent depuis un certain temps. Sa minceur frisait la maigreur, elle avait des épaules osseuses, de longues jambes grêles. Sa peau était pâle, presque incolore, et, dans son mince visage ingrat, de grands yeux bleu foncé brillaient d'un éclat singulier.

Tout le monde remarquait les yeux magnifiques de Meg ; mais pour elle, ils soulignaient le manque de beauté de son visage, son nez retroussé, ses cheveux raides, pleins d'épis.

Mme Melville lui adressa un regard affectueux. « Tu es tellement mince ! Je ne sais pas ce que va dire ta mère. Sans le beurre et la crème de la ferme, tu serais un vrai fantôme. En tout cas, tu n'es pas assez solide pour vivre à la dure sur un bateau. »

Meg s'arrêta net dans le jeu de marelle qu'elle improvisait sur le carrelage de la cuisine.

« Pas assez solide ? Mais Melvie (depuis sa petite enfance, elle avait toujours appelé ainsi sa nourrice), je suis en excellente santé, vous le savez bien ! »

Mme Melville prit un air obstiné. Ses cheveux étaient devenus gris acier, sa bouche se durcit.

« Tu es trop menue, et n'oublie pas que tu as juste l'âge d'attraper la tuberculose, dont on ne se remet jamais complètement. Je n'en dormirais pas, si je ne te voyais pas prendre trois repas par jour, plus le verre de lait que je t'apporte tous les soirs au lit. Tu ne crois pas que tu ferais mieux de rester avec Melvie encore un an ou deux ?

— Oh, je ne sais pas... » En enfant généreuse, Meg sentit que Mme Melville serait blessée si elle répondait négativement. Pourtant, sa mère et ses frères lui manquaient ; si seulement elle pouvait vivre aux deux endroits à la fois ! Et puis il y avait Garry ; si elle retournait à bord du bateau, elle ne le verrait presque plus jamais.

Elle reprit avec davantage d'enthousiasme : « Je crois que je pourrais rester encore un peu, si maman n'a pas besoin de moi.

— A mon avis, il vaudrait mieux que tu en parles toi-même. Ta mère sait que j'aimerais te garder, mais elle doit comprendre que cela est préférable pour ta santé. Et puis tu manquerais aussi à Garry. »

C'était là une idée nouvelle, suggérée par l'arrivée de son fils. Sans leur accorder un seul regard, il se dirigea droit vers le moule à gâteau et se coupa une tranche de cake aux fruits.

« C'est vrai, Garry ? » demanda Meg, persuadée que des taches écarlates s'épanouissaient sur ses joues, mais rougissant si légèrement que Mme Melville ne s'aperçut de rien.

« Mumm ? Qu'est-ce qui est vrai ?

— N'est-ce pas qu'elle nous manquerait si elle retournait sur le bateau ? répéta sa mère.

— Et comment ; autant qu'une dent cariée. » Il mordit voracement dans la tranche de cake.

« Garry ! »

Il sourit. « Oh, je plaisantais. En tout cas, je n'aurais plus personne à taquiner. D'autant que Meg ne marche pas, elle court. Et puis elle fait de bons gâteaux. »

Pour Meg, follement amoureuse, cela équivalait à une déclaration en bonne et due forme.

« Là ! Tu vois ? s'écria triomphalement Mme Melville. Et M. Melville te considère comme sa propre fille.

— Au secours ! Moi qui espérais avoir une sœur un peu plus mignonne que ça.

— Ote-toi de mon chemin, grand dadais, il faut que je prépare mon gâteau maintenant, dit Meg en le poussant.

— Au large, maigrichonne ! » (Courtisa-t-on jamais une femme de la sorte ?)

« Garry ! *Sors d'ici !* »

Après une légère bousculade, elle l'emporta et Garry se laissa pousser docilement vers la porte de la cuisine.

« Solide, hein ? se moqua-t-il, la Petite Mademoiselle Moustique. »

Meg mettait la dernière main à son gâteau ; elle dessinait une rose avec un entonnoir plein de crème fouettée, quand la sirène du *Philadelphia* se fit entendre en contrebas. Elle sortit en courant, puis rentra en trombe pour enlever son tablier plein de farine. Elle descendit deux à deux les marches abruptes de l'escalier au flanc de la falaise, puis courut dans les bras de Délie qui posait le pied sur la berge du fleuve.

Délie remarqua qu'elle semblait plus mince que la dernière fois, et lui demanda si elle assumait trop de tâches ménagères. Mais non, répondit Meg, elle adorait ça.

Comment annoncer à sa mère qu'elle était follement amoureuse d'un soldat démobilisé, de dix ans plus âgé qu'elle, un héros qui avait perdu deux doigts au front?

Elle monta sur le pont supérieur pour voir son père, embrassa son large visage rubicond entouré de favoris dorés. Il prit les minces poignets de sa fille dans sa main droite, autrefois paralysée, et les serra au point de lui faire mal.

«Tu vois? Avant, je ne pouvais pas tenir une allumette dans cette main. Bientôt, je tiendrai de nouveau la roue du bateau.»

Meg l'embrassa, puis courut retrouver ses frères.

«Vous montez à la ferme? J'ai fait un gâteau spécialement pour vous.

— Il ne doit pas être fameux, alors, rouspéta Gordon, qui avait déjà lancé une ligne de pêche par-dessus bord.

— Amène-nous un morceau de ton gâteau, proposa Alex. Moi, je vais me baigner.

— Moi aussi», dit Brenny, qui venait d'arriver.

Meg tint la main de Délie jusqu'à ce que le sentier devînt trop étroit pour qu'elles pussent marcher de front. Elle trouvait sa mère très belle, même avec sa vieille veste de l'armée qui accentuait la finesse de ses traits et la minceur de ses mains. Des années plus tard, elle serait dans la foule qui accueillerait Amy Johnston, l'aviatrice arrivée d'Angleterre, seule à bord de son avion, et elle remarquerait la même apparence fragile, le même teint de jeune fille, alliés à une détermination et à un courage hors pair.

Le visage de Délie rayonnait d'un éclat nouveau, ses yeux brillants semblaient rajeunis; elle avait eu beau parler durement à Alister, c'était merveilleux d'être aimée et désirée à son âge. «Seigneur! Que de complications», songea-t-elle avec complaisance, se souvenant aussi de sa lutte avec Cyrus James.

Voilà pourquoi elle ne prêta aucune attention aux émotions contradictoires qui bouleversaient sa fille; peut-être refusait-elle aussi d'admettre que Meg n'était plus une enfant.

«J'ai pensé à ton avenir, ma chérie, dit-elle. Cela te plairait-il d'étudier pour devenir médecin? Je crois que je pourrais maintenant trouver l'argent nécessaire. L'approvisionnement du camp du lac Victoria est devenu notre monopole. Naturellement, cela représente des années d'études.

— Non ; je veux être infirmière, répondit Meg du tac au tac.

— Eh bien, au moins, tu sais ce que tu veux. J'ignore ce que va faire Gordon. Pourras-tu apprendre ton métier à l'hôpital de Waikerie ? De toute façon, tu es encore beaucoup trop jeune. Tu as encore deux ans à passer avec nous sur le bateau...

— Sur le bateau ?

— Bien sûr, avec nous et sur le bateau. Tu pourras soigner ton père. Il prétend que tu es déjà une bien meilleure infirmière que moi. Il m'a dit que je ne valais rien.

— C'est parce que tu es trop impatiente, maman. Tu ne crois pas que je pourrais rester encore un an ici ? Melvie dit que je suis trop fragile. Et puis jamais ils ne m'accepteront à l'hôpital si je suis malade. Melvie m'a dit quelque chose à propos de la tuberculose, que tu l'avais eue autrefois...

— C'était une erreur de diagnostic. Cela ne rime à rien ! Elle n'a pas le droit de t'effrayer en te racontant des histoires à dormir debout. De toute façon, le médecin m'a recommandé de vivre sur le fleuve et depuis je suis en parfaite santé, mis à part cette petite pneumonie. Il ne faut pas que je me surmène, et je pensais que tu pourrais m'aider.

— Bien sûr, je viendrai si tu n'es pas bien ! Mais — la pensée de Garry dessécha sa bouche — je pourrais peut-être vous rejoindre plus tard.

— Nous verrons. »

En son for intérieur, Délie décida de retirer Meg de la ferme. Mme Melville exerçait trop d'influence sur elle. Délie se rappela sa gêne diffuse, lors d'une visite précédente, les paroles un peu trop affectueuses de la nourrice. Meg était sa fille ; elle refusait qu'une autre prît sa place à ses côtés. D'autant que dans un avenir relativement proche elle devrait certainement l'abandonner à un jeune homme.

En ce début de printemps, ils avaient descendu le fleuve avec la première crue, après un été exceptionnellement sec ; et maintenant, montant vers la ferme avec Meg, Délie passa devant un amandier tardivement en fleur. L'arbre offrait ses pétales blancs en un geste plein de candeur et de grâce. Il semblait s'ouvrir lui-même, dans toute sa pâle innocence, à la rude caresse du vent et aux effleurements sensuels des abeilles affairées.

86

« Brenton, je voudrais te parler ; je suis inquiète à propos de Meg. » Comme ce serait simple de pouvoir se tourner vers son mari pour lui confier ses soucis, se soulager un peu des responsabilités sur des épaules plus solides que les siennes ! Mais Délie sentait que ce serait inutile. De plus en plus introverti, Brenton accordait fort peu d'intérêt à ses enfants et passait le plus clair de son temps à compulser un livre bizarre écrit en allemand, dont il ne pouvait comprendre un traître mot, selon Délie, et à ruminer son état.

Peut-être s'inquiétait-elle en vain. Elle ne pouvait croire qu'une cour de justice retirerait à une mère la garde de son enfant, surtout si l'enfant désirait le contraire. Pourtant, Meg manifestait une étrange réticence à revenir sur le bateau.

Délie regardait droit devant elle quand le vapeur s'engagea dans la portion rectiligne de Long Reach. Après le prochain virage, ils arriveraient au site de l'Écluse Trois, où les travaux préliminaires avaient déjà commencé. L'Écluse Un était presque terminée, et il faudrait bientôt payer un péage à chaque passage.

A l'avenir, elle aurait tout intérêt à établir sa base d'opérations à Renmark pour éviter la Murray inférieure. Ainsi, elle éviterait aussi Cyrus James et Alister Raeburn, ce qui serait certainement une bonne chose.

Elle envisagea cette possibilité, sans enthousiasme. En fait, les deux hommes pourraient probablement l'aider, bien que Cyrus James ignorât certainement presque tout de la loi australienne. Elle pesa sur les rayons de la roue et entama la traversée du fleuve pour suivre le chenal invisible.

Elle ne parvenait toujours pas à croire que Mme Melville s'était retournée contre elle. Peut-être la perte de son fils Jim, mort à la guerre, l'avait-elle déséquilibrée ? En tout cas, cette disparition avait indiscutablement modifié sa personnalité.

Elle songea à Mme Melville, les joues en feu, proclamant que Meg devait rester avec elle ; ses lèvres se serrant après chaque mot, sa mâchoire inférieure tendue vers Délie, pleine de défi et de hargne.

Délie aurait pu se montrer conciliante, accepter un quelconque compromis, si l'autre femme avait été moins agressive ; elle avait soutenu qu'un bateau n'était pas un endroit où élever des enfants, qu'aucune mère digne de ce nom ne songerait à prendre à bord une enfant de santé délicate, et puis n'avait-elle pas perdu son bébé précisément pour cette raison ?

Ce fut à ce moment que Délie vit rouge ; elle sortit de la cuisine de la ferme sans toucher à sa tasse de thé ni au gâteau de Meg, tandis que Mme Melville lui criait : « Et si jamais vous essayez de la récupérer, je vous traînerai devant les tribunaux ! La justice ne vous permettra jamais de détruire l'existence d'une enfant. »

Meg, partie appeler M. Melville et Garry pour le thé, n'assista pas à la scène. Délie la croisa sur le chemin du retour et lui demanda de venir immédiatement à bord pour remonter le fleuve avec eux. Inutile d'emporter toutes ses affaires, quelques vêtements chauds suffiraient, ils en achèteraient d'autres à Renmark. Mais Meg refusa avec autant d'obstination que sa nourrice ; il se trouvait que Garry l'avait invitée à une chasse au renard pour le soir même.

Le cœur serré, Délie reprit le commandement du bateau, abandonnant sa fille derrière elle, dans cette ferme où Mme Melville la montait contre sa propre mère, contre sa propre famille. Elle ne pouvait prolonger leur halte et attendre que Meg changeât d'avis ; et puis elle se refusait à lui ordonner de venir. Elle devait rejoindre le site de l'Écluse Trois le jour même, avant l'achèvement du caisson hydraulique ; en effet le fleuve était en crue, et il y avait de fortes chances pour que le canal de dérivation fût quasiment impraticable, transformé en un torrent d'eau incliné comme le flanc d'une colline se ruant vers l'aval à une vitesse de dix nœuds.

(Plus tard, une barge du gouvernement fut ancrée en amont des rapides, équipée d'un treuil puissant pour aider les vapeurs à remonter les eaux tumultueuses, ou à les descendre en toute sécurité ; mais auparavant, l'*Avoca* avait perdu toutes ses

superstructures jusqu'à la ligne de flottaison en essayant de se
hisser au bout d'un câble fixé à un arbre de la berge.)

Devant le vapeur, un large panorama verdoyant — la
plaine couverte d'herbe et parsemée d'arbres imposants
— s'étendait d'un côté du fleuve, tandis que sur l'autre rive la
vue était arrêtée par des falaises jaunes érodées par le vent,
hautes de plus de cent pieds. Quand ils approchèrent du pied
des falaises, Délie regarda leur vague d'étrave agiter la flore
sous-marine des grottes, fougères vertes et plantes moussues
qui croissaient sur les rochers presque toujours immergés. Sur
le sommet des falaises, on ne distinguait pas la moindre trace
de verdure; seulement la dure fleur métallique d'un moulin à
vent ou les buissons noueux des plants de tabac sauvage. Pourtant, plus loin, les stations d'irrigation couvraient le désert
d'une pellicule de verdure.

Le *Philadelphia* négocia le virage suivant, puis aborda la
ligne droite de l'Écluse Trois. Tentes et cabanes de chantier se
dressaient sur une assez vaste étendue d'alluvions surplombée
par les falaises. Le caisson hydraulique barrait la moitié du
fleuve, et le courant était très violent dans la partie restante. A
pleine vitesse, le *Philadelphia* se rua contre les rapides, les
dépassa, puis se dirigea vers le camp de la rive gauche.

Délie voulait parler de Meg à Cyrus James; mais elle ne
désirait pas le voir en tête-à-tête, surtout pas en tête-à-tête.
Sachant qu'elle ne pouvait lui faire confiance, elle comptait
envoyer l'un des garçons avec un message. Gordon et le Jeune
Suppôt sautèrent à terre avec les amarres, puis le Suppôt
descendit la passerelle en courant dès que le bateau fut solidement relié au quai.

Charlie laissa la vapeur s'échapper des valves de sécurité
avec un violent sifflement, dit au chauffeur d'éteindre le
feu, puis sortit de la cale d'un pas nonchalant, gagna le haut
de la passerelle et s'accouda d'un air décontracté au
bastingage.

Il bayait toujours aux corneilles quand une pince minuscule, mais qui lui parut chauffée au rouge, se ferma sur l'un de
ses doigts. Il agita frénétiquement sa main en poussant des
hurlements stridents, cria des bordées de jurons, après quoi il
se mit à téter goulûment son doigt blessé. Il descendit ensuite

la passerelle en trombe et se plia en deux pour examiner le
sol.

«Espèce de sale Suppôt! rugit-il en se redressant, poings
serrés. Tu as fait exprès, hein?

— Qu'y a-t-il, Charlie?» lui demanda Délie, penchée hors
de la timonerie. Prudent, le Suppôt restait invisible.

«Il a fait exprès de poser la passerelle sur un tas de fourmis
rouges, voilà ce qu'il y a! Par tous les diables de l'enfer, j'ai le
doigt en feu! Aïe, aïe!

— Monte, Charlie, je vais te soigner. Gordon! déplace
cette passerelle avec le Suppôt, mais attention, je ne veux pas
une colonie de fourmis rouges à bord.»

Quand elle eut calmé Charlie et soigné son doigt, déjà rouge
et enflé autour d'une dure boule blanche, elle découvrit que
Cyrus James était déjà arrivé alors que personne n'était allé le
chercher.

«On dirait qu'une sacrée crue va encore nous retarder, dit-il
joyeusement en la saluant. Cela signifie que le caisson hydraulique sera inondé et que nous devrons attendre que le fleuve
baisse avant de pouvoir pomper l'eau.

— De notre point de vue, mieux vaut un fleuve en crue
qu'un fleuve sans eau, rétorqua Délie en l'accompagnant vers
la cabine de Brenton. Hein, Brenton? C'est vrai, non? Nous
avons failli nous échouer sur un banc de sable en dessous de
votre précieuse Écluse Un, mais le fleuve est remonté juste à
temps.» Elle parlait très vite, avec une volubilité excessive,
pour masquer l'émotion soudaine qui l'avait saisie dès que
Cyrus James était monté à bord.

«Mieux vaut beaucoup d'eau que pas assez, confirma Brenton, qui retrouvait une partie de son ancienne vigueur.

— Tout cela est fort bien, mais nous avons encore besoin
de quelques années de sécheresse pour pouvoir terminer les
écluses et les barrages, après quoi le fleuve sera navigable en
permanence. Avec celles-ci et le barrage Hume, vous vous
moquerez des sécheresses comme de votre arrière-grand-mère
— si je peux me permettre. Un barrage, ou plutôt une série de
barrages à l'embouchure du fleuve, aurait été idéal. Cela aurait
permis de retenir tout le fleuve pendant la moitié de l'année.
Un énorme barrage bloquant l'estuaire de la Murray!» Sous

ses épais sourcils marron, ses yeux gris brillaient d'un éclat passionné.

« Ah, les ingénieurs ! dit Délie. Vous aimez domestiquer la nature, détourner les fleuves de leur cours, les endiguer, retenir leurs eaux avec des barrages. Mais ce fleuve-ci est trop puissant pour vous. Si vous essayez de le canaliser complètement il va tout faire sauter et provoquer une gigantesque inondation.

— Non, madame ; nous connaissons notre métier. Et puis toutes les écluses sont équipées de chevalets mobiles, qu'on peut ouvrir et disposer parallèlement au courant quand le fleuve est en crue ; on peut même les enlever purement et simplement. Même chose pour les barrages.

— Vous avez pensé à... l'envasement ? Vous empêchez le fleuve de couler... le chenal s'envase. Se transforme en piste carrossable pour les nouveaux camions.

— Ah ! Nous avons aussi pensé à cela. Nous avons construit des maquettes du fleuve grâce auxquelles nous avons fait des expériences avec du sable. Chaque fois qu'il y avait un risque d'envasement — à l'île de Hart, en haut de Pyap Reach, à l'île de Kapunda, dans la ligne droite de Renmark — , nous avons construit une digue sur la moitié du fleuve pour détourner le courant et curer le chenal.

— Les arbrisseaux... vont se multiplier... sur les berges.

— Et le chenal risque de se déplacer, ajouta Délie.

— Partout il y aura des balises, les passages difficiles seront éclairés la nuit.

— Exactement comme dans les prophéties de l'oncle Mumford, dit Délie en souriant à Brenton. Vous savez, dans *La Vie sur le Mississippi*, on apprend que le fleuve américain fut drainé, assaini, balisé, illuminé comme Broadway, juste au moment où il n'y avait presque plus de vapeur pour en profiter. Cela me semble inévitable s'il n'y a pas de port maritime à l'embouchure. Les chemins de fer et les camions finiront par transporter toutes les marchandises.

— Ah, voilà où le bât blesse ! En Amérique — ou même dans la petite Hollande — , on aurait déjà aménagé un chenal et construit un port maritime sur l'estuaire de la Murray. Ici, les États sont tellement jaloux de leurs privilèges qu'ils mettent cent sept ans à se décider pour la moindre broutille.

— Au moins, ils ont commencé les travaux sur le lac Victoria, et c'est un chantier inter-États — un barrage en Nouvelle-Galles du Sud, de l'eau pour l'Australie méridionale.

— Bah, soixante hommes équipés de pelles et de pioches! Ils vont mettre des années, alors qu'on aurait dû embaucher cinq cents ouvriers minimum.

— L'acheminement du matériel et des fournitures pose un problème, dit Délie. Il y a seulement une piste de brousse partant de Wentworth, et la Rufus est tellement étroite que seuls les petits vapeurs peuvent la remonter jusqu'au lac, le *Philadelphia* par exemple. J'ignore si vous le savez, mais nous gagnons beaucoup d'argent.»

Brenton eut un sourire amer. «Ma femme a le sens du commerce, il me semble. Tant mieux, avec un mari impotent et totalement inutile.»

Délie parut gênée et Cyrus changea habilement de conversation, faisant remarquer qu'il ne les verrait plus pendant longtemps, car il retournerait au Canada dès que les fondations de l'Écluse Trois seraient posées.

«Pourtant, je crois que je m'intéresserai toujours au sort de la Murray. Je suppose que je devrais ramener un petit flacon d'eau de la Murray pour mes copains au pays, exactement comme d'autres portent sur eux des bouteilles d'eau sacrée du Jourdain.

— Une eau plutôt saumâtre! Néanmoins, nous en buvons tous les jours.

— Elle est bonne, forte, revigorante, pleine de sels minéraux. Tenez, elle rouille le métal beaucoup plus vite que l'eau de mer; ainsi, vous devez nettoyer très souvent les tubes de votre chaudière.

— Vous avez pensé à notre tube digestif?

— Les êtres humains ne sont pas des moteurs à vapeur.

— Je me demande parfois si le vieux Charlie n'a pas une pompe à chaleur à la place du cœur. Il vit avec les moteurs, respire les gaz d'échappement des moteurs, pense sans arrêt aux moteurs. Je crois qu'il mourrait s'il devait prendre sa retraite.

— Moi, il me semble éternel, conservé dans l'alcool comme

dans un bain de formol. J'imagine qu'il ne croit pas aux vertus toniques de l'eau de la Murray?

— Qui? De quoi? Vous causez de moi? Apprenez, messieurs-dames, que je ne bois d'aucune eau, dit Charlie, entrant dans la cabine dès qu'il eut frappé. Une véritable engeance, l'eau. Rien de pire pour les boyaux. Regardez un peu ce qu'elle fait de mes tubes de chaudière.

— Exactement ce que je disais, fit Cyrus James. Voilà pourquoi je vous ai apporté ce cadeau — une bonne bouteille de vin de Victoria.» Il posa un magnum de champagne Great Western sur la table de chevet. «Pour fêter l'ouverture de la première écluse.»

Délie passa la bouteille à Charlie pour qu'il la mît au frais. Puis elle demanda à M. James de monter dans la timonerie pour lui expliquer l'emplacement des Écluses Cinq et Sept sur sa carte.

«Ce sont les seules susceptibles de nous gêner», dit-elle en le conduisant vers l'escalier.

Campée de l'autre côté de la grosse roue, elle se retourna vers lui. «Peu importent ces écluses et la carte; je tenais simplement à vous parler seul à seul.»

Ses yeux s'agrandirent, il fit mine d'avancer vers elle, mais elle leva sa main pour l'arrêter. «Je vous en prie, Cyrus! Écoutez-moi. Voilà longtemps que je ne peux demander le moindre conseil à Brenton, c'est pourquoi j'ai à vous parler. Cela concerne ma fille, Meg.»

Elle évoqua l'étrange attitude de Mme Melville, les réticences de Meg à revenir à bord du bateau, ajoutant qu'elle redoutait de perdre définitivement sa fille. «Que dois-je faire? Légalement, il me semble quand même que Meg est ma fille? Meg vit avec cette femme, elle habite sous son toit, et Mme Melville ne veut pas la lâcher. Mais juridiquement, elle ne peut pas la garder, n'est-ce pas?

— C'est difficile à dire. D'ordinaire, la mère a la priorité, à moins qu'on puisse prouver qu'elle est incapable d'élever l'enfant...

— C'est exactement ça!» Délie rougit. «Elle essaie de trouver des éléments pour prouver que je suis inapte, parce que j'ai eu autrefois des problèmes pulmonaires, il y a des années, et puis mon dernier bébé... est mort... à bord. Elle dit... oh, c'est incroyable ! Elle qui a toujours été si gentille, elle prenait les enfants, s'en occupait à ma place, et... et... » Elle cacha brusquement son visage dans ses mains et s'effondra sur la roue.

« Oh, Délie ! J'aimerais tant vous aider. J'aimerais tant en avoir le droit ! Si j'étais le père légal de cette enfant, jamais cette femme ne pourrait vous l'arracher. Mais je ne peux rien faire. Je ne peux vous épouser ; tout ce que je peux vous suggérer, c'est d'aller en ville le plus vite possible pour consulter un avocat. Plus longtemps Meg restera avec elle, plus il sera difficile de la récupérer. Meg vous aime encore, mais on ne peut pas savoir à quel point elle est influencée.

— Vous voulez dire que je devrai obtenir une décision d'un tribunal, une injonction ou un ordre quelconque pour empêcher cette femme de garder Meg ?

— Oui, mais en qualité de mère naturelle de l'enfant, je ne pense pas que vous ayez de difficultés à obtenir ce papier. Et puis Meg est assez âgée pour dire ce qu'elle veut. Vous avez le sentiment qu'elle hésite à revenir à bord ?

— Pour une raison que je ne comprends pas. Je crois qu'elle me cache quelque chose.

— A son âge, il s'agit certainement d'un garçon.

— Oh non ! Je ne crois pas, Meg n'est qu'une enfant. Je ne peux pas retourner là-bas avant au moins une semaine, je dois transporter ce chargement jusqu'à la Rufus ; dès que nous serons revenus à Morgan, j'irai en ville. Merci, mon cher Cyrus. Vous m'avez réconfortée.

— J'aimerais tellement pouvoir vous réconforter autrement », dit-il avec passion.

Elle se contenta de lui sourire avant de se glisser hors de la timonerie.

87

Meg se brossa les cheveux pour la cinquième fois, puis les crêpa par en dessous avec un peigne pour les faire gonfler. Elle tremblait d'excitation et de peur à l'idée de la partie de chasse

avec Garry; elle sentait une petite boule dure dans son estomac. Elle serait seule avec lui sur les pâturages obscurs, tout
pouvait arriver.

Elle pensa au dénouement d'une des nouvelles du *Woman's
World*; l'homme était beaucoup plus âgé que la jeune fille, qui
lui avait paru une simple enfant jusqu'au moment où il s'aperçut qu'elle était une femme; la dernière scène avait pour cadre
le parvis de l'église, dont les cloches sonnaient à toute volée.

Sous sa joyeuse excitation perçait un vague malaise. Elle
essayait de l'ignorer, mais il persistait — le visage de sa mère
quand elle était partie ce matin, blessé, choqué et furieux. Que
lui avait donc dit Melvie? Et pourquoi avait-elle voulu que
Meg partît aujourd'hui même? Elle ne pouvait évidemment
pas partir, elle devait rester à la ferme, saisir la première occasion de dire à Garry combien elle l'aimait.

Trois coups impatients furent frappés à la porte de derrière:
Garry attendait avec le camion. Elle versa un peu d'eau de
Cologne sur un mouchoir, qu'elle glissa dans sa ceinture.

«Beuh! s'écria Garry dès qu'elle fut montée à côté de lui.
Qu'est-ce qui pue comme ça?

— Tu parles de mon mouchoir? C'est du parfum.»

Elle le tira de sa ceinture et le brandit sous le nez de Garry
qui recula avec une grimace. «Bon Dieu! Ça empeste davantage qu'une charogne!

— C'est de l'eau de Cologne.»

Meg cacha son mouchoir tout au fond de son siège. Elle
était déçue, vexée. Toutes les histoires et les publicités qu'elle
avait lues prétendaient que les hommes étaient attirés par le
parfum, pourtant Garry semblait différent.

Les fusils non chargés reposaient sur le plancher, et laissaient peu de place pour ses pieds. Une grosse lampe-torche
munie d'une rallonge était posée entre eux sur la banquette, si
bien qu'elle ne pouvait même pas se rapprocher de lui.

Quand ils arrivèrent devant un portail, Garry resta au
volant pendant que Meg descendait l'ouvrir. Elle referma le
battant dans l'obscurité et sentit l'immensité de la nuit conti-
nentale, la lumière des étoiles qui tombait en pluie d'un ciel
limpide et sans lune. L'air était imprégné d'une fraîcheur de
rosée; aucune brise ne troublait le calme nocturne. Quand elle

remonta, Garry annonça qu'il avait vu une dépouille de renard dans les roseaux bordant le marécage, qu'ils iraient d'abord là-bas, et qu'elle tiendrait la lampe-torche et l'allumerait quand il le lui dirait.

«Laisse ton fusil ici, commanda-t-il en descendant du camion. Je ne tiens pas à me faire tirer dessus. Tu pourras t'exercer plus tard.»

Elle le suivait timidement, telle une Indienne derrière son guerrier. Elle déroulait le câble de la lampe-torche relié à la batterie du camion.

Garry ne portait aucune lumière. Leurs yeux s'habituèrent rapidement à la pénombre. Ils marchaient à la faible lumière des étoiles, suivant un sentier sinueux tracé parmi les épineux. Soudain Garry s'arrêta et leva le bras en silence, il lui fit signe d'avancer à sa hauteur.

Elle serrait la lampe-torche dans ses mains tremblantes. Ils entendirent les roseaux bruisser quand le renard sortit à découvert.

«Allume!»

Elle pressa l'interrupteur, et un faisceau aveuglant illumina les roseaux. Le renard évita la lumière, puis brusquement courut droit dedans. Il regardait la lampe-torche, fasciné par cette lueur surnaturelle. Immédiatement, un coup de fusil assourdissant retentit.

«Tu l'as eu!»

Meg ressentit une immense fierté quand le renard bondit en arrière, puis roula sur le côté, tué net. Mais quand ils furent près de lui, elle s'apitoya. Du sang coulait de son cou. Elle caressa le museau pointu et la queue touffue, puis la fourrure un peu miteuse de son dos. «Pauvre renard! murmura-t-elle.

— Pauvre renard, tu parles! Je parie que c'est lui qui a tué toutes les poules la semaine dernière. Sa fourrure est trop moche pour qu'on se donne la peine de le dépecer.»

Il ramassa le corps privé de vie, puis le laissa tomber avec un geste méprisant.

Meg se sentait déçue. L'animal sauvage qu'ils avaient poursuivi dans la nuit n'était plus qu'une pitoyable charogne, un petit tas inerte à leurs pieds. Un léopard ou un lion aurait davantage convenu à son humeur.

«Bon, rentrons», dit Garry en se dirigeant vers le camion. Le câble que Meg tenait s'entortilla dans un buisson, et Garry dut retourner sur ses pas pour le détacher. «Ah les femmes! Toutes des incapables», grommela-t-il, mais sa voix ressemblait à une caresse.

Quand ils furent arrivés au camion, il posa son fusil déchargé dans la cabine, puis chargea celui de Meg, en lui disant de le tenir avec précaution, de le garder pointé par la fenêtre pendant qu'il conduirait. «Tu pourras peut-être tirer un lapin, ajouta-t-il. Je ne crois pas que nous verrons un autre renard.»

Ils roulaient au sommet des falaises, le fleuve éclairé par les étoiles coulait silencieusement dans son lit, deux cents pieds plus bas. Soudain un lapin surgit du bord de la piste et détala dans le faisceau des phares, zigzaguant sur la piste, mais restant dans la zone éclairée. Garry freina et s'arrêta.

«Vite! Tire!» cria-t-il.

Meg leva son fusil; au même instant, le lapin s'arrêta puis s'assit sur son arrière-train, les oreilles dressées, aux aguets. Incapable de tirer, Meg baissa son arme.

«Grouille, qu'est-ce qu'il y a? Il va s'en aller.» Garry lui arracha le fusil des mains, mais le lapin avait retrouvé ses esprits et plongé dans les ténèbres. Garry jura.

«Je... je n'ai pas pu tirer quand il s'est assis pour me regarder.

— Pfff, les femmes! grogna Garry. Je ne t'emmènerai plus jamais à la chasse.» Cette sensibilité féminine le dégoûtait. Il songea à tous les hommes tirés comme des lapins, sous ses yeux, sans la moindre pitié: aux hommes qui hurlaient, retenaient leurs entrailles à pleines mains; aux hommes défigurés...

«Je t'ai déjà raconté l'histoire du ragoût? demanda-t-il.

— Un ragoût de lapin?

— Non. Cela se passait sur le front, et je peux te garantir qu'il ne restait pas le moindre lapin dans le secteur. Nous avions réussi à trouver un bout de viande Dieu sait où; nous bivouaquions dans une ferme française, au milieu de champs de légumes. J'ai rampé dans le no man's land à la recherche de légumes, me cachant dans les trous d'obus dès que j'entendais un coup de canon ; j'ai fini par trouver quelques carottes, deux ou trois navets enfouis dans la boue, que j'ai ramenés.

« Nous avons préparé un superbe ragoût ; un type qui avait un oignon, nous en a donné la moitié. Nous nous tenions autour de la marmite, moi et deux copains, reniflant cette odeur délicieuse, l'eau à la bouche, quand un obus est tombé sur la ferme.

« Mes deux potes ont été tués sur le coup — apparemment, c'était leur jour. Quant à moi, j'ai été sonné, mais je n'étais pas blessé, simplement étourdi. Le ragoût avait évidemment disparu. Et j'étais furieux, vois-tu, non pas à cause de mes copains, mais à cause du ragoût. Je me suis mis à détester les Boches comme jamais. Plus tard seulement, j'ai commencé à réaliser que mes copains étaient morts... J'avais vu tellement d'hommes mourir. »

Meg resta silencieuse. Loin d'être stupide, elle comprit le parallèle avec la situation présente.

« Tu dois trouver cela ridicule, dit-elle enfin d'une voix fluette, de s'inquiéter pour un lapin, après... Tu as tué beaucoup d'Allemands ? »

Il haussa brièvement les épaules. « Pas mal. C'est le premier qui est le plus dur. Ensuite, tu es vacciné. Les combats à la baïonnette sont terribles, car tu distingues les yeux de ton ennemi quand ta lame s'enfonce dans son corps. Rien à voir avec le bombardement d'unités éloignées, tu ne vois pas les blessés ni les morts. L'un de mes camarades a été aveuglé par un obus. Un type solide, joyeux, généreux. On l'a évacué vers l'arrière comme un bébé. »

A son insu, il remuait ses doigts mutilés de sa main gauche. Meg posa sa main sur les siennes. Elle s'émerveillait de ce qu'il eût commencé à lui parler de son expérience au front ; à la maison, il n'y faisait jamais allusion. « Raconte-moi comment tu as perdu tes doigts », dit-elle.

Il la repoussa avec un juron, puis mit le moteur en route.

« Allez, on rentre, dit-il. Je déteste remuer toute cette affaire. »

Meg se recroquevilla sur son siège et des larmes coulèrent sur ses joues. Elle avait espéré qu'il l'embrasserait ; au lieu de quoi il avait retiré ses mains, comme si un serpent l'avait mordu.

Un autre lapin jaillit sur la piste ; Garry fonça délibérément dessus et l'écrasa. Il y eut un léger bruit écœurant quand les roues du camion broyèrent le petit corps. Meg frissonna, mais ne dit mot.

De retour dans la cuisine de la ferme, il essaya maladroitement de se montrer plus aimable, prépara du thé, entoura Meg de mille attentions aussi maladroites que guindées. Quand il découvrit les traces de larmes sur son visage, il se sentit misérable et en même temps furieux contre cette jeune fille qui le mettait dans son tort.

Malgré sa déconvenue, Meg était sans rancune ; il dut admettre qu'elle avait bon cœur, et elle fut éperdue de reconnaissance pour le thé qu'il lui servit avec une gentillesse bougonne. Quand elle lui dit bonsoir, elle leva ingénument son visage vers lui, et presque sans y penser il le prit entre ses mains et posa ses lèvres dures sur le coquelicot rouge de sa bouche tendre et juvénile.

A la consternation de Garry, elle enlaça aussitôt son cou et lui rendit fiévreusement son baiser. Il dut lever les bras pour dénouer les mains de la jeune fille et la repousser, tandis qu'elle chuchotait des paroles incohérentes.

« Je savais que tu m'aimais. Je le savais, parce que je t'aime tellement, tellement, tellement...

— Pour l'amour du Ciel, Meg ! Maman va t'entendre et elle va descendre. Tu t'es simplement entichée de moi parce que je suis plus vieux, que je suis le seul garçon dans les parages. Ça te passera, bientôt tu n'y penseras plus.

— Non, non, non ! gémissait-elle. C'est pour toujours. Je t'aime parce que tu es si bon, si courageux, et que...

— Je ne suis pas courageux ! Mets-toi bien ça dans la tête ! » Exaspéré, il se mit à crier. « Tu vois cette blessure ? Cette blessure qui m'a permis d'échapper à la guerre avec tous les honneurs ? Je me la suis infligée avec mon propre fusil, pour pouvoir quitter cette saloperie de guerre et rentrer chez moi. Alors que mon frère a préféré rester, et y a laissé sa peau. Voilà ce qu'il a fait, ton héros ! Il s'est lui-même amputé pour être démobilisé ! »

— Garry ! »

C'était Mme Melville, ses cheveux gris noués en longues tresses, le visage livide ; elle vacillait sur le seuil de la cuisine, en chemise de nuit à manches longues, comme sur le point de tomber.

« Oui, maman ; autant que tu saches tout. Cela me soulage de pouvoir en parler à quelqu'un. Je ne supporte plus toutes ces phrases grandiloquentes à propos du Héros blessé pour sauver la Patrie. »

Mme Melville tituba à travers la cuisine, puis s'effondra sur une chaise. « Très bien, mon fils, dit-elle faiblement. Ne crie pas ; il est inutile que ton père soit au courant. Simplement, je suis heureuse que Jim ait eu assez de cran pour aller jusqu'au bout.

— Jim a toujours été mille fois plus courageux que moi, c'est lui qui aurait dû rentrer. Maintenant vous êtes condamnés à ma présence.

— C'est bien ce qu'il y a de pire ! »

Piquée au vif, Meg vola au secours de son bien-aimé. « Je m'en moque, il faut du courage pour retourner un fusil contre soi et auparavant, tu avais tué plein d'Allemands. Moi, je suis contente que tu sois rentré, Garry.

— Merci, petite. Tu devrais aller te coucher maintenant. Tout ça à cause de ce sacré lapin que tu as refusé de tuer ! » Il lui adressa un sourire douloureux.

« Oui, file au lit, Meg chérie. Je crois que je vais prendre une tasse de thé, je n'ai plus envie de dormir. Il en reste dans le pot ? Tu ferais mieux d'aller te coucher aussi, Garry. Demain matin, je me serai peut-être habituée à cette nouvelle. »

Haussant les épaules, il se dirigea lentement vers la porte et prit son fusil au passage pour le nettoyer.

« Laisse ce fusil ! » s'écria-t-elle.

Il lança à sa mère un regard cynique. « Tu crois peut-être que j'ai assez de cran pour me faire sauter la cervelle ? Ne t'inquiète pas ! »

88

Le camp du chantier du lac Victoria ressemblait à une petite ville, plus civilisée que les anciens campements, où les hommes vivaient sous la tente, avec pour seules distractions le whisky et les bagarres.

Les baraquements des ingénieurs étaient équipés de doubles portes grillagées. Quelques femmes bravèrent l'isolement et l'inconfort pour rejoindre leur époux. Il n'y avait pas de médecin, mais la femme de l'ingénieur en chef, excellente infirmière, prodiguait aux malades sa sympathie, ses conseils, ainsi que les médicaments qu'elle pouvait trouver sur place.

Des massifs de fleurs poussaient dans les jardins devant les huttes, des cordes à linge garnies de vêtements colorés et de lingerie féminine égayaient le paysage. Il y avait même quelques enfants.

Une fois tous les quinze jours, le *Philadelphia* remontait l'étroite Rufus jusqu'à l'embarcadère situé à l'entrée du lac. Dès que sa sirène retentissait sur le plan d'eau, les habitants du camp accouraient, toutes affaires cessantes.

D'habitude, les eaux peu profondes du lac étaient bleues sous le ciel sans nuages. De basses collines sablonneuses d'un rose orangé soutenu l'encerclaient, couvertes d'une profusion de lis crémeux de la Darling.

Revoyant ce paysage sous un jour ensoleillé, Délie se sentit trop fébrile pour peindre une vue du lac, qu'elle désirait montrer à Alister. Les bleus pastel et les ocres doux étaient trop paisibles pour son humeur présente. Elle voulait aller en ville au plus vite pour consulter un avocat.

Charlie avait déjà ouvert les panneaux pour la foule agglutinée sur l'embarcadère. L'un des clients était un chien — un chien rapporteur qui appartenait à l'un des ouvriers du chantier. Il arriva avec un billet de dix shillings, une tinette vide attachée au cou, et un morceau de papier sur lequel était écrit : «Un paquet de tabac (gris), 1 dzne de boîtes d'allumettes, 1/2 mesure de thé. Prière de mettre les achats et la monnaie dans la tinette. Merci.»

Tous les hommes connaissaient Nigger. On racontait que

son propriétaire l'avait dressé à pêcher les bouteilles vides dans l'eau, et qu'il en possédait maintenant une riche collection dans sa hutte, qu'il espérait vendre avant de partir. Un jour, quelqu'un avait essayé de dérober l'argent dans la tinette de Nigger — « histoire de rigoler » — et avait bien failli perdre sa main. L'animal ne permettait à personne d'y toucher avant d'être arrivé au comptoir du magasin flottant.

Délie sortit vivement la commande, plaça les marchandises demandées ainsi que la monnaie dans la tinette, donna un biscuit au chien, puis lui caressa la tête. Nigger descendit sur la rive pour manger son biscuit, après quoi il rapporta ses provisions à son maître.

« Chaque fois, il s'arrête sur la berge pour compter la monnaie, dit un homme au visage solennel, connu sous le nom de Larry le Menteur, nonchalamment appuyé au comptoir. Dites, m'dame, vous n'auriez pas une 'tite bouteille de derrière les fagots ? Le Noir à Quatre Sous me plaît particulièrement.

— Vous savez très bien que nous n'avons pas le droit de vendre de l'alcool au camp », dit Délie d'une voix crispée. Elle savait que les autres vapeurs pratiquaient la contrebande de l'alcool, un capitaine transportait même sa marchandise illicite dans des noix de coco vides. Le « Noir à Quatre Sous » était un vin rouge exécrable, renforcé par de l'alcool blanc, officiellement interdit parce qu'à l'origine de bagarres mortelles. Elle espérait qu'aucun des hommes présents ne se rappelait que le *Philadelphia* avait jadis vendu du whisky au camp provisoire installé au même endroit, à l'époque où Brenton commandait encore le vapeur.

« Des biberons pour bébés ? Oui, j'ai le dernier modèle, qui s'ouvre aux deux bouts pour faciliter le nettoyage », dit-elle à une jeune femme émaciée, au visage marqué par les intempéries, qui se tenait timidement au comptoir parmi la foule des hommes. A voix basse, elles discutèrent tailles de tétine et marques de lait. Délie pensait aider réellement les femmes qui vivaient cette existence précaire, en apportant dans leurs foyers toutes les petites choses indispensables à la vie quotidienne ; de plus, elles appréciaient la présence de Délie.

Les marchandises s'écoulaient rapidement et le commerce prospérait. Délie aurait bientôt assez d'économies pour envoyer l'un de ses enfants dans une école de médecine. Pas Meg, Meg voulait devenir infirmière ; et puis sa situation financière pèserait peut-être devant le tribunal. Sa vie privée devait être absolument irréprochable. Grâce au Ciel, elle n'avait pas cédé aux avances de Cyrus James.

L'avocat se cala confortablement dans son fauteuil en cuir, joignit l'extrémité de ses doigts, et regarda Délie par-dessus l'arche de ses mains.

« Je suppose que votre vie privée est au-dessus de tout soupçon. Vous n'êtes pas séparée de votre mari, il n'y a pas eu le moindre problème entre vous ? »

— Non, mais il est cloué au lit, voyez-vous, et il ne s'intéresse pas beaucoup aux enfants ni à leur éducation.

— Eh bien, il vaudrait mieux que vous le convainquiez de signer la pétition pour le retour de votre fille. A moins que cette femme puisse prouver que vous menez une vie dissolue et que vous êtes inapte à élever votre enfant, ou que l'atmosphère familiale risquerait de lui nuire. » Il eut un sourire méprisant en songeant à l'absurdité de pareille suggestion. C'était un homme qui avait vécu, un grand connaisseur des vins et des femmes ; ce petit bout de femme aux grands yeux bleus apeurés charma pourtant son cœur cynique, endurci par une longue pratique de la faiblesse et de la faillibilité humaines.

« Oh non ; il n'y a rien de tel », répondit Délie, soulagée de pouvoir l'affirmer. Elle, et elle seule, savait qu'elle avait frisé la catastrophe ; dans sa position actuelle, le moindre ragot pouvait s'avérer désastreux.

« Quant aux autres arguments — votre tuberculose, votre existence nomade sur le fleuve, la mort de votre dernier enfant à bord du bateau, même le fait que les Melville ont de l'argent et peuvent fournir un vrai foyer à votre fille —, tout cela ne saurait convaincre le tribunal de retirer un enfant à sa mère naturelle, à moins qu'il y ait une autre raison valable. Elle a déjà reçu un minimum d'éducation, elle n'a jamais été négligée ; les lois concernant les enfants existent pour protéger les mineurs contre les parents abusifs. Et pour autant que je sache, vous n'avez pas à vous inquiéter. »

Il sourit courtoisement, dévoila des dents d'une blancheur

immaculée sous sa moustache impeccable, puis raccompagna sa cliente vers la porte. « Au revoir, madame Edwards. Je vais rédiger la demande au tribunal, qui interdira à Mme Melville d'influencer votre fille contre ses parents, et l'obligera à vous rendre cette personne dès que le tribunal aura statué.

— Mais si l'enfant désire rester chez elle ?

— Heureusement, elle est encore trop jeune, le tribunal décide ce qui est le mieux pour elle. Ce serait évidemment différent si elle n'était plus mineure. »

Délie rentra à son hôtel d'Adélaïde, songeant qu'il valait mieux que cet homme aimable ne connût pas toute la vérité. Peut-être aurait-elle dû tout lui dire. Car une angoisse persistait au fond de son esprit. Le médecin de l'hôpital de Waikerie savait, et Mme Melville avait peut-être deviné — tout comme Brenton — qu'elle était moralement responsable de la mort de son bébé mongolien. Le médecin avait pris le parti de Délie, qui était persuadée qu'il recommencerait, mais elle ne se sentait pas tranquille. Incroyable, à quel point nos actes passés hantent notre vie ! « L'action est transitoire — une simple étape, un souffle... » mais ses conséquences sont inéluctables. Elle se souvint du soir où elle avait enjambé le rebord de la fenêtre, puis fermé celle-ci — avait-elle vraiment fermé cette fenêtre ? — en tout cas son geste avait été décisif, elle avait condamné Adam à mort. Loin, très loin en amont de votre existence, un obstacle vous obligeait à un détour, vous poussait dans une autre direction, vers une autre fin.

Elle songea alors au fleuve ; à une époque reculée, une convulsion mineure de l'écorce terrestre avait dressé un obstacle sur le cours de la Murray, qui coulait déjà régulièrement vers le nord-ouest, la contraignant à obliquer brusquement vers le sud et à se jeter dans l'océan Austral, au lieu de se perdre dans les sables du désert continental comme tant de fleuves qui coulaient vers l'ouest. Un seul changement de direction, et toute l'histoire de cette partie du continent australien en fut bouleversée.

Alors qu'ils descendaient le fleuve après la Rufus et traversaient un paysage sauvage et désert, ils avaient été hélés par un vieil « ermite » habitant une hutte d'écorce grossièrement bâtie sur la berge. Délie s'était alors souvenue de Harry le Barbu et

de sa philosophie élémentaire ; car Scotty, c'était son nom,
ne croyait pas aux vertus du travail. Pourtant, quand le
vapeur s'était arrêté, ils avaient découvert un campement
aussi propre qu'un lit d'hôpital : devant l'entrée de la hutte, le
sol était régulièrement balayé ; les boîtes de conserve et
autres bouteilles vides s'empilaient soigneusement dans un
coin, des filets de pêche étaient impeccablement pliés sur
la berge.

« J'ai vendu quelques cabillauds à un vapeur, si bien que j'ai
un peu d'argent à dépenser, dit Scotty. Du tabac, j'ai besoin de
ça ; du tabac, de la farine et du thé. Pour moi, l'indispensable
se réduit à ça. Les femmes ne sont pas indispensables, pas plus
que la bière, mais attention, ajouta-t-il avec un clin d'œil, je ne
crache ni sur l'une ni sur les autres chaque fois que l'occasion
se présente. Mais devenir esclave pour entretenir une femme et
des gosses ? C'est pas pour Scotty. Lézarder au soleil en regardant le fleuve, voilà mon idée de l'existence. »

C'était sans conteste une philosophie hérétique dans le
monde moderne de l'après-guerre, où tout s'accélérait, le jazz,
les voitures, les avions, le désir insatiable de gagner de l'argent,
de « réussir », qui semblait venir directement du jeune et vigoureux pays qu'étaient les États-Unis. Mais pourquoi ? se demandait Délie. Le vieux Scotty et le millionnaire le plus puissant
finissaient tous deux en poussière ; qu'on repose sous un
mausolée de marbre ou un monticule de sable au bord du
fleuve, le corps se décompose de la même façon.

Pour le taquiner, elle dit : « Mais la pêche, c'est du travail,
non ? »

Scotty haussa les épaules. « Bah, vous parlez d'un boulot ! Je
lance une ligne dans l'eau, un grand crétin de cabillaud
s'accroche tout seul à l'hameçon et attend que je le remonte.
Ou bien il se prend dans le filet ; en tout cas, moi je ne fais rien
pour l'attraper. »

Quand ils reprirent leur descente du fleuve afin de recharger
rapidement d'autres marchandises, Délie se demanda si elle
connaîtrait jamais le genre d'existence dont elle rêvait. Elle
commençait à se considérer comme une lointaine cousine de
Scotty ou de Harry le Barbu, prise à la gorge par les responsabilités et les soucis quotidiens. Tout ce qu'elle demandait à la

vie, c'était de la nourriture et un toit, du temps pour réfléchir et des loisirs pour peindre.

89

Quand Délie revint de la métropole pour retrouver le bateau à Morgan, Brenton l'accueillit assis dans un fauteuil roulant.

Les enfants étaient ravis de cette surprise ; ils riaient et gambadaient autour d'elle, tandis que Brenton souriait de plaisir et de fierté. Les vacances scolaires avaient commencé, Brenny les avait rejoints pendant que Meg restait à la ferme.

« Tu n'as rien deviné, maman ! Papa a fait beaucoup d'exercices, le médecin de Milang lui a donné un livre, et Charlie s'est débrouillé pour trouver le fauteuil.

— Alors comme ça, vous étiez tous au courant, et vous ne m'avez rien dit ? » Essuyant une larme, elle embrassa Brenton. « C'est merveilleux, je n'en crois pas mes yeux ! Je suis si contente pour toi, Brenton.

— Je ne voulais pas... te donner de faux espoirs... au cas où ça n'aurait pas marché. Regarde ! »

Il actionna les roues avec ses mains et se propulsa à travers le salon. « Je peux aller partout sur ce pont. Charlie propose de construire... rampe pour monter à la timonerie. Quand elle sera terminée... »

Délie prit un air pensif. Quand la rampe serait terminée, il pourrait retourner à la timonerie, redevenir capitaine du vapeur, dans les faits et non plus nominalement.

Elle comprit brusquement qu'elle ne voulait pas qu'on lui prît sa place, qu'elle tenait à sa position unique de seule femme capitaine sur le fleuve, au respect d'hommes comme Charlie, le capitaine Ferguson ou le capitaine Ritchie. Elle avait songé avec nostalgie à une vie sans responsabilités, consacrée à la peinture et aux rêveries sur le pont du navire ; maintenant, cette perspective ne lui plaisait plus guère. Brenton ne serait pas capable de tenir la roue. Elle serait toujours dans la timonerie, travaillant aussi dur que d'habitude, mais il commanderait. Brenton arborait déjà un air décidé qu'on ne lui avait pas vu depuis longtemps.

Une autre idée traversa son esprit : elle pourrait engager un second digne de confiance pour aider Brenton et trouver un cottage au bord du fleuve, dans une portion fréquentée par les vapeurs, aménager une maison pour Meg et elle. Mme Melville ne pourrait alors plus prétendre que Délie ne donnait pas un vrai foyer à sa fille. Elle ne doutait plus de pouvoir récupérer Meg, maintenant qu'elle possédait l'ordonnance du tribunal, mais elle connaissait l'entêtement de Mme Melville. Elle tenterait de reprendre Meg avant sa majorité.

Pendant ce temps, Meg oscillait entre un bonheur sans nuage et les souffrances d'un premier amour non payé de retour. Malgré lui, Garry était touché par l'adoration que la jeune fille lui vouait ouvertement, mais elle l'embarrassait et l'agaçait parfois, si bien qu'il alternait entre la tendresse et une soudaine brusquerie qui blessait profondément la jeune fille.

«Quand retournerons-nous chasser?» le supplia-t-elle. Elle avait attendu à la porte son retour de Waikerie afin de pouvoir lui parler seul à seul. Depuis les révélations de Garry, Mme Melville manifestait envers son fils une sorte d'indifférence mêlée de mépris, mais elle surveillait Meg plus attentivement qu'auparavant ; car elle avait remarqué les intonations amoureuses de sa voix quand la jeune fille avait pris la défense de son bien-aimé.

Penché au-dessus du corps frêle de Meg, il claqua la portière du camion avant de lui répondre. Ses sourcils couleur sable se rapprochèrent en un froncement d'impatience.

«Quand, Garry? Quand, quand, quand?» Elle posa ses pieds sur le siège et enlaça ses genoux comme une enfant boudeuse.

«Je ne sais pas, Meg ; laisse-moi le temps de respirer, dit-il d'une voix irritée. Je ne comprends pas pourquoi tu tiens tant à y retourner, ça n'a pas été un tel succès la dernière fois.

— Nous avons tué un renard.

— Oui, un renard. Et maman a appris une amère vérité dont elle ne s'est toujours pas remise.

— C'est aussi bien qu'elle sache.

— J'ai tendance à penser que, lorsqu'ils peuvent choisir, les gens préfèrent *ne pas* connaître la vérité si elle risque de les blesser.

— Alors, allons pêcher en barque, proposa Meg, changeant son angle d'attaque.

— D'accord, disons dimanche après-midi», dit Garry. Il croyait plus prudent de sortir avec Meg pendant la journée ; elle était si intense, si passionnée, et il était impossible de prévoir quand cette petite délurée allait vous sauter dessus pour vous couvrir de baisers.

Le dimanche après-midi où Meg partit en barque avec Garry, le *Philadelphia*, amarré à moins de quarante milles en aval juste en dessous de Morgan, attendait d'accoster pour charger des marchandises dès le lendemain matin. Les droits de quai étaient si élevés qu'aucun bateau ne s'y amarrait sans être sûr de pouvoir charger rapidement. Aux dépenses courantes s'ajouterait bientôt le péage de l'Écluse Un, dont l'ouverture officielle était prévue pour le Nouvel An. Délie était ravie que son trajet actuel — de Morgan, juste au-dessus de la première écluse, jusqu'au lac Victoria — ne l'obligeât pas à emprunter cette écluse.

Les droits de passage devaient servir à améliorer l'état du fleuve, draguer les accès aux quais, et financer l'*Industry*, le bateau du gouvernement chargé de l'entretien du fleuve ; au cours de l'année passée, ce vapeur avait retiré du fleuve un millier de souches et de billes de bois entre Blanchetown et la frontière.

Gordon était plongé dans le classement de son herbier — un nouvel album à feuilles intercalaires en papier cristal — pendant que Brenton et Brenny regardaient Charlie fabriquer une rampe reliant le pont à la timonerie pour son fauteuil roulant ; cette rampe était équipée d'une poulie et d'une corde le long de laquelle «le patron» pourrait se hisser. Tout ce qui touchait à la mécanique ou concernait son père attirait Brenny comme un aimant la limaille de fer.

«Ce truc devrait être relié au moteur à vapeur, disait Charlie, une lueur fanatique brillant toujours dans ses yeux bleu délavé. Un cordage relié au treuil à vapeur, passant sur la poulie, puis rejoignant le sommet de la rampe — simple comme bonjour. Maintenant, si...

— Et s'il n'y a pas de vapeur, je ne pourrai pas aller dans la timonerie, c'est bien ça ? dit Brenton. Tu veux être obligé de monter la vapeur simplement pour hisser ce bon Dieu de fauteuil ? Non, Charlie ; je me contenterai d'un treuil mécanique pour pouvoir me hisser tout seul : je veux quelque chose de vraiment *simple.* »

Il donna une vigoureuse impulsion à la roue de son fauteuil, et traversa à toute vitesse le pont supérieur sous la timonerie ; il leva les yeux vers la cage de verre comme vers la Terre Promise, tel un ambitieux garçon de cabine rêvant au jour où il serait enfin capitaine. Son bras gauche était maintenant tellement musclé qu'il envisageait sérieusement de tenir à nouveau la roue, au moins dans les portions rectilignes du fleuve. Il avait des fourmis dans les doigts à l'idée de toucher les rayons de la grande roue.

Alex observait la scène depuis un moment quand il réalisa brusquement qu'aucun de ses frères aînés n'utilisait la barque, et qu'il l'avait pour lui tout seul. Cette perspective l'excita, mais ce fut avec calme et méthode qu'il réunit tout ce dont il aurait besoin pour son expédition. Il ne comptait pas jouer les Leichardt, les Burke ou les Wills, son exploration serait parfaitement organisée et il serait bien équipé.

Quand il eut déposé dans la barque son barda contenant de la nourriture, des allumettes, un couteau et une gourde, il retourna chercher sa boîte à insectes et son « marteau de géologue », en fait le même outil que celui utilisé par Charlie pour les travaux de menuiserie. Puis il largua rapidement les amarres et se laissa dériver en silence sous la poupe, redoutant que Brenny ne décidât subitement de l'accompagner. Sa mère, qui peignait, avait à peine levé les yeux quand il lui avait annoncé qu'il partait faire un tour en barque.

Comme elle avait disposé trois pommes sur une assiette devant un tissu bleu, Alex en conclut qu'elle essayait de peindre une nature morte, mais les formes représentées sur la toile ne ressemblaient guère à des pommes, du moins à ses yeux ; un épais trait noir délimitait des carrés approximatifs, tandis que la cruche qu'Alex voyait d'un blanc uni prenait sur la toile toutes les teintes de l'arc-en-ciel. Néanmoins, il se dispensa de tout commentaire et se retira sur la pointe des pieds. De tous les enfants de Délie, Alex était celui qui avait le plus de tact.

Il ramait dans le sens du courant et s'éloignait de la ville ; dès qu'il eut franchi la première courbe, il se sentit tout seul sur le fleuve, aussi isolé que les compagnons de Sturt dans leur baleinière, partant à l'aventure sur un fleuve inconnu et vers une mer étrangère.

Il ramait énergiquement, enthousiasmé par la vitesse de la barque presque vide poussée de surcroît par le faible courant, jusqu'au moment où il se rappela un conseil de son père : ne jamais aller trop loin vers l'aval, sinon le courant risquait d'être trop fort quand il faudrait revenir. La brise légère qui l'avait d'abord poussé soufflait maintenant vers lui ; car les nombreuses courbes faisaient dévier le cours du fleuve de cent quatre-vingts degrés.

Il se mit à chercher des cavernes à explorer et pénétra dans un bras mort formé par un large méandre du fleuve lors d'une crue précédente, et maintenant isolé de son cours. Sur la rive opposée, les falaises de la berge étaient érodées, comme alvéolées, jusqu'à leur sommet ; plus haut, des aigles criailleurs planaient dans le ciel bleu. Leurs cris descendaient jusqu'à lui en une succession de sifflements de plus en plus aigus, qui culminaient en un craquement sec comme le bruit d'une balle ricochant sur la pierre.

Il aperçut une grotte dont l'entrée était très au-dessus du niveau du fleuve, mais accessible en escaladant la falaise. Il amarra la barque puis entreprit de gravir la pente de calcaire inégale ; bientôt, il put se hisser sur le rebord de la caverne. Le sol n'était pas rocheux, mais couvert d'une épaisse couche de sable et d'argile déposée par de très hautes crues.

A l'entrée de la caverne, dans une crevasse de la paroi, poussait un bouquet de jacinthes bleues qui semblaient flotter comme des papillons sur leurs minces tiges fibreuses ; il en ramènerait quelques-unes pour la collection de Gordon.

Alex se retourna afin de hisser sa gourde, les allumettes et les sandwiches au corned-beef avec la corde qu'il avait nouée à sa cheville. Il fit descendre la gourde vide au bout de la corde pour puiser de l'eau, puis il entama son exploration.

La caverne s'étrécissait rapidement, son plafond descendait vers le sol si bien qu'Alex fut bientôt obligé de s'accroupir. A mesure que la caverne s'enfonçait dans la falaise, l'obscurité grandissait, ainsi que l'humidité. Il frotta une allumette, puis une autre, et dans la lueur vacillante aperçut quelque chose sur la paroi en pierre ; cela ressemblait à une main humaine blanche.

Frottant une autre allumette, il distingua le contour flou d'une main peinte à l'argile blanche ; à côté, plusieurs cercles concentriques et des bandes d'ocre jaune et rouge délimités par un trait noir. Ces dessins semblaient très anciens. Il pensa à Tannanobi, le dernier survivant de la tribu des Pujinook, mort autrefois à Morgan à cause de l'alcool, trop souvent « imbibé » par les Blancs qui le considéraient comme une relique du passé.

Tannanobi aurait pu lui expliquer ces étranges symboles. Aujourd'hui, personne peut-être ne savait plus les interpréter. Alex regretta de ne pas avoir d'appareil photo équipé d'un flash, ou même un crayon et du papier. Poursuivant ses recherches, il ne découvrit pas d'autre dessin, mais il réfléchit que le temps en avait peut-être recouvert certains sous les couches de terre et d'alluvions accumulées sur le sol. La caverne s'étrécissait de plus en plus, puis se terminait.

Il retourna sur ses pas, examina la paroi et le sol sous les dessins, et aperçut une bande de sable et de charbon de bois tendre et friable, presque au niveau du sol. Au fond de la caverne, des racines tordues d'arbustes qui poussaient en surface s'étaient frayé un chemin jusque-là pour trouver de l'eau ; il en brisa une et utilisa son extrémité pointue pour creuser. Du charbon de bois et des fragments de pierre tombèrent, des pierres aux formes bizarres, présentant des facettes incurvées et des bords tranchants. Il en ramassa une et s'aperçut que son pouce et son index l'avaient instinctivement saisie comme un outil. Il avait découvert un ensemble de couteaux et de hachettes en pierre taillés par les aborigènes, des racloirs et des pointes de flèche, certains inachevés, d'autres brisés, mais incontestablement façonnés par l'homme.

Alex était excité. Il glissa les plus beaux spécimens dans le col de sa chemise, malgré leurs arêtes tranchantes et leur saleté. Il comptait les laver dans le fleuve pour admirer toute la beauté de ces silex brillants, qu'on avait dû amener de fort loin dans cette région de sable et de calcaire.

Il creusa le sol de la caverne juste en dessous de la veine de charbon, et mit à jour un objet blanc — un fémur ! Poussant un cri de stupéfaction, il se mit à creuser comme un chien déterrant des os ; dans la pénombre, il contempla bientôt un squelette presque complet : fémur et tibia, articulations des doigts et des orteils, côtes et vertèbres, puis le crâne, où la mâchoire inférieure manquait.

Accroupi, il examina les orbites vides, la rangée des dents carrées et plates, puis il eut brusquement la chair de poule. Il jeta un coup d'œil inquiet par-dessus son épaule. Le petit point de lumière qui signalait l'entrée de la grotte semblait tellement loin ! D'un geste vif, il remit le crâne où il l'avait découvert, prit ses jambes à son cou et s'élança vers la lumière.

Dès qu'il eut retrouvé le grand soleil, le paisible bras mort du fleuve et ses rangées d'arbres, sa panique lui parut stupide. Il se sentit fier de son esprit scientifique, d'autant qu'il avait toujours voulu posséder un squelette afin de pouvoir l'étudier à loisir.

Alex avait besoin de manger et de boire du thé pour reprendre des forces. Il retourna d'un pas décidé vers le fond de la caverne, dépassa résolument les ossements silencieux, et se mit à briser des racines sèches pour faire un feu.

Quand celui-ci fut allumé, Alex se découvrit une sorte de parenté avec l'homme dont les os reposaient dans les ténèbres. Il s'accroupit à l'entrée de la caverne au-dessus de son maigre feu, l'obscurité s'étendait derrière lui, et un univers lumineux à ses pieds, tel un homme de l'âge de pierre. Alex s'émerveillait de la mort et de son mystère, s'interrogeait sur le mystère plus grand encore de la vie. Son esprit logique repoussait l'idée de la résurrection de la chair ; ce squelette ne pouvait retrouver la vie, il y en avait des milliers, peut-être des millions, enfouis dans le sol de l'écorce terrestre sous forme de fragments, en solution, émiettés en une poussière microscopique. Même saint Pierre n'aurait pu les rappeler à la vie. Et puis personne ne voulait vivre éternellement, car la vie serait alors dépourvue de sens. Au lieu de concentrer son esprit sur une hypothétique vie future, il préférait rendre cette vie aussi bonne que possible.

Déjà, depuis la guerre, on avait découvert de nouveaux médicaments, de nouvelles façons de lutter contre la souffrance et la maladie pour allonger la vie humaine. On commençait à entrevoir l'interdépendance de l'esprit et de la matière ; on pressentait qu'un esprit malade pouvait miner un corps, une blessure physique altérer l'esprit.

Le corps humain était un réceptacle, une lampe fragile et merveilleuse qui abritait la flamme de la vie. Protéger ce réceptacle contre tous les dangers qui le menaçaient, le préserver aussi longtemps que possible, empêcher la flamme de s'éteindre, — voilà le but le plus élevé, songea Alex.

Devant l'immense cours d'eau près duquel il était né, il décida alors, à l'entrée de cette caverne, de devenir médecin.

Dans une autre barque, à quarante milles en amont du fleuve, Meg était tranquillement assise, la ligne à la main, silencieuse bien que submergée de bonheur et mourant d'envie de parler avec son bien-aimé.

Garry avait senti quelques touches, mais n'avait rien pris et il n'était pas de très bonne humeur. Un unique poisson-chat reposait au fond du bateau, attrapé par Meg, mais sorti de l'eau par Garry.

« Remets cette horrible bestiole à l'eau ! » l'avait-elle vainement supplié. Elle détestait sa peau visqueuse, semblable à celle du crapaud, ses moustaches caoutchouteuses et répugnantes ; elle était intimement persuadée que sa chair avait un goût de serpent.

« C'est délicieux sans la peau, dit Garry. Maman connaît une excellente recette pour le poisson-chat. Mais méfie-toi de l'épine dorsale, elle est venimeuse.

— Toute cette fichue bestiole me paraît venimeuse. Je n'ai jamais aimé les poissons-chats. J'aurais préféré qu'un joli gardon morde à mon hameçon.

— Moi, je me contenterais amplement d'attraper quelque chose », dit Garry, avant de retomber dans un silence morose.

Peu après Meg pêcha un gardon argenté de deux livres, mais

son instinct féminin lui conseilla de mettre une sourdine à son enthousiasme et de regretter que Garry ne l'ait pas pêché à sa place.

« Tu te débrouilles mieux à la pêche qu'à la chasse, grommela-t-il.

— C'est vrai, n'est-ce pas ? J'ai passé presque toute ma vie sur un bateau ; nous allions tous pêcher en barque ; dès que nous nous arrêtions quelque part, on mettait une ligne à l'eau.

— Le bateau et ta famille ne te manquent pas ?

— Je désire seulement rester avec toi et Melvie, répondit-elle avant de citer avec ferveur : où que tu ailles, j'irai ; où que tu habites, j'habiterai ; ta famille sera ma famille, et ton Dieu, mon Dieu.

— N'oublie pas que ma mère vieillit, elle ne vivra pas éternellement, et dès que je pourrai partir, j'irai en ville. Je reste uniquement pour aider papa lors de la prochaine tonte. »

Meg le dévisagea, bouche bée. Elle ramena soigneusement sa ligne de pêche ; ses lèvres tremblaient.

« Garry ! » Elle joignit instinctivement les mains en un geste de supplication. « Garry, emmène-moi avec toi, je t'en prie. Je ne veux pas te perdre, je ne veux pas !

— Pour l'amour du Ciel, Meg ! Tu ne peux pas venir avec moi à la ville.

— Pourquoi pas ? Pourquoi ne peux-tu pas m'emmener ? Je ne te demande pas de m'épouser, je m'en moque. Je veux simplement être à tes côtés, te voir de temps en temps. Je ne te demande même pas de me parler. Pourquoi ne veux-tu pas de moi ? Je t'aime, Garry. Pourquoi ?

— Parce que je ne suis pas amoureux de toi et que je ne le serai jamais, dit-il, incapable de retenir sa colère.

— Oh ! Oh ! » Meg fondit en larmes, les épaules secouées de sanglots, sa tête posée sur la dame de nage, ses cheveux noirs pendant par-dessus bord.

« Bon Dieu, tu n'as que quatorze ans !

— L'âge de Juliette.

— Nous ne sommes pas au théâtre. Tu n'es qu'une petite écolière romantique ; il est temps que tu te réveilles, que tu comprennes que la vie n'est pas un feuilleton à l'eau de rose, ni même une tragédie pathétique, ce n'est qu'une farce sanglante. Un obus tombe sur une marmite ; mes deux potes sont volatilisés, et moi je n'ai pas une égratignure. Pourquoi ? Je n'en sais foutrement rien. Maman passe toute la guerre à prier pour que son Jim revienne sain et sauf, et il se fait tuer un mois avant l'armistice. Elle est donc obligée de me supporter sous son toit, et maintenant je ne suis même plus un héros. » Il eut un rire amer. « C'est plutôt drôle quand on y pense.

— Garry ! Ne sois pas si dur avec toi-même. » Elle refoula un sanglot, puis essuya son visage avec sa robe.

« Je n'y peux rien, Meg. Je suis aussi désabusé qu'un vieillard. Voilà ce que la guerre a fait de moi. Ce n'est pas que tu sois trop jeune, simplement je suis trop vieux. L'amour, le mariage, tout cela ne m'intéresse pas. »

Écrasée de douleur, Meg ne prononça pas un mot tandis que Garry ramait vers l'embarcadère sous la falaise. L'expression désespérée de la jeune fille le toucha et il la tint un instant contre lui en l'aidant à descendre du bateau.

Elle se remit aussitôt à pleurer, le visage enfoui dans la chemise du garçon, mais ses larmes l'agacèrent.

Seigneur, il ne supporterait pas toutes ces pleurnicheries, il aurait tant voulu qu'elle retrouvât la gaieté et l'entrain qu'il lui avait connus lors de son retour à la maison. Il lui prêta son mouchoir, et attendit qu'elle se fût calmée avant de gravir la falaise vers la ferme.

90

Le chant matinal des appareils d'arrosage sur les pelouses fut le souvenir le plus vivace que Meg conserva de l'été suivant.

Le grésillement des grillons, le chuintement des tourniquets d'arrosage et les stridulations des cigales qui avaient envahi les arbres, les buissons et l'herbe, composaient une symphonie estivale, une musique brûlante et vibrante.

Délie avait acheté une petite maison au milieu d'un terrain irrigué par le fleuve, à quelque distance de la ville. Il y avait un modeste embarcadère constitué de deux planches qui s'avançaient sur le fleuve et auquel était amarrée leur barque.

Pour aller au lycée de Renmark, Alex et Meg prenaient un car au croisement de la grand-route. Quand Mme Melville avait dû rendre Meg à sa mère, Délie décida d'aménager un foyer pour Meg sur la terre ferme, tandis que Brenton s'occuperait du vapeur avec Charlie McBean, un nouveau second et ses deux fils aînés.

Elle avait espéré trouver en sa fille sa première vraie compagne depuis la mort de ses propres sœurs noyées avant même d'avoir débarqué en Australie ; mais ses espoirs furent déçus. Si Meg s'était toujours montrée affectueuse lors de ses brèves visites à la ferme, elle était maintenant distante et fermée.

Meg fut cependant heureuse de s'installer dans ce nouveau foyer afin de panser ses blessures après le départ de Garry Melville pour la cité. Le jeune homme avait annoncé qu'il y séjournerait seulement le temps de trouver un embarquement sur un navire quittant Adélaïde.

Meg désirait s'éloigner d'un lieu dont le moindre détail lui rappelait douloureusement son bien-aimé : le salon où ils jouaient aux cartes après le dîner, le portail sur la route de Waikerie près duquel elle attendait le camion, les berges où ils avaient pique-niqué, les endroits où ils avaient chassé ou pêché.

Dans la maison des Melville, elle ne pouvait tourner un robinet ou une poignée de porte sans penser : «Sa main s'est posée ici.» Elle restait éveillée des nuits entières, revivait toutes les scènes dont elle pouvait se souvenir — même les plus douloureuses —, se rappelait le moindre mot qu'il avait prononcé.

Dans sa tristesse, elle trouva sa mère exaspérante. Meg, qui souffrait comme une femme mais qu'on traitait en enfant, se sentait beaucoup plus mûre et sage que Délie, dont les va-et-vient incessants dans la cuisine l'emplissaient de mépris.

Elle devint susceptible, cassante, puis se mit à jouer les grandes sœurs. Elle appelait Délie «ma chère maman», mais sur un ton plus supérieur qu'affectueux. Petit à petit, elle prit en main l'entretien de la maison et la préparation des repas, tandis que Délie s'occupait des courses et du jardin.

Délie aurait aimé que sa fille devînt une artiste, mais puisque ses talents s'exerçaient ailleurs, elle trouvait agréable de la voir si industrieuse et — elle dut le reconnaître — si bien éduquée par Mme Melville. Si seulement Meg avait été plus affectueuse ! Délie était profondément agacée par les critiques de sa fille, par son hostilité à peine camouflée.

Si Meg devait se rappeler les bruits de l'été, le souvenir des fruits resta à jamais gravé dans la mémoire de Délie : les abricots qu'on cueillait sur l'arbre et dont la pulpe jaune fondait délicieusement dans la bouche ; les pêches dégoulinant de jus ; les nèfles comme des globes de cire dorée et leurs noyaux satinés. Des grappes de raisin pendaient d'une treille sur le mur arrière de la maison et les vrilles s'entortillaient contre la fenêtre de la cuisine.

Les oiseaux arrivèrent, leurs becs pointus perforèrent les sphères translucides, suivis de peu par les fourmis et les abeilles qui ne laissèrent de chaque grain que la peau. Pour protéger le raisin, Délie fixa des sacs en papier marron sur les plus grosses grappes.

Elle adorait son jardin, où tout poussait avec luxuriance dans la terre rouge sablonneuse : tomates, melons et melons d'eau à la chair pourpre croquante ; patates douces, maïs et haricots, ainsi qu'une rangée d'arbres fruitiers en fleurs.

Tel un nomade dans une oasis, elle se reposait en ce lieu paisible avant d'affronter un avenir qui semblait receler autant de menaces que le désert. Brenton risquait une autre attaque ; ils pouvaient perdre le vapeur ; le bruit courait que le trafic fluvial était condamné à plus ou moins longue échéance. Afin de mettre un petit pécule de côté en cas d'urgence, elle décida de donner des cours de peinture. Trois après-midi par semaine, elle ramait jusqu'à Renmark pour prendre en charge une classe d'amateurs enthousiastes, uniquement composée de femmes. Elle découvrit que l'enseignement lui plaisait mais ne lui laissait pas beaucoup de temps pour peindre.

Elle trouvait étrange d'habiter la terre ferme après tant d'années d'errance sur divers fleuves. Le trajet en barque jusqu'à Renmark calmait sa nervosité. Elle faisait ses courses en ville, puis retournait à la rame au fil du courant, jouissant du rythme régulier des avirons.

Elle reçut des lettres d'Alister Raeburn, tendres, passionnées, pleines de désir et de nostalgie, mais elle refusa de les laisser entamer sa tranquillité. Elle ne l'avait pas vu depuis plus d'un an. Cyrus James, rentré au Canada, lui avait envoyé une magnifique collection de livres d'art avec des reproductions de tableaux en couleurs. Pour la première fois, elle put étudier l'œuvre de Braque, de Cézanne et de l'École de Paris, un univers totalement nouveau dont elle n'avait eu qu'un aperçu auparavant.

Délie ne se sentait d'affinités ni avec le cubisme ni avec le surréalisme, mais ces deux styles lui apprirent quelque chose et elle en assimila les éléments susceptibles d'enrichir sa vision personnelle. Elle se sentait parfois submergée par la panique, tout cela arrivait trop tard, elle avait gâché vingt années de sa vie, qu'elle aurait dû consacrer à sa formation personnelle, et bientôt elle serait vieille, ou morte ; dans les deux cas, cela signifierait la mort de l'art. Si seulement le temps pouvait retrouver la lenteur de sa jeunesse ! Sa fuite lui donnait le vertige.

Le monde avait connu tant de bouleversements au cours des dix dernières années : la guerre mondiale et ses séquelles ; l'émancipation de la femme, la domestication du fleuve ; et dans sa vie privée, la maladie et la demi-guérison de Brenton, son retour inespéré à la vie et sa reprise en main du vapeur.

Même sa voix s'était affermie, ses phrases se succédaient sans hésitation quand il criait des ordres aux matelots de pont. Deux d'entre eux étaient ses propres fils, mais ils lui obéissaient avec autant de zèle que le Jeune Suppôt, qui vouait une adoration sans bornes à son capitaine. Gordon, qui allait sur ses dix-neuf ans, préparait déjà son brevet de second.

Le premier jour où Brenton se hissa jusqu'à la timonerie, Délie donnait un coup de main à l'équipage pour retirer les amarres du quai de Morgan ; dès qu'ils se retrouvèrent au milieu du fleuve, il fit clairement comprendre à sa femme qu'il pouvait diriger le bateau tout seul.

Il commença par critiquer durement sa façon de négocier les virages. «Reste à l'intérieur, reste bien à l'intérieur, si tu veux gagner quelques mètres... Telle que tu es au milieu du fleuve, tu as tout le courant contre toi.»

Délie se mordit les lèvres pour ne pas lui rétorquer qu'elle avait mis au point une méthode toute personnelle pour se servir du courant et s'éviter trop d'efforts musculaires. Elle amena docilement le *Philadelphia* vers l'intérieur du virage, en espérant qu'il n'y avait pas de banc de sable à fleur d'eau. Brenton l'aida en pesant sur les rayons de la roue.

«Maintenant laisse-moi barrer», murmura-t-il. Les yeux mi-clos, le visage empreint d'une expression de joie rêveuse, il saisit la roue du bateau pour la première fois depuis six ans. Calé sur un coussin dans son fauteuil roulant, il atteignait presque le haut de la roue; ses bras puissants, musclés aux dépens de ses membres inférieurs chétifs, faisaient légèrement dévier le vapeur pour donner à Brenton le plaisir de le ramener vers son cap initial.

«Allez, reviens, mon grand, reviens, chuchotait-il d'une voix caressante. Encore un petit effort. Ah, tu n'as pas changé d'un poil! Aussi léger qu'une plume et solide comme le roc. Tu vois comme il me reconnaît? Tu vois comme il réagit à moi?» Il lança un coup d'œil à Délie, de l'autre côté de la timonerie, et brusquement, à cause du reflet du ciel bleu sur l'eau tranquille, ou de son excitation — qui sait? — ses yeux redevinrent vivants, aussi brillants et bleus que l'océan Austral, aussi charmeurs et irrésistibles qu'à l'époque où elle l'avait rencontré. Une tendresse inhabituelle s'empara de Délie; le contraste entre ses yeux juvéniles et le visage marqué, ses cheveux gris, les muscles lâches de ses joues, les bourrelets de chair sur son cou, lui rappelèrent douloureusement le passage du temps.

Quelle force de caractère il avait montrée — pour remonter la pente jusqu'à ce semblant de vie, certainement préférable à l'absence totale de vie (rester cloué sur une couchette équivalait pour lui à la mort). Ce n'était encore qu'un semblant de vie, il le savait parfaitement; Brenton abhorrait la moitié inférieure de son corps, insensible et impotente; il ne voulait plus entendre parler des plaisirs de la chair qu'il avait si bien connus et ne goûterait plus jamais.

«J'imagine que tu es satisfaite, avait-il lancé à Délie en un moment d'amertume. Je ne serai... plus jamais... un homme.

Plus de grossesses non désirées, hein ? » Quand elle protesta, il partit d'un rire cynique. « Mais c'est à double tranchant, ma chère... Tu as toujours été... si chaude... et maintenant... Bon Dieu, si jamais j'apprends que tu te consoles avec, avec...

— Brenton, cesse de nous tourmenter tous les deux ! Bien sûr que je ne suis pas satisfaite, et je ne me... Oh, je ne devrais même pas te répondre, je refuse de discuter. » Et elle s'enfuit, les larmes aux yeux.

Le seul inconvénient de Renmark était l'affabilité excessive de ses habitants. Délie désirait avoir davantage de temps à elle, et les journées étaient trop courtes, bien qu'elle se réveillât toujours avec le soleil.

Au bout d'un mois seulement, on lui demanda de s'inscrire au club des mères, à l'association des femmes rurales, à l'association pour le progrès et au comité des parents d'élèves ; avec autant de tact que possible, elle dut expliquer qu'elle n'avait pas le temps de se consacrer à toutes ces activités.

Les femmes qui lui avaient proposé d'entrer dans leur groupe ne comprirent pas ce qui l'occupait tant, car elle n'avait pas de mari, seulement une fille en âge de l'aider, et une petite maison. Toutes ces femmes achevaient leurs tâches ménagères vers dix heures du matin et consacraient le restant de la journée aux potins et aux bonnes œuvres.

Délie s'occupait sporadiquement de son intérieur, elle se débarrassait parfois simultanément de la lessive, du ménage et de la vaisselle. Mais elle était souvent distraite ; ainsi elle sortait vider la théière après le départ des enfants pour l'école, et le chaud soleil doré la retenait dans le jardin ; elle plantait ou soignait ses plantes, ou bien elle restait immobile, absorbant le soleil comme une plante.

Quand elle rentrait, le spectacle de la cuisine en désordre, des assiettes sales et des casseroles empilées dans l'évier, la décourageait tant qu'elle quittait la pièce, soi-disant pour aller chercher une serviette dans la lingerie, au lieu de quoi elle se mettait au travail sur une toile en cours. Quand une faim tenace lui disait que l'après-midi était bien entamé, elle filait à la cuisine se préparer un casse-croûte, puis elle rangeait deux ou trois choses avant le retour de Meg.

Seules les chambres étaient toujours impeccables. Parce qu'elle avait passé de nombreuses années dans une cabine exiguë, Délie avait appris à ranger ses vêtements et à faire son lit tous les matins ; mais la poussière sur les vérandas, les miettes sur le plancher, elle ne les voyait même pas avant que Meg n'entreprît méthodiquement de les balayer.

« Tu es une vraie souillon, ma chère maman », disait Meg avec l'indulgence d'une adulte s'adressant à un enfant. Alex était méticuleux et propre de nature, contrairement à Gordon et Brenny, plutôt désordonnés ; mais Alex ne comprenait pas l'utilité de faire son lit alors qu'il irait inévitablement s'y coucher. Sa chambre débordait de boîtes étiquetées contenant des ossements, des serpents et des lézards conservés dans des flacons, des scarabées et des papillons horriblement crucifiés par des épingles.

C'était un vrai capharnaüm. Délie fit son lit le plus vite possible, puis regagna le perpétuel soleil de l'hiver. C'était une matinée particulièrement agréable, l'avant-dernier jour du deuxième trimestre scolaire ; elle sortit dans le jardin couvert de rosée où un oiseau migrateur noir chantait d'une voix claire et fluide, comme si la rosée avait empli sa gorge.

Elle sarclait les rangées de petits pois, les mains couvertes de sable rouge humide, quand elle entendit le portail grincer, et aperçut une silhouette impeccable et barbue, un costume clair et un panama. Elle se redressa, le cœur battant la chamade, ses cheveux tombant sur ses yeux, puis fit mine de battre en retraite vers la maison ; trop tard...

Alister l'avait déjà vue. Elle se figea sur place tandis qu'il avançait en arborant un sourire de circonstance ; mais son regard était brûlant et attentif.

91

« Comment avez-vous découvert où j'habitais ?

— Je savais que vous étiez à Renmark ; je me suis simplement renseigné à la poste. »

Assis dans le petit salon, ils conversaient poliment, pendant que Délie lui servait du vin local et un cake aux fruits préparé par Meg. Comme s'il ne lui avait jamais écrit aucune lettre, qu'il ne se fût rien passé entre eux dans l'atelier de la maison de Milang, elle essayait de conserver une atmosphère normale, parlait de ses cours de peinture, de son jardin, de tout et de rien, pendant qu'il lui souriait en haussant ironiquement un sourcil.

Délie suffoquait un peu; sa bouche était tellement sèche qu'elle y portait fréquemment son verre de vin; brusquement, Alister se pencha vers elle — Délie venait de renverser un peu de vin sur le tapis —, saisit son poignet dans une main de fer, puis lui enleva le verre de vin, qu'il posa sur un guéridon.

«Arrêtez cette comédie, Délie, dit-il. Qu'essayez-vous donc de faire — me maintenir à distance avec une conversation de salon? C'est inutile, vous pouvez me croire.»

Regardant ses yeux sombres, elle se tut. «Je sais, dit-elle d'une voix à peine audible.

— Je ne vous ai pas vue depuis plus d'un an, et vous me parlez de haricots!»

Elle rit. «Mais oui! C'est un sujet parfaitement neutre.

— Avez-vous oublié ce que je vous ai écrit?

— Non, malheureusement. Vos lettres m'effraient. Vous m'idéalisez beaucoup trop! Je ne ressemble aucunement à la femme merveilleuse que vous vous plaisez à imaginer; quand vous aurez découvert que votre cygne n'est finalement qu'une oie, eh bien...»

Il se leva pour prendre le visage de Délie entre ses mains, incliner un peu sa tête en arrière afin de plonger ses yeux dans les siens. «Quel visage magnifique! murmura-t-il. La beauté à l'état pur. Quand vous serez bien vieille, quand vous aurez quatre-vingt-deux ans, je vous aimerai toujours à la folie. Pourrais-je vous inviter à dîner au soir de votre quatre-vingt-deuxième anniversaire?

— Dans quarante ans? Si nous sommes encore de ce monde.

— En tout cas, vous vivrez au moins jusqu'à cent ans, lui prédit-il d'une voix pénétrante.

— Seigneur, j'espère que non! Je n'ai aucune envie de devenir gâteuse, je préfère mourir avant.

— Vous ne serez jamais gâteuse, vous serez toujours une femme merveilleuse. »

Brusquement, il l'obligea à se lever et la prit dans ses bras, nicha son visage au creux de son épaule ; et ils restèrent ainsi immobiles, tandis que ses lèvres frôlaient doucement sa gorge et remontaient vers l'oreille.

Reprenant ses esprits, Délie le repoussa faiblement, puis s'effondra dans un fauteuil à dos droit, si bouleversée qu'elle ne pouvait plus ni parler ni respirer.

C'était ridicule, c'était impossible, se répétait-elle sans cesse, Alister Raeburn ne pouvait la troubler à ce point. Elle avait décidé depuis longtemps qu'il ne l'attirait pas, et pourtant sa simple présence l'empêchait maintenant de penser et de parler.

« Vos enfants reviennent-ils déjeuner ? demanda-t-il. Je suppose qu'ils fréquentent l'école de la ville. »

Ces paroles étaient assez anodines, mais l'effort qu'il faisait pour réprimer ses sentiments lui donnait l'air d'un dément ; ses yeux étincelaient dans son visage livide.

« Non, l'école est trop éloignée pour qu'ils rentrent déjeuner. Ils prennent le car matin et soir. Alex me paraît très doué, très éveillé pour son âge ; Meg est plus paisible, plus adulte. J'ai parfois l'impression qu'elle est plus âgée que moi.

— Vous êtes encore une jeune fille à maints égards.

— Meg est souvent choquée par mon manque de dignité. Tenez, quand nous allons faire des courses en ville le samedi après-midi, s'il fait beau et que je suis en forme, je me mets à chantonner et je la sens très gênée. Un jour, je me suis assise au bord du trottoir pour dessiner une vieille femme qui attendait le bus, et Meg s'est éloignée en faisant mine de ne pas me connaître. Il me semble que je suis toujours décalée par rapport à la génération qui me précède ou qui me suit. Je scandalisais souvent la tante qui m'a élevée, quand j'avais l'âge de Meg.

— Comme un coucou dans un nid d'oiseaux d'une autre espèce !

— Oui. Bien que je ressemble peut-être davantage à un pélican. Vous savez, cet oiseau maladroit et disgracieux, sauf dans son élément, l'eau ou l'air.

— Pour moi, vous ressemblez au phénix ; le feu est votre élément. Je brûle à votre contact, votre regard me réduit en cendres, je suis consumé par la flamme la plus vive...

— Alister, soyez sérieux. Nous parlions de...

— De haricots ?

— Exactement. De la culture des légumes.

— Je préférerais cultiver votre affection. Je désire croître dans votre cœur, enlacer votre taille, m'enfouir au plus profond...

— Alister !

— Bon, je redeviens sérieux. Faites-moi donc visiter votre maison, montrez-moi ce que vous avez peint. »

Elle l'entraîna dans le petit couloir qui divisait la maison. « Je travaille ici ; cela explique le désordre. » Quand il eut longuement examiné les toiles terminées et en cours, elle annonça d'une voix qui tremblait légèrement : « Je crains que la cuisine ne soit sens dessus dessous. Je sortais juste quand...

— Je me moque de la cuisine. Je désire voir votre chambre à coucher. »

Il sourit malicieusement en remarquant son air décontenancé. « Ne vous inquiétez pas, Délie ; ne vous ai-je pas promis de ne plus vous importuner ? Je veux simplement voir l'endroit où vous dormez, pour vous imaginer là, parmi vos enfants, vos légumes et vos toiles. Voici donc votre chambre ? Ces meubles blancs me plaisent ; avez-vous peint ces fleurs blanches ? Et ce dessus-de-lit uni, sans dentelles, sans fioritures, sans motif banal. Oui, tout cela est charmant, reposant, et puis, tellement virginal.

— Mais qu'attendiez-vous donc, du satin cramoisi, des commodes dorées, des abat-jour à perles ? »

Il éclata de rire. « Seigneur, non ! Maintenant, je ne peux plus vous imaginer ailleurs. Savez-vous que chez moi j'entre souvent dans la chambre de malade, imaginant que vous êtes toujours alitée, si menue et fragile, perdue dans le grand lit ?

— Le papier mural bleu et argent, un tapis blanc sur le sol, un fauteuil recouvert de brocart couleur prune.

— Ce décor vous allait bien.

— Non ! Beaucoup trop fastueux.

— Mais vous méritez d'être entourée par la beauté et le luxe, vous êtes si merveilleuse.

— Je préfère être libre plutôt qu'entravée par la possession d'objets luxueux. Je n'ai jamais réussi à conserver le moindre bijou en dehors de mon alliance. Je les perds comme l'arbre perd son écorce, naturellement, instinctivement. Même l'amour est un fardeau, il peut devenir une tyrannie. Je crains maintenant de me lier à quiconque.

— Est-ce pour cela que vous me maintenez à distance ? Ou à cause de votre mauvaise conscience ?

— Les deux, probablement, dit-elle sombrement. Bon, je vais préparer le déjeuner. Allez donc me cueillir quelques tomates mûres pendant que je mets un peu d'ordre dans la cuisine. »

Il obéit aussitôt. Ils étaient encore à table, séparés par une bouteille de vin de Renmark et ce qui restait d'une excellente salade préparée par Délie, quand Meg et Alex rentrèrent de l'école. Dès qu'il entendit Alex arriver au loin, Alister contourna la table pour embrasser longuement et silencieusement Délie, comme s'il regrettait les occasions perdues de la matinée.

92

Quand Délie pensait objectivement à ses enfants, elle s'émerveillait de leur âge et de leur taille. Si le moindre brin d'herbe était un miracle, alors l'être humain l'était bien davantage, lui qui se développait à partir d'un minuscule œuf invisible pour atteindre à cette complexité physique et mentale ! La pensée de Meg mariée, de Meg donnant le jour à une fille, qui elle-même pourrait avoir une autre fille, la pensée des générations successives qui avaient abouti à elle, tout cela amenait Délie à une conscience aiguë du flux de la vie, qui, tel un fleuve, reliait sa source à la mer.

Elle tenta d'expliquer cela à Alister lors de sa visite suivante, mais il ne partageait pas son impression quant à la nouvelle génération ; comme il n'avait aucun enfant et ne désirait pas ce genre d'immortalité physique, il s'agaça de son respect pour la continuité de la vie, la famille, le genre humain. Il voulait assurer l'immortalité de sa propre personnalité, il croyait qu'elle se perpétuait sous une forme supra-physique.

«Je ne peux croire que pour moi, tout s'achève avec ma mort, disait-il, qu'une personnalité, une âme — appelez cela comme vous voulez — est condamnée à exister si brièvement, puis à disparaître définitivement. Ce que nous appelons la vie n'est peut-être qu'une période de sommeil, un rêve que nous oublions à notre réveil ; peut-être nous éveillons-nous après la mort à une réalité plus réelle, plus profonde que celle-ci ?

— Mais la mort, répondit Délie, la mort de l'individu n'importe pas vraiment. Je crois que toute vie vécue intensément ajoute quelque chose à la conscience du monde, de même que la moindre goutte d'eau augmente le volume d'un fleuve ; je crois que chacun de nous, dans certaines circonstances, peut puiser dans ce fleuve, dans ce réservoir de conscience et que chacun de nous peut l'enrichir. Je crois que je suis meilleur peintre parce que Rembrandt et Goya ont existé, ont été fidèles à l'art, et pas seulement parce qu'ils nous ont légué des tableaux fabuleux. Il s'agit d'autre chose.

— Vous êtes donc une mystique a-religieuse. Pour ma part, je crois à l'existence d'une divinité omnisciente, et pour cette raison je suis certain qu'un jour vous serez mienne. *Tu deve esser mia.*

— Que signifie cette phrase ?

— Garibaldi la prononça quand il vit pour la première fois la femme qui allait devenir son épouse : "Tu m'appartiendras !"»

Délie rougit comme une jeune fille, puis regarda par la fenêtre. Ils prenaient le café dans son petit salon ; le soleil dessinait des formes dorées sur le tapis délavé qu'elle avait acheté d'occasion. Elle espéra que les enfants rentreraient bientôt, car elle trouvait la voix d'Alister tendre et caressante, encore plus troublante que sa proximité physique.

Elle chercha à le ramener vers une discussion abstraite, sachant combien il aimait «disserter sur la vie, la poésie, la peinture, *et caetera*», ainsi qu'il l'avait écrit dans une de ses lettres.

« J'ai du mal à croire à votre Divinité bienveillante ou à la survie de l'individu, alors que celui-ci existe à un si grand nombre d'exemplaires. Des milliers d'êtres humains naissent et meurent à chaque seconde. La nature produit d'innombrables existences tout en restant indifférente à l'individu. Seule la conservation de l'espèce l'intéresse. Les astronomes affirment que dans vingt millions d'années le soleil grossira au point d'absorber la terre à des centaines de kilomètres de profondeur. Qu'adviendra-t-il alors de l'humanité ?

— L'homme se sera peut-être libéré de son enveloppe charnelle pour devenir une créature purement spirituelle, heureuse d'habiter l'incandescence blanche d'une étoile en feu. Après tout, un homme et une étoile ne sont que deux manifestations différentes de l'énergie.

— Trop fantastique à mon goût, dit Délie.

— La vie elle-même est fantastique. Et fantastiquement belle. Et pour moi, en cet instant, toute sa beauté se résume à un seul visage : le vôtre. Délie, cessez de nous faire souffrir inutilement, laissez-moi vous faire mienne. Je peux vous offrir un foyer digne de vous, un foyer où vos enfants vivront, laissez-moi éduquer vos garçons. Vous m'avez dit que votre mari se désintéressait d'eux, et puis il a désormais son vapeur, rien ne compte davantage pour lui. Il n'a pas besoin de vous comme j'ai besoin de vous, il ne peut vous donner de l'amour.

— Vous n'avez pas le droit ! » Délie se raidit sur son fauteuil, le visage crispé de colère.

« Non, je sais, je suis navré. Pardonnez-moi, ma chérie. » Il était maintenant à genoux près d'elle, ses bras l'enlaçaient, et sur son visage tendu vers elle, Délie vit des larmes briller. « Oh, c'est terrible d'aimer quelqu'un comme je vous aime. Je suis totalement soumis à vous, je ne pense qu'à vous, il est des nuits où je pleure comme une femme. J'essaie de me raisonner, de comprendre mes sentiments, de comprendre pourquoi votre visage, ces sourcils sombres et ces joues légèrement creuses ont scellé mon destin. C'est insensé, pourtant je ne peux y échapper. »

Ses paupières étaient rouges, remarqua Délie, et au-dessus de sa barbe noire impeccable, ses lèvres étaient trop rouges, trop minces. Elle se sentit frissonner de dégoût. Mais l'instant suivant, ces lèvres se posèrent sur les siennes, une barbe soyeuse se pressa contre son visage, une langue sensuelle explora délicatement sa bouche. Elle s'affaissa dans son fauteuil en gémissant doucement, toutes ses défenses battues en brèche. Le sang qui martelait ses oreilles, oblitérait tous les bruits du monde extérieur ; seul demeurait ce fauteuil où ils luttaient et haletaient pour se rapprocher, ne plus faire qu'un, se fondre l'un dans l'autre.

La porte qu'on ouvrait fut le premier bruit qui pénétra dans sa conscience, accompagné du gai «Où es-tu ? » de Meg. Regardant par-dessus la tête d'Alister, Délie vit les yeux de Meg, écarquillés de stupeur, fixés sur les deux corps dans le fauteuil.

En un éclair, le point de vue de Délie s'inversa : elle se vit avec les yeux de Meg ; sa mère vautrée dans un fauteuil avec un homme qui n'était pas son mari ; ses vêtements en désordre, hirsute, et sur leurs deux visages l'expression hagarde, effarée, de la passion ; elle vit tout.

«Meg ! »

Elle se débattit pour se redresser, pour repousser Alister. La porte se ferma doucement, Meg était partie. Alister se releva, mais il semblait ailleurs, nullement gêné. Il était toujours dans un état second.

«C'était Meg, elle nous a vus ?

— Oui. Donnez-moi une cigarette, s'il vous plaît.»

Ses mains et ses lèvres tremblaient tant qu'il eut beaucoup de mal à allumer la cigarette de Délie.

«Maintenant, vous êtes obligée de lui parler, et de venir avec moi. C'est mieux ainsi.

— Non ! Vous ne comprenez pas. Je ne peux pas quitter Brenton.

— Vous l'avez déjà quitté ; il dirige le vapeur tout seul.

— Pour un an ! Et seulement à cause de Meg. Je le rejoindrai ensuite.

— Délie ! Vous êtes merveilleuse, et tellement passionnée... Je voudrais tant que vous m'aimiez.

— Je crois que je vous aime déjà. Mais partez maintenant,

et ne revenez pas. Vous devez quitter Renmark dès maintenant, sur-le-champ.

— Mais j'ai encore des affaires à régler.

— Vous devez partir. Je risque de perdre Meg à cause de vous. Vous ne comprenez donc pas ? Vous devez partir immédiatement.

— Je suis désolé, Délie.

— Si vous restez et que Meg me quitte, je ne vous le pardonnerai jamais.

— Je partirai dans deux jours, quand j'en aurai fini avec notre agent. Je suis votre humble esclave en tout, mais ce serait stupide de m'enfuir tout de suite sans finir mon travail. C'est un voyage coûteux à partir des lacs. »

Délie en resta sans voix : il comptait son argent, alors que son propre avenir à elle était en jeu !

Incrédule, elle attendit qu'il réalisât l'énormité de ses paroles ; mais ses lèvres minces et ses narines arrogantes exprimaient seulement la détermination. Nul remords ne se lisait sur son visage.

« Alister, je vous demande...

— Je suis désolé, Délie. Ne craignez pas de me revoir. Je resterai désormais à l'écart de votre chemin.

— Meg risque de vous apercevoir sur le trajet de l'école, et puis je dois donner mes cours de peinture. Si Meg raconte cela à Mme Melville, je sais que cette femme me la reprendra. Et puis que va-t-elle penser de moi, sa propre mère ?

— Je crois que vous avez tort de prendre Meg pour une oie blanche. A son âge, elle sait que les femmes, comme les hommes, ont des instincts, des désirs. Elle connaît certainement son corps. Pourquoi attendrait-elle de vous un comportement de sainte ? »

Délie songea à l'époque où elle-même, pas beaucoup plus jeune que Meg, avait surpris son oncle et la jeune indigène au clair de lune. Elle possédait déjà une bonne connaissance théorique de la sexualité, mais ce coup d'œil jeté dans le monde des adultes l'avait profondément traumatisée.

Elle ignorait tout de l'amour malheureux de Meg pour Garry Melville, tout des fantasmes érotiques où sa fille s'était réfugiée, ainsi que les baisers bien réels d'un jeune soldat expérimenté. Délie croyait avoir détruit la cage de verre où vivait sa fille jusqu'ici.

« Partez, dit-elle. Je vais essayer de lui expliquer. »

93

Après le départ d'Alister, Délie attendit comme une enfant coupable que Meg lui parle. Elle se réfugia dans sa chambre, persuadée que Meg frapperait à sa porte, entrerait, qualifierait d'innommable la conduite de sa mère, avant de lui annoncer qu'elle retournerait habiter chez Melvie.

Elle commença presque à haïr Raeburn, la cause de sa propre honte. Elle espérait qu'il partirait vite et qu'elle ne le rencontrerait pas par hasard dans la rue avant son départ.

Quand elle dut enfin sortir de sa chambre pour préparer le repas des enfants, elle découvrit que Meg avait déjà épluché les légumes et jouait tranquillement aux cartes avec Alex. Assise au bout de la table de la cuisine, elle leva brièvement les yeux, puis lui annonça que le four était chaud et qu'elle avait mis le couvert dans le salon. Bénissant l'esprit pratique de Meg, Délie n'eut qu'à glisser dans le four la tarte préparée le matin même, avant l'arrivée d'Alister. Des années lui semblaient s'être écoulées depuis.

« Quel genre de tarte ? » demanda Alex en l'examinant d'un air méfiant, car depuis quelque temps il n'aimait plus la viande.

« Œufs et bacon », répondit Délie. Elle regarda Meg à la dérobée ; la jeune fille était pâle mais paisible, concentrée sur les cartes. On ne remarquait aucune trace de larmes sur son mince visage juvénile.

Quand le repas fut terminé et la table débarrassée, pour que les enfants puissent faire leurs devoirs, Délie se mit à errer sans but. Elle sortit sous les étoiles silencieuses, écouta le glissement feutré du fleuve tout proche.

Le ciel nocturne était comme un ami, les constellations familières brillaient d'un vif éclat, les grillons chantaient sur la pelouse exactement comme à Echuca quand elle n'était qu'une enfant. Une fois encore, elle se sentit sur le point de comprendre une vérité profonde concernant la vie ; mais comme toujours cette vérité restait insaisissable, et Délie dut replonger dans le flux des événements quotidiens, enchaînée à la roue de la personnalité et du destin.

Elle revint vers la maison. Une forte brise emportait la fumée qui sortait par la cheminée de la cuisine. Brusquement, la petite maison solidement bâtie sur sa parcelle de terrain se métamorphosa en un vapeur naviguant sur une mer inconnue sous la clarté mystérieuse des étoiles ; les étoiles elles-mêmes devinrent les lumières dérisoires de navires lointains qui voguaient au hasard dans les ténèbres menaçantes ; et tout devint mouvement, flux et instabilité.

Prise de vertige, elle tendit la main vers une treille et sentit la piqûre d'une épine bien réelle sur la tige d'une rose. Suçant son doigt, elle rentra et sentit aussitôt la chape de la normalité retomber sur ses épaules.

Alex terminait ses devoirs en bâillant. Il ne faisait jamais d'histoires pour aller se coucher ; il avait beau dormir dix heures par nuit, il se levait avec difficulté tous les matins.

Délie prépara du cacao pour ses deux enfants et Alex emmena sa tasse dans sa chambre pour qu'elle refroidît pendant qu'il se déshabillerait. Délie et Meg restèrent seules dans un silence pesant.

Elle désirait faire un geste vers sa fille, lui manifester sa tendresse, en caressant ses cheveux par exemple, mais elle redoutait de voir Meg s'écarter instinctivement de sa main. Meg termina bruyamment son cacao, puis reposa sa tasse. Délie rassembla son courage et dit posément : « M. Raeburn ne reviendra pas ici. Il part pour Milang dans un ou deux jours. »

Meg fixait la table d'un air gêné. « Je suppose qu'il va te manquer », se contenta-t-elle de répondre.

Délie se demanda si elle avait bien entendu, mais Meg continua : « Es-tu très amoureuse de lui ? Bien sûr, il a l'air tellement romantique, mais il est vieux. Et tu es encore jolie. »

Trop ébahie pour rassembler ses idées, Délie se sentit simplement choquée par le jugement de Meg ; elle ne pouvait accepter le fait qu'elle-même ou Alister fussent vieux.

« Je... je n'en suis pas sûre, bafouilla-t-elle. Il est très impulsif et... et très attaché à moi. Il aimerait m'épouser si c'était possible. Je ne sais pas ce qui m'a prise aujourd'hui, mais je suis seule depuis si longtemps, et puis ton père...

— Je sais; il n'est plus l'homme que tu as connu autrefois. Mais je me souviens bien de lui avant sa maladie, tellement gai, jovial, solide; j'essayais toujours de monter le long de sa jambe, il riait puis me posait sur ses épaules. Maintenant, on dirait qu'il se désintéresse de nous.

— Je ne crois pas que ce soit le cas; c'est pourquoi je dois retourner sur le bateau dès qu'Alex aura obtenu son certificat d'études. De toute façon, nous passerons les vacances de Noël avec lui.

— Tu penses qu'il va t'écrire? Raeburn, je veux dire.

— Oh! Je pense bien! Nous nous écrivons depuis un certain temps déjà.

— C'est terrible de vivre loin de la personne qu'on aime.»

Délie lança un regard aigu à sa fille. «Tu lis trop de livres romantiques, ma chérie. A ton âge, tu ne peux pas comprendre ces choses-là.

— Je comprends plus de choses que tu ne le crois, mère, rétorqua doucement Meg en ramassant ses livres de classe. Bonsoir, ma chère maman. Tâche de dormir.» Avant de franchir la porte, elle déposa un baiser sur les cheveux de Délie.

«Eh bien!» Délie s'assit à la table, l'esprit en déroute. Aussitôt, elle se leva, se dirigea vers l'étagère et se servit un cognac. «Qui aurait imaginé pareille réaction?» Elle était toujours à mille lieues de comprendre sa fille.

Dans la première lettre qu'il lui envoya, Alister lui apprit que Dorothy Barrett, arrivée en Australie, habitait maintenant Milang. Jamie l'avait immédiatement adoptée; mais il ne pouvait encore rien dire pour Jessamine, qui considérait comme une rivale potentielle toute nouvelle femme séjournant dans la maison.

«Miss Barrett meurt d'envie de vous revoir, écrivait-il. Elle correspond tout à fait au portrait que vous m'avez fait d'elle; c'est une femme merveilleuse, pleine de bon sens et de calme, extraordinairement ouverte, exactement ce dont Jamie a besoin.

«J'ai pu lui donner des nouvelles récentes de vous et de Meg, et elle compte vous écrire très bientôt. Elle a hâte de connaître votre fille. J'imagine qu'elle espère vous retrouver à travers Meg, telle qu'elle vous a connue — je l'ai pourtant avertie que Meg ne vous ressemblait pas — sinon par les yeux.

«Serait-il envisageable, avant votre retour sur le bateau que vous veniez passer quelques jours ici ? Le lac plairait beaucoup à Meg, et nous pourrions vous loger toutes les deux, ainsi qu'Alex, le cas échéant.

«Cela vous reposerait et vous changerait de votre vie présente, Miss Barrett serait ravie, et je n'ai pas besoin de vous dire combien je serais heureux de vous avoir de nouveau sous mon toit. Vous seriez magnifiquement chaperonnée, avec votre ancienne gouvernante, mes deux tantes, Cecily, les enfants et les deux domestiques : la maison sera pleine de femmes.

«Songez-y, ma chérie, et j'espère que vous accepterez. Vous pouvez voyager par voie de terre à partir d'Adélaïde, ou en train jusqu'à Meningie, puis en vapeur à aubes, le *Jupiter*, jusqu'à Milang. La traversée du lac vous plaira peut-être davantage comme passagère que comme capitaine.»

Délie réfléchit longuement à cette proposition ; plus elle y pensait, plus elle était tentée. Elle savait qu'il n'était pas sage de trop fréquenter Alister dans l'intimité de son foyer, mais elle ne croyait pas qu'ils pussent jamais être seuls en tête-à-tête.

Alors qu'elle hésitait encore, elle reçut une lettre de Miss Barrett, qui lui disait son plaisir de retrouver l'Australie et évoquait si affectueusement de vieux souvenirs communs que Délie eut envie de la revoir. Elle fut ravie des jugements que Miss Barrett portait sur Alister, car ils confirmaient son point de vue. «Un homme d'une authentique douceur et d'une très grande sensibilité, alliées à un esprit cultivé. Nous veillons tard le soir pour discuter de l'état du monde ; nous parlons parfois de vous. Il admire énormément votre peinture, mais considère que jusqu'ici vous n'avez pas tiré parti de vos talents ; votre mariage le rend furieux, ainsi que ce qu'il appelle "tous ces enfants" ! Je lui rétorque qu'une existence bien remplie n'a jamais nui à un artiste. Votre épanouissement personnel se reflète certainement dans vos toiles.

« J'espère tellement que vous viendrez nous rendre visite à Milang ! Sinon, nous devons absolument nous retrouver à Adélaïde dès que possible : après tout, vous n'habitez qu'à cent vingt milles de la cité, et moi à cinquante. Et je désire voir vos peintures. Je crois que mon existence est justifiée dans la mesure où j'ai modestement contribué à épanouir vos talents artistiques naissants. »

Délie examina l'écriture régulière et appliquée, puis essaya d'imaginer Miss Barrett aujourd'hui, à soixante ans ; avait-elle les cheveux blancs ?

Elle ne pouvait bouleverser l'année scolaire de ses enfants et elle devait retrouver Brenton et les garçons sur le bateau à Noël. Mais en janvier, elle pourrait partir avec Meg ; en fait, le bateau serait même un peu surpeuplé quand ils seraient tous à bord.

Brenton ne fit pas la moindre objection. Sa reprise en main du vapeur l'absorbait tant qu'il parut à peine remarquer leur présence. Quand Délie essaya de lui parler de la maison de Renmark, du jardin, de la barque, de ses cours de peinture, il la laissa discourir sans lui répondre ni lui poser la moindre question.

Ils échangeaient un dialogue de sourds ; dès qu'elle se taisait, il retournait invariablement à ses problèmes personnels, disant par exemple : « Je me demande combien de temps cette crue va durer. J'aimerais bien refaire un aller-retour jusqu'à la Rufus avant que le fleuve ne baisse. Ce sont les eaux de fonte des neiges qui coulent maintenant, et après ça, le niveau va dégringoler.

— Ça ne te ferait rien si je restais avec Meg au bord du lac jusqu'à la fin des vacances ?

— Pour l'instant, nous mettons cent livres de côté par semaine. Ça ne durera pas, il faut en profiter... le plus longtemps possible.

— Nous prendrons donc le train demain à Morgan. »

94

Ses mains étaient telles que dans le souvenir de Délie : les ongles en amande, vernis de rose, les doigts musclés et souples, les poignets solides. Seule la peau était ridée, d'une blancheur qui contrastait avec les veines bleues et les taches de son.

Miss Barrett — elle se rappelait parfaitement le jour où elle lui avait dit au revoir à la gare, leurs derniers mots, son costume sévère en tartan, ses cheveux châtain clair dont les boucles gracieuses tombaient sur sa nuque. Elle avait aimé Miss Barrett, avec peut-être davantage de pureté et d'innocence que quiconque, mais maintenant elle ne sentait presque plus rien. Une vague de nostalgie tout au plus.

Elle saisit la main solide, embrassa la joue flétrie, regarda les yeux gris pailletés d'or, reconnut la bouche ferme et les narines palpitantes ; mais sous les lèvres la peau était flasque, et les cheveux jadis brillants étaient devenus gris souris et ternes.

Son regard allait de Miss Barrett à Meg, Meg dans le plein épanouissement de la jeunesse, avec son teint frais et ses cheveux noirs luisants ; alors elle sentit son esprit se révolter. Elle songea à l'enfant de quinze ans qu'elle-même avait été, jolie, stupide, ignorante, nerveuse, vivant dans un monde irréel, imaginaire. Non, elle ne voulait pas retourner en arrière.

Et si Adam avait vécu — Adam dont la mort précoce l'avait bouleversée —, que serait-il devenu ? Un journaliste imbibé de whisky, calvitie naissante et yeux bouffis par l'alcool, regrettant perpétuellement le chef-d'œuvre qu'il n'aurait pas écrit ? Ou bien un esthète grassouillet débordant d'autosatisfaction ? Quels ravages le temps aurait-il fait subir à Adam, hormis la destruction de sa jeunesse et de sa beauté ? Aussi longtemps qu'il demeurait dans la mémoire de Délie, Adam triomphait du temps.

« Et voici Meg ! » Dorothy Barrett saisit la main de la jeune fille, et la tint tendrement en la regardant dans les yeux. « J'ai toujours cru que ta mère avait les plus beaux yeux que j'aie jamais vus ; je constate que les tiens sont presque aussi jolis. »

Meg était si habituée à entendre les gens s'extasier sur la

beauté passée de sa mère, et si convaincue de sa propre bana-
lité, qu'elle jugea la comparaison flatteuse et sourit.

«Quant à vous, Délie, ajouta Miss Barrett, je vous aurais
reconnue n'importe où. L'expression de votre visage n'a pas
beaucoup changé, même si je constate que vous avez vieilli et
que la vie vous a marquée. Vous n'avez pas beaucoup grossi.
Je craignais toujours qu'une bourrasque un peu forte ne
l'emporte, confia-t-elle à Meg.

— "Vous êtes si éthérée, Miss Gordon", cita Délie. Vous
souvenez-vous du jeune pasteur? Je me demande ce qu'il est
devenu.

— Il est probablement président de l'Assemblée paroissiale.

— Ah! Dire que j'aurais pu devenir Mme Polson!

— Vraiment, maman?» Meg était enchantée. Elle imaginait mal la vie de sa mère avant sa propre naissance.

Délie regarda Miss Barrett avec curiosité. «Vous ne vous
êtes jamais mariée? Vous avez certainement eu des dizaines de
propositions.

— Oh, n'exagérons rien! Pas des dizaines!» Elle sembla
flattée.

«Adam et moi étions tous les deux amoureux de vous.

— Oui, je sais. Tout cela me paraît si loin!

— Bien avant la guerre.

— *Au siècle dernier!*

— Seigneur, vous êtes donc si vieille, s'écria naïvement
Meg.

— Je vous envie vos voyages autour du monde, dit Délie.
J'ai beaucoup voyagé sans vraiment aller nulle part; en fait,
j'ai l'impression d'être presque toujours restée au même
endroit. Pourtant, l'Australie est riche en contrastes. Un jour,
j'ai entendu un passager du *Marion* déclarer: "Quand on a vu
un eucalyptus, on les a tous vus." Manifestement, il n'en avait
jamais regardé un seul.

— C'est tellement merveilleux d'être de retour au pays.
Tout cet espace quand je regarde le lac par les fenêtres du
dernier étage; parfois j'aperçois les dunes de sable de
Coorong! On devine tout ce qui se trouve au-delà, la plage de
quatre-vingt-dix milles, déserte et vierge comme aux premiers
temps du monde, et puis l'océan Austral, les étendues déser-

tiques de l'Antarctique, Scott et ses compagnons gelés dans la barrière de glace, et puis le Pôle.

— Oui ; j'avais la même impression sur la Darling, quand je regardais vers l'ouest. Je sentais le vide du désert de Simpson, les dunes de sable, les plaines arides, les lacs salés et les malheureux voyageurs cheminant sur la piste de Birdsville. Et pas simplement parce que je savais que tout cela existait ; je crois qu'un étranger sentirait la même chose. Il paraît que les voyageurs qui traversent le Sahara ont cette impression. »

Au dîner, Délie observa Miss Barrett et Miss Raeburn. Miss Raeburn était légèrement plus âgée, mais les deux femmes avaient une égale fermeté de caractère. Leur rencontre allait certainement provoquer des étincelles.

Pourtant elles semblaient en excellents termes. Miss Alicia et Miss Janet Raeburn étaient passionnément attachées à la « Métropole » où elles s'étaient rendues voici bien longtemps. Miss Barrett, qui avait récemment séjourné à Londres, et qui connaissait Edimbourg ainsi que les dernières nouvelles concernant la famille royale, fut pour elles une information précieuse.

« La bruyè-ère, s'écria Miss Janet d'une voix perçante. La merveilleuse couleur de la bruyè-ère sur les collines. Ici, il n'y a rien de comparable.

— Et les fleurs sauvages ? protesta Délie. J'ai vu les plaines de l'ouest pourpre et bleu à perte de vue ; impossible d'apercevoir la terre sous le tapis des fleurs.

— Vous voulez parler de ces terribles mauvaises herbes ? Elles envahissent les collines autour d'Adélaïde, mais rien ne saurait ressembler à la bruyère, rien.

— Et ces étés si doux, soupira Miss Alicia. S'il n'y avait pas le vent du lac, je crois que je ne pourrais plus supporter un autre été en Australie. Ah, le mois de juin en Angleterre...

— Il est tombé des cordes pendant tout l'été dernier. C'est entre autres cela qui m'a décidée à rentrer chez moi, dit Miss Barrett de sa voix profonde teintée d'humour.

— Chez vous ? » Miss Raeburn semblait ne pas comprendre. « Ah, vous voulez dire en, euh, en Australie.

— Oui, bien sûr. L'Australie est ma patrie, je suis née ici.

— Nous aussi, mais la métropole sera toujours notre patrie, n'est-ce pas Janet ?

— Toujours, Alicia », acquiesça Janet en essuyant nerveusement ses lèvres avec son mouchoir bordé de dentelle.

Alister, que ses livres avaient retenu à l'étage inférieur, arriva en retard et s'assit entre Meg et Miss Barrett. Délie observa Meg anxieusement, mais ne remarqua aucune hostilité sur le visage de sa fille ; au contraire, elle semblait apprécier la compagnie d'Alister, tandis qu'entre lui et Miss Barrett s'était développée une amitié chaleureuse, nullement entravée par la différence des sexes. Miss Barrett, avec sa voix profonde et ses grosses chaussures lacées, sa chemise ornée d'une cravate en soie, était devenue plus masculine au fil des ans, et n'y avait-il pas quelque chose de féminin — mais non d'efféminé — chez Alister, avec ses mains soigneusement manucurées, son élégance et son goût pour les somptueuses robes de chambre en soie ?

« Je constate que vous n'êtes nullement déçue par la fille de Délie, dit-il en prenant un gâteau et regardant alternativement Miss Barrett et Meg. Je vous avais prévenue qu'elles ne se ressemblent pas complètement. » Quand Miss Raeburn entendit le diminutif Délie dans la bouche de son neveu, ses sourcils se haussèrent d'étonnement.

« Déçue ? Mais je suis ravie, dit Miss Barrett en adressant un regard chaleureux à Meg. C'est merveilleux de faire sa connaissance à l'âge qu'avait Délie quand je suis partie ; chaque fois que je regarde ses yeux, il me semble que le temps s'est arrêté et que je n'ai pas vieilli. »

Meg ne s'écria pas, comme Délie autrefois et en d'autres circonstances : « Mais vous n'êtes pas vieille ! » Pour elle, Miss Barrett appartenait à une époque surannée ; pourtant, dans la salle de classe, Jamie et Jessamine avaient découvert qu'elle semblait plus jeune que leur propre mère. Une existence consacrée aux jeunes gens lui avait permis de conserver sa jeunesse d'esprit et toute sa vitalité.

Elle pratiquait toujours la natation ; au cours des semaines suivantes, ils descendirent tous à la plage pour se baigner dans l'eau tiède et un peu trouble du lac — Miss Barrett et Délie, qui n'avait pas nagé depuis des années, Meg, Jamie et Jessamine, qui apprenait à nager, poussait des cris de paon et éclaboussait les autres.

Le soir, Alister les invitait dans son observatoire, ou bien ils s'asseyaient autour de la table en bois de rose du salon pour jouer aux cartes avec les enfants avant qu'ils n'aillent se coucher.

Miss Raeburn avait immédiatement deviné qu'il ne s'agissait pas d'une autre Miss Mellership, qu'on maintenait poliment mais fermement à sa place. Son intelligence aiguë appréciait la culture et l'esprit chez autrui ; jusqu'ici Miss Barrett et elle ne s'étaient jamais affrontées ouvertement. L'harmonie régnait donc, du moins en apparence.

Miss Barrett s'intéressait aux aborigènes qu'on voyait parfois en ville ; elle se souvenait alors des canoës d'écorce qui sillonnaient le fleuve au-dessus d'Echuca, des indigènes du camp qui venaient travailler à la ferme des Jamieson. Elle s'informa sur la mission du Cap McLeay et apprit que quatre cents aborigènes y vivaient, dont seulement une quarantaine n'étaient pas de sang mêlé.

Le trois-mâts *Ada et Clara* assurait une liaison régulière avec l'autre rive du lac. Miss Barrett et Délie décidèrent d'y aller, laissant à Meg la responsabilité des deux jeunes Raeburn.

Le voilier leva l'ancre par une matinée limpide, utilisant le moteur auxiliaire car le schooner naviguait contre un vent de sud-est que les pêcheurs locaux qualifiaient de « déplumé », car il n'apportait jamais ni nuage ni pluie.

Après une traversée de dix milles, ils accostèrent au Cap, et Délie emboîta le pas de Miss Barrett — dont la démarche était aussi alerte et rapide qu'autrefois — pour arpenter les rues de la Mission.

Debout sur le seuil de leurs huttes, les filles tenaient leur petit frère ou leur petite sœur sur leur hanche et laissaient les mouches s'agglutiner autour de leurs yeux noirs. Presque toutes portaient des robes de coton chatoyantes et multicolores — rouge, magenta, jaune, orange — si bien que Délie se rappela les indigènes Minna et Bella et les robes qu'elles avaient reçues à Noël, voici tant d'années.

Une école accueillait les plus jeunes, mais les filles trop âgées pour la fréquenter n'avaient apparemment d'autre occupation que de traîner au soleil. Il n'y avait pas de travail pour elles, et peu de ménage à faire dans les minuscules cases qu'elles occupaient avec leur famille. Elles attendaient un mariage, ou un bébé hors mariage, acceptant d'avance leur destinée; leurs yeux exprimaient un sombre désespoir, la conviction d'être nées dans un monde où il n'y avait pas de place pour elles.

Elles allaient parfois ramer ou pêcher sur le lac, mais passaient le plus clair de leur temps accroupies devant leurs cases, dessinant oisivement dans la poussière, jouant aux osselets ou s'occupant des bébés à la place de leurs mères placides et indolentes.

«Comment t'appelles-tu?» demanda aimablement Miss Barrett à une jeune fille assez belle qui s'était manifestement donné la peine de coiffer ses cheveux bruns légèrement frisés. Délie taquina le petit frère que la fille tenait sur sa hanche, un enfant aux grands yeux marron.

La fille baissa la tête.

«Elaine.» Sa voix était douce et méfiante.

«Elaine comment? Comment s'appelle ton père?

— Elaine Paroutja.»

Son nom était le symbole de son sang mêlé, du no man's land qu'elle occupait: le prénom anglais, avec ses connotations de légende arthurienne; le nom de famille aborigène, issu du peuple originel et dépossédé, un nom tribal désormais privé de signification.

«Dis-moi, Elaine, tu ne préférerais pas travailler au lieu de t'occuper de tes frères et sœurs toute la journée?

— Travailler?» Elle semblait perplexe. «Y a pas d'travail.» Puis, avec davantage d'entrain: «Je regrette d'avoir quitté l'école. J'étais bien là-bas. École chouette.

— École chouette», répétait Miss Barrett d'une voix outrée tandis qu'elle et Délie s'éloignaient. «Cela en dit long sur l'éducation qu'elle a reçue, la pauvreté de son vocabulaire. Pourtant, l'école était tout pour elle, tout ce qui manque à son foyer, l'occasion de changer de vie, de quitter toute cette poussière. Oh, quelle honte! Moi qui reviens en Australie, pleine d'amour pour tout ce qui touche à ma patrie, je tombe sur ce... sur cette misère !

— Vous remarquerez que ce camp a été construit dans une région isolée, dit Délie. Sur l'autre rive du lac et à soixante milles de la cité où vivent une majorité de Blancs, dont plusieurs membres du Parlement. Ces gens ne sont que des chiffres dans les statistiques annuelles déposées au Parlement : tant d'indigènes de race pure, tant de sang-mêlé, tant de naissances et de décès. Et les politiciens constatent avec soulagement que le taux de natalité est inférieur au taux de mortalité ; ils se félicitent alors de ce que le problème se résoudra de lui-même avec le temps.

— Quelle solution ! L'extinction d'une race, exactement comme ce qui s'est passé en Tasmanie. Il faut faire quelque chose. »

Pour le voyage de retour sur le lac, les marins hissèrent les voiles, et le schooner dansa sur les vagues comme une ballerine emportée par le vent du sud-est. Assise à l'avant du voilier, Délie s'abandonna à la griserie du mouvement, à cet état second où elle croyait se déplacer en harmonie avec le flux du temps. Ce fut avec un pincement de cœur qu'elle vit monter vers elle le rivage bas, la haute cheminée de la timonerie et les bâtiments construits en bordure du lac.

Miss Barrett était encore déprimée par le spectacle qu'elle avait découvert à la mission. Remarquant que le matelot de pont était aborigène, elle réfléchit que beaucoup devaient gagner leur vie ainsi, ou en pêchant. En tout cas, les jeunes filles étaient certainement davantage à plaindre.

Quand la domestique eut desservi la table du salon ce soir-là, quand toute la famille mangea le fromage et les fruits sous les lampes à pétrole du plafond, elle demanda à Miss Raeburn : « Avez-vous jamais songé à employer une aborigène de la mission dans votre maison ? Simplement pour aider le chef cuisinier à ses fourneaux ? J'ai rencontré aujourd'hui une jeune fille qui m'a paru intelligente et tout à fait capable.

— Certainement pas ! » Les sourcils de Miss Alicia se haussèrent au point de disparaître sous les boucles de ses cheveux. « Ces filles sont sales et très probablement malades. En aucun cas je n'accepterais que l'une d'elles touche à la nourriture.

— En aucun cas », répéta Miss Janet, en tamponnant légèrement ses lèvres avec sa serviette.

Miss Barrett adressa à Délie un regard outré, puis ajouta : « Mme Edwards peut témoigner que sa tante — maîtresse de maison on ne peut plus exigeante — a employé pendant des années des aborigènes tout droit sorties de leur campement. N'est-ce pas, Délie ?

— Oui, je ne sais pas comment tante Hester aurait pu se passer d'elles. Bien sûr, elles abattaient à trois le travail qu'une vigoureuse fille blanche aurait exécuté dans le même temps ; mais tout simplement parce qu'elles considéraient le travail comme un jeu. Elles n'étaient peut-être pas très efficaces, mais en tout cas elles étaient propres. Elles passaient la moitié de leur temps à se baigner dans le fleuve.

— Et ce n'étaient pas des filles formées à la mission, elles n'avaient jamais reçu la moindre éducation, poursuivit Miss Barrett. Pour ce qui est de leur santé, vous pourriez leur faire passer une visite médicale. J'ajouterais qu'elles se lavent beaucoup plus fréquemment que les bonnes de Londres. Leur malheur est d'avoir la peau marron alors que la nôtre est rose. Maintes paysannes espagnoles ou irlandaises ont la peau aussi foncée.

— Humf ! » La colère fit frissonner tout le corps de Miss Raeburn : on l'avait contredite sur un de ses préjugés fondamentaux. Les rides profondes qui reliaient ses narines à la commissure de ses lèvres se creusèrent encore.

« Alister, je vous prie d'expliquer à Miss Barrett que, voici des années, vous m'avez suggéré la même chose, que nous en avons débattu pour aboutir tous deux à cette conclusion que cela était hors de question. »

Alister se servit un peu de vin avant de répondre. Pesant ses mots, il dit : « Il me semble en effet qu'abriter sous notre toit une jeune fille de la mission représente une lourde responsabilité. Elle aura très probablement des ennuis avec un homme blanc manquant de scrupules ; ainsi, en essayant de combattre un mal, on risque d'en développer un autre. »

Délie repensa à Minna, et se demanda si Alister avait raison. Son oncle avait été de ces « hommes peu scrupuleux » qui avaient contribué à la déchéance de la jeune aborigène.

Pourtant, quel enfer terrestre était pire que l'ennui et le désespoir qu'elle avait lus sur le visage de ces filles? En ce bas
monde, une seule distraction était permise et gratuite pour tous
et pour toutes; tôt ou tard, elles y goûteraient, avec ou sans
alliance. Ainsi la nature, indifférente au bonheur individuel,
veillait-elle à la perpétuation de l'espèce.

«Je ne vois pas en quoi un enfant illégitime par-ci par-là
importe vraiment», s'obstina Miss Barrett.

Miss Janet émit un hoquet de stupéfaction tandis que le dos
de Miss Raeburn se raidissait. Mme Henry, qui s'était tenue à
l'écart de la conversation pour découper soigneusement son
orange, leva alors les yeux avec une innocence feinte:
«Vraiment, Miss Barrett? Vous parlez en connaissance de
cause?»

Les narines de Miss Barrett frémirent. Elle foudroya du
regard Mme Henry Raeburn. «Je parle ainsi par comparaison,
par simple devoir humanitaire. Avez-vous jamais traversé le
lac jusqu'à la mission? Leur avez-vous seulement consacré
une pensée, alors qu'elles ne vivent qu'à une dizaine de milles
de votre maison? Vous êtes responsables de leur sort; tous les
Australiens blancs qui ont usurpé leurs terres en sont responsables. Souvenez-vous de cela, la prochaine fois que vous en
verrez un à Milang dans la rue: sans travail, exclu de la
société, désespéré.

— La mission est là pour s'occuper d'eux. Ils sont sous la
responsabilité du gouvernement.» Mme Henry paraissait pétu-
lante, elle ressemblait étonnamment à sa fille Jessamine quand
elle était de mauvaise humeur.

«Tout le monde est responsable d'eux, c'est-à-dire personne.
La mission veille à ce qu'ils ne meurent pas de faim, un point
c'est tout.»

Miss Raeburn se racla bruyamment la gorge, puis adressa
un regard lourd de sens aux convives. «Je crois que nous avons
tous terminé», annonça-t-elle avant de se lever et d'entraîner
les autres au salon.

95

Autour de la ville, en bordure des routes poussiéreuses qui s'éloignaient du lac, se dressaient de hauts murs de figuiers de Barbarie : une espèce de cactus importée sur cette terre et plantée en guise de clôture bon marché, mais qui avait proliféré hors de tout contrôle. Rien ne la mangeait, les branches qui en tombaient s'enracinaient d'elles-mêmes pour donner naissance à un autre cactus.

Les lapins avaient trouvé là un refuge idéal. Nés et grandis au cœur d'une forêt de figuiers de Barbarie, ils n'en sortaient que la nuit. En été, au crépuscule, on les voyait bondir par centaines sur les routes et dans les champs. Leur seul ennemi, en dehors du fusil des hommes, était le serpent noir qui infestait les marécages de passe-pierre ; d'innombrables reptiles mouraient sous les roues des voitures.

Meg aimait regarder les lapins gambader avant la tombée de la nuit. Ils lui rappelaient Garry ; à mesure que le temps les séparait davantage, les souvenirs s'estompaient et devenaient aussi doux que douloureux. Mais parfois, quand par une calme soirée une chanson sentimentale sortait d'une fenêtre éclairée, le lac lui rappelait le fleuve coulant entre les berges de Waikerie, et une souffrance aiguë lui serrait la gorge.

Meg pleurait rarement ; d'ailleurs, elle s'en voulait de toutes les larmes qu'elle avait versées lors de ses dernières rencontres avec Garry. Maintenant, elle ne pleurait plus, mais son visage était parfois d'une pâleur et d'une tristesse qui inquiétaient Délie.

Meg ne désirait nullement se confier à sa mère. Elle passait le plus clair de son temps à penser à Garry et à réfléchir aux relations de sa mère avec M. Raeburn. Elle ne voyait pas comment ils pourraient jamais être heureux ensemble.

Les héroïnes des livres qu'elle lisait n'étaient jamais mariées, du moins jamais avant la dernière page ou le dernier chapitre. Si, cas exceptionnel, elles étaient mariées au début du livre, à des hommes évidemment insipides, la mort se chargeait d'éliminer rapidement cet obstacle à la romance. Parfois le héros était marié, et c'était sa femme qui mourait, mais Meg ne doutait jamais de l'issue heureuse de leurs aventures.

L'épouse de M. Raeburn était partie à l'étranger, mais elle n'était pas morte ; et il allait de soi qu'elle-même ne pouvait souhaiter la disparition de son propre père. Tout cela était très compliqué. Sa propre expérience malheureuse lui faisait souhaiter le bonheur de sa mère.

Elles séjournaient dans une maisonnée mal assortie, et elles ajoutèrent à son déséquilibre ; avec trois vieilles filles, une veuve, et Jamie comme seul allié masculin, Raeburn évoluait dans une atmosphère beaucoup trop féminine. Il y avait aussi Jessamine — jalouse et capricieuse — ainsi que les deux servantes, Flo et Ethel (sans oublier leurs « admirateurs » qui venaient les rejoindre aux cuisines le vendredi soir).

Depuis son arrivée, Délie n'avait jamais été seule avec Alister, et c'était en un sens un soulagement. Elle passait beaucoup de temps avec Miss Barrett, admirait cette maison où tout était en ordre, où l'on servait les repas à heure fixe et en grande pompe, elle était ravie d'être à mille lieues d'un cuisinier morose ou d'un équipage susceptible qui se plaignait de la nourriture.

Elle s'émerveillait parfois de la nouveauté de son existence présente : la nappe en dentelle, l'argenterie rutilante, les verres en cristal ; elle songeait alors aux repas pris sous l'auvent du pont, aux sandwiches mangés debout dans la timonerie tandis que le vapeur naviguait sur un fleuve en décrue.

« Je me souviens d'un voyage, racontait-elle au petit déjeuner, alors qu'elle fendait la coquille blanche d'un œuf dans son coquetier d'argent, où nous avions un maître de barge végétarien qui ne mangeait que des œufs. Quand nous naviguions longtemps sans rencontrer âme qui vive, je débarquais Gordon pour qu'il trouve une ferme, puis je le reprenais à un ou deux milles en aval, de l'autre côté du méandre — le fleuve revenait sans arrêt sur lui-même et Gordon n'avait pas beaucoup de chemin à faire. Un jour, il trouva des œufs, mais en sortant de la ferme il s'engagea dans le pâturage du taureau. L'animal furieux le poursuivit jusqu'à la clôture, Gordon dut sauter de l'autre côté, et il atterrit sur les œufs. Il me jura que pour rien au monde il ne serait retourné en chercher. Il monta à bord avec seulement deux œufs intacts, le visage et les cheveux couverts de jaunes et de blancs. Heureusement, le maître de barge trouva l'aventure si cocasse qu'il se contenta des deux œufs jusqu'à Renmark. Aujourd'hui, Gordon hésite à s'approcher d'une ferme.

— Harrietta a pondu mon œuf, dit Jamie. Hier, je l'ai pris sous ses plumes juste après qu'elle l'a pondu.

— D'où sortent les œufs ? demanda Jessamine d'un air intéressé.

— Ils... » Jamie s'interrompit et lança un regard interrogateur à Miss Barrett, qui déclara d'une voix ferme : « Ils sortent de l'oviducte, un organe de reproduction spécial aux poules. La prochaine fois que Flo en nettoiera une, elle te montrera comment ils se forment — ils sont d'abord mous, puis ils durcissent de plus en plus à mesure qu'ils approchent de l'ouverture située juste sous la queue de la poule.

— De la biologie au petit déjeuner ! murmura avec dégoût Miss Alicia Raeburn. Je vous prie de nous épargner les détails.

— Je trouve toujours préférable de répondre aux questions des enfants, rétorqua Miss Barrett qui découpait le sommet de son œuf coque avec des gestes secs et précis.

— Vraiment, je ne pense pas... » dit vaguement Mme Henry.

Délie fut tentée d'ajouter : « Alors vous devriez vous taire », comme le grossier personnage d'*Alice au pays des merveilles*, mais elle resta silencieuse.

Quand le temps le permettait, Alister emmenait Délie et Meg canoter sur le lac pour leur montrer les nids de cygnes dans les roseaux près du rivage. Des centaines de cygnes noirs nageaient sur le lac ; Délie trouva qu'ils ressemblaient à des gondoles.

« En effet, dit-il. Car les gondoles sont noires, avec une haute proue incurvée comme un cou d'oiseau, bien que moins gracieuse que le cou des cygnes, et une sorte de bec carré. Shelley les comparait à des lucioles.

— Parlez-moi de Venise, des tableaux de l'Académie, de Florence, des toiles de Raphaël, du palais Pitti... »

Il lui raconta donc ses voyages, parlant tranquillement en ramant, et Délie buvait comme un nectar tout ce qui se rapportait à l'Italie, pendant que Meg, le regard dans le vague, pensait à Garry à bord d'un navire qui faisait peut-être escale dans quelque port exotique de la Méditerranée où des femmes ravissantes accueillaient les marins.

«Mon Botticelli préféré n'est pas aux Offices, il n'est même pas à Florence, mais dans le petit musée de Piacenza. Et le *Museo nazionale* de Naples abrite un Raphaël qui m'importe davantage que tous les autres réunis, car c'est le premier que j'aie jamais vu — aussi calme, exquis et — et *inévitable* qu'une fleur fraîchement éclose.

— J'aimerais tant visiter l'Italie.

— Je...» Il regarda Meg, qui semblait perdue dans un rêve, puis Délie. «J'aimerais tant vous y emmener», murmura-t-il d'une voix vibrante et passionnée. Puis, à haute voix: «Vous seriez un excellent guide!

— Je sais que tout me plairait.

— Et les Italiens vous aimeraient, parce que vous êtes belle et que vous êtes une artiste. Quand je leur ai dit que j'étudiais l'art, ils m'ont laissé visiter leurs musées gratuitement et ils débordaient d'amabilité.

— Oui, je crois que j'aimerais les Italiens.

— Ils absorbent l'art et la musique avec le lait de leur mère. Le moindre employé de banque connaît et aime les monuments et les sculptures de sa ville, alors qu'ici tout le monde pratique le culte du mérinos à cause de sa laine.

— Ah, ne méprisez donc pas ces malheureux moutons. La laine continue de faire la prospérité du pays, c'est grâce à elle que vous pouvez acheter de beaux objets d'art. Si un jour on découvre un substitut moins cher que la laine, la position de l'Australie dans le monde s'en trouvera compromise.

— Rien ne remplacera jamais la laine.

— Pourtant, on a déjà inventé la soie artificielle.

— On ne trouvera jamais l'équivalent du brocart chinois. Aimeriez-vous porter de nouveau la robe de chambre turquoise? Elle vous attend depuis votre maladie.

— Non merci, répondit vivement Délie. Je me suis acheté une robe de chambre en velours.

— Elle est noire! dit Meg. Pourquoi n'as-tu pas choisi une couleur plus gaie?

— J'aime le velours noir.

— C'est sans doute une couleur qui convient bien au monde où nous vivons, dit Alister. Comme dit Anatole France : "Le monde est une tragédie, écrite par un excellent poète."

— Je ne suis pas d'accord, car le monde est trop chaotique. Un poète aurait ordonné tout cela avec moins d'arbitraire. Voilà ce qui nous séduit dans les tragédies de Shakespeare : la perversité et la cruauté de la vie, anoblies et organisées par une profonde intelligence.

— Vous avez raison, comme toujours. »

D'un bout à l'autre de la barque, ils échangèrent un sourire, et Délie se sentit plus proche de lui que jamais. La présence de Meg lui permettait d'être moins sur ses gardes, de se détendre pour jouir du spectacle, jouir de ses discussions avec Alister, de ses yeux posés sur elle.

Pourquoi cela ne pouvait-il durer toujours ? demandait-elle le même soir à son reflet, tandis qu'elle brossait ses longs cheveux devant son miroir. Elle se sentait si heureuse qu'elle prit tout son temps pour se déshabiller ; elle se souriait dans la glace, souriait même de la large mèche grise qui barrait ses cheveux. Elle venait d'enfiler sa chemise de nuit quand elle entendit des pas dans le couloir, puis des coups doucement frappés à sa porte.

Elle mit rapidement sa robe de chambre en velours — sa seule fantaisie, car Alister lui avait donné le goût des robes d'intérieur luxueuses ; les manches évasées et les longs pans du vêtement lui donnaient un air médiéval. Elle se demanda si c'était Miss Barrett qui venait bavarder avant d'aller se coucher.

Mais c'était Alister dans son brocart écarlate, ses cheveux et sa barbe en désordre comme s'il sortait du lit.

« Alister ! Que...

— Chut, ma chérie, chut. Vous vouliez que je vienne, n'est-ce pas ? Je ne pouvais pas dormir, je ne peux supporter cela plus longtemps, vous savoir sous mon toit, alors que je vous désire tant, que je vous aime tellement. Allons-nous gâcher ces heures précieuses en faisant chambre à part ? Y tenez-vous vraiment ? Vous êtes déjà mienne en tout, sauf ceci. »

Et son dur corps viril se pressa contre le sien, jusqu'à ce

qu'elle gémisse du même désir. Elle se trouva si faible qu'elle
dut jeter ses bras autour du cou d'Alister pour ne pas tomber,
mais quand sa tête se renversa, elle aperçut par la fente de ses
yeux mi-clos leurs deux corps reflétés dans le miroir en pied,
écarlate et noir, ses manches de velours étreignant Alister
comme deux grandes ailes : Méphistophélès et un succube noir,
noir comme la nuit.

Elle faillit pousser un cri de stupéfaction, mais il pressa sa
bouche contre la sienne en prononçant des mots incohérents.
Un puissant courant l'envahit, la souleva, l'entraîna au loin
jusqu'à ce qu'elle perde tout espoir de regagner le rivage. Poussant un profond soupir, elle s'abandonna à cette marée
tumultueuse.

96

« Personne n'a vu Jessamine ? »

Mme Henry entra dans la salle à manger, ses sourcils dessinant un accent circonflexe plus prononcé que jamais. Elle
portait une de ses robes pâles et informes aux pans bordés de
dentelle.

Délie, en jupe courte rayée et corsage sans manches, se
sentait jeune et libre à côté d'elle. Ce matin, sa conscience
restait plongée dans des limbes bienheureux ; elle était gaie,
reposée et sereine.

« Elle n'est pas venue me voir pour que je boutonne ses
chaussures, dit Miss Barrett. Délie, vous ne l'auriez pas vue,
par hasard ? Pourquoi souriez-vous ?

— Moi ? » Délie rougit légèrement. « Je souriais ? Je ne
m'en rendais pas compte. Non, je n'ai pas vu Jessie. Elle n'est
pas avec Jamie ?

— Non, il est en train de s'habiller dans sa chambre.

— Meg, tu dors à côté d'elle. Tu ne l'as pas entendue sortir ?

— Non, maman. Je me suis réveillée de bonne heure, mais
je n'ai pas entendu Jessie.

— Avez-vous interrogé Alister ? demanda sèchement

Miss Raeburn. Peut-être est-il sorti se promener avec elle ? Il devait aller sur le quai pour attendre un vapeur.

— Alors il n'est pas encore rentré. Oui, je suppose qu'elle est avec lui. »

Rassurée, Mme Henry prit une tranche de jambon et un toast. Comme elle avait récemment un peu grossi, elle suivait un régime maigre.

Toutes avaient terminé leur petit déjeuner quand Alister arriva. Délie sentit son cœur s'emballer et souhaita quitter rapidement la pièce avant que les autres ne l'entendent. Mme Raeburn l'interrogea à propos de Jessamine.

« Je n'étais pas avec elle, répondait Alister. Je suis descendu sur le quai de bonne heure et je ne l'ai pas vue de toute la matinée. Le fait est que je n'ai pas fermé l'œil de la nuit. Je me suis promené au bord du lac et j'ai regardé le soleil se lever. » Ses yeux fixèrent Délie qui détourna le regard en frissonnant.

« Alors où peut-elle bien être ? » La mère de Jessie semblait plus angoissée et désespérée que jamais. « Elle prend toujours son petit déjeuner avec nous.

— Nous allons toutes la chercher. Elle doit être quelque part au fond du jardin. » Prenant la direction des opérations, Miss Barrett se leva, et les femmes lui emboîtèrent le pas, laissant seulement Miss Raeburn préparer le petit déjeuner d'Alister, tandis que Miss Janet restait à la cuisine avec les domestiques.

Elles franchirent le portail qui séparait la cour du potager ; à certains endroits, les mauvaises herbes étaient assez hautes pour dissimuler un enfant ; les carrés de rhubarbe, les plants de tomates, les feuilles luxuriantes des courges et des potirons formaient comme une jungle miniature.

« Jessamine ! » s'égosillait Mme Henry.

Meg et Délie explorèrent vainement les buissons, et Meg marcha malencontreusement dans un massif d'orties. Une poule se mit à caqueter dans le poulailler.

« J'ai trouvé ! » dit Miss Barrett, qui entraîna aussitôt les autres à sa suite.

Dans le poulailler, la jeune Jessie était accroupie dans l'allée, la tête renversée pour observer le dessous d'une poule pondeuse, immobile à l'exception de la mince membrane qui battait nerveusement sur son œil jaune.

Le sang empourprait le visage de l'enfant, ses boucles traînaient dans la poussière.

«Jessamine! Que fais-tu là? Tu n'as pas entendu nos appels, polissonne?

— Si.» Jessie se redressa, le temps de fusiller sa mère du regard. «Ne dérange pas Harrietta. Elle est en train de pondre un œuf et je veux voir par où il sort.

— Jessamine!

— Laissez donc, madame Raeburn.» La voix de Miss Barrett était ferme et apaisante. «Je resterai avec elle jusqu'à ce que l'œuf soit pondu. Mais tu ne pourras pas le manger pour ton petit déjeuner, Jessie; les œufs sont déjà cuits et ils refroidissent sur la table. Tu aurais dû nous dire où tu voulais aller.

— *Elle* m'en aurait empêchée.»

Le visage de Cecily Raeburn vira au cramoisi. «Laisse immédiatement cette poule et rentre à la maison te laver les mains!» dit-elle en saisissant le bras de Jessie, qu'elle entraîna de force. Miss Barrett serra les lèvres et manifesta son indignation par un soupir exaspéré, mais elle ne dit mot avant que les cris de rage de Jessie n'eussent diminué aux abords de la maison.

«Je vais prendre l'œuf pour elle», dit Meg en s'asseyant près de la poule. Sur le chemin de la maison, Miss Barrett déclara de but en blanc à Délie: «Leur mère détruit les nerfs de ces enfants. Si M. Raeburn ne me donne pas carte blanche avec eux, je ne pourrai rien faire; je serai obligée de partir.

— Oh non, vous ne pouvez pas partir!» Délie se sentit aussi malheureuse que le jour où, petite fille, elle avait entendu Miss Barrett évoquer la possibilité d'une autre place de gouvernante. «Je suis sûre que nous pouvons arranger cela. Pourquoi est-elle aussi brutale, à votre avis? Pourquoi semble-t-elle prendre plaisir à les brimer?»

Miss Barrett haussa les épaules. «Parce qu'elle-même a été frustrée toute sa vie, elle leur transmet ses angoisses et ses frustrations. Mais elle ne brime pas Jamie; elle le gâte mille fois trop. Ce n'est pas vraiment un enfant délicat, mais il risque de

le devenir si elle continue à le cajoler. Il vaudrait mieux qu'il
parte en pension.

— Elle n'acceptera jamais !

— Vous pourriez peut-être en parler à M. Raeburn. J'ai le
sentiment qu'il vous écouterait. Je crois qu'il est prêt à tout
pour vous. »

Délie rougit. Elle avait oublié que Miss Barrett était non
seulement une gouvernante fort compétente, mais aussi une
femme observatrice. « Très bien, je lui en parlerai, murmura-
t-elle.

— C'est un homme charmant. Mais il dissimule une main
de fer sous un gant de velours. Je le crois capable de
convaincre Mme Henry. »

Délie se dit qu'elle tenait un prétexte pour rendre visite à
Alister ce soir-là, bien après que Mme Henry fut montée se
coucher ; elle aurait pu se dispenser de mettre sa chemise de
nuit, mais elle adorait porter sa robe de chambre médiévale qui
balayait le sol. Elle noua la ceinture de velours noir autour de
sa taille fine, s'engagea dans le couloir puis frappa à sa porte.

Il la fit entrer et la prit dans ses bras d'un seul mouvement.
Quelques minutes s'écoulèrent avant qu'elle n'ait pu retrouver
son souffle pour dire : « Je voulais vous parler, je suis seulement venue...

— Vous êtes venue, voilà ce qui importe. Les mots sont
inutiles entre nous.

— Je suis venue parce que...

— Parce que vous le désiriez. Je craignais tant de ne pas
vous voir, de vous avoir blessée ou choquée hier soir. C'est
pour cela que je ne suis pas allé frapper à votre porte. Cela
faisait si longtemps, comme les premières pluies après une
sécheresse interminable, mais maintenant je veux prendre le
temps de vous savourer, de vous embrasser pour goûter à toute
votre personne, ma douce, ma chérie. »

C'était la vérité ; elle était restée loin derrière le furieux
torrent qui l'avait submergée la nuit précédente, mais maintenant elle était emportée dans le tourbillon impétueux jusqu'au
centre paisible du cyclone ; là, elle s'abandonna à la paix et à
l'extase, elle ouvrit toutes les cellules de son corps en une déli-

cieuse offrande. Elle devint une fleur s'épanouissant au soleil,
la terre accueillant la pluie : comblée, régénérée, ravie.

Ils bavardèrent pendant des heures dans la tendre intimité
des draps tièdes, dans ce cocon qui les protégeait du monde.
Pour la première fois, il lui parla de son mariage et de son
échec, mais ce fut avec ironie et amertume qu'il évoqua son
ancienne femme.

« Elle essayait de me transformer, de me couler dans le
moule de ses opinions préconçues, mais je renâclais, je me
révoltais, dit-il. C'était une enfant gâtée, habituée à ce que tout
le monde lui passe ses moindres caprices. Mes tantes
m'avaient fatigué de la domination des femmes. Et maintenant,
Alicia fait des pieds et des mains pour que j'épouse Cecily.

— Mme Henry !

— Oui, la veuve de mon frère. Elle considère que c'est mon
devoir.

— Comme dans l'Ancien Testament !

— En effet. Alicia est une farouche partisane des familles,
et elle pense que Jamie a besoin d'un père. Elle redoute que
Cecily ne se remarie ailleurs et ne lui enlève Jamie.

— C'est donc *cela* que voulait dire Miss Janet !

— Quand ?

— Oh, il y a bien longtemps, à l'époque de ma maladie.
C'est justement à propos de Jamie et de sa mère que je voulais
vous parler. »

Délie lui répéta ce qu'avait dit Miss Barrett, et il promit d'en
parler à sa belle-sœur, ajoutant qu'il y avait peu d'espoir qu'elle
acceptât d'envoyer Jamie en pension. « A moins... qu'elle
ne s'intéresse à autre chose. Elle a vraiment besoin d'un mari.
Je devrais essayer de lui en trouver un.

— Tant que vous ne l'épousez pas vous-même, dit Délie
avec un pincement de jalousie et d'inquiétude.

— Ne craignez rien. De toute façon, je ne crois pas qu'elle
voudrait de moi. »

Au bout d'un moment, Délie se leva pour regarder les
tableaux accrochés dans la chambre, deux peintures d'Alister
et une reproduction du *Printemps* de Botticelli. Il y avait le lac
au coucher du soleil, une étude impressionniste de l'eau
paisible chatoyant de couleurs lumineuses ; et un lever de soleil

au-dessus d'un large chenal, de sombres roseaux au premier plan et des berges basses mauves à mi-distance.

«Le chenal de Goolwa en amont de l'île de Hindmarsh», dit-il. Délie examina attentivement le tableau.

«Je ne connais pas Goolwa, mais je dois y aller. Alors j'aurai parcouru tout le fleuve, des lacs Moira jusqu'à son estuaire.

— Ce n'est pas encore l'estuaire, mais il est tout proche.

— Comme la Murray inférieure est large et majestueuse !

— Parce que le fleuve est vieux. "L'esprit en paix, quand la passion s'éteint." Au diable les pensées ! Revenez au chaud, dépêchez-vous. »

Quand elle se leva enfin pour regagner sa chambre, Délie se sentit transformée, telle une chrysalide devenue papillon ; elle s'était libérée de la lourde gangue des années pour déployer enfin ses ailes tremblantes à la lumière de l'amour.

Mais quand la porte de la chambre d'Alister se referma derrière elle, elle se figea sur place. Une femme portant une bougie allumée arrivait dans le couloir : cheveux bouclés gris sable au-dessus de sourcils arqués et de grands yeux gris, un nez formidable d'où partaient de profondes rides, Miss Raeburn !

La main de Délie lâcha le bouton de porte en porcelaine peinte comme s'il l'avait brûlée, et elle s'éloigna rapidement de cette porte compromettante. De tous les gens réunis sous ce toit, Miss Raeburn était la dernière personne à qui elle aurait confié son secret.

Ses joues étaient en feu quand elle arriva à hauteur de Miss Raeburn, qui l'avait forcément vue. Délie remarqua alors une chose étrange chez la tante d'Alister. Elle marchait lentement, d'un pas hésitant, et tenait si maladroitement son bougeoir que la cire chaude dégoulinait sur le tapis où elle laissait une longue traînée.

Cela ressemblait si peu à sa brusquerie, à sa méticulosité habituelles que Délie la dévisagea et remarqua que son nez comme ses joues étaient rouges, et qu'elle tenait une bouteille de brandy dans l'autre main.

«Je vais juste chercher quelques réserves, ma chère, dit Miss Raeburn d'une voix pâteuse mais digne. J'en... j'en garde toujours dans ma chambre en cas d'urgence. Bon... bonsoir.

— Bonsoir!» répéta Délie, stupéfaite. Elle n'en croyait pas ses yeux. A l'extrême rigueur, elle aurait imaginé Mme Henry s'enivrant en secret, mais jamais Miss Raeburn, cette femme hautaine et pleine de morgue.

Le lendemain matin, elle observa soigneusement Miss Raeburn, mais comme ses mains ne tremblaient pas et qu'elle ne présentait aucun signe d'indisposition, Délie se demanda si elle n'avait pas imaginé toute la scène. Apparemment, Miss Raeburn avait totalement oublié leur rencontre de la nuit passée.

Après le petit déjeuner, Alister demanda à Mme Henry Raeburn de le rejoindre dans son bureau, d'où elle sortit la mine défaite, ses yeux inexpressifs mouillés de larmes; elle lança un regard venimeux à Miss Barrett et regagna sa chambre.

Au dîner, Délie observa de nouveau Miss Raeburn et remarqua qu'elle but plusieurs verres de vin, davantage qu'Alister, et qu'un fin réseau de veines rouges sillonnait son nez et ses joues; mais elle ne perdit rien de sa dignité et de son ton cassant. Délie en conclut qu'elle était habituée à des quantités considérables d'alcool, et qu'elle avait sans doute bu toute une bouteille de brandy avant leur rencontre inopinée dans le couloir.

Alister ne pouvait ignorer que le brandy disparaissait rapidement des magasins de la maison, même si sa tante, qui supervisait l'approvisionnement, pouvait aisément commander des bouteilles supplémentaires en les faisant passer pour du vinaigre ou des médicaments. Délie devait-elle le prévenir? Elle hésita, car malgré leur intimité tant physique que spirituelle, elle se sentait étrangère à sa vie quotidienne, à ses affaires, à ses rapports avec sa famille. Elle avait remarqué sa surprise quand elle avait parlé de Mme Henry et des enfants; mais elle défendait alors la cause de sa vieille amie, Miss Barrett. En cette affaire plus personnelle, elle hésitait à intervenir.

Si Miss Raeburn souffrait de *delirium tremens*, Alister le découvrirait bien assez vite, sinon, cela ne regardait qu'elle. Délie décida de n'en parler à personne; d'autant que jusqu'à son départ, elle ne la revit jamais dans cet état d'ébriété.

Alister était désormais devenu le centre de son univers, le soleil autour duquel gravitaient toutes ses pensées. Le seul fait de se trouver dans la même pièce que lui l'emplissait de joie et de bonheur, même si d'autres personnes étaient présentes. Quand, l'espace d'un instant, ses yeux sombres rencontraient les siens et semblaient les caresser, c'était comme s'il la tenait dans ses bras et l'enlaçait passionnément. L'idée de son départ fut insupportable à Délie.

Le dernier soir, ils se promenèrent au bord du lac, avant le lever de la lune, pour se faire leurs adieux. Le reflet des étoiles sur l'eau permettait à peine à Délie de distinguer son visage livide et douloureux, sa bouche tordue par la souffrance. Pour une fois il resta muet, et ils se séparèrent presque en silence, après une dernière étreinte désespérée à la porte de la maison, avant de regagner leurs chambres respectives.

Elle avait voulu que, pour la dernière fois, ils fissent l'amour hors de la maison, sous les étoiles ; ils s'étaient allongés parmi les roseaux sur le sable du rivage. Levant les yeux vers les constellations qui brillaient dans le ciel estival, Délie avait vaguement pensé à Adam, à Brenton, à Kevin, qu'elle avait presque oublié, et au bébé qu'elle avait mis au monde sur la berge du fleuve, sous ces mêmes étoiles. Mystérieusement, toutes ces expériences se fondirent en une seule vision, celle du fleuve qui absorbait tout. Là, au bord des eaux assoupies, elle se sentit inondée d'amour et de paix, tandis que la lumière des étoiles pleuvait sur le lac.

97

Teddy Edwards était un autre homme depuis qu'il avait repris le commandement du *Philadelphia*. Certes, une personne était toujours nécessaire dans la timonerie pour l'aider à négocier les courbes les plus serrées, mais c'était lui qui choisissait le chenal, lui qui décidait quand prendre un raccourci comme celui de Higgins, ou quand il valait mieux suivre l'ancien méandre du fleuve.

Il maudissait les ingénieurs des travaux publics qui avaient construit des balises et des digues barrant le fleuve sur la moitié de sa largeur pour détourner le courant et empêcher la vase de s'accumuler dans le chenal. Comme d'autres vieux capitaines, il était convaincu que le sable et la boue accéléraient la croissance de nouvelles souches immergées, qui rendraient la navigation encore plus difficile. L'Écluse Un, inaugurée au début de l'année, rapportait de l'argent au gouvernement ; quatre cent soixante-cinq vapeurs avaient déjà franchi le péage. Le fleuve en aval du déversoir était dangereux car peu profond, mais les effets bénéfiques du barrage étaient indéniables en amont, où un immense bassin s'étendait jusqu'à Morgan.

Les eucalyptus, dont les troncs étaient désormais immergés sous plusieurs pieds d'eau, semblaient plus verts et plus florissants que jamais ; mais cette vitalité était trompeuse, car les arbres allaient bientôt se métamorphoser en squelettes gris, noyés par l'immersion continuelle de leurs racines.

Délie relayait souvent Brenton dans la timonerie et l'aidait parfois à tenir la roue, mais il préférait la présence d'un de ses garçons, ou du Jeune Suppôt ; maintenant qu'ils habitaient tous à bord (sauf Alex, parti en ville pour préparer son examen de fin d'études dans une pension), Meg assurait de nombreuses tâches, dont la couture et la lessive, laissant à Délie davantage de temps libre qu'elle n'en avait eu depuis des années.

Elle peignait beaucoup et lisait des ouvrages de philosophie et d'esthétique. Plongée dans *Les Pierres de Venise* de Ruskin ou *La Recherche de l'absolu* du baron Corvo, elle rêvait de l'Italie et d'un voyage en compagnie d'Alister ; elle lut toute la correspondance de Shelley ainsi que les carnets de Mary Shelley, et s'imprégna de l'esprit de la Renaissance florentine ; ses pensées s'envolaient par-delà l'océan vers les rivages fabuleux de la Méditerranée, pendant que son être physique restait rivé à un bateau de trente mètres qui naviguait sur un cours d'eau dont les ports glorifiaient l'Art sous la forme dérisoire d'un monument aux morts.

Les merveilles de la nature ravissaient Délie : la beauté imprévue d'un edelweiss dans l'anfractuosité du roc, la structure géométrique d'un flocon de neige placé sous le microscope; les couleurs surnaturelles cachées dans les profondeurs obscures de l'océan; les étoiles et leurs voyages stupéfiants dans le ciel nocturne.

Un minuscule bacille en forme de bâtonnet pouvait modifier l'histoire du monde en se multipliant dans le corps d'un dictateur; le même bacille pouvait nous priver d'un génie, tel Keats mort à Rome. Et si elle-même entourait la chaîne de l'ancre autour de sa cheville avant de sauter par-dessus bord pour mettre un terme à ses désirs inassouvis, qui s'en souviendrait ou la regretterait dans cent ans?

Dès qu'elle remarquait que ses pensées prenaient cette tournure, elle se secouait et s'attelait à une nouvelle toile comme si le destin du monde en dépendait, et bientôt, comme par magie, plus rien ne comptait en effet. L'odeur de la peinture, la fascination de la couleur et de la matière la transportaient dans un univers où l'exactitude d'un coup de pinceau importait davantage que l'histoire tumultueuse de l'humanité. Ainsi Délie s'évadait-elle vers une autre réalité plus satisfaisante.

Elle songea bientôt à organiser une autre exposition de ses peintures, à retourner à Melbourne après tant d'années pour essayer de renouer les fils de ses anciennes amitiés. La grande cité lui semblait fantastiquement lointaine, un autre univers presque aussi éloigné que l'Italie.

Mais avant d'aller à Melbourne, elle voulait retourner à Adélaïde, et peut-être à Milang — pour voir Miss Barrett. Alex, le plus studieux de ses enfants, avait besoin de lunettes, et elle désirait profiter des vacances scolaires pour l'emmener en ville chez un spécialiste. Il avait obtenu de bons résultats à ses examens de milieu d'année, et elle voulait mettre toutes les chances de son côté afin qu'il pût obtenir une bourse pour l'université, laquelle l'aiderait à payer une chambre en ville ainsi que ses frais de scolarité.

Elle envoya une lettre à Alister et reçut sa réponse à Adélaïde. Comme ses affaires l'appelaient à Melbourne, il lui demandait de le rejoindre là-bas, avec une telle éloquence qu'elle fut submergée d'amour pour lui et que les cinq cents milles à parcourir lui semblèrent dérisoires. Elle aurait voulu avoir des ailes pour voler vers lui, maintenant, sur-le-champ, sans prendre de train ni fixer de rendez-vous.

Dès qu'Alex eut ses lunettes, elle le ramena à Morgan, où elle apprit que le vapeur venait de partir pour Mildura.

Ils empruntèrent donc la route cahotante qui portait le nom de Sturt, l'explorateur. Elle n'avait jamais voyagé par voie de terre ni longé la crête des hautes falaises ; le regard embrasait la vaste plaine stérile et le fleuve qui serpentait au fond d'un canyon encaissé entre les deux bandes vertes d'une végétation improbable. De temps à autre, la route descendait jusqu'au niveau de la Murray quand la plaine d'irrigation s'élargissait, avant de remonter à flanc de colline, jusqu'à ce que le fleuve fût masqué par les replis du calcaire, sa surface émeraude apparaissant çà et là entre les parois jaunes.

A Waikerie, elle avait redouté de croiser le camion des Melville, mais elle ne le vit pas. Ils traversèrent ensuite le fleuve à bord d'un ferry, et Alex descendit de l'autocar pour examiner le moteur à deux temps qui faisait avancer la grosse barge le long de son câble tendu et graisseux.

Toutes les villes paraissaient différentes quand on les approchait par la terre ; Délie ne connaissait pas le gros bourg de Barmera, sur le lac Bonney, où ils s'arrêtèrent pour déjeuner, car le bras principal du fleuve évitait ce grand lac d'eau douce. Là, de superbes eucalyptus poussaient dans le sable de la plage et de petits yachts blancs dansaient sur l'eau bleue ; le paysage était si paisible que Délie aurait voulu rencontrer Alister sur cette grève. Elle se sentit soudain fatiguée à l'idée de retrouver Melbourne, sa foule, ses tramways électriques, l'obligation de s'habiller pour sortir dîner.

Était-elle trop âgée pour vivre de nouvelles aventures, trop habituée à sa vie tranquille sur le fleuve ? Pourtant, Alister, où qu'il fût, était désormais le centre de son être et de ses pensées.

En pleine nuit, le train bringuebalant s'arrêta dans le désert entre Mildura et Melbourne. Délie s'assit au bout de sa couchette, pressa son visage contre la vitre froide, et découvrit un univers immobile et vide, faiblement éclairé par la lune. La locomotive ahanait doucement, la portière d'un wagon claqua au loin.

Baissant la fenêtre, elle passa la tête dehors et aperçut vers l'avant du train une petite plate-forme où l'on agitait une lanterne rouge — un drapeau rouge pendant la journée — pour que le train s'arrêtât.

Juste avant le départ du train, un pluvier qui volait dans l'obscurité poussa un cri perçant — il y avait donc de l'eau à proximité. Délie eut la chair de poule et frissonna, s'abandonnant délicieusement à cet étrange tremblement que provoquaient en elle certains poèmes ou peintures. Non, elle n'était pas trop âgée. Le monde immense et mystérieux l'appelait comme le pluvier ; elle était encore capable d'entendre son cri et d'y répondre.

Le train arriva peu après l'aube ; elle se poudra anxieusement le nez, puis se coiffa d'une main tremblante. Elle avait perdu la plupart de ses épingles à cheveux. Dans le miroir du compartiment, son visage semblait hagard et ridé, seuls ses yeux bleus étaient vivants dans un masque de fatigue. Elle avait parcouru deux cents milles supplémentaires, faisant un crochet par Mildura pour ramener Alex sur le vapeur et s'assurer que Brenton n'était pas surmené. Bien au contraire, il lui avait paru plus animé et vigoureux qu'à l'époque de son départ, bien que son élocution se fût légèrement empâtée. Il allait et venait dans son fauteuil roulant sur le pont supérieur, criait des ordres et poussait force jurons. Non, il n'avait pas besoin d'elle ; en tout cas, il avait beaucoup moins besoin d'elle qu'auparavant.

Elle descendit sur le quai animé de Spencer Street, et vit aussitôt Alister qui l'attendait, regardant dans la direction opposée. Il se retourna et accourut vers elle, débordant d'un enthousiasme juvénile ; mais Délie se sentait lointaine et comme étrangère. Ses pensées restaient auprès de Brenton, et elle croyait Alister déçu. A sept heures du matin, après une nuit d'insomnie, une femme d'âge mûr, correctement habillée mais sans élégance, retrouvait nerveusement son amant avec des paroles vides.

Lui aussi semblait plus petit, plus anonyme, perdu dans la foule de la grande ville ; elle l'avait toujours vu seigneur et maître en sa demeure, ou entouré d'une nuée d'employés qui lui obéissaient au doigt et à l'œil.

Ils descendirent à pied une longue pente à l'écart de la foule.

Lui prenant le bras, il lui dit tranquillement : «Je vous aime», mais ces mots semblaient vides.

«Non ! s'écria-t-elle. Cela sonne faux, ne faites pas semblant. Je n'aurais jamais dû venir.» Elle était au bord des larmes.

«Écoutez, ma chérie. J'ai passé une nuit blanche, je n'ai pris ni douche ni thé ce matin, je ne me sens pas encore humain. J'ai réussi à sauter dans un taxi, à être à l'heure pour vous retrouver, mais mon esprit est resté en route. Venez prendre un petit déjeuner avec moi, cela nous fera du bien.»

Dans le salon de thé lugubre, elle continua de se sentir étrangère à cet homme qu'elle connaissait à peine, avec qui elle échangeait des banalités. Prendre une chambre dans un hôtel nécessita des subterfuges sordides, mais elle réfléchit malicieusement que l'employé de la réception ne soupçonnerait certainement pas leur situation irrégulière..

Dans la chambre, ils se dévisagèrent tristement, puis Délie remarqua les lits séparés. «Peureux ! s'écria-t-elle.

— Oui, j'aurais dû demander un lit double, mais je n'ai pas osé.»

La chambre semblait plongée dans la grisaille, le bruit de la circulation montait jusqu'à elle. Quand il la prit dans ses bras, Délie protesta d'une voix désespérée : «Non, sortons, marchons dans les rues, j'ai besoin de respirer.»

La vitalité de la cité l'enthousiasma ; elle se sentit une fois de plus dans la métropole, tout près du cœur et de la pulsation fondamentale des choses. Le soleil émergea des nuages, tandis que quelques traînées blanches et crémeuses rendaient le ciel plus romantique. Ils remontèrent Swanston Street et entrèrent dans la National Gallery.

La Femme du pêcheur était accroché en bonne place dans les salles réservées aux peintres australiens du XXe siècle. Examinant objectivement son tableau, Délie n'en eut pas honte, mais ce genre de travail ne l'intéressait plus guère ; cette période de réalisme romantique était désormais derrière elle, enveloppe vide abandonnée comme la peau d'un serpent lors de la mue, pour lui permettre de croître et de s'épanouir. Elle s'inspirait toujours de formes réalistes, mais elle les transformait en demiabstractions, en structures de couleur pure ; en ce moment elle était fascinée par l'emploi du noir.

Marchant aux côtés d'Alister, elle écoutait ses commentaires pertinents, elle se sentait de nouveau attirée vers lui, elle cédait à un enchantement auquel elle avait presque renoncé. Ils déjeunèrent dans un petit café, mais dès les hors-d'œuvre, Alister plongea son regard au fond des yeux de Délie et en oublia de manger.

«Retournons à l'hôtel, dit-il. Je veux te faire l'amour maintenant, je crois que ce sera merveilleux.»

Ce fut en effet merveilleux. Ils s'habillèrent à la nuit tombante pour sortir dîner. Délie regarda son profil tandis qu'il s'asseyait à côté d'elle, que leurs genoux se touchaient sous la table, et elle s'écria brusquement : «C'est vraiment toi !

— Tes yeux brillent tellement ! répondit-il. Tu as rajeuni de dix ans depuis ce matin. Comment expliquer cela ?

— C'est à cause de toi, de toi seul.»

Retournant à leur chambre, ils se découvrirent une fois encore, partagèrent ce qu'ils savaient déjà et de nouvelles expériences, des bribes de souvenirs d'enfance, des facettes de leur personnalité ; tels des voyageurs découvrant un pays encore mal connu, tout les ravissait parce que tout était nouveau.

Cela dura plus d'une semaine, comparable à des mois d'une existence normale vécue à un niveau moins exalté, une semaine pendant laquelle Délie ne songea même pas à joindre Imogen ou ses anciens amis. Un jour, elle dit soudain : «J'ai perdu le sens du péché, je ne sais même plus si ce que nous faisons est un péché, mais j'ai le sentiment superstitieux que c'est trop beau pour durer. Je pourrais rester encore, mais je préfère partir demain.»

Inflexible, elle réserva une couchette dans le train, nageant toujours dans le bonheur, persuadée de son invulnérabilité. Pourtant, quand elle se rendit à la poste où elle avait demandé à sa famille de lui expédier tout son courrier urgent, quand on lui tendit un télégramme, ce fut comme si tout son être s'y était attendu.

Ce soir-là, Alister l'accompagna à la gare, son visage livide crispé en un masque douloureux, mais elle s'était déjà détachée de lui, rappelée à ses devoirs familiaux, bourrelée de remords. Maintes fois dans le train elle ressortit l'horrible feuille de papier jaune et lut :

REVIENS IMMÉDIATEMENT MURRAY BRIDGE — PAPA ÉTAT GRAVE — BAISERS — MEG.

Le 15 à quatre heures de l'après-midi — deux jours s'étaient écoulés pendant lesquels elle n'avait même pas pris la peine d'aller chercher son courrier. Elle se méprisait d'avoir abandonné Brenton, qui était peut-être déjà mort ; et Meg supportait seule le choc et les responsabilités que ses frères pouvaient partager, mais non soulager.

Toute la nuit, elle demeura assise, le visage pressé contre la vitre, regardant le paysage défiler et les arbres se pencher gravement sur son passage.

98

A l'hôpital de Murray Bridge, Brenton reposait entre la vie et la mort. Debout à côté de son lit, le visage fermé, Délie se rappela le cri sauvage qu'elle avait poussé voici des années, aux premiers temps de leurs amours : « Tu ne dois pas mourir ! Tu ne dois pas mourir ! »

Mais il n'était plus conscient d'elle ; son appel suppliant ne pouvait l'aider à rester en vie, comme un homme cramponné à la paroi d'une falaise, étreignant un arbuste malingre dont les racines s'arrachent lentement du rocher.

« Combien... combien de temps cela va-t-il durer ? » avait-elle chuchoté au médecin, se demandant si elle pourrait supporter longtemps cette épreuve, sachant qu'elle ne communiquerait plus jamais avec lui en cette vie.

Le médecin haussa légèrement les épaules. « Difficile à dire. Il ne se remettra jamais de sa dernière attaque, mais comme elle ne lui a pas été fatale, il peut rester dans cet état pendant des mois, voire des années. »

Des années ! Il avait lutté de toutes ses forces pour remonter la pente, il avait presque rejoint le sommet de la falaise, retrouvé une vie normale, mais une fois encore la vie l'avait brutalement terrassé. Pourrait-il se battre de nouveau, essayer de reconquérir un semblant de sensibilité ?

Impossible, répondit le médecin. Les cellules de son cerveau étaient irrémédiablement détruites, aucune amélioration de son état n'était envisageable. Il resterait dans le coma jusqu'à la fin.

Alex était retourné à l'école ; à quoi bon le garder à bord du bateau ? Meg prit en main les tâches quotidiennes et s'occupa de toute la famille, même de Délie qui semblait tellement écrasée de douleur que Meg s'inquiéta presque autant pour elle que pour son père.

Un jour, Brenny insista pour accompagner Délie à l'hôpital, mais le garçon ne put supporter le spectacle des yeux fixes qui ne voyaient plus, le son rauque de la respiration, la bouche ouverte qui semblait privée de vie, car les borborygmes qui s'en échappaient témoignaient seulement de la force tenace qui habitait encore le corps prostré de son père.

Délie reconnut cette force avec amertume : l'énergie vitale, la volonté aveugle qui dominait encore la chair souffrante : l'enfant brûlé, le vieillard arthritique, le corps malade de sa tante nourrissant une prolifération anarchique de cellules. Elle comprit que le monde était ainsi, mais Brenny était trop jeune pour cette vérité ; il ne reviendrait pas à l'hôpital.

De toute façon, ils devraient partir bientôt ; elle ne pouvait immobiliser plus longtemps le bateau, alors qu'il fallait gagner de l'argent, d'autant que les notes d'hôpital risquaient d'être lourdes. Le médecin lui assura que sa présence au chevet de Brenton était totalement superflue, car le malheureux ne pourrait jamais la reconnaître ni prendre conscience de sa présence.

Ah, elle aurait dû être à ses côtés quand l'attaque l'avait terrassé, pendant ces minutes terribles où la paralysie l'avait frappé, l'empêchant d'appeler au secours, le laissant seul, impuissant et terrifié. Meg ne lui avait pas appris grand-chose, et elle ne voulait pas l'interroger ; elle s'était montrée courageuse et efficace pour son âge, mais Délie redoutait une sorte de choc à retardement.

Meg et Gordon l'avaient accueillie à l'aube à la gare de Murray Bridge, où la plupart des passagers, qui allaient jusqu'à Adélaïde, descendaient du train pour avaler rapidement un petit déjeuner indigeste. Ils l'embrassèrent en silence, geste qu'ils ne faisaient pas en temps ordinaire, et dans le taxi Meg l'informa des récents événements.

« Papa semblait très bien en allant se coucher, mais le lendemain matin, il ne s'est tout simplement pas réveillé. C'est le vieux Charlie qui l'a découvert. (Je crains que Charlie n'ait pris un coup de vieux, avec le choc et le reste, je ne crois pas qu'il vivra longtemps.) J'ai tout de suite vu qu'il était dans un coma avancé, ses yeux ne réagissaient pas à la lumière, il n'avait plus de réflexes ; j'ai téléphoné immédiatement à un médecin, qui l'a fait transporter à l'hôpital. Après quoi je t'ai envoyé le télégramme. Je regrette d'avoir abrégé tes vacances...

— Oh ! Ne dis pas ça, je me sens déjà assez coupable de ne pas avoir eu le télégramme tout de suite. Ça n'aurait pas changé grand-chose, mais je crois... je crois que j'aurais dû être ici. Ce n'est pas à des enfants comme vous... » Elle ne put achever sa phrase tant ses lèvres tremblaient. Gordon serra tendrement la main de sa mère.

« Arrête, maman. Ton absence n'est pour rien dans ce qui est arrivé à papa : tu n'aurais rien pu faire si tu étais rentrée deux jours plus tôt. »

Ils étaient allés directement à l'hôpital, puis sur le bateau. Là le vieux Charlie l'accueillit avec des yeux humides, car lui seul avait pleuré ce jour-là. Les enfants avaient eu le temps de surmonter le choc initial ; en revanche, Délie ne réalisait pas encore très bien la nouvelle.

« Le capitaine, patronne, ce pauvre vieux capitaine. J'aurais préféré que ce soit moi. Foutue injustice — excusez l'expression —, c'est une foutue injustice. Dire que ces six derniers mois, il était presque comme autrefois.

— Oh Charlie, je sais, et c'est vous qui l'avez soutenu, qui l'avez aidé à remonter la pente.

— Pas moi, patronne. Il avait du cran comme personne ; refusait de déclarer forfait.

— Cette fois, il ne reviendra plus à bord, Charlie. Cela prendra peut-être un peu de temps, mais... c'est la fin.

— La fin. Je le savais. »

Accablé, il se détourna ; le lendemain matin il resta au lit, déclara qu'il n'avait pas envie de se lever, qu'il ne voulait pas de petit déjeuner. Meg et Délie s'occupèrent de lui pendant une semaine, et en désespoir de cause appelèrent un médecin, qui dit simplement : « Il s'agit d'un homme âgé qui décline. Nous ne pouvons que l'aider à s'éteindre. » Une semaine plus tard, Charlie McBean mourut, devançant de peu les bateaux à vapeur qui avaient été sa raison de vivre.

Il ne laissa que quelques billets de banque froissés et plusieurs photographies jaunies d'anciens vapeurs. Comme Délie ne lui connaissait aucun parent, elle paya les frais de son enterrement à Murray Bridge et réunit les équipages de quelques bateaux à quai pour l'accompagner jusqu'à sa tombe.

Elle dépensa les quelques livres pour acheter des couronnes de fleurs ; à la sortie du cimetière après la cérémonie, on entendit un collègue de Charlie déclarer cyniquement : « Je parie que ce vieux Charlie aurait préféré qu'on verse une bouteille de scotch sur sa tombe. »

Une fois encore, Délie fut sauvée par ses fils. Elle voulait reprendre le commandement du navire et engager un ingénieur plus efficace que Charlie. Une barge et un maître de barge n'étaient pas nécessaires à son commerce ; elle comptait donc vendre la barge pour payer les frais d'hôpital, et se contenter du chauffeur et d'un matelot de pont supplémentaire.

Au cours des derniers mois, le jeune Brenny avait beaucoup appris de son père et était déjà bien plus compétent dans la timonerie que le matelot de pont ordinaire. Il aurait bientôt son brevet de second, puis de capitaine — Teddy Edwards avait pris le commandement de son premier bateau à vingt-trois ans. Meg aurait volontiers accepté de s'occuper de la cuisine, mais comme elle voulait devenir infirmière, elle devait commencer sa formation, et puis il y avait les études de médecine d'Alex, qui coûteraient cher s'il ne décrochait pas une bourse. Brusquement, Délie se sentit infiniment lasse. Elle avait assumé trop de responsabilités pendant trop longtemps, elle était fatiguée, trop épuisée pour continuer, pour faire face avec son courage habituel. Ce fut son heure la plus sombre. Quelque part sous la ligne d'horizon, encore trop faibles pour être visibles, montaient les premières lueurs de l'aube.

99

Le dernier dimanche de septembre 1927 fut marqué par la matinée la plus froide de mémoire d'homme. Sur mille milles le long du fleuve, dans la campagne ingrate de Victoria et de l'Australie méridionale, ainsi que dans les cultures maraîchères prospères, les berges étincelèrent comme du verre sous les premiers rayons du soleil levant. La gelée blanche recouvrait les vallées comme une couche de neige et scintillait sur les arbres.

Remontant le fleuve à travers l'Écluse Trois, où les hommes durent se servir de chiffons pour manœuvrer les cabestans métalliques qui ouvraient les portes (car personne ne possédait de gants), l'équipage du *Philadelphia* découvrit un spectacle surnaturel. Le fleuve était bordé par les squelettes d'eucalyptus morts, tués par la montée du niveau de l'eau en amont de l'écluse ; l'écorce et les feuilles étaient tombées, dénudant un bois lisse argenté, dur comme le fer. Ce matin-là, les troncs et les branches étaient couverts de cristal ; quand le soleil se leva derrière eux, il les transforma en une forêt enchantée scintillant de mille feux, aussi merveilleuse qu'un conte de fées. Ravie par cette vision irréelle, Délie en oublia qu'elle s'était levée de mauvaise humeur, quittant à contrecœur la chaleur de sa couchette quand à l'aube Brenny l'avait appelée sur le pont.

Mais lorsqu'ils atteignirent les premiers vergers d'arbres fruitiers un peu plus en amont du fleuve, elle comprit soudain que ce merveilleux spectacle équivalait à un désastre pour les fermiers et les paysans. A mesure que le soleil réchauffait l'atmosphère, les oranges noircirent sur les arbres, les abricots se ratatinèrent et les jeunes vignes se flétrirent. Quelques jours plus tard, elles étaient mortes, brûlées par le gel comme par un incendie. La récolte fruitière fut anéantie, les vignes plus anciennes devaient mettre des années à retrouver leur vigueur d'antan. A chaque halte, des visages lugubres accueillaient le vapeur, et personne ne proposa au cuisinier des paniers débordant de fruits splendides. Une seule nuit avait suffi à ruiner une récolte valant un million de livres.

Brenny dirigea de main de maître le *Philadelphia* dans le sas de l'Écluse Trois, s'engageant à pleine vitesse dans l'étroite ouverture avant d'inverser le mouvement des pales pour immobiliser le vapeur sur quelques mètres. Délie l'observa avec admiration ; il ressemblait tellement à son père au même âge ! Il possédait son brevet de second et dès qu'il aurait suffisamment d'heures, postulerait pour celui de capitaine. Il connaissait déjà parfaitement la théorie de la navigation fluviale.

Gordon était maintenant un jeune homme sérieux, toujours plongé dans ce que ses frères appelaient « ses bouquins poussiéreux ». Il empruntait tous les livres d'histoire et les biographies qu'il pouvait trouver dans les instituts locaux, et le service de prêt d'une bibliothèque municipale lui envoyait tous les mois un paquet de livres. A la grande surprise de sa mère, il se passionna pour Napoléon, dévorant les biographies de Nelson, du duc de Wellington, de Marlborough et d'autres héros militaires, ainsi que des ouvrages plus récents sur Beatty, Earl Haig et le maréchal Foch. Gordon prétendait étudier la théorie de la stratégie militaire et la personnalité des plus grands généraux, d'Alcibiade aux figures marquantes des temps modernes. Il ne montrait ni ambition ni intérêt pour le moindre métier, sur le fleuve ou ailleurs, aidait vaguement le cuistot dans la cuisine, donnait un coup de main dans la timonerie et fabriquait des modèles réduits de vapeurs à aubes.

Cachant sa déception, Délie attendait qu'il trouvât luimême sa voie. Après tout, il n'avait que vingt-quatre ans. Heureusement pour lui, il n'était tombé amoureux d'aucune jeune fille, et tant qu'il n'avait pas de famille à charge, il était le bienvenu à bord. En revanche, Brenny s'intéressait à toutes les filles le long du fleuve, mais n'avait jeté son dévolu sur aucune. Les deux frères étaient solides, hâlés et bien faits, mais les yeux bleu clair de Brenny brillaient d'une malice qu'on ne trouvait pas chez Gordon ; dans la rue, les filles feignaient de ne pas remarquer ses œillades, mais elles se retournaient infailliblement sur son passage.

Meg et Alex habitaient en ville ; Meg apprenait le métier d'infirmière dans un hôpital privé, Alex suivait ses cours de médecine grâce à une bourse obtenue après ses notes exceptionnelles aux examens de l'an passé.

Si seulement Brenton avait pu les voir ! Il aurait été fier de sa famille, surtout du jeune Brenny et de ses talents de marinier, hérités de son père ou acquis à ses côtés. Elle pensait avec davantage de fatalisme, moins d'amertume, à la dernière année de la vie de son mari, son corps paralysé transporté à l'hôpital, maintenu en vie par les soins attentifs des médecins. Elle ne fut pas à ses côtés quand il mourut.

Tout se passa comme s'il avait été inhumé une première fois, puis ressuscité pour la seule raison d'un deuxième enterrement, celui-ci en bonne et due forme, à Murray Bridge. Délie aurait souhaité le voir reposer au bord du fleuve, mais au moins il était à portée des sirènes des vapeurs et du halètement régulier de leurs moteurs ; pour combien de temps encore ? Elle redoutait que Brenny n'apprît un métier voué à disparaître avec les vapeurs, peut-être d'ici une dizaine d'années. On construisait maintenant de bonnes routes, qu'empruntaient toujours davantage de camions et d'autocars. Elle remarqua que les capitaines de vapeurs qui avaient assisté à l'enterrement étaient tous beaucoup plus âgés que Gordon ou Brenny.

Pourtant, il y avait toujours énormément de marchandises à transporter ; leur cargaison actuelle était typique : dix tonnes de farine, quatorze sacs de son, six de sucre, douze sacs de maïs et dix-neuf de blé, une demi-douzaine de caisses de whisky et un fût de bière, le tout destiné à un seul port en amont du fleuve ; sans oublier le matériel agricole fabriqué à l'usine de Mannum et plusieurs tonnes de rails métalliques destinés au chantier de l'Écluse Quatre.

Brenny refusait catégoriquement d'utiliser le bateau comme magasin flottant. Il disait que ce genre de denrées était bon pour les femmes et les invalides, mais que lui était un homme, moyennant quoi il se refusait à trimbaler des aiguilles à tricoter, des tissus brodés ou des tétines de biberon. Il désirait une cargaison d'homme, même si elle était difficile à manœuvrer : comme le marinier célèbre de la Darling qui, racontait-on, avait hissé cinq melons et un piano en un seul voyage au sommet d'une berge escarpée, avant de se plaindre, non du poids des marchandises, mais de leur *encombrement*.

Un an s'était écoulé depuis la mort de Brenton, mais Délie n'avait pas revu Alister, ni eu de ses nouvelles ; après son retour de Melbourne, elle avait répondu froidement à ses lettres, lui interdisant de venir lui rendre visite ; ainsi sa mauvaise conscience les punissait-elle tous deux.

En réponse aux journaux de Murray Bridge qu'elle avait envoyés à Alister et Miss Barrett pour qu'ils lisent la chronique nécrologique, où deux capitaines en retraite relataient les exploits de Brenton sur le fleuve, elle reçut une lettre de condoléances assez formelle.

Délie apprécia la délicatesse d'Alister qui ne faisait aucune allusion à leurs rapports anciens, aucune tentative pour les prolonger ; dans sa solitude et sa détresse, elle lui écrivit de nouveau : une lettre où, s'il le désirait, il pouvait lire ses sentiments entre les lignes.

Quand la réponse arriva, adressée au *Philadelphia* à Murray Bridge, Délie l'emporta jusqu'à la réserve pour la lire en paix ; elle s'assit sur un banc sous un des vieux eucalyptus du parc, ouvrit la lettre, puis se figea comme une statue pendant que ses yeux incrédules transmettaient à son esprit horrifié le message suivant :

« Je vous écris pour vous dire que Cecily et moi nous sommes mariés voici un mois environ, en fait peu après que j'ai reçu votre première lettre. Cette alliance était prévue depuis un certain temps déjà, je savais que les enfants en seraient les principaux bénéficiaires ; d'autre part, elle a apporté la paix en notre demeure, et j'aime par-dessus tout la paix.

« Tante Alicia, bien sûr, est enfin satisfaite, et Jamie est parti en pension où il semble très heureux.

« J'espère, chère Délie, que vous aussi serez heureuse, que vous avez le temps de peindre de nouveau, maintenant que vous êtes plus libre, et que vos charmants garçons sont en âge de s'occuper du bateau. Si je peux vous aider financièrement (doucement, ne montez pas sur vos grands chevaux, je parle d'un arrangement entre gens d'affaires, d'un investissement si vous préférez) par exemple pour les frais universitaires d'Alex, *je vous prie instamment de me le faire savoir*. Je pourrai certainement vous proposer du travail après la prochaine tonte de la laine, je compte sur vous pour nous rapporter un chargement à Milang.

« Miss Barrett s'occupe de Jessamine pour l'instant ; elle a décidé de travailler comme institutrice à l'école de la mission de Cap McLeay. Elle a déjà organisé des cours d'artisanat hebdomadaires pour les jeunes filles aborigènes.

« Oh, chère Délie, pourquoi m'avez-vous interdit de vous rendre visite ? Vos lettres ont été cruelles et froides. J'ai cru que vous n'éprouviez plus rien pour moi ! Comme si je m'étais donné à vous, corps et âme, et que vous m'aviez repoussé de votre petit pied dédaigneux... »

Tu as donc épousé Cecily ! songea Délie, qui tremblait de jalousie impuissante envers la futile, l'incapable Mme Henry, laquelle avait sans doute manigancé tout cela ; Délie fut pourtant sensible à l'émotion qui perçait dans les dernières phrases de cette lettre impersonnelle.

Il était trop tard maintenant, mais elle regretta sa dernière lettre à Alister. Quant à leur rendre visite dans cette maison ! Jamais, elle n'y remettrait plus jamais les pieds.

Une année entière s'écoula, durant laquelle elle ne se rendit pas à Milang, mais Miss Barrett vint en visite à bord du vapeur et fit un court voyage avec eux, jouissant de chaque instant, débordant d'énergie et d'enthousiasme.

Au Cap McLeay, elle avait contesté l'organisation générale de la mission et s'était mis à dos le directeur qui occupait son poste depuis maintes années et rédigeait mécaniquement son rapport annuel : tant de décès, tant de naissances, tant de demi-castes, tant d'élèves... Dès que les aborigènes avaient quitté l'école, on se désintéressait d'eux, sauf pour les statistiques. Elle avait eu beaucoup de mal à trouver une salle ou même une petite pièce où les jeunes filles pourraient travailler, et quand elle l'obtint, il n'y avait pas de placards où ses élèves pussent ranger leurs travaux, si bien que de jeunes enfants y pénétrèrent et mirent tout sens dessus dessous ; mais sa fermeté et sa persévérance vinrent pourtant à bout de la mauvaise volonté des responsables.

« Il faudrait que je sois là tout le temps si je veux arriver à quelque chose. M. Raeburn m'a dit que je pouvais habiter sous son toit et me rendre à la mission tous les jours, si je donnais à Jessie ses cours de musique et de français pour payer ma pension. J'espère que vous reviendrez nous voir bientôt. »

Délie se renfrogna. «Je ne crois pas que Mme Raeburn apprécie ma présence, dit-elle.

— Bêtises! De toute façon, ce n'est pas elle qui fait la pluie et le beau temps dans la maison.

— Pourtant, c'est désormais *sa* maison. Et puis Miss Alicia ne me porte pas dans son cœur.

— Ce différend n'a maintenant plus lieu d'être.»

Elles échangèrent un regard entendu, et Délie comprit que Miss Barrett cherchait à savoir si elle souffrait encore. Quittant son masque d'indifférence, Délie s'enquit du mariage, mais ne reçut aucun réconfort.

Pour Miss Barrett, c'était la solution la plus sage; cette alliance avait probablement évité une sorte de dépression nerveuse à Jamie, et tout le monde était de bien meilleure humeur dans la maison, y compris Alister.

«Il était solitaire, il hésitait beaucoup à s'engager une nouvelle fois parce que sa première femme l'avait quitté et blessé son orgueil. Il est vaniteux comme certains hommes de petite taille qui n'oublient jamais un affront et se ferment plutôt que d'en risquer un autre. Lui et Cecily se connaissent bien et cohabitent fort paisiblement.»

Délie sentit que Miss Barrett se doutait qu'elle avait repoussé les avances d'Alister pour le renvoyer dans sa coquille de fierté et d'arrogance bien avant que leur liaison ne fût allée très loin; car sa perspicacité lui avait permis de comprendre la nature de leur rapport, ne fût-ce qu'à cause de l'hostilité de Miss Raeburn.

Afin de renforcer ses convictions, Délie finit par accepter de se rendre à Milang à l'occasion de la prochaine tonte, tout en décidant intérieurement de rester à bord du vapeur et d'y inviter Miss Barrett. «Mais maintenant Brenny prend toutes les décisions», ajouta-t-elle non sans fierté.

C'était septembre, les eaux de fonte des neiges faisaient monter le niveau du fleuve, et la laine s'entassait sous les abris des berges jusqu'au confluent de la Darling. Remontant la Murray par cette matinée glaciale, le *Philadelphia* et les vagues de son sillage brisaient la mince couche de glace qui s'était formée près des berges.

A Renmark un télégramme attendait Délie: Alister lui

demandait d'aller prendre un chargement de laine à Avoca
Station puis de l'acheminer jusqu'à l'entrepôt de Milang.

Délie laissa le sort et Brenny trancher à sa place ; Brenny,
qui n'avait jamais navigué sur les lacs et, en bon marinier, se
méfiait des vastes plans d'eau, décida qu'ils avaient suffisamment de marchandises à transporter jusqu'au port plus proche
et plus sûr de Morgan. Délie eut le sentiment que son fils avait
sauvé son amour-propre, même si sa décision impliquait
qu'elle ne reverrait plus jamais Alister.

Livre Quatre

VERS LE DERNIER RIVAGE

Et ceci, ô moines, est la noble vérité de
[la cessation de la douleur ;
la cessation qui vient à bout de tout
[désir ;
la libération, le non-attachement.

BOUDDHA,
Le Sermon dans le parc des Cerfs.

100

En 1931, la Murray connut sa plus grosse crue depuis celle de 1870, que les «anciens mariniers» se rappelaient comme la pire qu'on ait jamais vue. Le fleuve recouvrit sa plaine alluviale, inonda les stations de pompage et submergea les digues de terre qui furent emportées comme des fétus de paille.

Certains murmurèrent sombrement que des saboteurs avaient creusé des brèches dans les berges et réduit à néant le travail d'ouvriers consciencieux qui avaient peiné nuit et jour avec des sacs de sable, de la paille et de la boue; certains fermiers soutenaient que les inondations étaient des phénomènes naturels, qu'elles nettoyaient le lit du fleuve, curaient le chenal et déposaient des alluvions fraîches sur les pâturages des basses terres. D'autres accusèrent le ministère des Travaux publics d'avoir construit des écluses, des barrages — maintenant on parlait même d'une série de barrages sur l'estuaire —, qui asservissaient tant le fleuve qu'il n'avait d'autre choix que de submerger ses berges en période de crue. En tout cas, tous étaient d'accord pour rejeter la faute sur autrui : certains accusèrent même les catholiques romains qui avaient organisé une semaine de prières pour la pluie lors de la saison sèche qui avait précédé la crue catastrophique.

Ceux qui pâtirent le plus des inondations, bien que leur préjudice ne fût par d'ordre financier, furent peut-être les habitants des huttes et des tentes dressées sur les berges en contrebas des falaises, car leurs habitations furent inondées ou emportées. De nombreux colons s'étaient installés là définitivement, cultivant de petits jardins, aménageant des canalisations et toutes sortes de dispositifs ingénieux pour pomper l'eau du fleuve.

Cette année-là ils étaient plus nombreux que jamais à cause de la grande dépression qui frappait tout le monde occidental et créait des milliers de chômeurs dans chaque ville. Nombreux étaient ceux qui rejoignaient le fleuve pour camper sur ses berges, car là au moins il y avait toujours de l'eau et du poisson. Ils s'installaient généralement autour des campements — comme les aborigènes — afin de pouvoir toucher leurs indemnités hebdomadaires et les coupons de nourriture qui leur donnaient droit à de la farine, du sucre et une modeste ration de thé. Ils considérèrent la crue comme une calamité supplémentaire et imméritée qui s'abattait sur eux.

Le *Philadelphia* sauva un groupe d'hommes isolés par les eaux de la Murray et incapables d'escalader la falaise à pic qui se dressait derrière leur camp. Touchée par leur misère, Délie leur donna tous les vêtements de Brenton, mais elle ne pouvait offrir à aucun l'emploi qu'il désirait tant, le sentiment d'être utile et de tenir une place dans un monde qui semblait les renier : un monde en proie à la folie, où des millions d'hommes étaient affamés pendant qu'on jetait la nourriture à la mer ou qu'on la brûlait parce que la vendre serait revenu plus cher ; où les banques fermaient leurs portes et empêchaient les consommateurs potentiels d'acheter, ralentissant ainsi la machine industrielle et créant toujours davantage de chômeurs.

Les fils de Délie avaient la chance d'être leurs propres maîtres et, ainsi, de ne pouvoir être licenciés ; contrairement à tant d'employés, ils ne vivaient pas dans la terreur perpétuelle de perdre leur emploi.

Les deux aînés s'occupaient du vapeur tandis qu'Alex, qui terminait son internat, faisait des remplacements pour des médecins de campagne. Il avait passé une année entière dans un grand hôpital où il s'était passionné pour la chirurgie, et envisageait sérieusement de se spécialiser en ce domaine ; il avait voulu travailler à l'étranger, mais la Grande Crise l'obligeait à repousser ses projets. Il y avait peu de marchandises à transporter, et si la vie sur un bateau n'avait pas été si bon marché, Délie aurait eu beaucoup de mal à joindre les deux bouts.

Meg apprenait son métier d'infirmière dans un hôpital d'Adélaïde dirigé par des bonnes sœurs. Sa formation était austère et éprouvante ; pendant sa première garde de nuit, une sœur l'avait envoyée, seule, retirer la sonde nasale et le goutte-à-goutte d'un malade qui venait de mourir.

Les gardes de nuit avaient quelque chose d'irréel ; on dormait pendant la journée, et l'on veillait tandis que les autres dormaient, les couloirs obscurs et l'hôpital tout entier étaient silencieux ; on entendait seulement quelques gémissements et le bruit feutré des semelles pendant les rondes. Après une longue période de gardes de nuit, Meg faillit perdre le sens de la réalité et dut se forcer à sortir dans l'agitation du grand jour.

Elle préférait le secteur de la maternité ; en pleine nuit il se passait toujours quelque chose dans la salle de travail, il fallait faire boire les nouveau-nés ou leur donner des rations supplémentaires de nourriture. Meg détestait brusquement l'hôpital quand une mère ou un enfant mourait, mais cela arrivait rarement.

Elle rêvait d'atteindre le sommet de sa carrière, d'être nommée infirmière en chef de quelque grand hôpital comme celui de Murray Bridge, ou même d'un hôpital de la cité ; mais pour l'instant elle voulait simplement exercer son métier d'infirmière. Ses jambes étaient souvent douloureuses après onze heures de travail seulement interrompues par une pause de deux heures ; mais elle adorait cela. Même dans l'amphi-théâtre où les futures infirmières s'évanouissaient facilement, elle gardait la tête haute. Chaque fois qu'ils se rencontraient, Meg et Alex avaient beaucoup de choses à se raconter, et ils parlaient toujours « médecine ». Un jour, pensait-elle, elle épou-serait un médecin. Mais elle n'aimerait jamais personne comme elle avait aimé Garry Melville.

Elle regrettait que sa mère ne se fût pas remariée. Délie avait maintenant plus de cinquante ans, tous ses cheveux étaient gris, et son visage profondément creusé par les rides du temps ; mais ses dents étaient parfaites et son sourire conser-vait tout son charme.

Meg avait commencé à mettre du rouge à lèvres en dehors

des heures de service ; maintenant elle se sentait quasi nue quand elle n'en portait pas. Elle avait tenté de persuader Délie d'en utiliser et de se faire couper les cheveux, mais jusqu'ici Délie ne s'était pas laissé convaincre. Apparemment désireuse d'oublier son propre sexe, elle tenait pourtant à ses cheveux longs ; elle s'était fait tailler des pantalons sur mesure à l'époque de l'horrible mode des pyjamas de plage, et comme ses hanches ne s'étaient pas beaucoup élargies (en revanche, sa taille avait épaissi), elle ressemblait à un ouvrier quand elle portait ses fameux pantalons. Brenny était scandalisé — il avait des idées vieux jeu sur les femmes —, mais Gordon et Meg l'encouragèrent, et Gordon lui parla de femmes qui avaient revêtu un uniforme de soldat pour aller se battre, de femmes que les autres soldats avaient accueillies comme leurs semblables.

Tous les ans, Meg passait ses vacances sur le vapeur. L'année suivant la grande crue, elle les rejoignit à Morgan et ils devaient remonter tous ensemble vers Mildura. Les travaux d'aménagement du lac Victoria étaient terminés depuis 1928, mais le lac s'était avéré trop petit pour contenir la crue du fleuve. Maintenant, la Commission de la Murray construisait un énorme barrage près d'Albury, qui contiendrait davantage d'eau que le port de Sydney, suffisamment pour alimenter la Murray pendant deux ans. Quand le barrage Hume serait achevé, il n'y aurait plus de période de sécheresse. L'Écluse Sept, juste au-dessus de la frontière de l'État de Victoria, avait été intégrée au chantier du lac Victoria, car elle barrait l'extrémité de la Rufus, contribuant ainsi à retenir l'eau du lac. C'est là que le *Philadelphia* arriva en milieu de matinée.

Brenny, dans la timonerie, s'engagea à pleine vitesse dans le sas de l'écluse selon son style habituel. Sur la porte, l'éclusier déplaçait la grue mobile qui hissait les panneaux hors de l'eau quand il fallait faire descendre le niveau du sas.

Délie, debout dans la timonerie à côté de Brenny au cas où son fils aurait eu besoin de son aide, vit la grue commencer à basculer. Elle poussa un cri d'avertissement qui se perdit dans le vacarme de la vapeur ; au même instant, l'éclusier comprit le danger et essaya de courir, gêné par l'étroitesse du passage qui canalisait sa fuite dans une seule direction.

Comme dans un film au ralenti, elle vit la lourde grue s'abattre et l'homme courir avec une horrible lenteur.

«Attention!» hurla-t-elle vainement; Brenny comprit brusquement ce qui se passait et se mit à jurer, en proie à une fureur impuissante. La grue tomba, et tandis que les roues à aubes cessaient de baratter l'eau, ils entendirent les cris à demi animaux d'un homme souffrant atrocement: l'éclusier était allongé au-dessus de la porte de l'écluse, un pied coincé sous la carcasse métallique.

Prise de nausées, Délie s'accrocha au bastingage pendant que Brenny dégringolait les marches en appelant Meg. Elle alla chercher la trousse de premiers secours du vapeur, et ils rejoignirent les deux ouvriers qui manœuvraient le cabestan pour fermer le sas de l'écluse; l'un deux courut chercher une barre de fer sur la rive.

La trousse contenait une ampoule de morphine et une seringue hypodermique qu'Alex avait fournies à Délie. En effet, elle craignait toujours qu'un membre de l'équipage n'eût un accident loin de tout dispensaire et de tout médecin, et elle se souvenait de Brenton lui racontant comment le vieux capitaine Tom, l'ancien propriétaire du vapeur, s'était fait arracher la jambe par l'arbre d'entraînement du moteur. C'était une des raisons qui avaient poussé Charlie McBean à boire toujours davantage, le souvenir de la mort de Tom, et sa propre incapacité à retirer le taquet de l'arbre.

Meg fit une piqûre de morphine au blessé, puis souleva sa tête pendant que les ouvriers de l'écluse et les hommes du vapeur — même Gordon, dont le visage était vert — essayaient de soulever la grue au-dessus de son pied écrasé.

L'éclusier était toujours conscient; il fit même une plaisanterie, prétendant qu'il avait parfaitement minuté son accident.

«J'ai quand même une sacrée veine dans mon malheur, grommela-t-il entre ses dents pendant que Meg soulevait doucement sa tête. La grue est tombée juste au bon moment pour qu'une jolie fille se pointe et me tienne la main.

— Vous avez plus de chance que vous ne croyez, dit gravement Brenny. Meg est une infirmière diplômée, elle ne risque pas de s'évanouir en voyant un peu de sang.»

Gordon rougit légèrement en entendant ces mots, puis

détourna la tête. Meg eut une pensée pour lui et lui dit :
« Gordon, il y a assez d'hommes pour soulever la grue ; va
donc lui chercher quelque chose à boire, une boisson chaude
avec du sucre. » L'éclusier était très pâle, sa peau froide et
moite.

Dégager son pied écrasé ne fut pas une mince affaire, mais il
resta tout le temps conscient, ses yeux marron rivés au visage
de Meg. Il ne cria pas, mais serra de plus en plus fort la main
de la jeune fille. Dès qu'ils l'eurent allongé sur un brancard et
qu'elle vit le pied écrasé, les fragments de botte comme incrus-
tés dans les chairs, Meg comprit qu'une attelle serait superflue.
Seul un chirurgien pouvait arranger ça, et plus tôt il serait à
l'hôpital, plus il aurait de chances d'éviter l'amputation.

L'Écluse Sept était située dans une région sauvage de la
Nouvelle-Galles du Sud, non loin de la frontière de l'Australie
méridionale ; la brousse s'étendait à perte de vue, l'éclusier
recevait son salaire de l'Australie méridionale, son courrier de
l'État de Victoria, et garait sa voiture sur la berge de la
Nouvelle-Galles du Sud. Du côté de Victoria il n'y avait pas
de route et l'hôpital le plus proche était à Wentworth. On
décida que le vapeur l'y emmènerait sans trop d'inconfort, car
il pourrait reposer sur une couchette au lieu d'être bringuebalé
dans un vieux Model T sur une piste de brousse.

Meg était contente ; certes, ce ne seraient pas de vraies
vacances, mais elle aimait pratiquer son métier d'infirmière,
et, pour tout dire, cet éclusier — un homme dans la force de
l'âge, aux yeux pétillants d'humour, dont la bouche exprimait
calme et sérénité — lui plaisait. Il s'était montré courageux
et l'avait qualifiée de « jolie fille ». Si bien que lorsqu'ils
atteignirent Wentworth, elle ne voulut pas abandonner son
malade.

« Je vais rester avec lui pour veiller à ce qu'il soit bien soigné
à l'hôpital, annonça-t-elle à Brenny et Délie. Allez à Mildura,
vous me reprendrez au retour. Avec des soins intensifs, je crois
qu'on pourra sauver son pied. Je n'ai aucune envie de le voir
marcher sur des béquilles. »

Délie souleva quelques objections. Son instinct maternel
l'avertit obscurément que Meg ne devrait pas rester au chevet
de l'éclusier. Mais Meg avait déjà pris sa décision et se montra

intraitable, si bien que le *Philadelphia* repartit vers Mildura sans elle.

Quand le vapeur atteignit Mildura, le pied de l'éclusier avait déjà subi deux opérations couronnées de succès, il était sauvé. Quand le vapeur repartit, le malade était tombé amoureux de son infirmière ; et quand le vapeur arriva à Wentworth, retrouvant une fois de plus les eaux troubles de la Darling inférieure, les deux amoureux parlaient déjà mariage.

Délie fut stupéfaite et horrifiée. Elle avait accepté le fait que Meg se marierait « un jour », mais pas aussi vite, et pas avec un homme coincé au cœur de la brousse, loin de tout, sans le moindre médecin à appeler en cas d'urgence.

« Exactement, ma chère maman, le genre de vie que tu as toi-même choisie, fit remarquer Gordon avec un sourire en coin.

— Je ne connais même pas son nom, se plaignit Délie. Un nom bizarre, qui commence par un G, il me semble ?

— Ogden, maman. Ogden Southwell. Personnellement, je trouve ça assez distingué. Il occupe un poste de responsabilité. Et puis tu me verras chaque fois que tu iras au lac Victoria, à Wentworth ou à Mildura.

— Et ta carrière ?

— J'exercerai mes talents sur ma famille... Allez, viens faire connaissance avec Ogden, il t'attend et doit se faire un sang d'encre à l'idée de te rencontrer, bien que je lui aie dit que tu étais douce comme un agneau.

— Mais je n'ai même pas de chapeau.

— Un chapeau ! Pourquoi diable aurais-tu besoin d'un chapeau pour rencontrer ton futur gendre ? Mets-toi donc un peu de rouge à lèvres, tu verras comme c'est agréable. »

Alors qu'ils descendaient de nouveau le fleuve, Délie demanda à Brenny de lui laisser la roue quelques minutes. Elle voulait réfléchir, se faire à l'idée que Meg allait se marier. Seule dans la timonerie, au milieu des reflets mouvants et des arbres qui semblaient venir à sa rencontre, parmi les oiseaux qui s'envolaient sans cesse pour se poser un peu plus loin sur l'eau scintillante, Délie pensa à ses propres réactions.

Pourquoi étaient-elles hostiles ? Meg avait parfaitement le

droit de se marier. Elle avait terminé sa formation et pourrait probablement trouver du travail dès qu'elle le voudrait. Elle désirait un mari et une famille; Ogden semblait un homme droit, en tout cas il était manifestement très amoureux de Meg.

Délie avait aimé ses yeux marron et son regard honnête, son sourire éclatant dans son visage hâlé, les rides autour de ses yeux quand il riait. Il ne risquait plus d'être infirme et il avait un emploi; elle ne pouvait émettre aucune objection. Aucune! Simplement, il n'était pas assez bien pour Meg. Mais elle était assez lucide pour sourire de ses propres préjugés maternels. Aucun homme ne serait assez «bien» pour sa fille, voilà le problème! Elle devait s'habituer à l'idée que Meg partagerait désormais sa vie avec un homme. Ogden — quel prénom! — ferait aussi bien l'affaire qu'un autre.

101

Miss Barrett écrivit à Délie que Jessamine était partie en voyage à l'étranger avec un groupe d'élèves accompagnées par une dame de Melbourne habituée à voyager en Europe.

«Voilà quelque chose que je ferais volontiers moi-même si j'étais moins âgée, écrivait-elle. Initier à l'ancien continent de jeunes esprits réceptifs comme Jessie serait une sorte de redécouverte. Cependant, je crains qu'elle n'ait tendance à *s'ennuyer* très facilement, chose que j'ai beaucoup de mal à comprendre. Je peux dire en toute sincérité que, durant toute mon existence, je ne me suis jamais ennuyée!

«La vie continue à se montrer pleine de surprises — ainsi la sœur d'Élaine, qui s'est avérée une merveilleuse chanteuse et a décroché une bourse pour le Conservatoire. Les aborigènes ne réussiront jamais dans le commerce, car toutes les activités supposant un esprit de compétition sont étrangères à leur nature; si on les respecte un jour, s'ils parviennent à s'intégrer à la communauté australienne, ce sera grâce à leurs talents artistiques.

«J'habite toujours avec les Raeburn dans leur maison si confortable que je considère maintenant comme mon foyer. En fait, j'hésite à la quitter dans l'immédiat, car Miss Janet se fait beaucoup de soucis. Elle m'a confié que sa sœur boit de telles quantités d'alcool que sa santé est en jeu.

«Je ne sais ce que je peux faire, car elle m'interdit d'en parler à Alister. Je lui ai suggéré d'avertir le médecin de famille pour qu'il soigne sa sœur, mais Miss Janet prétend qu'il ne la croira jamais. C'est un vieillard sourd et têtu; d'autre part, Miss Raeburn n'acceptera jamais un autre médecin. Quant à Mme Raeburn, inutile de lui demander quoi que ce soit, elle répondrait aussitôt que cela ne la regarde pas. J'en profite pour vous dire qu'elle ne semble pas désirer de progéniture. C'est peut-être une preuve de sagesse.»

Délie reposa la lettre. Elle constata avec surprise qu'elle en voulait toujours à Cecily et qu'elle ressentait une sorte de soulagement à savoir Alister et elle sans enfant. En revanche, la première partie de la lettre de Miss Barrett ne l'étonna pas; en effet, elle ne comprenait pas comment Miss Raeburn avait pu conserver son secret aussi longtemps.

Dix années avaient passé depuis son dernier séjour dans la maison au bord du lac, et elle n'était jamais retournée à Milang. Plusieurs fois elle avait retrouvé Miss Barrett en ville, dont un jour avec la jeune Jessie transformée en une beauté aux traits volontaires, aux vêtements coûteux et à la coiffure sophistiquée. Je n'aurais jamais pu me sentir à l'aise parmi ces gens, avait alors songé Délie en remettant en place une mèche de cheveux rebelle.

Miss Barrett avait maintenant soixante-dix ans, mais son écriture était toujours aussi ferme et lisible. Elle atteindrait probablement l'âge de quatre-vingt-dix ans et conserverait toutes ses facultés jusqu'à son dernier jour. Il était tout bonnement impossible de l'imaginer gâteuse.

Quelques semaines seulement s'étaient écoulées quand Délie reçut un télégramme d'Alister — à Morgan, au moment précis où elle accostait — qui lui demandait de le rejoindre à Milang toutes affaires cessantes. Elle s'était juré de ne plus jamais remettre les pieds dans cette maison, mais cette fois c'était différent. Miss Barrett, gravement malade, la réclamait. Délie prit le train le jour même et arriva à Milang dans l'après-midi.

Comme elle n'avait pas télégraphié l'heure d'arrivée de son train, elle prit un taxi à la gare.

«La maison des Raeburn», dit-elle au chauffeur. La maison n'était qu'à deux pas de la gare, mais Délie avait des bagages.

Le chauffeur se retourna et lui adressa un regard incrédule. «Pouvez-vous répéter, madame?

— La maison des Raeburn. Vous êtes nouveau ici?

— La maison et l'entrepôt ont été détruits par un incendie, avant-hier. J'croyais que tout le monde était au courant.»

Délie sentit sa bouche s'arrondir en un O ridicule. Elle reprit aussitôt ses esprits et dit: «Conduisez-moi directement à l'hôpital, vite!»

Quand ils tournèrent pour s'engager sur la route bordant le lac, elle découvrit la façade noircie du grand bâtiment de pierre. Le balcon et le chambranle des fenêtres avaient disparu, le toit s'était affaissé, l'observatoire effondré, probablement avec toutes les toiles d'Alister. Mais lui était sain et sauf! Car il avait signé le télégramme.

Les fenêtres dessinaient des trous noirs dans la ruine calcinée qui paraissait vieille de plusieurs siècles. Délie crut contempler le cadavre momifié d'un vieil ami. Elle détourna les yeux et dit au chauffeur d'accélérer, car il faisait mine de s'arrêter pour lui raconter les divers épisodes de l'incendie, dans lequel deux habitants de la maison, deux femmes, avaient trouvé la mort, et une autre avait été gravement brûlée. C'était l'événement le plus palpitant qui se fût produit à Milang depuis des années. Au bord de l'évanouissement, Délie trouva la force de demander leurs noms.

«Des Raeburn, bien sûr, répondit le chauffeur sur un ton d'impatience.

— Madame ou mademoiselle?

— Les deux dames de la maison, c'est tout ce que je sais.» Délie le paya, sauta du taxi et gravit rapidement les marches de l'hôpital.

«Je vous prie de laisser mes bagages à l'hôtel. (Il n'y avait qu'un seul hôtel en ville.) Savez-vous où est M. Raeburn?

— J'suppose qu'il est à l'hôpital, au cas où on aurait besoin de lui.»

Pourquoi ne m'a-t-il pas prévenue? songeait Délie, presque

furieuse. Peut-être avait-il craint qu'elle ne s'inquiétât davantage en apprenant la nouvelle. Elle ne savait rien et redoutait le pire.

A l'hôpital, elle demanda d'abord à voir Miss Barrett. La religieuse à qui elle s'adressa prit un air grave. « Êtes-vous une parente ?

— Elle n'a plus de parents ici. Je suis sa plus vieille amie. Dites-moi où elle est, s'il vous plaît. M. Raeburn...

— Ah, vous êtes une amie de M. Raeburn. Je crois qu'il dort en ce moment, il a passé toute la nuit au chevet de Miss Barrett ; je vais voir si vous pouvez lui rendre visite. Son état est grave, vous savez ; je dirais même critique.

— C'est elle-même qui m'a demandée. Je viens de faire deux cents milles pour la voir ; si vous ne vous hâtez pas, il sera peut-être trop tard ! Allez voir tout de suite si elle est en état de me recevoir. » La religieuse s'éloigna en bruissant, et revint rapidement.

« La malade va légèrement mieux, vous pouvez lui parler, mais ne restez pas trop longtemps. Peut-être préférez-vous voir M. Raeburn d'abord ?

— S'il n'y a pas urgence...

— Non, ne vous inquiétez pas.

— Dans ce cas, volontiers. »

Alister n'avait pas changé, telle fut la première impression de Délie. Elle s'était attendue à le trouver transformé par son mariage. Bien sûr, il avait vieilli, ses cheveux grisonnaient, mais il était toujours aussi svelte et le même feu brûlait dans ses prunelles sous ses paupières alourdies par la fatigue consécutive à deux nuits de veille.

« Je me suis senti responsable envers vous », lui expliqua-t-il en saisissant ses deux mains, tandis que ses yeux scrutaient le moindre détail de son visage, comme un connaisseur examine un tableau bien-aimé pour y déceler des traces de décrépitude ou de vieillissement. « Dix ans... ajouta-t-il à moitié pour lui-même. Cela fait longtemps, Délie. Et quelles étranges retrouvailles.

— Oui. Racontez-moi ce qui s'est passé, Alister. Je ne sais rien, sinon qu'il y a eu un incendie, et que vos tantes sont...

— Je crois que c'est tante Alicia qui a mis le feu à la maison. J'étais à Adélaïde. Il semble qu'elle buvait beaucoup depuis des années, et cette nuit-là elle a allumé une bougie et mis le feu au rideau ; peut-être, en proie au *delirium tremens*, elle a voulu faire des fumigations dans sa chambre (Janet m'a dit qu'elle se plaignait des cafards qui grouillaient sur ses murs), ou bien elle a sombré dans l'inconscience, nous ne le saurons jamais. En tout cas, l'incendie s'est déclaré en pleine nuit. Miss Barrett s'est réveillée la première, elle aurait pu s'en sortir indemne, mais elle est allée dans la chambre d'Alicia, elle l'a secouée, et ma tante a refusé de bouger.

« Miss Barrett a perdu beaucoup de temps et quand elle a voulu descendre l'escalier, il était en feu. Elle a alors réveillé Janet qui dormait dans la pièce voisine, l'a enveloppée dans une couverture et l'a fait descendre ; Janet s'est évanouie dès qu'elle a été en sécurité au-dehors. Miss Barrett espérait que Cecily s'était réveillée et échappée, mais quand elle a remarqué son absence elle a tenté de remonter l'escalier... c'est du moins ce que j'ai cru comprendre... et alors tout l'étage supérieur s'est effondré. Pauvre Cecily ! J'espère qu'elle était déjà évanouie et qu'elle est morte dans son lit. Mais je ne peux rien affirmer avec certitude.

— Cecily ! Oh, mon Dieu, je croyais !... Je suis désolée. » Délie sentait une pensée se former dans son esprit : ce décès changeait tout. Mais pour l'instant elle n'avait pas le temps d'y réfléchir.

Alister ajouta tristement : « Oui, c'est Janet qu'on a sauvée. Je n'ai pas encore annoncé la nouvelle à Jamie et Jessie, je redoute de le faire.

— Pauvres enfants ! » Délie frappa dans ses mains. « Oh, j'aurais dû vous en parler voici des années ! Je savais que Mme Raeburn buvait. Un soir, je l'ai croisée dans le couloir, alors que... alors que je sortais de votre chambre ; elle avait beaucoup de mal à tenir sa bougie. Et dernièrement Miss Barrett, dans une de ses lettres, faisait allusion à l'alcoolisme de Mme Raeburn. Toutes ces vies anéanties, et votre belle maison, vos toiles, votre Lely... »

D'un geste las, il balaya les dernières paroles de Délie. « Le monde n'a pas perdu grand-chose. Pourtant vous aussi, vous avez perdu quelque chose. A son âge, Miss Barrett n'a aucune chance de guérir. »

Les yeux de Délie s'emplirent de larmes, qu'elle refoula à grand-peine. « Pouvez-vous me conduire à son chevet ?

— Oui, elle vous réclame depuis qu'elle a repris connaissance. Voilà pourquoi je vous ai envoyé ce télégramme. Elle souffre de brûlures au troisième degré, et vu leur étendue c'est un miracle qu'elle ne soit pas encore morte. Je crois que seule la perspective de votre visite la maintient en vie. »

Délie appréhendait ce qu'elle allait découvrir dans la chambre d'hôpital, mais le corps informe allongé sur le lit, cette masse amorphe de coton blanc où l'on ne voyait que deux yeux, n'avait que peu de rapport avec son ancienne amie.

Alors Miss Barrett parla. Sa voix profonde et vibrante, qui faisait tellement partie de sa personnalité, n'avait pas changé, malgré la lassitude qui l'obligeait à s'arrêter entre deux phrases pour reprendre son souffle.

« Bonjour, Délie.

— Oh, Miss Barrett ! J'ai pris le train dès que j'ai reçu le télégramme d'Alister.

— Dorothy, s'il te plaît. Nous sommes presque des contemporaines désormais, nous aurions pu vieillir ensemble si j'avais tenu le coup encore une dizaine d'années. Quel âge as-tu maintenant, cinquante-cinq ? »

Incapable de parler, Délie acquiesça. Plus que par des larmes, elle était bouleversée par le ton humoristique de la voix de la mourante.

« Délie... Tu arrives juste à temps, je crois. Demain... mais ne parlons pas de ça. Les choses prennent parfois une tournure étrange ; Alister était absent, Janet s'évanouit pour la première fois de sa vie... Je devais prendre une décision... Brusquement, tout reposait sur mes épaules... J'aurais pu d'abord aller dans *sa* chambre, Délie, mais je ne le fis pas. Je savais qu'il était trop tard quand j'ai remonté l'escalier, mais... je devais accomplir ce geste. Sinon ma propre existence me serait devenue insupportable... Sois heureuse, ma chère enfant... Tu le mérites. » Sa voix n'était plus qu'un murmure, un chuchotement désincarné qui s'élevait d'un monceau de coton. « Alister... n'a jamais cessé de... Ah!» Ce fut comme un soupir de soulagement. Les yeux s'obscurcirent, devinrent fixes, et Délie bondit vers la sonnette. Dorothy Barrett respirait encore, mais son souffle irrégulier était à peine perceptible. Coma irréversible, pensa Délie, se souvenant d'une expression médicale lue dans les manuels de Meg. Deux religieuses arrivèrent et s'empressèrent de la faire sortir de la chambre.

102

Elle trouvait fort étrange d'être passagère, de ne pouvoir pénétrer dans la timonerie selon son bon plaisir. Elle marchait de long en large sur le pont, évitait les groupes de femmes mûres aux cheveux contenus dans une résille, souriant aux enfants qui jouaient. Chaque fois qu'elle faisait demi-tour sur le pont avant, elle levait les yeux vers les fenêtres de la timonerie.

Ce jeune freluquet (elle ne pouvait qualifier l'homme autrement) était donc le capitaine, il n'avait certainement pas trente ans, mais maintenant, en 1939, son propre fils aîné avait trente-cinq ans et vivait encore d'expédients, incapable de s'engager dans une profession définie. On aurait dit un artiste incapable de réaliser quoi que ce fût.

Elle remarqua que ce jeune capitaine avait l'âge de Brenton quand elle l'avait connu, et qu'il avait semblé si sûr de lui et adulte, après les garçons d'Echuca, à la timide jeune fille élevée à la campagne.

Dire que cette jeune fille a été moi, pensa-t-elle avec étonnement en regardant les rides et les taches de son qui couvraient ses mains. Il s'était passé tant de choses, sa vie avait été bouleversée, enrichie, compliquée par tant d'événements et de rencontres!

Le fleuve majestueux qu'elle était devenue, plus imposant, plus profond et infiniment plus complexe — comparé à la naïve écolière gambadant sur les pentes neigeuses de Kiandra — le fleuve approchait déjà de la mer. Encore quelques années... elle entendait déjà le grondement lointain des déferlantes qui se brisaient sur le dernier rivage. L'an prochain, elle aurait soixante ans.

Un vieil homme qui portait un seau arriva sur le pont. Il avait un double menton, une peau pâle et ridée, des yeux d'un bleu délavé mais encore vifs. Ses cheveux étaient poivre et sel. Délie le regarda, s'imaginant elle-même dans quelques années sombrant dans une vieillesse asexuée.

« Faites-vous partie de l'équipage ? lui demanda-t-elle en souriant.

— Oui. » Il s'arrêta, releva la tête pour mieux la voir, sa bouche osseuse légèrement entrouverte.

« Je me demande si vous vous souvenez de Teddy Edwards, du *Philadelphia* ? Vous naviguez sur le fleuve depuis longtemps ?

— Teddy Edwards ! Pour sûr que je me le rappelle. J'ai jamais travaillé pour lui personnellement, mais j'sais que c'était le capitaine le plus rapide du fleuve. Et le meilleur. Le *Philadelphia* : laissez-moi réfléchir une seconde.

— Ce vapeur est amarré à Murray Bridge. Il n'y a plus guère de travail pour lui.

— Ah, les vieux vapeurs disparaissent les uns après les autres. Pourtant, le *Melbourne* est toujours en activité à Echuca, vous le connaissez ? Et le petit *Adélaïde* et l'*Edwards* en amont du fleuve, j'crois bien qu'ils m'enterreront.

— Mon fils a travaillé à bord de l'*Industry* pour le gouvernement d'Australie méridionale. Je suis Mme Edwards. Mon mari est mort, comme vous le savez sans doute. Je fais une sorte de pèlerinage sur les lieux de mon enfance, la ferme des Jamieson.

— Les Jamieson ! Bon Dieu, dans le temps on s'y arrêtait pour acheter des œufs, y a bien quarante ans de ça ! Reste plus rien aujourd'hui — la ferme a été détruite par un incendie voici des années — mais du fleuve on aperçoit les anciens poulaillers. D'ailleurs, nous y sommes presque. » Il la regarda plus attentivement. « Vous avez bien dit Mme Edwards ? Vous seriez la dame de Teddy ?

— Exactement. »

Il serra chaleureusement la main de Délie. « M'dame Edwards, hein ? Pour une surprise... Vous vous rappelez sûre-

ment Echuca dans l'ancien temps. Ah, c'était un fameux petit
port. Voyez, j'ai navigué sur le *Clyde*, et puis le *Coorong*, nous
avons même remonté la Murrumbidgee à l'époque. Ah, le bon
vieux temps... Tout change tellement vite aujourd'hui...»

Délie s'aperçut que ses yeux pâles s'embuaient de larmes.
Même ce vieillard usé par le temps était sensible au caractère
transitoire des choses.

Elle retourna vers les paysages du passé quand le vapeur
négocia les innombrables courbes du fleuve, dévoilant les
langues de sable jaune et les berges argileuses où les eucalyptus enfonçaient leurs racines noueuses. Il restait peu de gros
arbres, à l'exception de ceux qui poussaient sur les rives. Une
forêt de jeunes «arbrisseaux» (ainsi que Brenton les appelait
toujours) fut bientôt remplacée par une clairière herbeuse, et
Délie découvrit le bois usé des poulaillers toujours debout.

Il ne restait rien d'autre. Aucune trace des maisons ni des
dépendances, aucune du pin où elle était si souvent montée,
aucune de la treille ni des amandiers. Seul un citronnier solitaire témoignait de l'ancien verger. Tout un pan de son passé
avait disparu, exactement comme cinq ans auparavant, après
l'incendie de la maison et de l'entrepôt des Raeburn à Milang.

Pourquoi n'avait-elle pas épousé Alister? Il le lui avait
demandé à maintes reprises, malgré sa fierté indomptable, la
dernière fois juste avant son départ pour Londres où il devait
s'occuper de son entreprise.

«C'est trop tard», avait-elle répondu, sans éprouver le
besoin de se durcir contre lui, ne ressentant désormais qu'une
amitié paisible envers celui qu'elle avait follement aimé. «Il y a
dix ans, cela m'aurait comblée. Mais aujourd'hui je préfère ma
liberté. A l'époque où je désirais vous épouser, vous n'étiez pas
libre. Maintenant, je ne suis plus la même personne.

— Délie! Si nous pouvions revenir en arrière... Si je tenais
de nouveau cette occasion... comme je vous l'ai dit, la situation
me semblait sans issue, je croyais que votre attitude envers
moi avait changé. Pourtant il n'est pas trop tard. Laissez-moi
vous montrer...»

Quand il essaya de la prendre dans ses bras, elle tendit une
main ferme pour l'en empêcher. Ah, les années l'avaient
rendue plus sage, ou peut-être plus dure?

«C'est inutile, Alister. Vous essayez de rallumer une flamme morte.» L'espace d'un instant, elle se demanda si elle n'avait pas seulement été amoureuse de la maison, du décor luxueux où évoluait Alister. Depuis l'incendie, tout lui paraissait différent, peut-être à cause des dernières paroles de Dorothy Barrett. Pauvre Dorothy! Après une décision aussi lourde de conséquences, il valait mieux pour elle qu'elle fût morte.

Quand Alister avait renouvelé sa proposition, il partait à Londres afin d'y entamer une vie nouvelle, et Délie ne voulait pas retourner en Angleterre, peut-être pour toujours. L'Australie était sa patrie depuis bientôt cinquante ans; son ciel bleu et ses paysages grandioses faisaient partie d'elle-même comme si elle y était née.

Délie se retourna quand le vapeur s'engagea dans la courbe en amont de la ferme. Tout avait disparu, balayé par le temps, ainsi que tous les gens qui avaient vécu là, sauf elle. Désormais, ces souvenirs n'existaient plus que dans sa mémoire; et quand elle disparaîtrait à son tour, qu'en resterait-il? Cette vie passée deviendrait une goutte perdue dans le fleuve, un fragment du tissu infiniment complexe de la vie.

La silhouette des sombres eucalyptus penchés au-dessus du fleuve était étrangement familière et Délie sentit le temps voler en éclats. Tout fut de nouveau présent: les fleurs d'Hester, Lige et ses «mistiques», le corps souple et gracieux de Minna, Charles marchant sur les berges en sifflant, Adam plongé dans un livre... Un frisson glacé parcourut son dos.

La voix du vieux marinier la tira de son rêve: «Vous vous rappelez les gros eucalyptus qu'il y avait là? Tous abattus pour les pontons du gouvernement, les traverses des chemins de fer, la charpente des bateaux, et ainsi de suite. Maintenant, on essaie de les faire repousser; les Eaux et Forêts contrôlent tout, on ne peut rien couper en dessous d'un diamètre de huit pieds. Mais ça va prendre un sacré temps. Moi, j'dirais cinq cents ans. Reste plus un arbre valable, sauf ceux qui ont les pieds dans le fleuve.»

Délie se félicita de ne pas avoir voyagé par voie de terre à partir de Moama, à travers les pâturages sans arbres et les terres stériles couvertes de sable, où poussaient autrefois des marguerites sauvages sous les pins de la Murray. Tout au long

des courbes familières, elle se sentit envahie par le calme bienfaisant du fleuve ; car le flux éternel qui sans cesse coulait vers
la mer demeurait inchangé.

103

Quand Meg accoucha pour la deuxième fois à l'hôpital de
Wentworth, Délie accepta de rester avec Ogden pour s'occuper
de leur premier enfant, une fille. Délie fut surprise par l'intensité de l'affection qu'elle ressentait pour la petite Vicki, une
fillette enjouée à qui son père passait tous les caprices, et qui
était déjà trop gâtée.

Meg croyait que toutes les grand-mères étaient trop indul-
gentes envers leurs petits-enfants, et elles se disputèrent pour la
première fois quand Délie voulut sortir de son berceau la
fillette qui pleurait. Délie décida alors de prendre ses distances
et de laisser Meg s'occuper de sa progéniture. Elle constata
avec horreur qu'elle se comportait en grand-mère gâteuse
typique, elle qui avait toujours déclaré qu'elle avait eu assez de
bébés dans son existence et qu'elle ne désirait nullement jouer
les gouvernantes avec ses petits-enfants.

Mais Vicki... Un sentiment inhabituel s'empara de Délie
quand elle se pencha pour la première fois au-dessus de la
petite tête brune, aux yeux hermétiquement clos, avec les
poings minuscules plaqués contre les joues. Ce n'était pas
simplement un bébé parmi les millions qui naissaient chaque
jour, c'était un symbole de la permanence de la vie.

Elle-même, sa propre mère, Meg et la fille de Meg étaient
autant de maillons dans la chaîne infinie qui se perdait dans la
nuit des temps, inaugurée par le premier accouchement de la
première femme. Chaque être était un bourgeon éclosant sur
l'immense arbre de la vie, où chaque bébé de sexe féminin
renfermait miraculeusement les germes de l'avenir. Et pour
Délie, Vicki était son propre miracle.

Elle avait maintenant cinq ans et savait à peine ce qu'était la
pluie. Car les quatre dernières années avaient été particulièrement sèches ; sur le site continental de l'Écluse Sept où ils

vivaient, il pleuvait rarement et les hivers étaient froids et enso-
leillés.

Mais il y avait de l'eau en abondance, qu'on pompait dans
le fleuve. Meg avait un beau jardin où poussaient fleurs et
légumes, et dont s'occupait le personnel de l'Écluse, trois
ouvriers zélés qui semblaient passionnés par le jardinage. On
avait installé une solide clôture au fond du potager pour que
Vicki ne risque pas de s'aventurer plus loin et de tomber dans
le fleuve.

C'était l'inquiétude constante de Meg ; quand les portes de
l'écluse étaient ouvertes, l'eau dégringolait de six ou huit pieds
en une cascade bouillonnante d'où le meilleur nageur n'aurait
pu sortir vivant. Même les poissons étaient étourdis et désem-
parés ; les pélicans se rassemblaient en bandes nombreuses et
les pêchaient dès qu'ils remontaient à la surface du bassin inférieur.

Sinon, Meg était parfaitement heureuse dans son foyer. Elle
aimait le rugissement de l'écluse et la surface unie du plan
d'eau supérieur ; elle avait intelligemment espacé la naissance
de ses enfants, elle aimait son mari d'un amour tranquille, et
Ogden considérait son épouse comme la femme la plus
merveilleuse du monde. Elle pensait rarement à Garry, et
quand cela lui arrivait, c'était sans amertume ni douleur. Elle
exerçait ses talents d'infirmière sur les employés de l'écluse
lorsqu'ils tombaient malades et pour soigner les maladies
infantiles de Vicki.

C'était la fin du mois de septembre, l'hiver était terminé et le
printemps bien entamé quand Délie arriva chez sa fille. Les
fleurs sauvages, jonquilles jaunes et bruyères rose pâle, parse-
maient encore les prés. Elle emmena Vicki en promenade,
habillée d'une salopette pour se protéger des épineux et des
branches mortes.

Vicki préférait les fleurs bleues, les tigrenium bleu foncé et
les orchidées bleu ciel avec leurs yeux jaunes, mais les
orchidées-araignées l'effrayaient. Délie prenait beaucoup de
plaisir à ces expéditions. Quand elle sentait la main douce et
menue de Vicki dans la sienne, quand elle regardait ses boucles
châtaines, ses cheveux fins comme de la soie, une sorte de paix
rêveuse s'emparait de son esprit.

Elle lui montrait les oiseaux colorés, perroquets jaune et vert, rosellas rouges, cacatoès à la crête écarlate, et elle pensait parfois à Brenton et à leur séjour dans la forêt de Barmah. Brenton aussi vivait dans cette enfant délicieuse qui gambadait à ses côtés. Sur le doux visage de la fillette, Délie entrevoyait parfois les traits fermes et rudes de son mari défunt ; d'ailleurs, elle ressemblait davantage à son oncle Brenny qu'à sa mère, ce qui signifiait que Vicki était une petite fille ravissante. Ses joues étaient roses, et ses yeux marron foncé.

A cinq ans, elle commençait à penser par elle-même et à poser de nombreuses questions. Elle avait déjà parcouru un long chemin depuis le nouveau-né sans défense ni conscience ; déjà, elle réfléchissait à la mort.

Après une nuit de gelée, Vicki ramassa un papillon mort, insecte orange au corps violet sombre ; ses ailes étaient raides et cassantes.

« Ils ne meurent pas vraiment, Grand-Maman, dit-elle sérieusement, parce qu'en été ils ressortent des œufs. » (L'année précédente, elle avait conservé des œufs puis des chenilles dans une boîte à chaussures, mais elle s'était ensuite désintéressée de son élevage, et sa mère avait dû s'occuper des chenilles.)

Délie fut impressionnée. La fillette avait exprimé une vérité profonde : rien ne meurt, tout se renouvelle éternellement. Sauf, bien sûr, quand une espèce s'éteint ; mais la vie, comme la matière, est indestructible.

En revanche, les idées de Vicki relatives à Dieu étaient primaires et anthropomorphiques. « Dieu est-il plus grand que le roi ? demandait-elle. Dieu peut-il manger des pastèques tous les matins au petit déjeuner ? »

Délie jugea préférable de laisser l'enfant découvrir les choses par elle-même, ainsi que chacun doit le faire en définitive pour ne pas adopter la pensée du troupeau ni endosser une idéologie toute faite.

Quand Délie remarqua une grande déchirure dans sa plus belle robe, Vicki prit un air innocent et déclara : « Une mite doit l'avoir mangée.

— Aucune mite n'est assez grosse pour faire de pareils dégâts ! répondit Délie.

— C'est sûrement la *reine* des mites », expliqua l'enfant ; Délie éclata de rire, et elle rit aussi, se roula par terre en donnant des coups de pied en l'air, surtout pour imiter son aînée car elle ne voyait rien de drôle dans ce qu'elle avait dit. Elle aimait sa grand-mère, qui riait avec tout son visage, ses yeux, ses sourcils et sa bouche, et puis ses dents étaient blanches et jolies. De tous les adultes aux cheveux argentés que Vicki connaissait, Délie était la seule à avoir conservé un beau visage. Vicki détestait les vieilles dames au menton pointu et poilu, aux dents jaunes. Elle croyait que c'étaient des sorcières, et les sorcières troublaient ses rêves presque chaque nuit. Il y avait surtout une vieille sorcière qui l'attendait dans le monde des rêves, si bien qu'elle redoutait souvent d'aller se coucher et qu'elle tenait absolument à ce qu'on laissât un peu de lumière dans sa chambre pour pouvoir retourner rapidement dans l'autre monde quand elle se réveillait. La sorcière ne pouvait pas la suivre jusque-là, traverser la frontière de la conscience ; mais Vicki redoutait qu'elle ne sût ce qui se passait dans ce monde-ci. Elle se réveillait parfois en criant, mais refusait de raconter ce que la sorcière lui faisait subir dans ses rêves, car celle-ci risquait de la punir la nuit suivante quand le sommeil s'abattrait sur elle, la livrant à l'horrible harpie.

Délie tenait à être appelée « Grand-Maman ». La perspective de devenir grand-mère l'avait autrefois horrifiée ; elle trouvait ridicule les surnoms inventés par les enfants pour désigner leurs grands-parents : « Mamy » ou « Granny » ainsi que tous les autres. Elle s'était presque habituée à son nouveau statut quand elle apprit qu'elle allait de nouveau être grand-mère. Elle se considérait toujours comme la Délie arrivée en Australie au début des années 1890, avant l'invention de l'aéroplane et la mort de la reine Victoria. Elle refusait cette étrange impression d'être entraînée au fil du temps.

Dans le petit cocon de l'écluse et des barrages, elle était active et heureuse et ne s'inquiétait nullement pour Meg ; quand Ogden revint à la maison, rayonnant de bonheur, il annonça qu'ils venaient d'avoir un fils, et Délie eut l'impression de l'avoir toujours su.

Elle ne se lia jamais d'amitié avec son gendre. Il était plutôt agréable, cet Australien travailleur, facile à vivre, mais il n'avait rien de remarquable. Ils ne dépassèrent jamais le stade des généralités, des politesses quotidiennes, n'abordèrent aucun sujet plus intime que le menu du déjeuner ou la santé des enfants ; Délie frémissait à la seule pensée de la vie sexuelle de sa fille avec cet inconnu séduisant, sujet dont Meg ne lui parlait jamais. Le bonheur évident de Meg poussa Délie à conclure que les deux jeunes gens s'entendaient bien.

Délie s'était à peine donné le mal de lire le journal depuis des semaines quand, soudain, un énorme roc tomba dans son petit bassin tranquille. Hitler avait franchi une nouvelle étape en Europe et on lui avait lancé un ultimatum : s'il envahissait la Pologne, ce serait la guerre.

Politiquement inculte, ignorant tout de la vie internationale, Délie ne put croire à cette nouvelle. Elle refusa d'admettre qu'après l'holocauste de la dernière guerre, une autre guerre pouvait éclater. Aucune nation ne pouvait se montrer assez stupide pour désirer cela.

Un soir, elle resta assise avec Ogden près du poste de TSF dans l'attente des nouvelles de la BBC ; ils entendirent alors la voix fatiguée de Chamberlain, la voix d'un homme vaincu : « Je dois vous dire que nous n'avons reçu aucune réponse de Hitler ; cela signifie que notre pays est désormais en guerre avec l'Allemagne. »

« Plus jamais ! » s'était écriée Mme Melville en apprenant la mort de son fils aîné. Toutes les mères qui avaient perdu un fils avaient dit : « Plus jamais ! Cela ne doit plus jamais arriver ! » Et pourtant, cela arrivait de nouveau.

Elle chuchota quelques mots à Ogden — qui grommelait qu'il manquerait sans doute de personnel quand on mobiliserait les jeunes gens, puis elle se précipita dehors comme si elle allait étouffer. Pour une fois, le ciel était couvert ; un couvercle noir semblait oppresser la terre, pas une étoile n'était visible. Elle marcha de long en large dans le jardin, pensant à ses fils, heureuse que Gordon et Brenny ne fussent plus des jeunes gens, et qu'Alex fût plus utile comme médecin que comme soldat. Spécialiste en chirurgie, il était maintenant bien installé en ville et considéré comme l'un des éléments les plus brillants de la nouvelle génération.

Le lendemain matin, elle se leva de bonne heure — bien avant Vicki — et se promena le long du fleuve en aval de l'écluse, où la turbulence des eaux reflétait bien son agitation intérieure. Le ciel était toujours couvert, phénomène si inhabituel qu'elle sentit une idée ridicule et superstitieuse s'emparer de son esprit : la nature semblait se lamenter à cause de la stupidité des hommes, comme si cette région perdue de l'Australie représentait la terre entière.

Ogden ne désirait absolument pas aller se battre, d'autant qu'il avait maintenant un fils. Comme il avait toujours été timide avec les filles, il n'en croyait pas ses yeux quand il regardait Meg, qui était revenue de l'hôpital plus ravissante que jamais ; sa peau était d'une pâleur magnifique et ses yeux brillaient de tendresse et d'amour.

« Meg, petite mère ! » dit-il en se penchant au-dessus d'elle pendant qu'elle s'occupait du nouveau-né, la masse sombre de ses cheveux masquant son visage.

Elle éloigna le bébé de son sein, puis essuya sa bouche couverte de lait. Ses yeux se fermaient de contentement, il était trop épuisé pour faire son rot, ce qui signifiait qu'il se réveillerait probablement vers minuit, mais Meg n'eut pas le courage de le secouer. Depuis un mois qu'elle était rentrée à la maison, ils étaient dérangés presque toutes les nuits.

Elle le remit dans son berceau, puis se glissa dans le lit à côté d'Ogden, laissant la veilleuse allumée.

« Meg ! Je suis un veinard. » Il la prit dans ses bras, l'attira contre lui, et aussitôt elle se pelotonna frileusement contre le torse chaud et musclé ; tel un roulement de tambour lointain, elle entendit bientôt le tonnerre croissant de son sang.

104

La paix. Rien n'était plus paisible que le fleuve à l'aube, songea Délie. Pas le moindre mouvement, sauf une araignée d'eau qui longeait silencieusement la rive, laissant derrière elle le V évasé de son sillage minuscule. L'eau semblait aussi tranquille que celle d'un lac ; elle coulait imperceptiblement et sa surface polie comme un miroir réfléchissait les premiers rayons du soleil à travers les volutes opaques de la vapeur qui en montait lentement. On aurait dit un antique serpent vert se chauffant au soleil.

La lumière dorée n'évoquait pas la mélancolie du soleil déclinant en fin d'après-midi, mais la promesse encore incertaine de fastes à venir. La guerre faisait rage au loin, à l'autre bout de la terre : des villes polonaises étaient détruites, des patriotes polonais assassinés traîtreusement, des Juifs polonais «liquidés» sans pitié alors que le monde ignorait encore les noms terribles d'Auschwitz et de Bergen-Belsen. Ici, le soleil montait avec une splendeur tranquille et les saules laissaient traîner leur longue chevelure verte au-dessus de leur reflet immobile.

Il faisait trop froid pour nager, car les eaux de fonte des neiges commençaient à alimenter le fleuve, descendues des hautes montagnes depuis le mois de septembre, deux mois auparavant. Délie comptait prendre la barque pour aller chercher des œufs et du lait en aval, une promenade qui lui procurait plaisir et exercice. Elle était absolument libre de l'emploi de son temps.

Elle connaissait enfin la vie qu'elle avait tant désirée : pas d'obligations, pas de distractions, pas de voisins, un bateau amarré près de la maison, et tout le temps qu'elle voulait devant elle. Elle lisait, elle peignait, mais toute passion l'avait quittée. Peut-être s'était-elle trompée : une existence d'ermite ou purement contemplative ne l'aurait peut-être pas aidée dans son travail...

Aucun conflit, aucune tension ne l'agitaient plus ; et elle avait peint ses meilleures toiles dans la fébrilité et l'insatisfaction. Son style était désormais connu et respecté ; un tableau de Delphine Gordon attirait immédiatement l'attention des connaisseurs ; mais elle savait qu'elle ne produisait plus désormais que des copies de ses œuvres passées ; son évolution s'était arrêtée.

A soixante ans, sa vie active touchait-elle à son terme ? Allait-elle tricoter des chaussettes pour les soldats et finir son existence dans les bonnes œuvres ? Elle ressemblait à d'innombrables vapeurs à aubes, définitivement abandonnés tandis que leurs barges vides reposaient tristement dans la vase. Seuls quelques bateaux transportant des passagers fonctionnaient encore, le *Marion* basé à Murray Bridge, le *Gem* à Mildura, et le petit *Merle*. Quant au *Philadelphia*, il mouillait dans une partie abritée du chenal, entre la berge et une petite île verte, en aval du quai de Murray Bridge où le *Murrundi* restait amarré en permanence. (A son bord vivait le capitaine Murray Randell, fils du capitaine Randell qui avait construit le premier bateau à vapeur de la Murray, le *Mary Ann*.)

Là le fleuve était large et rectiligne, aucune écluse à moins de cent milles, avec des pâturages verdoyants de part et d'autre, où paissait un bétail prospère. Une petite jetée constituée de deux planches reliait les saules de la berge à l'eau profonde ; Délie y amarrait sa barque et allait se baigner chaque matin.

Il n'y avait plus d'équipage, seulement Gordon pour entretenir la peinture du bateau, pomper l'eau dans la cale et s'occuper de tout, cuisine comprise. Il avait décidé de s'inscrire à un cours d'histoire par correspondance dont le programme s'étendait sur de nombreuses années.

Elle se réjouit égoïstement de ce que Gordon fût trop âgé pour être mobilisé. Il ne se porterait certainement pas volontaire ; en revanche, Brenny... Il avait toujours aimé l'aventure, et le commerce fluvial qui avait été le gagne-pain et la raison de vivre de son père, ainsi que les siens au début de sa vie, était quasiment au point mort. Les vapeurs à aubes pourrissaient à leur mouillage, les barges vides s'envasaient, tandis que les camions et les trains monopolisaient un commerce qui avait été autrefois leur apanage.

Une seule partie du fleuve restait animée, à Goolwa où l'on achevait de construire l'immense barrage sur l'estuaire. Les petits vapeurs toujours en activité dans «le bas» du fleuve transportaient ciment et gravier, bois pour les huttes des ouvriers du bâtiment, pompes et machines à battre des pieux qu'on chargeait sur le chantier de la dernière écluse. L'acier du barrage arrivait par wagons entiers. Le *Renmark* et le *Rothbury*, le *J.G. Arnold* et l'*Oscar W.* retrouvèrent momentanément du travail ; et l'*Industry*, le navire du gouvernement, ne chômait pas sur le chantier.

Brenny vint dîner avec eux à bord du *Philadelphia* quand l'*Industry* remonta jusqu'à Murray Bridge. A son grand soulagement, Délie remarqua qu'il s'intéressait peu à la guerre, mais se passionnait pour le chantier de Goolwa.

« Ce barrage est quelque chose d'énorme », dit-il, les yeux brillants à la lueur de la lampe à pétrole, ses boucles blondes hirsutes. (Comme il ressemble à son père ! pensa Délie, remarquant ses traits réguliers qui se creusaient déjà, et les minuscules veines rouges qui apparaissaient sur ses joues).

« Rendez-vous compte, le barrage de l'estuaire fera presque *cinq milles* de long ! Seul le chenal de Goolwa restera navigable. D'un côté il y aura de l'eau salée, et de l'autre de l'eau douce. Il va empêcher l'eau de mer de remonter jusque dans les lacs. Gordie, tu te souviens des mulets qu'on pêchait à Milang, on prenait même des tas de poissons d'eau douce en période de sécheresse.

— Je n'aime pas qu'on s'oppose ainsi à la nature, dit Gordon. L'histoire montre que cela crée presque toujours d'autres problèmes. D'abord, tout le chenal de Goolwa et les lacs vont être envahis par les roseaux. Et puis les algues d'eau douce vont proliférer sur la coque des bateaux.

— De toute façon, il y a toujours des algues, d'eau douce ou d'eau de mer.

— Un jour, il y aura une grande crue, une vraiment grande, bien plus grave que celle de 1931 !

— Mais je t'ai déjà dit que les écluses de Goolwa étaient amovibles. Quant à celle de Tauwitcherie, elle pivote pour se placer dans le sens du courant, un peu comme une valve à sens unique ; l'eau douce peut sortir, mais l'eau de mer ne peut pas entrer. Tu vois bien que les ingénieurs ont pensé à tout.

— Pourtant, ça ne va pas plaire à la Murray », intervint Délie.

Ils la dévisagèrent comme si elle avait dit une chose incroyable, et néanmoins plausible. Elle essaya de s'expliquer : les hommes se montraient présomptueux en essayant d'imposer leur loi à une masse d'eau aussi énorme, malgré son apparence paisible.

«Eh bien, je crois que quelqu'un va tenter de m'apprivoiser, lança Brenny sur le ton de la plaisanterie. Je vais me marier, maman. Mavis va te plaire. Elle a passé toute son existence à Goolwa.»

Oh non! pensa Délie, puis elle se dit: cela le tiendra à l'écart de la guerre.

Après Noël, quand Vicki vint passer une semaine à bord pour donner à Meg le temps de se reposer, ils descendirent jusqu'à Goolwa pendant qu'on nettoyait la coque du *Philadelphia*. Gordon avait parfaitement entretenu les superstructures du bateau, et Délie confectionna des rideaux neufs pour les cabines et le salon.

Pour une raison inconnue, Meg avait choisi de baptiser son dernier enfant Charles; elle n'avait pourtant jamais connu son grand-oncle Charles, en fait simple parent par alliance, mais Délie vit dans ce nom un présage de mauvais augure. Le jeune Charley ressemblait étonnamment à son père. «Un vrai petit Australien», s'écria fièrement Ogden en le lançant en l'air.

Délie avait examiné le marmot braillard sans lui découvrir la moindre beauté. Quand il arriva à la maison pour la première fois, il était malade, son visage recouvert de plaques rouges. Délie ressentit pourtant une immense pitié pour ce petit bout d'homme. Il sera bon pour la prochaine guerre, pensa-t-elle, et elle se demanda brusquement si l'Australie devrait se battre contre une invasion venant du nord, peut-être du Japon?... Il y avait tous ces territoires vides, la majorité de la population s'étant installée dans les villes côtières du sud et de l'est.

Mais elle était encore suffisamment amoureuse de la vie pour conclure que cela valait la peine: même vingt années d'existence étaient préférables au néant. Ensuite, quand le monde apprit les horreurs des camps de concentration, elle se mit à en douter. Le mal existait, profondément enraciné dans l'être humain, pourquoi tous les animaux et les oiseaux sauvages fuyaient-ils instinctivement l'homme? Dans la guerre le mal remontait à la surface comme une écume écœurante. Déjà on polluait les fleuves, on empestait l'air avec la poussière de charbon et les fumées des raffineries, on déversait du pétrole dans les océans; on brûlait l'oxygène, on décimait les forêts, les cités se développaient comme un cancer de la peau qui rongeait les campagnes, partout elles se multipliaient, comme ces virus qui prolifèrent aux dépens de leur hôte. Seigneur, quand tout cela finirait-il?

Pour l'instant, la guerre ne semblait pas aussi meurtrière que la précédente, bien qu'elle fût sanglante et terrible pour les Tchèques et les Polonais. Alors arrivèrent la capitulation de la France, la «trahison» de l'Italie, la défaite de la Belgique et l'évacuation de Dunkerque par les troupes anglaises. Pour Délie, tout cela se passait dans un autre univers, jusqu'à ce que Gordon annonce brutalement qu'il partait en ville pour s'inscrire dans une école d'officiers.

«Tout sera peut-être terminé à ma sortie de l'école, maman, dit-il pour rassurer sa mère blême. Je sais enfin ce que je veux faire, pour la première fois de ma vie. Et puis après la guerre, je pourrai suivre gratuitement n'importe quel cours à l'université. Je ne serai pas trop vieux.

— Je ne crois pas que la guerre sera terminée. On disait toujours que la dernière guerre ne pouvait pas durer, mais celle-ci risque d'être encore plus longue. Oh, Gordon, ne fais pas ça! Tu ne connais rien à la guerre, tu as toujours détesté souffrir, tu n'as pas l'étoffe d'un soldat. Laisse les jeunes gens aller se battre. Tu as trente-six ans, tu en auras peut-être quarante ou davantage quand elle sera terminée.»

Mais il demeura intraitable. Délie ne pleura pas car elle avait dépassé le stade des larmes, mais il était proprement grotesque que Gordon, le doux Gordon qui ne supportait pas l'idée d'écraser une fourmi, fût entraîné dans le massacre. Brenny aurait peut-être fait un bon soldat, il était plus solide, moins sensible, plus extraverti; mais il s'intéressait peu à la guerre, car la vie des vapeurs à aubes accaparait toute son attention.

«La petite Angleterre écrasera les Allemands comme elle l'a toujours fait», prophétisa-t-il. Il envisageait de se marier au Nouvel An.

Délie partit en ville pour supplier Alex de plaider sa cause et convaincre Gordon de changer d'idée; mais Alex refusa de l'aider.

«Si Gordon survit à la guerre, dit Alex, il en sortira régé-
néré. Il y a en lui de la mollesse, une sorte d'indécision; pour
moi, il souffre d'un profond complexe d'échec. Il n'a jamais
trouvé sa voie et c'est peut-être pour lui l'occasion de se révé-
ler.

— Gordon va souffrir le martyre s'il doit monter au front.
Et toi, Alex, ne me dis pas que tu pars aussi?

— Non, je crois que les chirurgiens seront plus utiles que
jamais après cette guerre, pour soigner les aviateurs et les
victimes des bombardements. J'ai commencé à me spécialiser
dans la chirurgie esthétique — les greffes de peau et d'os, on
peut même fabriquer de nouveaux visages à partir de fragments de peau prélevés sur les cuisses; c'est fascinant, tu te
prends presque pour le Créateur, mais pas au point de fabriquer une femme à partir d'une côte.»

105

Lorsque le barrage fut terminé, on construisit une route qui
longeait le coude du fleuve, lequel portait le même nom que la
ville de Goolwa. Délie marchait jusqu'au bout de cette route,
puis s'engageait dans les dunes de sable le long d'un vague
sentier bordé d'herbes qui montaient plus haut que sa tête.

Les grillons chantaient doucement dans la chaleur somnolente, le sable glissait dans ses chaussures en brûlant ses pieds.
Elle avançait avec précaution, prenant garde aux serpents,
bien que le tonnerre croissant des vagues fît battre son cœur de
plus en plus vite. Par les nuits paisibles, elle avait perçu leur
martèlement sourd loin à l'intérieur des terres, et depuis qu'elle
séjournait à Goolwa, elle avait toujours conscience de leur
rumeur incessante: tantôt à peine audible dans les intermit-
tences du vent, tantôt assourdissante quand soufflait la brise
du sud-ouest et que la mer montait à l'assaut du chenal,
formant comme un mascaret immobile qui déferlait à deux ou
trois pieds au-dessus des eaux du fleuve.

Délie allait contempler pour la première fois la plage dont
elle avait rêvé pendant la moitié de son existence; elle s'atten-

dait à être déçue. Elle gardait la tête baissée, les yeux fixés devant ses pieds, inspectant le sentier. Elle descendit une dune, arriva dans un goulet où le rugissement des vagues se calmait, puis gravit une crête où il redevint assourdissant.

Une bourrasque d'air marin la bouscula brusquement, et elle leva les yeux. Puis elle s'effondra sur le sable brûlant en poussant un cri inarticulé.

Bleu, incroyablement bleu, l'océan Austral s'étendait à perte de vue jusqu'aux glaces de l'Antarctique. D'un saphir profond, lapis-lazuli, turquoise près de la plage où le sable remontait progressivement ; bordées par des rangées de colliers blancs le long de la côte incurvée, les vagues montaient inlassablement à l'assaut du rivage. Une brise fraîche portait jusqu'à elle leur rugissement profond ponctué de brusques éclats ; et loin vers l'est, elle aperçut les dunes de sable de Coorong, blanches comme du sel.

Délie contemplait ce paysage grandiose, la bouche entrouverte comme si elle buvait à longs traits cette grandeur solitaire : la plage qui s'étendait sur quatre-vingt-dix milles vers le sud et l'est où, pour autant qu'elle pût voir, aucune créature vivante ne bougeait, sauf un groupe de petites bécasses aux pattes invisibles qui semblaient poussées par le vent au ras du sable.

La bourrasque balayait des monceaux d'écume semblable à de la mousse savonneuse, qui s'entassaient à la base des dunes en masses blanchâtres. Délie se releva et se mit à courir maladroitement vers la mer, en glissant dans le sable meuble. Au bord des dunes, hors d'haleine et ruisselant de sueur, elle jeta un bref coup d'œil derrière elle, puis se déshabilla. Presque furtivement, elle traversa la large bande de sable lisse jusqu'à la mer.

Quel spectacle grotesque, songea-t-elle, une vieille femme à la poitrine tombante, qui se baigne nue en plein jour ! Pourtant elle se baignait souvent de la barque sans maillot de bain, et maintenant elle ne supportait plus le moindre vêtement dans l'eau. Elle pénétra dans la mer jusqu'à la taille, et fut bientôt soulevée et roulée en tous sens, ses oreilles s'emplirent de l'entrechoquement mat des galets et du crissement du sable, son corps fut meurtri par la pierre, et son cœur battait la chamade tandis qu'elle retenait interminablement son souffle.

Quand elle réussit à reprendre pied, elle avait de l'eau jusqu'aux genoux, mais elle sentit aussitôt ses jambes fauchées par une autre vague qui, dans son reflux, essaya de l'emporter vers la pleine mer. A quatre pattes, elle réussit à regagner la plage où elle resta longtemps immobile, hors d'atteinte des vagues, pour retrouver son souffle. Ses genoux et ses coudes étaient meurtris ; à l'avenir, elle respecterait davantage les vagues de Goolwa Beach quand le vent soufflerait dans cette direction.

Dès qu'elle se fut rhabillée, elle partit d'un bon pas vers l'estuaire en laissant l'océan sur sa droite. Le vent était froid dans ses cheveux mouillés ; heureusement, elle avait enfin décidé de les couper, car ils étaient gris et ternes ; ce n'était peut-être pas très seyant, mais ils étaient infiniment plus faciles à entretenir.

Elle distingua une échancrure dans les courbes des dunes, puis découvrit l'estuaire de la Murray ; un fort courant coulait dans un chenal profond mais étroit — aboutissement assez ridicule pour un fleuve aussi majestueux.

On racontait que l'estuaire tout entier s'était beaucoup déplacé sous l'influence des vents dominants du sud-ouest. Ici, Sir John Younghusband avait péri dans les vagues en essayant de prouver que l'estuaire était navigable, après quoi on avait construit une balise ; à la belle époque des vapeurs à aubes, de nombreux bateaux s'étaient aventurés en mer quand le vent et la marée étaient favorables ; maints autres avaient fait naufrage.

Délie regarda la rive opposée, cette terrasse de sable qui semblait si proche. Allait-elle tenter la traversée à la nage ? C'était sans doute une folie de la part d'une femme ayant dépassé la soixantaine, mais ce genre de défi lui plaisait. Elle n'avait rien perdu de sa fougue romantique, de son goût du risque.

Et si le courant s'avérait trop fort, si elle était entraînée vers les tourbillons d'eau bouillonnante, ne serait-ce pas une belle fin, un point final digne de son long voyage ? De la mer aux montagnes, avant de retourner vers la mer...

Elle se secoua et fit demi-tour. Une ancêtre plus raisonnable prit le pas sur l'esprit celte romantique qui commandait parfois ses décisions. Elle se moqua gentiment d'elle-même; elle n'avait aucune raison de vouloir mourir. Elle goûtait enfin à ce qu'elle avait vainement désiré depuis si longtemps : la solitude, du temps pour réfléchir, pour rattraper les idées fugaces que l'on perd si souvent dans la succession des soucis quotidiens, comme on oublie un rêve évanescent emporté dans le flot des impressions du réveil.

Non, elle n'était pas seule. Elle possédait un petit cottage près du fleuve, loin de la ville et du chantier bruyant du barrage, qu'elle avait trouvé beaucoup trop fatigant après son existence tranquille au bord du fleuve. Pourtant, elle reconnaissait que ce n'était pas la vraie raison qui l'avait poussée à quitter la maison où elle avait passé quarante années de sa vie. C'était le mariage de Brenny qui l'avait décidée, le désir de laisser les jeunes gens entre eux, ainsi que le besoin de s'éloigner de Mavis.

« Pourquoi elle ? Pourquoi elle ? » s'était-elle demandé quand il lui avait présenté Mavis. Elle habitait au-dessus d'une boutique dans la grande rue de la ville ; de sa vie, elle n'avait jamais quitté Goolwa et n'avait jamais ouvert un livre depuis sa sortie de l'école. Les potins et les nouvelles locales suffisaient à remplir son esprit étriqué ; son visage était étroit et certains de ses commentaires dénotaient une mesquinerie hargneuse annonçant la future mégère. Elle n'était même pas séduisante, avait soupiré Délie en parlant à Alex au téléphone, car ses fils avaient tenu à ce qu'elle eût le téléphone si elle voulait vivre seule. Alex avait ri, puis répondu que l'alchimie de la séduction était chose compliquée, que le solide Brenny trouvait peut-être extrêmement désirables les charmes discutables de Mavis. Mais Délie ne voulait pas dire *cela* ; elle était scandalisée que Brenny pût désirer un être dénué de la moindre qualité morale ou spirituelle. Délie ressentait la même indignation que le jour où Brenton était allé avec cette fille au visage dur dans le cabanon près du fleuve. Elle devait désormais reconnaître chez Brenny une étoffe grossière et vulgaire, totalement étrangère à sa propre nature. Et maintenant que Gordon était parti à l'armée, elle était beaucoup plus heureuse seule dans son cottage.

La maison lui appartenait et elle avait partagé légalement les droits du *Philadelphia* entre ses trois garçons ; Meg avait reçu sa part en espèces lors de son mariage. Alex, qui touchait des revenus substantiels et n'avait pas participé à l'entretien du bateau depuis de nombreuses années, céda sa part à ses deux frères. Le départ de Gordon laissait donc Brenny seul à bord, et Mavis leur aménagea un nid douillet : elle posa des rideaux de dentelle à toutes les fenêtres, recouvrit de velours tous les divans, broda des dessus-de-table et décora les escaliers avec des canards en céramique. Délie avait commencé par émettre quelques suggestions, essayé d'influer sur le goût de Mavis, mais elle abandonna bientôt : elle n'avait jamais été très attachée aux biens matériels.

Elle remonta les dunes, puis s'allongea sur le sable doux, laissant ses yeux errer le long de l'immense plage déserte qui disparaissait dans la brume des embruns soulevés par le vent au-dessus des déferlantes.

Le vacarme incessant renfermait une sorte de noyau silencieux et paisible ; de même, par les calmes nuits estivales, loin à l'intérieur des terres, on devinait la rumeur sourde des lames. Le silence émanait des lacs immobiles de l'arrière-pays, des dunes de sable infinies abandonnées à la vipère et au serpent noir, aux touffes d'herbe rares et aux cris des oiseaux de mer.

Tel était l'endroit dont elle avait rêvé pendant si longtemps. Comme la Vieille Femme, l'indigène légendaire de l'histoire racontée par King Charlie voilà si longtemps, qui avait créé la Murray avec son bâton et son serpent magique, Délie était arrivée au bout de son voyage ; elle avait enfin trouvé son foyer spirituel sur ce rivage sauvage et désolé. Dans le tonnerre des lames et les intensités changeantes du vent, elle crut entendre, éternelle et anonyme, la voix de la Vieille Femme qui chantait en dormant.

106

Convaincue de vivre une grande aventure, Délie prit l'avion pour rendre visite à Meg ; elle devait atterrir à Mildura, d'où elle prendrait un car pour Wentworth, où Ogden viendrait la chercher. C'était un long détour, mais malgré tout plus rapide que le voyage par la route.

Avant de partir, elle mit toutes ses affaires en ordre, inscrivit le nom et le prix de ses tableaux au dos de toutes les toiles terminées (depuis qu'elle était connue, elle vendait facilement ses tableaux aux galeries, bien qu'elle préférât les conserver le plus longtemps possible avec elle), et écrivit à Gordon.

Les lettres qu'elle recevait du camp d'entraînement étaient joyeuses. La vie de soldat semblait plaire à son fils ; il disait qu'on décidait tous les détails de la vie quotidienne à la place des soldats, ce qui laissait l'esprit libre pendant que le corps suivait une routine machinale. Il n'avait encore participé à aucun combat, mais Délie était persuadée qu'il traverserait la guerre sans la moindre égratignure, tout comme elle était superstitieusement convaincue que son baptême de l'air lui serait fatal.

L'avion décolla avant l'aube dans une lumière grise ; Délie serra les bras de son siège et se mit à transpirer en prenant mentalement congé de ce monde. Puis, miraculeusement, après l'accélération du décollage, ils s'envolèrent, soutenus sans effort par les ailes de l'appareil. Elle se détendit en regardant un énorme strato-cumulus touché de plein fouet par les premières lueurs de l'aube. Ils pénétrèrent ensuite au cœur du nuage, dans un univers opalescent de coton rosâtre que découpait l'éclair gris-bleu des hélices. Elle sentit son cœur frémir et des larmes mouiller ses yeux. A plus de soixante ans ! Oh, elle n'était pas encore prête à mourir.

L'avion survola le fleuve non loin de Mannum ; elle pressait si fort son front contre le hublot de la carlingue, qu'il était douloureux. Elle aperçut le serpent vert foncé dont les méandres descendaient vers le sud, ainsi que la lointaine tache pâle des lacs. Quand ils rejoignirent la Murray au-delà de Renmark, les saules avaient disparu, laissant place au jade laiteux du fleuve qui sinuait dans sa plaine alluviale, et aux croissants de sable jaune visibles à l'intérieur de chaque courbe.

Tel était le spectacle qui s'offrait au regard des aigles, quand elle les voyait décrire des cercles au-dessus du vapeur, par les après-midi torrides. Comme ce serait merveilleux de voler, sans cette vibration du verre et de l'acier! Déjà le bruit des moteurs lui donnait la migraine. Elle fut heureuse d'atterrir et de monter dans le car.

La perspective de retrouver Vicki l'enchantait par-dessus tout, et elle ne s'attendait pas à découvrir autant de beauté chez le jeune Charley qui, en dix-huit mois, était devenu un magnifique bambin aux cheveux dorés, aux sourcils parfaitement dessinés, et aux yeux marron frangés de longs cils dignes des plus grandes vedettes de cinéma.

A regret, Délie détourna les yeux de lui pour embrasser Vicki qui observait la scène avec une attention jalouse. On devinait sans peine qui était le préféré de sa mère. Vicki devait commencer l'école à la nouvelle année, elle voyagerait avec le car scolaire, et Meg confia son soulagement à Délie, car la fillette était devenue difficile, une sorte d'«enfant à problèmes»; mais tous ses problèmes s'exprimaient clairement dans le regard d'angoisse qu'elle avait lancé à Délie: sa grand-mère aussi allait-elle tomber sous le charme du nouveau venu?

Délie glissa la main de la fillette dans son bras quand elle eut embrassé Meg et Charley, puis elle entraîna Vicki à l'écart.

«Il faut que tu m'emmènes et que tu me fasses tout voir», dit-elle à Vicki. Puis elles s'éloignèrent joyeusement. En compagnie de sa petite-fille, Délie retrouvait une partie de son enfance à jamais disparue, elle voyait avec les yeux qui avaient été les siens soixante ans auparavant.

Meg ne parlait que des fiançailles d'Alex avec une femme médecin qui avait étudié à la même université que lui, mais quelques années plus tard.

«Ils engendreront fatalement des petits médecins, commenta Délie assez sèchement. Je ne sais jamais s'il faut attribuer cela à l'hérédité, à l'exemple ou à la pression des parents; en tout cas, Alex a sûrement hérité de son grand-père son penchant pour la médecine. Car ni moi ni son père ne l'avons jamais poussé dans cette voie.»

Délie se réjouit de voir Alex épouser une femme indépendante, possédant un métier. Mais pourquoi sentait-elle donc une pointe d'hostilité contre cette fiancée qu'elle ne connaissait même pas ? Peut-être parce qu'elle redoutait tous les salamalecs, les politesses des beaux-parents qui, elle en était certaine, réclameraient une cérémonie en grande pompe.

Alex était devenu un excellent parti, un des meilleurs chirurgiens de la cité, un homme riche et respecté doublé d'un connaisseur en matière de peinture. On l'invitait à tous les vernissages, le genre de réunion mondaine consacrée au sherry et aux ragots que Délie méprisait. (Il avait tenu à acheter plusieurs toiles de sa mère pour sa salle d'attente.)

Délie avait scandalisé Meg et Alex en refusant d'acheter un chapeau pour le vernissage de sa dernière exposition de peinture à Adélaïde, se promenant parmi les invités avec ses vieilles chaussures plates, ses cheveux gris tombant sur le col de son manteau bleu, les mains dans les poches ; heureusement, les couleurs vives et brillantes de son écharpe en soie indienne avaient racheté le laisser-aller de sa tenue.

Et maintenant elle devrait s'habiller en mère du futur marié ? Porter un ridicule chapeau à fleurs et une voilette ? Non, elle avait vécu trop longtemps seule pour se livrer à pareilles facéties. Elle décida de tomber malade dès que le jour de la cérémonie serait fixé. Pour excuser son absence, elle enverrait un cadeau à Anne.

Au cours de l'année de leurs fiançailles, Alex amena plusieurs fois la doctoresse Anne chez Délie ; tous deux parlaient souvent médecine, et Délie préférait cela au bavardage habituel, même lorsque la conversation devenait technique. Anne parlait vite et avec enthousiasme, mais elle ne savait pas écouter ; elle aimait tenir le devant de la scène et Alex était trop imbu de lui-même pour l'en empêcher. Délie se demandait dans combien de temps il commencerait à la reprendre en main.

Anne était très blonde, potelée, dotée de dents légèrement saillantes qui faisaient le charme de certains visages. Elle avait de grandes mains aux ongles impeccables, coupés court. Comment allait-elle s'entendre, s'interrogea Délie, avec sa belle-sœur Mavis, dont les ongles douteux étaient plus ou moins dissimulés par un vernis pourpre souvent écaillé ? Les yeux bleu pâle et observateurs d'Anne les remarqueraient aussitôt.

Sa grossesse ne développa aucune qualité chez Mavis, qui eut bientôt un deuxième bébé en cours. Délie commençait à se lasser de son rôle de grand-mère — au bout de quatre fois, cela tournait à la routine —, et elle n'avait nullement l'intention de transformer sa maison en crèche à l'usage des enfants de Brenny. Avec tact mais fermeté, elle refusa de s'occuper du petit Keith quand Mavis attendit son deuxième enfant.

Lorsque la nouvelle de Pearl Harbor éclata comme un coup de tonnerre, Délie ne soupçonna nullement que sa vie allait en être modifiée ; pour elle, l'entrée en guerre des États-Unis d'Amérique signifiait seulement que les hostilités cesseraient plus vite. Gordon écrivit alors pour annoncer qu'il partait au nord, dans l'État de Queensland, afin de s'entraîner au combat de jungle.

Il profita de sa dernière permission pour venir voir Délie à Noël et lui dire que son unité montait vers le nord afin d'essayer d'enrayer la progression rapide des Japonais en Malaisie. Il avait été bien noté à l'armée et était maintenant lieutenant. Délie admira malgré elle la haute silhouette de son fils en tenue kaki — elle avait toujours détesté la guerre et l'armée, les uniformes et la discipline militaire —, mais le fait est qu'il était très élégant et très beau. Elle se dressa sur la pointe des pieds pour l'embrasser et caresser les cheveux coupés court sur sa nuque.

Elle poussa un soupir en songeant à la naissance de Gordon à Melbourne et à sa propre fierté dérisoire ; « mon fils ». Des millions de femmes avaient accompli la même chose, avant de voir leurs fils partir à la guerre.

« J'ai une sorte de pressentiment à propos des Japonais, dit-elle. Je crois qu'ils ont préparé leur opération de longue date, ce sont des fanatiques, ils sont très bien entraînés. Tu penses qu'ils avanceront jusqu'en Australie ?

— Jamais. Nous les arrêterons avant.

— Mais il y a tellement d'Australiens qui se battent au Moyen-Orient.

— Il faudra les rapatrier. Mais les Japs ne dépasseront jamais Singapour. »

Délie fut touchée quand son fils lui demanda s'il pouvait emporter sa photo, celle prise à Echuca alors qu'elle avait à peine vingt ans. « J'ai toujours adoré cette photo quand j'étais gosse, dit Gordon. Je trouvais que tu ressemblais à une princesse. »

Gordon semblait maintenant savoir ce qu'il voulait, ses yeux bleus avaient perdu leur regard vague et rêveur, mais il n'était pas dans l'armée depuis assez longtemps pour afficher l'allure et le maintien d'un officier de carrière. C'était simplement Gordon en uniforme, et non le lieutenant Edwards revenant chez lui pour sa dernière permission, songea Délie.

Elle l'accompagna sur le quai de la gare ; mais auparavant, il se rendit à la maison des Travaux publics qu'occupait Brenny avec sa famille. Là, il fit la connaissance de Mavis et de ses deux neveux ; « ce Keith est un vrai petit monstre », fut son seul commentaire.

A côté de lui, Délie se mordait la lèvre en attendant le départ du train. Dans le monde entier, se disait-elle, des mères font leurs adieux à leurs fils qui partent en guerre. Tu n'es qu'une parmi elles. Il ne faut pas que tu pleures ; Gordon déteste les effusions. Si seulement ce train pouvait se hâter de partir !

Il finit par démarrer. Un bras kaki lui dit au revoir, puis disparut. Deux mois plus tard, Singapour tomba et Gordon disparut dans le raz de marée de l'avance japonaise.

107

Une nuit, Délie s'éveilla d'un rêve saisissant. Elle voyait une clairière au sol rouge éclatant, des cocotiers, des paillotes et le ciel bleu. Dans son rêve elle se demandait ce qu'elle faisait là quand elle vit Gordon s'avancer vers elle, seulement vêtu d'un short kaki.

Il la salua distraitement. « Tu m'as apporté les tubes de couleur ? lui dit-il.

— Quels tubes? De quoi parles-tu?

— Tu sais bien, je t'ai demandé de m'acheter quelques tubes de couleur.

— Oh, j'ai oublié! Je suis si contente de te revoir.»

Il passa son bras sous celui de sa mère, puis l'entraîna vers un long bâtiment bas et sans murs. Quand ils arrivèrent, elle découvrit qu'il s'agissait d'une grande boutique, et elle acheta à Gordon une boîte en bois contenant des tubes de peinture à l'huile.

«Oh, merci maman!» s'écria-t-il, et brusquement ils se retrouvèrent à bord du *Philadelphia*, ses fils étaient redevenus de jeunes garçons, et Brenton disait d'un air agacé: «Qu'est-ce qu'il va faire avec cette peinture? C'est pour les filles, tout ça!»

A son réveil, le rêve restait si présent qu'elle se demanda une fois encore où elle était. Elle ne reconnaissait pas la petite chambre à la grande fenêtre, par laquelle elle distinguait vaguement une berge calcaire et quelques touffes d'herbe sèche. Regardant le paysage nocturne, elle aperçut le champ de passe-pierre de l'autre côté de la route, les arbustes le long du fleuve, puis le large chenal de Goolwa, calme et obscur sous les étoiles. Bas sur l'horizon, elle vit la Croix du Sud qui se reflétait sur le miroir du fleuve. Le tonnerre assourdi des vagues déferlant sur la plage lointaine emplissait la nuit. On aurait dit le bruit feutré de coups de canon. Délie se rallongea pour écouter ce bruit qui ne la gênait pas. Plus que jamais, elle était certaine que Gordon était vivant, prisonnier de guerre quelque part en Malaisie. Elle se rappela lui avoir acheté une boîte de peinture à l'huile pour l'anniversaire de ses douze ans, croyant discerner du talent dans ses croquis au fusain et au crayon; mais il n'avait pas persévéré, les remarques méprisantes de Brenton et les moqueries de ses frères étaient venues à bout de son intérêt pour la peinture.

Mavis lui rendit visite avec ses deux garçons qui agacèrent Délie par leurs galopades incessantes sur le plancher en bois de la maison. Leur mère débordait d'une sympathie sincère pour la disparition de Gordon.

«Je vous trouve si courageuse, dit-elle de sa petite voix

nasillarde. Je deviendrais folle de douleur si je perdais l'un de mes garçons, vraiment.

— Gordon n'est pas mort, rétorqua sèchement Délie. On a seulement perdu sa trace. Dès que les prisonniers de guerre seront recensés, nous aurons de ses nouvelles.

— Eh bien, j'espère que vous êtes dans le vrai», dit Mavis d'un ton qui suggérait que sa belle-mère se trompait.

Mais des nouvelles arrivèrent enfin, qui donnèrent raison à Délie. Le capitaine Gordon Edwards était prisonnier des Japonais dans le camp de Changi, à Singapour. Ainsi, Délie apprit également sa promotion.

Meg commenta joyeusement la nouvelle et donna des siennes. Ogden aussi venait d'être promu ; ils allaient s'installer à Renmark, en Australie méridionale, où il devait remplacer le chef-éclusier qui partait à la retraite. Il boitait encore à cause de son accident, mais déclara qu'il ne regrettait rien, car grâce à lui, il avait rencontré sa femme. Les enfants étaient tout excités, Vicki avait de bons résultats scolaires, mais à Renmark il y aurait davantage de compétition, ce qui était une bonne chose. Ogden lui transmettait toutes ses amitiés...

Si seulement Gordon était libéré, songea Délie, elle serait parfaitement heureuse. Mais aucune lettre n'arrivait du camp de prisonniers et le bruit courait qu'on ne pouvait envoyer aucun paquet.

La guerre s'étendit jusqu'en Nouvelle-Guinée, et l'océan soi-disant Pacifique devint le théâtre de batailles sanglantes. Darwin fut mitraillé et bombardé. Pour la première fois, l'Australie entendit le bruit de la canonnade, mais aucun ennemi ne posa le pied sur son sol.

Plus que jamais, le tonnerre des lames de Goolwa évoqua le grondement lointain des canons. Une nuit où un vent violent faisait clapoter le fleuve dans les roseaux (ils avaient poussé, conformément aux prédictions de Gordon), Délie, incapable de dormir, se promenait sur la berge et vit une lune tardive se lever entre des nuages aux formes sculpturales. Toute jaune, elle ressemblait à une lanterne japonaise en papier, à un disque blafard devant lequel les roseaux agitaient leurs lames tranchantes comme des centaines de sabres de samouraï.

La victorieuse 9ᵉ division revint du Moyen-Orient et fut immédiatement jetée dans la mêlée ; des hommes qui avaient souffert de la soif dans le désert se retrouvèrent englués dans une boue nauséabonde au milieu d'une jungle étouffante et luxuriante, sous les pluies diluviennes de la mousson.

Le général McArthur débarqua en Australie avec ses troupes ; ce fut l'«occupation américaine». Les uniformes de GI emplirent les rues, les casquettes de marins s'alignèrent sur les quais des ports et les filles des quartiers chauds débordèrent d'enthousiasme. Ainsi que les hôteliers, les patrons de bordels et les chauffeurs de taxi n'avaient jamais eu l'occasion de gagner autant de dollars américains.

Le raz de marée qui avait déferlé vers le sud fut arrêté, puis commença à refluer vers le nord. Les soldats australiens et les marines américaines reprirent île après île, et les Australiens repoussèrent obstinément les Japonais jusqu'à la côte de la Nouvelle-Guinée, résistant aux charges suicidaires, aux embuscades et à toutes sortes de pièges.

«Ces salopards ressemblent à des bêtes sauvages ; impossible de les considérer comme des hommes, déclara un soldat blessé qui souffrait de malaria et de dysenterie, et avait connu Gordon au Queensland. Au bout d'un moment, on s'est mis à les descendre comme des chiens enragés. Nous avons cessé de faire des prisonniers, après certains trucs qu'ils ont fait subir à des copains.»

Délie fut submergée de terreur. Gordon était aux mains de ces «bêtes sauvages». Pourtant, il y avait la convention de Genève, il y avait des accords internationaux... mais le Japon les avait-il signés ?

Quand le jour de la victoire arriva en Europe et que la guerre fut terminée pour des millions de civils et de militaires, Délie planta un sapin de Noël au bord du fleuve ; mais pour les Australiens et les Américains, ce n'était qu'une étape vers la victoire finale dans le Pacifique.

Pour Délie, les réjouissances suivant la capitulation du Japon furent vides de sens ; le monde entier avait maintenant la bombe atomique sur la conscience, elle avait même entendu un hypocrite citer la Bible pour justifier son emploi. Elle se sentait déprimée, fatiguée. Pourtant, elle n'était pas préparée à subir le choc de la nouvelle, quand elle apprit officiellement que Gordon était mort, « de maladie ».

Ce ne fut qu'ensuite, quand on eut trouvé des témoins oculaires pour témoigner contre les criminels de guerre, qu'elle apprit qu'un officier japonais avait décapité son fils, pour « refus de coopérer ». Gordon avait refusé d'ordonner à des hommes malades de travailler sous le soleil tropical, en fait il leur avait même commandé de rester allongés, et assumé toute la responsabilité de sa décision.

Délie fut stupéfaite et incrédule ; elle aurait dû connaître l'instant de sa mort, croyait-elle, grâce à quelque perception extrasensorielle avertissant les mères de la disparition de la chair de leur chair. Mais peut-être avait-elle eu un pressentiment, un avertissement, la nuit où les roseaux s'étaient transformés en sabres.

Meg lui demanda de venir habiter chez elle, mais elle refusa ; Brenny et Mavis lui proposèrent de s'installer au cottage, et elle refusa encore plus fermement. Alex lui rendit visite ; inquiété par l'apathie et la perte de poids de sa mère — elle lui dit qu'elle n'allait pas « s'enquiquiner » à cuisiner pour elle seule —, il insista pour qu'elle paye une fille de la ville qui viendrait chaque matin lui préparer son petit déjeuner et son repas de midi.

Délie passait de longues heures à méditer et à contempler le fleuve par la grande fenêtre. Elle passa en revue toute l'existence de Gordon, se souvint du petit garçon aux cheveux dorés qui avait peur de ses leçons de natation, qui se battait avec Brenny, qui apprenait à lire et à écrire sur le pont du bateau. Où avait-elle échoué ? Pourquoi avait-il perdu le fil de son existence ? Il avait cru trouver dans la guerre une solution, et il y avait sacrifié sa vie aussi sûrement que s'il s'était jeté du toit d'un immeuble. Il avait participé à peu de combats, s'était rapidement retrouvé prisonnier et était mort dans ce camp.

Quand la vérité éclata au grand jour, d'abord les horreurs de Bergen-Belsen et d'Auschwitz, puis celles des camps japonais où n'arrivait aucun paquet de la Croix-Rouge, où les prisonniers squelettiques mangeaient un seul bol de riz par jour et devaient travailler dans des conditions effroyables, les jambes rongées jusqu'à l'os par les ulcères tropicaux — quand elle lut tous ces récits atroces, son esprit horrifié imagina les souffrances de Gordon ainsi que sa douleur à voir les autres souffrir. Incapable de dormir pendant plusieurs nuits, elle prit des somnifères pour la première fois de sa vie.

Elle songea qu'elle aimerait retourner à bord du *Philadelphia*, retrouver ce monde mouvant qui avait toujours calmé son esprit et ses sens; mais Brenny avait signé un contrat avec le département des eaux pour draguer et assainir les petits cours d'eau dans les régions de Pompoota et de Wellington, où l'on envisageait d'irriguer les terres par simple gravité. Il y aurait un équipage masculin à bord, elle pourrait seulement demander le poste de cuisinière. Non, elle devait rester là et goûter sa chance d'avoir le fleuve juste devant sa porte.

De l'endroit où elle vivait, le barrage était invisible, mais elle voyait le ferry aller et venir entre le ponton de Goolwa et l'île de Hindmarsh.

La coque d'une barge pourrissait juste au-dessus de l'eau en contrebas de la berge, et plus bas en aval le vieux *Cadell* reposait dans la vase du profond chenal, gîté à un angle impressionnant. Les rayons de la roue du gouvernail se détachaient sombrement sur le ciel, car le toit de la timonerie avait disparu; mais son nom était encore nettement visible, commémorant le capitaine pionnier du *Lady Augusta*.

Un peu plus loin vers la ville, le fier *Captain Sturt* avait été hissé à terre, et sa cale remplie de ciment pour l'immobiliser définitivement. Sa grosse roue à aubes de poupe ne tournait plus; les touristes du dimanche montaient à bord pour le visiter, car le navire était désormais une relique, un anachronisme.

Quand elle se promenait entre les murs de roseaux qui grandissaient chaque année, Délie guettait toujours les serpents qui grouillaient dans les marécages. C'était un terrain idéal pour les serpents tigrés de la campagne. Il y avait un petit croissant de sable gris d'où elle aimait aller nager le matin.

Elle leva les yeux vers les lacs, puis regarda sa petite maison bâtie au bord de la vraie berge de la Murray, à une centaine de mètres de l'endroit où elle était. Alors son cœur faillit s'arrêter, car une mince silhouette en short kaki, aux jambes hâlées couvertes de cicatrices, et portant un vieux chapeau de l'armée repoussé sur la nuque, se penchait sur la porte de sa propriété. Elle se hâta autant que le lui permettait son souffle court, et remarqua que l'inconnu tenait une serviette en cuir sous le bras.

« Bonjour, vous êtes bien madame Edwards ? » Il parlait avec l'accent traînant des gens du Queensland. « Je m'appelle Burns, Mick Burns.

— Oui, oui, entrez, je vous en prie. » Sa voix et sa main tremblaient tandis qu'elle ouvrait le loquet de la porte.

« Vous avez connu Gordon, c'est bien ça ?

— J'étais à Changi avec lui ; un des plus chics types que j'aie jamais rencontrés », dit-il simplement. Ils entrèrent dans la maison. Bouleversée, Délie entreprit de mettre le feu sous la bouilloire, lâcha les allumettes en essayant d'allumer le poêle à mazout, éparpilla les feuilles de thé dans ses mains tremblantes.

« Si nous parlions un peu ? Nous boirons une tasse de thé plus tard », dit l'homme. Mick Burns était mince et sévère ; son visage encore jeune portait la trace d'expériences douloureuses. Elle songea un instant à Garry Melville, bien que le visiteur eût le nez osseux d'un faucon, mais si crochu que son visage en devenait presque drôle.

« Je l'ai vu mourir, dit-il calmement. Il a été formidable jusqu'au bout ; on nous avait tous réunis pour assister à l'exécution. Les Japs étaient très fiers de leur habilité au maniement du sabre ; ce fut net et sans bavure. »

Délie se mordit la lèvre et regarda par la fenêtre.

« Avant... avant qu'il soit décapité, il m'a demandé de sortir du camp certaines choses. Je les ai cachées, et les voici. Il dessinait et peignait énormément, voyez-vous. »

N'en croyant pas ses yeux, Délie saisit les bouts de papier, les dos de vieux cartons, les enveloppes décollées, jusqu'aux morceaux de bois sur lesquels Gordon avait travaillé. Ce n'étaient que des croquis, mais pleins de vie et de talent, un homme aidant son camarade à marcher, tous deux des squelettes vivants aux jambes sanguinolentes ; un soldat à l'agonie sur un brancard, un coin de l'hôpital, un portrait du commandant, petit et arrogant. « Il ne reçut qu'un coup de trique en travers du visage en récompense de son travail, et c'était ce salaud qui le lui avait demandé. Il ne l'a pas trouvé suffisamment flatteur», commenta Mick Burns. Elle découvrit une vue du camp peinte au dos de sa propre photo.

«Mais c'est très bon! fit Délie. Où a-t-il trouvé les couleurs?

— Tenez-vous bien; il broyait des herbes pour le vert, de l'argile blanche, du charbon, il tirait l'ocre de la terre, il était tellement ingénieux, ce vieux Gordon. Ses croquis amusaient les hommes; parfois ils lui demandaient de faire leur portrait quand ils savaient qu'ils allaient mourir. Généralement, nous ne nous entendions pas avec les officiers, là-bas; ils restaient dans leur coin et se moquaient de ce qui arrivait à leurs hommes. Mais pas le capitaine Edwards, il n'a jamais tiré gloriole de son grade, il était l'un d'entre nous. Nous l'aimions tous. Sauf ce commandant teigneux qui le haïssait parce que Gordon refusait de céder à tous ses caprices. Il l'avait dans le collimateur depuis le début de son séjour au camp.»

A travers un voile de larmes, Délie regarda la pile de dessins et de peintures. Ils lui faisaient mieux comprendre la guerre que tous les récits des rescapés et les articles des journaux. Gordon avait un réel talent, si seulement il l'avait utilisé, était-ce sa faute? Sa propre peinture l'avait-elle trop absorbée, au point qu'elle n'avait pu l'aider à trouver sa voie?

Elle se sentit coupable, mais comprit aussitôt ce qu'elle pouvait maintenant faire pour lui. Elle allait peindre une série de toiles à partir des croquis et des esquisses de son fils, les formes et les couleurs étaient déjà là. Ces toiles parleraient pour lui et ses camarades, elles seraient un cri s'élevant de la tombe contre la guerre.

«Prenons maintenant une tasse de thé, voulez-vous? proposa-t-elle en souriant. Je ne vous serai jamais assez reconnaissante pour ce que vous venez de m'apporter.»

108

Délie sortit de son inactivité et se mit à peindre avec une vigueur nouvelle. Elle avait maintenant soixante-sept ans, il ne lui restait que trois ans avant l'échéance qu'elle-même s'était fixée ; elle tenait à les consacrer au travail. Elle avait acquis une certaine notoriété, ses toiles figuraient dans toutes les grandes galeries d'Australie, mais elle désirait accomplir quelque chose de nouveau. Plus de personnages héroïques, plus de toiles immenses et de paysages grandioses : seulement la peau d'un serpent après la mue sur le bord d'une route, une souche calcinée, quelques boutons d'or dans la fissure du calcaire, elle pouvait contempler ces choses jusqu'à ce qu'elles se chargent de symboles et que sa vision illumine son esprit. Faire que les autres voient la même chose, tel était le but pour lequel elle avait formé son œil et sa main durant cinquante ans :

Voir le Ciel dans une Fleur Sauvage
Et l'Univers dans un Grain de Sable.

Alors, cruellement, au moment précis où elle commençait à entrevoir comment elle allait s'y prendre, elle fut frappée par une fatalité invisible, un virus minuscule qui attaqua son point faible, sa poitrine. « Pneumonie virale », diagnostiqua le médecin tandis que sa température montait et qu'une fièvre froide glaçait ses mains.

A moitié inconsciente, on la transporta à l'hôpital, mais elle ne mourut point. Elle attribua sa guérison à son désir et à sa volonté de ne pas mourir, mais les médecins, qui enfonçaient des aiguilles dans ses bras douloureux, affirmèrent qu'elle devait la vie à la découverte de la pénicilline, un champignon aux pouvoirs miraculeux.

Pourquoi un virus voulait-il détruire, sans haine ni sentiment d'aucune sorte, et pourquoi un champignon pouvait-il sauver cette vie qui était notre bien le plus précieux, se demanda-t-elle pendant sa convalescence. Une fois encore, les hasards de l'existence la stupéfièrent. Nous vivons notre vie sans la comprendre, à la lisière d'univers qui nous demeurent étrangers. Et le temps sous-tendait tout cela, tel un flux irréversible s'écoulant sans fin.

Délie retourna dans son cottage au bord du fleuve, et refusa avec une obstination tranquille de vivre avec ses enfants ou d'héberger quelqu'un pour s'occuper d'elle.

« Je m'en tire parfaitement, disait-elle, avec l'aide de Doreen, et puis j'ai besoin de rester un peu seule tous les jours. » (Doreen était la fille gaie et bien en chair, au sourire édenté, qui venait le matin lui préparer son déjeuner.)

Elle refusait d'admettre la faiblesse de son organisme : elle était léthargique, sans énergie, trop faible pour marcher jusqu'au fleuve. Elle regardait pensivement le vieux *Cadell* qui s'accrochait à la vie, ses ponts de plus en plus inclinés au-dessus du profond chenal.

« Tous les anciens vapeurs disparaissent », entendit-elle soupirer un vieillard.

Délie regarda la toile à demi terminée sur laquelle elle travaillait quand on l'avait transportée à l'hôpital. Elle avait essayé de continuer de peindre alors qu'elle commençait de délirer sous le coup de la fièvre, et aujourd'hui cette peinture n'avait plus aucun sens pour elle. Elle était trop fatiguée pour s'atteler à une nouvelle toile. Ses poignets et ses genoux étaient douloureux, son dos commençait à se voûter ; ses muscles refusaient désormais de le soutenir.

Puis elle comprit que ce n'était pas seulement la fatigue, qu'il y avait autre chose. Ses articulations rougirent et enflèrent, la douleur ressemblait à un perpétuel mal de dent. Elle demanda à Alex de venir l'examiner.

Il palpa ses poignets et ses doigts, ses genoux douloureux et enflés, puis prit sa température ; après quoi il jura à voix basse.

« Arthrite rhumatismale, dit-il, au stade infectieux. Cela peut durer un an ou deux.

— Et ensuite je serai guérie ? »

Il baissa les yeux. « Je crois qu'il vaut mieux te dire la vérité. Je sais à quel point la peinture t'importe, maman. Mais quand l'infection aura disparu, tu seras peut-être infirme. » Délie regarda ses mains et tenta de les imaginer tordues et atrophiées au point de ne plus pouvoir tenir un pinceau.

Une infirmière stagiaire vint la soigner, une grosse femme têtue au visage fermé que Délie détesta de prime abord. Mais elle cuisinait merveilleusement et massait de ses grosses mains les articulations douloureuses, elle apportait des bouteilles d'eau chaude et de l'aspirine à point nommé, si bien que Délie s'en remit bientôt complètement à elle.

Alex vint lui annoncer qu'il partait à l'étranger pour compléter sa formation à l'université d'Edimbourg. Il voulait se spécialiser dans la chirurgie esthétique des aviateurs blessés, les pilotes de la RAF qui avaient été brûlés ou horriblement mutilés. Délie s'illumina dès son arrivée; ses yeux, ternis par la douleur et la fatigue, redevinrent bleus et brillèrent presque avec leur ancien éclat. Mais le médecin remarqua combien ils s'étaient enfoncés dans leurs orbites, à quel point ses joues étaient creusées, et ses bras amaigris quand elle les tendit vers lui, ses poignets et ses articulations enflés de façon inquiétante.

Elle passait presque toute la journée allongée sur un divan sous la grande fenêtre, par laquelle elle pouvait voir le fleuve. Elle ne fréquentait presque personne en dehors de l'infirmière, Doreen venait toujours «mettre un peu d'ordre», et parfois Mavis accompagnée de ses enfants. Brenny était absorbé par de nouvelles modifications du *Philadelphia*, il voulait y installer l'ancienne chaudière d'un vapeur qu'il avait acheté dans l'intention de faire visiter les lacs aux touristes. Son père tout craché, pensa-t-elle...

Alex n'avait pas amené Anne avec lui, car elle venait d'accoucher d'un bébé, et le voyage était long à partir de la ville.

«Combien de petits-enfants ai-je maintenant? lança gaiement Délie. Il y a les quatre enfants de Brenny, les deux de Meg, et celui-ci est ton deuxième, cela fait huit, n'est-ce pas? J'ai du mal à me souvenir de leurs noms. Comment as-tu appelé celui-ci?

— Tu devrais t'en souvenir facilement, car c'est un prénom assez inhabituel: Alister.

— Alister!» Elle dévisagea son fils en silence. Aurait-il remarqué quelque chose quand il était enfant? «Pourquoi ce prénom?»

Alex haussa les épaules. «C'est Anne qui l'a choisi. Elle l'a trouvé dans un livre.»

S'enfonçant dans ses oreillers, Délie se perdit dans un rêve éveillé. «Quel visage magnifique! disait Alister. Vous serez encore belle, et je vous aimerai toujours à la folie quand vous aurez quatre-vingt-deux ans.» Belle! Ah, Alister, si tu pouvais me voir aujourd'hui! Son premier bal: «Inutile de porter des myosotis, Miss Gordon. Vos yeux sont tellement plus bleus, et celui qui les a vus ne saurait les oublier.» Et Adam: «Délie, tu es si adorable, si douce. Tu ressembles à un papillon blanc...» Et puis Brenton, et Ben...

«C'est drôle, tous leurs prénoms commencent par un A ou un B», dit-elle en souriant à Alex, tandis que deux grosses larmes coulaient de ses orbites creuses. Il lui rendit son sourire et tapota sa main brûlante. Sa température avait monté et elle délirait un peu.

Il laissa ses instructions au médecin local, lequel devait essayer tous les traitements possibles, y compris les injections d'or, Alex en supporterait le coût. L'idée de quitter sa mère lui déplaisait, mais Meg et Brenny étaient là, et elle était de constitution robuste. Sa maladie présente était un contrecoup de la pneumonie virale; et puis, la mort de Gordon ne devait pas y être étrangère, Délie y réagissait avec des symptômes bizarres que les médecins ne comprenaient pas encore. Il rédigea une ordonnance de sédatifs qu'il laissa à Délie, et ajouta que, malgré tous les progrès de la médecine, la bonne vieille aspirine restait certainement l'un des meilleurs médicaments.

Le courage de Délie lui permit de tenir bon pendant quelque temps, mais au bout d'une année passée à souffrir, à somnoler pour se réveiller avec cette douleur impitoyable et lancinante, elle ressentit pour la première fois le désir de mourir. Non que la douleur fût insupportable, elle avait connu bien pire au cours de son existence; mais elle était interminable. Si seulement elle s'était arrêtée, une journée, une heure, si Délie s'était une seule fois réveillée libre! C'était comme une cage de fer dont elle resterait prisonnière jusqu'à sa mort.

109

La petite voiture arriva en cahotant sur les pierres du chemin, hésita, s'arrêta devant la porte; repartit, revint en arrière, monta sur le bas-côté qui constituait la vraie berge du fleuve, puis s'immobilisa à l'ombre d'un vieil arbre.

Délie s'arrêta de respirer. On venait rarement la voir, et les visites l'inquiétaient, maintenant qu'elle se considérait comme une épave hideuse, la caricature d'une femme. Elle déplaça avec difficulté ses genoux raides sous la couverture. Chaque matin et après-midi, elle descendait de son divan pour se promener dans la maison avec sa canne, sortir sur le pas de la porte, puis rentrer par la porte de derrière, car il n'y avait heureusement pas de marches. Tous les jours elle donnait de l'exercice à ses mains en tricotant maladroitement des petits bouts d'étoffe en laine ou en coton.

Une élégante jeune femme sortit de la voiture. Elle avait des cheveux châtains coupés court, des jambes minces et bronzées. Ses sandales étaient si légères qu'on aurait cru qu'elle marchait pieds nus.

«Infirmière!» appela Délie d'une voix qui n'était plus que l'imitation rauque de sa voix d'antan. L'infirmière stagiaire qui habitait maintenant avec elle entra, lissa la couverture, ramassa la pelote de laine; la porte de derrière s'ouvrit alors bruyamment et une voix jeune et gaie s'écria:

«Grand-mère!»

Délie laissa retomber sa pelote de laine et ouvrit grand les bras.

«Vicki! dit-elle d'une voix soudain affermie et joyeuse. Comment as-tu...

— Les arbres ont tellement poussé que je n'ai pas reconnu ta maison. Bientôt, tu ne pourras même plus voir le fleuve.»

Ses yeux marron brillants de plaisir, Vicki s'assit tout près de sa grand-mère. «Comment j'ai fait pour arriver jusqu'ici? Tu ne devineras jamais! J'ai été mutée de mon poste à Melbourne, le *Herald* veut que je reste ici pendant un an, et mon premier travail consiste à interviewer mon illustre grand-mère!

— Cesse de te moquer de moi.

— Je ne me moque pas de toi, je suis sérieuse! Tu as donc oublié que tu auras soixante-dix ans la semaine prochaine? C'est une date dans l'histoire de l'art australien.

— Maligne comme tu es, je parie que tu vas réussir à les convaincre.

— C'est déjà fait. Alors, vas-y, parle!

— Que veux-tu que je dise?

— Je ne sais pas, moi. Ce que tu penses de l'art moderne, par exemple.

— Une telle chose n'existe pas.

— Excellent début. Continue...»

Une demi-heure après, Vicki avait griffonné plusieurs pages illisibles sur des feuilles volantes, et Délie s'inquiétait de ce qu'elle avait bien pu raconter. Elle adorait la présence de Vicki, car il lui semblait que la jeune fille lui transférait un peu de son enthousiasme et de sa vitalité.

«Maintenant, à mon tour de t'interviewer, dit-elle. Que comptez-vous faire quand vous aurez fini votre stage de journalisme, Miss Southwell? Vous marier?»

Le nez de Vicki se fronça. «Seigneur, non! Je n'ai pas l'intention de me marier dans l'immédiat, si même je me marie un jour.» Délie eut un sourire complice. «Je compte partir en Europe et à Londres dès que j'en aurai l'occasion. Une amie et moi connaissons un bateau qui peut nous emmener à Naples pour trois fois rien; de là, nous ferons le tour de l'Europe en auto-stop et nous visiterons l'Angleterre au printemps.

— L'Angleterre au printemps... Tu sais, ce pays ne m'attire pas beaucoup, j'ai dû en partir trop jeune. Mais je vous envie votre séjour en Italie. Ouvre bien les yeux là-bas, Vicki.» Délie voulut tendre la main vers sa petite-fille, mais son bras était trop ankylosé. La main juvénile rejoignit la sienne à mi-chemin. «Pars, quoi qu'il arrive. Surtout, ne te marie pas avant.

— Mais je t'ai déjà dit...

— Oui, je sais, fit Délie qui sourit avec la lucidité et l'indulgence que lui conféraient son âge et sa sagesse. Vois-tu, je n'ai pas envie d'être déjà arrière-grand-mère. J'ai remarqué que les très jeunes enfants me fatiguent. Je ne sais pas ce qui est pire, leurs hurlements et leurs pleurs quand ils sont malheureux, ou le vacarme de tous les diables qu'ils font quand il s'amusent. Écoute ! »

Elle leva la main pour lui intimer le silence, et Vicki détourna les yeux. Contre la fenêtre éclairée se détachait une main maigre et difforme, dont les doigts recroquevillés touchaient presque le poignet, chaque articulation tordue comme les branches d'un arbre dans la bourrasque.

« Écoute ! » Avec effort, Délie tourna la tête jusqu'à faire face à la fenêtre. « Tu entends ? »

A peine audible dans les accalmies de la brise méridionale, on entendait le tonnerre sourd des brisants. « Voilà le bruit le plus fort que j'aime aujourd'hui. Un bruit qu'on perçoit à peine. Dire que certains prétendent que je deviens sourde. Je ne suis sourde qu'aux voix, parce qu'elles me fatiguent. Mavis ne cesse de me casser les oreilles, au bout d'un moment je n'entends même plus ce qu'elle dit. Ce n'est que du bruit.

— Voilà une des compensations du grand âge. Tu n'entends que ce que tu veux bien entendre.

— Et comment va ta mère ?

— On ne peut mieux. Elle est folle de Charley, bien sûr, ce grand bêta de douze ans ! Sais-tu qu'elle travaille de nouveau à l'hôpital de Renmark, maintenant que mon frère se débrouille plus ou moins tout seul ?

— Elle est bien bonne de continuer à m'écrire alors que je ne peux même plus lui répondre. » Délie baissa les yeux vers ses mains posées sur la couverture. « Je ne peux même plus tenir un pinceau, encore moins un crayon. Un temps, j'ai essayé de peindre en attachant les pinceaux à mon poignet — comme Renoir, tu sais — mais j'étais trop maladroite, j'avais trop mal aux bras et aux épaules. Comme Alex m'a dit de continuer à faire quelque chose, je tricote.

— J'irai le voir à Londres. Crois-tu qu'il reviendra un jour ?

— J'espère, avant ma mort.

— Tu vivras encore longtemps, grand-mère. »

Elle regarda gravement Vicki. « Je crains que tu n'aies raison. J'ai déjà vécu trop longtemps, sais-tu. Je me rappelle m'être dit un jour que, si je ne pouvais plus sauter en l'air à soixante-dix ans, le moment serait venu de mourir. Les aborigènes étaient plus réalistes : ils assommaient les vieux quand ils ne pouvaient plus continuer à marcher. Beaucoup plus humain que de les maintenir en vie avec des médicaments, pour qu'ils poursuivent une existence misérable, qu'ils vivotent à coups de vitamines, de piqûres et de transfusions. Tu sais ce que ça coûte de maintenir en vie un seul vieillard ? Autant que de nourrir une douzaine de bébés affamés du Bengale.

— Mais tu as encore toutes tes facultés, grand-mère. Tu es plus vivante que la moitié des zombis qui gesticulent sur les cours de tennis.

— Ah, ma chérie, c'est ta présence qui me remonte le moral. D'habitude, je suis à moitié endormie, je ressasse mes souvenirs ; et la nuit, je reste éveillée en m'imaginant que j'entends le fleuve couler, que je me dissous dedans et que je descends jusqu'à la mer.» Elle n'ajouta pas qu'elle gardait toujours une veilleuse allumée à son chevet, comme une ancre qui la reliait au monde normal quand elle se réveillait dans l'obscurité informe, en proie à une terreur mortelle et irraisonnée.

«Vous prendrez bien une tasse de thé», proposa l'infirmière en entrant avec un plateau ; Vicki, qui détestait le thé, acquiesça poliment. Ensuite, sa grand-mère se mit à somnoler ; sa tête retomba sur sa poitrine et un mince filet de salive resta suspendu à la commissure de ses lèvres crevassées.

Toute vie avait disparu de son visage qui ressemblait maintenant à un masque mortuaire. La peau était collée aux os, le crâne, les pommettes et les maxillaires, la fine arête du nez paraissaient sur le point de faire éclater l'enveloppe aussi mince et sèche que du papier froissé. Ses yeux fermés s'étaient enfoncés dans leurs orbites ; mais ses sourcils presque aussi noirs qu'autrefois, ses narines délicatement ourlées prouvaient à Vicki que c'était bien sa grand-mère, la belle femme rieuse aux joues rondes qui l'emmenait jadis se promener parmi les buissons en fleur.

Cédant à une impulsion subite, elle se pencha pour toucher sa pauvre main tordue et désormais inutile ; elle était glacée, comme si la mort s'en était emparée en attendant le corps tout entier. Vicki sortit à pas de loup, demanda à l'infirmière de ne pas réveiller Mme Edwards et de lui dire qu'elle reviendrait la voir le week-end prochain. Elle laissa sa voiture descendre en roue libre avant de faire démarrer le moteur.

110

1956 fut l'année de la Grande Inondation, ainsi qu'on devait l'appeler. Tout commença au mois de mai par l'annonce que le niveau de la Darling était inhabituellement élevé, après des pluies torrentielles au Queensland. A Renmark, Ogden ouvrit quelques vannes de l'écluse pour faire descendre le niveau de l'eau. Mais vers la fin du mois l'échelle graduée fixée au quai annonçait vingt pieds; le bruit courut alors que les ferries allaient interrompre leurs activités sur la Murray inférieure.

Cela s'avéra un magnifique euphémisme. Au bout de quelques jours, les pontons du ferry de Morgan furent submergés; deux semaines plus tard, les lignes de Kingston et de Walker furent fermées et l'eau inonda la route d'Angove à Renmark. Les responsables estimèrent la hauteur d'eau à vingt-cinq pieds «tout au plus»; mais Ogden, qui surveillait anxieusement les signes imperceptibles que toute une existence passée au bord du fleuve lui avait appris à reconnaître, prédit vingt-huit pieds, une véritable catastrophe.

Vers le 30 juin, l'échelle graduée de Renmark annonçait vingt-cinq pieds, hauteur jamais vue depuis 1931. Les estimations officielles montèrent alors d'un cran; les eaux avaient inondé Paringa Street. A Waikerie, il fallut évacuer une douzaine de familles habitant la plaine alluviale, et construire une digue pour protéger la station de pompage. L'Écluse Cinq devint une île perdue dans une mer immense.

La Darling, que ne canalisaient ni digues ni falaises, envahit les plaines sur une largeur de soixante-dix milles; mais ses flots boueux se jetaient toujours dans la Murray où ils se mêlaient aux eaux abondantes des hauts plateaux. Dans le cours inférieur de la Murray, les colons ne pouvaient qu'attendre tandis que le fleuve enflait tous les jours comme un animal vivant. Ils savaient ce qui allait arriver, et qu'on ne pouvait rien faire. Le commerçant de Swan Reach évacua autant de marchandises qu'il put de sa boutique bâtie près de la berge, puis battit en retraite sur une position plus élevée. A Morgan, la gare de chemin de fer fut bientôt sous l'eau.

On commença à regretter les vapeurs à aubes disparus. Le responsable du courrier entre Wentworth et Renmark dut faire un énorme détour par le sud du fleuve, pour le traverser sur le pont de chemin de fer de Renmark ; l'inondation l'obligea à effectuer un périple de quatre cents milles.

L'eau recouvrit la grande rue de Mannum, inonda les maisons et les cahutes situées en bordure du fleuve. Tout le long de la Murray inférieure, le niveau montait inexorablement, comme si l'eau jaillissait de quelque source souterraine. Mais il n'y avait pas de tourbillons ni de torrent dévastateur.

L'Écluse de Blanchetown fut bientôt submergée, et en amont de Waikerie le fleuve inonda la campagne sur des kilomètres à la ronde, les eaux de fonte des neiges de la Murrumbidgee, puis celles de l'État de Victoria gonfleraient bientôt celles de la Murray.

Renmark fut déclarée sinistrée et l'armée entreprit de lutter contre l'inondation. Pelleteuses, tracteurs et bulldozers, ainsi que des centaines de volontaires contruisirent des digues de fortune avec deux mille sacs de boue, puis s'employèrent à colmater les brèches. Des hommes épuisés surveillaient les travaux toute la nuit, repérant les points faibles, braquant leurs lampes-tempête et appelant des renforts par radio.

La première victime de la crue fut un camarade d'école de Charley Southwell, qui partit à bicyclette dans Paringa Street et qu'on ne revit jamais. Terrifiée, Meg exhorta Charley à la prudence ; il lui semblait que le fleuve avait réclamé un sacrifice humain et que désormais il serait satisfait, idée saugrenue qui ne lui serait jamais venue à l'esprit en temps ordinaire, car Meg était une personne sensée, mais les longues heures de garde de nuit dans l'univers irréel de l'hôpital — transformé en île entourée de tous côtés par les eaux — étaient venues à bout de sa raison. Les digues devaient pouvoir contenir une crue de trente pieds ; mais si le fleuve montait davantage, il faudrait évacuer les malades.

Le 11 août, en pleine nuit, la digue céda et les malades

furent évacués par ferry. Des hommes travaillèrent d'arrache-pied pour colmater les brèches, mais la digue fut définitivement emportée deux jours plus tard, et Hale Street submergée aux premières heures du lendemain. Le fleuve avait gagné ; les vignobles, stations de pompage et maisons particulières furent inondés, mais sans perte humaine, bien que mille cinq cents personnes aient dû fuir devant la crue du fleuve.

Tous les repères des échelles de mesure furent bientôt submergés, et il fallut ajouter des graduations supplémentaires. Des pluies régulières commencèrent à tomber sur Renmark, et la dernière digue céda le 22 août. Ce fut la fin d'un combat par trop inégal contre une inondation désormais incontrôlable.

Le drame se déplaça vers le cours inférieur du fleuve, où l'on luttait encore pour sauver les riches pâturages et les maisons construites sur les berges. A Berri, Cadell, Murray Bridge et Wellington, on rehaussa les berges de plus en plus haut ; se tenir sous l'une d'elles fut bientôt une expérience effrayante, car un mur liquide haut de trois mètres vous surplombait, seulement retenu par des sacs de sable et de boue.

La plupart des terres furent défendues contre tout espoir, et au bout d'une longue bataille le fleuve l'emportait toujours. Peu à peu, inexorablement, il montait comme un gigantesque reptile engloutissant tout dans son ventre liquide. Il enflait toujours davantage, jusqu'à ce que maisons, boutiques, fermes laitières, orangeraies, vergers et vignobles, tout fût englouti par l'inondation. Il monta jusqu'au balcon du premier étage de l'hôtel de Mannum, léchant les mots «Bières et Vins», il tua les arbres des vergers et noya les pieds de vigne. Des meules de foin, des cabanes, des moutons et du bétail morts ainsi que des arbres déracinés descendaient au fil du courant, accompagnés par quelques cadavres méconnaissables qui avaient été autrefois des êtres humains.

Chaque arbre dont la cime surplombait encore les eaux devint le refuge de milliers de créatures qui livraient un combat impitoyable pour la survie, tels les derniers habitants des marais à la fin d'une période de sécheresse ; mais le péril était inverse et tous ces êtres tentaient d'échapper à l'eau qui montait.

Araignées, scorpions, mille-pattes et serpents grouillaient

dans ces derniers refuges et s'entre-dévoraient quand ils ne trouvaient plus de nourriture. Comme la guerre, le cataclysme de l'inondation mettait à nu les instincts sauvages qui sommeillaient sous l'apparence souriante de la vie. La loi cruelle de la nature, «Dévorer où être dévoré», devint criante tout le long du fleuve.

Dès que les digues eurent cédé, le fleuve sembla se déverser à perte de vue en poussant un immense soupir de triomphe, sur les vastes plaines de la région des lacs. L'eau peu profonde était sans danger; les trains quotidiens à destination de Melbourne circulèrent au ralenti et pendant des mois en soulevant de grandes gerbes d'eau. Les fermiers se déplaçaient en barque pour élaguer les arbres qui commençaient à disparaître tandis que le niveau baissait; un agriculteur de Berri vit même ses pêchers qui essayaient de fleurir sous l'eau. Des milliers d'arbres moururent, des milliers d'acres de vignes furent perdus, mais une fois encore la vie allait reprendre le dessus.

A bord du *Philadelphia*, Brenny s'activait joyeusement; à Renmark et avec l'aide de l'*Industry*, ils allèrent secourir des villageois bloqués par l'inondation.

A Goolwa, le vieux *Captain Sturt* se dressait fièrement sur la vase pendant que les flots tourbillonnaient autour de ses ponts inférieurs, accrochant des herbes et des débris de toutes sortes aux pieds de table. Ses propriétaires s'étaient réfugiés sur le pont supérieur où ils étaient parfaitement au sec.

Un matin, Délie regardait l'eau qui léchait déjà le rebord en pierre du portail, quand elle s'aperçut brusquement que le vieux *Cadell* avait enfin disparu. Il était parti! Le courant l'avait entraîné dans le profond chenal pendant la nuit.

Allongée, elle pensa au *Philadelphia* et se demanda quelle serait sa fin: une mort rapide, la coque crevée par une souche flottant entre deux eaux; un incendie suivi d'un naufrage en eau profonde; ou une lente agonie le long d'un quai, une dégradation progressive menant à l'anéantissement final? Seul Brenny pouvait continuer de s'en occuper, mais peut-être le bateau finirait-il par devenir une maison flottante?

Elle avait suivi avec grand intérêt toutes les péripéties de la crue, toutes les étapes de l'inondation. Chaque matin, elle lisait attentivement le journal en le tenant près de ses yeux. Avec l'égocentrisme des vieillards, elle ne s'inquiéta pas outre mesure des souffrances et des dommages causés par l'inondation. « C'est à cause de tous ces barrages et de toutes ces digues, murmurait-elle. Je savais bien que la Murray n'aimerait pas ça. »

Un matin, elle lut à haute voix : « Henry Morgan, soixante ans, s'est noyé en essayant de sauver ses meubles, puis elle ajouta : Infirmière, je ne suis pas allée à la selle hier. Il faudrait que vous me donniez un cachet. »

Plus tard, elle lut : « Au fur et à mesure que le niveau baisse, les maisons s'écroulent, comme écrasées par un géant... " Écrasées par un géant ". Très belle expression. Vicki aurait pu écrire cela. »

Elle se mit à songer à son fils parti dans la lointaine Angleterre. Alex était revenu une fois pour la voir, et elle l'avait trouvé changé, imbu de lui-même, tout à fait le chirurgien qui a réussi. (« Il est resté trop longtemps là-bas, son succès lui est monté à la tête, dit-elle à Brenny. Même sa voix... »)

Brenny vint lui annoncer que le jeune Keith allait nager aux jeux Olympiques de Melbourne en décembre, mais elle répondit seulement : « Vraiment, mon chéri ? Dans le temps, tu n'étais pas mauvais en natation, mais ton père était le meilleur nageur que j'aie jamais connu. » Elle comprit ensuite que Brenny était extrêmement fier de son fils, mais aux yeux de Délie, Keith ressemblait trop à sa mère pour être intéressant. Elle était persuadée qu'il ne nageait pas aussi bien que Brenton autrefois. D'ailleurs, plus rien n'était aussi bien que dans le temps.

111

Après le petit déjeuner le téléphone sonna, événement si inhabituel qu'il fit battre le cœur de Délie. « Qui est-ce ? Que me veut-on ? » lança-t-elle d'une voix irritée à l'infirmière jusqu'à ce qu'elle eût raccroché.

«Ne vous mettez pas martel en tête, ma chère, dit l'infirmière d'une voix apaisante. C'était votre petite-fille...

— Vicki! Pourquoi ne me l'avez-vous pas passée, idiote que vous êtes?»

L'infirmière, habituée aux sautes d'humeur de sa malade, ne se laissa pas démonter. «Elle va venir ici pour vous montrer sa nouvelle voiture. Elle se propose de nous emmener faire un tour.

— Un tour en voiture? Je ne sais pas. J'ai déjà tellement de mal à sortir de la maison, marmonna Délie. Enfin, ce n'est peut-être pas une mauvaise idée...»

Elle continua à peser le pour et le contre. Pendant que Vicki accomplissait les soixante milles qui la séparaient de sa grand-mère, Délie arriva à la conclusion que c'était une excellente idée et commença à attendre fiévreusement Vicki.

Le niveau du fleuve avait baissé, laissant une sorte d'écume grise sur les barrières et les troncs d'arbres; une fois encore le fleuve avait réintégré son lit. Quant à Délie, elle avait atteint ce qui lui paraissait l'âge incroyable de soixante-dix-neuf ans. Elle somnolait sur son divan et se retrouva dans la ferme à mille milles en amont, nageant avec Miss Barrett dans le courant vif et limpide, le sang de la jeunesse irriguant de nouveau ses veines. Ses muscles se relâchèrent et elle sentit un liquide tiède se mêler au courant froid... C'était la nuit, elle se dissolvait dans cette fraîcheur soyeuse tandis que les étoiles se reflétaient sur le sein paisible du fleuve; des profondeurs du ciel, arriva l'appel lointain et musical des cygnes noirs qui remontaient vers l'amont.

A son réveil, elle s'aperçut que son lit mouillé empestait l'ammoniaque. Les draps étaient trempés, mais maintenant il y avait toujours une alèse pour protéger le matelas. Elle pouvait encore marcher avec de l'aide, et en été elle descendait tous les jours au bord du fleuve. Elle perçut une pulsation régulière qui s'amplifiait. Était-ce son propre cœur? Non, car une super-structure immaculée envahit soudain le ciel et elle entendit le doux sifflement de la vapeur. Ils étaient dans la salle de classe, elle et Adam; un vapeur à aubes passait en contrebas de la ferme pour la première fois.

Soudain attentive, Délie s'efforça de se redresser, regarda le chenal de Goolwa et vit un vapeur glisser sous ses yeux. C'était un spectacle maintenant fort rare. Elle appela Miss Bates pour qu'elle l'aidât à se lever, puis elle regarda les vagues du bateau se briser contre les berges.

A ce moment, un élégant cabriolet rouge apparut sur la route et s'arrêta devant la porte. Vicki klaxonna en agitant le bras.

«Regarde, Grand-Mère! s'écria-t-elle par la vitre de la voiture. C'est une Chevrolet d'occasion, mais elle est belle, non? Et elle marche rudement bien. Tu viens faire un tour?

— Oui, si Miss Bates veut bien s'occuper un peu de moi. Je croyais que tu n'arriverais jamais.»

Elle avait décidé de l'endroit où elle voulait aller: à Victor Harbour, pour regarder la mer endiguée et domestiquée, puis à Port Elliot pour voir les énormes lames du sud se briser sur le granit. «Et puis je veux me baigner.

— Te baigner!» Les deux femmes la regardèrent avec stupéfaction, puis se dévisagèrent.

«J'ai toujours mon maillot de bain. Et je désire me baigner dans la mer.

— Dans la *mer*!

— Cessez de répéter tout ce que je dis comme deux perroquets! Vous avez bien entendu, je veux me baigner une dernière fois dans la mer. Je ne ressortirai probablement plus jamais de cette maison. Si bien que vous pouvez appeler ça ma dernière volonté.

— Grand-Mère!» La main souple et chaude de Vicki toucha la peau froide de sa grand-mère. «Bien sûr que tu peux te baigner. N'est-ce pas, Miss Bates?

— Eh bien, je préfère ne pas prendre cette responsabilité. Mais puisque vous le dites.

— Absolument.» Vicki alla chercher le vieux maillot accroché derrière la porte de la salle de bains. «Juste une trempette. De toute façon, tu trouveras l'eau trop froide pour y rester longtemps.» Ensemble, elles passèrent le maillot sur le corps décharné de Délie.

Chaudement vêtue et assise sur un coussin imperméable à

l'avant de la voiture entre les deux jeunes femmes, Délie était
ravie.

« Pourquoi ai-je attendu si longtemps pour faire un tour en
voiture ? s'écria-t-elle. C'est merveilleux ! » Les formes basses
de l'île de Hindmarsh couverte d'herbe brillaient d'un éclat
doré : le bâtiment des douanes et le tribunal en pierre de taille
semblaient dormir au soleil. Le large chenal reflétait le ciel
immaculé et les massifs luxuriants des roseaux qui avaient
poussé depuis la construction du barrage. Brenny descendait
souvent sur la berge pour les couper à l'endroit où Délie se baignait.

Tandis que les poteaux des clôtures défilaient rapidement de
chaque côté de la route, Délie songea que toutes ces dernières
années avaient filé aussi vite. Autrefois, quand elle était enfant,
une année durait une éternité et l'avenir semblait un brouillard
doré plein de surprises et de promesses. Le temps était relatif.
Ainsi, cette journée paraissait déjà plus longue que les autres,
parce que Délie faisait quelque chose d'inhabituel. Brusquement, elle contempla toute sa vie peinte en scènes saisissantes
sur un rouleau déroulé devant ses yeux.

La voiture s'arrêta. Le rouleau se replia, toutes les images
disparurent... « Nous sommes arrivées ! » dit Miss Bates.

Vicki s'était avancée jusqu'au talus herbeux jouxtant la
plage intérieure du port. C'était certainement interdit, mais elle
avait tout simplement ignoré les pancartes pour s'approcher
aussi près que possible de la pente douce de sable fin où les
vagues venaient se briser, refluaient, déferlaient de nouveau et
refluaient encore.

Non sans difficulté, elles enlevèrent le corsage et la jupe de
Délie, puis, enveloppée dans un grand peignoir de bain, elles
l'accompagnèrent jusqu'au bord de l'eau. Miss Bates retira son
peignoir, et Vicki, remontant sa jupe, supporta le poids de
Délie qui avança dans l'eau transparente sur ses frêles jambes
blanches.

L'eau lui arrivait seulement à mi-mollet, elle était délicieuse,
limpide et scintillante. « Sais-tu que ta mère a vu l'océan pour
la première fois à l'âge de dix ou douze ans ? dit-elle. Je l'ai
emmenée à Glenelg, oui, je crois que c'était là-bas, un merveilleux sable blanc...

« — Aujourd'hui il y a une usine de traitement des eaux, dit Vicki, la plage est couverte d'algues et le sable s'en va.

— Je ne veux pas entendre parler de ça. Maintenant aide-moi à m'agenouiller. Là ! Je vais rester un peu comme ça. »

Elle tourna ses yeux bleu pâle vers le soleil bienfaisant. Les blocs de pierre d'un môle lui cachaient l'horizon. L'eau peu profonde était tiède, car la marée montait sur le sable chauffé par le soleil. Une vaguelette déferla contre ses cuisses. Puis une autre. Elle sentait le sable aspiré entre ses genoux quand l'eau refluait vers la mer. Elle attendit la suivante, tournée vers l'océan, ce vieil amant : elle acceptait son rythme immémorial, la poussée et la succion des vagues.

C'était la vie, et non la mort, même si l'océan signifiait la fin du fleuve et de ses méandres. Le corps, l'identité, la mémoire allaient se dissoudre dans l'immense océan de l'inconscient d'où naîtraient de nouveaux courants.

Le temps, semblable au fleuve éternel, emporte avec lui tous ses fils... Tel était le cantique qu'ils chantaient souvent à la maison ; autrefois elle s'était agenouillée à l'église près de sa mère, sur un petit coussin rouge ; autrefois la mousse luisante était sortie d'un coup entre les briques pour reposer comme une bande de velours vert sur sa paume enfantine.

L'éclat du soleil sur l'eau se métamorphosa en une vision de neige éblouissante. Dans la lumière uniforme, chaque cristal de neige portait une minuscule ombre bleutée, et d'un endroit tout proche arrivait un faible tintement, aussi clair et musical qu'une cloche. Une fois encore elle se retrouva près des sommets des Alpes australiennes, où un ruisseau naissait, puis se faufilait, invisible sous la neige ; et tous les fleuves allaient vers la mer.

Achevé d'imprimer
le 5.11.84
par Printer Industria
Gráfica S.A.
Provenza, 388   Barcelona-25
Sant Vicenç dels Horts   1984
Depósito Legal B. 35991-1984
Pour le compte de
France Loisirs
123, Boulevard de Grenelle
Paris

Numéro d'éditeur : 9904
Dépôt légal : novembre 1984
Imprimé en Espagne